Y0-BED-750

BIBLIOTHÈQUE

DE LA PLÉIADE

MARCEL PROUST

À la recherche du temps perdu

I

ÉDITION ÉTABLIE ET PRÉSENTÉE
PAR PIERRE CLARAC ET ANDRÉ FERRÉ

GALLIMARD

ISBN : 2-07-010457-5

CE VOLUME CONTIENT :

PRÉFACE

*Point d'ensemble romanesque plus mémorable, pour la période 1900-1950, qu'*À la recherche du temps perdu. *Non seulement parce que l'œuvre de Proust, comme celle de Balzac, est géante. D'autres ont écrit quinze ou vingt romans, parfois avec talent, sans nous donner le sentiment d'une révélation, ni d'une somme. Ils s'étaient contentés d'exploiter des filons déjà connus; Marcel Proust découvrait des gisements neufs.* La Comédie Humaine *avait eu pour domaine le monde extérieur; elle avait annexé la finance, les salles de rédaction, les juges, les notaires, les médecins, les marchands, les paysans; Balzac s'était proposé de peindre, et avait peint en fait, une société tout entière. L'un des aspects originaux de Proust est, au contraire, son indifférence au choix des matériaux. Il s'intéresse bien moins à l'action d'observer qu'à une certaine manière d'observer toute action. Par là il opère, comme quelques philosophes de son temps, « une révolution copernicienne à rebours ». L'esprit humain se trouve replacé au centre du monde; l'objet du roman devient de décrire l'univers réfléchi et déformé par l'esprit.*

Définir Proust par les événements et les personnages de son livre serait aussi absurde que définir Renoir : *un homme qui a peint des femmes, des enfants et des fleurs. Ce qui fait* Renoir, *ce ne sont pas ses modèles, c'est une certaine lumière irisée dans laquelle il place tout modèle. Proust lui-même a montré, à propos de Bergotte, que la matière de l'œuvre n'entre guère dans la composition du génie. C'est le génie qui transfigure toute matière. Le milieu familial où avait grandi Bergotte était, en apparence, dépourvu de charme et d'intérêt; mais Bergotte en avait tiré un chef-d'œuvre parce que, dans son petit appareil, il avait su décoller, et déceler, sous les choses, leurs secrets, comme ces aviateurs qui, survolant un désert, y devinent les enceintes, invisibles au sol, de villes ensevelies sous les sables. Il faut donc, avant de parler de la* Recherche du temps perdu, *montrer pourquoi Proust avait pu, mieux que tout autre, « décoller » d'un monde auquel il semblait si fort attaché.*

I

De quoi se composait l'univers connu de lui ? D'une petite ville de la Beauce, Illiers, où il avait, pendant toute son enfance, passé en famille les vacances; de ses grands-parents, de son père, de sa mère, de son frère, de ses oncles et tantes; de ses voisins de campagne. Puis d'un milieu parisien; ses camarades de Condorcet, les amis de son père, quelques femmes : Laure Hayman, Mme Émile Strauss, la comtesse de Chevigné; les salons de Mme Arman de Caillavet, de Mme de Beaulaincourt, de la comtesse Greffulhe et peu à peu, par Robert de Montesquiou, tout le monde-monde; par ses oncles Weil et la famille de sa mère, un milieu juif; par Cabourg et le tennis du boulevard Bineau, des jeunes filles; le peuple, à peine représenté par quelques serviteurs, quelques « liftiers » et chasseurs d'hôtel, quelques souvenirs de régiment, quelques commerçants d'Illiers; les écrivains et les artistes entrevus à travers Anatole France, Reynaldo Hahn, Madeleine Lemaire, Helleu. Une coupe très mince dans la société française. Mais qu'importe ? Proust va exploiter son filon non en étendue, mais en profondeur.

Plusieurs traits le prédestinent à l'écriture. Par tempérament, il est un nerveux, d'une sensibilité maladive. Couvé par une mère adorante autant qu'admirable, il souffre des moindres nuances de désaccord et enregistre douloureusement les plus faibles ondes d'hostilité ou de ridicule. Des scènes par lesquelles tout autre, de carapace plus dure, n'eût pas été marqué de manière durable, se sont fixées dans son esprit et le hantent, comme des âmes en peine qui demanderaient à être sauvées. (Exemples : *Un soir où sa mère a refusé de venir l'embrasser dans son lit, puis a cédé. Plus tard une course nocturne dans Paris, à la recherche d'un être aimé. Des humiliations mondaines dont nous retrouverons traces d'abord dans* Jean Santeuil, *puis dans la* Recherche.) « *Un écrivain se récompense comme il peut de quelque injustice du sort.* » *Celui-ci éprouve un urgent besoin de compensation, d'explication et de consolation.*

Très jeune il devient, par un asthme chronique, non pas un infirme, mais un malade qui doit, en certains moments de l'année, se retrancher du monde. Cette retraite est favorable à la transmutation de la vie en art. « Les seuls vrais paradis sont les paradis que l'on a perdus. » Proust répète cette idée sous mille formes. « Les années heureuses sont les années perdues, on attend une souffrance pour travailler. » Chassé des jardins édéniques de son enfance, ayant perdu le bonheur, il essaie de le recréer.

Il est atteint d'un mal moral plus grave encore que ses maux physiques. Dès l'adolescence, il a découvert que le seul amour vers lequel il soit attiré passe pour aberrant. Or il n'est pas, comme Gide, homme à défier les siens. Le « Familles, je vous hais » *serait tout à fait étranger à sa nature. On imagine des luttes intérieures, longues et douloureuses, dont il sortira vaincu; des efforts pour dompter ses désirs; des rechutes, et enfin la certitude de l'échec. On ne peut commettre, sur Proust, plus grande erreur que de le tenir pour un être amoral. Immoral, oui, mais qui en souffrait. D'où, une fois encore, un besoin de confession et d'analyse, propice au romancier.*

Enfin ce jeune homme, pour lequel écrire serait un besoin si impérieux, se révèle merveilleusement armé pour le faire. Non seulement il possède une intelligence aiguë de nerveux, qui lui fournit de précieux matériaux, mais aussi une immense culture qui lui enseigne à les utiliser. Sa mère, qui aimait avec passion les grands classiques français et anglais, l'en avait nourri. Peu d'hommes de notre temps ont mieux connu Saint-Simon, Madame de Sévigné, Sainte-Beuve, Flaubert, Baudelaire; les pastiches qu'il en a composés prouvent une intimité totale. Il a étudié leurs chemins de pensée, leurs procédés, leur style. N'eût-il pas été le plus grand romancier de notre temps qu'il en fût devenu le plus grand critique. Les Anglais lui ont apporté des possibilités de croisements, qui renforcent un esprit comme une race. Il a indiqué ce qu'il dut à Thomas Hardy, à George Eliot, à Dickens et surtout à Ruskin. Aucun écrivain de notre temps n'a eu plus de science ni de métier.

Mais le beau est que, si bien outillé pour devenir un écrivain traditionnel, magistral et un peu pédant, il a refusé cette facilité. Ici se retrouvent les leçons d'une mère pleine de goût. « Sur la manière de faire certains plats, de jouer les sonates de Beethoven et de recevoir avec amabilité, elle était certaine d'avoir une idée juste de la perfection... Pour les trois choses d'ailleurs, la perfection était presque la même : c'était une sorte de simplicité dans les moyens, de sobriété et de charme. » Telles seront aussi les idées de Proust sur le style. Le virtuose cédera parfois à la tentation de filer un couplet (les demoiselles du téléphone —

les aubépines — la baignoire de la princesse de Guermantes). Le meilleur Proust, qui est Proust, unira le naturel au style. Nul n'a mieux fixé la musique du langage parlé et les tons particuliers à chaque condition.

Il chercha longtemps en vain le sujet qui lui permettrait d'exprimer tant de choses qui l'étouffaient. Comme jadis, enfant en promenade sur les rives de la Vivonne, il avait éprouvé le sentiment confus qu'il aurait dû délivrer quelques vérités prisonnières sous les tuiles d'un toit, ou sous les branches implorantes d'un saule, ainsi homme de vingt-cinq ans, de trente ans, il tournait et retournait les riches trésors de sa mémoire sans y trouver ce qu'il voulait. En 1896, il avait fait imprimer les Plaisirs et les Jours, *un recueil de nouvelles et de poèmes. Livre décadent, fin de siècle, qui rappelait* la Revue Blanche, *Jean de Tinan et Oscar Wilde. Nul lecteur ne devina que l'auteur serait un jour notre plus grand inventeur en littérature. Puis, de 1898 à 1904, secrètement, il avait rempli de nombreux cahiers d'un roman autobiographique :* Jean Santeuil, *écrit d'un seul jet et jamais corrigé par son auteur.*

Il ne le publia pas et pensa même, certainement, à le détruire puisque de nombreuses pages sont déchirées. Nous y découvrons aujourd'hui la plupart des qualités que nous aimons dans la Recherche du temps perdu. *Plusieurs des scènes qui obsédaient Proust, et qui recevront plus tard leur forme parfaite, y sont préfigurées. L'intelligence des analyses, la poésie des descriptions, la peinture toute dickensienne des ridicules annoncent un grand écrivain. Pourtant il eut raison de ne pas publier* alors *cette esquisse. Elle l'eût empêché de reprendre le même thème avec infiniment plus de maîtrise. L'ayant écrite en un temps où ses parents vivaient encore et eussent été ses premiers lecteurs, il n'avait pu y traiter avec sincérité de ce qui, à ses yeux, semblait essentiel.* Jean Santeuil *est un livre passionnant pour nous qui sommes déjà des proustiens, trop peu transposé pour être tout à fait une œuvre d'art.*

L'observateur, dans Jean Santeuil, *apparaissait déjà un maître. Mais observer ne suffisait pas à Proust. La beauté, pensait-il, ressemble à la princesse des contes, qu'a enfermée dans un donjon quelque redoutable enchanteur. Nous tentons en vain, pour la sauver, de forcer mille portes et la plupart des hommes, dans leur hâte à jouir de la vie, abandonnent bientôt la recherche. Mais un Proust renonce à tout pour atteindre la prisonnière et un jour, jour de révélation, d'illumination et de certitude, il aura son éblouissante et secrète récompense. « On a frappé à toutes les portes qui ne donnent sur rien », dit-il, « et la seule par où l'on peut entrer et qu'on aurait cherchée en vain pendant cent ans, on y heurte sans le savoir et elle s'ouvre... »*

II

Sur quoi donnait donc cette « seule » porte ? Lorsqu'elle s'était soudain ouverte, quelle œuvre avait-il entrevue, « aussi longue que les Mille et Une Nuits *et les* Mémoires *de Saint-Simon » ? Qu'avait-il à dire qui lui parût assez important pour y sacrifier tout le reste ? Quels allaient être les thèmes de l'immense symphonie de Proust ?*

Le premier, celui par lequel il commence et termine son livre, c'est le thème du Temps. *« Si du moins il m'était laissé assez de temps pour accomplir mon œuvre, je ne manquerais pas de la marquer au sceau de ce temps dont l'idée s'imposait à moi avec tant de force aujourd'hui, et j'y décrirais les hommes, cela dût-il les faire ressembler à des êtres monstrueux, comme occupant dans le temps une place autrement considérable que celle, si restreinte, qui leur est réservée dans l'espace... » Proust est obsédé par le perpétuel écoulement et effritement de tout ce qui nous entoure. « Comme il y a une géométrie dans l'espace, il y a une psychologie dans le temps. » Toute la vie des êtres humains est une lutte contre le temps. Ils voudraient s'attacher à un amour, à une amitié, à des convictions; l'oubli des profondeurs monte lentement autour de leurs plus beaux et plus chers souvenirs.*

La philosophie classique suppose « que notre personnalité est faite d'une croyance invariable, sorte de statue spirituelle », qui subit comme un roc les assauts du monde extérieur. Mais Proust sait que le Moi, *plongé dans le temps, se désagrège. Un jour, très proche, il ne restera plus rien de l'homme qui a aimé, qui a souffert, qui a fait une révolution. On verra, dans le roman, Swann, Odette, Gilberte, Bloch, Rachel, Saint-Loup, passant successivement sous les projecteurs des sentiments et des âges, en prendre les couleurs comme ces danseuses dont la robe est blanche, mais qui paraissent tour à tour jaunes, vertes ou bleues. Notre* moi *amoureux ne peut imaginer ce que sera, quelques années plus tard, notre* moi *désintoxiqué de cet amour. Et « les maisons, les avenues, les routes sont fugitives, hélas ! comme les années ». C'est en vain que nous retournerons aux lieux que nous avons aimés; nous ne les reverrons jamais, parce qu'ils étaient situés, non dans l'espace, mais dans le temps, et que l'homme qui leur reviendra ne sera plus l'enfant ou l'adolescent qui les parait de son ardeur.*

Toutefois nos moi *anciens ne se perdent pas tout entiers puisqu'ils peuvent revivre dans nos songes et même dans l'état de veille. Ce n'est pas par hasard, mais par un ferme dessein, que Proust, dès le premier mouvement de sa symphonie, expose le thème du réveil. Chaque matin, après quelques instants de confusion, nous recouvrons notre identité; c'est donc que nous ne l'avions jamais perdue. Marcel, vers la fin de sa vie, peut entendre, quelque part en lui-même, le « tintement rebondissant, ferrugineux, interminable, criard et frais de la petite sonnette » qui, dans son enfance, annonçait l'arrivée de Swann. Il faut donc bien que ce grelot n'ait cessé de tinter en lui. Ainsi le temps ne meurt pas tout entier, comme il en a l'air, mais nous demeure incorporé. D'où l'idée, génératrice de l'œuvre proustienne, de partir* à la recherche *du temps, qui semble perdu et qui pourtant est là, prêt à renaître.*

Cette recherche ne peut se faire dans le monde que les hommes nomment « réel », et qui est irréel, ou du moins inconnaissable puisque nous ne le verrons jamais que déformé par nos passions. Il n'y a pas un *univers, il y en a des millions, « autant qu'il existe de prunelles et d'intelligences humaines qui s'éveillent tous les matins ». Aussi ce qui importe n'est-il pas de vivre parmi ces illusions et pour elles, mais de rechercher dans nos souvenirs les paradis perdus, qui sont les seuls paradis. Il y a, en chacun de nous, quelque chose de permanent qui est le passé. En le ressaisissant nous pouvons avoir, en certains instants privilégiés, « l'intuition de nous-mêmes comme êtres absolus ». Donc, au premier thème :* le Temps *qui détruit, répond un thème complémentaire :* la Mémoire *qui conserve. Mais il ne s'agit pas de n'importe quelle mémoire; l'apport capital de Proust sera d'enseigner aux hommes* une certaine manière d'évoquer le passé.

Y a-t-il donc plusieurs manières d'évoquer le passé ? Il y en a au moins deux. L'homme peut tenter de reconstruire le passé par l'intelligence, par raisonnements, documents, témoignages. Cette mémoire volontaire ne nous procurera jamais la sensation de l'affleurement du passé dans le présent, qui seule rendrait perceptible la permanence de notre moi. *Pour retrouver le temps perdu, il faut qu'entre en jeu la mémoire involontaire. Et comment celle-ci se trouve-t-elle mise en mouvement ? Par la coïncidence entre une sensation présente et un souvenir. Notre passé continue de vivre dans les saveurs, dans les odeurs. « Ne pas oublier », écrit Proust, « qu'il est un motif qui revient dans ma vie... plus important que celui de l'amour d'Albertine, c'est le motif de la ressouvenance, matière de la vocation artistique... Tasse de thé, arbres en promenade, clochers, etc. » Ici l'exemple illustre de la petite madeleine.*

Dès que le narrateur a reconnu le goût de ce biscuit en forme de coquille marine, tout Combray surgit d'une tasse de tilleul, rechargé des émotions qui lui donnaient tant de charme. Le couple Sensation présente-Souvenir renaissant est au Temps ce que le stéréoscope est à l'Espace. Il crée l'illusion du relief temporel. À ce moment le temps est retrouvé, et du même coup il est vaincu, puisque tout un morceau du passé a pu devenir un morceau du présent. Aussi de tels instants donnent-ils à l'artiste le sentiment d'avoir conquis l'éternité. Rien ne peut être vraiment goûté et conservé que sous l'aspect de l'éternité qui est aussi celui de l'art, voilà le sujet essentiel, profond et neuf de la Recherche du temps perdu. *Sujet que d'autres écrivains (Chateaubriand, Gérard de Nerval) avaient entrevu, mais sans aller jusqu'au fond de leur intuition, sans ouvrir toute grande la porte magique. Proust, seul, a su voir qu'avec un premier souvenir, et comme accroché à lui, on peut faire sortir de la tasse tout un monde que l'on croyait à jamais englouti par l'oubli.*

Bref son roman est l'aventure d'un être merveilleusement intelligent et douloureusement sensible qui part, dès l'enfance, à la recherche du bonheur absolu, qui ne le trouve ni dans la famille, ni dans l'amour, ni dans le monde et qui se voit amené, comme les mystiques religieux, à chercher un absolu hors du temps. Il le découvre dans l'art, de sorte que le roman se confond avec la vie du romancier et que le livre se termine au moment où le narrateur, ayant retrouvé le temps, peut commencer son *livre, le long serpent se retournant ainsi sur lui-même et bouclant une boucle géante.*

III

Le passé étant ainsi évoqué par les sortilèges de la mémoire involontaire, que voit le narrateur ? Au centre une maison de campagne, celle de Combray qu'habitent sa grand-mère, ses parents, sa tante Léonie (personnage d'un comique intime et puissant), la servante Françoise (portrait sublime), quelques comparses. Près de la maison surgit un jardin provincial où, les soirs d'été, un voisin, monsieur Swann, vient, sans madame Swann, voir les parents du narrateur. Tout autour de Combray s'étend une région familière et mystérieuse qui, pour l'enfant, se divise en deux « côtés » : le Côté de chez Swann, *qui est celui de Tansonville, propriété des Swann, et le* Côté de Guermantes, *où se trouve le château de Guermantes. Les Guermantes, famille d'antique noblesse, parfois entrevue au sortir de la messe, sont, aux yeux de Marcel, des êtres inaccessibles et surhumains; on lui a dit qu'ils descendent de Geneviève de Brabant; ils participent d'une existence féerique. Ainsi la vie commence par* l'âge des Noms. *Les Guermantes, madame Swann, sa fille Gilberte Swann, tous à peine connus, ne sont que des* Noms.

Ces noms, les uns après les autres, feront place à des êtres de chair. Les Guermantes, quand le narrateur pénétrera dans leur vie, garderont un attrait, mais perdront leur prestige héroïque. La duchesse de Guermantes, qui était une sainte de vitrail, deviendra pour Marcel une amie, et il apprendra ce qu'il y a en elle, à côté d'un esprit vif mais superficiel, d'égoïsme et de sécheresse. D'autres Guermantes, le baron de Charlus, le séduisant Robert de Saint-Loup, passeront successivement d'une pénombre flatteuse à la lumière crue de l'avant-scène. Peu à peu, le narrateur découvrira que ces noms d'hommes et de femmes, qui ont jadis peuplé pour lui un univers de lanterne magique, masquaient une réalité tantôt cruelle et tantôt plate. Le romanesque n'est pas dans le monde réel, mais dans l'écart entre le monde réel et celui de l'imagination.

En amour aussi, il y a un âge des Mots *où l'homme, trompé par les peintures classiques ou romantiques de ce sentiment, poursuit une impossible communion. Mais « rien n'est plus différent de l'amour que l'idée que nous nous en faisons ». Proust a tenté de peindre, avec plus de vérité que les romanciers traditionnels, les phénomènes de la rencontre, du choix, des effets de l'absence, et de l'indifférence finale. L'Ève tirée du corps même d'Adam est un symbole juste, et des femmes aimées naissent en songe d'une fausse position de notre cuisse. L'être aimé, que nous avons formé de nous-mêmes au temps de la rencontre, n'a aucun rapport avec l'être réel auquel nous serons unis pour la vie. Swann épouse une Odette sortie de ses rêveries et se trouve en présence d'une Odette qu'il n'aime pas, « qui n'était pas son genre ». Le narrateur, Marcel, en arrive à aimer Albertine qu'il a jugée d'abord vulgaire, presque laide, mais à laquelle il s'attache parce qu'étant « un être de fuite », elle garde une aura de mystère.*

L'amour survit à la possession tant que le doute subsiste et la révélation du néant de ce que nous avions placé si haut ne suffit pas à nous guérir si la jalousie peuple ce désert. Mais, heureusement, « aux troubles de la mémoire sont liées les intermittences du cœur ». L'oubli dissipe enfin, après une longue absence, les illusions de l'amour. Quant à l'amour aberrant, longuement décrit dans Sodome et Gomorrhe, *il suit la même courbe que les amours normales. Peu importe ce qu'est réellement l'objet aimé, cocher, giletier, courtisane ou duchesse, puisque l'essence même de l'amour, selon Proust, c'est que l'objet aimé n'existe pas, sinon dans l'imagination de l'amant.*

Ainsi ces deux « côtés » de son enfance, le Côté de chez Swann et le Côté de Guermantes, qui tous deux étaient apparus à Marcel comme des univers inconnus, alléchants et secrets, il les a l'un et l'autre explorés et il n'y a rien trouvé qui fût digne d'un intérêt vif et durable. Comme l'amour, le snobisme est décevant. Swann a désiré passionnément faire partie du clan Verdurin, et Marcel du salon Guermantes. Connus, conquis, clan et salon ne sont rien. Les seuls mondes qui gardent un attrait sont les mondes où l'on n'a pas encore pénétré. Tout est plus simple et plus banal que ne le croyaient les yeux de l'enfance. Vus de Combray, les deux « côtés » étaient apparus comme séparés l'un de l'autre par un abîme. Or voici que, formant au-dessus de l'œuvre une arche énorme, ils se rejoignent. La fille de Swann, Gilberte, épouse un Guermantes : Saint-Loup. L'opposition des deux côtés n'était donc elle-même que mensonge. La réalité se dévoile mais, dans le même instant, se dissipe.

C'est à dessein que j'ai employé le mot arche. *L'œuvre de Proust, dont les critiques, quand elle commença de paraître, ne comprirent pas tout de suite le plan, est construite avec la simplicité et la majesté d'une cathédrale. Il en était conscient : « Et quand vous me parlez des cathédrales, je ne peux pas ne pas être ému d'une intuition qui vous permet de deviner ce que je n'ai jamais dit à personne et que j'écris pour la première fois : c'est que j'avais voulu donner à chaque partie de mon livre le titre :* Porche, Vitraux de l'abside, *etc. pour répondre d'avance à la critique stupide qu'on me fait de manquer de construction dans des livres où je vous montrerai que le seul mérite est dans la solidité des moindres parties... »*

Il y a en effet, dans l'œuvre achevée, tant de symétries voulues, tant de détails qui d'une aile à l'autre se répondent, tant de pierres d'attente posées dès le début des travaux pour porter de futures ogives, que le lecteur admire que l'esprit de Proust ait conçu, comme d'un bloc, cet édifice géant. Tel personnage qui, dans le Côté de chez Swann, *ne fait qu'apparaître, comme ces thèmes qui, esquissés dans un prélude, s'amplifient plus tard jusqu'à dominer de leurs fauves trompettes le fond sonore, va devenir l'un des protagonistes.* (Exemples : *la Dame en Rose, aperçue chez l'oncle, qui deviendra Odette de Crécy, puis madame Swann, et enfin madame de Forcheville; — le peintre Biche, du « petit noyau » Verdurin, qui sera le grand Elstir; — la fille prise par le narrateur dans une maison de passe et retrouvée par lui, sous le nom de Rachel, maîtresse adorée de Saint-Loup.)*

De même qu'une arche géante, enjambant les années, finit par unir le Côté de chez Swann à celui de Guermantes, ainsi au thème de la petite madeleine répondent, par-dessus des milliers de pages, d'autres groupes sensation-souvenir (pavés inégaux qui transportent le narrateur à Venise, — serviette raide et empesée qui soudain introduit Balbec dans la bibliothèque du prince de Guermantes). La clef de voûte de toute l'œuvre est sans doute mademoiselle de Saint-Loup, fille de Robert et de Gilberte. Ce n'est qu'une petite figure sculptée, à peine visible d'en bas, mais en elle le temps « incolore et insaisissable » s'est, à la lettre, matérialisé. L'arche est liée, la cathédrale achevée. À ce moment, l'artiste et l'homme sont sauvés. De tant de mondes relatifs émerge un monde absolu.

Par là le roman de Proust est une affirmation et une délivrance. Comme dans le septuor de Vinteuil, deux thèmes s'y affrontent, celui du Temps destructeur, celui du Souvenir sauveur : « Enfin, le motif joyeux resta triomphant; ce n'était plus un appel presque inquiet lancé derrière un ciel vide; c'était une joie ineffable qui semblait venir du paradis, une joie aussi différente de celle de la Sonate que, d'un ange doux et grave de Bellini, jouant du théorbe, pourrait être, vêtu d'une robe d'écarlate, quelque archange de Mantegna sonnant dans un buccin. Je savais bien que cette nuance nouvelle de la joie, cet appel vers une joie supraterrestre, je ne l'oublierais plus jamais... »

Claude Mauriac, dans son excellent petit livre sur Proust, insiste avec raison sur la notion éminemment proustienne de joie : « *Car plus encore que les intermittences du cœur, nous avons, avec Marcel Proust, les intermittences du bonheur. D'où viennent ces bouffées de joie ?* » *De ceci : que le grand artiste soulève « partiellement pour nous le voile de laideur et d'insignifiance qui nous laisse incurieux devant l'univers ». Comme Van Gogh, d'une chaise de paille, comme Degas ou Manet, d'une femme laide, font des chefs-d'œuvre, Proust a pris une vieille cuisinière, une odeur de moisi, une chambre provinciale, un buisson d'aubépines et nous a dit : « Regardez mieux; sous ces formes si simples, il y a tous les secrets du monde. »*

IV

Mais les instants d'extase, où les hasards d'une sensation présente permettent la renaissance du passé et nous donnent le sentiment joyeux de notre permanence, sont peu nombreux dans une vie. Comment ramener au jour, à chaque page d'un livre, la beauté captive ? Ici intervient le style : « On peut faire se succéder indéfiniment, dans une description, les objets qui figuraient dans le lieu décrit; la vérité ne commencera qu'au moment où l'écrivain prendra deux objets différents, posera leur rapport, analogue dans le monde de l'art à celui qu'est le rapport unique de la loi causale dans le monde de la science, et les enfermera dans les anneaux nécessaires d'un beau style, *ou même, ainsi que la vie, quand, en rapprochant une qualité commune à deux sensations, il dégagera leur essence en les réunissant l'une à l'autre pour les soustraire aux contingences du temps, dans une métaphore, et les enchaînera par le lien indescriptible d'une alliance de mots... »*

La métaphore doit aider auteur et lecteur à évoquer une chose inconnue, ou un sentiment difficile à décrire, en recourant à leur similitude avec des objets connus. Naturellement, Proust n'est pas le premier écrivain qui ait recouru à l'image. Elle est un moyen d'expression naturel pour l'homme le plus primitif. Mais Proust a compris, mieux qu'aucun écrivain de son temps, l'importance « capitalissime » de l'image; comment elle donne un vif plaisir d'intelligence au lecteur qui entrevoit, dans une analogie, l'amorce d'une loi; comment aussi il importe de la rajeunir.

Puisqu'elle a pour objet d'expliquer l'inconnu par le connu, il faut que le second terme de la comparaison, celui qui est aperçu comme par transparence à travers la réalité, soit lié à des sensations familières. Homère avait raison de chanter : « Tel un lion furieux... » *parce qu'il parlait à des hommes qui avaient combattu des lions; Proust a montré que la métaphore moderne doit retrouver derrière les choses, soit des sensations élémentaires du goût, de l'odorat et du toucher, éternellement vraies; soit des images de plantes et d'animaux, premier élément de tout art (transformation de Charlus en gros bourdon, de Jupien en orchidée, des Guermantes en oiseaux); ou enfin des images de la vie actuelle, empruntées aux disciplines de notre temps. D'où les images scientifiques, physiologiques, politiques dont il sème son texte.*

Voici tout un bouquet d'images neuves, cueilli dans quelques pages de Proust, prises au hasard: La mère du narrateur va dire à Françoise que « monsieur de Norpois l'a traitée de « chef de premier ordre », comme un ministre de la Guerre, après la revue, transmet au général les félicitations d'un souverain de passage... » Marcel qui, à ce moment, est amoureux de Gilberte Swann et tient tout ce qui touche aux Swann pour sacré, rougit d'horreur quand son père parle de l'appartement des Swann comme d'un appartement ordinaire: « Je sentis instinctivement que mon esprit devait faire au prestige des Swann et à mon bonheur les sacrifices nécessaires et, par un coup d'autorité intérieure, malgré ce que je venais d'entendre, j'écartai à tout jamais de moi, comme un dévot la Vie de Jésus *de* Renan, *la pensée dissolvante que leur appartement était un appartement quelconque, que nous aurions pu habiter... » La mère du narrateur compare la campagne de madame Swann, étendant ses relations sociales, à une guerre coloniale: « Maintenant que les Trombert sont soumis, les tribus voisines ne tarderont pas à se rendre... » Quand elle croisait dans la rue madame Swann, elle nous disait en rentrant: « J'ai aperçu madame Swann sur son pied de guerre; elle devait partir pour quelque offensive fructueuse chez les Masséchutos, les Cynghalais ou les Trombert... » Enfin madame Swann invite une dame, ennuyeuse mais bienveillante, et qui fait beaucoup de visites, parce qu' « elle savait le nombre énorme de calices bourgeois que pouvait, quand elle était armée de l'aigrette et du porte-cartes, visiter en un seul après-midi cette active ouvrière... »*

Une autre méthode favorite de Proust est d'évoquer le réel par le truchement des œuvres d'art. Car il est vrai qu'en ce temps de « musées imaginaires », les beaux-arts fournissent aux hommes cultivés des termes de référence intelligibles pour tous. Pour faire comprendre la beauté d'Odette, Proust a recours à Botticelli; pour peindre l'étrangeté de Bloch, au Mahomet II *de Bellini. Il compare la conversation de Françoise à une fugue de Bach, les regards de monsieur de Charlus à Jupien aux phrases interrompues de Beethoven. Les grands peintres et les grands musiciens nous font pénétrer dans un monde situé au delà des mots, et que, sans eux, nous ne pourrions atteindre. Proust accède à la métaphysique par l'esthétique. Ce n'est pas un mauvais chemin.*

Ainsi la métaphore tient, dans cette œuvre, la place qui est celle des vases sacrés dans les cérémonies religieuses. Les réalités auxquelles s'attache Proust sont toutes spirituelles, mais parce que l'homme est à la fois âme et corps, il a besoin de symboles matériels pour établir un lien entre lui et l'inexprimable. Proust a été l'un des premiers à comprendre, non par instinct comme Victor Hugo, mais par intelligence et méthode, que toute pensée valide a sa racine dans la vie quotidienne et que le rôle de la métaphore est de rendre à l'Esprit ses forces en le contraignant à reprendre contact avec la Terre, sa mère.

V

Alain a montré que le roman doit être, essentiellement, un passage de la poésie à la prose et de l'apparence à une réalité pratique, et comme artisane. Proust est le romancier à l'état pur. Nul ne nous a mieux aidés à saisir en nous-mêmes ce passage d'enfance à maturité, puis à vieillesse, qui est vivre. Aussi son livre devint-il, dès qu'il parut, l'une des bibles de l'humanité. Rien de plus beau, ni de plus juste que l'enthousiasme universel suscité par ce récit simple, particulier et local. Comme le grand philosophe, dans une seule pensée, retrouve toute la pensée, le grand romancier, d'une seule vie et des objets les plus humbles, sait faire surgir toutes les vies.

André MAUROIS,
de l'Académie française.

NOTE SUR LE TEXTE DE CETTE ÉDITION

Chargés par les héritiers de Marcel Proust d'établir un texte de son œuvre aussi fidèle que possible à ses intentions, nous devons compte au lecteur de la méthode que nous avons suivie pour essayer de mener à fin une tâche difficile.

I. LES VOLUMES D'« À LA RECHERCHE DU TEMPS PERDU » PUBLIÉS AVANT LA MORT DE MARCEL PROUST

Du vivant de l'auteur ont paru des éditions de Swann* *et des* Jeunes Filles** *dans lesquelles le texte des originales a été çà et là retouché. Elles devraient faire autorité; mais Proust déclare ne les avoir surveillées que de loin***; il est sûr,*

---

* Un volume (*Éd. de la Nouvelle Revue française,* 1917). L'originale avait paru chez Bernard Grasset en 1913.

** Un volume in-folio tellière sur papier indian bible (*Éd. de la Nouvelle Revue française,* 1920). L'originale avait paru aussi aux *Éditions de la* N.R.F. en 1918.

*** Il écrit à Paul Souday en décembre 1919 (*Corr. gén.*, III, p. 72) : « La guerre m'a empêché d'avoir des épreuves; la maladie m'empêche, maintenant, de les corriger. » Il semble donc qu'il n'ait pas surveillé la nouvelle édition de *Swann* parue en 1917. Quant à l'édition in-folio des *Jeunes Filles,* il déclare dans une lettre à M. et Mme Sydney Schiff (*Cor. gén.*, III, p. 15) qu'on l'a faite « sans le consulter ». Nous avons retrouvé dans les archives de Mme Mante un exemplaire, d'ailleurs incomplet, de l'originale des *Jeunes Filles* qui porte, avec trois corrections autographes (toutes trois à la même page), d'innombrables corrections d'une main étrangère; elles intéressent surtout la ponctuation et sont passées pour la plupart dans l'édition in-folio. Ce document semble apporter la preuve matérielle que, si Proust a lui-même retouché quelques détails de son œuvre entre 1918 et 1920, il n'en a pas moins accepté qu'elle fût confiée à des réviseurs auquels il donnait carte blanche. Il écrivait d'ailleurs en 1919 à M. G. Gallimard, précisément au sujet des *Jeunes Filles :* « Un éditeur a principalement parmi ses fonctions de faire imprimer ses livres. Admettons un instant que toutes les fautes soient de moi, il y a des correcteurs pour quelque chose. » (*Lettres à la* N.R.F., p. 114.)

d'autre part, que des réviseurs anonymes y ont altéré en maints endroits, de la façon la plus arbitraire, même la plus absurde, des phrases dont le sens apparemment leur échappait. On ne saurait négliger ces éditions, dont certaines corrections semblent authentiques; on ne saurait non plus leur accorder grand crédit.*

*Les originales offrent plus de garanties, malgré les incorrections dont elles fourmillent**. Elles n'en portent pas moins, elles aussi, la marque indiscutable d'interventions étrangères***. À partir surtout de 1918, réservant au travail créateur ce qui lui reste de forces, Proust laisse à d'autres le soin de surveiller ses imprimeurs. Quand il reçoit des épreuves, il songe moins à les corriger qu'à enrichir le texte déjà « composé »,*

---

* Pour les *Jeunes Filles*, on pourra se reporter à notre article du *Bulletin de la Société des amis de Marcel Proust* (1951-1952, n° 2, pp. 33 sq.). Pour *Swann*, voir les notes critiques de ce volume, par exemple p. 247, note 1; p. 374, note 3; etc.

** Proust ne cesse de s'excuser de ces incorrections auprès de ses correspondants; sa santé ne lui permet pas de corriger les épreuves que lui envoie l'imprimeur. En 1913, à Paul Souday, à propos de l'article que celui-ci avait consacré à *Swann* dans *le Temps* du 10 décembre : « Il reste que les conditions déplorables dans lesquelles j'ai dû faire corriger les épreuves de ce livre... ont eu pour conséquence de me faire publier un livre plein de fautes énormes, mais dont l'énormité même déclarait assez qu'elles n'étaient pas imputables à l'auteur. » (*Corr. gén.*, III, 63.) En 1921, à Sydney Schiff, en lui annonçant l'envoi de *Guermantes II, Sodome et Gomorrhe I :* « Ce sont les directeurs de *la Revue* qui gentiment ont chez eux corrigé mon brouillon et donné directement le bon à tirer sans que je m'en mêle. Aussi il y a un peu moins de fautes que quand j'y mets la main. » (*Corr. gén.*, III, 26.) En mai ou juin de la même année, à Robert de Montesquiou : «.... moi qui ne peux écrire et dont le livre a été « tiré » directement sur de vieux brouillons dans mon incapacité de corriger des épreuves». (*Lettres à R. de M.*, p. 287.)

*** Pour les *Jeunes Filles*, cf., par exemple, dans ce volume la note 1 de la p. 798. — On lit dans l'édition originale de *Guermantes*, à la p. 133, ce beau non-sens, non corrigé à l'*errata :* « D'ailleurs dernière sectatrice en qui survécût obscurément la doctrine de ma tante Léonie — sachant la physique, Françoise ajoutait en parlant de ce temps hors de saison : « C'est le restant de la colère de Dieu ! » Cette phrase fait partie d'un développement que Proust a ajouté de sa main sur le placard 12. L'autographe donne clairement : « la doctrine de ma tante Léonie touchant la physique ». *Sachant* pour *touchant* est sans doute une faute de l'imprimeur, mais le tiret révèle l'intervention d'un réviseur qui, au lieu de consulter l'auteur, a essayé, sans succès, de rendre intelligible un texte absurde.

à y « réinfuser » ce qu'il appelle une « surnourriture ». L'expression de* roman fleuve *ne saurait convenir à son œuvre; elle ne s'est pas développée dans une seule direction. En 1913, elle était entièrement ébauchée et ne devait comprendre alors que trois volumes**. Mais la sève était trop riche, et l'arbre, jusqu'à la mort de Proust, n'a cessé de se ramifier. Les « ajoutages » couvraient les marges des épreuves, puis débordaient sur des pages blanches qui, collées aux placards et les unes aux autres, finissaient par former des bandes interminables, les « paperoles » de Françoise. L'imprimeur avait naturellement de plus en plus de peine à se reconnaître dans ces griffonnages*** et dans ces renvois inextricables; les fautes passaient d'épreuves en épreuves, chaque fois grossies de fautes nouvelles, — jusqu'au jour où l'éditeur, effrayé par cet accroissement sans fin****, donnait lui-même, d'autorité, le bon à tirer*****.*

On ne saurait donc être surpris, par exemple lorsqu'on compare aux épreuves l'originale de Guermantes, *de trouver*

---

* *Lettres à la* N.R.F., p. 115.

** L'originale de *Swann* donne de la suite de l'œuvre, telle que Proust la concevait à cette date, le plan suivant :

Pour paraître en 1914 : LE CÔTÉ DE GUERMANTES (Chez Mme Swann. — Noms de pays : le pays. — Premiers crayons du baron de Charlus et de Robert de Saint-Loup. — Noms de personnes : la duchesse de Guermantes. — Le salon de Mme de Villeparisis). Un vol. in-18 jésus . . . . 3 fr. 50.

LE TEMPS RETROUVÉ (À l'ombre des jeunes filles en fleurs. — La princesse de Guermantes. — M. de Charlus et les Verdurin. — Mort de ma grand'mère. — Les Intermittences du cœur. — Les « Vices et les Vertus » de Padoue et de Combray. — Madame de Cambremer. — Mariage de Robert de Saint-Loup. — L'Adoration perpétuelle). Un vol. in-18 jésus . . . . 3 fr. 50.

On sait que le premier des deux volumes annoncés ci-dessus était, en effet, sur le point de paraître chez Grasset à la veille de la guerre. Les placards, que M. Feuillerat a longuement décrits, en avaient été composés par l'imprimeur de *Swann,* Charles Colin.

*** Il a très souvent confondu, par exemple, la fin des participes en *ant* et des imparfaits en *ait*. Il faut aussi une grande pratique de l'écriture de Proust pour distinguer ses *a,* ses *e* et ses *o*. Cf., *J.F.,* p. 868, note 2 : Proust parle très clairement d' « une couronne fermée par un bonnet de pair de France ». Toutes les éditions portent « formée »!

**** « Mais c'est un nouveau livre! » s'écrie Copeau devant les épreuves remaniées des *Jeunes Filles* (*Lettres à la* N.R.F., p. 115).

***** Cf. *Lettres de Marcel Proust à René Blum, Bernard Grasset...,* publiées par Léon Pierre-Quint, p. 159.

si infidèle au dessein de l'auteur un texte qui a pourtant paru de son vivant. Les archives de Mme Mante contiennent des placards entiers couverts d'additions autographes dont aucune n'est passée dans l'édition : ces placards ne sont jamais parvenus jusqu'à l'imprimeur. Pour Guermantes II, *afin de faciliter le travail du prote, l'éditeur a pris le parti de faire recopier les corrections de Proust par un calligraphe; mais, en collationnant cette copie avec les épreuves originales, on y relève des omissions et des erreurs. Nous avons eu sous les yeux deux exemplaires du placard 23; Proust a couvert le premier d'additions excellentes et de corrections nécessaires jusqu'à la sixième page, puis l'a égaré sans doute avant d'avoir achevé son travail; il a dû reprendre sa revision, beaucoup plus hâtivement, sur le deuxième exemplaire qui seul a été envoyé à l'impression.*

Afin d'établir notre texte sûr des bases indiscutables, il nous eût donc fallu, pour chaque partie de l'œuvre, en retrouver le manuscrit initial et suivre, à travers la série complète des copies et des épreuves, le développement de cette première ébauche. Malgré la générosité avec laquelle Mme Mante-Proust nous a ouvert ses archives, nos recherches sont parfois restées vaines. Le premier jet de* Swann *est à jamais perdu. Pour les* Jeunes Filles, *ce que Proust appelait son « manuscrit » est une étrange marqueterie où de larges fragments autographes alternent avec des épreuves, corrigées ou non, les unes de Grasset (1914), les autres de la N.R.F.; le tout a d'ailleurs été mis en pièces pour « truffer » chacun des cinquante exemplaires de l'édition in-folio; nous n'avons pu découvrir environ que le quart de ces exemplaires. Quant aux « bon à tirer », ils semblent avoir tous disparu. Il nous manque donc l'alpha et l'oméga, et dans l'intervalle, que de lacunes**!*

* Proust a parfois modifié et enrichi son texte sur des copies dactylographiées avant de le remettre à l'imprimeur. Nous avons retrouvé des copies de ce genre pour quelques passages des *Jeunes Filles,* pour *Sodome et Gomorrhe* et pour le début de *la Prisonnière.*

** Nous nous sommes bien souvent trouvés en face d'un texte presque sûrement fautif, mais que les documents dont nous disposions ne nous permettaient pas de rectifier. Par exemple, qu'est-ce, dans *Guermantes* (éd. orig., I, p. 106), que ce « poisson cuit au court-bouillon... *infrangible* mais contourné »? et un peu plus loin (*ibid.*, p. 124), il est peu probable que Saint-Loup en tilbury, croisant le narrateur, ait tenu « pendant *deux minutes* sa main au bord de son képi ».

Aussi, chaque fois que le texte de nos épreuves s'écartait de celui de l'édition, devions-nous essayer de deviner si ce désaccord résultait d'une faute de l'imprimeur ou d'une correction ultérieure dont nous ne retrouvions plus la trace. Choix forcément arbitraire, pour lequel nous n'avions d'autre guide qu'une longue familiarité avec la pensée de Proust et ses habitudes d'écrivain. Nous avons pourtant posé ce principe : quand des épreuves, même très anciennes, présentent des corrections ou additions autographes, si l'édition reproduit littéralement le texte* imprimé *de ces épreuves sans tenir compte des changements indiqués par l'auteur, corrections et additions doivent être rétablies. Il est peu probable, en effet, que Proust ait repris après coup, purement et simplement, un texte qui lui avait d'abord paru défectueux.*

Mais eussions-nous pu vérifier sur l'autographe chaque phrase des éditions, nous nous serions heurtés encore aux plus difficiles de nos problèmes. Les fautes de l'imprimeur sont souvent réparables; celles de l'auteur laissent en général l'éditeur désarmé. On s'étonne d'ailleurs de ne pas en relever davantage dans les manuscrits de Proust quand on songe comment il a vécu ses dernières années, qui furent précisément celles de sa plus grande activité créatrice. Il faut avoir longuement interrogé les « paperoles » qui déjà de son vivant « se déchiraient çà et là » et qu'on n'ose plus déplier qu'en tremblant, pour se représenter l'angoisse de celui qui, la nuit, dans « la chambre de liège », les couvrait de sa prompte écriture, trace légère, parfois à peine saisissable, d'une pensée qui ne connaissait plus de repos. Il a tant à dire encore, et ses jours sont comptés. À tout instant un développement nouveau s'impose à son esprit, « capital », « capitalissime ». Où lui trouver place ? Il le griffonne un peu au hasard dans les marges de ses épreuves. Aura-t-il jamais le loisir de refondre tout cela, de l'ordonner dans une composition musicale comme celle de Swann? *La mort le presse. Il faut aller de l'avant.*

*Il a manqué à Proust, dans ces années haletantes, un confident de sa pensée, qui, modeste et attentif, l'eût averti de ses méprises**. Il y en a d'évidentes que nous avons cru pouvoir*

* Nous songeons surtout aux épreuves des fragments des *Jeunes Filles* qui ont paru en juin 1914 dans le nº 66 de la *N.R.F.;* nous les avons retrouvées dans les archives de Mme Mante.

** Pour nous en tenir aux *Jeunes Filles,* c'est bien Proust qui écrit : « une des balances du plateau » (p. 444, note 1), « leurs *rectifier à coup sûr. Encore ne devions-nous procéder à cet échenillage qu'avec la plus prudente discrétion. Hardiesses de syntaxe, ellipses, citations inexactes (Proust cite toujours de mémoire), tout devait être respecté de ce qui, voulu ou non, semble porter sa marque propre. Ce départ, on le pense, ne va pas sans difficultés. Nous n'avions pas seulement à déchiffrer nos manuscrits, mais souvent à les interpréter.*

Lorsque Proust laisse courir sa plume, il lui arrive, si la phrase est longue, de perdre de vue, comme nous le faisons en parlant, la direction syntaxique dans laquelle il s'était d'abord engagé. Ou bien, se relisant distraitement, il procède à une retouche, heureuse en soi, mais qui ne s'accorde pas avec le contexte. D'autres fois, rencontrant sur ses épreuves une phrase altérée par l'imprimeur, il la reconstitue au pied levé sans se reporter à son manuscrit : du texte initial, si nous le retrouvons, ou du texte refait que l'édition a recueilli, quel est celui que nous devons préférer ? Souvent enfin, quand il se corrige, Proust ne biffe qu'incomplètement sa première version dont certains mots subsistent ainsi dans la version imprimée et la rendent informe.

Un texte altéré, fût-ce par l'auteur, semble appeler une restauration. Mais restaurer est une tâche ingrate. Les uns nous jugeront timides; les autres, indiscrets. En tout cas, nous ne nous sommes jamais écartés de nos éditions de base sans en aviser le lecteur. Il trouvera, dans nos notes critiques, les*

---

effluves odoriférantes » (p. 510, note 2; cf. pourtant *Swann*, p. 95, note 1), « la première pétale » (p. 798, note 2), « il aurait voulu que nous partîmes » (p. 799, note 1). De tels lapsus échappent dans l'improvisation même aux écrivains qui n'ont pas de génie. Si l'on avait signalé à Proust ces inadvertances, il les eût certainement corrigées, comme les menues incorrections que ses éditions offrent à chaque page et qui pour la plupart ne sont pas de son fait. D'autres erreurs, fort nombreuses, résultent des changements que Proust a introduits dans son œuvre. La soirée de gala du début de *Guermantes* avait lieu d'abord à l'Opéra-Comique (cf. *N.R.F.*, nº du 1er juillet 1914); Proust l'a située ensuite à l'Opéra; mais la mention de l'Opéra-Comique subsiste en deux endroits de l'édition. La nièce de Jupien était sa fille dans la rédaction primitive; elle l'est encore çà et là dans le texte définitif, etc., etc.

* Dans chaque note nous reproduisons le passage que nous avons cru devoir corriger et nous renvoyons au document sur lequel notre correction est fondée. Quand nous rectifions de nous-mêmes un texte évidemment fautif, nous nous contentons de le citer en le faisant suivre d'un astérisque.

données de chaque problème, et sera ainsi en mesure de substituer, aux solutions que nous avons choisies, celles qui lui paraîtraient préférables.

P. C.

II. LES VOLUMES POSTHUMES

Le 18 novembre 1922, Marcel Proust s'éteignait, laissant inédite, mais non inachevée, la fin de son grand roman. Elle devait comprendre la Prisonnière, *publiée en 1923,* la Fugitive *en 1925 sous le titre* Albertine disparue, *enfin* le Temps retrouvé *en 1927. Quelques jours avant sa mort, il travaillait encore à la correction de la copie dactylographiée de* la Prisonnière*, *volume dont il ne devait jamais voir les épreuves***. *Le premier quart environ de ce document (jusqu'au morceau célèbre des cris matinaux de Paris) porte à chaque page les traces de nombreux remaniements; l'auteur l'a en outre enrichi de maintes adjonctions manuscrites, couvrant les marges et se prolongeant sur des feuilles collées. En revanche, ce n'est que de loin en loin qu'on rencontre, dans la masse des feuillets qui suivent, une retouche portant sur un mot ou une tournure; il semble que Proust n'ait pu que feuilleter hâtivement la plus grande partie de sa dactylographie. C'est pourtant dans cette partie à peine retouchée que se greffent deux longs développements autographes, deux « marges » qui elles aussi débordent*

* C'est sur la chemise couvrant cette copie que le docteur Robert Proust a écrit : « Manuscrit d'après lequel a été imprimé *la Prisonnière.* »

** *Cf. Lettres à la N.R.F.* (Les Cahiers Marcel Proust n° 6.) Du 24 ou 25 juin 1922 : « Mais le travail de réfection de cette dactylographie, où j'ajoute partout et change tout, est à peine commencé. Il est vrai qu'elle a été faite en double. Mais à quoi bon vous faire faire des frais inutiles de placards, alors que je peux aussi bien corriger sur la dactylographie ? » (Pp. 224-225.) — Du début de novembre 1922 : « L'espèce d'acharnement que j'ai mis pour *la Prisonnière* (prête mais à faire relire — le mieux serait que vous fassiez faire les premières épreuves que je corrigerais), cet acharnement, surtout dans mon terrible état de ces jours-ci, a écarté de moi les tomes suivants. » (P. 273.)

largement sur des feuilles annexes : l'un a trait aux précautions pharmaceutiques prises par Mme Verdurin pour affronter la musique de Vinteuil, passage dans lequel se trouve la mention incidente de la mort du docteur Cottard, que l'on reverra cependant dans les tomes suivants; l'autre, plus long encore, concerne l'expression grossière dont Albertine n'a pu retenir le début et que le narrateur finit, horrifié, par reconstituer intégralement (« me faire casser le pot »).

C'est cette copie dactylographiée, revue (bien qu'incomplètement) par l'auteur, qui nous a servi de base pour établir le texte de la Prisonnière. *Elle contient un certain nombre de fautes de lecture et présente aussi des lacunes. Proust avait beau détenir à la fois la dactylographie et le manuscrit*, il est évident qu'il ne s'est pas reporté à ce dernier pour rectifier les erreurs ou remplir les blancs de la copie. En effet, quand la faute de lecture entraîne une absurdité ou un non-sens, il ne rétablit jamais le texte primitif, mais procède à une correction qui utilise une partie de la leçon fautive et aboutit à une rédaction différente de l'original. Il lui arrive aussi de biffer entièrement un passage incomplet ou d'écrire dans l'espace laissé en blanc par la copiste des mots qui ne sont pas ceux du manuscrit. Dans tous les cas de cette sorte, nous avons adopté le dernier en date des textes où s'exprime la pensée de Proust, c'est-à-dire celui de la dactylographie corrigée par lui, même — ce qui est fréquent — lorsqu'il n'est pas meilleur que le texte primitif; le lecteur pourra faire lui-même la comparaison, puisque nous donnons toujours en note le texte du manuscrit.*

*Mais il n'est pas rare que, même dans le premier quart de la copie, des fautes de lecture de la dactylographe aient échappé à Proust; il les y a laissé subsister, et elles sont passées dans le volume imprimé. C'est alors le texte authentique que nous rétablissons, celui du manuscrit, et c'est celui de la dactylographie, implicitement approuvé par l'auteur mal informé, que nous donnons en note**.*

---

* Cf. Lettre du 24 ou 25 juin à M. G. Gallimard : « Je possède bien le manuscrit, ou, pour mieux dire, la dactylographie complète (et le manuscrit aussi) de ce volume et du suivant, puisque vous vous rappelez que j'avais pris pour cela une dactylographe. » (*Op. cit.*, p. 224.)

**J'ai donné dans le numéro spécial du *Disque Vert*, « Hommage à Marcel Proust » (Bruxelles, décembre 1952), quelques exemples

Quant à la Fugitive *et au* Temps retrouvé, *un seul document fait autorité pour l'établissement du texte : c'est le manuscrit autographe, dont Mme Mante-Proust a eu l'extrême obligeance de mettre à notre disposition une reproduction microfilmée et sur l'original duquel elle a bien voulu nous permettre de procéder à des vérifications complémentaires. Notre édition suit aussi fidèlement que possible le texte de ces précieux cahiers (numérotés, pour les deux parties du roman, de XII à XX). Chaque fois que nous avons été contraints d'y apporter une modification, celle-ci est signalée par une note dans laquelle nous donnons le texte non corrigé du manuscrit. S'il ne nous a pas été possible de respecter intégralement dans le détail le mot à mot du texte rédigé par Proust, c'est que ce texte se présente à certains égards, sinon comme un brouillon, du moins comme un hâtif premier jet. Proust lui-même devait ne pas le considérer comme définitif, et se réserver de le revoir si l'avenir le lui avait permis; à plusieurs reprises en effet, il a, dans le corps même du récit (et non pas en marge), jeté, en vue de la relecture de ses cahiers, des indications comme celles-ci, destinées à repérer les endroits où il aurait à effectuer des remaniements :* Peut-être à placer ailleurs. Il vaudrait mieux après, quand je parle de... Mettre ici ce que je dis de... à dire mieux, à vérifier. *D'autres indications, marginales celles-là (dont* capitalissime, *qui reparaît çà et là), marquent l'intention probable de revenir sur tel passage pour en souligner l'importance ou en renforcer l'accent. Certains noms propres sont laissés en blanc; d'autres, et aussi des noms communs, sont suivis d'un point d'interrogation dubitatif entre parenthèses. La rédaction trahit encore la hâte, et aussi la fatigue du grand malade (cette fatigue qui lui fait parfois tomber des mains la plume qu'il confie alors à Céleste, écrivant de courts fragments sous sa dictée), dans l'omission évidente de mots, dans le double emploi de formules adverbiales à la fois avant et après le verbe, dans l'inachèvement de certaines phrases pour lesquelles, par exemple, la proposition principale inter-*

---

de ces fautes : « immuable » pour « insurmontable », « surprisse » pour « surfisse », « dans son passé » pour « dans sa pensée », « réception » pour « répétition », etc.

rompue par une relative n'est pas reprise après elle et demeure sans verbe.

Le manuscrit porte certes la trace de nombreuses corrections autographes; mais ces corrections elles-mêmes sont hâtives et souvent incomplètes. Ainsi, ayant ajouté à un nom sujet au singulier un autre nom, Proust omet de mettre le verbe au pluriel; ou ayant remplacé un nom féminin par un synonyme masculin, omet de changer le genre de l'adjectif qui le qualifie. Dans le remaniement d'une phrase, il laisse parfois subsister, sans les rayer, des parties qui devaient disparaître, et prolonge au contraire la rature sur d'autres dont le maintien s'impose. Nous n'avons négligé dans les notes en fin de volume, si fastidieux qu'en puisse être le recensement, aucune de ces lacunes, aucune de ces omissions, de ces négligences et de ces erreurs.

Insistons sur ce point : nous nous sommes systématiquement interdit toute retouche que pourrait inspirer le souci de faire la « toilette » du texte. Cette toilette, il était sans doute légitime que les premiers éditeurs y procédassent, comme ils n'ont pas manqué de le faire, afin d'assurer le public qu'on lui livrait une œuvre vraiment achevée, afin de ne pas risquer de rebuter ce public, non encore conquis, par des incohérences, des contradictions, des négligences. Mais maintenant que la gloire de Proust est établie sans conteste, qu'elle ne risque plus de souffrir des menues taches qu'il eût effacées si la mort lui avait accordé un sursis, maintenant que son livre est entré dans la société des œuvres classiques, le seul devoir qui s'impose (comme il s'est imposé aux éditeurs modernes des Pensées *de Pascal) est celui de fidélité. Si l'œuvre, dans quelques-uns de ses détails, est restée imparfaite, ses imperfections mêmes ont droit à notre respect. Il est hors de doute que Proust aurait apporté des changements à son texte, s'il avait pu en préparer lui-même l'édition; des constructions insolites ou boiteuses auraient été redressées, des phrases incomplètes achevées, des passages mal insérés déplacés, des contradictions supprimées. Mais nul ne peut préjuger ni de l'importance des retouches, ni du sens dans lequel il aurait effectué chacune d'elles. Ce que nous donnons, c'est donc l'état du texte tel que l'écrivain l'a légué. Nous ne nous sommes pas crus en droit, par exemple, d'escamoter l'une des deux morts de Saniette, de Cottard, de la Berma, ni les propos de M. de Charlus et du narrateur sur Bergotte vivant bien après qu'on l'eut enterré. Dans l'ignorance de ce qu'eût décidé Proust à ce sujet, la piété autant que l'honnêteté commandent de présenter au lecteur un texte intact. Lorsqu'un passage du manuscrit est matériellement illisible, ou fait manifestement double emploi, ou qu'il présente une structure grammaticale incorrecte, bref dans tous les cas où nous ne pouvons l'incorporer tel quel au texte courant, nous le signalons et le reproduisons en note.*

Plus encore que des corrections, le manuscrit contient des adjonctions : précisions en surcharge dans les interlignes, béquets marginaux encadrés d'un trait dont l'origine les rattache à un mot ou à une phrase dans le corps de la page, fragments détachés, écrits à part et collés après coup (les « paperoles » de Françoise), pages entières se suivant, intercalées entre deux pages consécutives numérotées. Pour Proust, revoir son texte, c'est presque toujours y ajouter, ce n'est presque jamais en rien retrancher; chaque fois qu'il biffe un passage, c'est pour le reporter ailleurs; plus probablement, il le transcrit avant de le biffer ou en omettant de le biffer, ce qui explique les redites à peu près textuelles de passages plus ou moins longs, parfois de pages entières; quand nous opérons la suppression de l'un de ces passages en double (en règle générale le premier dans l'ordre de déroulement du récit), nous le signalons en note, au besoin avec les variantes.

Nous n'avons pas cherché, comme on a pu le faire pour les Essais *de Montaigne, à mettre en évidence par la présentation typographique les alluvions qui ont gonflé le texte primitif* : « marges », « paperoles », béquets et pages annexées ont été incorporés à cette rédaction initiale, comme le voulait d'ailleurs Marcel Proust, sans que l'attention du lecteur soit appelée sur les multiples coutures de cet habit d'Arlequin. Nous n'avons fait d'exception que pour les passages qui, au point de vue du sens ou au point de vue grammatical, se présentent nettement comme des appendices ou des parenthèses, assez hétérogènes au texte dans lequel ils viennent s'insérer pour faire perdre le fil de la narration ou entraîner une construction incorrecte, boiteuse, amorphe, qui serait à reprendre entièrement : ces passages sont placés en renvoi au bas de la page.*

Nous nous sommes interdit, contrairement à ce qu'ont fait les premiers éditeurs, non seulement le transfert d'épisodes de l'endroit où les avait placés Proust dans un autre, mais

* La plupart (et pas seulement dans *le Temps retrouvé*) ont dû être écrites à la fin et à la suite immédiate de la guerre de 1914-1918, comme l'attestent les nombreuses allusions à cet événement (on en trouve même, dans *la Prisonnière,* à l'affaire Landru, de 1920)

encore les raccords pour rattacher certains béquets à la suite du récit dans lequel ils s'incorporent, les adjonctions de propositions ou de phrases rendant, à ces reprises, plus explicite le sens du texte. Toutefois, un problème particulier se pose parfois quand un béquet s'insère entre deux phrases où il est question d'un personnage dont le nom, mentionné à la fin de la première, est représenté par un pronom personnel au début de la seconde. Après quelques lignes ou même quelques pages qui interposent un développement adjacent, ce pronom, qui semble alors représenter un nom appartenant à la fin du fragment ajouté, suggère une équivoque. Nous avons dû, aussi rarement que possible, nous résoudre à substituer à ces pronoms les noms qu'ils étaient destinés à rappeler, non sans le signaler en note.

Ce n'est que dans les ajoutés les plus récents que le musicien protégé par M. de Charlus s'appelle Morel, ou, désigné par son prénom, Charlie. Partout ailleurs, de la Prisonnière au Temps retrouvé, il apparaît sous le nom de Santois ou le prénom de Bobby, et il n'est d'ailleurs pas toujours violoniste, mais parfois flûtiste et parfois pianiste. Nous avons toujours corrigé Santois en Morel et Bobby en Charlie, suivant en cela l'exemple donné par Proust lui-même dans les placards de Sodome et Gomorrhe revus par lui et même çà et là dans la copie dactylographiée de la Prisonnière; ces corrections sont toujours signalées en note.

Le découpage des deux dernières parties d'À la Recherche du Temps perdu en volumes, chapitres et paragraphes, tel que les éditions antérieures le présentent, comporte une part d'arbitraire. Le titre Albertine disparue ne se trouve nulle part dans le manuscrit, ni même dans aucune lettre de Marcel Proust. On peut tenir pour probable que ce titre n'est pas de lui. Il résulte de lettres écrites par lui à M. G. Gallimard au cours des mois qui précédèrent sa mort, qu'il entendait donner aux volumes compris entre Sodome et Gomorrhe II et le Temps retrouvé, soit le titre général Sodome et Gomorrhe III, avec ces deux subdivisions : la Prisonnière, la Fugitive, soit les titres Sodome III, la Prisonnière et Sodome IV, la Fugitive (Sodome étant évidemment un abrégé de Sodome et Gomorrhe). S'il a pensé renoncer au titre la Fugitive, c'est parce qu'une traduction d'un livre de

Tagore venait, en 1922, de paraître sous ce titre. « Donc, écrit-il, pas de Fugitive, ce qui ferait des malentendus. Et du moment que pas de Fugitive, pas de Prisonnière qui s'opposait nettement*. » Puisque le titre la Prisonnière a été conservé (et il était bon qu'il le fût), il n'y a plus maintenant aucune raison de ne pas restituer, au tome qui lui fait pendant, le titre que lui avait choisi Proust : la Fugitive. C'est ce que nous faisons. Même si le titre Albertine disparue avait été accepté par Proust — ce dont nous n'avons aucune preuve et qui paraît improbable —, ce n'eût été qu'à défaut de pouvoir garder celui de la Fugitive, à coup sûr préféré par lui.

Le titre le Temps retrouvé était, lui, prévu depuis longtemps, et mentionné dès 1913 dans la page Pour paraître au verso du faux titre de Swann de l'édition Grasset**. Dans le manuscrit, il figure, de la main de Proust, sur la couverture du Cahier VIII. Quant au titre la Prisonnière, il n'apparaît qu'en tête des copies dactylographiées***.

Rien même n'indique dans le manuscrit où finissent la Prisonnière et la Fugitive, où commencent la Fugitive et le Temps retrouvé****. On n'y trouve trace d'aucun des titres de chapitres donnés par les éditions, et les coupures qu'elles établissent pour ces chapitres ne correspondent pas toujours à celles que Proust a marquées dans ses cahiers. Ce sont, bien entendu, les coupures indiquées par l'auteur que nous respectons. Pour les mentions de chapitres et les sous-titres, nous n'avons pas cru devoir en tenir compte. Proust désirait beaucoup rendre sensibles jusque dans la disposition typographique l'unité et la continuité de son livre, qu'il concevait comme un bloc sans cassures, et qu'il eût même désiré voir tenir en deux ou trois volumes seulement (la présente édition réalise enfin ce vœu). Le lecteur désireux de trouver des points de repère se reportera à notre résumé, moins arbitraire que des titres de chapitres.

Nous avons scrupuleusement respecté les alinéas que l'écri-

---

* *Lettres à la N.R.F.* (Les Cahiers Marcel Proust, nº 6), p. 235 : lettre de fin juillet 1922. Lettre d'octobre 1922 : « Comme vous l'avez très bien vu, le titre *la Fugitive* disparaissant, la symétrie se trouve bousculée. » (Id. p. 271.)

** Voir ci-dessus p. XXIII, note**.

*** Voir notre tome III, pp. 1058 sq.

**** Dans le Cahier XVIII, p. 107, en face des mots : « En roulant les tristes pensées... » (p. 866 de notre tome III), on lit : « Début du 2e volume du *Temps retrouvé* »; mais cette note est d'une main étrangère.

vain a indiqués dans son manuscrit, soit en allant à la ligne, soit en écrivant Alinéa, Petit alinéa *ou* Grand alinéa, *soit enfin par le signe qui lui est propre pour indiquer un changement de paragraphe : un long tiret encadré de deux points (. —— .). Il nous a paru impossible de ne pas introduire quelques autres alinéas, correspondant le plus souvent à l'insertion de béquets de grandes dimensions. Quant à la ponctuation, dont Proust ne se souciait guère, nous avons souvent dû en rétablir le minimum essentiel pour l'intelligibilité du texte.*

*On trouvera dans ces dernières parties d'*À la Recherche du Temps perdu *un certain nombre de pages inédites, dont plusieurs ont été présentées dans le* Bulletin de la Société des Amis de Marcel Proust et des Amis de Combray*, *mais qui se trouvent ici incorporées pour la première fois au texte. Ces pages correspondent, est-il besoin de le préciser, à des passages non pas supprimés par l'auteur, mais omis ou sacrifiés par les éditeurs, et que Marcel Proust au contraire entendait bien faire figurer dans son récit.*

À tout prendre, l'absolue fidélité au texte même incomplètement revu par l'écrivain sert mieux la mémoire de Proust que les retouches qu'on peut être tenté d'y introduire pour en éliminer certaines imperfections. Ce n'est pas seulement parce que ces imperfections mêmes rendent plus émouvant le livre écrit par un homme luttant contre la maladie, talonné par la mort; pas seulement parce qu'elles sont signes du foisonnement de sa pensée, dont l'écriture a peine à suivre le flot pressé et débordant. C'est aussi parce que cette fidélité permet de rectifier bien plus de fautes qu'elle n'en met en évidence, et qu'elle apporte ainsi au lecteur, avec des richesses nouvelles et des beautés insoupçonnées, les chances d'une satisfaction plus parfaite de l'esprit et de la sensibilité.

A. F.

* Nos 2 (1951-1952) et 3 (1953).

Ces notes ont à plusieurs reprises fait état de ce que notre travail doit à Mme Mante-Proust, qui a généreusement mis à notre disposition les documents sans lesquels nous n'aurions pu l'entreprendre. Qu'elle trouve ici l'expression de toute notre gratitude. Nos remerciements vont aussi à Mme Ronald Davis, à MM. Maurice Chalvet et Roland Saucier, qui nous ont apporté une aide dont nous leurs sommes très reconnaissants.

CHRONOLOGIE

1871 *10 juillet :* Naissance à Paris (quartier d'Auteuil), 96, rue de La Fontaine, chez son grand-oncle Louis Weil, de Marcel Proust, fils aîné d'Adrien Proust, professeur agrégé à la Faculté de médecine, et de Jeanne Weil, de quinze ans plus jeune que son mari. Les parents de Marcel habitent 8, rue Roy, à Paris.

1873 *24 mai :* Naissance de Robert Proust, frère de Marcel.

1er août : Le professeur Proust et sa famille quittent la rue Roy pour s'installer 9, boulevard Malesherbes.

À partir de 1878 Marcel passe, chaque année, avec ses parents, ses vacances de Pâques à Illiers (Eure-et-Loir) où est né son père. Ils logent chez Mme Jules Amiot, sœur aînée du professeur.

Vers 1881 Première crise d'asthme.

1882 *2 octobre :* Marcel entre en cinquième au lycée Fontanes qui, quatre mois plus tard, reprendra le nom de Condorcet. Sa santé le contraint à de nombreuses absences.

Vers 1887 Marcel rencontre aux Champs-Élysées les filles de Félix Faure et Marie Bénardaky.

1887-1888 En rhétorique, élève de Maxime Gaucher.

1888-1889 En philosophie, élève d'Alphonse Darlu. Premier prix de « composition française » (dissertation de philosophie).

1889 *Juin :* Bachelier ès lettres. Marcel s'est lié à Condorcet avec Jacques Bizet, Robert de Flers, Daniel Halévy; il a collaboré à des revues de lycéens *(Revue verte, Revue lilas)*. Il commence à fréquenter des salons, ceux de Madeleine Lemaire, de Mme Arman de Caillavet qui le présente à Anatole France, de Mme Straus, née Halévy et veuve de Georges Bizet, chez qui il rencontre Charles Haas, dont il s'inspirera pour créer Charles Swann.

15 novembre : Proust incorporé comme « engagé conditionnel » au 76e régiment d'infanterie à Orléans. Il se lie avec Robert de Billy.

1890 *15 novembre :* Libéré comme soldat de deuxième classe. Inscriptions à la Faculté de droit et à l'École libre des sciences politiques.

1891 *Septembre :* Vacances à Cabourg.

1892 *Mars :* Fondation de la revue *Le Banquet* à laquelle Proust collabore. *Le Banquet* cesse de paraître en mars 1893.

1893 Collaboration à la *Revue blanche*. Début des relations avec Robert de Montesquiou.

1894 Préparation de la licence ès lettres. Vacances d'été à Trouville.

1895 *Mars :* Licencié ès lettres.

Juin : Reçu au concours d'attaché à la bibliothèque Mazarine.

Juillet : Détaché au ministère de l'Instruction publique. En décembre il se fera mettre en congé : Proust ne sera jamais fonctionnaire.

Septembre : Voyage en Bretagne avec Reynaldo Hahn.

De septembre 1895 jusqu'au début de 1900, Proust travaille à son premier roman qu'il laissera inachevé et qui ne sera publié qu'en 1952, sous le titre de *Jean Santeuil*.

1896 *12 juin :* Publication chez Calmann-Lévy de la première œuvre de Proust, *Les Plaisirs et les jours* (préface d'Anatole France, aquarelles de Madeleine Lemaire, commentaires musicaux de Reynaldo Hahn). Plusieurs fragments de l'ouvrage avaient déjà paru dans la *Revue blanche,* dans la *Revue hebdomadaire* et au *Gaulois*.

1897 *Février :* Duel avec Jean Lorrain.

1898 Dans l'affaire Dreyfus, Proust prend ardemment parti pour la révision.

1900 *20 janvier :* Mort de John Ruskin. Proust lui rend hommage dans la *Chronique des arts et de la curiosité* (27 janvier). Peu après, il publie au *Figaro* un article intitulé : *Pèlerinages ruskiniens en France* (13 février) et au *Mercure,* en avril, une étude, *Ruskin à Notre-Dame d'Amiens* (cette étude sera reprise dans la préface de *La Bible d'Amiens*). Il entreprend de traduire des œuvres de Ruskin avec l'aide de sa mère et de Marie Nordlinger, cousine anglaise de Reynaldo.

Mai : Voyage en Italie avec sa mère. À Venise, ils rencontrent Marie Nordlinger.

Octobre : La famille Proust s'établit 45, rue de Courcelles.

1903 *26 novembre :* Mort de son père.

1904 Publication au *Mercure* de la traduction de *La Bible d'Amiens*.

1905 *26 septembre :* Mort de sa mère.

Décembre : L'ébranlement nerveux de Proust est tel qu'il doit entrer dans une clinique à Boulogne-sur-Seine; il y reste six semaines.

1906 Après un séjour à Versailles (hôtel des Réservoirs), Proust s'installe 102, boulevard Haussmann. Insomnies de plus en plus pénibles; en 1910, pour s'isoler de tout bruit, il fera tapisser de liège les murs de sa chambre. — Publication au *Mercure* de la traduction d'un autre ouvrage de Ruskin, *Sésame et les lis,* avec une importante préface qui avait déjà paru le 15 juin 1905 dans *La Renaissance latine;* on la retrouvera, un peu modifiée, dans *Pastiches et mélanges,* sous le titre *Journées de lecture.*

1907 Vacances d'été à Cabourg; Proust y reviendra chaque année jusqu'en 1914. Promenades en automobile (Agostinelli est son chauffeur) : visites d'églises normandes.

1908-1909 Publication dans *Le Figaro* de pastiches dont le thème est fourni à Proust par les escroqueries, récemment découvertes, de l'aventurier Lemoine.

1909 *Juin :* Proust ébauche une étude dirigée contre la méthode critique de Sainte-Beuve. Il songeait depuis longtemps à exposer par ce biais les principes de son esthétique personnelle. Il laisse cette étude inachevée parce que, depuis plusieurs années, l'idée le hante de revenir au roman et d'écrire la grande œuvre dont *Jean Santeuil* n'était que l'esquisse.

1912 Agostinelli devient son secrétaire.

1913 Achèvement d'*À la recherche du temps perdu* en trois parties : *Du côté de chez Swann, Le Côté de Guermantes, Le Temps retrouvé.* Vaines démarches pour trouver un éditeur. Bernard Grasset accepte enfin de publier *À la recherche,* mais à compte d'auteur; encore, malgré le désir de Proust, n'en fera-t-il d'abord paraître que la première partie. Il pense donner *Guermantes* en 1914 et *Le Temps retrouvé* en 1915.

8 novembre (date de l'achevé d'imprimer) : Publication de *Du côté de chez Swann.*

1914 *30 mai :* Agostinelli, qui s'était séparé de Proust et était devenu élève pilote, se tue en monoplan au large d'Antibes.

1er juin : La N.R.F. publie des extraits du deuxième volume d'*À la recherche du temps perdu* qui doit paraître prochainement chez l'éditeur Bernard Grasset. Ces extraits prendront place dans *À l'ombre des jeunes filles en fleurs.*

1er juillet : La N.R.F. donne de nouveaux extraits d'*À la recherche :* ce sont des esquisses de développements qui figureront dans *Du côté de Guermantes,* I.

Août : Bernard Grasset, mobilisé, interrompt la publication d'*À la recherche.* À partir de 1915 Proust remanie la deuxième et la troisième partie de son roman; il les enrichit d'additions considérables. Il rompt avec Grasset en 1916. C'est aux éditions de la N.R.F. que paraîtront désormais ses œuvres.

1918 *30 novembre* (date de l'achevé d'imprimer). *À l'ombre des jeunes filles en fleurs* (N.R.F., édit.).

1919 *25 mars* (date de l'achevé d'imprimer) : *Pastiches et mélanges* (N.R.F., édit.).

Juin : Obligé de quitter son appartement du boulevard Haussmann (l'immeuble a été vendu à une banque), Proust trouve un gîte provisoire 8 *bis,* rue Laurent-Pichat, dans une maison appartenant à Réjane.

Octobre : Il s'installe 44, rue Hamelin, où il restera jusqu'à sa mort.

10 décembre : À l'ombre des jeunes filles en fleurs obtient le prix Goncourt par six voix contre quatre qui sont allées aux *Croix de bois* de Roland Dorgelès. Léon Daudet a été le principal artisan de cette élection.

1920 *7 août* (date de l'achevé d'imprimer) : *Du côté de Guermantes,* I (N.R.F., édit.).

Novembre : La *Revue de Paris* publie *Pour un ami (remarques sur le style).* C'est la préface que Proust a écrite pour le recueil de Paul Morand, *Tendres stocks.*

1921 *Janvier :* Article dans la *N.R.F.* : *À propos du style de Flaubert.*

30 avril (date de l'achevé d'imprimer) : *Du côté de Guermantes,* II. *Sodome et Gomorrhe,* I (N.R.F., édit.).

Mai : Visitant, au musée du Jeu de paume, une exposition de peintres hollandais, Proust est pris d'un grave malaise.

Juin : Article dans la *N.R.F.* : *À propos de Baudelaire.*

1922 *3 avril* (date de l'achevé d'imprimer) : *Sodome et Gomorrhe,* II (N.R.F., édit.).

18 novembre : Mort de Marcel Proust.

1923 Publication de *La Prisonnière* (N.R.F., édit.).

1925 Publication de *La Fugitive* sous le titre *Albertine disparue* (N.R.F., édit.).

1927 Publication de *Le Temps retrouvé* (N.R.F., édit.).

À partir de 1950 Publication du bulletin de la « Société des amis de Marcel Proust et de Combray ».

1952 Publication de *Jean Santeuil* (N.R.F., édit.).

1954 Publication de *Contre Sainte-Beuve* suivi de *Nouveaux mélanges* (N.R.F., édit.). Édition critique d'*À la recherche du temps perdu* (3 vol., Bibl. de la Pléiade).

1970 Tome I d'une édition annotée de l'ensemble de la *Correspondance* de Proust, présentée par Philip Kolb (Plon, édit.).

1971 Édition critique des œuvres diverses de M. Proust dans la Bibliothèque de la Pléiade : *Jean Santeuil,* précédé de *Les Plaisirs et les jours* (1 vol.), *Contre Sainte-Beuve* précédé de *Pastiches et mélanges* et suivis de *Essais et articles* (1 vol.).

DU CÔTÉ DE CHEZ SWANN

A MONSIEUR GASTON CALMETTE

Comme un témoignage de profonde et affectueuse reconnaissance.

MARCEL PROUST.

PREMIÈRE PARTIE

COMBRAY

I

LONGTEMPS, je me suis couché de bonne heure. Parfois, à peine ma bougie éteinte, mes yeux se fermaient si vite que je n'avais pas le temps de me dire : « Je m'endors. » Et, une demi-heure après, la pensée qu'il était temps de chercher le sommeil m'éveillait; je voulais poser le volume que je croyais avoir encore dans les mains et souffler ma lumière; je n'avais pas cessé en dormant de faire des réflexions sur ce que je venais de lire, mais ces réflexions avaient pris un tour un peu particulier; il me semblait que j'étais moi-même ce dont parlait l'ouvrage : une église, un quatuor, la rivalité de François Ier et de Charles-Quint. Cette croyance survivait pendant quelques secondes à mon réveil; elle ne choquait pas ma raison, mais pesait comme des écailles sur mes yeux et les empêchait de se rendre compte que le bougeoir n'était plus allumé. Puis elle commençait à me devenir inintelligible, comme après la métempsycose les pensées d'une existence antérieure; le sujet du livre se détachait de moi, j'étais libre de m'y appliquer ou non; aussitôt je recouvrais la vue et j'étais bien étonné de trouver autour de moi une obscurité, douce et reposante pour mes yeux, mais peut-être plus encore pour mon esprit, à qui elle apparaissait comme une chose sans cause, incompréhensible, comme une chose vraiment obscure. Je me demandais quelle heure il pouvait être; j'entendais le sifflement des trains qui, plus ou moins éloigné, comme le chant d'un oiseau dans une forêt, relevant les distances, me décrivait l'étendue de la campagne déserte où le voyageur se hâte vers la station prochaine; et le petit chemin qu'il suit va être gravé dans son souvenir par l'excitation qu'il doit à des lieux nouveaux, à des actes inaccoutumés, à la causerie récente et aux adieux sous la lampe étrangère qui le suivent encore dans le silence de la nuit, à la douceur prochaine du retour.

J'appuyais tendrement mes joues contre les belles joues de l'oreiller qui, pleines et fraîches, sont comme les joues de notre enfance. Je frottais une allumette pour regarder ma montre. Bientôt minuit. C'est l'instant où le malade qui a été obligé de partir en voyage et a dû coucher dans un hôtel inconnu, réveillé par une crise, se réjouit en apercevant sous la porte une raie de jour. Quel bonheur, c'est déjà le matin! Dans un moment les domestiques seront levés, il pourra sonner, on viendra lui porter secours. L'espérance d'être soulagé lui donne du courage pour souffrir. Justement il a cru entendre des pas; les pas se rapprochent, puis s'éloignent. Et la raie de jour qui était sous sa porte a disparu. C'est minuit; on vient d'éteindre le gaz; le dernier domestique est parti et il faudra rester toute la nuit à souffrir sans remède.

Je me rendormais, et parfois je n'avais plus que de courts réveils d'un instant, le temps d'entendre les craquements organiques des boiseries, d'ouvrir les yeux pour fixer le kaléidoscope de l'obscurité, de goûter grâce à une lueur momentanée de conscience le sommeil où étaient plongés les meubles, la chambre, le tout dont je n'étais qu'une petite partie et à l'insensibilité duquel je retournais vite m'unir. Ou bien en dormant j'avais rejoint sans effort un âge à jamais révolu de ma vie primitive, retrouvé telle de mes terreurs enfantines comme celle que mon grand-oncle me tirât par mes boucles et qu'avait dissipée le jour — date pour moi d'une ère nouvelle — où on les avait coupées. J'avais oublié cet événement pendant mon sommeil, j'en retrouvais le souvenir aussitôt que j'avais réussi à m'éveiller pour échapper aux mains de mon grand-oncle, mais par mesure de précaution j'entourais complètement ma tête de mon oreiller avant de retourner dans le monde des rêves.

Quelquefois, comme Ève naquit d'une côte d'Adam, une femme naissait pendant mon sommeil d'une fausse position de ma cuisse. Formée du plaisir que j'étais sur le point de goûter, je m'imaginais que c'était elle qui me l'offrait. Mon corps qui sentait dans le sien ma propre chaleur voulait s'y rejoindre, je m'éveillais. Le reste des humains m'apparaissait comme bien lointain auprès de cette femme que j'avais quittée, il y avait quelques moments à peine; ma joue était chaude encore de son baiser, mon corps courbaturé par le poids de sa taille. Si, comme il arrivait quelquefois, elle avait les traits d'une femme que j'avais connue dans la vie, j'allais me donner tout entier à ce but : la retrouver, comme ceux qui partent en voyage pour voir de leurs yeux une cité désirée et s'imaginent qu'on peut goûter dans une réalité le charme du songe. Peu à peu son souvenir s'évanouissait, j'avais oublié la fille de mon rêve.

Un homme qui dort tient en cercle autour de lui le fil des heures, l'ordre des années et des mondes. Il les consulte d'instinct en s'éveillant et y lit en une seconde le point de la terre qu'il occupe, le temps qui s'est écoulé jusqu'à son réveil; mais leurs rangs peuvent se mêler, se rompre. Que vers le matin, après quelque insomnie, le sommeil le prenne en train de lire, dans une posture trop différente de celle où il dort habituellement, il suffit de son bras soulevé pour arrêter et faire reculer le soleil, et à la première minute de son réveil, il ne saura plus l'heure, il estimera qu'il vient à peine de se coucher. Que s'il s'assoupit dans une position encore plus déplacée et divergente, par exemple après dîner assis dans un fauteuil, alors le bouleversement sera complet dans les mondes désorbités, le fauteuil magique le fera voyager à toute vitesse dans le temps et dans l'espace, et au moment d'ouvrir les paupières, il se croira couché quelques mois plus tôt dans une autre contrée. Mais il suffisait que, dans mon lit même, mon sommeil fût profond et détendît entièrement mon esprit; alors celui-ci lâchait le plan du lieu où je m'étais endormi et, quand je m'éveillais au milieu de la nuit, comme j'ignorais où je me trouvais, je ne savais même pas au premier instant qui j'étais; j'avais seulement dans sa simplicité première le sentiment de l'existence comme il peut frémir au fond d'un animal; j'étais plus dénué que l'homme des cavernes; mais alors le souvenir — non encore du lieu où j'étais, mais de quelques-uns de ceux que j'avais habités et où j'aurais pu être — venait à moi comme un secours d'en haut pour me tirer du néant d'où je n'aurais pu sortir tout seul; je passais en une seconde par-dessus des siècles de civilisation, et l'image confusément entrevue de lampes à pétrole, puis de chemises à col rabattu, recomposaient peu à peu les traits originaux de mon moi.

Peut-être l'immobilité des choses autour de nous leur est-elle imposée par notre certitude que ce sont elles et non pas d'autres, par l'immobilité de notre pensée en face d'elles. Toujours est-il que, quand je me réveillais ainsi, mon esprit s'agitant pour chercher, sans y réussir, à savoir où j'étais, tout tournait autour de moi dans l'obscurité, les choses, les pays, les années. Mon corps, trop engourdi pour remuer, cherchait, d'après la forme de sa fatigue, à repérer la position de ses membres pour en induire la direction du mur, la place des meubles, pour reconstruire et pour nommer la demeure où il se trouvait. Sa mémoire, la mémoire de ses côtes, de ses genoux, de ses épaules, lui présentait successivement plusieurs des chambres où il avait dormi, tandis qu'autour de lui les murs invisibles, changeant de place selon la forme de la pièce imaginée, tourbillonnaient dans les ténèbres. Et avant même que ma pensée, qui hésitait au seuil des temps et des formes, eût identifié le logis en rapprochant les circonstances, lui, — mon corps, — se rappelait pour chacun le genre du lit, la place des portes, la prise de jour des fenêtres, l'existence d'un couloir, avec la pensée que j'avais en m'y endormant et que je retrouvais au réveil. Mon côté ankylosé, cherchant à deviner son orientation, s'imaginait, par exemple, allongé face au mur dans un grand lit à baldaquin, et aussitôt je me disais : «Tiens, j'ai fini par m'endormir quoique maman ne soit pas venue me dire bonsoir», j'étais à la campagne chez mon grand-père, mort depuis bien des années; et mon corps, le côté sur lequel je reposais, gardiens fidèles d'un passé que mon esprit n'aurait jamais dû oublier, me rappelaient la flamme de la veilleuse de verre de Bohême, en forme d'urne, suspendue au plafond par des chaînettes, la cheminée en marbre de Sienne, dans ma chambre à coucher de Combray, chez mes grands-parents, en des jours lointains qu'en ce moment je me figurais actuels sans me les représenter exactement, et que je reverrais mieux tout à l'heure quand je serais tout à fait éveillé.

Puis renaissait le souvenir d'une nouvelle attitude; le mur filait dans une autre direction : j'étais dans ma chambre chez Mme de Saint-Loup, à la campagne; mon Dieu! il est au moins dix heures, on doit avoir fini de dîner! J'aurai trop prolongé la sieste que je fais tous les soirs en rentrant de ma promenade avec Mme de Saint-Loup, avant d'endosser mon habit. Car bien des années ont passé depuis Combray, où dans nos retours les plus tardifs c'étaient les reflets rouges du couchant que je voyais sur le vitrage de ma fenêtre. C'est un autre genre de vie qu'on mène à Tansonville, chez Mme de Saint-Loup, un autre genre de plaisir que je trouve à ne sortir qu'à la nuit, à suivre au clair de lune ces chemins où je jouais jadis au soleil; et la chambre où je me serai endormi au lieu de m'habiller pour le dîner, de loin je l'aperçois, quand nous rentrons, traversée par les feux de la lampe, seul phare dans la nuit.

Ces évocations tournoyantes et confuses ne duraient jamais que quelques secondes; souvent ma brève incertitude du lieu où je me trouvais ne distinguait pas mieux les unes des autres les diverses suppositions dont elle était faite, que nous n'isolons, en voyant un cheval courir, les positions successives que nous montre le kinétoscope. Mais j'avais revu tantôt l'une, tantôt l'autre des chambres que j'avais habitées dans ma vie, et je finissais par me les rappeler toutes dans les longues rêveries qui suivaient mon réveil : chambres d'hiver où quand on est couché, on se blottit la tête dans un nid qu'on se tresse avec les choses les plus disparates, un coin de l'oreiller, le haut des couvertures, un bout de châle, le bord du lit et un numéro des *Débats roses,* qu'on finit par cimenter ensemble selon la technique des oiseaux en s'y appuyant indéfiniment; où, par un temps glacial, le plaisir qu'on goûte est de se sentir séparé du dehors (comme l'hirondelle de mer qui a son nid au fond d'un souterrain dans la chaleur de la terre) et où, le feu étant entretenu toute la nuit dans la cheminée, on dort dans un grand manteau d'air chaud et fumeux, traversé des lueurs des tisons qui se rallument, sorte d'impalpable alcôve, de chaude caverne creusée au sein de la chambre même, zone ardente et mobile en ses contours thermiques, aérée de souffles qui nous rafraîchissent la figure et viennent des angles, des parties voisines de la fenêtre ou éloignées du foyer, et qui se sont refroidies; — chambres d'été où l'on aime être uni à la nuit tiède, où le clair de lune appuyé aux volets entr'ouverts jette jusqu'au pied du lit son échelle enchantée, où on dort presque en plein air, comme la mésange balancée par la brise à la pointe d'un rayon; — parfois la chambre Louis XVI, si gaie que même le premier soir je n'y avais pas été trop malheureux, et où les colonnettes qui soutenaient légèrement le plafond s'écartaient avec tant de grâce pour montrer et réserver la place du lit; — parfois au contraire celle, petite et si élevée de plafond, creusée en forme de pyramide dans la hauteur de deux étages et partiellement revêtue d'acajou, où, dès la première seconde, j'avais été intoxiqué moralement par l'odeur inconnue du vétiver, convaincu de l'hostilité des rideaux violets et de l'insolente indifférence de la pendule qui jacassait tout haut comme si je n'eusse pas été là; où une étrange et impitoyable glace à pieds quadrangulaire[1], barrant obliquement un des angles de la pièce, se creusait à vif dans la douce plénitude de mon champ visuel accoutumé un emplacement qui n'était pas prévu; où ma pensée, s'efforçant pendant des heures de se disloquer, de s'étirer en hauteur pour prendre exactement la forme de la chambre et arriver à remplir jusqu'en haut son gigantesque entonnoir, avait souffert bien de dures nuits, tandis que j'étais étendu dans mon lit, les yeux levés, l'oreille anxieuse, la narine rétive, le cœur battant, jusqu'à ce que l'habitude eût changé la couleur des rideaux, fait taire la pendule, enseigné la pitié à la glace oblique et cruelle, dissimulé, sinon chassé complètement, l'odeur du vétiver, et notablement diminué la hauteur apparente du plafond. L'habitude! aménageuse habile mais bien lente, et qui commence par laisser souffrir notre esprit pendant des semaines dans une installation provisoire, mais que malgré tout il est bien heureux de trouver, car sans l'habitude et réduit à ses seuls moyens, il serait impuissant à nous rendre un logis habitable.

Certes, j'étais bien éveillé maintenant, mon corps avait viré une dernière fois et le bon ange de la certitude avait tout arrêté autour de moi, m'avait couché sous mes couvertures, dans ma chambre, et avait mis approximativement à leur place dans l'obscurité ma commode, mon bureau, ma cheminée, la fenêtre sur la rue et les deux portes. Mais j'avais beau savoir que je n'étais pas dans les demeures dont l'ignorance du réveil m'avait en un instant sinon présenté l'image distincte, du moins fait croire la présence possible, le branle était donné à ma mémoire; généralement je ne cherchais pas à me rendormir tout de suite; je passais la plus grande partie de la nuit à me rappeler notre vie d'autrefois à Combray chez ma grand'tante, à Balbec, à Paris, à Doncières[1], à Venise, ailleurs encore, à me rappeler les lieux, les personnes que j'y avais connues, ce que j'avais vu d'elles, ce qu'on m'en avait raconté.

À Combray, tous les jours dès la fin de l'après-midi, longtemps avant le moment où il faudrait me mettre au lit et rester, sans dormir, loin de ma mère et de ma grand'-mère, ma chambre à coucher redevenait le point fixe et douloureux de mes préoccupations. On avait bien inventé, pour me distraire les soirs où on me trouvait l'air trop malheureux, de me donner une lanterne magique dont, en attendant l'heure du dîner, on coiffait ma lampe; et, à l'instar des premiers architectes et maîtres verriers de l'âge gothique, elle substituait à l'opacité des murs d'impalpables irisations, de surnaturelles apparitions multicolores, où des légendes étaient dépeintes comme dans un vitrail vacillant et momentané. Mais ma tristesse n'en était qu'accrue, parce que rien que le changement d'éclairage détruisait l'habitude que j'avais de ma chambre et grâce à quoi, sauf le supplice du coucher, elle m'était devenue supportable. Maintenant je ne la reconnaissais plus et j'y étais inquiet, comme dans une chambre d'hôtel ou de « chalet » où je fusse arrivé pour la première fois en descendant de chemin de fer.

Au pas saccadé de son cheval, Golo, plein d'un affreux dessein, sortait de la petite forêt triangulaire qui veloutait d'un vert sombre la pente d'une colline, et s'avançait en tressautant vers le château de la pauvre Geneviève de Brabant. Ce château était coupé selon une ligne courbe qui n'était autre que la limite d'un des ovales de verre ménagés dans le châssis qu'on glissait entre les coulisses de la lanterne. Ce n'était qu'un pan de château, et il avait devant lui une lande où rêvait Geneviève, qui portait une ceinture bleue. Le château et la lande étaient jaunes, et je n'avais pas attendu de les voir pour connaître leur couleur, car, avant les verres du châssis, la sonorité mordorée du nom de Brabant me l'avait montrée avec évidence. Golo s'arrêtait un instant pour écouter avec tristesse le boniment lu à haute voix par ma grand'tante, et qu'il avait l'air de comprendre parfaitement, conformant son attitude, avec une docilité qui n'excluait pas une certaine majesté, aux indications du texte; puis il s'éloignait du même pas saccadé. Et rien ne pouvait arrêter sa lente chevauchée. Si on bougeait la lanterne, je distinguais le cheval de Golo qui continuait à s'avancer sur les rideaux de la fenêtre, se bombant de leurs plis, descendant dans leurs fentes. Le corps de Golo lui-même, d'une essence aussi surnaturelle que celui de sa monture, s'arrangeait de tout obstacle matériel, de tout objet gênant qu'il rencontrait en le prenant comme ossature et en se le rendant intérieur, fût-ce le bouton de la porte sur lequel s'adaptait aussitôt et surnageait invinciblement sa robe rouge ou sa figure pâle toujours aussi noble et aussi mélancolique, mais qui ne laissait paraître aucun trouble de cette transvertébration.

Certes je leur trouvais du charme à ces brillantes projections qui semblaient émaner d'un passé mérovingien et promenaient autour de moi des reflets d'histoire si anciens. Mais je ne peux dire quel malaise me causait pourtant cette intrusion du mystère et de la beauté dans une chambre que j'avais fini par remplir de mon moi au point de ne pas faire plus attention à elle qu'à lui-même. L'influence anesthésiante de l'habitude ayant cessé, je me mettais à penser, à sentir, choses si tristes. Ce bouton de la porte de ma chambre, qui différait pour moi de tous les autres boutons de porte du monde en ceci qu'il semblait ouvrir tout seul, sans que j'eusse besoin de le tourner, tant le maniement m'en était devenu inconscient, le voilà qui servait maintenant de corps astral à Golo. Et dès qu'on sonnait le dîner, j'avais hâte de courir à la salle à manger où la grosse lampe de la suspension, ignorante de Golo et de Barbe-Bleue, et qui connaissait mes parents et le bœuf à la casserole, donnait sa lumière de tous les soirs, et de tomber dans les bras de maman que les malheurs de Geneviève de Brabant me rendaient plus chère, tandis que les crimes de Golo me faisaient examiner ma propre conscience avec plus de scrupules.

Après le dîner, hélas, j'étais bientôt obligé de quitter maman qui restait à causer avec les autres, au jardin s'il faisait beau, dans le petit salon où tout le monde se retirait s'il faisait mauvais. Tout le monde, sauf ma grand'mère qui trouvait que « c'est une pitié de rester enfermé à la campagne » et qui avait d'incessantes discussions avec mon père, les jours de trop grande pluie, parce qu'il m'envoyait lire dans ma chambre au lieu de rester dehors. « Ce n'est pas comme cela que vous le rendrez robuste et énergique, disait-elle tristement, surtout ce petit qui a tant besoin de prendre des forces et de la volonté. » Mon père haussait les épaules et il examinait le baromètre, car il aimait la météorologie, pendant que ma mère, évitant de faire du bruit pour ne pas le troubler, le regardait avec un respect attendri, mais pas trop fixement pour ne pas chercher à percer le mystère de ses supériorités. Mais ma grand'mère, elle, par tous les temps, même quand la pluie faisait rage et que Françoise avait précipitamment rentré les précieux fauteuils d'osier de peur qu'ils ne fussent mouillés, on la voyait dans le jardin vide et fouetté par l'averse, relevant ses mèches désordonnées et grises pour que son front s'imbibât mieux de la salubrité du vent et de la pluie. Elle disait : « Enfin, on respire! » et parcourait les allées détrempées — trop symétriquement alignées à son gré par le nouveau jardinier dépourvu du sentiment de la nature et auquel mon père avait demandé depuis le matin si le temps s'arrangerait — de son petit pas enthousiaste et saccadé, réglé sur les mouvements divers qu'excitaient dans son âme l'ivresse de l'orage, la puissance de l'hygiène, la stupidité de mon éducation et la symétrie des jardins, plutôt que sur le désir, inconnu d'elle, d'éviter à sa jupe prune les taches de boue sous lesquelles elle disparaissait jusqu'à une hauteur qui était toujours pour sa femme de chambre un désespoir et un problème.

Quand ces tours de jardin de ma grand'mère avaient lieu après dîner, une chose avait le pouvoir de la faire rentrer : c'était—à un des moments où la révolution de sa promenade la ramenait périodiquement, comme un insecte, en face des lumières du petit salon où les liqueurs étaient servies sur la table à jeu — si ma grand'tante lui criait : « Bathilde! viens donc empêcher ton mari de boire du cognac! » Pour la taquiner, en effet (elle avait apporté dans la famille de mon père un esprit si différent que tout le monde la plaisantait et la tourmentait), comme les liqueurs étaient défendues à mon grand-père, ma grand'-tante lui en faisait boire quelques gouttes. Ma pauvre grand'mère entrait, priait ardemment son mari de ne pas goûter au cognac; il se fâchait, buvait tout de même sa gorgée, et ma grand'mère repartait, triste, découragée, souriante pourtant, car elle était si humble de cœur et si douce que sa tendresse pour les autres et le peu de cas qu'elle faisait de sa propre personne et de ses souffrances, se conciliaient dans son regard en un sourire où, contrairement à ce qu'on voit dans le visage de beaucoup d'humains, il n'y avait d'ironie que pour elle-même, et pour nous tous comme un baiser de ses yeux qui ne pouvaient voir ceux qu'elle chérissait sans les caresser passionnément du regard. Ce supplice que lui infligeait ma grand'tante, le spectacle des vaines prières de ma grand'mère et de sa faiblesse, vaincue d'avance, essayant inutilement d'ôter à mon grand-père le verre à liqueur, c'était de ces choses à la vue desquelles on s'habitue plus tard jusqu'à les considérer en riant et à prendre le parti du persécuteur assez résolument et gaiement pour se persuader à soi-même qu'il ne s'agit pas de persécution; elles me causaient alors une telle horreur que j'aurais aimé battre ma grand'tante. Mais dès que j'entendais : « Bathilde, viens donc empêcher ton mari de boire du cognac! » déjà homme par la lâcheté, je faisais ce que nous faisons tous, une fois que nous sommes grands, quand il y a devant nous des souffrances et des injustices : je ne voulais pas les voir; je montais sangloter tout en haut de la maison à côté de la salle d'études, sous les toits, dans une petite pièce sentant l'iris, et que parfumait aussi un cassis sauvage[1] poussé au dehors entre les pierres de la muraille et qui passait une branche de fleurs par la fenêtre entr'ouverte. Destinée à un usage plus spécial et plus vulgaire, cette pièce, d'où l'on voyait pendant le jour jusqu'au donjon de Roussainville-le-Pin, servit longtemps de refuge pour moi, sans doute parce qu'elle était la seule qu'il me fût permis de fermer à clef, à toutes celles de mes occupations qui réclamaient une inviolable solitude : la lecture, la rêverie, les larmes et la volupté. Hélas! je ne savais pas que, bien plus tristement que les petits écarts de régime de son mari, mon manque de volonté, ma santé délicate, l'incertitude qu'ils projetaient sur mon avenir, préoccupaient ma grand'mère au cours de ces déambulations incessantes de l'après-midi et du soir, où on voyait passer et repasser, obliquement levé vers le ciel, son beau visage aux joues brunes et sillonnées, devenues au retour de l'âge presque mauves comme les labours à l'automne, barrées, si elle sortait, par une voilette à demi relevée, et sur lesquelles, amené là par le froid ou quelque triste pensée, était toujours en train de sécher un pleur involontaire.

Ma seule consolation, quand je montais me coucher, était que maman viendrait m'embrasser quand je serais dans mon lit. Mais ce bonsoir durait si peu de temps, elle redescendait si vite, que le moment où je l'entendais monter, puis où passait dans le couloir à double porte le bruit léger de sa robe de jardin en mousseline bleue, à laquelle pendaient de petits cordons de paille tressée, était pour moi un moment douloureux. Il annonçait celui qui allait le suivre, où elle m'aurait quitté, où elle serait redescendue. De sorte que ce bonsoir que j'aimais tant, j'en arrivais à souhaiter qu'il vînt le plus tard possible, à ce que se prolongeât le temps de répit où maman n'était pas encore venue. Quelquefois quand, après m'avoir embrassé, elle ouvrait ma porte pour partir, je voulais la rappeler, lui dire « embrasse-moi une fois encore », mais je savais qu'aussitôt elle aurait son visage fâché, car la concession qu'elle faisait à ma tristesse et à mon agitation en montant m'embrasser, en m'apportant ce baiser de paix, agaçait mon père qui trouvait ces rites absurdes, et elle eût voulu tâcher de m'en faire perdre le besoin, l'habitude, bien loin de me laisser prendre celle de lui demander, quand elle était déjà sur le pas de la porte, un baiser de plus. Or la voir fâchée détruisait tout le calme qu'elle m'avait apporté un instant avant, quand elle avait penché vers mon lit sa figure aimante, et me l'avait tendue comme une hostie pour une communion de paix où mes lèvres puiseraient sa présence réelle et le pouvoir de m'endormir. Mais ces soirs-là, où maman en somme restait si peu de temps dans ma chambre, étaient doux encore en comparaison de ceux où il y avait du monde à dîner et où, à cause de cela, elle ne montait pas me dire bonsoir. Le monde se bornait habituellement à M. Swann, qui, en dehors de quelques étrangers de passage, était à peu près la seule personne qui vînt chez nous à Combray, quelquefois pour dîner en voisin (plus rarement depuis qu'il avait fait ce mauvais mariage, parce que mes parents ne voulaient pas recevoir sa femme), quelquefois après le dîner, à l'improviste. Les soirs où, assis devant la maison sous le grand marronnier, autour de la table de fer, nous entendions au bout du jardin, non pas le grelot profus et criard qui arrosait, qui étourdissait au passage de son bruit ferrugineux, intarissable et glacé, toute personne de la maison qui le déclenchait en entrant « sans sonner », mais le double tintement timide, ovale et doré de la clochette pour les étrangers, tout le monde aussitôt se demandait : « Une visite, qui cela peut-il être ? » mais on savait bien que cela ne pouvait être que M. Swann; ma grand'tante parlant à haute voix, pour prêcher d'exemple, sur un ton qu'elle s'efforçait de rendre naturel, disait de ne pas chuchoter ainsi; que rien n'est plus désobligeant pour une personne qui arrive et à qui cela fait croire qu'on est en train de dire des choses qu'elle ne doit pas entendre; et on envoyait en éclaireur ma grand'mère, toujours heureuse d'avoir un prétexte pour faire un tour de jardin de plus, et qui en profitait pour arracher subrepticement au passage quelques tuteurs de rosiers afin de rendre aux roses un peu de naturel, comme une mère qui, pour les faire bouffer, passe la main dans les cheveux de son fils que le coiffeur a trop aplatis.

Nous restions tous suspendus aux nouvelles que ma grand'mère allait nous apporter de l'ennemi, comme si on eût pu hésiter entre un grand nombre possible d'assaillants, et bientôt après mon grand-père disait : « Je reconnais la voix de Swann. » On ne le reconnaissait en effet qu'à la voix, on distinguait mal son visage au nez busqué, aux yeux verts, sous un haut front entouré de cheveux blonds presque roux, coiffés à la Bressant, parce que nous gardions le moins de lumière possible au jardin pour ne pas attirer les moustiques, et j'allais, sans en avoir l'air, dire qu'on apportât[1] les sirops; ma grand'mère attachait beaucoup d'importance, trouvant cela plus aimable, à ce qu'ils n'eussent pas l'air de figurer d'une façon exceptionnelle, et pour les visites seulement. M. Swann, quoique beaucoup plus jeune que lui, était très lié avec mon grand-père, qui avait été un des meilleurs amis de son père, homme excellent mais singulier, chez qui, paraît-il, un rien suffisait parfois pour interrompre les élans du cœur, changer le cours de la pensée. J'entendais plusieurs fois par an mon grand-père raconter à table des anecdotes toujours les mêmes sur l'attitude qu'avait eue M. Swann le père, à la mort de sa femme qu'il avait veillée jour et nuit. Mon grand-père qui ne l'avait pas vu depuis longtemps était accouru auprès de lui dans la propriété que les Swann possédaient aux environs de Combray, et avait réussi, pour qu'il n'assistât pas à la mise en bière, à lui faire quitter un moment, tout en pleurs, la chambre mortuaire. Ils firent quelques pas dans le parc où il y avait un peu de soleil. Tout d'un coup, M. Swann prenant mon grand-père par le bras s'était écrié : « Ah! mon vieil ami, quel bonheur de se promener ensemble par ce beau temps ! Vous ne trouvez pas ça joli, tous ces arbres, ces aubépines et mon étang dont vous ne m'avez jamais félicité? Vous avez l'air comme un bonnet de nuit. Sentez-vous ce petit vent? Ah ! on a beau dire, la vie a du bon tout de même, mon cher Amédée ! » Brusquement le souvenir de sa femme morte lui revint, et trouvant sans doute trop compliqué de chercher comment il avait pu à un pareil moment se laisser aller à un mouvement de joie, il se contenta, par un geste qui lui était familier chaque fois qu'une question ardue se présentait à son esprit, de passer la main sur son front, d'essuyer ses yeux et les verres de son lorgnon. Il ne put pourtant pas se consoler de la mort de sa femme, mais pendant les deux années qu'il lui survécut, il disait à mon grand-père : « C'est drôle, je pense très souvent à ma pauvre femme, mais je ne peux y penser beaucoup à la fois. » « Souvent mais peu à la fois, comme le pauvre père Swann », était devenu une des phrases favorites de mon grand-père qui la prononçait à propos des choses les plus différentes. Il m'aurait paru que ce père de Swann était un monstre, si mon grand-père que je considérais comme meilleur juge et dont la sentence, faisant jurisprudence pour moi, m'a souvent servi dans la suite à absoudre des fautes que j'aurais été enclin à condamner, ne s'était récrié : « Mais comment? c'était un cœur d'or ! »

Pendant bien des années, où pourtant, surtout avant son mariage, M. Swann, le fils, vint souvent les voir à Combray, ma grand'tante et mes grands-parents ne soupçonnèrent pas qu'il ne vivait plus du tout dans la société qu'avait fréquentée sa famille et que sous l'espèce d'incognito que lui faisait chez nous ce nom de Swann, ils hébergeaient — avec la parfaite innocence d'honnêtes hôteliers qui ont chez eux, sans le savoir, un célèbre brigand — un des membres les plus élégants du Jockey-

Club, ami préféré du comte de Paris et du prince de Galles, un des hommes les plus choyés de la haute société du faubourg Saint-Germain.

L'ignorance où nous étions de cette brillante vie mondaine que menait Swann tenait évidemment en partie à la réserve et à la discrétion de son caractère, mais aussi à ce que les bourgeois d'alors se faisaient de la société une idée un peu hindoue, et la considéraient comme composée de castes fermées où chacun, dès sa naissance, se trouvait placé dans le rang qu'occupaient ses parents, et d'où rien, à moins des hasards d'une carrière exceptionnelle ou d'un mariage inespéré, ne pouvait vous tirer pour vous faire pénétrer dans une caste supérieure. M. Swann, le père, était agent de change; le « fils Swann » se trouvait faire partie pour toute sa vie d'une caste où les fortunes, comme dans une catégorie de contribuables, variaient entre tel et tel revenu. On savait quelles avaient été les fréquentations de son père, on savait donc quelles étaient les siennes, avec quelles personnes il était « en situation » de frayer. S'il en connaissait d'autres, c'étaient relations de jeune homme sur lesquelles des amis anciens de sa famille, comme étaient mes parents, fermaient d'autant plus bienveillamment les yeux qu'il continuait, depuis qu'il était orphelin, à venir très fidèlement nous voir; mais il y avait fort à parier que ces gens inconnus de nous qu'il voyait étaient de ceux qu'il n'aurait pas osé saluer si, étant avec nous, il les avait rencontrés. Si l'on avait voulu à toute force appliquer à Swann un coefficient social qui lui fût personnel, entre les autres fils d'agents de situation égale à celle de ses parents, ce coefficient eût été pour lui un peu inférieur parce que, très simple de façons[1] et ayant toujours eu une « toquade » d'objets anciens et de peinture, il demeurait maintenant dans un vieil hôtel où il entassait ses collections et que ma grand'mère rêvait de visiter, mais qui était situé quai d'Orléans, quartier que ma grand'tante trouvait infamant d'habiter. « Êtes-vous seulement connaisseur? Je vous demande cela dans votre intérêt, parce que vous devez vous faire repasser des croûtes par les marchands », lui disait ma grand'tante; elle ne lui supposait en effet aucune compétence, et n'avait pas haute idée, même au point de vue intellectuel, d'un homme qui, dans la conversation, évitait les sujets sérieux et montrait une précision fort prosaïque, non seulement quand il nous donnait, en entrant dans les moindres détails, des recettes de cuisine, mais même quand les sœurs de ma grand'mère parlaient de sujets artistiques. Provoqué par elles à donner son avis, à exprimer son admiration pour un tableau, il gardait un silence presque désobligeant, et se rattrapait en revanche s'il pouvait fournir sur le musée où il se trouvait, sur la date où il avait été peint, un renseignement matériel. Mais d'habitude il se contentait de chercher à nous amuser en racontant chaque fois une histoire nouvelle qui venait de lui arriver avec des gens choisis parmi ceux que nous connaissions, avec le pharmacien de Combray, avec notre cuisinière, avec notre cocher. Certes ces récits faisaient rire ma grand'tante, mais sans qu'elle distinguât bien si c'était à cause du rôle ridicule que s'y donnait toujours Swann ou de l'esprit qu'il mettait à les conter : « On peut dire que vous êtes un vrai type, monsieur Swann ! » Comme elle était la seule personne un peu vulgaire de notre famille, elle avait soin de faire remarquer aux étrangers, quand on parlait de Swann, qu'il aurait pu, s'il avait voulu, habiter boulevard Haussmann ou avenue de l'Opéra, qu'il était le fils de M. Swann qui avait dû laisser quatre ou cinq millions, mais que c'était sa fantaisie. Fantaisie qu'elle jugeait au reste devoir être si divertissante pour les autres qu'à Paris, quand M. Swann venait le 1er janvier lui apporter son sac de marrons glacés, elle ne manquait pas, s'il y avait du monde, de lui dire : « Eh bien ! Monsieur Swann, vous habitez toujours près de l'Entrepôt des vins, pour être sûr de ne pas manquer le train quand vous prenez le chemin de Lyon ? » Et elle regardait du coin de l'œil, par-dessus son lorgnon, les autres visiteurs.

Mais si l'on avait dit à ma grand'tante que ce Swann qui en tant que fils Swann était parfaitement « qualifié » pour être reçu par toute la « belle bourgeoisie », par les notaires ou les avoués les plus estimés de Paris (privilège qu'il semblait laisser tomber un peu en quenouille), avait, comme en cachette, une vie toute différente; qu'en sortant de chez nous, à Paris, après nous avoir dit qu'il rentrait se coucher, il rebroussait chemin à peine la rue tournée et se rendait dans tel salon que jamais l'œil d'aucun agent ou associé d'agent ne contempla, cela eût paru aussi extraordinaire à ma tante qu'aurait pu l'être pour une dame plus lettrée la pensée d'être personnellement liée avec Aristée dont elle aurait compris qu'il allait, après avoir causé avec elle, plonger au sein des royaumes de Thétis, dans un empire soustrait aux yeux des mortels, et où Virgile nous le montre reçu à bras ouverts; ou, pour s'en tenir à une image qui avait plus de chance de lui venir à l'esprit, car elle l'avait vue peinte sur nos assiettes à petits fours de Combray, d'avoir eu à dîner Ali-Baba, lequel, quand il se saura seul, pénétrera dans la caverne éblouissante de trésors insoupçonnés.

Un jour qu'il était venu nous voir à Paris, après dîner, en s'excusant d'être en habit, Françoise ayant, après son départ, dit tenir du cocher qu'il avait dîné « chez une princesse », — « Oui, chez une princesse du demi-monde ! » avait répondu ma tante en haussant les épaules sans lever les yeux de sur son tricot, avec une ironie sereine.

Aussi, ma grand'tante en usait-elle cavalièrement avec lui. Comme elle croyait qu'il devait être flatté par nos invitations, elle trouvait tout naturel qu'il ne vînt pas nous voir l'été sans avoir à la main un panier de pêches ou de framboises de son jardin, et que de chacun de ses voyages d'Italie il m'eût rapporté des photographies de chefs-d'œuvre.

On ne se gênait guère pour l'envoyer quérir dès qu'on avait besoin d'une recette de sauce gribiche ou de salade à l'ananas pour des grands dîners où on ne l'invitait pas, ne lui trouvant pas un prestige suffisant pour qu'on pût le servir à des étrangers qui venaient pour la première fois. Si la conversation tombait sur les princes de la Maison de France : « des gens que nous ne connaîtrons jamais ni vous ni moi et nous nous en passons, n'est-ce pas », disait ma grand'tante à Swann qui avait peut-être dans sa poche une lettre de Twickenham; elle lui faisait pousser le piano et tourner les pages les soirs où la sœur de ma grand'mère chantait, ayant, pour manier cet être ailleurs si recherché, la naïve brusquerie d'un enfant qui joue avec un bibelot de collection sans plus de précautions qu'avec un objet bon marché. Sans doute le Swann que connurent à la même époque tant de clubmen était bien différent de celui que créait ma grand'tante, quand le soir, dans le petit jardin de Combray, après qu'avaient retenti les deux coups hésitants de la clochette, elle injectait et vivifiait de tout ce qu'elle savait sur la famille Swann l'obscur et incertain personnage qui se détachait, suivi de ma grand'mère, sur un fond de ténèbres, et qu'on reconnaissait à la voix. Mais même au point de vue des plus insignifiantes choses de la vie, nous ne sommes pas un tout matériellement constitué, identique pour tout le monde et dont chacun n'a qu'à aller prendre connaissance comme d'un cahier des charges ou d'un testament; notre personnalité sociale est une création de la pensée des autres. Même l'acte si simple que nous appelons « voir une personne que nous connaissons » est en partie un acte intellectuel. Nous remplissons l'apparence physique de l'être que nous voyons de toutes les notions que nous avons sur lui, et dans l'aspect total que nous nous représentons, ces notions ont certainement la plus grande part. Elles finissent par gonfler si parfaitement les joues, par suivre en une adhérence si exacte la ligne du nez, elles se mêlent si bien de nuancer la sonorité de la voix comme si celle-ci n'était qu'une transparente enveloppe, que chaque fois que nous voyons ce visage et que nous entendons cette voix, ce sont ces notions que nous retrouvons, que nous écoutons. Sans doute, dans le Swann qu'ils s'étaient constitué, mes parents avaient omis par ignorance de faire entrer une foule de particularités de sa vie mondaine qui étaient cause que d'autres personnes, quand elles étaient en sa présence, voyaient les élégances régner dans son visage et s'arrêter à son nez busqué comme à leur frontière naturelle; mais aussi ils avaient pu entasser dans ce visage désaffecté de son prestige, vacant et spacieux, au fond de ces yeux dépréciés, le vague et doux résidu — mi-mémoire, mi-oubli — des heures oisives passées ensemble après nos dîners hebdomadaires, autour de la table de jeu ou au jardin, durant notre vie de bon voisinage campagnard. L'enveloppe corporelle de notre ami en avait été si bien bourrée, ainsi que de quelques souvenirs relatifs à ses parents, que ce Swann-là était devenu un être complet et vivant, et que j'ai l'impression de quitter une personne pour aller vers une autre qui en est distincte, quand, dans ma mémoire, du Swann que j'ai connu plus tard avec exactitude, je passe à ce premier Swann — à ce premier Swann dans lequel je retrouve les erreurs charmantes de ma jeunesse et qui d'ailleurs ressemble moins à l'autre qu'aux personnes que j'ai connues à la même époque, comme s'il en était de notre vie ainsi que d'un musée où tous les portraits d'un même temps ont un air de famille, une même tonalité — à ce premier Swann rempli de loisir, parfumé par l'odeur du grand marronnier, des paniers de framboises et d'un brin d'estragon.

Pourtant un jour que ma grand'mère était allée demander un service à une dame qu'elle avait connue au Sacré-Cœur (et avec laquelle, à cause de notre conception des castes, elle n'avait pas voulu rester en relations, malgré une sympathie réciproque), la marquise de Villeparisis, de la célèbre famille de Bouillon, celle-ci lui avait dit : « Je crois que vous connaissez beaucoup M. Swann qui est un grand ami de mes neveux des Laumes. » Ma grand'mère était revenue de sa visite enthousiasmée par la maison qui donnait sur des jardins et où Mme de Villeparisis lui conseillait de louer, et aussi par un giletier et sa fille, qui avaient leur boutique dans la cour et chez qui elle était entrée demander qu'on fît un point à sa jupe qu'elle avait déchirée dans l'escalier. Ma grand'mère avait trouvé ces gens parfaits, elle déclarait que la petite était une perle et que le giletier était l'homme le plus distingué, le mieux qu'elle eût jamais vu. Car pour elle, la distinction était quelque chose d'absolument indépendant du rang social. Elle s'extasiait sur une réponse que le giletier lui avait faite, disant à maman : « Sévigné n'aurait pas mieux dit ! » et, en revanche, d'un neveu de Mme de Villeparisis qu'elle avait rencontré chez elle : « Ah ! ma fille, comme il est commun ! »

Or le propos relatif à Swann avait eu pour effet, non pas de relever celui-ci dans l'esprit de ma grand'tante, mais d'y abaisser Mme de Villeparisis. Il semblait que la considération que, sur la foi de ma grand'mère, nous accordions à Mme de Villeparisis, lui créât un devoir de ne rien faire qui l'en rendît moins digne et auquel elle avait manqué en apprenant l'existence de Swann, en permettant à des parents à elle de le fréquenter. « Comment ! elle connaît Swann ? Pour une personne que tu prétendais parente du maréchal de Mac-Mahon ! » Cette opinion de mes parents sur les relations de Swann leur parut ensuite confirmée par son mariage avec une femme de la pire société, presque une cocotte, que, d'ailleurs, il ne chercha jamais à présenter, continuant à venir seul chez nous, quoique de moins en moins, mais d'après laquelle ils crurent pouvoir juger — supposant que c'était là qu'il l'avait prise — le milieu, inconnu d'eux, qu'il fréquentait habituellement.

Mais une fois, mon grand-père lut dans un journal que M. Swann était un des plus fidèles habitués des déjeuners du dimanche chez le duc de X..., dont le père et l'oncle avaient été les hommes d'État les plus en vue du règne de Louis-Philippe. Or mon grand-père était curieux de tous les petits faits qui pouvaient l'aider à entrer par la pensée dans la vie privée d'hommes comme Molé, comme le duc Pasquier, comme le duc de Broglie. Il fut enchanté d'apprendre que Swann fréquentait des gens qui les avaient connus. Ma grand'tante au contraire interpréta cette nouvelle dans un sens défavorable à Swann : quelqu'un qui choisissait ses fréquentations en dehors de la caste où il était né, en dehors de sa « classe » sociale, subissait à ses yeux un fâcheux déclassement. Il lui semblait qu'on renonçât d'un coup au fruit de toutes les belles relations avec des gens bien posés, qu'avaient honorablement entretenues et engrangées pour leurs enfants les familles prévoyantes (ma grand'tante avait même cessé de voir le fils d'un notaire de nos amis parce qu'il avait épousé une altesse et était par là descendu pour elle du rang respecté de fils de notaire à celui d'un de ces aventuriers, anciens valets de chambre ou garçons d'écurie, pour qui on raconte que les reines eurent parfois des bontés). Elle blâma le projet qu'avait mon grand-père d'interroger Swann, le soir prochain où il devait venir dîner, sur ces amis que nous lui découvrions. D'autre part les deux sœurs de ma grand'mère, vieilles filles qui avaient sa noble nature, mais non son esprit, déclarèrent ne pas comprendre le plaisir que leur beau-frère pouvait trouver à parler de niaiseries pareilles. C'étaient des personnes d'aspirations élevées et qui à cause de cela même étaient incapables de s'intéresser à ce qu'on appelle un potin, eût-il même un intérêt historique, et d'une façon générale à tout ce qui ne se rattachait pas directement à un objet esthétique ou vertueux. Le désintéressement de leur pensée était tel, à l'égard de tout ce qui, de près ou de loin, semblait se rattacher à la vie mondaine, que leur sens auditif — ayant fini par comprendre son inutilité momentanée dès qu'à dîner la conversation prenait un ton frivole ou seulement terre à terre sans que ces deux vieilles demoiselles aient pu la ramener aux sujets qui leur étaient chers, — mettait alors au repos ses organes récepteurs et leur laissait subir un véritable commencement d'atrophie. Si alors mon grand-père avait besoin d'attirer l'attention des deux sœurs, il fallait qu'il eût recours à ces avertissements physiques dont usent les médecins aliénistes à l'égard de certains maniaques de la distraction : coups frappés à plusieurs reprises sur un verre avec la lame d'un couteau, coïncidant avec une brusque interpellation de la voix et du regard, moyens violents que ces psychiatres transportent souvent dans les rapports courants avec des gens bien portants, soit par habitude professionnelle, soit qu'ils croient tout le monde un peu fou.

Elles furent plus intéressées quand la veille du jour où Swann devait venir dîner, et leur avait personnellement envoyé une caisse de vin d'Asti, ma tante, tenant un numéro du *Figaro* où à côté du nom d'un tableau qui était à une Exposition de Corot, il y avait ces mots : « de la collection de M. Charles Swann », nous dit : « Vous avez vu que Swann a « les honneurs » du *Figaro ?* — Mais je vous ai toujours dit qu'il avait beaucoup de goût, dit ma grand'mère. — Naturellement toi, du moment qu'il s'agit d'être d'un autre avis que *nous,* répondit ma grand'tante qui, sachant que ma grand'mère n'était jamais du même avis qu'elle, et n'étant pas[1] bien sûre que ce fût à elle-même que nous donnions toujours raison, voulait nous arracher une condamnation en bloc des opinions de ma grand'mère contre lesquelles elle tâchait de nous solidariser de force avec les siennes. Mais nous restâmes silencieux. Les sœurs de ma grand'mère ayant manifesté l'intention de parler à Swann de ce mot du *Figaro,* ma grand'tante le leur déconseilla. Chaque fois qu'elle voyait aux autres un avantage, si petit fût-il, qu'elle n'avait pas, elle se persuadait que c'était non un avantage, mais un mal, et elle les plaignait pour ne pas avoir à les envier. « Je crois que vous ne lui feriez pas plaisir; moi je sais bien que cela me serait très désagréable de voir mon nom imprimé tout vif comme cela dans le journal, et je ne serais pas flattée du tout qu'on m'en parlât[2]. » Elle ne s'entêta pas d'ailleurs à persuader les sœurs de ma grand'mère; car celles-ci par horreur de la vulgarité poussaient si loin l'art de dissimuler sous des périphrases ingénieuses une allusion personnelle, qu'elle passait souvent inaperçue de celui même à qui elle s'adressait. Quant à ma mère, elle ne pensait qu'à tâcher d'obtenir de mon père qu'il consentît à parler à Swann non de sa femme, mais de sa fille qu'il adorait et à cause de laquelle, disait-on, il avait fini par faire ce mariage. « Tu pourrais ne lui dire qu'un mot, lui demander comment elle va. Cela doit être si cruel pour lui. » Mais mon père se fâchait : « Mais non ! tu as des idées absurdes. Ce serait ridicule. »

Mais le seul d'entre nous pour qui la venue de Swann devint l'objet d'une préoccupation douloureuse, ce fut moi. C'est que les soirs où des étrangers, ou seulement M. Swann, étaient là, maman ne montait pas dans ma chambre[1]. Je dînais avant tout le monde et je venais ensuite m'asseoir à table, jusqu'à huit heures où il était convenu que je devais monter; ce baiser précieux et fragile que maman me confiait d'habitude dans mon lit au moment de m'endormir, il me fallait le transporter de la salle à manger dans ma chambre et le garder pendant tout le temps que je me déshabillais, sans que se brisât sa douceur, sans que se répandît et s'évaporât sa vertu volatile, et, justement ces soirs-là où j'aurais eu besoin de le recevoir avec plus de précaution, il fallait que je le prisse, que je le dérobasse brusquement, publiquement, sans même avoir le temps et la liberté d'esprit nécessaires pour porter à ce que je faisais cette attention des maniaques qui s'efforcent de ne pas penser à autre chose pendant qu'ils ferment une porte, pour pouvoir, quand l'incertitude maladive leur revient, lui opposer victorieusement le souvenir du moment où ils l'ont fermée.

Nous étions tous au jardin quand retentirent les deux coups hésitants de la clochette. On savait que c'était Swann; néanmoins tout le monde se regarda d'un air interrogateur et on envoya ma grand'mère en reconnaissance. « Pensez à le remercier intelligiblement de son vin, vous savez qu'il est délicieux et la caisse est énorme », recommanda mon grand-père à ses deux belles-sœurs. « Ne commencez pas à chuchoter, dit ma grand'tante. Comme c'est confortable d'arriver dans une maison où tout le monde parle bas ! — Ah ! voilà M. Swann. Nous allons lui demander s'il croit qu'il fera beau demain », dit mon père. Ma mère pensait qu'un mot d'elle effacerait toute la peine que dans notre famille on avait pu faire à Swann depuis son mariage. Elle trouva le moyen de l'emmener un peu à l'écart. Mais je la suivis; je ne pouvais me décider à la quitter d'un pas en pensant que tout à l'heure il faudrait que je la laisse dans la salle à manger et que je remonte dans ma chambre sans avoir comme les autres soirs la consolation qu'elle vînt m'embrasser. « Voyons, monsieur Swann, lui dit-elle, parlez-moi un peu de votre fille; je suis sûre qu'elle a déjà le goût des belles œuvres comme son papa. — Mais venez donc vous asseoir avec nous tous sous la véranda », dit mon grand-père en s'approchant. Ma mère fut obligée de s'interrompre, mais elle tira de cette contrainte même une pensée délicate de plus, comme les bons poètes que la tyrannie de la rime force à trouver leurs plus grandes beautés : « Nous reparlerons d'elle quand nous serons tous les deux, dit-elle à mi-voix à Swann. Il n'y a qu'une maman qui soit digne de vous comprendre. Je suis sûre que la sienne serait de mon avis. » Nous nous assîmes tous autour de la table de fer. J'aurais voulu ne pas penser aux heures d'angoisse que je passerais ce soir seul dans ma chambre sans pouvoir m'endormir; je tâchais de me persuader qu'elles n'avaient aucune importance, puisque je les aurais oubliées demain matin, de m'attacher à des idées d'avenir qui auraient dû me conduire comme sur un pont au delà de l'abîme prochain qui m'effrayait. Mais mon esprit tendu par ma préoccupation, rendu convexe comme le regard que je dardais sur ma mère, ne se laissait pénétrer par aucune impression étrangère. Les pensées entraient bien en lui, mais à condition de laisser dehors tout élément de beauté ou simplement de drôlerie qui m'eût touché ou distrait. Comme un malade grâce à un anesthésique assiste avec une pleine lucidité à l'opération qu'on pratique sur lui, mais sans rien sentir, je pouvais me réciter des vers que j'aimais ou observer les efforts que mon grand-père faisait pour parler à Swann du duc d'Audiffret-Pasquier, sans que les premiers me fissent éprouver aucune émotion, les seconds aucune gaîté. Ces efforts furent infructueux. À peine mon grand-père eut-il posé à Swann une question relative à cet orateur qu'une des sœurs de ma grand'mère, aux oreilles de qui cette question résonna comme un silence profond mais intempestif et qu'il était poli de rompre, interpella l'autre : « Imagine-toi, Céline, que j'ai fait la connaissance d'une jeune institutrice suédoise qui m'a donné sur les coopératives dans les pays scandinaves des détails tout ce qu'il y a de plus intéressants. Il faudra qu'elle vienne dîner ici un soir. — Je crois bien ! répondit sa sœur Flora, mais je n'ai pas perdu mon temps non plus. J'ai rencontré chez M. Vinteuil un vieux savant qui connaît beaucoup Maubant, et à qui Maubant a expliqué dans le plus grand détail comment il s'y prend pour composer un rôle. C'est tout ce qu'il y a de plus intéressant. C'est un voisin de M. Vinteuil, je n'en savais rien; et il est très aimable. — Il n'y a pas que M. Vinteuil qui ait des voisins aimables », s'écria ma tante Céline d'une voix que la timidité rendait forte et la préméditation, factice, tout en jetant sur Swann ce qu'elle appelait un regard significatif. En même temps ma tante Flora qui avait compris que cette phrase était le remerciement de Céline pour le vin d'Asti, regardait également Swann avec un air mêlé de congratulation et d'ironie, soit simplement pour souligner le trait d'esprit de sa sœur, soit qu'elle enviât Swann de l'avoir inspiré, soit qu'elle ne pût s'empêcher de se moquer de lui parce qu'elle le croyait sur la sellette. « Je crois qu'on pourra réussir à avoir ce monsieur à dîner, continua Flora; quand on le met sur Maubant ou sur Mme Materna, il parle des heures sans s'arrêter. — Ce doit être délicieux », soupira mon grand-père dans l'esprit de qui la nature avait malheureusement aussi complètement omis d'inclure la possibilité de s'intéresser passionnément aux coopératives suédoises ou à la composition des rôles de Maubant, qu'elle avait oublié de fournir celui des sœurs de ma grand'mère du petit grain de sel qu'il faut ajouter soi-même, pour y trouver quelque saveur, à un récit sur la vie intime de Molé ou du comte de Paris. « Tenez, dit Swann à mon grand-père, ce que je vais vous dire a plus de rapports que cela n'en a l'air avec ce que vous me demandiez, car sur certains points les choses n'ont pas énormément changé. Je relisais ce matin dans Saint-Simon quelque chose qui vous aurait amusé. C'est dans le volume sur son ambassade d'Espagne; ce n'est pas un des meilleurs, ce n'est guère qu'un journal, mais du moins un journal merveilleusement écrit, ce qui fait déjà une première différence avec les assommants journaux que nous nous croyons obligés de lire matin et soir. — Je ne suis pas de votre avis, il y a des jours où la lecture des journaux me semble fort agréable... », interrompit ma tante Flora, pour montrer qu'elle avait lu la phrase sur le Corot de Swann dans *le Figaro*. « Quand ils parlent de choses ou de gens qui nous intéressent ! » enchérit ma tante Céline. « Je ne dis pas non, répondit Swann étonné. Ce que je reproche aux journaux, c'est de nous faire faire attention tous les jours à des choses insignifiantes, tandis que nous lisons trois ou quatre fois dans notre vie les livres où il y a des choses essentielles. Du moment que nous déchirons fiévreusement chaque matin la bande du journal, alors on devrait changer les choses et mettre dans le journal, moi je ne sais pas, les... Pensées de Pascal ! (il détacha ce mot d'un ton d'emphase ironique pour ne pas avoir l'air pédant). Et c'est dans le volume doré sur tranches que nous n'ouvrons qu'une fois tous les dix ans, ajouta-t-il en témoignant pour les choses mondaines ce dédain qu'affectent certains hommes du monde, que nous lirions que la reine de Grèce est allée à Cannes ou que la princesse de Léon a donné un bal costumé. Comme cela la juste proportion serait rétablie. » Mais regrettant de s'être laissé aller à parler même légèrement de choses sérieuses : « Nous avons une bien belle conversation, dit-il ironiquement, je ne sais pas pourquoi nous abordons ces « sommets », et se tournant vers mon grand-père : « Donc Saint-Simon raconte que Maulévrier avait eu l'audace de tendre la main à ses fils. Vous savez, c'est ce Maulévrier dont il dit : « Jamais je ne vis dans cette épaisse » bouteille que de l'humeur, de la grossièreté et des sotti- » ses. » — « Épaisses ou non, je connais des bouteilles où il y a tout autre chose », dit vivement Flora, qui tenait à avoir remercié Swann elle aussi, car le présent de vin d'Asti s'adressait aux deux. Céline se mit à rire. Swann interloqué reprit : « Je ne sais si ce fut ignorance ou panneau, écrit Saint-Simon, il voulut donner la main à mes enfants. Je m'en aperçus assez tôt pour l'en empêcher. » Mon grand-père s'extasiait déjà sur « ignorance ou panneau », mais Mlle Céline, chez qui le nom de Saint-Simon — un littérateur — avait empêché l'anesthésie complète des facultés auditives, s'indignait déjà : « Comment ? vous admirez cela ? Eh bien ! c'est du joli ! Mais qu'est-ce que cela peut vouloir dire; est-ce qu'un homme n'est pas autant qu'un autre ? Qu'est-ce que cela peut faire qu'il soit duc ou cocher, s'il a de l'intelligence et du cœur ? Il avait une belle manière d'élever ses enfants, votre Saint-Simon, s'il ne leur disait pas de donner la main à tous les honnêtes gens. Mais c'est abominable, tout simplement. Et vous osez citer cela ? » Et mon grand-père navré, sentant l'impossibilité, devant cette obstruction, de chercher à faire raconter à Swann les histoires qui l'eussent amusé, disait à voix basse à maman : « Rappelle-moi donc le vers que tu m'as appris et qui me soulage tant dans ces moments-là. Ah ! oui : « Seigneur[1], que de » vertus vous nous faites haïr ! » Ah ! comme c'est bien ! »

Je ne quittais pas ma mère des yeux, je savais que quand on serait à table, on ne me permettrait pas de rester pendant toute la durée du dîner et que, pour ne pas contrarier mon père, maman ne me laisserait pas l'embrasser à plusieurs reprises devant le monde, comme si ç'avait été dans ma chambre. Aussi je me promettais, dans la salle à manger, pendant qu'on commencerait à dîner et que je sentirais approcher l'heure, de faire d'avance de ce baiser qui serait si court et furtif, tout ce que j'en pouvais faire seul, de choisir avec mon regard la place de la joue que j'embrasserais, de préparer ma pensée pour pouvoir, grâce à ce commencement mental de baiser, consacrer toute la minute que m'accorderait maman à sentir sa joue contre mes lèvres, comme un peintre qui ne peut obtenir que de courtes séances de pose, prépare sa palette et a fait d'avance de souvenir, d'après ses notes, tout ce pour quoi il pouvait à la rigueur se passer de la présence du modèle. Mais voici qu'avant que le dîner fût sonné mon grand-père eut la férocité inconsciente de dire : « Le petit a l'air fatigué, il devrait monter se coucher. On dîne tard du reste ce soir. » Et mon père, qui ne gardait pas aussi scrupuleusement que ma grand'mère et que ma mère la foi des traités, dit : « Oui, allons, va te coucher. » Je voulus embrasser maman, à cet instant on entendit la cloche du dîner. « Mais non, voyons, laisse ta mère, vous vous êtes assez dit bonsoir comme cela, ces manifestations sont ridicules. Allons, monte ! » Et il me fallut partir sans viatique; il me fallut monter chaque marche de l'escalier, comme dit l'expression populaire, à « contre-cœur », montant contre mon cœur qui voulait retourner près de ma mère parce qu'elle ne lui avait pas, en m'embrassant, donné licence de me suivre. Cet escalier détesté où je m'engageais toujours si tristement, exhalait une odeur de vernis qui avait en quelque sorte absorbé, fixé, cette sorte particulière de chagrin que je ressentais chaque soir, et la rendait peut-être plus cruelle encore pour ma sensibilité parce que, sous cette forme olfactive, mon intelligence n'en pouvait plus prendre sa part. Quand nous dormons et qu'une rage de dents n'est encore perçue par nous que comme une jeune fille que nous nous efforçons deux cents fois de suite de tirer de l'eau ou que comme un vers de Molière que nous nous répétons sans arrêter, c'est un grand soulagement de nous réveiller et que notre intelligence puisse débarrasser l'idée de rage de dents de tout déguisement héroïque ou cadencé. C'est l'inverse de ce soulagement que j'éprouvais quand mon chagrin de monter dans ma chambre entrait en moi d'une façon infiniment plus rapide, presque instantanée, à la fois insidieuse et brusque, par l'inhalation — beaucoup plus toxique que la pénétration morale — de l'odeur de vernis particulière à cet escalier. Une fois dans ma chambre, il fallut boucher toutes les issues, fermer les volets, creuser mon propre tombeau, en défaisant mes couvertures, revêtir le suaire de ma chemise de nuit. Mais avant de m'ensevelir dans le lit de fer qu'on avait ajouté dans la chambre parce que j'avais trop chaud l'été sous les courtines de reps du grand lit, j'eus un mouvement de révolte, je voulus essayer d'une ruse de condamné. J'écrivis à ma mère en la suppliant de monter pour une chose grave que je ne pouvais lui dire dans ma lettre. Mon effroi était que Françoise, la cuisinière de ma tante, qui était chargée de s'occuper de moi quand j'étais à Combray, refusât de porter mon mot. Je me doutais que pour elle, faire une commission à ma mère quand il y avait du monde lui paraîtrait aussi impossible que pour le portier d'un théâtre de remettre une lettre à un acteur pendant qu'il est en scène. Elle possédait à l'égard des choses qui peuvent ou ne peuvent pas se faire un code impérieux, abondant, subtil et intransigeant sur des distinctions insaisissables ou oiseuses (ce qui lui donnait l'apparence de ces lois antiques qui, à côté de prescriptions féroces comme de massacrer les enfants à la mamelle, défendent avec une délicatesse exagérée de faire bouillir le chevreau dans le lait de sa mère, ou de manger dans un animal le nerf de la cuisse). Ce code, si l'on en jugeait par l'entêtement soudain qu'elle mettait à ne pas vouloir faire certaines commissions que nous lui donnions, semblait avoir prévu des complexités sociales et des raffinements mondains tels que rien dans l'entourage de Françoise et dans sa vie de domestique de village n'avait pu les lui suggérer; et l'on était obligé de se dire qu'il y avait en elle un passé français très ancien, noble et mal compris, comme dans ces cités manufacturières où de vieux hôtels témoignent qu'il y eut jadis une vie de cour, et où les ouvriers d'une usine de produits chimiques travaillent au milieu de délicates sculptures qui représentent le miracle de saint Théophile ou les quatre fils Aymon. Dans le cas particulier, l'article du code à cause duquel il était peu probable que sauf le cas d'incendie Françoise allât déranger maman en présence de M. Swann pour un aussi petit personnage que moi, exprimait simplement le respect qu'elle professait non seulement pour les parents — comme pour les morts, les prêtres et les rois — mais encore pour l'étranger à qui on donne l'hospitalité, respect qui m'aurait peut-être touché dans un livre mais qui m'irritait toujours dans sa bouche, à cause du ton grave et attendri qu'elle prenait pour en parler, et davantage ce soir où le caractère sacré qu'elle conférait au dîner avait pour effet qu'elle refuserait d'en troubler la cérémonie. Mais pour mettre une chance de mon côté, je n'hésitai pas à mentir et à lui dire que ce n'était pas du tout moi qui avais voulu écrire à maman, mais que c'était maman qui, en me quittant, m'avait recommandé de ne pas oublier de lui envoyer une réponse relativement à un objet qu'elle m'avait prié de chercher; et elle serait certainement très fâchée si on ne lui remettait pas ce mot. Je pense que Françoise ne me crut pas, car, comme les hommes primitifs dont les sens étaient plus puissants que les nôtres, elle discernait immédiatement, à des signes insaisissables pour nous, toute vérité que nous voulions lui cacher; elle regarda pendant cinq minutes l'enveloppe comme si l'examen du papier et l'aspect de l'écriture allaient la renseigner sur la nature du contenu ou lui apprendre à quel article de son code elle devait se référer. Puis elle sortit d'un air résigné qui semblait signifier : « C'est-il pas malheureux pour les parents[1] d'avoir un enfant pareil ! » Elle revint au bout d'un moment me dire qu'on n'en était encore qu'à la glace, qu'il était impossible au maître d'hôtel de remettre la lettre en ce moment devant tout le monde, mais que, quand on serait aux rince-bouches, on trouverait le moyen de la faire passer à maman. Aussitôt mon anxiété tomba; maintenant ce n'était plus comme tout à l'heure pour jusqu'à demain que j'avais quitté ma mère, puisque mon petit mot allait, la fâchant sans doute (et doublement parce que ce manège me rendrait ridicule aux yeux de Swann), me faire du moins entrer invisible et ravi dans la même pièce qu'elle, allait lui parler de moi à l'oreille; puisque cette salle à manger interdite, hostile, où, il y avait un instant encore, la glace elle-même — le « granité » — et les rince-bouches me semblaient recéler des plaisirs malfaisants et mortellement tristes parce que maman les goûtait loin de moi, s'ouvrait à moi et, comme un fruit devenu doux qui brise son enveloppe, allait faire jaillir, projeter jusqu'à mon cœur enivré l'attention de maman tandis qu'elle lirait mes lignes. Maintenant je n'étais plus séparé d'elle; les barrières étaient tombées, un fil délicieux nous réunissait. Et puis, ce n'était pas tout : maman allait sans doute venir !

L'angoisse que je venais d'éprouver, je pensais que Swann s'en serait bien moqué s'il avait lu ma lettre et en avait deviné le but; or, au contraire, comme je l'ai appris plus tard, une angoisse semblable fut le tourment de longues années de sa vie, et personne aussi bien que lui peut-être n'aurait pu me comprendre; lui, cette angoisse qu'il y a à sentir l'être qu'on aime dans un lieu de plaisir où l'on n'est pas, où l'on ne peut pas le rejoindre, c'est l'amour qui la lui a fait connaître, l'amour, auquel elle est en quelque sorte prédestinée, par lequel elle sera accaparée, spécialisée; mais quand, comme pour moi, elle est entrée en nous avant qu'il ait encore fait son apparition dans notre vie, elle flotte en l'attendant, vague et libre, sans affectation déterminée, au service un jour d'un sentiment, le lendemain d'un autre, tantôt de la tendresse filiale ou de l'amitié pour un camarade. Et la joie avec laquelle je fis mon premier apprentissage quand Françoise revint me dire que ma lettre serait remise, Swann l'avait bien connue aussi, cette joie trompeuse que nous donne quelque ami, quelque parent de la femme que nous aimons, quand, arrivant à l'hôtel ou au théâtre où elle se trouve, pour quelque bal, redoute ou première où il va la retrouver, cet ami nous aperçoit errant dehors, attendant désespérément quelque occasion de communiquer avec elle. Il nous reconnaît, nous aborde familièrement, nous demande ce que nous faisons là. Et comme nous inventons que nous avons quelque chose d'urgent à dire à sa parente ou amie, il nous assure que rien n'est plus simple, nous fait entrer dans le vestibule et nous promet de nous l'envoyer avant cinq minutes. Que nous l'aimons — comme en ce moment j'aimais Françoise —, l'intermédiaire bien intentionné qui d'un mot vient de nous rendre supportable, humaine et presque propice la fête inconcevable, infernale, au sein de laquelle nous croyions que des tourbillons ennemis, pervers et délicieux entraînaient loin de nous, la faisant rire de nous, celle que nous aimons ! Si nous en jugeons par lui, le parent qui nous a accosté et qui est lui aussi un des initiés des cruels mystères, les autres invités de la fête ne doivent rien avoir de bien démoniaque. Ces heures inaccessibles et suppliciantes où elle allait goûter des plaisirs inconnus, voici que par une brèche inespérée nous y pénétrons ; voici qu'un des moments dont la succession les aurait composées, un moment aussi réel que les autres, même peut-être plus important pour nous, parce que notre maîtresse y est plus mêlée, nous nous le représentons, nous le possédons, nous y intervenons, nous l'avons créé presque : le moment où on va lui dire que nous sommes là, en bas. Et sans doute les autres moments de la fête ne devaient pas être d'une essence bien différente de celui-là, ne devaient rien avoir de plus délicieux et qui dût tant nous faire souffrir, puisque l'ami bienveillant nous a dit : « Mais elle sera ravie de descendre ! Cela lui fera beaucoup plus de plaisir de causer avec vous que de s'ennuyer là-haut. » Hélas ! Swann en avait fait l'expérience, les bonnes intentions d'un tiers sont sans pouvoir sur une femme qui s'irrite de se sentir poursuivie jusque dans une fête par quelqu'un qu'elle n'aime pas. Souvent, l'ami redescend seul.

Ma mère ne vint pas, et sans ménagements pour mon amour-propre (engagé à ce que la fable de la recherche dont elle était censée m'avoir prié de lui dire le résultat ne fût pas démentie) me fit dire par Françoise ces mots :

« Il n'y a pas de réponse » que depuis j'ai si souvent entendu des concierges de « palaces » ou des valets de pied de tripots, rapporter à quelque pauvre fille qui s'étonne : « Comment, il n'a rien dit, mais c'est impossible ! Vous avez pourtant bien remis ma lettre. C'est bien, je vais attendre encore. » Et — de même qu'elle assure invariablement n'avoir pas besoin du bec supplémentaire que le concierge veut allumer pour elle, et reste là, n'entendant plus que les rares propos sur le temps qu'il fait échangés entre le concierge et un chasseur qu'il envoie tout d'un coup, en s'apercevant de l'heure, faire rafraîchir dans la glace la boisson d'un client — ayant décliné l'offre de Françoise de me faire de la tisane ou de rester auprès de moi, je la laissai retourner à l'office, je me couchai et je fermai les yeux en tâchant de ne pas entendre la voix de mes parents qui prenaient le café au jardin. Mais au bout de quelques secondes, je sentis qu'en écrivant ce mot à maman, en m'approchant au, risque de la fâcher, si près d'elle que j'avais cru toucher le moment de la revoir, je m'étais barré la possibilité de m'endormir sans l'avoir revue, et les battements de mon cœur de minute en minute devenaient plus douloureux parce que j'augmentais mon agitation en me prêchant un calme qui était l'acceptation de mon infortune. Tout à coup mon anxiété tomba, une félicité m'envahit comme quand un médicament puissant commence à agir et nous enlève une douleur : je venais de prendre la résolution de ne plus essayer de m'endormir sans avoir revu maman, de l'embrasser coûte que coûte, bien que ce fût avec la certitude d'être ensuite fâché pour longtemps avec elle, — quand elle remonterait se coucher. Le calme qui résultait de mes angoisses finies me mettait dans une allégresse extraordinaire, non moins que l'attente, la soif et la peur du danger. J'ouvris la fenêtre sans bruit et m'assis au pied de mon lit; je ne faisais presque aucun mouvement afin qu'on ne m'entendît pas d'en bas. Dehors, les choses semblaient, elles aussi, figées en une muette attention à ne pas troubler le clair de lune, qui doublant et reculant chaque chose par l'extension devant elle de son reflet, plus dense et concret qu'elle-même, avait à la fois aminci et agrandi le paysage comme un plan replié jusque-là, qu'on développe. Ce qui avait besoin de bouger, quelque feuillage de marronnier, bougeait. Mais son frissonnement minutieux, total, exécuté jusque dans ses moindres nuances et ses dernières délicatesses, ne bavait pas sur le reste, ne se fondait pas avec lui, restait circonscrit. Exposés sur ce silence qui n'en absorbait rien, les bruits les plus éloignés, ceux qui devaient venir de jardins situés à l'autre bout de la ville, se percevaient détaillés avec un tel « fini » qu'ils semblaient ne devoir cet effet de lointain qu'à leur pianissimo, comme ces motifs en sourdine si bien exécutés par l'orchestre du Conservatoire que, quoiqu'on n'en perde pas une note, on croit les entendre cependant loin de la salle du concert et que tous les vieux abonnés — les sœurs de ma grand'mère aussi quand Swann leur avait donné ses places — tendaient l'oreille comme s'ils avaient écouté les progrès lointains d'une armée en marche qui n'aurait pas encore tourné la rue de Trévise.

Je savais que le cas dans lequel je me mettais était de tous celui qui pouvait avoir pour moi, de la part de mes parents, les conséquences les plus graves, bien plus graves en vérité qu'un étranger n'aurait pu le supposer, de celles qu'il aurait cru que pouvaient produire seules des fautes vraiment honteuses. Mais dans l'éducation qu'on me donnait, l'ordre des fautes n'était pas le même que dans l'éducation des autres enfants, et on m'avait habitué à placer avant toutes les autres (parce que sans doute il n'y en avait pas contre lesquelles j'eusse besoin d'être plus soigneusement gardé) celles dont je comprends maintenant que leur caractère commun est qu'on y tombe en cédant à une impulsion nerveuse. Mais alors on ne prononçait pas ce mot, on ne déclarait pas cette origine qui aurait pu me faire croire que j'étais excusable d'y succomber ou même peut-être incapable d'y résister. Mais je les reconnaissais bien à l'angoisse qui les précédait comme à la rigueur du châtiment qui les suivait; et je savais que celle que je venais de commettre était de la même famille que d'autres pour lesquelles j'avais été sévèrement puni, quoique infiniment plus grave. Quand j'irais me mettre sur le chemin de ma mère au moment où elle monterait se coucher, et qu'elle verrait que j'étais resté levé pour lui redire bonsoir dans le couloir, on ne me laisserait plus rester à la maison, on me mettrait au collège le lendemain, c'était certain. Eh bien ! dussé-je me jeter par la fenêtre cinq minutes après, j'aimais encore mieux cela. Ce que je voulais maintenant c'était maman, c'était lui dire bonsoir, j'étais allé trop loin dans la voie qui menait à la réalisation de ce désir pour pouvoir rebrousser chemin.

J'entendis les pas de mes parents qui accompagnaient Swann; et quand le grelot de la porte m'eut averti qu'il venait de partir, j'allai à la fenêtre. Maman demandait à mon père s'il avait trouvé la langouste bonne et si M. Swann avait repris de la glace au café et à la pistache. « Je l'ai trouvée bien quelconque, dit ma mère; je crois que la prochaine fois il faudra essayer d'un autre parfum. — Je ne peux pas dire comme je trouve que Swann change, dit ma grand'tante, il est d'un vieux ! » Ma grand'tante avait tellement l'habitude de voir toujours en Swann un même adolescent qu'elle s'étonnait de le trouver tout à coup moins jeune que l'âge qu'elle continuait à lui donner. Et mes parents du reste commençaient à lui trouver cette vieillesse anormale, excessive, honteuse et méritée des célibataires, de tous ceux pour qui il semble que le grand jour qui n'a pas de lendemain soit plus long que pour les autres, parce que pour eux il est vide et que les moments s'y additionnent depuis le matin sans se diviser ensuite entre des enfants. « Je crois qu'il a beaucoup de soucis avec sa coquine de femme qui vit au su de tout Combray avec un certain monsieur de Charlus. C'est la fable de la ville. » Ma mère fit remarquer qu'il avait pourtant l'air bien moins triste depuis quelque temps. « Il fait aussi moins souvent ce geste qu'il a tout à fait comme son père de s'essuyer les yeux et de se passer la main sur le front. Moi je crois qu'au fond il n'aime plus cette femme. — Mais naturellement il ne l'aime plus, répondit mon grand-père. J'ai reçu de lui il y a déjà longtemps une lettre à ce sujet, à laquelle je me suis empressé de ne pas me conformer, et qui ne laisse aucun doute sur ses sentiments, au moins d'amour, pour sa femme. Hé bien ! vous voyez, vous ne l'avez pas remercié pour l'asti », ajouta mon grand-père en se tournant vers ses deux belles-sœurs. « Comment, nous ne l'avons pas remercié ? je crois, entre nous, que je lui ai même tourné cela assez délicatement », répondit ma tante Flora. « Oui, tu as très bien arrangé cela : je t'ai admirée, dit ma tante Céline. — Mais toi, tu as été très bien aussi. — Oui, j'étais assez fière de ma phrase sur les voisins aimables.

— Comment, c'est cela que vous appelez remercier ! s'écria mon grand-père. J'ai bien entendu cela, mais du diable si j'ai cru que c'était pour Swann. Vous pouvez être sûres qu'il n'a rien compris. — Mais voyons, Swann n'est pas bête, je suis certaine qu'il a apprécié. Je ne pouvais cependant pas lui dire le nombre de bouteilles et le prix du vin ! » Mon père et ma mère restèrent seuls, et s'assirent un instant; puis mon père dit : « Hé bien ! si tu veux, nous allons monter nous coucher. — Si tu veux, mon ami, bien que je n'aie pas l'ombre de sommeil; ce n'est pas cette glace au café si anodine qui a pu pourtant me tenir si éveillée; mais j'aperçois de la lumière dans l'office et puisque la pauvre Françoise m'a attendue, je vais lui demander de dégrafer mon corsage pendant que tu vas te déshabiller. » Et ma mère ouvrit la porte treillagée du vestibule qui donnait sur l'escalier. Bientôt, je l'entendis qui montait fermer sa fenêtre. J'allai sans bruit dans le couloir; mon cœur battait si fort que j'avais de la peine à avancer, mais du moins il ne battait plus d'anxiété, mais d'épouvante et de joie. Je vis dans la cage de l'escalier la lumière projetée par la bougie de maman. Puis je la vis elle-même, je m'élançai. À la première seconde, elle me regarda avec étonnement, ne comprenant pas ce qui était arrivé. Puis sa figure prit une expression de colère, elle ne me disait même pas un mot, et en effet pour bien moins que cela on ne m'adressait plus la parole pendant plusieurs jours. Si maman m'avait dit un mot, ç'aurait été admettre qu'on pouvait me reparler et d'ailleurs cela peut-être m'eût paru plus terrible encore, comme un signe que devant la gravité du châtiment qui allait se préparer, le silence, la brouille, eussent été puérils. Une parole, c'eût été le calme avec lequel on répond à un domestique quand on vient de décider de le renvoyer; le baiser qu'on donne à un fils qu'on envoie s'engager alors qu'on le lui aurait refusé si on devait se contenter d'être fâché deux jours avec lui. Mais elle entendit mon père qui montait du cabinet de toilette où il était allé se déshabiller, et, pour éviter la scène qu'il me ferait, elle me dit d'une voix entrecoupée par la colère : « Sauve-toi, sauve-toi, qu'au moins ton père ne t'ait vu ainsi attendant comme un fou ! » Mais je lui répétais : « Viens me dire bonsoir », terrifié en voyant que le reflet de la bougie de mon père s'élevait déjà sur le mur, mais aussi usant de son approche comme d'un moyen de chantage et espérant que maman, pour éviter que mon père me trouvât encore là si elle continuait à refuser, allait me dire : « Rentre dans ta chambre, je vais venir. » Il était trop tard, mon père était devant nous. Sans le vouloir, je murmurai ces mots que personne n'entendit : « Je suis perdu ! »

Il n'en fut pas ainsi. Mon père me refusait constamment des permissions qui m'avaient été consenties dans les pactes plus larges octroyés par ma mère et ma grand'mère, parce qu'il ne se souciait pas des « principes » et qu'il n'y avait pas avec lui de « Droit des gens ». Pour une raison toute contingente, ou même sans raison, il me supprimait au dernier moment telle promenade si habituelle, si consacrée qu'on ne pouvait m'en priver sans parjure, ou bien, comme il avait encore fait ce soir, longtemps avant l'heure rituelle, il me disait : « Allons, monte te coucher, pas d'explication ! » Mais aussi, parce qu'il n'avait pas de principes (dans le sens de ma grand'mère), il n'avait pas à proprement parler d'intransigeance. Il me regarda un instant d'un air étonné et fâché, puis dès que maman lui eut expliqué en quelques mots embarrassés ce qui était arrivé, il lui dit : « Mais va donc avec lui, puisque tu disais justement que tu n'as pas envie de dormir, reste un peu dans sa chambre, moi je n'ai besoin de rien. — Mais, mon ami, répondit timidement ma mère, que j'aie envie ou non de dormir, ne change rien à la chose, on ne peut pas habituer cet enfant... — Mais il ne s'agit pas d'habituer, dit mon père en haussant les épaules, tu vois bien que ce petit a du chagrin, il a l'air désolé, cet enfant; voyons, nous ne sommes pas des bourreaux ! Quand tu l'auras rendu malade, tu seras bien avancée ! Puisqu'il y a deux lits dans sa chambre, dis donc à Françoise de te préparer le grand lit et couche pour cette nuit auprès de lui. Allons, bonsoir, moi qui ne suis pas si nerveux que vous, je vais me coucher. »

On ne pouvait pas remercier mon père; on l'eût agacé par ce qu'il appelait des sensibleries. Je restai sans oser faire un mouvement; il était encore devant nous, grand, dans sa robe de nuit blanche sous le cachemire de l'Inde violet et rose qu'il nouait autour de sa tête depuis qu'il avait des névralgies, avec le geste d'Abraham dans la gravure d'après Benozzo Gozzoli que m'avait donnée M. Swann, disant à Sarah qu'elle a à se départir du côté d'Isaac. Il y a bien des années de cela. La muraille de l'escalier où je vis monter le reflet de sa bougie n'existe plus depuis longtemps. En moi aussi bien des choses ont été détruites que je croyais devoir durer toujours et de nouvelles se sont édifiées donnant naissance à des peines et à des joies nouvelles que je n'aurais pu prévoir alors, de même que les anciennes me sont devenues difficiles à comprendre. Il y a bien longtemps aussi que mon père a cessé de pouvoir dire à maman : « Va avec le petit. » La possibilité de telles heures ne renaîtra jamais pour moi. Mais depuis peu de temps, je recommence à très bien percevoir, si je prête l'oreille, les sanglots que j'eus la force de contenir devant mon père et qui n'éclatèrent que quand je me retrouvai seul avec maman. En réalité ils n'ont jamais cessé; et c'est seulement parce que la vie se tait maintenant davantage autour de moi que je les entends de nouveau, comme ces cloches de couvents que couvrent si bien les bruits de la ville pendant le jour qu'on les croirait[1] arrêtées mais qui se remettent à sonner dans le silence du soir.

Maman passa cette nuit-là dans ma chambre; au moment où je venais de commettre une faute telle que je m'attendais à être obligé de quitter la maison, mes parents m'accordaient plus que je n'eusse jamais obtenu d'eux comme récompense d'une belle action. Même à l'heure où elle se manifestait par cette grâce, la conduite de mon père à mon égard gardait ce quelque chose d'arbitraire et d'immérité qui la caractérisait, et qui tenait à ce que généralement elle résultait plutôt de convenances fortuites que d'un plan prémédité. Peut-être même que ce que j'appelais sa sévérité, quand il m'envoyait me coucher, méritait moins ce nom que celle de ma mère ou ma grand'mère, car sa nature, plus différente en certains points de la mienne que n'était la leur, n'avait probablement pas deviné jusqu'ici combien j'étais malheureux tous les soirs, ce que ma mère et ma grand'mère savaient bien; mais elles m'aimaient assez pour ne pas consentir à m'épargner de la souffrance, elles voulaient m'apprendre à la dominer afin de diminuer ma sensibilité nerveuse et fortifier ma volonté. Pour mon père, dont l'affection pour moi était d'une autre sorte, je ne sais pas s'il aurait eu ce courage : pour une fois où il venait de comprendre que j'avais du chagrin, il avait dit à ma mère : « Va donc le consoler. » Maman resta cette nuit-là dans ma chambre et, comme pour ne gâter d'aucun remords ces heures si différentes de ce que j'avais eu le droit d'espérer, quand Françoise, comprenant qu'il se passait quelque chose d'extraordinaire en voyant maman assise près de moi, qui me tenait la main et me laissait pleurer sans me gronder, lui demanda : « Mais Madame, qu'a donc Monsieur à pleurer ainsi ? » maman lui répondit : « Mais il ne sait pas lui-même, Françoise, il est énervé ; préparez-moi vite le grand lit et montez vous coucher. » Ainsi, pour la première fois, ma tristesse n'était plus considérée comme une faute punissable mais comme un mal involontaire qu'on venait de reconnaître officiellement, comme un état nerveux dont je n'étais pas responsable ; j'avais le soulagement de n'avoir plus à mêler de scrupules à l'amertume de mes larmes, je pouvais pleurer sans péché. Je n'étais pas non plus médiocrement fier vis-à-vis de Françoise de ce retour des choses humaines, qui, une heure après que maman avait refusé de monter dans ma chambre et m'avait fait dédaigneusement répondre que je devrais dormir, m'élevait à la dignité de grande personne et m'avait fait atteindre tout d'un coup à une sorte de puberté du chagrin, d'émancipation des larmes. J'aurais dû être heureux : je ne l'étais pas. Il me semblait que ma mère venait de me faire une première concession qui devait lui être douloureuse, que c'était une première abdication de sa part devant l'idéal qu'elle avait conçu pour moi, et que pour la première fois, elle, si courageuse, s'avouait vaincue. Il me semblait que si je venais de remporter une victoire c'était contre elle, que j'avais réussi, comme auraient pu faire la maladie, des chagrins, ou l'âge, à détendre sa volonté, à faire fléchir sa raison, et que cette soirée commençait une ère, resterait comme une triste date. Si j'avais osé maintenant, j'aurais dit à maman : « Non je ne veux pas, ne couche pas ici. » Mais je connaissais la sagesse pratique, réaliste comme on dirait aujourd'hui, qui tempérait en elle la nature ardemment idéaliste de ma grand'mère, et je savais que, maintenant que le mal était fait, elle aimerait mieux m'en laisser du moins goûter le plaisir calmant et ne pas déranger mon père. Certes, le beau visage de ma mère brillait encore de jeunesse ce soir-là où elle me tenait si doucement les mains et cherchait à arrêter mes larmes ;

mais justement il me semblait que cela n'aurait pas dû être, sa colère eût été moins triste pour moi que cette douceur nouvelle que n'avait pas connue mon enfance; il me semblait que je venais d'une main impie et secrète de tracer dans son âme une première ride et d'y faire apparaître un premier cheveu blanc. Cette pensée redoubla mes sanglots, et alors je vis maman, qui jamais ne se laissait aller à aucun attendrissement avec moi, être tout d'un coup gagnée par le mien et essayer de retenir une envie de pleurer. Comme elle sentit que je m'en étais aperçu, elle me dit en riant : « Voilà mon petit jaunet, mon petit serin, qui va rendre sa maman aussi bêtasse que lui, pour peu que cela continue. Voyons, puisque tu n'as pas sommeil ni ta maman non plus, ne restons pas à nous énerver, faisons quelque chose, prenons un de tes livres. » Mais je n'en avais pas là. « Est-ce que tu aurais moins de plaisir si je sortais déjà les livres que ta grand'mère doit te donner pour ta fête ? Pense bien : tu ne seras pas déçu de ne rien avoir après-demain ? » J'étais au contraire enchanté et maman alla chercher un paquet de livres dont je ne pus deviner, à travers le papier qui les enveloppait, que la taille courte et large, mais qui, sous ce premier aspect, pourtant sommaire et voilé, éclipsaient déjà la boîte à couleurs du Jour de l'An et les vers à soie de l'an dernier. C'était *la Mare au Diable, François le Champi, la Petite Fadette* et *les Maîtres Sonneurs*. Ma grand'mère, ai-je su depuis, avait d'abord choisi les poésies de Musset, un volume de Rousseau et *Indiana;* car si elle jugeait les lectures futiles aussi malsaines que les bonbons et les pâtisseries, elle ne pensait pas que les grands souffles du génie eussent sur l'esprit même d'un enfant une influence plus dangereuse et moins vivifiante que sur son corps le grand air et le vent du large. Mais mon père l'ayant presque traitée de folle en apprenant les livres qu'elle voulait me donner, elle était retournée elle-même à Jouy-le-Vicomte chez le libraire pour que je ne risquasse[1] pas de ne pas avoir mon cadeau (c'était un jour brûlant et elle était rentrée si souffrante que le médecin avait averti ma mère de ne pas la laisser se fatiguer ainsi) et elle s'était rabattue sur les quatre romans champêtres de George Sand. « Ma fille, disait-elle à maman, je ne pourrais me décider à donner à cet enfant quelque chose de mal écrit. »

En réalité, elle ne se résignait jamais à rien acheter[1] dont on ne pût tirer un profit intellectuel, et surtout celui que nous procurent les belles choses en nous apprenant à chercher notre plaisir ailleurs que dans les satisfactions du bien-être et de la vanité. Même quand elle avait à faire à quelqu'un un cadeau dit utile, quand elle avait à donner un fauteuil, des couverts, une canne, elle les cherchait « anciens », comme si, leur longue désuétude ayant effacé leur caractère d'utilité, ils paraissaient plutôt disposés pour nous raconter la vie des hommes d'autrefois que pour servir aux besoins de la nôtre. Elle eût aimé que j'eusse dans ma chambre des photographies des monuments ou des paysages les plus beaux. Mais au moment d'en faire l'emplette, et bien que la chose représentée eût une valeur esthétique, elle trouvait que la vulgarité, l'utilité reprenaient trop vite leur place dans le mode mécanique de représentation, la photographie. Elle essayait de ruser et, sinon d'éliminer entièrement la banalité commerciale, du moins de la réduire, d'y substituer, pour la plus grande partie, de l'art encore, d'y introduire comme plusieurs « épaisseurs » d'art : au lieu de photographies de la Cathédrale de Chartres, des Grandes Eaux de Saint-Cloud, du Vésuve, elle se renseignait auprès de Swann si quelque grand peintre ne les avait pas représentés, et préférait me donner des photographies de la Cathédrale de Chartres par Corot, des Grandes Eaux de Saint-Cloud par Hubert Robert, du Vésuve par Turner, ce qui faisait un degré d'art de plus. Mais si le photographe avait été écarté de la représentation du chef-d'œuvre ou de la nature et remplacé par un grand artiste, il reprenait ses droits pour reproduire cette interprétation même. Arrivée à l'échéance de la vulgarité, ma grand'mère tâchait[2] de la reculer encore. Elle demandait à Swann si l'œuvre n'avait pas été gravée, préférant, quand c'était possible, des gravures anciennes et ayant encore un intérêt au delà d'elles-mêmes, par exemple celles qui représentent un chef-d'œuvre dans un état où nous ne pouvons plus le voir aujourd'hui (comme la gravure de la *Cène* de Léonard avant sa dégradation, par Morghen). Il faut dire que les résultats de cette manière de comprendre l'art de faire un cadeau ne furent pas toujours très brillants. L'idée que je pris de Venise d'après un dessin du Titien qui est censé avoir pour fond la lagune, était certainement beaucoup moins exacte que celle que m'eussent donnée de simples photographies. On ne pouvait plus faire le compte à la maison, quand ma grand'tante voulait dresser un réquisitoire contre ma grand'mère, des fauteuils offerts par elle à de jeunes fiancés ou à de vieux époux qui, à la première tentative qu'on avait faite pour s'en servir, s'étaient immédiatement effondrés sous le poids d'un des destinataires. Mais ma grand'mère aurait cru mesquin de trop s'occuper de la solidité d'une boiserie où se distinguaient encore une fleurette, un sourire, quelquefois une belle imagination du passé. Même ce qui dans ces meubles répondait à un besoin, comme c'était d'une façon à laquelle nous ne sommes plus habitués, la charmait comme les vieilles manières de dire où nous voyons une métaphore, effacée, dans notre moderne langage, par l'usure de l'habitude. Or, justement, les romans champêtres de George Sand qu'elle me donnait pour ma fête, étaient pleins, ainsi qu'un mobilier ancien, d'expressions tombées en désuétude et redevenues imagées, comme on n'en trouve plus qu'à la campagne. Et ma grand'mère les avait achetés de préférence à d'autres comme elle eût loué plus volontiers une propriété où il y aurait eu un pigeonnier gothique ou quelqu'une de ces vieilles choses qui exercent sur l'esprit une heureuse influence en lui donnant la nostalgie d'impossibles voyages dans le temps.

Maman s'assit à côté de mon lit; elle avait pris *François le Champi* à qui sa couverture rougeâtre et son titre incompréhensible donnaient pour moi une personnalité distincte et un attrait mystérieux. Je n'avais jamais lu encore de vrais romans. J'avais entendu dire que George Sand était le type du romancier. Cela me disposait déjà à imaginer dans *François le Champi* quelque chose d'indéfinissable et de délicieux. Les procédés de narration destinés à exciter la curiosité ou l'attendrissement, certaines façons de dire qui éveillent l'inquiétude et la mélancolie, et qu'un lecteur un peu instruit reconnaît pour communs à beaucoup de romans, me paraissaient[1] simplement — à moi qui considérais un livre nouveau non comme une chose ayant beaucoup de semblables, mais comme une personne unique, n'ayant de raison d'exister qu'en soi — une émanation troublante de l'essence particulière à *François le Champi*. Sous ces événements si journaliers, ces choses si communes, ces mots si courants, je sentais comme une intonation, une accentuation étrange. L'action s'engagea; elle me parut d'autant plus obscure que dans ce temps-là, quand je lisais, je rêvassais souvent pendant des pages entières à tout autre chose. Et aux lacunes que cette distraction laissait dans le récit, s'ajoutait, quand c'était maman qui me lisait à haute voix, qu'elle passait toutes les scènes d'amour. Aussi tous les changements bizarres qui se produisent dans l'attitude respective de la meunière et de l'enfant et qui ne trouvent[1] leur explication que dans les progrès d'un amour naissant me paraissaient empreints d'un profond mystère dont je me figurais volontiers que la source devait être dans ce nom inconnu et si doux de « Champi » qui mettait sur l'enfant qui le portait sans que je susse pourquoi, sa couleur vive, empourprée et charmante. Si ma mère était une lectrice infidèle, c'était aussi, pour les ouvrages où elle trouvait l'accent d'un sentiment vrai, une lectrice admirable par le respect et la simplicité de l'interprétation, par la beauté et la douceur du son. Même dans la vie, quand c'étaient des êtres et non des œuvres d'art qui excitaient ainsi son attendrissement ou son admiration, c'était touchant de voir avec quelle déférence elle écartait de sa voix, de son geste, de ses propos, tel éclat de gaîté qui eût pu faire mal à cette mère qui avait autrefois perdu un enfant, tel rappel de fête, d'anniversaire, qui aurait pu faire penser ce vieillard à son grand âge, tel propos de ménage qui aurait paru fastidieux à ce jeune savant. De même, quand elle lisait la prose de George Sand, qui respire toujours cette bonté, cette distinction morale que maman avait appris de ma grand'mère à tenir pour supérieures à tout dans la vie, et que je ne devais lui apprendre[2] que bien plus tard à ne pas tenir également pour supérieures à tout dans les livres, attentive à bannir de sa voix toute petitesse, toute affectation qui eût pu empêcher le flot puissant d'y être reçu, elle fournissait toute la tendresse naturelle, toute l'ample douceur qu'elles réclamaient à ces phrases qui semblaient écrites pour sa voix et qui pour ansi dire tenaient tout entières dans le registre de sa sensibilité. Elle retrouvait pour les attaquer dans le ton qu'il faut, l'accent cordial qui leur préexiste et les dicta, mais que les mots n'indiquent pas; grâce à lui elle amortissait au passage toute crudité dans les temps des verbes, donnait à l'imparfait et au passé défini la douceur qu'il y a dans la bonté, la mélancolie qu'il y a dans la tendresse, dirigeait la phrase qui finissait vers celle qui allait commencer, tantôt pressant, tantôt ralentissant la marche des syllabes pour les faire entrer, quoique leurs quantités fussent différentes, dans un rythme uniforme, elle insufflait à cette prose si commune une sorte de vie sentimentale et continue[1].

Mes remords étaient calmés, je me laissais aller à la douceur de cette nuit où j'avais ma mère auprès de moi. Je savais qu'une telle nuit ne pourrait se renouveler; que le plus grand désir que j'eusse au monde, garder ma mère dans ma chambre pendant ces tristes heures nocturnes, était trop en opposition avec les nécessités de la vie et le vœu de tous, pour que l'accomplissement qu'on lui avait accordé ce soir pût être autre chose que factice et exceptionnel. Demain mes angoisses reprendraient et maman ne resterait pas là. Mais quand mes angoisses étaient calmées, je ne les comprenais plus; puis demain soir était encore lointain; je me disais que j'aurais le temps d'aviser, bien que ce temps-là ne pût m'apporter aucun pouvoir de plus, puisqu'il[2] s'agissait de choses qui ne dépendaient pas de ma volonté et que seul me faisait paraître plus évitables l'intervalle qui les séparait encore de moi.

C'est ainsi que, pendant longtemps, quand, réveillé la nuit, je me ressouvenais de Combray, je n'en revis jamais que cette sorte de pan lumineux, découpé au milieu d'indistinctes ténèbres, pareil à ceux que l'embrasement d'un feu de Bengale ou quelque projection électrique éclairent et sectionnent dans un édifice dont les autres parties restent plongées dans la nuit : à la base assez large, le petit salon, la salle à manger, l'amorce de l'allée obscure par où arriverait M. Swann, l'auteur inconscient de mes tristesses, le vestibule où je m'acheminais vers la première marche de l'escalier, si cruel à monter, qui constituait à lui seul le tronc fort étroit de cette pyramide irrégulière; et, au faîte, ma chambre à coucher avec le petit couloir à porte vitrée pour l'entrée de maman; en un mot, toujours vu à la même heure, isolé de tout ce qu'il pouvait y avoir autour, se détachant seul sur l'obscurité, le décor strictement nécessaire (comme celui qu'on voit indiqué en tête des vieilles pièces pour les représentations en province) au drame de mon déshabillage; comme si Combray n'avait consisté qu'en deux étages reliés par un mince escalier et comme s'il n'y avait jamais été que[1] sept heures du soir. À vrai dire, j'aurais pu répondre à qui m'eût interrogé que Combray comprenait encore autre chose et existait à d'autres heures. Mais comme ce que je m'en serais rappelé m'eût été fourni seulement par la mémoire volontaire, la mémoire de l'intelligence, et comme les renseignements qu'elle donne sur le passé ne conservent rien de lui, je n'aurais jamais eu envie de songer à ce reste de Combray. Tout cela était en réalité mort pour moi.

Mort à jamais? C'était possible.

Il y a beaucoup de hasard en tout ceci, et un second hasard, celui de notre mort, souvent ne nous permet pas d'attendre longtemps les faveurs du premier.

Je trouve très raisonnable la croyance celtique que les âmes de ceux que nous avons perdus sont captives dans quelque être inférieur, dans une bête, un végétal, une chose inanimée, perdues en effet pour nous jusqu'au jour, qui pour beaucoup ne vient jamais, où nous nous trouvons passer près de l'arbre, entrer en possession de l'objet qui est leur prison. Alors elles tressaillent, nous appellent, et sitôt que nous les avons reconnues, l'enchantement est brisé. Délivrées par nous, elles ont vaincu la mort et reviennent vivre avec nous.

Il en est ainsi de notre passé. C'est peine perdue que nous cherchions à l'évoquer, tous les efforts de notre intelligence sont inutiles. Il est caché hors de son domaine et de sa portée, en quelque objet matériel (en la sensation que nous donnerait cet objet matériel) que nous ne soupçonnons pas. Cet objet, il dépend du hasard que nous le rencontrions avant de mourir, ou que nous ne le rencontrions pas.

Il y avait déjà bien des années que, de Combray, tout ce qui n'était pas le théâtre et le drame de mon coucher, n'existait plus pour moi, quand un jour d'hiver, comme je rentrais à la maison, ma mère, voyant que j'avais froid, me proposa de me faire prendre, contre mon habitude, un peu de thé. Je refusai d'abord et, je ne sais pourquoi, me ravisai. Elle envoya chercher un de ces gâteaux courts et dodus appelés Petites Madeleines qui semblent avoir été moulés dans la valve rainurée d'une coquille de Saint-Jacques. Et bientôt, machinalement, accablé par la morne journée et la perspective d'un triste lendemain, je portai à mes lèvres une cuillerée du thé où j'avais laissé s'amollir un morceau de madeleine. Mais à l'instant même où la gorgée mêlée des miettes du gâteau toucha mon palais, je tressaillis, attentif à ce qui se passait d'extraordinaire en moi. Un plaisir délicieux m'avait envahi, isolé, sans la notion de sa cause. Il m'avait aussitôt rendu les vicissitudes de la vie indifférentes, ses désastres inoffensifs, sa brièveté illusoire, de la même façon qu'opère l'amour, en me remplissant d'une essence précieuse : ou plutôt cette essence n'était pas en moi, elle était moi. J'avais cessé de me sentir médiocre, contigent, mortel. D'où avait pu me venir cette puissante joie ? Je sentais qu'elle était liée au goût du thé et du gâteau, mais qu'elle le dépassait infiniment, ne devait pas être de même nature. D'où venait-elle ? Que signifiait-elle ? Où l'appréhender ? Je bois une seconde gorgée où je ne trouve rien de plus que dans la première, une troisième qui m'apporte un peu moins que la seconde. Il est temps que je m'arrête, la vertu du breuvage semble diminuer. Il est clair que la vérité que je cherche n'est pas en lui, mais en moi. Il l'y a éveillée, mais ne la connaît pas, et ne peut que répéter indéfiniment, avec de moins en moins de force, ce même témoignage que je ne sais pas interpréter et que je veux au moins pouvoir lui redemander et retrouver intact, à ma disposition, tout à l'heure, pour un éclaircissement décisif. Je pose la tasse et me tourne vers mon esprit. C'est à lui de trouver la vérité. Mais comment ? Grave incertitude, toutes les fois que l'esprit se sent dépassé par lui-même ; quand lui, le chercheur, est tout ensemble le pays obscur où il doit chercher et où tout son bagage ne lui sera de rien. Chercher ? pas seulement : créer. Il est en face de quelque chose qui n'est pas encore et que seul il peut réaliser, puis faire entrer dans sa lumière.

Et je recommence à me demander quel pouvait être cet état inconnu, qui n'apportait aucune preuve logique, mais l'évidence, de sa félicité, de sa réalité devant laquelle les autres s'évanouissaient. Je veux essayer de le faire réapparaître. Je rétrograde par la pensée au moment où je pris la première cuillerée de thé. Je retrouve le même état, sans une clarté nouvelle. Je demande à mon esprit un effort de plus, de ramener encore une fois la sensation qui s'enfuit. Et, pour que rien ne brise l'élan dont il va tâcher de la ressaisir, j'écarte tout obstacle, toute idée étrangère, j'abrite mes oreilles et mon attention contre les bruits de la chambre voisine. Mais sentant mon esprit qui se fatigue sans réussir, je le force au contraire à prendre cette distraction que je lui refusais, à penser à autre chose, à se refaire avant une tentative suprême. Puis une deuxième fois, je fais le vide devant lui, je remets en face de lui la saveur encore récente de cette première gorgée et je sens tressaillir en moi quelque chose qui se déplace, voudrait s'élever, quelque chose qu'on aurait désancré, à une grande profondeur; je ne sais ce que c'est, mais cela monte lentement; j'éprouve la résistance et j'entends la rumeur des distances traversées.

Certes, ce qui palpite ainsi au fond de moi, ce doit être l'image, le souvenir visuel, qui, lié à cette saveur, tente de la suivre jusqu'à moi. Mais il se débat trop loin, trop confusément; à peine si je perçois le reflet neutre où se confond l'insaisissable tourbillon des couleurs remuées; mais je ne peux distinguer la forme, lui demander, comme au seul interprète possible, de me traduire le témoignage de sa contemporaine, de son inséparable compagne, la saveur, lui demander de m'apprendre de quelle circonstance particulière, de quelle époque du passé il s'agit.

Arrivera-t-il jusqu'à la surface de ma claire conscience, ce souvenir, l'instant ancien que l'attraction d'un instant identique est venue de si loin solliciter, émouvoir, soulever tout au fond de moi? Je ne sais. Maintenant je ne sens plus rien, il est arrêté, redescendu peut-être; qui sait s'il remontera jamais de sa nuit? Dix fois il me faut recommencer, me pencher vers lui. Et chaque fois la lâcheté qui nous détourne de toute tâche difficile, de toute œuvre importante, m'a conseillé de laisser cela, de boire mon thé en pensant simplement à mes ennuis d'aujourd'hui, à mes désirs de demain qui se laissent remâcher sans peine.

Et tout d'un coup le souvenir m'est apparu. Ce goût, c'était celui du petit morceau de madeleine que le dimanche matin à Combray (parce que ce jour-là je ne sortais pas avant l'heure de la messe), quand j'allais lui dire bonjour dans sa chambre, ma tante Léonie m'offrait après l'avoir trempé dans son infusion de thé ou de tilleul. La vue de la petite madeleine ne m'avait rien rappelé avant que je n'y eusse goûté; peut-être parce que, en ayant souvent aperçu depuis, sans en manger, sur les tablettes des pâtissiers, leur image avait quitté ces jours de Combray pour se lier à d'autres plus récents; peut-être parce que, de ces souvenirs abandonnés si longtemps hors de la mémoire, rien ne survivait, tout s'était désagrégé; les formes — et celle aussi du petit coquillage de pâtisserie, si grassement sensuel sous son plissage sévère et dévot — s'étaient abolies, ou, ensommeillées, avaient perdu la force d'expansion qui leur eût permis de rejoindre la conscience. Mais, quand d'un passé ancien rien ne subsiste, après la mort des êtres, après la destruction des choses, seules, plus frêles mais plus vivaces, plus immatérielles, plus persistantes, plus fidèles, l'odeur et la saveur restent encore longtemps, comme des âmes, à se rappeler, à attendre, à espérer, sur la ruine de tout le reste, à porter sans fléchir, sur leur gouttelette presque impalpable, l'édifice immense du souvenir.

Et dès que j'eus reconnu le goût du morceau de madeleine trempé dans le tilleul que me donnait ma tante (quoique je ne susse pas encore et dusse remettre à bien plus tard de découvrir pourquoi ce souvenir me rendait si heureux), aussitôt la vieille maison grise sur la rue, où était sa chambre, vint comme un décor de théâtre s'appliquer au petit pavillon donnant sur le jardin, qu'on avait construit pour mes parents sur ses derrières (ce pan tronqué que seul j'avais revu jusque-là); et avec la maison, la ville, depuis le matin jusqu'au soir et par tous les temps, la Place où on m'envoyait avant déjeuner, les rues où j'allais faire des courses, les chemins qu'on prenait si le temps était beau. Et comme dans ce jeu où les Japonais s'amusent à tremper dans un bol de porcelaine rempli d'eau, de petits morceaux de papier jusque-là indistincts qui, à peine y sont-ils plongés, s'étirent, se contournent, se colorent, se différencient, deviennent des fleurs, des maisons, des personnages consistants et reconnaissables, de même maintenant toutes les fleurs de notre jardin et celles du parc de M. Swann, et les nymphéas de la Vivonne, et les bonnes gens du village et leurs petits logis et l'église et tout Combray et ses environs, tout cela qui prend forme et solidité, est sorti, ville et jardins, de ma tasse de thé.

II

COMBRAY, de loin, à dix lieues à la ronde, vu du chemin de fer quand nous y arrivions la dernière semaine avant Pâques, ce n'était qu'une église résumant la ville, la représentant, parlant d'elle et pour elle aux lointains, et, quand on approchait, tenant serrés autour de sa haute mante sombre, en plein champ, contre le vent, comme une pastoure ses brebis, les dos laineux et gris des maisons rassemblées qu'un reste de remparts du moyen âge cernait çà et là d'un trait aussi parfaitement circulaire qu'une petite ville dans un tableau de primitif. À l'habiter, Combray était un peu triste, comme ses rues dont les maisons construites en pierres noirâtres du pays, précédées de degrés extérieurs, coiffées de pignons qui rabattaient l'ombre devant elles, étaient assez obscures pour qu'il fallût dès que le jour commençait à tomber relever les rideaux dans les « salles »; des rues aux graves noms de saints (desquels plusieurs se rattachaient à l'histoire des premiers seigneurs de Combray): rue Saint-Hilaire, rue Saint-Jacques où était la maison de ma tante, rue Sainte-Hildegarde où donnait la grille, et rue du Saint-Esprit sur laquelle s'ouvrait la petite porte latérale de son jardin; et ces rues de Combray existent dans une partie de ma mémoire si reculée, peinte de couleurs si différentes de celles qui maintenant revêtent pour moi le monde, qu'en vérité elles me paraissent toutes, et l'église qui les dominait sur la Place, plus irréelles encore que les projections de la lanterne magique; et qu'à certains moments, il me semble que pouvoir encore traverser la rue Saint-Hilaire, pouvoir louer une chambre rue de l'Oiseau — à la vieille hôtellerie de l'Oiseau flesché, des soupiraux de laquelle montait une odeur de cuisine qui s'élève encore par moments en moi aussi intermittente et aussi chaude — serait une entrée en contact avec l'Au-delà plus merveilleusement surnaturelle que de faire la connaissance de Golo et de causer avec Geneviève de Brabant.

La cousine de mon grand-père — ma grand'tante — chez qui nous habitions, était la mère de cette tante Léonie qui, depuis la mort de son mari, mon oncle Octave, n'avait plus voulu quitter, d'abord Combray, puis à Combray sa maison, puis sa chambre, puis son lit et ne « descendait » plus, toujours couchée dans un état incertain de chagrin, de débilité physique, de maladie, d'idée fixe et de dévotion. Son appartement particulier donnait sur la rue Saint-Jacques qui aboutissait beaucoup plus loin au Grand-Pré (par opposition au Petit-Pré, verdoyant au milieu de la ville, entre trois rues), et qui, unie, grisâtre, avec les trois hautes marches de grès presque devant chaque porte, semblait comme un défilé pratiqué par un tailleur d'images gothiques à même la pierre où il eût sculpté une crèche ou un calvaire. Ma tante n'habitait plus effectivement que deux chambres contiguës, restant l'après-midi dans l'une pendant qu'on aérait l'autre. C'étaient de ces chambres de province qui — de même qu'en certains pays des parties entières de l'air ou de la mer sont illuminées ou parfumées par des myriades de protozoaires que nous ne voyons pas — nous enchantent des mille odeurs qu'y dégagent les vertus, la sagesse, les habitudes, toute une vie secrète, invisible, surabondante et morale que l'atmosphère y tient en suspens ; odeurs naturelles encore, certes, et couleur du temps comme celles de la campagne voisine, mais déjà casanières, humaines et renfermées, gelée exquise, industrieuse et limpide de tous les fruits de l'année qui ont quitté le verger pour l'armoire ; saisonnières, mais mobilières et domestiques, corrigeant le piquant de la gelée blanche par la douceur du pain chaud, oisives et ponctuelles comme une horloge de village, flâneuses et rangées, insoucieuses et prévoyantes, lingères, matinales, dévotes, heureuses d'une paix qui n'apporte qu'un surcroît d'anxiété et d'un prosaïsme qui sert de grand réservoir de poésie à celui qui les[1] traverse sans y avoir vécu. L'air y était saturé de la fine fleur d'un silence si nourricier, si succulent, que je ne m'y avançais qu'avec une sorte de gourmandise, surtout par ces premiers matins encore froids de la semaine de Pâques où je le goûtais mieux parce que je venais seulement d'arriver à Combray : avant que j'entrasse[1] souhaiter le bonjour à ma tante, on me faisait attendre un instant dans la première pièce où le soleil, d'hiver encore, était venu se mettre au chaud devant le feu, déjà allumé entre les deux briques et qui badigeonnait toute la chambre d'une odeur de suie, en faisait comme un de ces grands « devants de four » de campagne, ou de ces manteaux de cheminée de châteaux, sous lesquels on souhaite que se déclarent dehors la pluie, la neige, même quelque catastrophe diluvienne pour ajouter au confort de la réclusion la poésie de l'hivernage; je faisais quelques pas du prie-Dieu aux fauteuils en velours frappé, toujours revêtus d'un appui-tête au crochet; et le feu cuisant comme une pâte les appétissantes odeurs dont l'air de la chambre était tout grumeleux et qu'avait déjà fait travailler et « lever » la fraîcheur humide et ensoleillée du matin, il les feuilletait, les dorait, les godait, les boursouflait, en faisant un invisible et palpable gâteau provincial, un immense « chausson » où, à peine goûtés les aromes plus croustillants, plus fins, plus réputés, mais plus secs aussi du placard, de la commode, du papier à ramages, je revenais toujours avec une convoitise inavouée m'engluer dans l'odeur médiane, poisseuse, fade, indigeste et fruitée du couvre-lit à fleurs.

Dans la chambre voisine, j'entendais ma tante qui causait toute seule à mi-voix. Elle ne parlait jamais qu'assez bas parce qu'elle croyait avoir dans la tête quelque chose de cassé et de flottant qu'elle eût déplacé en parlant trop fort, mais elle ne restait jamais longtemps, même seule, sans dire quelque chose, parce qu'elle croyait que c'était salutaire pour sa gorge et qu'en empêchant le sang de s'y arrêter, cela rendrait moins fréquents les étouffements et les angoisses dont elle souffrait; puis, dans l'inertie absolue où elle vivait, elle prêtait à ses moindres sensations une importance extraordinaire; elle les douait d'une motilité qui lui rendait difficile de les garder pour elle, et à défaut de confident à qui les communiquer, elle se les annonçait à elle-même, en un perpétuel monologue qui était sa seule forme d'activité. Malheureusement, ayant pris l'habitude de penser tout haut, elle ne faisait pas toujours attention à ce qu'il n'y eût personne dans la chambre voisine, et je l'entendais souvent se dire à elle-même : « Il faut que je me rappelle bien que je n'ai pas dormi » (car ne jamais dormir était sa grande prétention dont notre langage à tous gardait le respect et la trace : le matin Françoise ne venait pas « l'éveiller », mais[1] « entrait » chez elle; quand ma tante voulait faire un somme dans la journée, on disait qu'elle voulait « réfléchir » ou « reposer »; et quand il lui arrivait de s'oublier en causant jusqu'à dire : « ce qui m'a réveillée » ou « j'ai rêvé que », elle rougissait et se reprenait au plus vite).

Au bout d'un moment, j'entrais l'embrasser; Françoise faisait infuser son thé; ou, si ma tante se sentait agitée, elle demandait à la place sa tisane, et c'était moi qui étais chargé de faire tomber du sac de pharmacie dans une assiette la quantité de tilleul qu'il fallait mettre ensuite dans l'eau bouillante. Le dessèchement des tiges les avait incurvées en un capricieux treillage dans les entrelacs duquel s'ouvraient les fleurs pâles, comme si un peintre les eût arrangées, les eût fait poser de la façon la plus ornementale. Les feuilles, ayant perdu ou changé leur aspect, avaient l'air des choses les plus disparates, d'une aile transparente de mouche, de l'envers blanc d'une étiquette, d'un pétale de rose, mais qui eussent été empilées, concassées ou tressées comme dans la confection d'un nid. Mille petits détails inutiles — charmante prodigalité du pharmacien — qu'on eût supprimés dans une préparation factice, me donnaient, comme un livre où on s'émerveille de rencontrer le nom d'une personne de connaissance, le plaisir de comprendre que c'était bien des tiges de vrais tilleuls, comme ceux que je voyais avenue de la Gare, modifiées, justement parce que c'étaient non des doubles, mais elles-mêmes et qu'elles avaient vieilli. Et chaque caractère nouveau n'y étant que la métamorphose d'un caractère ancien, dans de petites boules grises je reconnaissais les boutons verts qui ne sont pas venus à terme; mais surtout l'éclat rose, lunaire et doux qui faisait se détacher les fleurs dans la forêt fragile des tiges où elles étaient suspendues comme de petites roses d'or — signe, comme la lueur qui révèle encore sur une muraille la place d'une fresque effacée, de la différence entre les parties de l'arbre qui avaient été « en couleur » et celles qui ne l'avaient pas été — me montrait que ces pétales étaient bien ceux qui avant de fleurir le sac de pharmacie avaient embaumé les soirs de printemps. Cette flamme rose de cierge, c'était leur couleur encore, mais à demi éteinte et assoupie dans cette vie diminuée qu'était la leur maintenant et qui est comme le crépuscule des fleurs. Bientôt ma tante pouvait tremper dans l'infusion bouillante dont elle savourait le goût de feuille morte ou de fleur fanée une petite madeleine dont elle me tendait un morceau quand il était suffisamment amolli.

D'un côté de son lit était une grande commode jaune en bois de citronnier et une table qui tenait à la fois de l'officine et du maître-autel, où, au-dessous d'une statuette de la Vierge et d'une bouteille de Vichy-Célestins, on trouvait des livres de messe et des ordonnances de médicaments, tout ce qu'il fallait pour suivre de son lit les offices et son régime, pour ne manquer l'heure ni de la pepsine, ni des vêpres. De l'autre côté, son lit longeait la fenêtre, elle avait la rue sous les yeux et y lisait du matin au soir, pour se désennuyer, à la façon des princes persans, la chronique quotidienne mais immémoriale de Combray, qu'elle commentait ensuite avec Françoise.

Je n'étais pas avec ma tante depuis cinq minutes, qu'elle me renvoyait par peur que je la fatigue. Elle tendait à mes lèvres son triste front pâle et fade sur lequel, à cette heure matinale, elle n'avait pas encore arrangé ses faux cheveux, et où les vertèbres transparaissaient comme les pointes d'une couronne d'épines ou les grains d'un rosaire, et elle me disait : « Allons, mon pauvre enfant, va-t'en, va te préparer pour la messe; et si en bas tu rencontres Françoise, dis-lui de ne pas s'amuser trop longtemps avec vous, qu'elle monte bientôt voir si je n'ai besoin de rien. »

Françoise, en effet, qui était depuis des années à son service et ne se doutait pas alors qu'elle entrerait un jour tout à fait au nôtre, délaissait un peu ma tante pendant les mois où nous étions là. Il y avait eu dans mon enfance, avant que nous allions à Combray, quand ma tante Léonie passait encore l'hiver à Paris chez sa mère, un temps où je connaissais si peu Françoise que, le 1er janvier, avant d'entrer chez ma grand'tante, ma mère me mettait dans la main une pièce de cinq francs et me disait : « Surtout ne te trompe pas de personne. Attends pour donner que tu m'entendes dire : « Bonjour Fran- » çoise »; en même temps je te toucherai légèrement le bras. » À peine arrivions-nous dans l'obscure antichambre de ma tante que nous apercevions dans l'ombre, sous les tuyaux d'un bonnet éblouissant, raide et fragile comme s'il avait été de sucre filé, les remous concentriques d'un sourire de reconnaissance anticipé. C'était Françoise, immobile et debout dans l'encadrement de la petite porte du corridor comme une statue de sainte dans sa niche. Quand on était un peu habitué à ces ténèbres de chapelle, on distinguait sur son visage l'amour désintéressé de l'humanité, le respect attendri pour les hautes classes qu'exaltait dans les meilleures régions de son cœur l'espoir des étrennes. Maman me pinçait le bras avec violence et disait d'une voix forte : « Bonjour, Françoise. » À ce signal mes doigts s'ouvraient et je lâchais la pièce qui trouvait pour la recevoir une main confuse, mais tendue. Mais depuis que nous allions à Combray je ne connaissais personne mieux que Françoise; nous étions ses préférés, elle avait pour nous, au moins pendant les premières années, avec autant de considération que pour ma tante, un goût plus vif, parce que nous ajoutions, au prestige de faire partie de la famille (elle avait pour les liens invisibles que noue entre les membres d'une famille la circulation d'un même sang, autant de respect qu'un tragique grec), le charme de n'être pas ses maîtres habituels. Aussi, avec quelle joie elle nous recevait, nous plaignant de n'avoir pas encore plus beau temps, le jour de notre arrivée, la veille de Pâques, où souvent il faisait un vent glacial, quand maman lui demandait des nouvelles de sa fille et de ses neveux, si son petit-fils était gentil, ce qu'on comptait faire de lui, s'il ressemblait à sa grand'mère.

Et quand il n'y avait plus de monde là, maman qui savait que Françoise pleurait encore ses parents morts depuis des années, lui parlait d'eux avec douceur, lui demandait mille détails sur ce qu'avait été leur vie.

Elle avait deviné que Françoise n'aimait pas son gendre et qu'il lui gâtait le plaisir qu'elle avait à être avec sa fille, avec qui elle ne causait pas aussi librement quand il était là. Aussi, quand Françoise allait les voir, à quelques lieues de Combray, maman lui disait en souriant : « N'est-ce pas, Françoise, si Julien a été obligé de s'absenter et si vous avez Marguerite à vous toute seule pour toute la journée, vous serez désolée, mais vous vous ferez une raison ? » Et Françoise disait en riant : « Madame sait tout; Madame est pire que les rayons X (elle disait x avec une difficulté affectée et un sourire pour se railler elle-même, ignorante, d'employer ce terme savant) qu'on a fait venir pour Mme Octave et qui voient ce que vous avez dans le cœur », et disparaissait, confuse qu'on s'occupât d'elle, peut-être pour qu'on ne la vît pas pleurer; maman était la première personne qui lui donnât cette douce émotion de sentir que sa vie, ses bonheurs, ses chagrins de paysanne pouvaient présenter de l'intérêt, être un motif de joie ou de tristesse pour une autre qu'elle-même. Ma tante se résignait à se priver un peu d'elle pendant notre séjour, sachant combien ma mère appréciait le service de cette bonne si intelligente et active, qui était aussi belle dès cinq heures du matin dans sa cuisine, sous son bonnet dont le tuyautage éclatant et fixe avait l'air d'être en biscuit, que pour aller à la grand'messe; qui faisait tout bien, travaillant comme un cheval, qu'elle fût bien portante ou non, mais sans bruit, sans avoir l'air de rien faire, la seule des bonnes de ma tante qui, quand maman demandait de l'eau chaude ou du café noir, les apportait vraiment bouillants; elle était un de ces serviteurs qui, dans une maison, sont à la fois ceux qui déplaisent le plus au premier abord à un étranger, peut-être parce qu'ils ne prennent pas la peine de faire sa conquête et n'ont pas pour lui de prévenance, sachant très bien qu'ils n'ont aucun besoin de lui, qu'on cesserait de le recevoir plutôt que de les renvoyer; et qui sont en revanche ceux à qui tiennent le plus les maîtres qui ont éprouvé leurs capacités réelles, et ne se soucient pas de cet agrément superficiel, de ce bavardage servile qui fait favorablement impression à un visiteur, mais qui recouvre souvent une inéducable nullité.

Quand Françoise, après avoir veillé à ce que mes parents eussent tout ce qu'il leur fallait, remontait une première fois chez ma tante pour lui donner sa pepsine et lui demander ce qu'elle prendrait pour déjeuner, il était bien rare qu'il ne lui[1] fallût pas donner déjà son avis ou fournir des explications sur quelque événement d'importance :

— Françoise, imaginez-vous que Mme Goupil est

passée plus d'un quart d'heure en retard pour aller chercher sa sœur; pour peu qu'elle s'attarde sur son chemin cela ne me surprendrait point qu'elle arrive après l'élévation.

— Hé! il n'y aurait rien d'étonnant, répondait Françoise.

— Françoise, vous seriez venue cinq minutes plus tôt, vous auriez vu passer Mme Imbert qui tenait des asperges deux fois grosses comme celles de la mère Callot; tâchez donc de savoir par sa bonne où elle les a eues. Vous qui, cette année, nous mettez des asperges à toutes les sauces, vous auriez pu en prendre de pareilles pour nos voyageurs.

— Il n'y aurait rien d'étonnant qu'elles viennent de chez M. le Curé, disait Françoise.

— Ah! je vous crois bien, ma pauvre Françoise, répondait ma tante en haussant les épaules, chez M. le Curé! Vous savez bien qu'il ne fait pousser que de méchantes petites asperges de rien. Je vous dis que celles-là étaient grosses comme le bras. Pas comme le vôtre, bien sûr, mais comme mon pauvre bras qui a encore tant maigri cette année... Françoise, vous n'avez pas entendu ce carillon qui m'a cassé la tête?

— Non, madame Octave.

— Ah! ma pauvre fille, il faut que vous l'ayez solide votre tête, vous pouvez remercier le Bon Dieu. C'était la Maguelone qui était venue chercher le docteur Piperaud. Il est ressorti tout de suite avec elle et ils ont tourné par la rue de l'Oiseau. Il faut qu'il y ait quelque enfant de malade.

— Eh! là, mon Dieu, soupirait Françoise, qui ne pouvait pas entendre parler d'un malheur arrivé à un inconnu, même dans une partie du monde éloignée, sans commencer à gémir.

— Françoise, mais pour qui donc a-t-on sonné la cloche des morts? Ah! mon Dieu, ce sera pour Mme Rousseau. Voilà-t-il pas que j'avais oublié qu'elle a passé l'autre nuit. Ah! il est temps que le Bon Dieu me rappelle, je ne sais plus ce que j'ai fait de ma tête depuis la mort de mon pauvre Octave. Mais je vous fais perdre votre temps, ma fille.

— Mais non, madame Octave, mon temps n'est pas si cher; celui qui l'a fait ne nous l'a pas vendu.

Je vas seulement voir si mon feu ne s'éteint pas.

Ainsi Françoise et ma tante appréciaient-elles ensemble au cours de cette séance matinale, les premiers événements du jour. Mais quelquefois ces événements revêtaient un caractère si mystérieux et si grave que ma tante sentait qu'elle ne pourrait pas attendre le moment où Françoise monterait, et quatre coups de sonnette formidables retentissaient dans la maison.

— Mais, madame Octave, ce n'est pas encore l'heure de la pepsine, disait Françoise. Est-ce que vous vous êtes senti une faiblesse?

— Mais non, Françoise, disait ma tante, c'est-à-dire si, vous savez bien que maintenant les moments où je n'ai pas de faiblesse sont bien rares; un jour je passerai comme Mme Rousseau sans avoir eu le temps de me reconnaître; mais ce n'est pas pour cela que je sonne. Croyez-vous pas que je viens de voir comme je vous vois Mme Goupil avec une fillette que je ne connais point? Allez donc chercher deux sous de sel chez Camus. C'est bien rare si Théodore ne peut pas vous dire qui c'est.

— Mais ça sera la fille à M. Pupin, disait Françoise qui préférait s'en tenir à une explication immédiate, ayant été déjà deux fois depuis le matin chez Camus.

— La fille à M. Pupin! Oh! je vous crois bien, ma pauvre Françoise! Avec cela que je ne l'aurais pas renconnue!

—Mais je ne veux pas dire la grande, madame Octave, je veux dire la gamine, celle qui est en pension à Jouy. Il me ressemble de l'avoir déjà vue ce matin.

— Ah! à moins de ça, disait ma tante. Il faudrait qu'elle soit venue pour les fêtes. C'est cela! Il n'y a pas besoin de chercher, elle sera venue pour les fêtes. Mais alors nous pourrions bien voir tout à l'heure Mme Sazerat venir sonner chez sa sœur pour le déjeuner. Ce sera ça! J'ai vu le petit de chez Galopin qui passait avec une tarte! Vous verrez que la tarte allait chez Mme Goupil.

— Dès l'instant que Mme Goupil a de la visite, madame Octave, vous n'allez pas tarder à voir tout son monde rentrer pour le déjeuner, car il commence à ne plus être de bonne heure, disait Françoise qui, pressée de redescendre s'occuper du déjeuner, n'était pas fâchée de laisser à ma tante cette distraction en perspective.

— Oh! pas avant midi, répondait ma tante d'un ton

résigné, tout en jetant sur la pendule un coup d'œil inquiet, mais furtif pour ne pas laisser voir qu'elle, qui avait renoncé à tout, trouvait pourtant, à apprendre qui Mme Goupil avait à déjeuner, un plaisir aussi vif, et qui se ferait malheureusement attendre encore un peu plus d'une heure. « Et encore cela tombera pendant mon déjeuner ! » ajouta-t-elle à mi-voix pour elle-même. Son déjeuner lui était une distraction suffisante pour qu'elle n'en souhaitât pas une autre en même temps. « Vous n'oublierez pas au moins de me donner mes œufs à la crème dans une assiette plate ? » C'étaient les seules qui fussent ornées de sujets, et ma tante s'amusait à chaque repas à lire la légende de celle qu'on lui servait ce jour-là. Elle mettait ses lunettes, déchiffrait : Ali-Baba et les quarante voleurs, Aladin ou la Lampe merveilleuse, et disait en souriant : Très bien, très bien.

— Je serais bien allée chez Camus..., disait Françoise en voyant que ma tante ne l'y enverrait plus.

— Mais non, ce n'est plus la peine, c'est sûrement Mlle Pupin. Ma pauvre Françoise, je regrette de vous avoir fait monter pour rien.

Mais ma tante savait bien que ce n'était pas pour rien qu'elle avait sonné Françoise, car, à Combray, une personne « qu'on ne connaissait point » était un être aussi peu croyable qu'un dieu de la mythologie, et de fait on ne se souvenait pas que, chaque fois que s'était produite, dans la rue du Saint-Esprit ou sur la place, une de ces apparitions stupéfiantes, des recherches bien conduites n'eussent pas fini par réduire le personnage fabuleux aux proportions d'une « personne qu'on connaissait », soit personnellement, soit abstraitement, dans son état civil, en tant qu'ayant tel degré de parenté avec des gens de Combray. C'était le fils de Mme Sauton qui rentrait du service, la nièce de l'abbé Perdreau qui sortait du couvent, le frère du curé, percepteur à Châteaudun qui venait de prendre sa retraite ou qui était venu passer les fêtes. On avait eu en les apercevant l'émotion de croire qu'il y avait à Combray des gens qu'on ne connaissait point, simplement parce qu'on ne les avait pas reconnus ou identifiés tout de suite. Et pourtant, longtemps à l'avance, Mme Sauton et le curé avaient prévenu qu'ils attendaient leurs « voyageurs ». Quand le soir je montais, en rentrant, raconter notre promenade à ma tante, si j'avais l'imprudence de lui dire que nous avions rencontré, près du Pont-Vieux, un homme que mon grand-père ne connaissait pas : « Un homme que grand-père ne connaissait point, s'écriait-elle! Ah! je te crois bien! » Néanmoins un peu émue de cette nouvelle, elle voulait en avoir le cœur net, mon grand-père était mandé. « Qui donc est-ce que vous avez rencontré près du Pont-Vieux, mon oncle? un homme que vous ne connaissiez point? — Mais si, répondait mon grand-père, c'était Prosper, le frère du jardinier de Mme Bouilleboeuf. — Ah! bien », disait ma tante, tranquillisée et un peu rouge; haussant les épaules avec un sourire ironique, elle ajoutait : « Aussi il me disait que vous aviez rencontré un homme que vous ne connaissiez point! » Et on me recommandait d'être plus circonspect une autre fois et de ne plus agiter ainsi ma tante par des paroles irréfléchies. On connaissait tellement bien tout le monde, à Combray, bêtes et gens, que si ma tante avait vu par hasard passer un chien « qu'elle ne connaissait point » elle ne cessait d'y penser et de consacrer à ce fait incompréhensible ses talents d'induction et ses heures de liberté.

— Ce sera le chien de Mme Sazerat, disait Françoise, sans grande conviction, mais dans un but d'apaisement et pour que ma tante ne se « fende pas la tête ».

— Comme si je ne connaissais pas le chien de Mme Sazerat! répondait ma tante dont l'esprit critique n'admettait pas si facilement un fait.

— Ah! ce sera le nouveau chien que M. Galopin a rapporté de Lisieux.

— Ah! à moins de ça.

— Il paraît que c'est une bête bien affable, ajoutait Françoise qui tenait le renseignement de Théodore, spirituelle comme une personne, toujours de bonne humeur, toujours aimable, toujours quelque chose de gracieux. C'est rare qu'une bête qui n'a que cet âge-là soit déjà si galante. Madame Octave, il va falloir que je vous quitte, je n'ai pas le temps de m'amuser, voilà bientôt dix heures, mon fourneau n'est seulement pas éclairé, et j'ai encore à plumer mes asperges.

— Comment, Françoise, encore des asperges! mais c'est une vraie maladie d'asperges que vous avez cette année, vous allez en fatiguer nos Parisiens!

— Mais non, madame Octave, ils aiment bien ça.

Ils rentreront de l'église avec de l'appétit et vous verrez qu'ils ne les mangeront pas avec le dos de la cuiller.

— Mais à l'église, ils doivent y être déjà; vous ferez bien de ne pas perdre de temps. Allez surveiller votre déjeuner.

Pendant que ma tante devisait ainsi avec Françoise, j'accompagnais mes parents à la messe. Que je l'aimais, que je la revois bien, notre Église! Son vieux porche par lequel nous entrions, noir, grêlé comme une écumoire, était dévié et profondément creusé aux angles (de même que le bénitier où il nous conduisait) comme si le doux effleurement des mantes des paysannes entrant à l'église et de leurs doigts timides prenant de l'eau bénite, pouvait, répété pendant des siècles, acquérir une force destructive, infléchir la pierre et l'entailler de sillons comme en trace la roue des carrioles dans la borne contre laquelle elle bute tous les jours. Ses pierres tombales, sous lesquelles la noble poussière des abbés de Combray, enterrés là, faisait au chœur comme un pavage spirituel, n'étaient plus elles-mêmes de la matière inerte et dure, car le temps les avait rendues douces et fait couler comme du miel hors des limites de leur propre équarrissure qu'ici elles avaient dépassées d'un flot blond, entraînant à la dérive une majuscule gothique en fleurs, noyant les violettes blanches du marbre; et en deçà desquelles, ailleurs, elles s'étaient résorbées, contractant encore l'elliptique inscription latine, introduisant un caprice de plus dans la disposition de ces caractères abrégés, rapprochant deux lettres d'un mot dont les autres avaient été démesurément distendues. Ses vitraux ne chatoyaient jamais tant que les jours où le soleil se montrait peu, de sorte que, fît-il gris dehors, on était sûr qu'il ferait beau dans l'église; l'un était rempli dans toute sa grandeur par un seul personnage pareil à un Roi de jeu de cartes, qui vivait là-haut, sous un dais architectural, entre ciel et terre (et dans le reflet oblique et bleu duquel, parfois les jours de semaine, à midi, quand il n'y a pas d'office — à l'un de ces rares moments où l'église aérée, vacante, plus humaine, luxueuse, avec du soleil sur son riche mobilier, avait l'air presque habitable comme le hall, de pierre sculptée et de verre peint, d'un hôtel de style moyen âge — on voyait s'agenouiller un instant Mme Sazerat, posant sur le prie-Dieu voisin un paquet tout ficelé de petits fours qu'elle venait de prendre chez le pâtissier d'en face et qu'elle allait rapporter pour le déjeuner); dans un autre une montagne de neige rose, au pied de laquelle se livrait un combat, semblait avoir givré à même la verrière qu'elle boursouflait de son trouble grésil comme une vitre à laquelle il serait resté des flocons, mais des flocons éclairés par quelque aurore (par la même sans doute qui empourprait le retable de l'autel de tons si frais qu'ils semblaient plutôt posés là momentanément par une lueur du dehors prête à s'évanouir que par des couleurs attachées à jamais à la pierre); et tous étaient si anciens qu'on voyait çà et là leur vieillesse argentée étinceler de la poussière des siècles et montrer brillante et usée jusqu'à la corde la trame de leur douce tapisserie de verre. Il y en avait un qui était un haut compartiment divisé en une centaine de petits vitraux rectangulaires où dominait le bleu, comme un grand jeu de cartes pareil à ceux qui devaient distraire le roi Charles VI; mais soit qu'un rayon eût brillé, soit que mon regard en bougeant eût promené à travers la verrière, tour à tour éteinte et rallumée, un mouvant et précieux incendie, l'instant d'après elle avait pris l'éclat changeant d'une traîne de paon, puis elle tremblait et ondulait en une pluie flamboyante et fantastique qui dégouttait du haut de la voûte sombre et rocheuse, le long des parois humides, comme si c'était dans la nef de quelque grotte irisée de sinueuses[1] stalactites que je suivais mes parents, qui portaient leur paroissien; un instant après les petits vitraux en losange avaient pris la transparence profonde, l'infrangible dureté de saphirs qui eussent été juxtaposés sur quelque immense pectoral, mais derrière lesquels on sentait, plus aimé que toutes ces richesses, un sourire momentané de soleil; il était aussi reconnaissable dans le flot bleu et doux dont il baignait les pierreries que sur le pavé de la place ou la paille du marché; et, même à nos premiers dimanches quand nous étions arrivés avant Pâques, il me consolait que la terre fût encore nue et noire, en faisant épanouir, comme en un printemps historique et qui datait des successeurs de saint Louis, ce tapis éblouissant et doré de myosotis en verre.

Deux tapisseries de haute lice représentaient le couronnement d'Esther (la tradition voulait qu'on eût donné à Assuérus les traits d'un roi de France et à Esther ceux d'une dame de Guermantes dont il était amoureux), auxquelles leurs couleurs, en fondant, avaient ajouté une expression, un relief, un éclairage : un peu de rose flottait aux lèvres d'Esther au delà du dessin de leur contour; le jaune de sa robe s'étalait si onctueusement, si grassement, qu'elle en prenait une sorte de consistance et s'enlevait vivement sur l'atmosphère refoulée; et la verdure des arbres restée vive dans les parties basses du panneau de soie et de laine, mais ayant « passé » dans le haut, faisait se détacher en plus pâle, au-dessus des troncs foncés, les hautes branches jaunissantes, dorées et comme à demi effacées par la brusque et oblique illumination d'un soleil invisible. Tout cela, et plus encore les objets précieux venus à l'église de personnages qui étaient pour moi presque des personnages de légende (la croix d'or travaillée, disait-on, par saint Éloi et donnée par Dagobert, le tombeau des fils de Louis le Germanique, en porphyre et en cuivre émaillé), à cause de quoi je m'avançais dans l'église, quand nous gagnions nos chaises, comme dans une vallée visitée des fées, où le paysan s'émerveille de voir dans un rocher, dans un arbre, dans une mare, la trace palpable de leur passage surnaturel; tout cela faisait d'elle pour moi quelque chose d'entièrement différent du reste de la ville : un édifice occupant, si l'on peut dire, un espace à quatre dimensions — la quatrième étant celle du Temps —, déployant à travers les siècles son vaisseau qui, de travée en travée, de chapelle en chapelle, semblait vaincre et franchir, non pas seulement quelques mètres, mais des époques successives d'où il sortait victorieux; dérobant le rude et farouche XIe siècle dans l'épaisseur de ses murs, d'où il n'apparaissait avec ses lourds cintres bouchés et aveuglés de grossiers moellons que par la profonde entaille que creusait près du porche l'escalier du clocher, et, même là, dissimulé par les gracieuses arcades gothiques qui se pressaient coquettement devant lui, comme de plus grandes sœurs, pour le cacher aux étrangers, se placent en souriant devant un jeune frère rustre, grognon et mal vêtu; élevant dans le ciel, au-dessus de la Place, sa tour qui avait contemplé saint Louis et semblait le voir encore; et s'enfonçant avec sa crypte dans une nuit mérovingienne où, nous guidant à tâtons sous la voûte obscure et puissamment nervurée comme la membrane d'une immense chauve-souris de pierre, Théodore et sa sœur nous éclairaient d'une bougie le tombeau de la petite fille de Sigebert, sur lequel une profonde valve — comme la trace d'un fossile — avait été creusée, disait-on, « par une lampe de cristal qui, le soir du meurtre de la princesse franque, s'était détachée d'elle-même des chaînes d'or où elle était suspendue à la place de l'actuelle abside, et, sans que le cristal se brisât, sans que la flamme s'éteignît, s'était enfoncée dans la pierre et l'avait fait mollement céder sous elle ».

L'abside de l'église de Combray, peut-on vraiment en parler ? Elle était si grossière, si dénuée de beauté artistique et même d'élan religieux. Du dehors, comme le croisement des rues sur lequel elle donnait était en contrebas, sa grossière muraille s'exhaussait d'un soubassement en moellons nullement polis, hérissés de cailloux, et qui n'avait rien de particulièrement ecclésiastique, les verrières semblaient percées à une hauteur excessive, et le tout avait plus l'air d'un mur de prison que d'église. Et certes, plus tard, quand je me rappelais toutes les glorieuses absides que j'ai vues, il ne me serait jamais venu à la pensée de rapprocher d'elles l'abside de Combray. Seulement, un jour, au détour d'une petite rue provinciale, j'aperçus, en face du croisement de trois ruelles, une muraille fruste et surélevée, avec des verrières percées en haut et offrant le même aspect asymétrique que l'abside de Combray. Alors je ne me suis pas demandé comme à Chartres ou à Reims avec quelle puissance y était exprimé le sentiment religieux, mais je me suis involontairement écrié : « L'Église ! »

L'église ! Familière, mitoyenne, rue Saint-Hilaire, où était sa porte nord, de ses deux voisines, la pharmacie de M. Rapin et la maison de Mme Loiseau, qu'elle touchait sans aucune séparation ; simple citoyenne de Combray qui aurait pu avoir son numéro dans la rue si les rues de Combray avaient eu des numéros, et où il semble que le facteur aurait dû s'arrêter le matin quand il faisait sa distribution, avant d'entrer chez Mme Loiseau et en sortant de chez M. Rapin ; il y avait pourtant entre elle et tout ce qui n'était pas elle une démarcation que mon esprit n'a jamais pu arriver à franchir. Mme Loiseau avait beau avoir à sa fenêtre des fuchsias, qui prenaient la mauvaise habitude de laisser leurs branches courir toujours partout tête baissée, et dont les fleurs n'avaient rien de plus pressé, quand elles étaient assez grandes, que d'aller rafraîchir leurs joues violettes et congestionnées contre la sombre façade de l'église, les fuchsias ne devenaient pas sacrés pour cela pour moi; entre les fleurs et la pierre noircie sur laquelle elles s'appuyaient, si mes yeux ne percevaient pas d'intervalle, mon esprit réservait un abîme.

On reconnaissait le clocher de Saint-Hilaire de bien loin, inscrivant sa figure inoubliable à l'horizon où Combray n'apparaissait pas encore; quand du train qui, la semaine de Pâques, nous amenait de Paris, mon père l'apercevait qui filait tour à tour sur tous les sillons du ciel, faisant courir en tous sens son petit coq de fer, il nous disait : « Allons, prenez les couvertures, on est arrivé. » Et dans une des plus grandes promenades que nous faisions de Combray, il y avait un endroit où la route resserrée débouchait tout à coup sur un immense plateau fermé à l'horizon par des forêts déchiquetées que dépassait seule la fine pointe du clocher de Saint-Hilaire, mais si mince, si rose, qu'elle semblait seulement rayée sur le ciel par un ongle qui aurait voulu donner à ce paysage, à ce tableau rien que de nature, cette petite marque d'art, cette unique indication humaine. Quand on se rapprochait et qu'on pouvait apercevoir le reste de la tour carrée et à demi détruite qui, moins haute, subsistait à côté de lui, on était frappé surtout du ton rougeâtre et sombre des pierres; et, par un matin brumeux d'automne, on aurait dit, s'élevant au-dessus du violet orageux des vignobles, une ruine de pourpre presque de la couleur de la vigne vierge.

Souvent sur la place, quand nous rentrions, ma grand'mère me faisait arrêter pour le regarder. Des fenêtres de sa tour, placées deux par deux les unes au-dessus des autres, avec cette juste et originale proportion dans les distances qui ne donne pas de la beauté et de la dignité qu'aux visages humains, il lâchait, laissait tomber à intervalles réguliers des volées de corbeaux qui, pendant un moment, tournoyaient en criant, comme si les vieilles pierres qui les laissaient s'ébattre sans paraître les voir, devenues tout d'un coup inhabitables et dégageant un principe d'agitation infinie, les avaient frappés et repoussés. Puis, après avoir rayé en tous sens le velours violet de l'air du soir, brusquement calmés ils revenaient s'absorber dans la tour, de néfaste redevenue propice, quelques-uns posés çà et là, ne semblant pas bouger, mais happant peut-être quelque insecte, sur la pointe d'un clocheton, comme une mouette arrêtée avec l'immobilité d'un pêcheur à la crête d'une vague. Sans trop savoir pourquoi, ma grand'mère trouvait au clocher de Saint-Hilaire cette absence de vulgarité, de prétention, de mesquinerie, qui lui faisait aimer et croire riches d'une influence bienfaisante la nature quand la main de l'homme ne l'avait pas, comme faisait le jardinier de ma grand'tante, rapetissée, et les œuvres de génie. Et sans doute, toute partie de l'église qu'on apercevait la distinguait de tout autre édifice par une sorte de pensée qui lui était infuse, mais c'était dans son clocher qu'elle semblait prendre conscience d'elle-même, affirmer une existence individuelle et responsable. C'était lui qui parlait pour elle. Je crois surtout que, confusément, ma grand'mère trouvait au clocher de Combray ce qui pour elle avait le plus de prix au monde, l'air naturel et l'air distingué. Ignorante en architecture, elle disait : « Mes enfants, moquez-vous de moi si vous voulez, il n'est peut-être pas beau dans les règles, mais sa vieille figure bizarre me plaît. Je suis sûre que s'il jouait du piano, il ne jouerait pas *sec.* » Et en le regardant, en suivant des yeux la douce tension, l'inclinaison fervente de ses pentes de pierre qui se rapprochaient en s'élevant comme des mains jointes qui prient, elle s'unissait si bien à l'effusion de la flèche, que son regard semblait s'élancer avec elle; et en même temps elle souriait amicalement aux vieilles pierres usées dont le couchant n'éclairait plus que le faîte et qui, à partir du moment où elles entraient dans cette zone ensoleillée, adoucies par la lumière, paraissaient tout d'un coup montées bien plus haut, lointaines, comme un chant repris « en voix de tête » une octave au-dessus.

C'était le clocher de Saint-Hilaire qui donnait à toutes les occupations, à toutes les heures, à tous les points de vue de la ville, leur figure, leur couronnement, leur consécration. De ma chambre, je ne pouvais apercevoir que sa base qui avait été recouverte d'ardoises; mais quand, le dimanche, je les voyais, par une chaude matinée d'été, flamboyer comme un soleil noir, je me disais : « Mon Dieu ! neuf heures ! il faut se préparer pour aller à la grand'messe si je veux avoir le temps d'aller embrasser tante Léonie avant», et je savais exactement la couleur qu'avait le soleil sur la place, la chaleur et la poussière du marché, l'ombre que faisait le store du magasin où maman entrerait peut-être avant la messe, dans une odeur de toile écrue, faire emplette de quelque mouchoir que lui ferait montrer, en cambrant la taille, le patron qui, tout en se préparant à fermer, venait d'aller dans l'arrière-boutique passer sa veste du dimanche et se savonner les mains qu'il avait l'habitude, toutes les cinq minutes, même dans les circonstances les plus mélancoliques, de frotter l'une contre l'autre d'un air d'entreprise, de partie fine et de réussite.

Quand, après la messe, on entrait dire à Théodore d'apporter une brioche plus grosse que d'habitude parce que nos cousins avaient profité du beau temps pour venir de Thiberzy déjeuner avec nous, on avait devant soi le clocher qui, doré et cuit lui-même comme une plus grande brioche bénie, avec des écailles et des égouttements gommeux de soleil, piquait sa pointe aiguë dans le ciel bleu. Et le soir, quand je rentrais de promenade et pensais au moment où il faudrait tout à l'heure dire bonsoir à ma mère et ne plus la voir, il était au contraire si doux, dans la journée finissante, qu'il avait l'air d'être posé et enfoncé comme un coussin de velours brun sur le ciel pâli qui avait cédé sous sa pression, s'était creusé légèrement pour lui faire sa place et refluait sur ses bords; et les cris des oiseaux qui tournaient autour de lui semblaient accroître son silence, élancer encore sa flèche et lui donner quelque chose d'ineffable.

Même dans les courses qu'on avait à faire derrière l'église, là où on ne la voyait pas, tout semblait ordonné par rapport au clocher surgi ici ou là entre les maisons, peut-être plus émouvant encore quand il apparaissait ainsi sans l'église. Et certes, il y en a bien d'autres qui sont plus beaux vus de cette façon, et j'ai dans mon souvenir des vignettes de clochers dépassant les toits, qui ont un autre caractère d'art que celles que composaient les tristes rues de Combray. Je n'oublierai jamais dans une curieuse ville de Normandie voisine de Balbec, deux charmants hôtels du XVIIIe siècle, qui me sont à beaucoup d'égards chers et vénérables et entre lesquels, quand on la regarde du beau jardin qui descend des perrons vers la rivière, la flèche gothique d'une église qu'ils cachent s'élance, ayant l'air de terminer, de surmonter leurs façades, mais d'une manière si différente, si précieuse, si annelée, si rose, si vernie, qu'on voit bien qu'elle n'en fait pas plus partie que de deux beaux galets unis, entre lesquels elle est prise sur la plage, la flèche purpurine et crénelée de quelque coquillage fuselé en tourelle et glacé d'émail. Même à Paris, dans un des quartiers les plus laids de la ville, je sais une fenêtre où on voit après un premier, un second et même un troisième plan faits[1] des toits amoncelés de plusieurs rues, une cloche violette, parfois rougeâtre, parfois aussi, dans les plus nobles « épreuves » qu'en tire l'atmosphère, d'un noir décanté de cendres, laquelle n'est autre que le dôme de[2] Saint-Augustin et qui donne à cette vue de Paris le caractère de certaines vues de Rome par Piranesi. Mais comme dans aucune de ces petites gravures, avec quelque goût que ma mémoire ait pu les exécuter, elle ne put mettre ce que j'avais perdu depuis longtemps, le sentiment qui nous fait non pas considérer une chose comme un spectacle, mais y croire comme en un être sans équivalent, aucune d'elles ne tient sous sa dépendance toute une partie profonde de ma vie, comme fait le souvenir de ces aspects du clocher de Combray dans les rues qui sont derrière l'église. Qu'on le vît à cinq heures, quand on allait chercher les lettres à la poste, à quelques maisons de soi, à gauche, surélevant brusquement d'une cime isolée la ligne de faîte des toits; que, si au contraire on voulait entrer demander des nouvelles de Mme Sazerat, on suivît des yeux cette ligne redevenue basse après la descente de son autre versant en sachant qu'il faudrait tourner à la deuxième rue après le clocher; soit qu'encore, poussant plus loin, si on allait à la gare, on le vît obliquement, montrant de profil des arêtes et des surfaces nouvelles comme un solide surpris à un moment inconnu de sa révolution; ou que, des bords de la Vivonne, l'abside, musculeusement ramassée et remontée par la perspective, semblât jaillir de l'effort que le clocher faisait pour lancer sa flèche au cœur du ciel; c'était toujours à lui qu'il fallait revenir, toujours lui qui dominait tout, sommant les maisons d'un pinacle inattendu, levé devant moi comme le doigt de Dieu dont le corps eût été caché dans la foule des humains sans que je le confondisse pour cela avec elle. Et aujourd'hui encore si, dans une grande ville de province ou dans un quartier de Paris que je connais mal, un passant qui m'a « mis dans mon chemin » me montre au loin, comme un point de repère, tel beffroi d'hôpital, tel clocher de couvent levant la pointe de son bonnet ecclésiastique au coin d'une rue que je dois prendre, pour peu que ma mémoire puisse obscurément lui trouver quelque trait de ressemblance avec la figure chère et disparue, le passant, s'il se retourne pour s'assurer que je ne m'égare pas, peut, à son étonnement, m'apercevoir qui, oublieux de la promenade entreprise ou de la course obligée, reste là, devant le clocher, pendant des heures, immobile, essayant de me souvenir, sentant au fond de moi des terres reconquises sur l'oubli qui s'assèchent et se rebâtissent; et sans doute alors, et plus anxieusement que tout à l'heure quand je lui demandais de me renseigner, je cherche encore mon chemin, je tourne une rue... mais... c'est dans mon cœur...

En rentrant de la messe, nous rencontrions souvent M. Legrandin qui, retenu à Paris par sa profession d'ingénieur, ne pouvait, en dehors des grandes vacances, venir à sa propriété de Combray que du samedi soir au lundi matin. C'était un de ces hommes qui, en dehors d'une carrière scientifique où ils ont d'ailleurs brillamment réussi, possèdent une culture toute différente, littéraire, artistique, que leur spécialisation professionnelle n'utilise pas et dont profite leur conversation. Plus lettrés que bien des littérateurs (nous ne savions pas à cette époque que M. Legrandin eût une certaine réputation comme écrivain et nous fûmes très étonnés de voir qu'un musicien célèbre avait composé une mélodie sur des vers de lui), doués de plus de « facilité » que bien des peintres, ils s'imaginent que la vie qu'ils mènent n'est pas celle qui leur aurait convenu et apportent à leurs occupations positives soit une insouciance mêlée de fantaisie, soit une application soutenue et hautaine, méprisante, amère et consciencieuse. Grand, avec une belle tournure, un visage pensif et fin aux longues moustaches blondes, au regard bleu et désenchanté, d'une politesse raffinée, causeur comme nous n'en avions jamais entendu, il était aux yeux de ma famille, qui le citait toujours en exemple, le type de l'homme d'élite, prenant la vie de la façon la plus noble et la plus délicate. Ma grand'mère lui reprochait seulement de parler un peu trop bien, un peu trop comme un livre, de ne pas avoir dans son langage le naturel qu'il y avait dans ses cravates lavallière toujours flottantes, dans son veston droit presque d'écolier. Elle s'étonnait aussi des tirades enflammées qu'il entamait souvent contre l'aristocratie, la vie mondaine, le snobisme, « certainement le péché auquel pense saint Paul quand il parle du péché pour lequel il n'y a pas de rémission ».

L'ambition mondaine était un sentiment que ma grand'mère était si incapable de ressentir et presque de comprendre, qu'il lui paraissait bien inutile de mettre tant d'ardeur à la flétrir. De plus, elle ne trouvait pas de très bon goût que M. Legrandin, dont la sœur était mariée près de Balbec avec un gentilhomme bas-normand, se livrât à des attaques aussi violentes contre les nobles, allant jusqu'à reprocher à la Révolution de ne les avoir pas tous guillotinés.

— Salut, amis! nous disait-il en venant à notre rencontre. Vous êtes heureux d'habiter beaucoup ici; demain il faudra que je rentre à Paris, dans ma niche. Oh! ajoutait-il, avec ce sourire doucement ironique et déçu, un peu distrait, qui lui était particulier, certes il y a dans ma maison toutes les choses inutiles. Il n'y manque que le nécessaire, un grand morceau de ciel comme ici. Tâchez de garder toujours un morceau de ciel au-dessus de votre vie, petit garçon, ajoutait-il en se tournant vers moi. Vous avez une jolie âme, d'une qualité rare, une nature d'artiste, ne la laissez pas manquer de ce qu'il lui faut.

Quand, à notre retour, ma tante nous faisait demander si Mme Goupil était arrivée en retard à la messe, nous étions incapables de la renseigner. En revanche nous ajoutions à son trouble en lui disant qu'un peintre travaillait dans l'église à copier le vitrail de Gilbert le Mauvais. Françoise, envoyée aussitôt chez l'épicier, était revenue bredouille par la faute de l'absence de Théodore à qui sa double profession de chantre ayant une part de l'entretien de l'église, et de garçon épicier donnait, avec des relations dans tous les mondes, un savoir universel.

— Ah! soupirait ma tante, je voudrais que ce soit déjà l'heure d'Eulalie. Il n'y a vraiment qu'elle qui pourra me dire cela.

Eulalie était une fille boiteuse, active et sourde qui

s'était « retirée » après la mort de Mme de la Bretonnerie où elle avait été en place depuis son enfance et qui avait pris à côté de l'église une chambre d'où elle descendait tout le temps soit aux offices, soit, en dehors des offices, dire une petite prière ou donner un coup de main à Théodore; le reste du temps elle allait voir des personnes malades comme ma tante Léonie à qui elle racontait ce qui s'était passé à la messe ou aux vêpres. Elle ne dédaignait pas d'ajouter quelque casuel à la petite rente que lui servait la famille de ses anciens maîtres en allant de temps en temps visiter le linge du curé ou de quelque autre personnalité marquante du monde clérical de Combray. Elle portait au-dessus d'une mante de drap noir un petit béguin blanc, presque de religieuse, et une maladie de peau donnait à une partie de ses joues et à son nez recourbé, les tons rose vif de la balsamine. Ses visites étaient la grande distraction de ma tante Léonie qui ne recevait plus guère personne d'autre, en dehors de M. le Curé. Ma tante avait peu à peu évincé tous les autres visiteurs parce qu'ils avaient le tort à ses yeux de rentrer tous dans l'une ou l'autre des deux catégories de gens qu'elle détestait. Les uns, les pires et dont elle s'était débarrassée les premiers, étaient ceux qui lui conseillaient de ne pas « s'écouter » et professaient, fût-ce négativement et en ne la manifestant que par certains silences de désapprobation ou par certains sourires de doute, la doctrine subversive qu'une petite promenade au soleil et un bon bifteck saignant (quand elle gardait quatorze heures sur l'estomac deux méchantes gorgées d'eau de Vichy!) lui feraient plus de bien que son lit et ses médecines. L'autre catégorie se composait des personnes qui avaient l'air de croire qu'elle était plus gravement malade qu'elle ne pensait, qu'elle était aussi gravement malade qu'elle le disait. Aussi, ceux qu'elle avait laissés monter après quelques hésitations et sur les officieuses instances de Françoise et qui, au cours de leur visite, avaient montré combien ils étaient indignes de la faveur qu'on leur faisait en risquant timidement un : « Ne croyez-vous pas que si vous vous secouiez un peu par un beau temps », ou qui, au contraire, quand elle leur avait dit : « Je suis bien bas, bien bas, c'est la fin, mes pauvres amis », lui avaient répondu : « Ah! quand on n'a pas la santé! Mais vous pouvez durer encore comme ça », ceux-là, les uns comme les autres, étaient sûrs de ne plus jamais être reçus. Et si Françoise s'amusait de l'air épouvanté de ma tante quand de son lit elle avait aperçu dans la rue du Saint-Esprit une de ces personnes qui avait l'air de venir chez elle ou quand elle avait entendu un coup de sonnette, elle riait encore bien plus, et comme d'un bon tour, des ruses toujours victorieuses de ma tante pour arriver à les faire congédier et de leur mine déconfite en s'en retournant sans l'avoir vue, et, au fond, admirait sa maîtresse qu'elle jugeait supérieure à tous ces gens puisqu'elle ne voulait pas les recevoir. En somme, ma tante exigeait à la fois qu'on l'approuvât dans son régime, qu'on la plaignît pour ses souffrances et qu'on la rassurât sur son avenir.

C'est à quoi Eulalie excellait. Ma tante pouvait lui dire vingt fois en une minute : « C'est la fin, ma pauvre Eulalie », vingt fois Eulalie répondait : « Connaissant votre maladie comme vous la connaissez, madame Octave, vous irez à cent ans, comme me disait hier encore Mme Sazerin. » (Une des plus fermes croyances d'Eulalie, et que le nombre imposant des démentis apportés par l'expérience n'avait pas suffi à entamer, était que Mme Sazerat s'appelait Mme Sazerin.)

— Je ne demande pas à aller à cent ans, répondait ma tante, qui préférait ne pas voir assigner à ses jours un terme précis.

Et comme Eulalie savait avec cela comme personne distraire ma tante sans la fatiguer, ses visites qui avaient lieu régulièrement tous les dimanches, sauf empêchement inopiné, étaient pour ma tante un plaisir dont la perspective l'entretenait ces jours-là dans un état agréable d'abord, mais bien vite douloureux comme une faim excessive, pour peu qu'Eulalie fût en retard. Trop prolongée, cette volupté d'attendre Eulalie tournait en supplice, ma tante ne cessait de regarder l'heure, bâillait, se sentait des faiblesses. Le coup de sonnette d'Eulalie, s'il arrivait tout à fin de la journée, quand elle ne l'espérait plus, la faisait presque se trouver mal. En réalité, le dimanche, elle ne pensait qu'à cette visite et sitôt le déjeuner fini, Françoise avait hâte que nous quittions la salle à manger pour qu'elle pût monter « occuper » ma tante. Mais (surtout à partir du moment où les beaux jours s'installaient à Combray) il y avait bien longtemps que l'heure altière de midi, descendue de la tour de Saint-

Hilaire qu'elle armoriait des douze fleurons momentanés de sa couronne sonore, avait retenti autour de notre table, auprès du pain bénit venu lui aussi familièrement en sortant de l'église, quand nous étions encore assis devant les assiettes des Mille et une Nuits, appesantis par la chaleur et surtout par le repas. Car, au fond permanent d'œufs, de côtelettes, de pommes de terre, de confitures, de biscuits, qu'elle ne nous annonçait même plus, Françoise ajoutait — selon les travaux des champs et des vergers, le fruit de la marée, les hasards du commerce, les politesses des voisins et son propre génie, et si bien que notre menu, comme ces quatre-feuilles qu'on sculptait au XIIIe siècle au portail des cathédrales, reflétait un peu le rythme des saisons et des épisodes de la vie — : une barbue parce que la marchande lui en avait garanti la fraîcheur, une dinde parce qu'elle en avait vu une belle au marché de Roussainville-le-Pin, des cardons à la moelle parce qu'elle ne nous en avait pas encore fait de cette manière-là, un gigot rôti parce que le grand air creuse et qu'il avait bien le temps de descendre d'ici sept heures, des épinards pour changer, des abricots parce que c'était encore une rareté, des groseilles parce que dans quinze jours il n'y en aurait plus, des framboises que M. Swann avait apportées exprès, des cerises, les premières qui vinssent du cerisier du jardin après deux ans qu'il n'en donnait plus, du fromage à la crème que j'aimais bien autrefois, un gâteau aux amandes parce qu'elle l'avait commandé la veille, une brioche parce que c'était notre tour de l'offrir. Quand tout cela était fini, composée expressément pour nous, mais dédiée plus spécialement à mon père qui était amateur, une crème au chocolat, inspiration, attention personnelle de Françoise, nous était offerte, fugitive et légère comme une œuvre de circonstance où elle avait mis tout son talent. Celui qui eût refusé d'en goûter en disant : « J'ai fini, je n'ai plus faim », se serait immédiatement ravalé au rang de ces goujats qui, même dans le présent qu'un artiste leur fait d'une de ses œuvres, regardent au poids et à la matière alors que n'y valent que l'intention et la signature. Même en laisser une seule goutte dans le plat eût témoigné de la même impolitesse que se lever avant la fin du morceau au nez du compositeur.

Enfin ma mère me disait : « Voyons, ne reste pas ici

indéfiniment, monte dans ta chambre si tu as trop chaud dehors, mais va d'abord prendre l'air un instant pour ne pas lire en sortant de table. » J'allais m'asseoir près de la pompe et de son auge, souvent ornée, comme un font[1] gothique, d'une salamandre, qui sculptait sur la pierre fruste le relief mobile de son corps allégorique et fuselé, sur le banc sans dossier ombragé d'un lilas, dans ce petit coin du jardin qui s'ouvrait par une porte de service sur la rue du Saint-Esprit et de la terre peu soignée duquel[2] s'élevait par deux degrés, en saillie de la maison, et comme une construction indépendante, l'arrière-cuisine On apercevait son dallage rouge et luisant comme du porphyre. Elle avait moins l'air de l'antre de Françoise que d'un petit temple de Vénus. Elle regorgeait des offrandes du crémier, du fruitier, de la marchande de légumes, venus parfois de hameaux assez lointains pour lui dédier les prémices de leurs champs. Et son faîte était toujours couronné du roucoulement d'une colombe.

Autrefois, je ne m'attardais pas dans le bois consacré qui l'entourait, car, avant de monter lire, j'entrais dans le petit cabinet de repos que mon oncle Adolphe, un frère de mon grand-père, ancien militaire qui avait pris sa retraite comme commandant, occupait au rez-de-chaussée, et qui, même quand les fenêtres ouvertes laissaient entrer la chaleur, sinon les rayons du soleil qui atteignaient rarement jusque-là, dégageait inépuisablement cette odeur obscure et fraîche, à la fois forestière et ancien régime, qui fait rêver longuement les narines quand on pénètre dans certains pavillons de chasse abandonnés. Mais depuis nombre d'années je n'entrais plus dans le cabinet de mon oncle Adolphe, ce dernier ne venant plus à Combray à cause d'une brouille qui était survenue entre lui et ma famille, par ma faute, dans les circonstances suivantes :

Une ou deux fois par mois, à Paris, on m'envoyait lui faire une visite, comme il finissait de déjeuner, en simple vareuse, servi par son domestique en veste de travail de coutil rayé violet et blanc. Il se plaignait en ronchonnant que je n'étais pas venu depuis longtemps, qu'on l'abandonnait; il m'offrait un massepain ou une mandarine, nous traversions un salon dans lequel on ne s'arrêtait jamais, où on ne faisait jamais de feu, dont les murs étaient ornés de moulures dorées, les plafonds peints d'un bleu qui prétendait imiter le ciel et les meubles capitonnés en satin comme chez mes grands-parents, mais jaune; puis nous passions dans ce qu'il appelait son cabinet de « travail » aux murs duquel étaient accrochées de ces gravures représentant sur fond noir une déesse charnue et rose conduisant un char, montée sur un globe, ou une étoile au front, qu'on aimait sous le Second Empire parce qu'on leur trouvait un air pompéien, puis qu'on détesta, et qu'on recommence à aimer pour une seule et même raison, malgré les autres qu'on donne, et qui est qu'elles ont l'air Second Empire. Et je restais avec mon oncle jusqu'à ce que son valet de chambre vînt lui demander, de la part du cocher, pour quelle heure celui-ci devait atteler. Mon oncle se plongeait alors dans une méditation qu'aurait craint de troubler d'un seul mouvement son valet de chambre émerveillé, et dont il attendait avec curiosité le résultat, toujours identique. Enfin, après une hésitation suprême, mon oncle prononçait infailliblement ces mots : « Deux heures et quart », que le valet de chambre répétait avec étonnement, mais sans discuter : « Deux heures et quart? bien... je vais le dire... »

A cette époque j'avais l'amour du théâtre, amour platonique, car mes parents ne m'avaient encore jamais permis d'y aller, et je me représentais d'une façon si peu exacte les plaisirs qu'on y goûtait que je n'étais pas éloigné de croire que chaque spectateur regardait comme dans un stéréoscope un décor qui n'était que pour lui, quoique semblable au millier d'autres que regardait, chacun pour soi, le reste des spectateurs.

Tous les matins je courais jusqu'à la colonne Morris pour voir les spectacles qu'elle annonçait. Rien n'était plus désintéressé et plus heureux que les rêves offerts à mon imagination par chaque pièce annoncée, et qui étaient conditionnés à la fois par les images inséparables des mots qui en composaient le titre et aussi de la couleur des affiches encore humides et boursouflées de colle sur lesquelles il se détachait. Si ce n'est une de ces œuvres étranges comme *le Testament de César Girodot*[1] et *Œdipe-Roi* lesquelles s'inscrivaient, non sur l'affiche verte de l'Opéra-Comique, mais sur l'affiche lie de vin de la Comédie-Française, rien ne me paraissait plus différent de l'aigrette étincelante et blanche des *Diamants de la Couronne* que le satin lisse et mystérieux du *Domino Noir,* et, mes parents m'ayant dit que quand j'irais pour la première fois au théâtre j'aurais à choisir entre ces deux pièces, cherchant à approfondir successivement le titre de l'une et le titre de l'autre, puisque c'était tout ce que je connaissais d'elles, pour tâcher de saisir en chacun le plaisir qu'il me promettait et de le comparer à celui que recélait l'autre, j'arrivais à me représenter avec tant de force, d'une part une pièce éblouissante et fière, de l'autre une pièce douce et veloutée, que j'étais aussi incapable de décider laquelle aurait ma préférence, que si, pour le dessert, on m'avait donné à opter entre du riz à l'Impératrice et de la crème au chocolat.

Toutes mes conversations avec mes camarades portaient sur ces acteurs dont l'art, bien qu'il me fût encore inconnu, était la première forme, entre toutes celles qu'il revêt, sous laquelle se laissait pressentir par moi, l'Art. Entre la manière que l'un ou l'autre avait de débiter, de nuancer une tirade, les différences les plus minimes me semblaient avoir une importance incalculable. Et, d'après ce que l'on m'avait dit d'eux, je les classais par ordre de talent, dans des listes que je me récitais toute la journée, et qui avaient fini par durcir dans mon cerveau et par le gêner de leur inamovibilité.

Plus tard, quand je fus au collège, chaque fois que pendant les classes je correspondais, aussitôt que le professeur avait la tête tournée, avec un nouvel ami, ma première question était toujours pour lui demander s'il était déjà allé au théâtre et s'il trouvait que le plus grand acteur était bien Got, le second Delaunay, etc. Et si, à son avis, Febvre ne venait qu'après Thiron, ou Delaunay qu'après Coquelin, la soudaine motilité que Coquelin, perdant la rigidité de la pierre, contractait dans mon esprit pour y passer au deuxième rang, et l'agilité miraculeuse, la féconde animation dont se voyait doué Delaunay pour reculer au quatrième, rendait la sensation du fleurissement et de la vie à mon cerveau assoupli et fertilisé.

Mais si les acteurs me préoccupaient ainsi, si la vue de Maubant sortant un après-midi du Théâtre-Français m'avait causé le saisissement et les souffrances de l'amour, combien le nom d'une étoile flamboyant à la porte d'un théâtre, combien, à la glace d'un coupé qui passait dans la rue avec ses chevaux fleuris de roses au frontail, la vue du visage d'une femme que je pensais être peut-être une actrice, laissait en moi un trouble plus prolongé, un effort impuissant et douloureux pour me représenter sa vie! Je classais par ordre de talent les plus illustres : Sarah Bernhardt, la Berma, Bartet, Madeleine Brohan, Jeanne Samary, mais toutes m'intéressaient. Or mon oncle en connaissait beaucoup, et aussi des cocottes que je ne distinguais pas nettement des actrices. Il les recevait chez lui. Et si nous n'allions le voir qu'à certains jours, c'est que, les autres jours, venaient des femmes avec lesquelles sa famille n'aurait pas pu se rencontrer, du moins à son avis à elle, car, pour mon oncle, au contraire, sa trop grande facilité à faire à de jolies veuves qui n'avaient peut-être jamais été mariées, à des comtesses de nom ronflant, qui n'était sans doute qu'un nom de guerre, la politesse de les présenter à ma grand'mère ou même à leur donner des bijoux de famille, l'avait déjà brouillé plus d'une fois avec mon grand-père. Souvent, à un nom d'actrice qui venait dans la conversation, j'entendais mon père dire à ma mère, en souriant : « Une amie de ton oncle »; et je pensais que le stage que peut-être pendant des années des hommes importants faisaient inutilement à la porte de telle femme qui ne répondait pas à leurs lettres et les faisait chasser par le concierge de son hôtel, mon oncle aurait pu en dispenser un gamin comme moi en le présentant chez lui à l'actrice, inapprochable à tant d'autres, qui était pour lui une intime amie.

Aussi — sous le prétexte qu'une leçon qui avait été déplacée tombait maintenant si mal qu'elle m'avait empêché plusieurs fois et m'empêcherait encore de voir mon oncle — un jour, autre que celui qui était réservé aux visites que nous lui faisions, profitant de ce que mes parents avaient déjeuné de bonne heure, je sortis et au lieu d'aller regarder la colonne d'affiches, pour quoi on me laissait aller seul, je courus jusqu'à lui. Je remarquai devant sa porte une voiture attelée de deux chevaux qui avaient aux œillères un œillet rouge comme avait le cocher à sa boutonnière. De l'escalier j'entendis un rire et une voix de femme, et dès que j'eus sonné, un silence, puis le bruit de portes qu'on fermait. Le valet de chambre vint ouvrir, et en me voyant parut embarrassé, me dit que mon oncle était très occupé, ne pourrait sans doute pas me recevoir, et, tandis qu'il allait pourtant le prévenir, la même voix que j'avais entendue disait : « Oh, si! laisse-le entrer; rien qu'une minute, cela m'amuserait tant. Sur la photographie qui est sur ton bureau, il ressemble tant à sa maman, ta nièce, dont la photographie est à côté de la sienne, n'est-ce pas? Je voudrais le voir rien qu'un instant, ce gosse. »

J'entendis mon oncle grommeler, se fâcher; finalement le valet de chambre me fit entrer.

Sur la table, il y avait la même assiette de massepains que d'habitude; mon oncle avait sa vareuse de tous les jours, mais en face de lui, en robe de soie rose avec un grand collier de perles au cou, était assise une jeune femme qui achevait de manger une mandarine. L'incertitude où j'étais s'il fallait lui[1] dire madame ou mademoiselle me fit rougir et, n'osant pas trop tourner les yeux de son côté de peur d'avoir à lui parler, j'allai embrasser mon oncle. Elle me regardait en souriant, mon oncle lui dit : « Mon neveu », sans lui dire mon nom, ni me dire le sien, sans doute parce que, depuis les difficultés qu'il avait eues avec mon grand-père, il tâchait autant que possible d'éviter tout trait d'union entre sa famille et ce genre de relations.

— Comme il ressemble à sa mère, dit-elle.

— Mais vous n'avez jamais vu ma nièce qu'en photographie, dit vivement mon oncle d'un ton bourru.

— Je vous demande pardon, mon cher ami, je l'ai croisée dans l'escalier l'année dernière quand vous avez été si malade. Il est vrai que je ne l'ai vue que le temps d'un éclair et que votre escalier est bien noir, mais cela m'a suffi pour l'admirer. Ce petit jeune homme a ses beaux yeux et aussi *ça*, dit-elle, en traçant avec son doigt une ligne sur le bas de son front. Est-ce que madame votre nièce porte le même nom que vous, ami? demanda-t-elle à mon oncle.

— Il ressemble surtout à son père, grogna mon oncle qui ne se souciait pas plus de faire des présentations à distance en disant le nom de maman que d'en faire de près. C'est tout à fait son père et aussi ma pauvre mère.

— Je ne connais pas son père, dit la dame en rose avec une légère inclinaison de la tête, et je n'ai jamais connu votre pauvre mère, mon ami. Vous vous souvenez, c'est peu après votre grand chagrin que nous nous sommes connus.

J'éprouvais une petite déception, car cette jeune dame

ne différait pas des autres jolies femmes que j'avais vues quelquefois dans ma famille, notamment de la fille d'un de nos cousins chez lequel j'allais tous les ans le premier janvier. Mieux habillée seulement, l'amie de mon oncle avait le même regard vif et bon, elle avait l'air aussi franc et aimant. Je ne lui trouvais rien de l'aspect théâtral que j'admirais dans les photographies d'actrices, ni de l'expression diabolique qui eût été en rapport avec la vie qu'elle devait mener. J'avais peine à croire que ce fût une cocotte et surtout je n'aurais pas cru que ce fût une cocotte chic si je n'avais pas vu la voiture à deux chevaux, la robe rose, le collier de perles, si je n'avais pas su que mon oncle n'en connaissait que de la plus haute volée. Mais je me demandais comment le millionnaire qui lui donnait sa voiture et son hôtel et ses bijoux pouvait avoir du plaisir à manger sa fortune pour une personne qui avait l'air si simple et comme il faut. Et pourtant, en pensant à ce que devait être sa vie, l'immoralité m'en troublait peut-être plus que si elle avait été concrétisée devant moi en une apparence spéciale, — d'être ainsi invisible comme le secret de quelque roman, de quelque scandale qui avait fait sortir de chez ses parents bourgeois et voué à tout le monde, qui avait fait épanouir en beauté et haussé jusqu'au demi-monde et à la notoriété, celle que ses jeux de physionomie, ses intonations de voix, pareils à tant d'autres que je connaissais déjà, me faisaient malgré moi considérer comme une jeune fille de bonne famille, qui n'était plus d'aucune famille.

On était passé dans le « cabinet de travail », et mon oncle, d'un air un peu gêné par ma présence, lui offrit des cigarettes.

— Non, dit-elle, cher, vous savez que je suis habituée à celles que le Grand-duc m'envoie. Je lui ai dit que vous en étiez jaloux. » Et elle tira d'un étui des cigarettes couvertes d'inscriptions étrangères et dorées. « Mais si, reprit-elle tout d'un coup, je dois avoir rencontré chez vous le père de ce jeune homme. N'est-ce pas votre neveu ? Comment ai-je pu l'oublier ? Il a été tellement bon, tellement exquis pour moi », dit-elle d'un air modeste et sensible. Mais en pensant à ce qu'avait pu être l'accueil rude, qu'elle disait avoir trouvé exquis, de mon père, moi qui connaissais sa réserve et sa froideur, j'étais gêné, comme par une indélicatesse qu'il aurait commise, de cette inégalité entre la reconnaissance excessive qui lui était accordée et son amabilité insuffisante. Il m'a semblé plus tard que c'était un des côtés touchants du rôle de ces femmes oisives et studieuses, qu'elles consacrent leur générosité, leur talent, un rêve disponible de beauté sentimentale — car, comme les artistes, elles ne le réalisent pas, ne le font pas entrer dans les cadres de l'existence commune — et un or qui leur coûte peu, à enrichir d'un sertissage précieux et fin la vie fruste et mal dégrossie des hommes. Comme celle-ci, dans le fumoir où mon oncle était en vareuse pour la recevoir, répandait son corps si doux, sa robe de soie rose, ses perles, l'élégance qui émane de l'amitié d'un grand-duc, de même elle avait pris quelque propos insignifiant de mon père, elle l'avait travaillé avec délicatesse, lui avait donné un tour, une appellation précieuse, et y enchâssant un de ses regards d'une si belle eau, nuancé d'humilité et de gratitude, elle le rendait changé en un bijou artiste, en quelque chose de « tout à fait exquis ».

— Allons, voyons, il est l'heure que tu t'en ailles, me dit mon oncle.

Je me levai, j'avais une envie irrésistible de baiser la main de la dame en rose, mais il me semblait que c'eût été quelque chose d'audacieux comme un enlèvement. Mon cœur battait tandis que je me disais : « Faut-il le faire, faut-il ne pas le faire », puis je cessai de me demander ce qu'il fallait faire pour pouvoir faire quelque chose. Et d'un geste aveugle et insensé, dépouillé de toutes les raisons que je trouvais il y avait un moment en sa faveur, je portai à mes lèvres la main qu'elle me tendait.

— Comme il est gentil! il est déjà galant, il a un petit œil pour les femmes : il tient de son oncle. Ce sera un parfait gentleman, ajouta-t-elle en serrant les dents pour donner à la phrase un accent légèrement britannique. Est-ce qu'il ne pourrait pas venir une fois prendre *a cup of tea,* comme disent nos voisins les Anglais? Il n'aurait qu'à m'envoyer un « bleu » le matin.

Je ne savais pas ce que c'était qu'un « bleu ». Je ne comprenais pas la moitié des mots que disait la dame, mais la crainte que n'y fût cachée quelque question à laquelle il eût été impoli de ne pas répondre, m'empêchait de cesser de les écouter avec attention, et j'en éprouvais une grande fatigue.

— Mais non, c'est impossible, dit mon oncle, en haussant les épaules, il est très tenu, il travaille beaucoup. Il a tous les prix à son cours, ajouta-t-il, à voix basse pour que je n'entende pas ce mensonge et que je n'y contredise pas. Qui sait ? ce sera peut-être un petit Victor Hugo, une espèce de Vaulabelle, vous savez.

— J'adore les artistes, répondit la dame en rose, il n'y a qu'eux qui comprennent les femmes... Qu'eux et les êtres d'élite comme vous. Excusez mon ignorance, ami. Qui est Vaulabelle ? Est-ce les volumes dorés qu'il y a dans la petite bibliothèque vitrée de votre boudoir ? Vous savez que vous m'avez promis de me les prêter, j'en aurai grand soin.

Mon oncle qui détestait prêter ses livres ne répondit rien et me conduisit jusqu'à l'antichambre. Éperdu d'amour pour la dame en rose, je couvris de baisers fous les joues pleines de tabac de mon vieil oncle, et tandis qu'avec assez d'embarras il me laissait entendre sans oser me le dire ouvertement qu'il aimerait autant que je ne parlasse[1] pas de cette visite à mes parents, je lui disais, les larmes aux yeux, que le souvenir de sa bonté était en moi si fort que je trouverais bien un jour le moyen de lui témoigner ma reconnaissance. Il était si fort en effet que deux heures plus tard, après quelques phrases mystérieuses et qui ne me parurent pas donner à mes parents une idée assez nette de la nouvelle importance dont j'étais doué, je trouvai plus explicite de leur raconter dans les moindres détails la visite que je venais de faire. Je ne croyais pas ainsi causer d'ennuis a mon oncle. Comment l'aurais-je cru, puisque je ne le désirais pas ? Et je ne pouvais supposer que mes parents trouveraient du mal dans une visite où je n'en trouvais pas. N'arrive-t-il pas tous les jours qu'un ami nous demande de ne pas manquer de l'excuser auprès d'une femme à qui il a été empêché d'écrire, et que nous négligions de le faire, jugeant que cette personne ne peut pas attacher d'importance à un silence qui n'en a pas pour nous ? Je m'imaginais, comme tout le monde, que le cerveau des autres était un réceptacle inerte et docile, sans pouvoir de réaction spécifique sur ce qu'on y introduisait; et je ne doutais pas qu'en déposant dans celui de mes parents la nouvelle de la connaissance que mon oncle m'avait fait faire, je ne leur transmisse en même temps, comme je le souhaitais, le jugement bienveillant que je portais sur cette présentation. Mes parents malheureusement s'en remirent à des principes entièrement différents de ceux que je leur suggérais d'adopter, quand ils voulurent apprécier l'action de mon oncle. Mon père et mon grand-père eurent avec lui des explications violentes; j'en fus indirectement informé. Quelques jours après, croisant dehors mon oncle qui passait en voiture découverte, je ressentis la douleur, la reconnaissance, le remords que j'aurais voulu lui exprimer. À côté de leur immensité, je trouvai qu'un coup de chapeau serait mesquin et pourrait faire supposer à mon oncle que je ne me croyais pas tenu envers lui à plus qu'à une banale politesse. Je résolus de m'abstenir de ce geste insuffisant et je détournai la tête. Mon oncle pensa que je suivais en cela les ordres de mes parents, il ne le leur pardonna pas, et il est mort bien des années après sans qu'aucun de nous l'ait jamais revu.

Aussi je n'entrais plus dans le cabinet de repos, maintenant fermé, de mon oncle Adolphe, et après m'être attardé aux abords de l'arrière-cuisine, quand Françoise, apparaissant sur le parvis, me disait : « Je vais laisser ma fille de cuisine servir le café et monter l'eau chaude, il faut que je me sauve chez Mme Octave », je me décidais à rentrer et montais directement lire chez moi. La fille de cuisine était une personne morale, une institution permanente à qui des attributions invariables assuraient une sorte de continuité et d'identité, à travers la succession des formes passagères en lesquelles elle s'incarnait, car nous n'eûmes jamais la même deux ans de suite. L'année où nous mangeâmes tant d'asperges, la fille de cuisine habituellement chargée de les « plumer » était une pauvre créature maladive, dans un état de grossesse déjà assez avancé quand nous arrivâmes à Pâques, et on s'étonnait même que Françoise lui laissât faire tant de courses et de besogne, car elle commençait à porter difficilement devant elle la mystérieuse corbeille, chaque jour plus remplie, dont on devinait sous ses amples sarraux la forme magnifique. Ceux-ci rappelaient les houppelandes qui revêtent certaines des figures symboliques de Giotto dont M. Swannn m'avait donné des photographies. C'est lui-même qui nous l'avait fait remarquer et quand il nous demandait des nouvelles de la fille de cuisine, il nous disait : « Comment va la Charité de Giotto ? »

D'ailleurs elle-même, la pauvre fille, engraissée par sa grossesse jusqu'à la figure, jusqu'aux joues qui tombaient droites et carrées, ressemblait en effet assez à ces vierges fortes et hommasses, matrones plutôt, dans lesquelles les vertus sont personnifiées à l'Arena. Et je me rends compte maintenant que ces Vertus et ces Vices de Padoue lui ressemblaient encore d'une autre manière. De même que l'image de cette fille était accrue par le symbole ajouté qu'elle portait devant son ventre, sans avoir l'air d'en comprendre le sens, sans que rien dans son visage en traduisît la beauté et l'esprit, comme un simple et pesant fardeau, de même c'est sans paraître s'en douter que la puissante ménagère qui est représentée à l'Arena au-dessous du nom « Caritas » et dont la reproduction était accrochée au mur de ma salle d'études, à Combray, incarne cette vertu, c'est sans qu'aucune pensée de charité semble avoir jamais pu être exprimée par son visage énergique et vulgaire. Par une belle invention du peintre elle foule aux pieds les trésors de la terre, mais absolument comme si elle piétinait des raisins pour en extraire le jus ou plutôt comme elle aurait monté sur des sacs pour se hausser; et elle tend à Dieu son cœur enflammé, disons mieux, elle le lui « passe », comme une cuisinière passe un tire-bouchon par le soupirail de son sous-sol à quelqu'un qui le lui demande à la fenêtre du rez-de-chaussée. L'Envie, elle, aurait eu davantage une certaine expression d'envie. Mais dans cette fresque-là encore, le symbole tient tant de place et est représenté comme si réel, le serpent qui siffle aux lèvres de l'Envie est si gros, il lui remplit si complètement sa bouche grande ouverte, que les muscles de sa figure sont distendus pour pouvoir le contenir, comme ceux d'un enfant qui gonfle un ballon avec son souffle, et que l'attention de l'Envie — et la nôtre du même coup — tout entière concentrée sur l'action de ses lèvres, n'a guère de temps à donner à d'envieuses pensées.

Malgré toute l'admiration que M. Swann professait pour ces figures de Giotto, je n'eus longtemps aucun plaisir à considérer dans notre salle d'études, où on avait accroché les copies qu'il m'en avait rapportées, cette Charité sans charité, cette Envie qui avait l'air d'une planche illustrant seulement dans un livre de médecine la compression de la glotte ou de la luette par une tumeur de la langue ou par l'introduction de l'instrument de l'opérateur, une Justice, dont le visage grisâtre et mesquinement régulier était celui-là même qui, à Combray, caractérisait certaines jolies bourgeoises pieuses et sèches que je voyais à la messe et dont plusieurs étaient enrôlées d'avance dans les milices de réserve de l'Injustice. Mais plus tard j'ai compris que l'étrangeté saisissante, la beauté spéciale de ces fresques tenait à la grande place que le symbole y occupait, et que le fait qu'il fût représenté, non comme un symbole puisque la pensée symbolisée n'était pas exprimée, mais comme réel, comme effectivement subi ou matériellement manié, donnait à la signification de l'œuvre quelque chose de plus littéral et de plus précis, à son enseignement quelque chose de plus concret et de plus frappant. Chez la pauvre fille de cuisine, elle aussi, l'attention n'était-elle pas sans cesse ramenée à son ventre par le poids qui le tirait; et de même encore, bien souvent la pensée des agonisants est tournée vers le côté effectif, douloureux, obscur, viscéral, vers cet envers de la mort qui est précisément le côté qu'elle leur présente, qu'elle leur fait rudement sentir et qui ressemble beaucoup plus à un fardeau qui les écrase, à une difficulté de respirer, à un besoin de boire, qu'à ce que nous appelons l'idée de la mort.

Il fallait que ces Vertus et ces Vices de Padoue eussent en eux bien de la réalité puisqu'ils m'apparaissaient comme aussi vivants que la servante enceinte, et qu'elle-même ne me semblait pas beaucoup moins allégorique. Et peut-être cette non-participation (du moins apparente) de l'âme d'un être à la vertu qui agit par lui, a aussi en dehors de sa valeur esthétique une réalité sinon psychologique, au moins, comme on dit, physiognomonique. Quand, plus tard, j'ai eu l'occasion de rencontrer au cours de ma vie, dans des couvents par exemple, des incarnations vraiment saintes de la charité active, elles avaient généralement un air allègre, positif, indifférent et brusque de chirurgien pressé, ce visage où ne se lit aucune commisération, aucun attendrissement devant la souffrance humaine, aucune crainte de la heurter, et qui est le visage sans douceur, le visage antipathique et sublime de la vraie bonté.

Pendant que la fille de cuisine — faisant briller involontairement la supériorité de Françoise, comme l'Erreur, par le contraste, rend plus éclatant le triomphe de la Vérité — servait du café qui, selon maman, n'était que de l'eau chaude, et montait ensuite dans nos chambres de l'eau chaude qui était à peine tiède, je m'étais étendu sur mon lit, un livre à la main, dans ma chambre qui protégeait en tremblant sa fraîcheur transparente et fragile contre le soleil de l'après-midi derrière ses volets presque clos où un reflet de jour avait pourtant trouvé moyen de faire passer ses ailes jaunes, et restait immobile entre le bois et le vitrage, dans un coin, comme un papillon posé. Il faisait à peine assez clair pour lire, et la sensation de la splendeur de la lumière ne m'était donnée que par les coups frappés dans la rue de la Cure par Camus (averti par Françoise que ma tante ne « reposait pas » et qu'on pouvait faire du bruit) contre des caisses poussiéreuses, mais qui, retentissant dans l'atmosphère sonore, spéciale aux temps chauds, semblaient faire voler au loin des astres écarlates; et aussi par les mouches qui exécutaient devant moi, dans leur petit concert, comme la musique de chambre de l'été : elle ne l'évoque pas à la façon d'un air de musique humaine, qui, entendu par hasard à la belle saison, vous la rappelle ensuite; elle est unie à l'été par un lien plus nécessaire : née des beaux jours, ne renaissant qu'avec eux, contenant un peu de leur essence, elle n'en réveille pas seulement l'image dans notre mémoire, elle en certifie le retour, la présence effective, ambiante, immédiatement accessible.

Cette obscure fraîcheur de ma chambre était au plein soleil de la rue ce que l'ombre est au rayon, c'est-à-dire aussi lumineuse que lui et offrait à mon imagination le spectacle total de l'été dont mes sens, si j'avais été en promenade, n'auraient pu jouir que par morceaux; et ainsi elle s'accordait bien à mon repos qui (grâce aux aventures racontées par mes livres et qui venaient l'émouvoir) supportait, pareil au repos d'une main immobile au milieu d'une eau courante, le choc et l'animation d'un torrent d'activité.

Mais ma grand'mère, même si le temps trop chaud s'était gâté, si un orage ou seulement un grain était survenu, venait me supplier de sortir. Et ne voulant pas renoncer à ma lecture, j'allais du moins la continuer au jardin, sous le marronnier, dans une petite guérite en sparterie et en toile au fond de laquelle j'étais assis et me croyais caché aux yeux des personnes qui pourraient venir faire visite à mes parents.

Et ma pensée n'était-elle pas aussi comme une autre crèche au fond de laquelle je sentais que je restais enfoncé, même pour regarder ce qui se passait au dehors ? Quand je voyais un objet extérieur, la conscience que je le voyais restait entre moi et lui, le bordait d'un mince liséré spirituel qui m'empêchait de jamais toucher directement sa matière; elle se volatilisait en quelque sorte avant que je prisse contact avec elle, comme un corps incandescent qu'on approche d'un objet mouillé ne touche pas son humidité parce qu'il se fait toujours précéder d'une zone d'évaporation. Dans l'espèce d'écran diapré d'états différents que, tandis que je lisais, déployait simultanément ma conscience, et qui allaient des aspirations les plus profondément cachées en moi-même jusqu'à la vision tout extérieure de l'horizon que j'avais, au bout du jardin, sous les yeux, ce qu'il y avait d'abord en moi de plus intime, la poignée sans cesse en mouvement qui gouvernait le reste, c'était ma croyance en la richesse philosophique, en la beauté du livre que je lisais, et mon désir de me les approprier, quel que fût ce livre. Car, même si je l'avais acheté à Combray, en l'apercevant devant l'épicerie Borange, trop distante de la maison pour que Françoise pût s'y fournir comme chez Camus, mais mieux achalandée comme papeterie et librairie, retenu par des ficelles dans la mosaïque des brochures et des livraisons qui revêtaient les deux vantaux de sa porte plus mystérieuse, plus semée de pensées qu'une porte de cathédrale, c'est que je l'avais reconnu pour m'avoir été cité comme un ouvrage remarquable par le professeur ou le camarade qui me paraissait à cette époque détenir le secret de la vérité et de la beauté à demi pressenties, à demi incompréhensibles, dont la connaissance était le but vague mais permanent de ma pensée.

Après cette croyance centrale qui, pendant ma lecture, exécutait d'incessants mouvements du dedans au dehors, vers la découverte de la vérité, venaient les émotions que me donnait l'action à laquelle je prenais part, car ces après-midi-là étaient plus remplis d'événements dramatiques que ne l'est souvent toute une vie. C'était les événements qui survenaient dans le livre que je lisais; il est vrai que les personnages qu'ils affectaient n'étaient pas « réels », comme disait Françoise. Mais tous les sentiments que nous font éprouver la joie ou l'infortune d'un personnage réel ne se produisent en nous que par l'intermédiaire d'une image de cette joie ou de cette infortune; l'ingéniosité du premier romancier consista à comprendre que dans l'appareil de nos émotions, l'image étant le seul élément essentiel, la simplification qui consisterait à supprimer purement et simplement les personnages réels serait un perfectionnement décisif. Un être réel, si profondément que nous sympathisions avec lui, pour une grande part est perçu par nos sens, c'est-à-dire nous reste opaque, offre un poids mort que notre sensibilité ne peut soulever. Qu'un malheur le frappe, ce n'est qu'en une petite partie de la notion totale que nous avons de lui que nous pourrons en être émus; bien plus, ce n'est qu'en une partie de la notion totale qu'il a de soi qu'il pourra l'être lui-même. La trouvaille du romancier a été d'avoir l'idée de remplacer ces parties impénétrables à l'âme par une quantité égale de parties immatérielles, c'est-à-dire que notre âme peut s'assimiler. Qu'importe dès lors que les actions, les émotions de ces êtres d'un nouveau genre nous apparaissent comme vraies, puisque nous les avons faites nôtres, puisque c'est en nous qu'elles se produisent, qu'elles tiennent sous leur dépendance, tandis que nous tournons fiévreusement les pages du livre, la rapidité de notre respiration et l'intensité de notre regard? Et une fois que le romancier nous a mis dans cet état, où comme dans tous les états purement intérieurs toute émotion est décuplée, où son livre va nous troubler à la façon d'un rêve mais d'un rêve plus clair que ceux que nous avons en dormant et dont le souvenir durera davantage, alors, voici qu'il déchaîne en nous pendant une heure tous les bonheurs et tous les malheurs possibles dont nous mettrions dans la vie des années à connaître quelques-uns, et dont les plus intenses ne nous seraient jamais révélés parce que la lenteur avec laquelle ils se produisent nous en ôte la perception; (ainsi notre cœur change, dans la vie, et c'est la pire douleur; mais nous ne la connaissons que dans la lecture, en imagination : dans la réalité il change, comme certains phénomènes de la nature se produisent, assez lentement pour que, si nous pouvons constater successivement chacun de ses états différents, en revanche, la sensation même du changement nous soit[1] épargnée).

Déjà moins intérieur à mon corps que cette vie des personnages, venait ensuite, à demi projeté devant moi, le paysage où se déroulait l'action et qui exerçait sur ma pensée une bien plus grande influence que l'autre, que celui que j'avais sous les yeux quand je les levais du livre. C'est ainsi que pendant deux étés, dans la chaleur du jardin de Combray, j'ai eu, à cause du livre que je lisais alors, la nostalgie d'un pays montueux et fluviatile, où je verrais beaucoup de scieries et où, au fond de l'eau claire, des morceaux de bois pourrissaient sous des touffes de cresson : non loin montaient le long de murs bas des grappes de fleurs violettes et rougeâtres. Et comme le rêve d'une femme qui m'aurait aimé était toujours présent à ma pensée, ces étés-là ce rêve fut imprégné de la fraîcheur des eaux courantes; et quelle que fût la femme que j'évoquais, des grappes de fleurs violettes et rougeâtres s'élevaient aussitôt de chaque côté d'elle comme des couleurs complémentaires.

Ce n'était pas seulement parce qu'une image dont nous rêvons reste toujours marquée, s'embellit et bénéficie du reflet des couleurs étrangères qui par hasard l'entourent dans notre rêverie; car ces paysages des livres que je lisais n'étaient pas pour moi que des paysages plus vivement représentés à mon imagination que ceux que Combray mettait sous mes yeux, mais qui eussent été analogues. Par le choix qu'en avait fait l'auteur, par la foi avec laquelle ma pensée allait au-devant de sa parole comme d'une révélation, ils me semblaient être — impression que ne me donnait guère le pays où je me trouvais, et surtout notre jardin, produit sans prestige de la correcte fantaisie du jardinier que méprisait ma grand'mère — une part véritable de la Nature elle-même, digne d'être étudiée et approfondie.

Si mes parents m'avaient permis, quand je lisais un livre, d'aller visiter la région qu'il décrivait, j'aurais cru faire un pas inestimable dans la conquête de la vérité. Car si on a la sensation d'être toujours entouré de son âme, ce n'est pas comme d'une prison immobile : plutôt on est comme emporté avec elle dans un perpétuel élan pour la dépasser, pour atteindre à l'extérieur, avec une sorte de découragement, en[2] entendant toujours autour de soi cette sonorité identique qui n'est pas écho du dehors, mais retentissement d'une vibration interne. On cherche à retrouver dans les choses, devenues par là précieuses, le reflet que notre âme a projeté sur elles; on est déçu en constatant qu'elles semblent dépourvues dans la nature du charme qu'elles devaient, dans notre pensée, au voisinage de certaines idées; parfois on convertit toutes les forces de cette âme en habileté, en splendeur pour agir sur des êtres dont nous sentons bien qu'ils sont situés en dehors de nous et que nous ne les atteindrons jamais. Aussi, si j'imaginais toujours autour de la femme que j'aimais les lieux que je désirais le plus alors, si j'eusse voulu que ce fût elle qui me les fît visiter, qui m'ouvrît l'accès d'un monde inconnu, ce n'était pas par le hasard d'une simple association de pensée; non, c'est que mes rêves de voyage et d'amour n'étaient que des moments — que je sépare artificiellement aujourd'hui comme si je pratiquais des sections à des-hauteurs différentes d'un jet d'eau irisé et en apparence immobile — dans un même et infléchissable jaillissement de toutes les forces de ma vie.

Enfin, en continuant à suivre du dedans au dehors les états simultanément juxtaposés dans ma conscience, et avant d'arriver jusqu'à l'horizon réel qui les enveloppait, je trouve des plaisirs d'un autre genre, celui d'être bien assis, de sentir la bonne odeur de l'air, de ne pas être dérangé par une visite et, quand une heure sonnait au clocher de Saint-Hilaire, de voir tomber morceau par morceau ce qui de l'après-midi était déjà consommé, jusqu'à ce que j'entendisse le dernier coup qui me permettait de faire le total et après lequel le long silence qui le suivait semblait faire commencer, dans le ciel bleu, toute la partie qui m'était encore concédée pour lire jusqu'au bon dîner qu'apprêtait Françoise et qui me réconforterait des fatigues prises, pendant la lecture du livre, à la suite de son héros. Et à chaque heure il me semblait que c'était quelques instants seulement auparavant que la précédente avait sonné; la plus récente venait s'inscrire tout près de l'autre dans le ciel et je ne pouvais croire que soixante minutes eussent tenu dans ce petit arc bleu qui était compris entre leurs deux marques d'or. Quelquefois même cette heure prématurée sonnait deux coups de plus que la dernière; il y en avait donc une que je n'avais pas entendue, quelque chose qui avait eu lieu n'avait pas eu lieu pour moi; l'intérêt de la lecture, magique comme un profond sommeil, avait donné le change à mes oreilles hallucinées et effacé la cloche d'or sur la surface azurée du silence. Beaux après-midi du dimanche sous le marronnier du jardin de Combray, soigneusement vidés par moi des incidents médiocres de mon existence personnelle que j'y avais remplacés par une vie d'aventures et d'aspirations étranges au sein d'un pays arrosé d'eaux vives, vous m'évoquez encore cette vie quand je pense à vous et vous la contenez en effet pour l'avoir peu à peu contournée et enclose — tandis que je progressais dans ma lecture et que tombait la chaleur du jour — dans le cristal successif, lentement changeant et traversé de feuillages, de vos heures silencieuses, sonores, odorantes et limpides.

Quelquefois j'étais tiré de ma lecture, dès le milieu de l'après-midi, par la fille du jardinier, qui courait comme une folle, renversant sur son passage un oranger, se coupant un doigt, se cassant une dent et criant : « Les voilà, les voilà! » pour que Françoise et moi nous accourions et ne manquions rien du spectacle. C'était les jours où, pour des manœuvres de garnison, la troupe traversait Combray, prenant généralement la rue Sainte-Hildegarde. Tandis que nos domestiques assis en rang sur des chaises en dehors de la grille regardaient les promeneurs dominicaux de Combray et se faisaient voir d'eux, la fille du jardinier, par la fente que laissaient entre elles deux maisons lointaines de l'avenue de la Gare, avait aperçu l'éclat des casques. Les domestiques avaient rentré précipitamment leurs chaises, car quand les cuirassiers défilaient rue Sainte-Hildegarde, ils en remplissaient toute la largeur, et le galop des chevaux rasait les maisons, couvrant les trottoirs submergés comme des berges qui offrent un lit trop étroit à un torrent déchaîné.

— Pauvres enfants, disait Françoise à peine arrivée à la grille et déjà en larmes; pauvre jeunesse qui sera fauchée comme un pré; rien que d'y penser j'en suis choquée, ajoutait-elle en mettant la main sur son cœur, là où elle avait reçu ce *choc*.

— C'est beau, n'est-ce pas, madame Françoise, de voir des jeunes gens qui ne tiennent pas à la vie? disait le jardinier pour la faire « monter ».

Il n'avait pas parlé en vain :

— De ne pas tenir à la vie? Mais à quoi donc qu'il faut tenir, si ce n'est pas à la vie, le seul cadeau que le bon Dieu ne fasse jamais deux fois. Hélas! mon Dieu! C'est pourtant vrai qu'ils n'y tiennent pas! Je les ai vus en 70; ils n'ont plus peur de la mort, dans ces misérables guerres; c'est ni plus ni moins des fous; et puis ils ne valent plus la corde pour les pendre, ce n'est pas des hommes, c'est des lions. (Pour Françoise la comparaison d'un homme à un lion, qu'elle prononçait li-on, n'avait rien de flatteur.)

La rue Sainte-Hildegarde tournait trop court pour qu'on pût voir venir de loin, et c'était par cette fente entre les deux maisons de l'avenue de la Gare qu'on apercevait toujours de nouveaux casques courant et brillant au soleil. Le jardinier aurait voulu savoir s'il y en avait encore beaucoup à passer, et il avait soif, car le soleil tapait. Alors tout d'un coup sa fille s'élançait comme d'une place assiégée, faisait une sortie, atteignait l'angle de la rue, et après avoir bravé cent fois la mort, venait nous rapporter, avec une carafe de coco, la nouvelle qu'ils étaient bien un mille qui venaient sans arrêter du côté de Thiberzy et de Méséglise. Françoise et le jardinier, réconciliés, discutaient sur la conduite à tenir en cas de guerre :

— Voyez-vous, Françoise, disait le jardinier, la révolution vaudrait mieux, parce que quand on la déclare il n'y a que ceux qui veulent partir qui y vont.

— Ah! oui, au moins je comprends cela, c'est plus franc.

Le jardinier croyait qu'à la déclaration de guerre on arrêtait tous les chemins de fer.

— Pardi, pour pas qu'on se sauve, disait Françoise.

Et le jardinier : « Ah! ils sont malins », car il n'admettait pas que la guerre ne fût pas une espèce de mauvais tour que l'État essayait de jouer au peuple et que, si on avait eu le moyen de le faire, il n'est pas une seule personne qui n'eût filé.

Mais Françoise se hâtait de rejoindre ma tante, je retournais à mon livre, les domestiques se réinstallaient devant la porte à regarder tomber la poussière et l'émotion qu'avaient soulevées les soldats. Longtemps après que l'accalmie était venue, un flot inaccoutumé de promeneurs noircissait encore les rues de Combray. Et devant chaque maison, même celles où ce n'était pas l'habitude, les domestiques ou même les maîtres, assis et regardant, festonnaient le seuil d'un liséré capricieux et sombre comme celui des algues et des coquilles dont une forte marée laisse le crêpe et la broderie au rivage, après qu'elle s'est éloignée.

Sauf ces jours-là, je pouvais d'habitude, au contraire, lire tranquille. Mais l'interruption et le commentaire qui furent apportés une fois par une visite de Swann à la lecture que j'étais en train de faire du livre d'un auteur tout nouveau pour moi, Bergotte, eut cette conséquence que, pour longtemps, ce ne fut plus sur un mur décoré de fleurs[1] violettes en quenouille, mais sur un fond tout autre, devant le portail d'une cathédrale gothique, que se détacha désormais l'image d'une des femmes dont je rêvais.

J'avais entendu parler de Bergotte pour la première fois par un de mes camarades plus âgé que moi et pour qui j'avais une grande admiration, Bloch. En m'entendant lui avouer mon admiration pour la *Nuit d'Octobre,* il avait fait éclater un rire bruyant comme une trompette et m'avait dit : « Défie-toi de ta dilection assez basse pour le sieur de Musset. C'est un coco des plus malfaisants et une assez sinistre brute. Je dois confesser, d'ailleurs, que lui et même le nommé Racine, ont fait chacun dans leur vie un vers assez bien rythmé, et qui a pour lui, ce qui est selon moi le mérite suprême, de ne signifier absolument rien. C'est : « La blanche Oloossone et la blanche Camyre » et « La fille de Minos et de Pasiphaé ». Ils m'ont été signalés à la décharge de ces deux malandrins par un article de mon très cher maître, le Père Leconte, agréable aux Dieux immortels. À propos, voici un livre que je n'ai pas le temps de lire en ce moment, qui est recommandé, paraît-il, par cet immense bonhomme. Il tient, m'a-t-on dit, l'auteur, le sieur Bergotte, pour un coco des plus subtils; et bien qu'il fasse preuve, des fois, de mansuétudes assez mal explicables, sa parole est pour moi oracle delphique. Lis donc ces proses lyriques, et si le gigantesque assembleur de rythmes qui a écrit *Bhagavat* et *le Lévrier de Magnus* a dit vrai, par Apollon, tu goûteras, cher maître, les joies nectaréennes de l'Olympos. » C'est sur un ton sarcastique qu'il m'avait demandé de l'appeler « cher maître » et qu'il m'appelait lui-même ainsi. Mais en réalité nous prenions un certain plaisir à ce jeu, étant encore rapprochés de l'âge où on croit qu'on crée ce qu'on nomme.

Malheureusement, je ne pus pas apaiser en causant avec Bloch et en lui demandant des explications, le trouble où il m'avait jeté quand il m'avait dit que les beaux vers (à moi qui n'attendais d'eux rien de[1] moins que la révélation de la vérité) étaient d'autant plus beaux qu'ils ne signifiaient rien du tout. Bloch en effet ne fut pas réinvité à la maison. Il y avait d'abord été bien accueilli. Mon grand-père, il est vrai, prétendait que chaque fois que je me liais avec un de mes camarades plus qu'avec les autres et que je l'amenais chez nous, c'était toujours un juif, ce qui ne lui eût pas déplu en principe — même son ami Swann était d'origine juive — s'il n'avait trouvé que ce n'était pas d'habitude parmi les meilleurs que je le choisissais. Aussi quand j'amenais un nouvel ami, il était bien rare qu'il ne fredonnât pas : « *O Dieu de nos Pères* » de *la Juive* ou bien « *Israël, romps ta chaîne* », ne chantant que l'air naturellement (Ti la lam talam, talim), mais j'avais peur que mon camarade ne le connût et ne rétablît les paroles.

Avant de les avoir vus, rien qu'en entendant leur nom qui, bien souvent, n'avait rien de particulièrement israélite, il devinait non seulement l'origine juive de ceux de mes amis qui l'étaient en effet, mais même ce qu'il y avait quelquefois de fâcheux dans leur famille.

— Et comment s'appelle-t-il ton ami qui vient ce soir ?

— Dumont, grand-père.

— Dumont ! Oh ! je me méfie.

Et il chantait :

Archers, faites bonne garde !
Veillez sans trêve et sans bruit.

Et après nous avoir posé adroitement quelques questions plus précises, il s'écriait : « À la garde : À la garde ! » ou, si c'était le patient lui-même déjà arrivé qu'il avait forcé à son insu, par un interrogatoire dissimulé, à confesser ses origines, alors, pour nous montrer qu'il n'avait plus aucun doute, il se contentait de nous regarder en fredonnant imperceptiblement :

De ce timide Israélite
Quoi, vous guidez ici les pas !

ou :

Champs paternels, Hébron, douce vallée.

ou encore :

Oui, je suis de la race élue.

Ces petites manies de mon grand-père n'impliquaient aucun sentiment malveillant à l'endroit de mes camarades. Mais Bloch avait déplu à mes parents pour d'autres raisons. Il avait commencé par agacer mon père qui, le voyant mouillé, lui avait dit avec intérêt :

— Mais, monsieur Bloch, quel temps fait-il donc? est-ce qu'il a plu? Je n'y comprends rien, le baromètre était excellent.

Il n'en avait tiré que cette réponse :

— Monsieur, je ne puis absolument vous dire s'il a plu. Je vis si résolument en dehors des contingences physiques que mes sens ne prennent pas la peine de me les notifier.

— Mais, mon pauvre fils, il est idiot ton ami, m'avait dit mon père quand Bloch fut parti. Comment! il ne peut même pas me dire le temps qu'il fait! Mais il n'y a rien de plus intéressant! C'est un imbécile.

Puis Bloch avait déplu à ma grand'mère parce que, après le déjeuner, comme elle disait qu'elle était un peu souffrante, il avait étouffé un sanglot et essuyé des larmes.

— Comment veux-tu que ça soit sincère, me dit-elle, puisqu'il ne me connaît pas; ou bien alors il est fou.

Et enfin il avait mécontenté tout le monde parce que, étant venu déjeuner une heure et demie en retard et couvert de boue, au lieu de s'excuser, il avait dit :

— Je ne me laisse jamais influencer par les perturbations de l'atmosphère ni par les divisions conventionnelles du temps. Je réhabiliterais volontiers l'usage de la pipe d'opium et du kriss malais, mais j'ignore celui de ces instruments infiniment plus pernicieux et d'ailleurs platement bourgeois, la montre et le parapluie.

Il serait malgré tout revenu à Combray. Il n'était pas pourtant l'ami que mes parents eussent souhaité pour moi; ils avaient fini par penser que les larmes que lui avait fait verser l'indisposition de ma grand'mère n'étaient pas feintes; mais ils savaient d'instinct ou par expérience que les élans de notre sensibilité ont peu d'empire sur la suite de nos actes et la conduite de notre vie, et que le respect des obligations morales, la fidélité aux amis, l'exécution d'une œuvre, l'observance d'un régime, ont un fondement plus sûr dans des habitudes aveugles que dans ces transports momentanés, ardents et stériles. Ils auraient préféré pour moi à Bloch des compagnons qui ne me donneraient pas plus qu'il n'est convenu d'accorder à ses amis, selon les règles de la morale bourgeoise; qui ne m'enverraient pas inopinément une corbeille de fruits parce qu'ils auraient ce jour-là pensé à moi avec tendresse, mais qui, n'étant pas capables de faire pencher en ma faveur la juste balance des devoirs et des exigences de l'amitié sur un simple mouvement de leur imagination et de leur sensibilité, ne la fausseraient pas davantage à mon préjudice. Nos torts même font difficilement départir de ce qu'elles nous doivent ces natures dont ma grand'tante était le modèle, elle qui, brouillée depuis des années avec une nièce à qui elle ne parlait jamais, ne modifia pas pour cela le testament où elle lui laissait toute sa fortune, parce que c'était sa plus proche parente et que cela « se devait ».

Mais j'aimais Bloch, mes parents voulaient me faire plaisir, les problèmes insolubles que je me posais à propos de la beauté dénuée de signification de la fille de Minos et de Pasiphaé me fatiguaient davantage et me rendaient plus souffrant que n'auraient fait de nouvelles conversations avec lui, bien que ma mère les jugeât pernicieuses. Et on l'aurait encore reçu à Combray si, après ce dîner, comme il venait de m'apprendre — nouvelle qui plus tard eut beaucoup d'influence sur ma vie, et la rendit plus heureuse, puis plus malheureuse — que toutes les femmes ne pensaient qu'à l'amour et qu'il n'y en a pas dont on ne pût vaincre les résistances, il ne m'avait assuré avoir entendu dire de la façon la plus certaine que ma grand'tante avait eu une jeunesse orageuse et avait été publiquement entretenue. Je ne pus me tenir de répéter ces propos à mes parents, on le mit à la porte quand il revint, et quand je l'abordai ensuite dans la rue, il fut extrêmement froid pour moi.

Mais au sujet de Bergotte il avait dit vrai.

Les premiers jours, comme un air de musique dont on raffolera, mais qu'on ne distingue pas encore, ce que je devais tant aimer dans son style ne m'apparut pas. Je ne pouvais pas quitter le roman que je lisais de lui, mais me croyais seulement intéressé par le sujet, comme dans ces premiers moments de l'amour où on va tous les jours retrouver une femme à quelque réunion, à quelque divertissement par les agréments desquels on se croit attiré. Puis je remarquai les expressions rares, presque archaïques qu'il aimait employer à certains moments où un flot caché d'harmonie, un prélude intérieur, soulevait son style; et c'était aussi à ces moments-là qu'il se mettait à parler du « vain songe de la vie », de « l'inépuisable torrent des belles apparences », du « tourment stérile et délicieux de comprendre et d'aimer », des « émouvantes effigies qui anoblissent à jamais la façade vénérable et charmante des cathédrales », qu'il exprimait toute une philosophie nouvelle pour moi par de merveilleuses images dont on aurait dit que c'était elles qui avaient éveillé ce chant de harpes qui s'élevait alors et à l'accompagnement duquel elles donnaient quelque chose de sublime. Un de ces passages de Bergotte, le troisième ou le quatrième que j'eusse isolé du reste, me donna une joie incomparable à celle que j'avais trouvée au premier, une joie que je me sentis éprouver en une région plus profonde de moi-même, plus unie, plus vaste, d'où les obstacles et les séparations semblaient avoir été enlevés. C'est que, reconnaissant alors ce même goût pour les expressions rares, cette même effusion musicale, cette même philosophie idéaliste qui avait déjà été les autres fois, sans que je m'en rendisse compte, la cause de mon plaisir, je n'eus plus l'impression d'être en présence d'un morceau particulier d'un certain livre de Bergotte, traçant à la surface de ma pensée une figure purement linéaire, mais plutôt du « morceau idéal » de Bergotte, commun à tous ses livres et auquel tous les passages analogues qui venaient se confondre avec lui auraient donné une sorte d'épaisseur, de volume, dont mon esprit semblait agrandi.

Je n'étais pas tout à fait le seul admirateur de Bergotte; il était aussi l'écrivain préféré d'une amie de ma mère qui était très lettrée; enfin pour lire son dernier livre paru, le docteur du Boulbon faisait attendre ses malades; et ce fut de son cabinet de consultation, et d'un parc voisin de Combray, que s'envolèrent quelques-unes des premières graines de cette prédilection pour Bergotte, espèce si rare alors, aujourd'hui universellement répandue, et dont on trouve partout en Europe, en Amérique, jusque dans le moindre village, la fleur idéale et commune. Ce que l'amie de ma mère et, paraît-il, le docteur du Boulbon aimaient surtout dans les livres de Bergotte c'était, comme moi, ce même flux mélodique, ces expressions anciennes, quelques autres très simples et connues, mais pour lesquelles la place où il les mettait en lumière semblait révéler de sa part un goût particulier; enfin, dans les passages tristes, une certaine brusquerie, un accent presque rauque. Et sans doute lui-même devait sentir que là étaient ses plus grands charmes. Car dans les livres qui suivirent, s'il avait rencontré quelque grande vérité, ou le nom d'une célèbre cathédrale, il interrompait son récit et dans une invocation, une apostrophe, une longue prière, il donnait un libre cours à ces effluves qui dans ses premiers ouvrages restaient intérieurs[1] à sa prose, décelés seulement alors par les ondulations de la surface, plus douces peut-être encore, plus harmonieuses quand elles étaient ainsi voilées et qu'on n'aurait pu indiquer d'une manière précise où naissait, où expirait leur murmure. Ces morceaux auxquels il se complaisait étaient nos morceaux préférés. Pour moi, je les savais par cœur. J'étais déçu quand il reprenait le fil de son récit. Chaque fois qu'il parlait de quelque chose dont la beauté m'était restée jusque-là cachée, des forêts de pins, de la grêle, de Notre-Dame de Paris[2], d'*Athalie* ou de *Phèdre,* il faisait dans une image exploser cette beauté jusqu'à moi. Aussi sentant combien il y avait de parties de l'univers que ma perception infirme ne distinguerait pas s'il ne les rapprochait de moi, j'aurais voulu posséder une opinion de lui, une métaphore de lui, sur toutes choses, surtout sur celles que j'aurais l'occasion de voir moi-même, et entre celles-là, particulièrement sur d'anciens monuments français et certains paysages maritimes, parce que l'insistance avec laquelle il les citait dans ses livres prouvait qu'il les tenait pour riches de signification et de beauté. Malheureusement sur presque toutes choses j'ignorais son opinion. Je ne doutais pas qu'elle ne fût entièrement différente des miennes, puisqu'elle descendait d'un monde inconnu vers lequel je cherchais à m'élever : persuadé que mes pensées eussent paru pure ineptie à cet esprit parfait, j'avais tellement fait table rase de toutes, que quand par hasard il m'arriva d'en rencontrer, dans tel de ses livres, une que j'avais déjà eue moi-même, mon cœur se gonflait comme si un dieu dans sa bonté me l'avait rendue, l'avait déclarée légitime et belle. Il arrivait parfois qu'une page de lui disait les mêmes choses que j'écrivais souvent la nuit à ma grand'mère et à ma mère quand je ne pouvais pas dormir, si bien que cette page de Bergotte avait l'air d'un recueil d'épigraphes pour être placées en tête de mes lettres. Même plus tard, quand je commençai de composer un livre, certaines phrases dont la qualité ne suffit pas pour me décider à le continuer, j'en retrouvai l'équivalent dans Bergotte. Mais ce n'était qu'alors, quand je les lisais dans son œuvre, que je pouvais en jouir; quand c'était moi qui les composais, préoccupé qu'elles reflétassent exactement ce que j'apercevais dans ma pensée, craignant de ne pas « faire ressemblant », j'avais bien le temps de me demander si ce que j'écrivais était agréable! Mais en réalité il n'y avait que ce genre de phrases, ce genre d'idées que j'aimais vraiment. Mes efforts inquiets et mécontents étaient eux-mêmes une marque d'amour, d'amour sans plaisir mais profond. Aussi quand tout d'un coup je trouvais de telles phrases dans l'œuvre d'un autre, c'est-à-dire sans plus avoir de scrupules, de sévérité, sans avoir à me tourmenter, je me laissais enfin aller avec délices au goût que j'avais pour elles, comme un cuisinier qui pour une fois où il n'a pas à faire la cuisine trouve enfin le temps d'être gourmand. Un jour, ayant rencontré dans un livre de Bergotte, à propos d'une vieille servante, une plaisanterie que le magnifique et solennel langage de l'écrivain rendait encore plus ironique, mais qui était la même que j'avais souvent faite à ma grand'mère en parlant de Françoise, une autre fois où je vis qu'il ne jugeait pas indigne de figurer dans un de ces miroirs de la vérité qu'étaient ses ouvrages une remarque analogue à celle que j'avais eu l'occasion de faire sur notre ami M. Legrandin (remarques sur Françoise et M. Legrandin qui étaient certes de celles que j'eusse le plus délibérément sacrifiées à Bergotte, persuadé qu'il les trouverait sans intérêt), il me sembla soudain que mon humble vie et les royaumes du vrai n'étaient pas aussi séparés que j'avais crus, qu'ils coïncidaient même sur certains points, et de confiance et de joie je pleurai sur les pages de l'écrivain comme dans les bras d'un père retrouvé.

D'après ses livres j'imaginais Bergotte comme un vieillard faible et déçu qui avait perdu des enfants et ne s'était jamais consolé. Aussi je lisais, je chantais intérieurement sa prose, plus *dolce,* plus *lento* peut-être qu'elle n'était écrite, et la phrase la plus simple s'adressait à moi avec une intonation attendrie. Plus que tout j'aimais sa philosophie, je m'étais donné à elle pour toujours. Elle me rendait impatient d'arriver à l'âge où j'entrerais au collège, dans la classe appelée Philosophie. Mais je ne voulais pas qu'on y fît autre chose que vivre uniquement par la pensée de Bergotte, et si l'on m'avait dit que les métaphysiciens auxquels je m'attacherais alors ne lui ressembleraient en rien, j'aurais ressenti le désespoir d'un amoureux qui veut aimer pour la vie et à qui on parle des autres maîtresses qu'il aura plus tard.

Un dimanche, pendant ma lecture au jardin, je fus dérangé par Swann qui venait voir mes parents.

— Qu'est-ce que vous lisez, on peut regarder? Tiens du Bergotte? Qui donc vous a indiqué ses ouvrages?

Je lui dis que c'était Bloch.

— Ah! oui, ce garçon que j'ai vu une fois ici, qui ressemble tellement au portrait de Mahomet II par Bellini. Oh! c'est frappant, il a les mêmes sourcils circonflexes, le même nez recourbé, les mêmes pommettes saillantes. Quand il aura une barbiche ce sera la même personne. En tous cas il a du goût, car Bergotte est un charmant esprit. » Et voyant combien j'avais l'air d'admirer Bergotte, Swann qui ne parlait jamais des gens qu'il connaissait fit, par bonté, une exception et me dit :

— Je le connais beaucoup, si cela pouvait vous faire plaisir qu'il écrive un mot en tête de votre volume, je pourrais le lui demander.

Je n'osai pas accepter, mais posai à Swann des questions sur Bergotte. « Est-ce que vous pourriez me dire quel est l'acteur qu'il préfère? »

— L'acteur, je ne sais pas. Mais je sais qu'il n'égale aucun artiste homme à la Berma qu'il met au-dessus de tout. L'avez-vous entendue?

— Non Monsieur, mes parents ne me permettent pas d'aller au théâtre.

— C'est malheureux. Vous devriez leur demander. La Berma dans *Phèdre,* dans *le Cid,* ce n'est qu'une actrice si vous voulez, mais vous savez, je ne crois pas beaucoup à la « *hiérarchie !* » des arts; (et je remarquai, comme cela m'avait souvent frappé dans ses conversations avec les sœurs de ma grand'mère, que quand il parlait de choses sérieuses, quand il employait une expression qui semblait impliquer une opinion sur un sujet important, il avait soin de l'isoler dans une intonation spéciale, machinale et ironique, comme s'il l'avait mise entre guillemets, semblant ne pas vouloir la prendre à son compte, et dire : « la *hiérarchie,* vous savez, comme disent les gens ridicules ». Mais alors, si c'était un ridicule, pourquoi disait-il la hiérarchie ?). Un instant après il ajouta : « Cela vous donnera une vision aussi noble que n'importe quel chef-d'œuvre, je ne sais pas moi... que — et il se mit à rire — « les Reines de Chartres ! » Jusque-là cette horreur d'exprimer sérieusement son opinion m'avait paru quelque chose qui devait être élégant et parisien et qui s'opposait au dogmatisme provincial des sœurs de ma grand'mère; et je soupçonnais aussi que c'était une des formes de l'esprit dans la coterie où vivait Swann et où, par réaction sur le lyrisme des générations antérieures, on réhabilitait à l'excès les petits faits précis, réputés vulgaires autrefois, et on proscrivait les « phrases ». Mais maintenant je trouvais quelque chose de choquant dans cette attitude de Swann en face des choses. Il avait l'air de ne pas oser avoir une opinion et de n'être tranquille que quand il pouvait donner méticuleusement des renseignements précis. Mais il ne se rendait donc pas compte que c'était professer l'opinion, postuler que l'exactitude de ces détails avait de l'importance. Je repensai alors à ce dîner où j'étais si triste parce que maman ne devait pas monter dans ma chambre et où il avait dit que les bals chez la princesse de Léon n'avaient aucune importance. Mais c'était pourtant à ce genre de plaisirs qu'il employait sa vie. Je trouvais tout cela contradictoire. Pour quelle autre vie réservait-il de dire enfin sérieusement ce qu'il pensait des choses, de formuler des jugements qu'il pût ne pas mettre entre guillemets, et de ne plus se livrer avec une politesse pointilleuse à des occupations dont il professait en même temps qu'elles sont ridicules ? Je remarquai aussi dans la façon dont Swann me parla de Bergotte quelque chose qui en revanche ne lui était pas particulier, mais au contraire était dans ce temps-là commun à tous les admirateurs de l'écrivain, à l'amie de ma mère, au docteur du Boulbon. Comme Swann, ils disaient de Bergotte : « C'est un charmant esprit, si particulier, il a une façon à lui de dire les choses un peu cherchée, mais si agréable. On n'a pas besoin de voir la signature, on reconnaît tout de suite que c'est de lui. » Mais aucun n'aurait été jusqu'à dire : « C'est un grand écrivain, il a un grand talent. » Ils ne disaient même pas qu'il avait du talent. Ils ne le disaient pas parce qu'ils ne le savaient pas. Nous sommes très longs à reconnaître dans la physionomie particulière d'un nouvel écrivain le modèle qui porte le nom de « grand talent » dans notre musée des idées générales. Justement parce que cette physionomie est nouvelle, nous ne la trouvons pas tout à fait ressemblante à ce que nous appelons talent. Nous disons plutôt originalité, charme, délicatesse, force; et puis un jour nous nous rendons compte que c'est justement tout cela le talent.

— Est-ce qu'il y a des ouvrages de Bergotte où il ait parlé de la Berma ? demandai-je à M. Swann.

— Je crois dans sa petite plaquette sur Racine, mais elle doit être épuisée. Il y a peut-être eu cependant une réimpression. Je m'informerai. Je peux d'ailleurs demander à Bergotte tout ce que vous voulez, il n'y a pas de semaine dans l'année où il ne dîne à la maison. C'est le grand ami de ma fille. Ils vont ensemble visiter les vieilles villes, les cathédrales, les châteaux.

Comme je n'avais aucune notion sur la hiérarchie sociale, depuis longtemps l'impossibilité que mon père trouvait à ce que nous fréquentions Mme et Mlle Swann avait eu plutôt pour effet, en me faisant imaginer entre elles et nous de grandes distances, de leur donner à mes yeux du prestige. Je regrettais que ma mère ne se teignît pas les cheveux et ne se mît pas de rouge aux lèvres comme j'avais entendu dire par notre voisine Mme Sazerat que Mme Swann le faisait pour plaire, non à son mari, mais à M. de Charlus, et je pensais que nous devions être pour elle un objet de mépris, ce qui me peinait surtout à cause de Mlle Swann qu'on m'avait dit être une si jolie petite fille et à laquelle je rêvais souvent en lui prêtant chaque fois un même visage arbitraire et charmant. Mais quand j'eus appris ce jour-là que Mlle Swann était un être d'une condition si rare, baignant comme dans son élément naturel au milieu de tant de privilèges, que quand elle demandait à ses parents s'il y avait quelqu'un à dîner, on lui répondait par ces syllabes remplies de lumière, par le nom de ce convive d'or qui n'était pour elle qu'un vieil ami de sa famille : Bergotte, que, pour elle, la causerie intime à table, ce qui correspondait à ce qu'était pour moi la conversation de ma grand'tante, c'étaient des paroles de Bergotte, sur tous ces sujets qu'il n'avait pu aborder dans ses livres, et sur lesquels j'aurais voulu l'écouter rendre ses oracles, et qu'enfin, quand elle allait visiter des villes, il cheminait à côté d'elle, inconnu et glorieux, comme les dieux qui descendaient au milieu des mortels, alors je sentis, en même temps que le prix d'un être comme Mlle Swann, combien je lui paraîtrais grossier et ignorant, et j'éprouvai si vivement la douceur et l'impossibilité qu'il y aurait pour moi à être son ami, que je fus rempli à la fois de désir et de désespoir. Le plus souvent maintenant quand je pensais à elle, je la voyais devant le porche d'une cathédrale, m'expliquant la signification des statues, et, avec un sourire qui disait du bien de moi, me présentant comme son ami, à Bergotte. Et toujours le charme de toutes les idées que faisaient naître en moi les cathédrales, le charme des coteaux de l'Ile-de-France et des plaines de la Normandie faisait refluer ses reflets sur l'image que je me formais de Mlle Swann : c'était être tout prêt à l'aimer. Que nous croyions qu'un être participe à une vie inconnue où son amour nous ferait pénétrer, c'est, de tout ce qu'exige l'amour pour naître, ce à quoi il tient le plus, et qui lui fait faire bon marché du reste. Même les femmes qui prétendent ne juger un homme que sur son physique, voient en ce physique l'émanation d'une vie spéciale. C'est pourquoi elles aiment les militaires, les pompiers; l'uniforme les rend moins difficiles pour le visage; elles croient baiser sous la cuirasse un cœur différent, aventureux et doux; et un jeune souverain, un prince héritier, pour faire les plus flatteuses conquêtes, dans les pays étrangers qu'il visite, n'a pas besoin du profil régulier qui serait peut-être indispensable à un coulissier.

Tandis que je lisais au jardin, ce que ma grand'tante n'aurait pas compris que je fisse en dehors du dimanche, jour où il est défendu de s'occuper à rien de sérieux et où elle ne cousait pas (un jour de semaine, elle m'aurait dit « comment tu t'*amuses* encore à lire, ce n'est pourtant pas dimanche » en donnant au mot amusement le sens d'enfantillage et de perte de temps), ma tante Léonie devisait avec Françoise en attendant l'heure d'Eulalie. Elle lui annonçait qu'elle venait de voir passer Mme Goupil « sans parapluie, avec la robe de soie qu'elle s'est fait faire à Châteaudun. Si elle a loin à aller avant vêpres, elle pourrait bien la faire saucer ».

— Peut-être, peut-être (ce qui signifiait peut-être non), disait Françoise pour ne pas écarter définitivement la possibilité d'une alternative plus favorable.

— Tiens, disait ma tante en se frappant le front, cela me fait penser que je n'ai point su si elle était arrivée à l'église après l'élévation. Il faudra que je pense à le demander à Eulalie... Françoise, regardez-moi ce nuage noir derrière le clocher et ce mauvais soleil sur les ardoises, bien sûr que la journée ne se passera pas sans pluie. Ce n'était pas possible que ça reste comme ça, il faisait trop chaud. Et le plus tôt sera le mieux, car tant que l'orage n'aura pas éclaté, mon eau de Vichy ne descendra pas, ajoutait ma tante dans l'esprit de qui le désir de hâter la descente de l'eau de Vichy l'emportait infiniment sur la crainte de voir Mme Goupil gâter sa robe.

— Peut-être, peut-être.

— Et c'est que, quand il pleut sur la place, il n'y a pas grand abri. Comment, trois heures ? s'écriait tout à coup ma tante en pâlissant, mais alors les vêpres sont commencées, j'ai oublié ma pepsine ! Je comprends maintenant pourquoi mon eau de Vichy me restait sur l'estomac.

Et se précipitant sur un livre de messe relié en velours violet, monté d'or, et d'où, dans sa hâte, elle laissait s'échapper de ces images, bordées d'un bandeau de dentelle de papier jaunissante, qui marquent les pages des fêtes, ma tante, tout en avalant ses gouttes, commençait à lire au plus vite les textes sacrés dont l'intelligence lui était légèrement obscurcie par l'incertitude de savoir si, prise aussi longtemps après l'eau de Vichy, la pepsine serait encore capable de la rattraper et de la faire descendre. « Trois heures, c'est incroyable ce que le temps passe ! »

Un petit coup au carreau, comme si quelque chose l'avait heurté, suivi d'une ample chute légère comme de grains de sable qu'on eût laissés tomber d'une fenêtre au-dessus, puis la chute s'étendant, se réglant, adoptant un rythme, devenant fluide, sonore, musicale, innombrable, universelle : c'était la pluie.

— Eh bien! Françoise, qu'est-ce que je disais? Ce que cela tombe! Mais je crois que j'ai entendu le grelot de la porte du jardin, allez donc voir qui est-ce qui peut être dehors par un temps pareil.

Françoise revenait :

— C'est Mme Amédée (ma grand'mère) qui a dit qu'elle allait faire un tour. Ça pleut pourtant fort.

— Cela ne me surprend point, disait ma tante en levant les yeux au ciel. J'ai toujours dit qu'elle n'avait point l'esprit fait comme tout le monde. J'aime mieux que ce soit elle que moi qui soit dehors en ce moment.

— Mme Amédée, c'est toujours tout l'extrême des autres, disait Françoise avec douceur, réservant pour le moment où elle serait seule avec les autres domestiques de dire qu'elle croyait ma grand'mère un peu « piquée ».

— Voilà le salut passé! Eulalie ne viendra plus, soupirait ma tante; ce sera le temps qui lui aura fait peur.

— Mais il n'est pas cinq heures, madame Octave, il n'est que quatre heures et demie.

— Que quatre heures et demie? et j'ai été obligée de relever les petits rideaux pour avoir un méchant rayon de jour. À quatre heures et demie! Huit jours avant les Rogations! Ah! ma pauvre Françoise! il faut que le bon Dieu soit bien en colère après nous. Aussi, le monde d'aujourd'hui en fait trop! Comme disait mon pauvre Octave, on a trop oublié le bon Dieu et il se venge.

Une vive rougeur animait les joues de ma tante, c'était Eulalie. Malheureusement, à peine venait-elle d'être introduite que Françoise rentrait et avec un sourire qui avait pour but de se mettre elle-même à l'unisson de la joie qu'elle ne doutait pas que ses paroles allaient causer à ma tante, articulant les syllabes pour montrer que, malgré l'emploi du style indirect, elle rapportait, en bonne domestique, les paroles mêmes dont avait daigné se servir le visiteur :

— M. le Curé serait enchanté, ravi, si Madame Octave ne repose pas et pouvait le recevoir. M. le Curé ne veut pas déranger. M. le Curé est en bas, j'y ai dit d'entrer dans la salle.

En réalité, les visites du curé ne faisaient pas à ma

tante un aussi grand plaisir que le supposait Françoise et l'air de jubilation dont celle-ci croyait devoir pavoiser son visage chaque fois qu'elle avait à l'annoncer ne répondait pas entièrement au sentiment de la malade. Le curé (excellent homme avec qui je regrette de ne pas avoir causé davantage, car s'il n'entendait rien aux arts, il connaissait beaucoup d'étymologies), habitué à donner aux visiteurs de marque des renseignements sur l'église (il avait même l'intention d'écrire un livre sur la paroisse de Combray), la fatiguait par des explications infinies et d'ailleurs toujours les mêmes. Mais quand elle arrivait ainsi juste en même temps que celle d'Eulalie, sa visite devenait franchement désagréable à ma tante. Elle eût mieux aimé bien profiter d'Eulalie et ne pas avoir tout le monde à la fois. Mais elle n'osait pas ne pas recevoir le curé et faisait seulement signe à Eulalie de ne pas s'en aller en même temps que lui, qu'elle la garderait un peu seule quand il serait parti.

— Monsieur le Curé, qu'est-ce que l'on me disait, qu'il y a un artiste qui a installé son chevalet dans votre église pour copier un vitrail. Je peux dire que je suis arrivée à mon âge sans avoir jamais entendu parler d'une chose pareille! Qu'est-ce que le monde aujourd'hui va donc chercher! Et ce qu'il y a de plus vilain dans l'église!

— Je n'irai pas jusqu'à dire que c'est ce qu'il y a de plus vilain, car s'il y a à Saint-Hilaire des parties qui méritent d'être visitées, il y en a d'autres qui sont bien vieilles dans ma pauvre basilique, la seule de tout le diocèse qu'on n'ait même pas restaurée! Mon Dieu, le porche est sale et antique, mais enfin d'un caractère majestueux; passe même pour les tapisseries d'Esther dont personnellement je ne donnerais pas deux sous, mais qui sont placées par les connaisseurs tout de suite après celles de Sens. Je reconnais, d'ailleurs, qu'à côté de certains détails un peu réalistes, elles en présentent d'autres qui témoignent d'un véritable esprit d'observation. Mais qu'on ne vienne pas me parler des vitraux! Cela a-t-il du bon sens de laisser des fenêtres qui ne donnent pas de jour et trompent même la vue par ces reflets d'une couleur que je ne saurais définir, dans une église où il n'y a pas deux dalles qui soient au même niveau et qu'on se refuse à me remplacer sous prétexte que ce sont les tombes des abbés de Combray et des seigneurs de Guermantes, les anciens comtes de Brabant ? Les ancêtres directs du Duc de Guermantes d'aujourd'hui et aussi de la Duchesse puisqu'elle est une demoiselle de Guermantes qui a épousé son cousin. » (Ma grand'mère qui à force de se désintéresser des personnes finissait par confondre tous les noms, chaque fois qu'on prononçait celui de la Duchesse de Guermantes prétendait que ce devait être une parente de Mme de Villeparisis. Tout le monde éclatait de rire ; elle tâchait de se défendre en alléguant une certaine lettre de faire-part : « Il me semblait me rappeler qu'il y avait du Guermantes là-dedans. » Et pour une fois j'étais avec les autres contre elle, ne pouvant admettre qu'il y eût un lien entre son amie de pension et la descendante de Geneviève de Brabant.) « Voyez Roussainville, ce n'est plus aujourd'hui qu'une paroisse de fermiers, quoique dans l'antiquité cette localité ait dû un grand essor au commerce des chapeaux de feutre et des pendules. (Je ne suis pas certain de l'étymologie de Roussainville. Je croirais volontiers que le nom primitif était Rouville *Radulfi villa,* comme Châteauroux *Castrum Radulfi,* mais je vous parlerai de cela une autre fois.) Hé bien ! l'église a des vitraux superbes, presque tous modernes, et cette imposante *Entrée de Louis-Philippe à Combray* qui serait mieux à sa place à Combray même, et qui vaut, dit-on, la fameuse verrière de Chartres. Je voyais même hier le frère du docteur Percepied qui est amateur et qui la regarde comme d'un plus beau travail. Mais, comme je le lui disais, à cet artiste qui semble du reste très poli, qui est, paraît-il, un véritable virtuose du pinceau, q lui trouvez-vous donc d'extraordinaire à ce vitrail, qui est encore un peu plus sombre que les autres ? »

— Je suis sûre que si vous le demandiez à Monseigneur, dit mollement ma tante qui commençait à penser qu'elle allait être fatiguée, il ne vous refuserait pas un vitrail neuf.

— Comptez-y, madame Octave, répondait le curé. Mais c'est justement Monseigneur qui a attaché le grelot à cette malheureuse verrière en prouvant qu'elle représente Gilbert le Mauvais, sire de Guermantes, le descendant direct de Geneviève de Brabant qui était une demoiselle de Guermantes, recevant l'absolution de saint Hilaire.

— Mais je ne vois pas où est saint Hilaire ?

— Mais si, dans le coin du vitrail, vous n'avez jamais remarqué une dame en robe jaune? Hé bien! c'est saint Hilaire qu'on appelle aussi, vous le savez, dans certaines provinces, saint Illiers, saint Hélier, et même, dans le Jura, saint Ylie. Ces diverses corruptions de *sanctus Hilarius* ne sont pas du reste les plus curieuses de celles qui se sont produites dans les noms des bienheureux. Ainsi votre patronne, ma bonne Eulalie, *sancta Eulalia,* savez-vous ce qu'elle est devenue en Bourgogne? *Saint Éloi* tout simplement : elle est devenue un saint. Voyez-vous, Eulalie, qu'après votre mort on fasse de vous un homme? » — « Monsieur le Curé a toujours le mot pour rigoler. » — « Le frère de Gilbert, Charles le Bègue, prince pieux mais qui, ayant perdu de bonne heure son père, Pépin l'Insensé, mort des suites de sa maladie mentale, exerçait le pouvoir suprême avec toute la présomption d'une jeunesse à qui la discipline a manqué, dès que la figure d'un particulier ne lui revenait pas dans une ville, y faisait massacrer jusqu'au dernier habitant. Gilbert, voulant se venger de Charles, fit brûler l'église de Combray, la primitive église alors, celle que Théodebert, en quittant avec sa cour la maison de campagne qu'il avait près d'ici, à Thiberzy *(Theodeberciacus)*, pour aller combattre les Burgondes, avait promis de bâtir au-dessus du tombeau de saint Hilaire, si le Bienheureux lui procurait la victoire. Il n'en reste que la crypte où Théodore a dû vous faire descendre, puisque Gilbert brûla le reste. Ensuite il défit l'infortuné Charles avec l'aide de Guillaume le Conquérant (le curé prononçait Guilôme), ce qui fait que beaucoup d'Anglais viennent pour visiter. Mais il ne semble pas avoir su se concilier la sympathie des habitants de Combray, car ceux-ci se ruèrent sur lui à la sortie de la messe et lui tranchèrent la tête. Du reste Théodore prête un petit livre qui donne les explications.

» Mais ce qui est incontestablement le plus curieux dans notre église, c'est le point de vue qu'on a du clocher et qui est grandiose. Certainement, pour vous qui n'êtes pas très forte, je ne vous conseillerais pas de monter nos quatre-vingt-dix-sept marches, juste la moitié du célèbre dôme de Milan. Il y a de quoi fatiguer une personne bien portante, d'autant plus qu'on monte plié en deux si on ne veut pas se casser la tête, et on ramasse avec ses effets toutes les toiles d'araignées de l'escalier. En tous cas il faudrait bien vous couvrir, ajoutait-il (sans apercevoir l'indignation que causait à ma tante l'idée qu'elle fût capable de monter dans le clocher), car il fait un de ces courants d'air une fois arrivé là-haut! Certaines personnes affirment y avoir ressenti le froid de la mort. N'importe, le dimanche il y a toujours des sociétés qui viennent même de très loin pour admirer la beauté du panorama et qui s'en retournent enchantées. Tenez, dimanche prochain, si le temps se maintient, vous trouveriez certainement du monde, comme ce sont les Rogations. Il faut avouer du reste qu'on jouit de là d'un coup d'œil féerique, avec des sortes d'échappées sur la plaine qui ont un cachet tout particulier. Quand le temps est clair, on peut distinguer jusqu'à Verneuil. Surtout on embrasse à la fois des choses qu'on ne peut voir habituellement que l'une sans l'autre, comme le cours de la Vivonne et les fossés de Saint-Assise-lès-Combray, dont elle est séparée par un rideau de grands arbres, ou encore comme les différents canaux de Jouy-le-Vicomte (*Gaudiacus vice comitis,* comme vous savez). Chaque fois que je suis allé à Jouy-le-Vicomte, j'ai bien vu un bout du canal, puis quand j'avais tourné une rue, j'en voyais un autre, mais alors je ne voyais plus le précédent. J'avais beau les mettre ensemble par la pensée, cela ne me faisait pas grand effet. Du clocher de Saint-Hilaire c'est autre chose, c'est tout un réseau où la localité est prise. Seulement on ne distingue pas d'eau, on dirait de grandes fentes qui coupent si bien la ville en quartiers, qu'elle est comme une brioche dont les morceaux tiennent ensemble, mais sont déjà découpés. Il faudrait, pour bien faire, être à la fois dans le clocher de Saint-Hilaire et à Jouy-le-Vicomte. »

Le curé avait tellement fatigué ma tante qu'à peine était-il parti, elle était obligée de renvoyer Eulalie.

— Tenez, ma pauvre Eulalie, disait-elle d'une voix faible, en tirant une pièce d'une petite bourse qu'elle avait à portée de sa main, voilà pour que vous ne m'oubliiez pas dans vos prières.

— Ah! mais, madame Octave, je ne sais pas si je dois, vous savez bien que ce n'est pas pour cela que je viens! disait Eulalie avec la même hésitation et le même embarras, chaque fois, que si c'était la première, et avec une apparence de mécontentement qui égayait ma tante mais ne lui déplaisait pas, car si un jour Eulalie, en prenant la pièce, avait un air un peu moins contrarié que de coutume, ma tante disait :

— Je ne sais pas ce qu'avait Eulalie; je lui ai pourtant donné la même chose que d'habitude, elle n'avait pas l'air contente.

— Je crois qu'elle n'a pourtant pas à se plaindre, soupirait Françoise, qui avait une tendance à considérer comme de la menue monnaie tout ce que lui donnait ma tante pour elle ou pour ses enfants, et comme des trésors follement gaspillés pour une ingrate les piécettes mises chaque dimanche dans la main d'Eulalie, mais si discrètement que Françoise n'arrivait jamais à les voir. Ce n'est pas que l'argent que ma tante donnait à Eulalie, Françoise l'eût voulu pour elle. Elle jouissait suffisamment de ce que ma tante possédait, sachant que les richesses de la maîtresse du même coup élèvent et embellissent aux yeux de tous sa servante, et qu'elle, Françoise, était insigne et glorifiée dans Combray, Jouy-le-Vicomte et autres lieux, pour les nombreuses fermes de ma tante, les visites fréquentes et prolongées du curé, le nombre singulier des bouteilles d'eau de Vichy consommées. Elle n'était avare que pour ma tante; si elle avait géré sa fortune, ce qui eût été son rêve, elle l'aurait préservée des entreprises d'autrui avec une férocité maternelle. Elle n'aurait pourtant pas trouvé grand mal à ce que ma tante, qu'elle savait incurablement généreuse, se fût laissée aller à donner, si au moins ç'avait été à des riches. Peut-être pensait-elle que ceux-là, n'ayant pas besoin des cadeaux de ma tante, ne pouvaient être soupçonnés de l'aimer à cause d'eux. D'ailleurs, offerts à des personnes d'une grande position de fortune, à Mme Sazerat, à M. Swann, à M. Legrandin, à Mme Goupil, à des personnes « de même rang » que ma tante et qui « allaient bien ensemble », ils lui apparaissaient comme faisant partie des usages de cette vie étrange et brillante des gens riches qui chassent, se donnent des bals, se font des visites et qu'elle admirait en souriant. Mais il n'en allait plus de même si les bénéficiaires de la générosité de ma tante étaient de ceux que Françoise appelait « des gens comme moi, des gens qui ne sont pas plus que moi » et qui étaient ceux qu'elle méprisait le plus, à moins qu'ils ne l'appelassent « Madame Françoise » et ne se considérassent comme étant « moins qu'elle ». Et quand elle vit que, malgré ses conseils, ma tante n'en faisait qu'à sa tête et jetait l'argent — Françoise le croyait du moins — pour des créatures indignes, elle commença à trouver bien petits les dons que ma tante lui faisait, en comparaison des sommes imaginaires prodiguées à Eulalie. Il n'y avait pas dans les environs de Combray de ferme si conséquente que Françoise ne supposât qu'Eulalie eût pu facilement l'acheter, avec tout ce que lui rapportaient[1] ses visites. Il est vrai qu'Eulalie faisait la même estimation des richesses immenses et cachées de Françoise. Habituellement, quand Eulalie était partie, Françoise prophétisait sans bienveillance sur son compte. Elle la haïssait, mais elle la craignait et se croyait tenue, quand elle était là, à lui faire « bon visage ». Elle se rattrapait après son départ, sans la nommer jamais à vrai dire, mais en proférant des[2] oracles sibyllins, ou des sentences d'un caractère général telles que celles de l'Ecclésiaste, mais dont l'application ne pouvait échapper à ma tante. Après avoir regardé par le coin du rideau si Eulalie avait refermé la porte : « Les personnes flatteuses savent se faire bien venir et ramasser les pépettes; mais patience, le bon Dieu les punit tout par un beau jour », disait-elle, avec le regard latéral et l'insinuation de Joas pensant exclusivement à Athalie quand il dit :

Le bonheur des méchants comme un torrent s'écoule.

Mais quand le curé était venu aussi et que sa visite interminable avait épuisé les forces de ma tante, Françoise sortait de la chambre derrière Eulalie et disait :

— Madame Octave, je vous laisse reposer, vous avez l'air beaucoup fatiguée.

Et ma tante ne répondait même pas, exhalant un soupir qui semblait devoir être le dernier, les yeux clos, comme morte. Mais à peine Françoise était-elle descendue que quatre coups donnés avec la plus grande violence retentissaient dans la maison, et ma tante, dressée sur son lit, criait :

— Est-ce qu'Eulalie est déjà partie? Croyez-vous que j'ai oublié de lui demander si Mme Goupil était arrivée à la messe avant l'élévation! Courez vite après elle!

Mais Françoise revenait, n'ayant pu rattraper Eulalie.

— C'est contrariant, disait ma tante en hochant la tête. La seule chose importante que j'avais à lui demander!

Ainsi passait la vie pour ma tante Léonie, toujours identique, dans la douce uniformité de ce qu'elle appelait, avec un dédain affecté et une tendresse profonde, son « petit traintrain ». Préservé par tout le monde, non seulement à la maison, où chacun ayant éprouvé l'inutilité de lui conseiller une meilleure hygiène, s'était peu à peu résigné à le respecter, mais même dans le village où, à trois rues de nous, l'emballeur, avant de clouer ses caisses, faisait demander à Françoise si ma tante ne « reposait pas », — ce traintrain fut pourtant troublé une fois cette année-là. Comme un fruit caché qui serait parvenu à maturité sans qu'on s'en aperçût et se détacherait spontanément, survint une nuit la délivrance de la fille de cuisine. Mais ses douleurs étaient intolérables, et comme il n'y avait pas de sage-femme à Combray, Françoise dut partir avant le jour en chercher une à Thiberzy. Ma tante, à cause des cris de la fille de cuisine, ne put reposer, et Françoise, malgré la courte distance, n'étant revenue que très tard, lui manqua beaucoup. Aussi, ma mère me dit-elle dans la matinée : « Monte donc voir si ta tante n'a besoin de rien. » J'entrai dans la première pièce et, par la porte ouverte, vis ma tante, couchée sur le côté, qui dormait; je l'entendis ronfler légèrement. J'allais m'en aller doucement, mais sans doute le bruit que j'avais fait était intervenu dans son sommeil et en avait « changé la vitesse », comme on dit pour les automobiles, car la musique du ronflement s'interrompit une seconde et reprit un ton plus bas, puis elle s'éveilla et tourna à demi son visage que je pus voir alors; il exprimait une sorte de terreur; elle venait évidemment d'avoir un rêve affreux; elle ne pouvait me voir de la façon dont elle était placée, et je restais là ne sachant si je devais m'avancer ou me retirer; mais déjà elle semblait revenue au sentiment de la réalité et avait reconnu le mensonge des visions qui l'avaient effrayée; un sourire de joie, de pieuse reconnaissance envers Dieu qui permet que la vie soit moins cruelle que les rêves, éclaira faiblement son visage, et avec cette habitude qu'elle avait prise de se parler à mi-voix à elle-même quand elle se croyait seule, elle murmura : « Dieu soit loué! nous n'avons comme tracas que la fille de cuisine qui accouche. Voilà-t-il pas que je rêvais que mon pauvre Octave était ressuscité et qu'il voulait me faire faire une promenade tous les jours ! » Sa main se tendit vers son chapelet qui était sur la petite table, mais le sommeil recommençant ne lui laissa pas la force de l'atteindre : elle se rendormit, tranquillisée, et je sortis à pas de loup de la chambre sans qu'elle ni personne eût[1] jamais appris ce que j'avais entendu.

Quand je dis qu'en dehors d'événements très rares, comme cet accouchement, le traintrain de ma tante ne subissait jamais aucune variation, je ne parle pas de celles qui, se répétant toujours identiques à des intervalles réguliers, n'introduisaient au sein de l'uniformité qu'une sorte d'uniformité secondaire. C'est ainsi que, tous les samedis, comme Françoise allait dans l'après-midi au marché de Roussainville-le-Pin, le déjeuner était, pour tout le monde, une heure plus tôt. Et ma tante avait si bien pris l'habitude de cette dérogation hebdomadaire à ses habitudes, qu'elle tenait à cette habitude-là autant qu'aux autres. Elle y était si bien « routinée », comme disait Françoise, que s'il lui avait fallu, un samedi, attendre pour déjeuner l'heure habituelle, cela l'eût autant « dérangée » que si elle avait dû, un autre jour, avancer son déjeuner à l'heure du samedi. Cette avance du déjeuner donnait d'ailleurs au samedi, pour nous tous, une figure particulière, indulgente, et assez sympathique. Au moment où d'habitude on a encore une heure à vivre avant la détente du repas, on savait que, dans quelques secondes, on allait voir arriver des endives précoces, une omelette de faveur, un bifteck immérité. Le retour de ce samedi asymétrique était un de ces petits événements intérieurs, locaux, presque civiques qui, dans les vies tranquilles et les sociétés fermées[2], créent une sorte de lien national et deviennent le thème favori des conversations, des plaisanteries, des récits exagérés à plaisir : il eût été le noyau tout prêt pour un cycle légendaire, si l'un de nous avait eu la tête épique. Dès le matin, avant d'être habillés, sans raison, pour le plaisir d'éprouver la force de la solidarité, on se disait les uns aux autres avec bonne humeur, avec cordialité, avec patriotisme : « Il n'y a pas de temps à perdre, n'oublions pas que c'est samedi ! » cependant que ma tante, conférant avec Françoise et songeant que la journée serait plus longue que d'habitude, disait : « Si vous leur faisiez un beau morceau de veau, comme c'est samedi. » Si à dix heures et demie un distrait tirait sa montre en disant : « Allons, encore une heure et demie avant le déjeuner », chacun était enchanté d'avoir à lui dire : « Mais voyons, à quoi pensez-vous, vous oubliez que c'est samedi ! »; on en riait encore un quart d'heure après et on se promettait de monter raconter cet oubli à ma tante pour l'amuser. Le visage du ciel même semblait changé. Après le déjeuner, le soleil, conscient que c'était samedi, flânait une heure de plus au haut du ciel, et quand quelqu'un, pensant qu'on était en retard pour la promenade, disait : « Comment, seulement deux heures ? » en voyant passer les deux coups du clocher de Saint-Hilaire (qui ont l'habitude de ne rencontrer encore personne dans les chemins désertés à cause du repas de midi ou de la sieste, le long de la rivière vive et blanche que le pêcheur même a abandonnée, et passent solitaires dans le ciel vacant où ne restent que quelques nuages paresseux), tout le monde en chœur lui répondait : « Mais ce qui vous trompe, c'est qu'on a déjeuné une heure plus tôt, vous savez bien que c'est samedi ! » La surprise d'un barbare (nous appelions ainsi tous les gens qui ne savaient pas ce qu'avait de particulier le samedi) qui, étant venu à onze heures pour parler à mon père, nous avait trouvés à table, était une des choses qui, dans sa vie, avaient le plus égayé Françoise. Mais si elle trouvait amusant que le visiteur interloqué ne sût pas que nous déjeunions plus tôt le samedi, elle trouvait plus comique encore (tout en sympathisant du fond du cœur avec ce chauvinisme étroit) que mon père, lui, n'eût pas eu l'idée que ce barbare pouvait l'ignorer et eût répondu sans autre explication à son étonnement de nous voir déjà dans la salle à manger : « Mais voyons, c'est samedi ! » Parvenue à ce point de son récit, elle essuyait des larmes d'hilarité et pour accroître le plaisir qu'elle éprouvait, elle prolongeait le dialogue, inventait ce qu'avait répondu le visiteur à qui ce « samedi » n'expliquait rien. Et bien loin de nous plaindre de ses additions, elles ne nous suffisaient pas encore et nous disions : « Mais il me semblait qu'il avait dit aussi autre chose. C'était plus long la première fois quand vous l'avez raconté. » Ma grand'tante elle-même laissait son ouvrage, levait la tête et regardait par-dessus son lorgnon.

Le samedi avait encore ceci de particulier que, ce jour-là, pendant le mois de mai, nous sortions après le dîner pour aller au « mois de Marie ».

Comme nous y rencontrions parfois M. Vinteuil, très sévère pour le « genre déplorable des jeunes gens négligés, dans les idées de l'époque actuelle », ma mère prenait garde que rien ne clochât dans ma tenue, puis on partait pour l'église. C'est au mois de Marie que je me souviens d'avoir commencé à aimer les aubépines. N'étant pas seulement dans l'église, si sainte, mais où nous avions le droit d'entrer, posées sur l'autel même, inséparables des mystères à la célébration desquels elles prenaient part, elles faisaient courir au milieu des flambeaux et des vases sacrés leurs branches attachées horizontalement les unes aux autres en un apprêt de fête, et qu'enjolivaient encore les festons de leur feuillage sur lequel étaient semés à profusion, comme sur une traîne de mariée, de petits bouquets de boutons d'une blancheur éclatante. Mais, sans oser les regarder qu'à la dérobée, je sentais que ces apprêts pompeux étaient vivants et que c'était la nature elle-même qui, en creusant ces découpures dans les feuilles, en ajoutant l'ornement suprême de ces blancs boutons, avait rendu cette décoration digne de ce qui était à la fois une réjouissance populaire et une solennité mystique. Plus haut s'ouvraient leurs corolles çà et là avec une grâce insouciante, retenant si négligemment, comme un dernier et vaporeux atour, le bouquet d'étamines, fines comme des fils de la Vierge, qui les embrumait tout entières, qu'en suivant, qu'en essayant de mimer au fond de moi le geste de leur efflorescence, je l'imaginais comme si ç'avait été le mouvement de tête étourdi et rapide, au regard coquet, aux pupilles diminuées, d'une blanche jeune fille, distraite et vive. M. Vinteuil était venu avec sa fille se placer à côté de nous. D'une bonne famille, il avait été le professeur de piano des sœurs de ma grand'mère et quand, après la mort de sa femme et un héritage qu'il avait fait, il s'était retiré auprès de Combray, on le recevait souvent à la maison. Mais d'une pudibonderie excessive, il cessa de venir pour ne pas rencontrer Swann qui avait fait ce qu'il appelait « un mariage déplacé, dans le goût du jour ». Ma mère, ayant appris qu'il composait, lui avait dit par amabilité que, quand elle irait le voir, il faudrait qu'il lui fît entendre quelque chose de lui. M. Vinteuil en aurait eu beaucoup de joie, mais il poussait la politesse et la bonté jusqu'à de tels scrupules que, se mettant toujours à la place des autres, il craignait de les ennuyer et de leur paraître égoïste s'il suivait ou seulement laissait deviner son désir. Le jour où mes parents étaient allés chez lui en visite, je les avais accompagnés, mais ils m'avaient permis de rester dehors et, comme la maison de M. Vinteuil, Montjouvain, était en contrebas d'un monticule buissonneux où je m'étais caché, je m'étais trouvé de plain-pied avec le salon du second étage, à cinquante centimètres de la fenêtre. Quand on était venu lui annoncer mes parents, j'avais vu M. Vinteuil se hâter de mettre en évidence sur le piano un morceau de musique. Mais, une fois mes parents entrés, il l'avait retiré et mis dans un coin. Sans doute avait-il craint de leur laisser supposer qu'il n'était heureux de les voir que pour leur jouer de ses compositions. Et chaque fois que ma mère était revenue à la charge au cours de la visite, il avait répété plusieurs fois : « Mais je ne sais qui a mis cela sur le piano, ce n'est pas sa place », et avait détourné la conversation sur d'autres sujets, justement parce que ceux-là l'intéressaient moins. Sa seule passion était pour sa fille, et celle-ci, qui avait l'air d'un garçon, paraissait si robuste qu'on ne pouvait s'empêcher de sourire en voyant les précautions que son père prenait pour elle, ayant toujours des châles supplémentaires à lui jeter sur les épaules. Ma grand'mère faisait remarquer quelle expression douce, délicate, presque timide passait souvent dans les regards de cette enfant si rude, dont le visage était semé de taches de son. Quand elle venait de prononcer une parole, elle l'entendait avec l'esprit de ceux à qui elle l'avait dite, s'alarmait des malentendus possibles, et on voyait s'éclairer, se découper comme par transparence, sous la figure hommasse du « bon diable », les traits plus fins d'une jeune fille éplorée.

Quand, au moment de quitter l'église, je m'agenouillai devant l'autel, je sentis tout d'un coup, en me relevant, s'échapper des aubépines une odeur amère et douce d'amandes, et je remarquai alors sur les fleurs de petites places plus blondes sous lesquelles je me figurai que devait être cachée cette odeur, comme, sous les parties gratinées, le goût d'une frangipane ou, sous leurs taches de rousseur, celui des joues de Mlle Vinteuil. Malgré la silencieuse immobilité des aubépines, cette intermittente odeur était comme le murmure de leur vie intense dont l'autel vibrait ainsi qu'une haie agreste visitée par de vivantes antennes, auxquelles on pensait en voyant certaines étamines presque rousses qui semblaient avoir gardé la virulence printanière, le pouvoir irritant, d'insectes aujourd'hui métamorphosés en fleurs.

Nous causions un moment avec M. Vinteuil devant le porche en sortant de l'église. Il intervenait entre les gamins qui se chamaillaient sur la place, prenait la défense des petits, faisait des sermons aux grands. Si sa fille nous disait de sa grosse voix combien elle avait été contente de nous voir, aussitôt il semblait qu'en elle-même une sœur plus sensible rougissait de ce propos de bon garçon étourdi qui avait pu nous faire croire qu'elle sollicitait d'être invitée chez nous. Son père lui jetait un manteau sur les épaules, ils montaient dans un petit buggy qu'elle conduisait elle-même et tous deux retournaient à Montjouvain. Quant à nous, comme c'était le lendemain dimanche et qu'on ne se lèverait que pour la grand'messe, s'il faisait clair de lune et que l'air fût chaud, au lieu de nous faire rentrer directement, mon père, par amour de la gloire, nous faisait faire par le calvaire une longue promenade, que le peu d'aptitude de ma mère à s'orienter et à se reconnaître dans son chemin, lui faisait considérer comme la prouesse d'un génie stratégique. Parfois nous allions jusqu'au viaduc, dont les enjambées de pierre commençaient à la gare et me représentaient l'exil et la détresse hors du monde civilisé, parce que chaque année, en venant de Paris, on nous recommandait de faire bien attention, quand ce serait Combray, de ne pas laisser passer la station, d'être prêts d'avance, car le train repartait au bout de deux minutes et s'engageait sur le viaduc au delà des pays chrétiens dont Combray marquait pour moi l'extrême limite. Nous revenions par le boulevard de la gare, où étaient les plus agréables villas de la commune. Dans chaque jardin le clair de lune, comme Hubert Robert, semait ses degrés rompus de marbre blanc, ses jets d'eau, ses grilles entr'ouvertes. Sa lumière avait détruit le bureau du Télégraphe. Il n'en subsistait plus qu'une colonne à demi brisée, mais qui gardait la beauté d'une ruine immortelle. Je traînais la jambe, je tombais de sommeil, l'odeur des tilleuls qui embaumait m'apparaissait comme une récompense qu'on ne pouvait obtenir qu'au prix des plus grandes fatigues et qui n'en valait pas la peine. De grilles fort éloignées les unes des autres, des chiens réveillés par nos pas solitaires faisaient alterner des aboiements comme il m'arrive encore quelquefois d'en entendre le soir, et entre lesquels dut venir (quand sur son emplacement on créa le jardin public de Combray) se réfugier le boulevard de la gare, car, où que je me trouve, dès qu'ils commencent à retentir et à se répondre, je l'aperçois, avec ses tilleuls et son trottoir éclairé par la lune.

Tout d'un coup mon père nous arrêtait et demandait à ma mère : « Où sommes-nous ? » Épuisée par la marche mais fière de lui, elle lui avouait tendrement qu'elle n'en savait absolument rien. Il haussait les épaules et riait. Alors, comme s'il l'avait sortie de la poche de son veston avec sa clef, il nous montrait debout devant nous la petite porte de derrière de notre jardin qui était venue avec le coin de la rue du Saint-Esprit nous attendre au bout de ces chemins inconnus. Ma mère lui disait avec admiration : « Tu es extraordinaire ! » Et à partir de cet instant, je n'avais plus un seul pas à faire, le sol marchait pour moi dans ce jardin où depuis si longtemps mes actes avaient cessé d'être accompagnés d'attention volontaire : l'Habitude venait de me prendre dans ses bras et me portait jusqu'à mon lit comme un petit enfant.

Si la journée du samedi, qui commençait une heure plus tôt et où elle était privée de Françoise, passait plus lentement qu'une autre pour ma tante, elle en attendait pourtant le retour avec impatience depuis le commencement de la semaine, comme contenant toute la nouveauté et la distraction que fût encore capable de supporter son corps affaibli et maniaque. Et ce n'est pas cependant qu'elle n'aspirât parfois à quelque plus[1] grand changement, qu'elle n'eût de ces heures d'exception où l'on a soif de quelque chose d'autre que ce qui est, et où ceux que le manque d'énergie ou d'imagination empêche de tirer d'eux-mêmes un principe de rénovation demandent à la minute qui vient, au facteur qui sonne, de leur apporter du nouveau, fût-ce du pire, une émotion, une douleur; où la sensibilité, que le bonheur a fait taire comme une harpe oisive, veut résonner sous une main, même brutale, et dût-elle en être brisée; où la volonté, qui a si difficilement conquis le droit d'être livrée sans obstacle à ses désirs, à ses peines, voudrait jeter les rênes entre les mains d'événements impérieux, fussent-ils cruels. Sans doute, comme les forces de ma tante, taries à la moindre fatigue, ne lui revenaient que goutte à goutte au sein de son repos, le réservoir était trop long à remplir, et il se passait des mois avant qu'elle eût ce léger trop-plein que d'autres dérivent dans l'activité et dont elle était incapable de savoir et de décider comment user. Je ne doute pas qu'alors — comme le désir de la remplacer par des pommes de terre béchamel finissait au bout de quelque temps par naître du plaisir même que lui causait le retour quotidien de la purée dont elle ne se « fatiguait » pas — elle ne tirât de l'accumulation de ces jours monotones auxquels elle tenait tant, l'attente d'un cataclysme domestique, limité à la durée d'un moment, mais qui la forcerait d'accomplir une fois pour toutes un de ces changements dont elle reconnaissait qu'ils lui seraient salutaires et auxquels elle ne pouvait d'elle-même se décider. Elle nous aimait véritablement, elle aurait eu plaisir à nous pleurer; survenant à un moment où elle se sentait bien et n'était pas en sueur, la nouvelle que la maison était la proie d'un incendie où nous avions déjà tous péri et qui n'allait plus bientôt laisser subsister une seule pierre des murs, mais auquel elle aurait eu tout le temps d'échapper sans se presser, à condition de se lever tout de suite, a dû souvent hanter ses espérances comme unissant aux avantages secondaires de lui faire savourer dans un long regret toute sa tendresse pour nous et d'être la stupéfaction du village en conduisant notre deuil, courageuse et accablée, moribonde debout, celui, bien plus précieux, de la forcer au bon moment, sans temps à perdre, sans possibilité d'hésitation énervante, à aller passer l'été dans sa jolie ferme de Mirougrain, où il y avait une chute d'eau. Comme n'était jamais survenu aucun événement de ce genre, dont elle méditait certainement la réussite quand elle était seule absorbée dans ses innombrables jeux de patience (et qui l'eût désespérée au premier commencement de réalisation, au premier de ces petits faits imprévus, de cette parole annonçant une mauvaise nouvelle et dont on ne peut plus jamais oublier l'accent, de tout ce qui porte l'empreinte de la mort réelle, bien différente de sa possibilité logique et abstraite), elle se rabattait, pour rendre de temps en temps sa vie plus intéressante, à y introduire des péripéties imaginaires qu'elle suivait avec passion. Elle se plaisait à supposer tout d'un coup que Françoise la volait, qu'elle recourait à la ruse pour s'en assurer, la prenait sur le fait; habituée, quand elle faisait seule des parties de cartes, à jouer à la fois son jeu et le jeu de son adversaire, elle se prononçait à elle-même les excuses embarrassées de Françoise et y répondait avec tant de feu et d'indignation que l'un de nous, entrant à ces moments-là, la trouvait en nage, les yeux étincelants, ses faux cheveux déplacés laissant voir son front chauve. Françoise entendit peut-être parfois dans la chambre voisine de mordants sarcasmes qui s'adressaient à elle et dont l'invention n'eût pas soulagé suffisamment ma tante, s'ils étaient restés à l'état purement immatériel et si en les murmurant à mi-voix elle ne leur eût donné plus de réalité. Quelquefois, ce « spectacle dans un lit » ne suffisait même pas à ma tante, elle voulait faire jouer ses pièces. Alors, un dimanche, toutes portes mystérieusement fermées, elle confiait à Eulalie ses doutes sur la probité de Françoise, son intention de se défaire d'elle, et une autre fois, à Françoise, ses soupçons de l'infidélité d'Eulalie, à qui la porte serait bientôt fermée; quelques jours après, elle était dégoûtée de sa confidente de la veille et racoquinée avec le traître, lesquels d'ailleurs, pour la prochaine représentation, échangeraient leurs emplois. Mais les soupçons que pouvait parfois lui inspirer Eulalie, n'étaient qu'un feu de paille et tombaient vite, faute d'aliment, Eulalie n'habitant pas la maison. Il n'en était pas de même de ceux qui concernaient Françoise, que ma tante sentait perpétuellement sous le même toit qu'elle, sans que, par crainte de prendre froid si elle sortait de son lit, elle osât descendre à la cuisine se rendre compte s'ils étaient fondés. Peu à peu son esprit n'eut plus d'autre occupation que de chercher à deviner ce qu'à chaque moment pouvait faire, et chercher à lui cacher, Françoise. Elle remarquait les plus furtifs mouvements de physionomie de celle-ci, une contradiction dans ses paroles, un désir qu'elle semblait dissimuler. Et elle lui montrait qu'elle l'avait démasquée, d'un seul mot qui faisait pâlir Françoise et que ma tante semblait trouver, à enfoncer au cœur de la malheureuse, un divertissement cruel. Et le dimanche suivant, une révélation d'Eulalie — comme ces découvertes qui ouvrent tout d'un coup un champ insoupçonné à une science naissante et qui se traînait dans l'ornière — prouvait à ma tante qu'elle était, dans ses suppositions, bien au-dessous de la vérité. « Mais Françoise doit le savoir maintenant que vous y avez donné une voiture. » — « Que je lui ai donné une voiture ! » s'écriait ma tante. — « Ah ! mais je ne sais pas, moi, je croyais, je l'avais vue qui passait maintenant en calèche, fière comme Artaban, pour aller au marché de Roussainville. J'avais cru que c'était Mme Octave qui lui avait donné. » Peu à peu Françoise et ma tante, comme la bête et le chasseur, ne cessaient plus de tâcher de prévenir les ruses l'une de l'autre. Ma mère craignait qu'il ne se développât chez Françoise une véritable haine pour ma tante qui l'offensait le plus durement qu'elle le pouvait. En tous cas Françoise attachait de plus en plus aux moindres paroles, aux moindres gestes de ma tante une attention extraordinaire. Quand elle avait quelque chose à lui demander, elle hésitait longtemps sur la manière dont elle devait s'y prendre. Et quand elle avait proféré sa requête, elle observait ma tante à la dérobée, tâchant de deviner dans l'aspect de sa figure ce que celle-ci avait pensé et déciderait. Et ainsi — tandis que quelque artiste qui[1], lisant les Mémoires du XVIIe siècle et désirant de se rapprocher du grand Roi, croit marcher dans cette voie en se fabriquant une généalogie qui le fait descendre d'une famille historique ou en entretenant une correspondance avec un des souverains actuels de l'Europe, tourne précisément le dos à ce qu'il a le tort de chercher sous des formes identiques et par conséquent mortes — une vieille dame de province, qui ne faisait qu'obéir sincèrement à d'irrésistibles manies et à une méchanceté née de l'oisiveté, voyait, sans avoir jamais pensé à Louis XIV, les occupations les plus insignifiantes de sa journée, concernant son lever, son déjeuner, son repos, prendre par leur singularité despotique un peu de l'intérêt de ce que Saint-Simon appelait la « mécanique » de la vie à Versailles, et pouvait croire aussi que ses silences, une nuance de bonne humeur ou de hauteur dans sa physionomie, étaient de la part de Françoise l'objet d'un commentaire aussi passionné, aussi craintif que l'étaient le silence, la bonne humeur, la hauteur du Roi quand un courtisan, ou même les plus grands seigneurs, lui avaient remis une supplique, au détour d'une allée, à Versailles.

Un dimanche où ma tante avait eu la visite simultanée du curé et d'Eulalie et s'était ensuite reposée, nous étions tous montés lui dire bonsoir, et maman lui adressait ses condoléances sur la mauvaise chance qui amenait toujours ses visiteurs à la même heure :

— Je sais que les choses se sont encore mal arrangées tantôt, Léonie, lui dit-elle avec douceur, vous avez eu tout votre monde à la fois.

Ce que ma grand'tante interrompit par : « Abondance de biens... » car depuis que sa fille était malade elle croyait devoir la remonter en lui présentant toujours tout par le bon côté. Mais mon père, prenant la parole :

— Je veux profiter, dit-il, de ce que toute la famille est réunie pour vous faire un récit sans avoir besoin de le recommencer à chacun. J'ai peur que nous ne soyons[1] fâchés avec Legrandin : il m'a à peine dit bonjour ce matin.

Je ne restai pas pour entendre le récit de mon père, car j'étais justement avec lui après la messe quand nous avions rencontré M. Legrandin, et je descendis à la cuisine demander le menu du dîner qui tous les jours me distrayait comme les nouvelles qu'on lit dans un journal et m'excitait à la façon d'un programme de fête. Comme M. Legrandin avait passé près de nous en sortant de l'église, marchant à côté d'une châtelaine du voisinage que nous ne connaissions que de vue, mon père avait fait un salut à la fois amical et réservé, sans que nous nous arrêtions; M. Legrandin avait à peine répondu, d'un air étonné, comme s'il ne nous reconnaissait pas, et avec cette perspective du regard particulière aux personnes qui ne veulent pas être aimables et qui, du fond subitement prolongé de leurs yeux, ont l'air de vous apercevoir comme au bout d'une route interminable et à une si grande distance qu'elles se contentent de vous adresser un signe de tête minuscule pour le proportionner à vos dimensions de marionnette.

Or, la dame qu'accompagnait Legrandin était une personne vertueuse et considérée; il ne pouvait être question qu'il fût en bonne fortune et gêné d'être surpris, et mon père se demandait comment il avait pu mécontenter Legrandin. « Je regretterais d'autant plus de le savoir fâché, dit mon père, qu'au milieu de tous ces gens endimanchés il a, avec son petit veston droit, sa cravate molle, quelque chose de si peu apprêté, de si vraiment simple, et un air presque ingénu qui est tout à fait sympathique. » Mais le conseil de famille fut unanimement d'avis que mon père s'était fait une idée, ou que Legrandin, à ce moment-là, était absorbé par quelque pensée. D'ailleurs la crainte de mon père fut dissipée dès le lendemain soir. Comme nous revenions d'une grande promenade, nous aperçûmes près du Pont-Vieux, Legrandin, qui à cause des fêtes restait plusieurs jours à Combray. Il vint à nous la main tendue : « Connaissez-vous, monsieur le liseur, me demanda-t-il, ce vers de Paul Desjardins :

Les bois sont déjà noirs, le ciel est encor bleu.

N'est-ce pas la fine notation de cette heure-ci? Vous n'avez peut-être jamais lu Paul Desjardins. Lisez-le, mon enfant; aujourd'hui il se mue, me dit-on, en frère prêcheur, mais ce fut longtemps un aquarelliste limpide...

Les bois sont déjà noirs, le ciel est encor bleu...

Que le ciel reste toujours bleu pour vous, mon jeune ami; et même à l'heure, qui vient pour moi maintenant, où les bois sont déjà noirs, où la nuit tombe vite, vous vous consolerez comme je fais en regardant du côté du ciel. » Il sortit de sa poche une cigarette, resta longtemps les yeux à l'horizon. « Adieu, les camarades », nous dit-il tout à coup, et il nous quitta.

À cette heure où je descendais apprendre le menu, le dîner était déjà commencé, et Françoise, commandant aux forces de la nature devenues ses aides, comme dans les féeries où les géants se font engager comme cuisiniers, frappait la houille, donnait à la vapeur des pommes de terre à étuver et faisait finir à point par le feu les chefs-d'œuvre culinaires d'abord préparés dans des récipients de céramistes qui allaient des grandes cuves, marmites, chaudrons et poissonnières, aux terrines pour le gibier, moules à pâtisserie et petits pots de crème, en passant par une collection complète de casseroles de toutes dimensions. Je m'arrêtais à voir sur la table, où la fille de cuisine venait de les écosser, les petits pois alignés et nombrés comme des billes vertes dans un jeu; mais mon ravissement était devant les asperges, trempées d'outre-mer et de rose et dont l'épi, finement pignoché de mauve et d'azur, se dégrade insensiblement jusqu'au pied — encore souillé pourtant du sol de leur plant — par des irisations qui ne sont pas de la terre. Il me semblait que ces nuances célestes trahissaient les délicieuses créatures qui s'étaient amusées à se métamorphoser en légumes et qui, à travers le déguisement de leur chair comestible et ferme, laissaient apercevoir en ces couleurs naissantes d'aurore, en ces ébauches d'arc-en-ciel, en cette extinction de soirs bleus, cette essence précieuse que je reconnaissais encore quand, toute la nuit qui suivait un dîner où j'en avais mangé, elles jouaient, dans leurs farces poétiques et grossières comme une féerie de Shakespeare, à changer mon pot de chambre en un vase de parfum.

La pauvre charité de Giotto, comme l'appelait Swann, chargée par Françoise de les « plumer », les avait près d'elle dans une corbeille, son air était douloureux, comme si elle ressentait tous les malheurs de la terre; et les légères couronnes d'azur qui ceignaient les asperges au-dessus de leurs tuniques de rose étaient finement dessinées, étoile par étoile, comme le sont dans la fresque les fleurs bandées autour du front ou piquées dans la corbeille de la Vertu de Padoue. Et cependant, Françoise tournait à la broche un de ces poulets, comme elle seule savait en rôtir, qui avaient porté loin dans Combray l'odeur de ses mérites, et qui, pendant qu'elle nous les servait à table, faisaient prédominer la douceur dans ma conception spéciale de son caractère, l'arome de cette chair qu'elle savait rendre si onctueuse et si tendre n'étant pour moi que le propre parfum d'une de ses vertus.

Mais le jour où, pendant que mon père consultait le conseil de famille sur la rencontre de Legrandin, je descendis à la cuisine, était un de ceux où la Charité de Giotto, très malade de son accouchement récent, ne pouvait se lever; Françoise, n'étant plus aidée, était en retard. Quand je fus en bas, elle était en train, dans l'arrière-cuisine qui donnait sur la basse-cour, de tuer un poulet qui, par sa résistance désespérée et bien naturelle, mais accompagnée par Françoise hors d'elle, tandis qu'elle cherchait à lui fendre le cou sous l'oreille, des cris de « sale bête! sale bête! », mettait la sainte douceur et l'onction de notre servante un peu moins en lumière qu'il n'eût fait, au dîner du lendemain, par sa peau brodée d'or comme une chasuble et son jus précieux égoutté d'un ciboire. Quand il fut mort, Françoise recueillit le sang, qui coulait sans noyer sa rancune, eut encore un sursaut de colère, et regardant le cadavre de son ennemi, dit une dernière fois : « Sale bête! » Je remontai tout tremblant; j'aurais voulu qu'on mît Françoise tout de suite à la porte. Mais qui m'eût fait des boules aussi chaudes, du café aussi parfumé, et même... ces poulets?... Et en réalité, ce lâche calcul, tout le monde avait eu à le faire comme moi. Car ma tante Léonie savait — ce que j'ignorais encore — que Françoise qui, pour sa fille, pour ses neveux, aurait donné sa vie sans une plainte, était pour d'autres êtres d'une dureté singulière. Malgré cela ma tante l'avait gardée, car si elle connaissait sa cruauté, elle appréciait son service. Je m'aperçus peu à peu que la douceur, la componction, les vertus de Françoise cachaient des tragédies d'arrière-cuisine, comme l'histoire découvre que les règnes[1] des Rois et des Reines qui sont représentés les mains jointes dans les vitraux des églises, furent marqués d'incidents sanglants. Je me rendis compte que, en dehors de ceux de sa parenté, les humains excitaient d'autant plus sa pitié par leurs malheurs qu'ils vivaient plus éloignés d'elle. Les torrents de larmes qu'elle versait en lisant le journal sur les infortunes des inconnus, se tarissaient vite si elle pouvait se représenter la personne qui en était l'objet d'une façon un peu précise. Une de ces nuits qui suivirent l'accouchement de la fille de cuisine, celle-ci fut prise d'atroces coliques : maman l'entendit se plaindre, se leva et réveilla Françoise qui, insensible, déclara que tous ces cris étaient une comédie, qu'elle voulait « faire la maîtresse ». Le médecin, qui craignait ces crises, avait mis un signet, dans un livre de médecine que nous avions, à la page où elles sont décrites et où il nous avait dit de nous reporter pour trouver l'indication des premiers soins à donner. Ma mère envoya Françoise chercher le livre en lui recommandant de ne pas laisser tomber le signet. Au bout d'une heure Françoise n'était pas revenue; ma mère indignée crut qu'elle s'était recouchée et me dit d'aller voir moi-même dans la bibliothèque J'y trouvai Françoise qui, ayant voulu regarder ce que le signet marquait, lisait la description clinique de la crise et poussait des sanglots maintenant qu'il s'agissait d'une malade-type qu'elle ne connaissait pas. À chaque symptôme douloureux mentionné par l'auteur du traité, elle s'écriait « Hé là! Sainte Vierge, est-il possible que le bon Dieu veuille faire souffrir ainsi une malheureuse créature humaine? Hé! la pauvre! »

Mais dès que je l'eus appelée et qu'elle fut revenue près du lit de la Charité de Giotto, ses larmes cessèrent aussitôt de couler; elle ne put reconnaître ni cette agréable sensation de pitié et d'attendrissement qu'elle connaissait bien et que la lecture des journaux lui avait souvent donnée, ni aucun plaisir de même famille, dans l'ennui et dans l'irritation de s'être levée au milieu de la nuit pour la fille de cuisine; et, à la vue des mêmes souffrances dont la description l'avait fait pleurer, elle n'eut plus que des ronchonnements de mauvaise humeur, même d'affreux sarcasmes, disant, quand elle crut que nous étions partis et ne pouvions plus l'entendre : « Elle n'avait qu'à ne pas faire ce qu'il faut pour ça! ça lui a fait plaisir! qu'elle ne fasse pas de manières maintenant! Faut-il tout de même qu'un garçon ait été abandonné du bon Dieu pour aller avec *ça*. Ah! c'est bien comme on disait dans le patois de ma pauvre mère :

Qui du cul d'un chien s'amourose,
Il lui paraît une rose. »

Si, quand son petit-fils était un peu enrhumé du cerveau, elle partait la nuit, même malade, au lieu de se coucher, pour voir s'il n'avait besoin de rien, faisant quatre lieues à pied avant le jour afin d'être rentrée pour son travail, en revanche ce même amour des siens et son désir d'assurer la grandeur future de sa maison se traduisait, dans sa politique à l'égard des autres domestiques, par une maxime constante qui fut de n'en jamais laisser un seul s'implanter chez ma tante, qu'elle mettait d'ailleurs une sorte d'orgueil à ne laisser approcher par personne, préférant, quand elle-même était malade, se relever pour lui donner son eau de Vichy plutôt que de permettre l'accès de la chambre de sa maîtresse à la fille de cuisine. Et comme cet hyménoptère observé par Fabre, la guêpe fouisseuse, qui, pour que ses petits après sa mort aient de la viande fraîche à manger, appelle l'anatomie au secours de sa cruauté et, ayant capturé des charançons et des araignées, leur perce avec un savoir et une adresse merveilleux[1] le centre nerveux d'où dépend le mouvement des pattes, mais non les autres fonctions de la vie, de façon que l'insecte paralysé près duquel elle dépose ses œufs, fournisse aux larves, quand elles écloront, un gibier docile, inoffensif, incapable de fuite ou de résistance, mais nullement faisandé, Françoise trouvait pour servir sa volonté permanente de rendre la maison intenable à tout domestique, des ruses si savantes et si impitoyables que, bien des années plus tard, nous apprîmes que si cet été-là nous avions mangé presque tous les jours des asperges, c'était parce que leur odeur donnait à la pauvre fille de cuisine chargée de les éplucher des crises d'asthme d'une telle violence qu'elle fut obligée de finir par s'en aller.

Hélas! nous devions définitivement changer d'opinion sur Legrandin. Un des dimanches qui suivit la rencontre sur le Pont-Vieux après laquelle mon père avait dû confesser son erreur, comme la messe finissait et qu'avec le soleil et le bruit du dehors quelque chose de si peu sacré entrait dans l'église que Mme Goupil, Mme Percepied (toutes les personnes qui, tout à l'heure, à mon arrivée un peu en retard, étaient restées les yeux absorbés dans leur prière et que j'aurais même pu croire ne m'avoir pas vu entrer si, en même temps, leurs pieds n'avaient repoussé légèrement le petit banc qui m'empêchait de gagner ma chaise) commençaient à s'entretenir avec nous à haute voix de sujets tout temporels comme si nous étions déjà sur la place, nous vîmes sur le seuil brûlant du porche, dominant le tumulte bariolé du marché, Legrandin, que le mari de cette dame avec qui nous l'avions dernièrement rencontré était en train de présenter à la femme d'un autre gros propriétaire terrien des environs. La figure de Legrandin exprimait une animation, un zèle extraordinaires; il fit un profond salut avec un renversement secondaire en arrière, qui ramena brusquement son dos au delà de la position de départ et qu'avait dû lui apprendre le mari[2] de sa sœur, Mme de Cambremer. Ce redressement rapide fit refluer en une sorte d'onde fougueuse et musclée la croupe de Legrandin que je ne supposais pas si charnue; et je ne sais pourquoi cette ondulation de pure matière, ce flot tout charnel, sans expression de spiritualité et qu'un empressement plein de bassesse fouettait en tempête, éveillèrent tout d'un coup dans mon esprit la possibilité d'un Legrandin tout différent de celui que nous connaissions. Cette dame le pria de dire quelque chose à son cocher, et tandis qu'il allait jusqu'à la voiture, l'empreinte de joie timide et dévouée que la présentation avait marquée sur son visage y persistait encore. Ravi dans une sorte de rêve, il souriait, puis il revint vers la dame en se hâtant et, comme il marchait plus vite qu'il n'en avait l'habitude, ses deux épaules oscillaient de droite et de gauche ridiculement, et il avait l'air, tant il s'y abandonnait entièrement en n'ayant plus souci du reste, d'être le jouet inerte et mécanique du bonheur. Cependant, nous sortions du porche, nous allions passer à côté de lui, il était trop bien élevé pour détourner la tête, mais il fixa de son regard soudain chargé d'une rêverie profonde un point si éloigné de l'horizon qu'il ne put nous voir et n'eut pas à nous saluer. Son visage restait ingénu au-dessus d'un veston souple et droit qui avait l'air de se sentir fourvoyé malgré lui au milieu d'un luxe détesté. Et une lavallière à pois qu'agitait le vent de la Place continuait à flotter sur Legrandin comme l'étendard de son fier isolement et de sa noble indépendance. Au moment où nous arrivions à la maison, maman s'aperçut qu'on avait oublié le saint-honoré et demanda à mon père de retourner avec moi sur nos pas dire qu'on l'apportât[1] tout de suite. Nous croisâmes près de l'église Legrandin qui venait en sens inverse conduisant la même dame à sa voiture. Il passa contre nous, ne s'interrompit pas de parler à sa voisine, et nous fit du coin de son œil bleu un petit signe en quelque sorte intérieur aux paupières et qui, n'intéressant pas les muscles de son visage, put passer parfaitement inaperçu de son interlocutrice; mais, cherchant à compenser par l'intensité du sentiment le champ un peu étroit où il en circonscrivait l'expression, dans ce coin d'azur qui nous était affecté il fit pétiller tout l'entrain de la bonne grâce qui dépassa l'enjouement, frisa la malice; il subtilisa les finesses de l'amabilité jusqu'aux clignements de la connivence, aux demi-mots, aux sous-entendus, aux mystères de la complicité; et finalement exalta les assurances d'amitié[1] jusqu'aux protestations de tendresse, jusqu'à la déclaration d'amour, illuminant alors pour nous seuls, d'une langueur secrète et invisible à la châtelaine, une prunelle énamourée dans un visage de glace.

Il avait précisément demandé la veille à mes parents de m'envoyer dîner ce soir-là avec lui : « Venez tenir compagnie à votre vieil ami, m'avait-il dit. Comme le bouquet qu'un voyageur nous envoie d'un pays où nous ne retournerons plus, faites-moi respirer du lointain de votre adolescence ces fleurs des printemps que j'ai traversés moi aussi il y a bien des années. Venez avec la primevère, la barbe de chanoine, le bassin d'or, venez avec le sédum dont est fait le bouquet de dilection de la flore balzacienne, avec la fleur du jour de la Résurrection, la pâquerette et la boule de neige des jardins qui commence à embaumer dans les allées de votre grand'tante, quand ne sont pas encore fondues les dernières boules de neige des giboulées de Pâques. Venez avec la glorieuse vêture de soie du lis digne de Salomon, et l'émail polychrome des pensées, mais venez surtout avec la brise fraîche encore des dernières gelées et qui va entr'ouvrir, pour les deux papillons qui depuis ce matin attendent à la porte, la première rose de Jérusalem. »

On se demandait à la maison si on devait m'envoyer tout de même dîner avec M. Legrandin. Mais ma grand'mère refusa de croire qu'il eût été impoli. « Vous reconnaissez vous-même qu'il vient là avec sa tenue toute simple qui n'est guère celle d'un mondain. » Elle déclarait qu'en tous cas, et à tout mettre au pis, s'il l'avait été, mieux valait ne pas avoir l'air de s'en être aperçu. À vrai dire mon père lui-même, qui était pourtant le plus irrité contre l'attitude qu'avait eue Legrandin, gardait peut-être un dernier doute sur le sens qu'elle comportait. Elle était comme toute attitude ou action où se révèle le caractère profond et caché de quelqu'un : elle ne se relie pas à ses paroles antérieures, nous ne pouvons pas la faire confirmer par le témoignage du coupable qui n'avouera pas; nous en sommes réduits à celui de nos sens dont nous nous demandons, devant ce souvenir isolé et incohérent, s'ils n'ont pas été le jouet d'une illusion; de sorte que de telles attitudes, les seules qui aient de l'importance, nous laissent souvent quelques doutes.

Je dînai avec Legrandin sur sa terrasse; il faisait clair de lune : « Il y a une jolie qualité de silence, n'est-ce pas, me dit-il; aux cœurs blessés comme l'est le mien, un romancier que vous lirez plus tard prétend que conviennent seulement l'ombre et le silence. Et voyez-vous, mon enfant, il vient dans la vie une heure, dont vous êtes bien loin encore, où les yeux las ne tolèrent plus qu'une lumière, celle qu'une belle nuit comme celle-ci prépare et distille avec l'obscurité, où les oreilles ne peuvent plus écouter de musique que celle que joue le clair de lune sur la flûte du silence. » J'écoutais les paroles de M. Legrandin qui me paraissaient toujours si agréables; mais troublé par le souvenir d'une femme que j'avais aperçue dernièrement pour la première fois, et pensant, maintenant que je savais que Legrandin était lié avec plusieurs personnalités aristocratiques des environs, que peut-être il connaissait celle-ci, prenant mon courage, je lui dis : « Est-ce que vous connaissez, Monsieur, la... les châtelaines de Guermantes ?», heureux aussi en prononçant ce nom de prendre sur lui une sorte de pouvoir, par le seul fait de le tirer de mon rêve et de lui donner une existence objective et sonore.

Mais à ce nom de Guermantes, je vis au milieu des yeux bleus de notre ami se ficher une petite encoche brune comme s'ils venaient d'être percés par une pointe invisible, tandis que le reste de la prunelle réagissait en sécrétant des flots d'azur. Le cerne de sa paupière noircit, s'abaissa. Et sa bouche marquée d'un pli amer se ressaisissant plus vite sourit, tandis que le regard restait douloureux, comme celui d'un beau martyr dont le corps est hérissé de flèches : « Non, je ne les connais pas », dit-il, mais au lieu de donner à un renseignement aussi simple, à une réponse aussi peu surprenante le ton naturel et courant qui convenait, il le débita en appuyant sur les mots, en s'inclinant, en saluant de la tête, à la fois avec l'insistance qu'on apporte, pour être cru, à une affirmation invraisemblable — comme si ce fait qu'il ne connût pas les Guermantes ne pouvait être l'effet que d'un hasard singulier — et aussi avec l'emphase de quelqu'un qui, ne pouvant pas taire une situation qui lui est pénible, préfère la proclamer pour donner aux autres l'idée que l'aveu qu'il fait ne lui cause aucun embarras, est facile, agréable, spontané, que la situation elle-même — l'absence de relations avec les Guermantes — pourrait bien avoir été non pas subie, mais voulue par lui, résulter de quelque tradition de famille, principe de morale ou vœu mystique lui interdisant nommément la fréquentation des Guermantes. « Non, reprit-il, expliquant par ses paroles sa propre intonation, non, je ne les connais pas, je n'ai jamais voulu, j'ai toujours tenu à sauvegarder ma pleine indépendance; au fond je suis une tête jacobine, vous le savez. Beaucoup de gens sont venus à la rescousse, on me disait que j'avais tort de ne pas aller à Guermantes, que je me donnais l'air d'un malotru, d'un vieil ours. Mais voilà une réputation qui n'est pas pour m'effrayer, elle est si vraie! Au fond, je n'aime plus au monde que quelques églises, deux ou trois livres, à peine davantage de tableaux, et le clair de lune quand la brise de votre jeunesse apporte jusqu'à moi l'odeur des parterres que mes vieilles prunelles ne distinguent plus. » Je ne comprenais pas bien que, pour ne pas aller chez des gens qu'on ne connaît pas, il fût nécessaire de tenir à son indépendance, et en quoi cela pouvait vous donner l'air d'un sauvage ou d'un ours. Mais ce que je comprenais, c'est que Legrandin n'était pas tout à fait véridique quand il disait n'aimer que les églises, le clair de lune et la jeunesse; il aimait beaucoup les gens des châteaux et se trouvait pris devant eux d'une si grande peur de leur déplaire qu'il n'osait pas leur laisser voir qu'il avait pour amis des bourgeois, des fils de notaires ou d'agents de change, préférant, si la vérité devait se découvrir, que ce fût en son absence, loin de lui et « par défaut »; il était snob. Sans doute il ne disait jamais rien de tout cela dans le langage que mes parents et moi-même nous aimions tant. Et si je demandais : « Connaissez-vous les Guermantes ? », Legrandin le causeur répondait : « Non, je n'ai jamais voulu les connaître. » Malheureusement il ne le répondait qu'en second, car un autre Legrandin, qu'il cachait soigneusement au fond de lui, qu'il ne montrait pas parce que ce Legrandin-là savait sur le nôtre, sur son snobisme, des histoires compromettantes, un autre Legrandin avait déjà répondu, par la blessure du regard, par le rictus de la bouche, par la gravité excessive du ton de la réponse, par les mille flèches dont notre Legrandin s'était trouvé en un instant lardé et alangui comme un saint Sébastien du snobisme : « Hélas! que vous me faites mal! non, je ne connais pas les Guermantes, ne réveillez pas la grande douleur de ma vie. » Et comme ce Legrandin enfant terrible, ce Legrandin maître chanteur, s'il n'avait pas le joli langage de l'autre, avait le verbe infiniment plus prompt, composé de ce qu'on appelle « réflexes », quand Legrandin le causeur voulait lui imposer silence, l'autre avait déjà parlé, et notre ami avait beau se désoler de la mauvaise impression que les révélations de son *alter ego* avaient dû produire, il ne pouvait qu'entreprendre de la pallier.

Et certes cela ne veut pas dire que M. Legrandin ne fût pas sincère quand il tonnait contre les snobs. Il ne pouvait pas savoir, au moins par lui-même, qu'il le fût, puisque nous ne connaissons jamais que les passions des autres, et que ce que nous arrivons à savoir des nôtres, ce n'est que d'eux que nous avons pu l'apprendre. Sur nous, elles n'agissent que d'une façon seconde, par l'imagination qui substitue aux premiers mobiles des mobiles de relais qui sont plus décents. Jamais le snobisme de Legrandin ne lui conseillait d'aller voir souvent une duchesse. Il chargeait l'imagination de Legrandin de lui faire apparaître cette duchesse comme parée de toutes les grâces. Legrandin se rapprochait de la duchesse, s'estimant de céder à cet attrait de l'esprit et de la vertu qu'ignorent les infâmes snobs. Seuls les autres savaient qu'il en était un; car, grâce à l'incapacité où ils étaient de comprendre le travail intermédiaire de son imagination, ils voyaient en face l'une de l'autre l'activité mondaine de Legrandin et sa cause première.

Maintenant, à la maison, on n'avait plus aucune illusion sur M. Legrandin, et nos relations avec lui s'étaient fort espacées. Maman s'amusait infiniment chaque fois qu'elle prenait Legrandin en flagrant délit du péché qu'il n'avouait pas, qu'il continuait à appeler le péché sans rémission, le snobisme. Mon père, lui, avait de la peine à prendre les dédains de Legrandin avec tant de détachement et de gaîté; et quand on pensa, une année, à m'envoyer passer les grandes vacances à Balbec avec ma grand'mère, il dit : « Il faut absolument que j'annonce à Legrandin que vous irez à Balbec, pour voir s'il vous offrira de vous mettre en rapport avec sa sœur. Il ne doit pas se souvenir nous avoir dit qu'elle demeurait à deux kilomètres de là. » Ma grand'mère qui trouvait qu'aux bains de mer il faut être du matin au soir sur la plage à humer le sel et qu'on n'y doit connaître personne, parce que les visites, les promenades sont autant de pris sur l'air marin, demandait au contraire qu'on ne parlât pas de nos projets à Legrandin, voyant déjà sa sœur, Mme de Cambremer, débarquant à l'hôtel au moment où nous serions sur le point d'aller à la pêche et nous forçant à rester enfermés pour la recevoir. Mais maman riait de ses craintes, pensant à part elle que le danger n'était pas si menaçant, que Legrandin ne serait pas si pressé de nous mettre en relations avec sa sœur. Or, sans qu'on eût besoin de lui parler de Balbec, ce fut lui-même, Legrandin, qui, ne se doutant pas que nous eussions jamais l'intention d'aller de ce côté, vint se mettre dans le piège un soir où nous le rencontrâmes au bord de la Vivonne.

— Il y a dans les nuages ce soir des violets et des bleus bien beaux, n'est-ce pas, mon compagnon, dit-il à mon père, un bleu surtout plus floral qu'aérien, un bleu de cinéraire, qui surprend dans le ciel. Et ce petit nuage rose, n'a-t-il pas aussi un teint de fleur, d'œillet ou d'hydrangea ? Il n'y a guère que dans la Manche, entre Normandie et Bretagne, que j'ai pu faire de plus riches observations sur cette sorte de règne végétal de l'atmosphère. Là-bas, près de Balbec, près de ces lieux si sauvages, il y a une petite baie d'une douceur charmante où le coucher de soleil du pays d'Auge, le coucher de soleil rouge et or, que je suis loin de dédaigner d'ailleurs, est sans caractère, insignifiant; mais dans cette atmosphère humide et douce s'épanouissent, le soir, en quelques instants, de ces bouquets célestes, bleus et roses, qui sont incomparables et qui mettent souvent des heures à se faner. D'autres s'effeuillent tout de suite, et c'est alors plus beau encore de voir le ciel entier que jonche la dispersion d'innombrables pétales soufrés ou roses. Dans cette baie, dite d'opale, les plages d'or semblent plus douces encore pour être attachées, comme de blondes Andromèdes, à ces terribles rochers des côtes voisines, à ce rivage funèbre, fameux par tant de naufrages, où tous les hivers bien[1] des barques trépassent au péril de la mer. Balbec! la plus antique ossature géologique de notre sol, vraiment Ar-mor, la Mer, la fin de la terre, la région maudite qu'Anatole France — un enchanteur que devrait lire notre petit ami — a si bien peinte, sous ses brouillards éternels, comme le véritable pays des Cimmériens, dans l'*Odyssée*. De Balbec surtout, où déjà des hôtels se construisent, superposés au sol antique et charmant qu'ils n'altèrent pas, quel délice d'excursionner à deux pas dans ces régions primitives et si belles!

— Ah! est-ce que vous connaissez quelqu'un à Balbec? dit mon père. Justement ce petit-là doit y aller passer deux mois avec sa grand'mère et peut-être avec ma femme.

Legrandin, pris au dépourvu par cette question à un moment où ses yeux étaient fixés sur mon père, ne put les détourner, mais les attachant de seconde en seconde avec plus d'intensité — et tout en souriant tristement — sur les yeux de son interlocuteur, avec un air d'amitié et de franchise et de ne pas craindre de le regarder en face, il sembla lui avoir traversé la figure comme si elle fût devenue transparente, et voir en ce moment, bien au delà derrière elle, un nuage vivement coloré qui lui créait un alibi mental et qui lui permettrait d'établir qu'au moment où on lui avait demandé s'il connaissait quelqu'un à Balbec, il pensait à autre chose et n'avait pas entendu la question. Habituellement de tels regards font dire à l'interlocuteur : « À quoi pensez-vous donc? » Mais mon père, curieux, irrité et cruel, reprit :

— Est-ce que vous avez des amis de ce côté-là, que vous connaissez si bien Balbec?

Dans un dernier effort désespéré, le regard souriant de Legrandin atteignit son maximum de tendresse, de vague, de sincérité et de distraction, mais, pensant sans doute qu'il n'y avait plus qu'à répondre, il nous dit :

— J'ai des amis partout où il y a des troupes d'arbres blessés, mais non vaincus, qui se sont rapprochés pour implorer ensemble avec une obstination pathétique un ciel inclément qui n'a pas pitié d'eux.

— Ce n'est pas cela que je voulais dire, interrompit mon père, aussi obstiné que les arbres et aussi impitoyable que le ciel. Je demandais pour le cas où il arriverait n'importe quoi à ma belle-mère et où elle aurait besoin de ne pas se sentir là-bas en pays perdu, si vous y connaissez du monde?

— Là comme partout, je connais tout le monde et je ne connais personne, répondit Legrandin qui ne se rendait pas si vite; beaucoup les choses et fort peu les personnes. Mais les choses elles-mêmes y semblent des personnes, des personnes rares, d'une essence délicate et que la vie aurait déçues. Parfois c'est un castel que vous rencontrez sur la falaise, au bord du chemin où il s'est arrêté pour confronter son chagrin au soir encore rose où monte la lune d'or et dont les barques qui rentrent en striant l'eau diaprée hissent à leurs mâts la flamme et portent les couleurs; parfois c'est une simple maison solitaire, plutôt laide, l'air timide mais romanesque, qui cache à tous les yeux quelque secret impérissable de bonheur et de désenchantement. Ce pays sans vérité, ajouta-t-il avec une délicatesse machiavélique, ce pays de pure fiction est d'une mauvaise lecture pour un enfant, et ce n'est certes pas lui que je choisirais et recommanderais pour mon petit ami déjà si enclin à la tristesse, pour son cœur prédisposé. Les climats de confidence amoureuse et de regret inutile peuvent convenir au vieux désabusé que je suis, ils sont toujours malsains pour un tempérament qui n'est pas formé. Croyez-moi, reprit-il avec insistance, les eaux de cette baie, déjà à moitié bretonne, peuvent exercer une action sédative, d'ailleurs discutable, sur un cœur qui n'est plus intact comme le mien, sur un cœur dont la lésion n'est plus compensée. Elles sont contre-indiquées à votre âge, petit garçon. Bonne nuit, voisins », ajouta-t-il en nous quittant avec cette brusquerie évasive dont il avait l'habitude, et se retournant vers nous avec un doigt levé de docteur, il résuma sa consultation : « Pas de Balbec avant cinquante ans, et encore cela dépend de l'état du cœur », nous cria-t-il.

Mon père lui en reparla dans nos rencontres ultérieures, le tortura de questions, ce fut peine inutile : comme cet escroc érudit qui employait à fabriquer de faux palimpsestes un labeur et une science dont la centième partie eût suffi à lui assurer une situation plus lucrative, mais honorable, M. Legrandin, si nous avions insisté encore, aurait fini par édifier toute une éthique de paysage et une géographie céleste de la basse Normandie, plutôt que de nous avouer qu'à deux kilomètres de Balbec habitait sa propre sœur, et d'être obligé à nous offrir une lettre d'introduction, qui n'eût pas été pour lui un tel sujet d'effroi s'il avait été absolument certain — comme il aurait dû l'être en effet, avec l'expérience qu'il avait du caractère de ma grand'mère — que nous n'en aurions pas profité.

Nous rentrions toujours de bonne heure de nos promenades, pour pouvoir faire une visite à ma tante Léonie avant le dîner. Au commencement de la saison, où le jour finit tôt, quand nous arrivions rue du Saint-Esprit, il y avait encore un reflet du couchant sur les vitres de la maison et un bandeau de pourpre au fond des bois du Calvaire, qui se reflétait plus loin dans l'étang, rougeur qui, accompagnée souvent d'un froid assez vif, s'associait, dans mon esprit, à la rougeur du feu au-dessus duquel rôtissait le poulet qui ferait succéder pour moi au plaisir poétique donné par la promenade, le plaisir de la gourmandise, de la chaleur et du repos. Dans l'été, au contraire, quand nous rentrions le soleil ne se couchait pas encore; et pendant la visite que nous faisions chez ma tante Léonie, sa lumière qui s'abaissait et touchait la fenêtre, était arrêtée entre les grands rideaux et les embrasses, divisée, ramifiée, filtrée, et, incrustant de petits morceaux d'or le bois de citronnier de la commode, illuminait obliquement la chambre avec la délicatesse qu'elle prend dans les sous-bois. Mais, certains jours fort rares, quand nous rentrions, il y avait bien longtemps que la commode avait perdu ses incrustations momentanées, il n'y avait plus, quand nous arrivions rue du Saint-Esprit, nul reflet de couchant étendu sur les vitres, et l'étang au pied du calvaire avait perdu sa rougeur, quelquefois il était déjà couleur d'opale, et un long rayon de lune, qui allait en s'élargissant et se fendillait de toutes les rides de l'eau, le traversait tout entier. Alors, en arrivant près de la maison, nous apercevions une forme sur le pas de la porte et maman me disait :

— Mon Dieu! voilà Françoise qui nous guette, ta tante est inquiète; aussi nous rentrons trop tard.

Et sans avoir pris le temps d'enlever nos affaires, nous montions vite chez ma tante Léonie pour la rassurer et lui montrer que, contrairement à ce qu'elle imaginait déjà, il ne nous était rien arrivé, mais que nous étions allés « du côté de Guermantes » et, dame, quand on faisait cette promenade-là, ma tante savait pourtant bien qu'on ne pouvait jamais être sûr de l'heure à laquelle on serait rentré.

— Là, Françoise, disait ma tante, quand je vous le disais, qu'ils seraient allés du côté de Guermantes! Mon Dieu! ils doivent avoir une faim! et votre gigot qui doit être tout desséché après ce qu'il a attendu. Aussi est-ce une heure pour rentrer! comment, vous êtes allés du côté de Guermantes!

— Mais je croyais que vous le saviez, Léonie, disait maman. Je pensais que Françoise nous avait vus sortir par la petite porte du potager.

Car il y avait autour de Combray deux « côtés » pour les promenades, et si opposés qu'on ne sortait pas en effet de chez nous par la même porte, quand on voulait aller d'un côté ou de l'autre : le côté de Méséglise-la Vineuse, qu'on appelait aussi le côté de chez Swann parce qu'on passait devant la propriété de M. Swann pour aller par là, et le côté de Guermantes. De Méséglise-la-Vineuse, à vrai dire, je n'ai jamais connu que le « côté » et des gens étrangers qui venaient le dimanche se promener à Combray, des gens que, cette fois, ma tante elle-même et nous tous ne « connaissions point » et qu'à ce signe on tenait pour « des gens qui seront venus de Méséglise ». Quant à Guermantes, je devais un jour en connaître davantage, mais bien plus tard seulement; et pendant toute mon adolescence, si Méséglise était pour moi quelque chose d'inaccessible comme l'horizon, dérobé à la vue, si loin qu'on allât, par les plis d'un terrain qui ne ressemblait déjà plus à celui de Combray, Guermantes, lui, ne m'est apparu que comme le terme, plutôt idéal que réel, de son propre « côté », une sorte d'expression géographique abstraite comme la ligne de l'équateur, comme le pôle, comme l'orient. Alors, « prendre par Guermantes » pour aller à Méséglise, ou le contraire, m'eût semblé une expression aussi dénuée de sens que prendre par l'est pour aller à l'ouest. Comme mon père parlait toujours du côté de Méséglise comme de la plus belle vue de la plaine qu'il connût et du côté de Guermantes comme du type de paysage de rivière, je leur donnais, en les concevant ainsi comme deux entités, cette cohésion, cette unité qui n'appartiennent qu'aux créations de notre esprit; la moindre parcelle de chacun d'eux me semblait précieuse et manifester leur excellence particulière, tandis qu'à côté d'eux, avant qu'on fût arrive sur le sol sacré de l'un ou de l'autre, les chemins purement matériels au milieu desquels ils étaient posés comme l'idéal de la vue de plaine et l'idéal du paysage de rivière, ne valaient pas plus la peine d'être regardés que, par le spectateur épris d'art dramatique, les petites rues qui avoisinent un théâtre. Mais surtout je mettais entre eux, bien plus que leurs distances kilométriques, la distance qu'il y avait entre les deux parties de mon cerveau où je pensais à eux, une de ces distances dans l'esprit qui ne font pas qu'éloigner, qui séparent et mettent dans un autre plan. Et cette démarcation était rendue plus absolue encore parce que cette habitude que nous avions de n'aller jamais vers les deux côtés un même jour, dans une seule promenade, mais une fois du côté de Méséglise, une fois du côté de Guermantes, les enfermait pour ainsi dire loin l'un de l'autre, inconnaissables l'un à l'autre, dans les vases clos et sans communication entre eux d'après-midi différents.

Quand on voulait aller du côté de Méséglise, on sortait (pas trop tôt, et même si le ciel était couvert, parce que la promenade n'était pas bien longue et n'entraînait pas trop) comme pour aller n'importe où, par la grande porte de la maison de ma tante sur la rue du Saint-Esprit. On était salué par l'armurier, on jetait ses lettres à la boîte, on disait en passant à Théodore, de la part de Françoise, qu'elle n'avait plus d'huile ou de café, et l'on sortait de la ville par le chemin qui passait le long de la barrière blanche du parc de M. Swann. Avant d'y arriver, nous rencontrions, venue au-devant des étrangers, l'odeur de ses lilas. Eux-mêmes, d'entre les petits cœurs verts et frais de leurs feuilles, levaient curieusement au-dessus de la barrière du parc leurs panaches de plumes mauves ou blanches que lustrait, même à l'ombre, le soleil où elles avaient baigné. Quelques-uns, à demi cachés par la petite maison en tuiles appelée maison des Archers, où logeait le gardien, dépassaient son pignon gothique de leur rose minaret. Les Nymphes du printemps eussent semblé vulgaires, auprès de ces jeunes houris qui gardaient dans ce jardin français les tons vifs et purs des miniatures de la Perse. Malgré mon désir d'enlacer leur taille souple et d'attirer à moi les boucles étoilées de leur tête odorante, nous passions sans nous arrêter, mes parents n'allant plus à Tansonville depuis le mariage de Swann, et, pour ne pas avoir l'air de regarder dans le parc, au lieu de prendre le chemin qui longe sa clôture et qui monte directement aux champs, nous en prenions un autre qui y conduit aussi, mais obliquement, et nous faisait déboucher trop loin. Un jour, mon grand-père dit à mon père :

— Vous rappelez-vous que Swann a dit hier que comme sa femme et sa fille partaient pour Reims[1], il en profiterait pour aller passer vingt-quatre heures à Paris ? Nous pourrions longer le parc, puisque ces dames ne sont pas là, cela nous abrégerait d'autant.

Nous nous arrêtâmes un moment devant la barrière. Le temps des lilas approchait de sa fin; quelques-uns effusaient encore en hauts lustres mauves les bulles délicates de leurs fleurs, mais dans bien des parties du feuillage où déferlait, il y avait seulement une semaine, leur mousse embaumée, se flétrissait, diminuée et noircie, une écume creuse, sèche et sans parfum. Mon grand-père montrait à mon père en quoi l'aspect des lieux était resté le même, et en quoi il avait changé, depuis la promenade qu'il avait faite avec M. Swann le jour de la mort de sa femme, et il saisit cette occasion pour raconter cette promenade une fois de plus.

Devant nous, une allée bordée de capucines montait en plein soleil vers le château. À droite, au contraire, le parc s'étendait en terrain plat. Obscurcie par l'ombre des grands arbres qui l'entouraient, une pièce d'eau avait été creusée par les parents de Swann; mais dans ses créations les plus factices, c'est sur la nature que l'homme travaille; certains lieux font toujours régner autour d'eux leur empire particulier, arborent leurs insignes immémoriaux au milieu d'un parc comme ils auraient fait loin de toute intervention humaine, dans une solitude qui revient partout les entourer, surgie des nécessités de leur exposition et superposée à l'œuvre humaine. C'est ainsi qu'au pied de l'allée qui dominait l'étang artificiel, s'était composée sur deux rangs, tressés de fleurs de myosotis et de pervenches, la couronne naturelle, délicate et bleue qui ceint le front clair-obscur des eaux, et que le glaïeul, laissant fléchir ses glaives avec un abandon royal, étendait sur l'eupatoire et la grenouillette au pied mouillé les fleurs de lis en lambeaux, violettes et jaunes, de son sceptre lacustre.

Le départ de Mlle Swann qui — en m'ôtant la chance terrible de la voir apparaître dans une allée, d'être connu et méprisé par la petite fille privilégiée qui avait Bergotte pour ami et allait avec lui visiter des cathédrales — me rendait la contemplation de Tansonville indifférente la première fois où elle m'était permise, semblait au contraire ajouter à cette propriété, aux yeux de mon grand-père et de mon père, des commodités, un agrément passager, et, comme fait pour une excursion en pays de montagnes l'absence de tout nuage, rendre cette journée exceptionnellement propice à une promenade de ce côté; j'aurais voulu que leurs calculs fussent déjoués, qu'un miracle fît apparaître Mlle Swann avec son père, si près de nous que nous n'aurions pas le temps de l'éviter et serions obligés de faire sa connaissance. Aussi, quand tout d'un coup j'aperçus sur l'herbe, comme un signe de sa présence possible, un couffin oublié à côté d'une ligne dont le bouchon flottait sur l'eau, je m'empressai de détourner d'un autre côté les regards de mon père et de mon grand-père. D'ailleurs, Swann nous ayant dit que c'était mal à lui de s'absenter, car il avait pour le moment de la famille à demeure, la ligne pouvait appartenir à quelque invité. On n'entendait aucun bruit de pas dans les allées. Divisant la hauteur d'un arbre incertain, un invisible oiseau s'ingéniait à faire trouver la journée courte, explorait d'une note prolongée la solitude environnante, mais il recevait d'elle une réplique si unanime, un choc en retour si redoublé de silence et d'immobilité qu'on aurait dit qu'il venait d'arrêter pour toujours l'instant qu'il avait cherché à faire passer plus vite. La lumière tombait si implacable du ciel devenu fixe que l'on aurait voulu se soustraire à son attention, et l'eau dormante elle-même, dont des insectes irritaient perpétuellement le sommeil, rêvant sans doute de quelque Maelstrom imaginaire, augmentait le trouble où m'avait jeté la vue du flotteur de liège en semblant l'entraîner à toute vitesse sur les étendues silencieuses du ciel reflété; presque vertical il paraissait prêt à plonger et déjà je me demandais si, sans tenir compte du désir et de la crainte que j'avais de la connaître, je n'avais pas le devoir de faire prévenir Mlle Swann que le poisson mordait, —

quand il me fallut rejoindre en courant mon père et mon grand-père qui m'appelaient, étonnés que je ne les eusse pas suivis dans le petit chemin qui monte vers les champs et où ils s'étaient engagés. Je le trouvai tout bourdonnant de l'odeur des aubépines. La haie formait comme une suite de chapelles qui disparaissaient sous la jonchée de leurs fleurs amoncelées en reposoir; au-dessous d'elles, le soleil posait à terre un quadrillage de clarté, comme s'il venait de traverser une verrière; leur parfum s'étendait aussi onctueux, aussi délimité en sa forme que si j'eusse été devant l'autel de la Vierge, et les fleurs, aussi parées, tenaient chacune d'un air distrait son étincelant bouquet d'étamines, fines et rayonnantes nervures de style flamboyant comme celles qui à l'église ajouraient la rampe du jubé ou les meneaux du vitrail et qui s'épanouissaient en blanche chair de fleur de fraisier. Combien naïves et paysannes en comparaison sembleraient les églantines qui, dans quelques semaines, monteraient elles aussi en plein soleil le même chemin rustique, en la soie unie de leur corsage rougissant qu'un souffle défait!

Mais j'avais beau rester devant les aubépines à respirer, à porter devant ma pensée qui ne savait ce qu'elle devait en faire, à perdre, à retrouver leur invisible et fixe odeur, à m'unir au rythme qui jetait leurs fleurs, ici et là, avec une allégresse juvénile et à des intervalles inattendus comme certains intervalles musicaux, elles m'offraient indéfiniment le même charme avec une profusion inépuisable, mais sans me laisser approfondir davantage, comme ces mélodies qu'on rejoue cent fois de suite sans descendre plus avant dans leur secret. Je me détournais d'elles un moment, pour les aborder ensuite avec des forces plus fraîches. Je poursuivais jusque sur le talus qui, derrière la haie, montait en pente raide vers les champs, quelque coquelicot perdu, quelques bluets restés paresseusement en arrière, qui le décoraient çà et là de leurs fleurs comme la bordure d'une tapisserie où apparaît clairsemé le motif agreste qui triomphera sur le panneau; rares encore, espacés comme les maisons isolées qui annoncent déjà l'approche d'un village, ils m'annonçaient l'immense étendue où déferlent les blés, où moutonnent les nuages, et la vue d'un seul coquelicot hissant au bout de son cordage et faisant cingler au vent sa flamme rouge, au-dessus de sa bouée graisseuse et noire, me faisait battre le cœur, comme au voyageur qui aperçoit sur une terre basse une première barque échouée que répare un calfat, et s'écrie, avant de l'avoir encore vue : « La Mer » !

Puis je revenais devant les aubépines comme devant ces chefs-d'œuvre dont on croit qu'on saura mieux les voir quand on a cessé un moment de les regarder, mais j'avais beau me faire un écran de mes mains pour n'avoir qu'elles sous les yeux, le sentiment qu'elles éveillaient en moi restait obscur et vague, cherchant en vain à se dégager, à venir adhérer à leurs fleurs. Elles ne m'aidaient pas à l'éclaircir, et je ne pouvais demander à d'autres fleurs de le satisfaire. Alors, me donnant cette joie que nous éprouvons quand nous voyons de notre peintre préféré une œuvre qui diffère de celles que nous connaissions, ou bien si l'on nous mène devant un tableau dont nous n'avions vu jusque-là qu'une esquisse au crayon, si un morceau entendu seulement au piano nous apparaît ensuite revêtu des couleurs de l'orchestre, mon grand-père, m'appelant et me désignant la haie de Tansonville, me dit : « Toi qui aimes les aubépines, regarde un peu cette épine rose ; est-elle jolie ! » En effet c'était une épine, mais rose, plus belle encore que les blanches. Elle aussi avait une parure de fête, — de ces seules vraies fêtes que sont les fêtes religieuses, puisqu'un caprice contingent ne les applique pas comme les fêtes mondaines à un jour quelconque qui ne leur est pas spécialement destiné, qui n'a rien d'essentiellement férié — mais une parure plus riche encore, car les fleurs attachées sur la branche, les unes au-dessus des autres, de manière à ne laisser aucune place qui ne fût décorée, comme des pompons qui enguirlandent une houlette rococo, étaient « en couleur », par conséquent d'une qualité supérieure, selon l'esthétique de Combray, si l'on en jugeait par l'échelle des prix dans le « magasin » de la Place ou chez Camus où étaient plus chers ceux des biscuits qui étaient roses. Moi-même j'appréciais plus le fromage à la crème rose, celui où l'on m'avait permis d'écraser des fraises. Et justement ces fleurs avaient choisi une de ces teintes de chose mangeable ou de tendre embellissement à une toilette pour une grande fête, qui, parce qu'elles leur présentent la raison de leur supériorité, sont celles qui semblent belles avec le plus d'évidence aux yeux des enfants et, à cause de cela, gardent toujours pour eux quelque chose de plus vif et de plus naturel que les autres teintes, même lorsqu'ils ont compris qu'elles ne promettaient rien à leur gourmandise et n'avaient pas été choisies par la couturière. Et certes, je l'avais tout de suite senti, comme devant les épines blanches mais avec plus d'émerveillement, que ce n'était pas factícement, par un artifice de fabrication humaine, qu'était traduite l'intention de festivité dans les fleurs, mais que c'était la nature qui, spontanément, l'avait exprimée avec la naïveté d'une commerçante de village travaillant pour un reposoir, en surchargeant l'arbuste de ces rosettes d'un ton trop tendre et d'un pompadour provincial. Au haut des branches, comme autant de ces petits rosiers aux pots cachés dans des papiers en dentelles dont aux grandes fêtes on faisait rayonner sur l'autel les minces fusées, pullulaient mille petits boutons d'une teinte plus pâle qui, en s'entr'ouvrant, laissaient voir, comme au fond d'une coupe de marbre rose, de rouges sanguines, et trahissaient, plus encore que les fleurs, l'essence particulière, irrésistible, de l'épine, qui, partout où elle bourgeonnait, où elle allait fleurir, ne le pouvait qu'en rose. Intercalé dans la haie, mais aussi différent d'elle qu'une jeune fille en robe de fête au milieu de personnes en négligé qui resteront à la maison, tout prêt pour le mois de Marie, dont il semblait faire partie déjà, tel brillait en souriant dans sa fraîche toilette rose l'arbuste catholique et délicieux.

La haie laissait voir à l'intérieur du parc une allée bordée de jasmins, de pensées et de verveines entre lesquelles des giroflées ouvraient leur bourse fraîche du rose odorant et passé d'un cuir ancien de Cordoue, tandis que sur le gravier un long tuyau d'arrosage peint en vert, déroulant ses circuits, dressait, aux points où il était percé, au-dessus des fleurs dont il imbibait les parfums, l'éventail vertical et prismatique de ses gouttelettes multicolores. Tout à coup, je m'arrêtai, je ne pus plus bouger, comme il arrive quand une vision ne s'adresse pas seulement à nos regards, mais requiert des perceptions plus profondes et dispose de notre être tout entier. Une fillette d'un blond roux, qui avait l'air de rentrer de promenade et tenait à la main une bêche de jardinage, nous regardait, levant son visage semé de taches roses. Ses yeux noirs brillaient et, comme je ne savais pas alors, ni ne l'ai appris depuis, réduire en ses éléments objectifs une impression forte, comme je n'avais pas, ainsi qu'on dit, assez « d'esprit d'observation » pour dégager la notion de leur couleur, pendant longtemps, chaque fois que je repensai à elle, le souvenir de leur éclat se présentait aussitôt à moi comme celui d'un vif azur, puisqu'elle était blonde : de sorte que, peut-être si elle n'avait pas eu des yeux aussi noirs — ce qui frappait tant la première fois qu'on la voyait — je n'aurais pas été, comme je le fus, plus particulièrement amoureux, en elle, de ses yeux bleus.

Je la regardais, d'abord de ce regard qui n'est pas que le porte-parole des yeux, mais à la fenêtre duquel se penchent tous les sens, anxieux et pétrifiés, le regard qui voudrait toucher, capturer, emmener le corps qu'il regarde et l'âme avec lui; puis, tant j'avais peur que d'une seconde à l'autre mon grand-père et mon père, apercevant cette jeune fille, me fissent éloigner en me disant de courir un peu devant eux, d'un second regard, inconsciemment supplicateur, qui tâchait de la forcer à faire attention à moi, à me connaître! Elle jeta en avant et de côté ses pupilles pour prendre connaissance de mon grand-père et de mon père, et sans doute l'idée qu'elle en rapporta fut celle que nous étions ridicules, car elle se détourna, et d'un air indifférent et dédaigneux, se plaça de côté pour épargner à son visage d'être dans leur champ visuel; et tandis que, continuant à marcher et ne l'ayant pas aperçue, ils m'avaient dépassé, elle laissa ses regards filer de toute leur longueur dans ma direction, sans expression particulière, sans avoir l'air de me voir, mais avec une fixité et un sourire dissimulé que je ne pouvais interpréter d'après les notions que l'on m'avait données sur la bonne éducation que comme une preuve d'outrageant mépris; et sa main esquissait en même temps un geste indécent, auquel, quand il était adressé en public à une personne qu'on ne connaissait pas, le petit dictionnaire de civilité que je portais en moi ne donnait qu'un seul sens, celui d'une intention insolente.

— Allons, Gilberte, viens; qu'est-ce que tu fais, cria d'une voix perçante et autoritaire une dame en blanc que je n'avais pas vue, et à quelque distance de laquelle un monsieur habillé de coutil et que je ne connaissais pas, fixait sur moi des yeux qui lui sortaient de la tête; et cessant brusquement de sourire, la jeune fille prit sa bêche et s'éloigna sans se retourner de mon côté, d'un air docile, impénétrable et sournois.

Ainsi passa près de moi ce nom de Gilberte, donné comme un talisman qui me permettrait peut-être de retrouver un jour celle dont il venait de faire une personne et qui, l'instant d'avant, n'était qu'une image incertaine. Ainsi passa-t-il, proféré au-dessus des jasmins et des giroflées, aigre et frais comme les gouttes de l'arrosoir vert; imprégnant, irisant la zone d'air pur qu'il avait traversée — et qu'il isolait — du mystère de la vie de celle qu'il désignait pour les êtres heureux qui vivaient, qui voyageaient avec elle; déployant sous l'épinier rose, à hauteur de mon épaule, la quintessence de leur familiarité, pour moi si douloureuse, avec elle, avec l'inconnu de sa vie où je n'entrerais pas.

Un instant (tandis que nous nous éloignions et que mon grand-père murmurait : « Ce pauvre Swann, quel rôle ils lui font jouer : on le fait partir pour qu'elle reste seule avec son Charlus, car c'est lui, je l'ai reconnu! Et cette petite, mêlée à toute cette infamie! ») l'impression laissée en moi par le ton despotique avec lequel la mère de Gilberte lui avait parlé sans qu'elle répliquât, en me la montrant comme forcée d'obéir à quelqu'un, comme n'étant pas supérieure à tout, calma un peu ma souffrance, me rendit quelque espoir et diminua mon amour. Mais bien vite cet amour s'éleva de nouveau en moi comme une réaction par quoi mon cœur humilié voulait se mettre de niveau avec Gilberte ou l'abaisser jusqu'à lui. Je l'aimais, je regrettais de ne pas avoir eu le temps et l'inspiration de l'offenser, de lui faire mal, et de la forcer à se souvenir de moi. Je la trouvais si belle que j'aurais voulu pouvoir revenir sur mes pas, pour lui crier en haussant les épaules : « Comme je vous trouve laide, grotesque, comme vous me répugnez! » Cependant je m'éloignais, emportant pour toujours, comme premier type d'un bonheur inaccessible aux enfants de mon espèce de par des lois naturelles impossibles à transgresser, l'image d'une petite fille rousse, à la peau semée de taches roses, qui tenait une bêche et qui riait en laissant filer sur moi de longs regards sournois et inexpressifs. Et déjà le charme dont son nom avait encensé cette place sous les épines roses où il avait été entendu ensemble par elle et par moi, allait gagner, enduire, embaumer tout ce qui l'approchait, ses grands-parents que les miens avaient eu l'ineffable bonheur de connaître, la sublime profession d'agent de change, le douloureux quartier des Champs-Élysées qu'elle habitait à Paris.

« Léonie, dit mon grand-père en rentrant, j'aurais voulu t'avoir avec nous tantôt. Tu ne reconnaîtrais pas Tansonville. Si j'avais osé, je t'aurais coupé une branche de ces épines roses que tu aimais tant. » Mon grand-père racontait ainsi notre promenade à ma tante Léonie, soit pour la distraire, soit qu'on n'eût pas perdu tout espoir d'arriver à la faire sortir. Or elle aimait beaucoup autrefois cette propriété, et d'ailleurs les visites de Swann avaient été les dernières qu'elle avait reçues, alors qu'elle fermait déjà sa porte à tout le monde. Et de même que, quand il venait maintenant prendre de ses nouvelles (elle était la seule personne de chez nous qu'il demandât encore[1] à voir), elle lui faisait répondre qu'elle était fatiguée, mais qu'elle le laisserait entrer la prochaine fois, de même elle dit ce soir-là : « Oui, un jour qu'il fera beau, j'irai en voiture jusqu'à la porte du parc. » C'est sincèrement qu'elle le disait. Elle eût aimé revoir Swann et Tansonville; mais le désir qu'elle en avait suffisait à ce qui lui restait de forces; sa réalisation les eût excédées. Quelquefois le beau temps lui rendait un peu de vigueur, elle se levait, s'habillait; la fatigue commençait avant qu'elle fût passée dans l'autre chambre et elle réclamait son lit. Ce qui avait commencé pour elle — plus tôt seulement que cela n'arrive d'habitude — c'est ce grand renoncement de la vieillesse qui se prépare à la mort, s'enveloppe dans sa chrysalide, et qu'on peut observer, à la fin des vies qui se prolongent tard, même entre les anciens amants qui se sont le plus aimés, entre les amis unis par les liens les plus spirituels, et qui à partir d'une certaine année cessent de faire le voyage ou la sortie nécessaire pour se voir, cessent de s'écrire et savent qu'ils ne communiqueront plus en ce monde. Ma tante devait parfaitement savoir qu'elle ne reverrait pas Swann, qu'elle ne quitterait plus jamais la maison, mais cette réclusion définitive devait lui être rendue assez aisée pour la raison même qui, selon nous, aurait dû la lui rendre plus douloureuse : c'est que cette réclusion lui était imposée par la diminution qu'elle pouvait constater chaque jour dans ses forces et qui, en faisant de chaque action, de chaque mouvement, une fatigue, sinon une souffrance, donnait pour elle à l'inaction, à l'isolement, au silence, la douceur réparatrice et bénie du repos.

Ma tante n'alla pas voir la haie d'épines roses, mais à tous moments je demandais à mes parents si elle n'irait pas, si autrefois elle allait souvent à Tansonville, tâchant de les faire parler des parents et grands-parents de Mlle Swann qui me semblaient grands comme des dieux. Ce nom, devenu pour moi presque mythologique, de Swann, quand je causais avec mes parents, je languissais du besoin de le leur entendre dire, je n'osais pas le prononcer moi-même, mais je les entraînais sur des sujets qui avoisinaient Gilberte et sa famille, qui la concernaient, où je ne me sentais pas exilé trop loin d'elle; et je contraignais tout d'un coup mon père, en feignant de croire par exemple que la charge de mon grand-père avait été déjà avant lui dans notre famille, ou que la haie d'épines roses que voulait voir ma tante Léonie se trouvait en terrain communal, à rectifier mon assertion, à me dire, comme malgré moi, comme de lui-même : « Mais non, cette charge-là était au père de *Swann,* cette haie fait partie du parc de *Swann.* » Alors j'étais obligé de reprendre ma respiration, tant, en se posant sur la place où il était toujours écrit en moi, pesait à m'étouffer ce nom qui, au moment où je l'entendais, me paraissait plus plein que tout autre, parce qu'il était lourd de toutes les fois où, d'avance, je l'avais mentalement proféré. Il me causait un plaisir que j'étais confus d'avoir osé réclamer à mes parents, car ce plaisir était si grand qu'il avait dû exiger d'eux pour qu'ils me le procurassent beaucoup de peine, et sans compensation, puisqu'il n'était pas un plaisir pour eux. Aussi je détournais la conversation par discrétion. Par scrupule aussi. Toutes les séductions singulières que je mettais dans ce nom de Swann, je les retrouvais en lui dès qu'ils le prononçaient. Il me semblait alors tout d'un coup que mes parents ne pouvaient pas ne pas les ressentir, qu'ils se trouvaient placés à mon point de vue, qu'ils apercevaient à leur tour, absolvaient, épousaient mes rêves, et j'étais malheureux comme si je les avais vaincus et dépravés.

Cette année-là, quand, un peu plus tôt que d'habitude, mes parents eurent fixé le jour de rentrer à Paris, le matin du départ, comme on m'avait fait friser pour être photographié, coiffer avec précaution un chapeau que je n'avais encore jamais mis et revêtir une douillette de velours, après m'avoir cherché partout, ma mère me trouva en larmes dans le petit raidillon contigu à Tansonville, en train de dire adieu aux aubépines, entourant de mes bras les branches piquantes, et, comme une princesse de tragédie à qui pèseraient ces vains ornements, ingrat envers l'importune main qui en formant tous ces nœuds avait pris soin sur mon front d'assembler mes cheveux — foulant aux pieds mes papillotes arrachées et mon chapeau neuf. Ma mère ne fut pas touchée par mes larmes, mais elle ne put retenir un cri à la vue de la coiffe défoncée et de la douillette perdue. Je ne l'entendis pas : « O mes pauvres petites aubépines, disais-je en pleurant, ce n'est pas vous qui voudriez me faire du chagrin, me forcer à partir. Vous, vous ne m'avez jamais fait de peine! Aussi je vous aimerai toujours. » Et, essuyant mes larmes, je leur promettais, quand je serais grand, de ne pas imiter la vie insensée des autres hommes et, même à Paris, les jours de printemps, au lieu d'aller faire des visites et écouter des niaiseries, de partir dans la campagne voir les premières aubépines.

Une fois dans les champs, on ne les quittait plus pendant tout le reste de la promenade qu'on faisait du côté de Méséglise. Ils étaient perpétuellement parcourus, comme par un chemineau invisible, par le vent qui était pour moi le génie particulier de Combray. Chaque année, le jour de notre arrivée, pour sentir que j'étais bien à Combray, je montais le retrouver qui courait dans les sayons[1] et me faisait courir à sa suite. On avait toujours le vent à côté de soi du côté de Méséglise, sur cette plaine bombée où pendant des lieues il ne rencontre aucun accident de terrain[2]. Je savais que Mlle Swann allait souvent à Laon passer quelques jours et, bien que ce fût à plusieurs lieues, la distance se trouvant compensée par l'absence de tout obstacle, quand, par les chauds après-midi, je voyais un même souffle, venu de l'extrême horizon, abaisser les blés les plus éloignés, se propager comme un flot sur toute l'immense étendue et venir se coucher, murmurant et tiède, parmi les sainfoins et les trèfles, à mes pieds, cette plaine qui nous était commune à tous deux semblait nous rapprocher, nous unir, je pensais que ce souffle avait passé auprès d'elle, que c'était quelque message d'elle qu'il me chuchotait sans que je pusse le comprendre, et je l'embrassais au passage. À gauche était un village qui s'appelait Champieu (*Campus Pagani,* selon le curé). Sur la droite, on apercevait par-delà les blés les deux clochers ciselés et rustiques de Saint-André-des-Champs, eux-mêmes effilés, écailleux, imbriqués d'alvéoles, guillochés, jaunissants et grumeleux, comme deux épis.

À intervalles symétriques, au milieu de l'inimitable ornementation de leurs feuilles qu'on ne peut confondre avec la feuille d'aucun autre arbre fruitier, les pommiers ouvraient leurs larges pétales de satin blanc ou suspendaient les timides bouquets de leurs rougissants boutons. C'est du côté de Méséglise que j'ai remarqué pour la première fois l'ombre ronde que les pommiers font sur la terre ensoleillée, et aussi ces soies d'or impalpable que le couchant tisse obliquement sous les feuilles, et que je voyais mon père interrompre de sa canne sans les faire jamais dévier.

Parfois dans le ciel de l'après-midi passait la lune blanche comme une nuée, furtive, sans éclat, comme une actrice dont ce n'est pas l'heure de jouer et qui, de la salle, en toilette de ville, regarde un moment ses camarades, s'effaçant, ne voulant pas qu'on fasse attention à elle. J'aimais à retrouver son image dans des tableaux et dans des livres, mais ces œuvres d'art étaient bien différentes — du moins pendant les premières années, avant que Bloch eût accoutumé mes yeux et ma pensée à des harmonies plus subtiles — de celles où la lune me paraîtrait belle aujourd'hui et où je ne l'eusse pas reconnue alors. C'était, par exemple, quelque roman de Saintine, un paysage de Gleyre où elle découpe nettement sur le ciel une faucille d'argent, de ces œuvres naïvement incomplètes comme étaient mes propres impressions et que les sœurs de ma grand'mère s'indignaient de me voir aimer. Elles pensaient qu'on doit mettre devant les enfants, et qu'ils font preuve de goût en aimant d'abord, les œuvres que, parvenu à la maturité, on admire définitivement. C'est sans doute qu'elles se figuraient les mérites esthétiques comme des objets matériels qu'un œil ouvert ne peut faire autrement que de percevoir, sans avoir eu besoin d'en mûrir lentement des équivalents dans son propre cœur.

C'est du côté de Méséglise, à Montjouvain, maison située au bord d'une grande mare et adossée à un talus buissonneux, que demeurait M. Vinteuil. Aussi[1] croisait-on souvent sur la route sa fille, conduisant un buggy à toute allure. À partir d'une certaine année on ne la rencontra plus seule, mais avec une amie plus âgée, qui avait mauvaise réputation dans le pays et qui un jour s'installa définitivement à Montjouvain. On disait : « Faut-il que ce pauvre M. Vinteuil soit aveuglé par la tendresse pour ne pas s'apercevoir de ce qu'on raconte, et permettre à sa fille, lui qui se scandalise d'une parole *déplacée,* de faire vivre sous son toit une femme pareille. Il dit que c'est une femme supérieure, un grand cœur et qu'elle aurait eu des dispositions extraordinaires pour la musique si elle les avait cultivées. Il peut être sûr que ce n'est pas de musique qu'elle s'occupe avec sa fille. » M. Vinteuil le disait; et il est, en effet, remarquable combien une personne excite toujours d'admiration pour ses qualités morales chez les parents de toute autre personne avec qui elle a des relations charnelles. L'amour physique, si injustement décrié, force tellement tout être à manifester jusqu'aux moindres parcelles qu'il possède de bonté, d'abandon de soi, qu'elles resplendissent jusqu'aux yeux de l'entourage immédiat. Le docteur Percepied à qui sa grosse voix et ses gros sourcils permettaient de tenir tant qu'il voulait le rôle de perfide dont il n'avait pas le physique, sans compromettre en rien sa réputation inébranlable et imméritée de bourru bienfaisant, savait faire rire aux larmes le curé et tout le monde en disant d'un ton rude : « Hé bien! il paraît qu'elle fait de la musique avec son amie, Mlle Vinteuil. Ça a l'air de vous étonner. Moi je sais pas. C'est le père Vinteuil qui m'a encore dit ça hier. Après tout, elle a bien le droit d'aimer la musique, c'te fille. Moi je ne suis pas pour[2] contrarier les vocations artistiques des enfants. Vinteuil non plus à ce qu'il paraît. Et puis lui aussi il fait de la musique avec l'amie de sa fille. Ah! sapristi, on en fait une musique dans c'te boîte-là. Mais qu'est-ce que vous avez à rire? mais ils font trop de musique, ces gens. L'autre jour j'ai rencontré le père Vinteuil près du cimetière. Il ne tenait pas sur ses jambes. »

Pour ceux qui comme nous virent à cette époque M. Vinteuil éviter les personnes qu'il connaissait, se détourner quand il les apercevait, vieillir en quelques mois, s'absorber dans son chagrin, devenir incapable de tout effort qui n'avait pas directement le bonheur de sa fille pour but, passer des journées entières devant la tombe de sa femme, il eût été difficile de ne pas comprendre qu'il était en train de mourir de chagrin, et de supposer qu'il ne se rendait pas compte des propos qui couraient. Il les connaissait, peut-être même y ajoutait-il foi. Il n'est peut-être pas une personne, si grande que soit sa vertu, que la complexité des circonstances ne puisse amener à vivre un jour dans la familiarité du vice qu'elle condamne le plus formellement — sans qu'elle le reconnaisse d'ailleurs tout à fait sous le déguisement de faits particuliers qu'il revêt pour entrer en contact avec elle et la faire souffrir : paroles bizarres, attitude inexplicable, un certain soir, de tel être qu'elle a par ailleurs tant de raisons pour aimer. Mais pour un homme comme M. Vinteuil il devait entrer bien plus de souffrance que pour un autre dans la résignation à une de ces situations qu'on croit à tort être l'apanage exclusif du monde de la bohème : elles se produisent chaque fois qu'a besoin de se réserver la place et la sécurité qui lui sont nécessaires un vice que la nature elle-même fait épanouir chez un enfant, parfois rien qu'en mêlant les vertus de son père et de sa mère, comme la couleur de ses yeux. Mais, de ce que M. Vinteuil connaissait peut-être la conduite de sa fille, il ne s'ensuit pas que son culte pour elle en eût été diminué. Les faits ne pénètrent pas dans le monde où vivent nos croyances, ils n'ont pas fait naître celles-ci, ils ne les détruisent pas; ils peuvent leur infliger les plus constants démentis sans les affaiblir, et une avalanche de malheurs ou de maladies se succédant sans interruption dans une famille ne la fera pas douter de la bonté de son Dieu ou du talent de son médecin. Mais quand M. Vinteuil songeait à sa fille et à lui-même du point de vue du monde, du point de vue de leur réputation, quand il cherchait à se situer avec elle au rang qu'ils occupaient dans l'estime générale, alors ce jugement d'ordre social, il le portait exactement comme l'eût fait l'habitant de Combray qui lui eût été le plus hostile, il se voyait avec sa fille dans le dernier bas-fond, et ses manières en avaient reçu depuis peu cette humilité, ce respect pour ceux qui se trouvaient au-dessus de lui et qu'il voyait d'en bas (eussent-ils été fort au-dessous de lui jusque-là), cette tendance à chercher à remonter jusqu'à eux, qui est une résultante presque mécanique de toutes les déchéances. Un jour que nous marchions avec Swann dans une rue de Combray, M. Vinteuil qui débouchait d'une autre s'était trouvé trop brusquement en face de nous pour avoir le temps de nous éviter, et Swann, avec cette orgueilleuse charité de l'homme du monde qui, au milieu de la dissolution de tous ses préjugés moraux, ne trouve dans l'infamie d'autrui qu'une raison d'exercer envers lui une bienveillance dont les témoignages chatouillent d'autant plus l'amour-propre de celui qui les donne, qu'il les sent plus précieux à celui qui les reçoit, avait longuement causé avec M. Vinteuil, à qui jusque-là il n'adressait pas la parole, et lui avait demandé avant de nous quitter s'il n'enverrait pas un jour sa fille jouer à Tansonville. C'était une invitation qui, il y a deux ans, eût indigné M. Vinteuil, mais qui, maintenant, le remplissait de sentiments si reconnaissants qu'il se croyait obligé par eux à ne pas avoir l'indiscrétion de l'accepter. L'amabilité de Swann envers sa fille lui semblait être en soi-même un appui si honorable et si délicieux qu'il pensait qu'il valait peut-être mieux ne pas s'en servir, pour avoir la douceur toute platonique de le conserver.

— Quel homme exquis, nous dit-il, quand Swann nous eut quittés, avec la même enthousiaste vénération qui tient de spirituelles et jolies bourgeoises en respect et sous le charme d'une duchesse, fût-elle laide et sotte. Quel homme exquis! Quel malheur qu'il ait fait un mariage tout à fait déplacé!

Et alors, tant les gens les plus sincères sont mêlés d'hypocrisie et dépouillent en causant avec une personne l'opinion qu'ils ont d'elle et expriment dès qu'elle n'est plus là, mes parents déplorèrent avec M. Vinteuil le mariage de Swann au nom de principes et de convenances auxquels (par cela même qu'ils les invoquaient en commun avec lui, en braves gens de même acabit) ils avaient l'air de sous-entendre qu'il n'était pas contrevenu à Montjouvain. M. Vinteuil n'envoya pas sa fille chez Swann. Et celui-ci fut le premier à le regretter. Car, chaque fois qu'il venait de quitter M. Vinteuil, il se rappelait qu'il avait depuis quelque temps un renseignement à lui demander sur quelqu'un qui portait le même nom que lui, un de ses parents, croyait-il. Et cette fois-là il s'était bien promis de ne pas oublier ce qu'il avait à lui dire, quand M. Vinteuil enverrait sa fille à Tansonville.

Comme la promenade du côté de Méséglise était la moins longue des deux que nous faisions autour de Combray et qu'à cause de cela on la réservait pour les temps incertains, le climat du côté de Méséglise était assez pluvieux et nous ne perdions jamais de vue la lisière des bois de Roussainville dans l'épaisseur desquels nous pourrions nous mettre à couvert.

Souvent le soleil se cachait derrière une nuée qui déformait son ovale et dont il jaunissait la bordure. L'éclat, mais non la clarté, était enlevé à la campagne où toute vie semblait suspendue, tandis que le petit village de Roussainville sculptait sur le ciel le relief de ses arêtes blanches avec une précision et un fini accablants. Un peu de vent faisait envoler un corbeau qui retombait dans le lointain, et, contre le ciel blanchissant, le lointain des bois paraissait plus bleu, comme peint dans ces camaïeux qui décorent les trumeaux des anciennes demeures.

Mais d'autres fois se mettait à tomber la pluie dont nous avait menacés le capucin que l'opticien avait à sa devanture; les gouttes d'eau, comme des oiseaux migrateurs qui prennent leur vol tous ensemble, descendaient à rangs pressés du ciel. Elles ne se séparent point, elles ne vont pas à l'aventure pendant la rapide traversée, mais chacune tenant sa place attire à elle celle qui la suit et le ciel en est plus obscurci qu'au départ des hirondelles. Nous nous réfugiions dans le bois. Quand leur voyage semblait fini, quelques-unes, plus débiles, plus lentes, arrivaient encore. Mais nous ressortions de notre abri, car les gouttes se plaisent aux feuillages, et la terre était déjà presque séchée que plus d'une s'attardait à jouer sur les nervures d'une feuille et, suspendue à la pointe, reposée, brillant au soleil, tout d'un coup se laissait glisser de toute la hauteur de la branche et nous tombait sur le nez.

Souvent aussi nous allions nous abriter, pêle-mêle avec les saints et les patriarches de pierre sous le porche de Saint-André-des-Champs. Que cette église était française! Au-dessus de la porte, les saints, les rois-chevaliers une fleur de lys à la main, des scènes de noces et de funérailles étaient représentés comme ils pouvaient l'être dans l'âme de Françoise. Le sculpteur avait aussi narré certaines anecdotes relatives à Aristote et à Virgile, de la même façon que Françoise à la cuisine parlait volontiers de saint Louis comme si elle l'avait personnellement connu, et généralement pour faire honte par la comparaison à mes grands-parents moins « justes ». On sentait que les notions que l'artiste médiéval et la paysanne médiévale (survivant au XIXe siècle) avaient de l'histoire ancienne ou chrétienne, et qui se distinguaient par autant d'inexactitude que de bonhomie, ils les tenaient non des livres, mais d'une tradition à la fois antique et directe, ininterrompue, orale, déformée, méconnaissable et vivante. Une autre personnalité de Combray que je reconnaissais aussi, virtuelle et prophétisée, dans la sculpture gothique de Saint-André-des-Champs, c'était le jeune Théodore, le garçon de chez Camus. Françoise sentait d'ailleurs si bien en lui un pays et un contemporain que, quand ma tante Léonie était trop malade pour que Françoise pût suffire à la retourner dans son lit, à la porter dans son fauteuil, plutôt que de laisser la fille de cuisine monter se faire « bien voir » de ma tante, elle appelait Théodore. Or ce garçon, qui passait et avec raison pour si mauvais sujet, était tellement rempli de l'âme qui avait décoré Saint-André-des-Champs et notamment des sentiments de respect que Françoise trouvait dus aux « pauvres malades », à « sa pauvre maîtresse », qu'il avait pour soulever la tête de ma tante sur son oreiller la mine naïve et zélée des petits anges des bas-reliefs, s'empressant, un cierge à la main, autour de la Vierge défaillante, comme si les visages de pierre sculptée, grisâtres et nus, ainsi que sont les bois en hiver, n'étaient qu'un ensommeillement, qu'une réserve, prête à refleurir dans la vie en innombrables visages populaires, révérends et futés comme celui de Théodore, enluminés de la rougeur d'une pomme mûre. Non plus appliquée à la pierre comme ces petits anges, mais détachée du porche, d'une stature plus qu'humaine, debout sur un socle comme sur un tabouret qui lui évitât de poser ses pieds sur le sol humide, une sainte avait les joues pleines, le sein ferme et qui gonflait la draperie comme une grappe mûre dans un sac de crin, le front étroit, le nez court et mutin, les prunelles enfoncées, l'air valide, insensible et courageux des paysannes de la contrée. Cette ressemblance, qui insinuait dans la statue une douceur que je n'y avais pas cherchée, était souvent certifiée par quelque fille des champs, venue comme nous se mettre à couvert, et dont la présence, pareille à celle de ces feuillages pariétaires qui ont poussé à côté des feuillages sculptés, semblait destinée à permettre, par une confrontation avec la nature, de juger de la vérité de l'œuvre d'art. Devant nous, dans le lointain, terre promise ou maudite, Roussainville, dans les murs duquel je n'ai jamais pénétré, Roussainville, tantôt, quand la pluie avait déjà cessé pour nous, continuait à être châtié comme un village de la Bible par toutes les lances de l'orage qui flagellaient obliquement les demeures de ses habitants ou bien était déjà pardonné par Dieu le Père qui faisait descendre vers lui, inégalement longues, comme les rayons d'un ostensoir d'autel, les tiges d'or effrangées de son soleil reparu.

Quelquefois le temps était tout à fait gâté, il fallait rentrer et rester enfermé dans la maison. Çà et là au loin dans la campagne que l'obscurité et l'humidité faisaient ressembler à la mer, des maisons isolées, accrochées au flanc d'une colline plongée dans la nuit et dans l'eau, brillaient comme des petits bateaux qui ont replié leurs voiles et sont immobiles au large pour toute la nuit. Mais qu'importait la pluie, qu'importait l'orage! L'été, le mauvais temps n'est qu'une humeur passagère, superficielle, du beau temps sous-jacent et fixe, bien différent du beau temps instable et fluide de l'hiver, et qui, au contraire, installé sur la terre où il s'est solidifié en denses feuillages sur lesquels la pluie peut s'égoutter sans compromettre la résistance de leur permanente joie, a hissé pour toute la saison, jusque dans les rues du village, aux murs des maisons et des jardins, ses pavillons de soie violette ou blanche. Assis dans le petit salon, où j'attendais l'heure du dîner en lisant, j'entendais l'eau dégoutter de nos marronniers, mais je savais que l'averse ne faisait que vernir leurs feuilles et qu'ils promettaient de demeurer là, comme des gages de l'été, toute la nuit pluvieuse, à assurer la continuité du beau temps; qu'il avait beau pleuvoir, demain, au-dessus de la barrière blanche de Tansonville, onduleraient, aussi nombreuses, de petites feuilles en forme de cœur; et c'est sans tristesse que j'apercevais le peuplier de la rue des Perchamps adresser à l'orage des supplications et des salutations désespérées; c'est sans tristesse que j'entendais au fond du jardin les derniers roulements du tonnerre roucouler dans les lilas.

Si le temps était mauvais dès le matin, mes parents renonçaient à la promenade et je ne sortais pas. Mais je pris ensuite l'habitude d'aller, ces jours-là, marcher seul du côté de Méséglise-la-Vineuse, dans l'automne où nous dûmes venir à Combray pour la succession de ma tante Léonie, car elle était enfin morte, faisant triompher à la fois ceux qui prétendaient que son régime affaiblissant finirait par la tuer, et non moins les autres qui avaient toujours soutenu qu'elle souffrait d'une maladie non pas imaginaire mais organique, à l'évidence de laquelle les sceptiques seraient bien obligés de se rendre quand elle y aurait succombé; et ne causant par sa mort de grande douleur qu'à un seul être, mais à celui-là, sauvage. Pendant les quinze jours que dura la dernière maladie de ma tante, Françoise ne la quitta pas un instant, ne se déshabilla pas, ne laissa personne lui donner aucun soin, et ne quitta son corps que quand il fut enterré. Alors nous comprîmes que cette sorte de crainte où Françoise avait vécu des mauvaises paroles, des soupçons, des colères de ma tante avait développé chez elle un sentiment que nous avions pris pour de la haine et qui était de la vénération et de l'amour. Sa véritable maîtresse aux décisions impossibles à prévoir, aux ruses difficiles à déjouer, au bon cœur facile à fléchir, sa souveraine, son mystérieux et tout-puissant monarque n'était plus. À côté d'elle nous comptions pour bien peu de chose. Il était loin le temps où, quand nous avions commencé à venir passer nos vacances à Combray, nous possédions autant de prestige que ma tante aux yeux de Françoise. Cet automne-là, tout occupés des formalités à remplir, des entretiens avec les notaires et avec les fermiers, mes parents, n'ayant guère de loisir pour faire des sorties que le temps d'ailleurs contrariait, prirent l'habitude de me laisser aller me promener sans eux du côté de Méséglise, enveloppé dans un grand plaid qui me protégeait contre la pluie et que je jetais d'autant plus volontiers sur mes épaules que je sentais que ses rayures écossaises scandalisaient Françoise, dans l'esprit de qui on n'aurait pu faire entrer l'idée que la couleur des vêtements n'a rien à faire avec le deuil et à qui d'ailleurs le chagrin que nous avions de la mort de ma tante plaisait peu, parce que nous n'avions pas donné de grand repas funèbre, que nous ne prenions pas un son de voix spécial pour parler d'elle, que même parfois je chantonnais. Je suis sûr que dans un livre — et en cela j'étais bien moi-même comme Françoise — cette conception du deuil d'après la *Chanson de Roland* et le portail de Saint-André-des-Champs m'eût été sympathique. Mais dès que Françoise était auprès de moi, un démon me poussait à souhaiter qu'elle fût en colère, je saisissais le moindre prétexte pour lui dire que je regrettais ma tante parce que c'était une bonne femme, malgré ses ridicules, mais nullement parce que c'était ma tante, qu'elle eût pu être ma tante et me sembler odieuse, et sa mort ne me faire aucune peine, propos qui m'eussent semblé ineptes dans un livre.

Si alors Françoise, remplie comme un poète d'un flot de pensées confuses sur le chagrin, sur les souvenirs de famille, s'excusait de ne pas savoir répondre à mes théories et disait : « Je ne sais pas m'exprimer », je triomphais de cet aveu avec un bon sens ironique et brutal digne du docteur Percepied; et si elle ajoutait : « Elle était tout de même de la parentèse, il reste toujours le respect qu'on doit à la parentèse », je haussais les épaules et je me disais : « Je suis bien bon de discuter avec une illettrée qui fait des cuirs pareils », adoptant ainsi pour juger Françoise le point de vue mesquin d'hommes dont ceux qui les méprisent le plus dans l'impartialité de la méditation sont fort capables de tenir le rôle, quand ils jouent une des scènes vulgaires de la vie.

Mes promenades de cet automne-là furent d'autant plus agréables que je les faisais après de longues heures passées sur un livre. Quand j'étais fatigué d'avoir lu toute la matinée dans la salle, jetant mon plaid sur mes épaules, je sortais : mon corps obligé depuis longtemps de garder l'immobilité, mais qui s'était chargé sur place d'animation et de vitesse accumulées, avait besoin ensuite, comme une toupie qu'on lâche, de les dépenser dans toutes les directions. Les murs des maisons, la haie de Tansonville, les arbres du bois de Roussainville, les buissons auxquels s'adosse Montjouvain, recevaient des coups de parapluie ou de canne, entendaient des cris joyeux, qui n'étaient, les uns et les autres, que des idées confuses qui m'exaltaient et qui n'ont pas atteint le repos dans la lumière, pour avoir préféré, à un lent et difficile éclaircissement, le plaisir d'une dérivation plus aisée vers une issue immédiate. La plupart des prétendues traductions de ce que nous avons ressenti ne font ainsi que nous en débarrasser, en le faisant sortir de nous sous une forme indistincte qui ne nous apprend pas à le connaître. Quand j'essaye de faire le compte de ce que je dois au côté de Méséglise, des humbles découvertes dont il fut le cadre fortuit ou le nécessaire inspirateur, je me rappelle que c'est cet automne-là, dans une de ces promenades, près du talus broussailleux qui protège Montjouvain, que je fus frappé pour la première fois de ce désaccord entre nos impressions et leur expression habituelle. Après une heure de pluie et de vent contre lesquels j'avais lutté avec allégresse, comme j'arrivais au bord de la mare de Montjouvain, devant une petite cahute recouverte en tuiles où le jardinier de M. Vinteuil serrait ses instruments de jardinage, le soleil venait de reparaître, et ses dorures lavées par l'averse reluisaient à neuf dans le ciel, sur les arbres, sur le mur de la cahute, sur son toit de tuile encore mouillé, à la crête duquel se promenait une poule. Le vent qui soufflait tirait horizontalement les herbes folles qui avaient poussé dans la paroi du mur, et les plumes de duvet de la poule, qui, les unes et les autres, se laissaient filer au gré de son souffle jusqu'à l'extrémité de leur longueur, avec l'abandon de choses inertes et légères. Le toit de tuile faisait dans la mare, que le soleil rendait de nouveau réfléchissante, une marbrure rose, à laquelle je n'avais encore jamais fait attention. Et voyant sur l'eau et à la face du mur un pâle sourire répondre au sourire du ciel, je m'écriai dans tout mon enthousiasme en brandissant mon parapluie refermé : « Zut, zut, zut, zut. » Mais en même temps je sentis que mon devoir eût été de ne pas m'en tenir à ces mots opaques et de tâcher de voir plus clair dans mon ravissement.

Et c'est à ce moment-là encore — grâce à un paysan qui passait, l'air déjà d'être d'assez mauvaise humeur, qui le fut davantage quand il faillit recevoir mon parapluie dans la figure, et qui répondit sans chaleur à mes « beau temps, n'est-ce pas, il fait bon marcher » — que j'appris que les mêmes émotions ne se produisent pas simultanément, dans un ordre préétabli, chez tous les hommes. Plus tard, chaque fois qu'une lecture un peu longue m'avait mis en humeur de causer, le camarade à qui je brûlais d'adresser la parole venait justement de se livrer au plaisir de la conversation et désirait maintenant qu'on le laissât lire tranquille. Si je venais de penser à mes parents avec tendresse et de prendre les décisions les plus sages et les plus propres à leur faire plaisir, ils avaient employé le même temps à apprendre une peccadille que j'avais oubliée et qu'ils me reprochaient sévèrement au moment où je m'élançais vers eux pour les embrasser.

Parfois à l'exaltation que me donnait la solitude, s'en ajoutait une autre que je ne savais pas en départager nettement, causée par le désir de voir surgir devant moi une paysanne que je pourrais serrer dans mes bras. Né brusquement, et sans que j'eusse eu le temps de le rapporter exactement à sa cause, au milieu de pensées très différentes, le plaisir dont il était accompagné ne me semblait qu'un degré supérieur de celui qu'elles me donnaient. Je faisais un mérite de plus à tout ce qui était à ce moment-là dans mon esprit, au reflet rose du toit de tuile, aux herbes folles, au village de Roussainville où je désirais depuis longtemps aller, aux arbres de son bois, au clocher de son église, de cet émoi nouveau qui me les faisait seulement paraître plus désirables parce que je croyais que c'était eux qui le provoquaient, et qui semblait ne vouloir que me porter vers eux plus rapidement quand il enflait ma voile d'une brise puissante, inconnue et propice. Mais si ce désir qu'une femme apparût ajoutait pour moi aux charmes de la nature quelque chose de plus exaltant, les charmes de la nature, en retour, élargissaient ce que celui de la femme aurait eu de trop restreint. Il me semblait que la beauté des arbres, c'était encore la sienne, et que l'âme de ces horizons, du village de Roussainville, des livres que je lisais cette année-là, son baiser me la livrerait; et mon imagination reprenant des forces au contact de ma sensualité, ma sensualité se répandant dans tous les domaines de mon imagination, mon désir n'avait plus de limites. C'est qu'aussi — comme il arrive dans ces moments de rêverie au milieu de la nature où, l'action de l'habitude étant suspendue, nos notions abstraites des choses mises de côté, nous croyons d'une foi profonde à l'originalité, à la vie individuelle du lieu où nous nous trouvons — la passante qu'appelait mon désir me semblait être non un exemplaire quelconque de ce type général : la femme, mais un produit nécessaire et naturel de ce sol. Car en ce temps-là tout ce qui n'était pas moi, la terre et les êtres, me paraissait plus précieux, plus important, doué d'une existence plus réelle que cela ne paraît aux hommes faits. Et la terre et les êtres, je ne les séparais pas. J'avais le désir d'une paysanne de Méséglise ou de Roussainville, d'une pêcheuse de Balbec, comme j'avais le désir de Méséglise et de Balbec. Le plaisir qu'elles pouvaient me donner m'aurait paru moins vrai, je n'aurais plus cru en lui, si j'en avais modifié à ma guise les conditions. Connaître à Paris une pêcheuse de Balbec ou une paysanne de Méséglise, c'eût été recevoir des coquillages que je n'aurais pas vus sur la plage, une fougère que je n'aurais pas trouvée dans les bois, c'eût été retrancher au plaisir que la femme me donnerait tous ceux au milieu desquels l'avait enveloppée mon imagination. Mais errer ainsi dans les bois de Roussainville sans une paysanne à embrasser, c'était ne pas connaître de ces bois le trésor caché, la beauté profonde. Cette fille que je ne voyais que criblée de feuillages, elle était elle-même pour moi comme une plante locale d'une espèce plus élevée seulement que les autres et dont la structure permet d'approcher de plus près qu'en elles la saveur profonde du pays. Je pouvais d'autant plus facilement le croire (et que les caresses par lesquelles elle m'y ferait parvenir seraient aussi d'une sorte particulière et dont je n'aurais pas pu connaître le plaisir par une autre qu'elle), que j'étais pour longtemps encore à l'âge où l'on n'a pas encore abstrait ce plaisir de la possession des femmes différentes avec lesquelles on l'a goûté, où on ne l'a pas réduit à une notion générale qui les fait considérer dès lors comme les instruments interchangeables d'un plaisir toujours identique. Il n'existe même pas, isolé, séparé et formulé dans l'esprit, comme le but qu'on poursuit en s'approchant d'une femme, comme la cause du trouble préalable qu'on ressent. À peine y songe-t-on comme à un plaisir qu'on aura; plutôt, on l'appelle son charme à elle; car on ne pense pas à soi, on ne pense qu'à sortir de soi. Obscurément attendu, immanent et caché, il porte seulement à un tel paroxysme au moment où il s'accomplit les autres plaisirs que nous causent les doux regards, les baisers de celle qui est auprès de nous, qu'il nous apparaît surtout à nous-même comme une sorte de transport de notre reconnaissance pour la bonté de cœur de notre compagne et pour sa touchante prédilection à notre égard que nous mesurons aux bienfaits, au bonheur dont elle nous comble.

Hélas, c'était en vain que j'implorais le donjon de Roussainville, que je lui demandais de faire venir auprès de moi quelque enfant de son village, comme au seul confident que j'avais eu de mes premiers désirs, quand au haut de notre maison de Combray, dans le petit cabinet sentant l'iris, je ne voyais que sa tour au milieu du carreau de la fenêtre entr'ouverte, pendant qu'avec les hésitations héroïques du voyageur qui entreprend une exploration ou du désespéré qui se suicide, défaillant, je me frayais en moi-même une route inconnue et que je croyais mortelle, jusqu'au moment où une trace naturelle comme celle d'un colimaçon s'ajoutait aux feuilles du cassis sauvage qui se penchaient jusqu'à moi. En vain je le suppliais maintenant. En vain, tenant l'étendue dans le champ de ma vision, je la drainais de mes regards qui eussent voulu en ramener une femme. Je pouvais aller jusqu'au porche de Saint-André-des-Champs; jamais ne s'y trouvait la paysanne que je n'eusse pas manqué d'y rencontrer si j'avais été avec mon grand-père et dans l'impossibilité de lier conversation avec elle. Je fixais indéfiniment le tronc d'un arbre lointain, de derrière lequel elle allait surgir et venir à moi; l'horizon scruté restait désert, la nuit tombait, c'était sans espoir que mon attention s'attachait, comme pour aspirer les créatures qu'ils pouvaient recéler, à ce sol stérile, à cette terre épuisée; et ce n'était plus d'allégresse, c'était de rage que je frappais les arbres du bois de Roussainville d'entre lesquels ne sortait pas plus d'êtres vivants que s'ils eussent été des arbres peints sur la toile d'un panorama, quand, ne pouvant me résigner à rentrer à la maison avant d'avoir serré dans mes bras la femme que j'avais tant désirée, j'étais pourtant obligé de reprendre le chemin de Combray en m'avouant à moi-même qu'était de moins en moins probable le hasard qui l'eût mise sur mon chemin. Et s'y fût-elle trouvée, d'ailleurs, eussé-je[1] osé lui parler? Il me semblait qu'elle m'eût[2] considéré comme un fou; je cessais de croire partagés par d'autres êtres, de croire vrais en dehors de moi, les désirs que je formais pendant ces promenades et qui ne se réalisaient pas. Ils ne m'apparaissaient plus que comme les créations purement subjectives, impuissantes, illusoires, de mon tempérament. Ils n'avaient plus de lien avec la nature, avec la réalité qui dès lors perdait tout charme et toute signification et n'était plus à ma vie qu'un cadre conventionnel, comme l'est à la fiction d'un roman le wagon sur la banquette duquel le voyageur le lit pour tuer le temps.

C'est peut-être d'une impression ressentie aussi auprès de Montjouvain, quelques années plus tard, impression restée obscure alors, qu'est sortie, bien après, l'idée que je me suis faite du sadisme. On verra plus tard que, pour de tout autres raisons, le souvenir de cette impression devait jouer un rôle important dans ma vie. C'était par un temps très chaud; mes parents, qui avaient dû s'absenter pour toute la journée, m'avaient dit de rentrer aussi tard que je voudrais; et étant allé jusqu'à la mare de Montjouvain où j'aimais revoir les reflets du toit de tuile, je m'étais étendu à l'ombre et endormi dans les buissons du talus qui domine la maison, là où j'avais attendu mon père autrefois, un jour qu'il était allé voir M. Vinteuil. Il faisait presque nuit quand je m'éveillai, je voulus me lever, mais je vis Mlle Vinteuil (autant que je pus la reconnaître, car je ne l'avais pas vue souvent à Combray, et seulement quand elle était encore une enfant, tandis qu'elle commençait d'être une jeune fille) qui probablement venait de rentrer, en face de moi, à quelques centimètres de moi, dans cette chambre où son père avait reçu le mien et dont elle avait fait son petit salon à elle. La fenêtre était entr'ouverte, la lampe était allumée, je voyais tous ses mouvements sans qu'elle me vît, mais en m'en allant j'aurais fait craquer les buissons, elle m'aurait entendu et elle aurait pu croire que je m'étais caché là pour l'épier.

Elle était en grand deuil, car son père était mort depuis peu. Nous n'étions pas allés la voir, ma mère ne l'avait pas voulu à cause d'une vertu qui chez elle limitait seule les effets de la bonté : la pudeur; mais elle la plaignait profondément. Ma mère se rappelait[1] la triste fin de vie de M. Vinteuil, tout absorbée d'abord par les soins de mère et de bonne d'enfant qu'il donnait à sa fille, puis par les souffrances que celle-ci lui avait causées; elle revoyait le visage torturé qu'avait eu le vieillard tous les derniers temps; elle savait qu'il avait renoncé à jamais à achever de transcrire au net toute son œuvre des dernières années, pauvres morceaux d'un vieux professeur de piano, d'un ancien organiste de village, dont nous imaginions bien qu'ils n'avaient guère de valeur en eux-mêmes, mais que nous ne méprisions pas parce qu'ils en avaient tant pour lui dont ils avaient été la raison de vivre avant qu'il les sacrifiât à sa fille, et qui pour la plupart, pas même notés, conservés seulement dans sa mémoire, quelques-uns inscrits sur des feuillets épars, illisibles, resteraient inconnus; ma mère pensait à cet autre renoncement plus cruel encore auquel M. Vinteuil avait été contraint, le renoncement à un avenir de bonheur honnête et respecté pour sa fille; quand elle évoquait toute cette détresse suprême de l'ancien maître de piano de mes tantes, elle éprouvait un véritable chagrin et songeait avec effroi à celui, autrement amer, que devait éprouver Mlle Vinteuil, tout mêlé du remords d'avoir à peu près tué son père. « Pauvre M. Vinteuil, disait ma mère, il a vécu et il est mort pour sa fille, sans avoir reçu son salaire. Le recevra-t-il après sa mort et sous quelle forme ? Il ne pourrait lui venir que d'elle. »

Au fond du salon de Mlle Vinteuil, sur la cheminée, était posé un petit portrait de son père que vivement elle alla chercher au moment où retentit le roulement d'une voiture qui venait de la route, puis elle se jeta sur un canapé, et tira près d'elle une petite table[1] sur laquelle elle plaça le portrait, comme M. Vinteuil autrefois avait mis à côté de lui le morceau qu'il avait le désir de jouer à mes parents. Bientôt son amie entra. Mlle Vinteuil l'accueillit sans se lever, ses deux mains derrière la tête et se recula sur le bord opposé du sofa comme pour lui faire une place. Mais aussitôt elle sentit qu'elle semblait ainsi lui imposer une attitude qui lui était peut-être importune. Elle pensa que son amie aimerait peut-être mieux être loin d'elle sur une chaise, elle se trouva indiscrète, la délicatesse de son cœur s'en alarma; reprenant toute la place sur le sofa elle ferma les yeux et se mit à bâiller pour indiquer que l'envie de dormir était la seule raison pour laquelle elle s'était ainsi étendue. Malgré la familiarité rude et dominatrice qu'elle avait avec sa camarade, je reconnaissais les gestes obséquieux et réticents, les brusques scrupules de son père. Bientôt elle se leva, feignit de vouloir fermer les volets et de n'y pas réussir.

— Laisse donc tout ouvert, j'ai chaud, dit son amie.

— Mais c'est assommant, on nous verra, répondit Mlle Vinteuil.

Mais elle devina sans doute que son amie penserait qu'elle n'avait dit ces mots que pour la provoquer à lui répondre par certains autres, qu'elle avait en effet le désir d'entendre, mais que par discrétion elle voulait lui laisser l'initiative de prononcer. Aussi son regard, que je ne pouvais distinguer, dut-il prendre l'expression qui plaisait tant à ma grand'mère, quand elle ajouta vivement :

— Quand je dis nous voir, je veux dire nous voir lire; c'est assommant, quelque chose insignifiante qu'on fasse, de penser que des yeux nous voient.

Par une générosité instinctive et une politesse involontaire elle taisait les mots prémédités qu'elle avait jugés indispensables à la pleine réalisation de son désir. Et à tous moments au fond d'elle-même une vierge timide et suppliante implorait et faisait reculer un soudard fruste et vainqueur.

— Oui, c'est probable qu'on nous regarde à cette heure-ci, dans cette campagne fréquentée, dit ironiquement son amie. Et puis quoi ? » ajouta-t-elle (en croyant devoir accompagner d'un clignement d'yeux malicieux et tendre ces mots qu'elle récita par bonté, comme un texte qu'elle savait être agréable à Mlle Vinteuil, d'un ton qu'elle s'efforçait de rendre cynique) « quand même on nous verrait, ce n'en est que meilleur. »

Mlle Vinteuil frémit et se leva. Son cœur scrupuleux et sensible ignorait quelles paroles devaient spontanément venir s'adapter à la scène que ses sens réclamaient. Elle cherchait le plus loin qu'elle pouvait de sa vraie nature morale, à trouver le langage propre à la fille vicieuse qu'elle désirait d'être, mais les mots qu'elle pensait que celle-ci eût prononcés sincèrement lui paraissaient faux dans sa bouche. Et le peu qu'elle s'en permettait était dit sur un ton guindé où ses habitudes de timidité paralysaient ses velléités d'audace, et s'entremêlait de : « Tu n'as pas froid, tu n'as pas trop chaud, tu n'as pas envie d'être seule et de lire ? »

— Mademoiselle me semble avoir des pensées bien lubriques ce soir, finit-elle par dire, répétant sans doute une phrase qu'elle avait entendue autrefois dans la bouche de son amie.

Dans l'échancrure de son corsage de crêpe, Mlle Vinteuil sentit que son amie piquait un baiser, elle poussa un petit cri, s'échappa, et elles se poursuivirent en sautant, faisant voleter leurs larges manches comme des ailes et gloussant et piaillant comme des oiseaux amoureux. Puis Mlle Vinteuil finit par tomber sur le canapé, recouverte par le corps de son amie. Mais celle-ci tournait le dos à la petite table sur laquelle était placé le portrait de l'ancien professeur de piano. Mlle Vinteuil comprit que son amie ne le verrait pas si elle n'attirait pas sur lui son attention, et elle lui dit, comme si elle venait seulement de le remarquer :

— Oh ! ce portrait de mon père qui nous regarde, je ne sais pas qui a pu le mettre là, j'ai pourtant dit vingt fois que ce n'était pas sa place.

Je me souvins que c'étaient les mots que M. Vinteuil avait dits à mon père à propos du morceau de musique. Ce portrait leur servait sans doute habituellement pour des profanations rituelles, car son amie lui répondit par ces paroles qui devaient faire partie de ses réponses liturgiques :

— Mais laisse-le donc où il est, il n'est plus là pour nous embêter. Crois-tu qu'il pleurnicherait, qu'il voudrait te mettre ton manteau, s'il te voyait là, la fenêtre ouverte, le vilain singe.

Mlle Vinteuil répondit par des paroles de doux reproche : « Voyons, voyons », qui prouvaient la bonté de sa nature, non qu'elles fussent dictées par l'indignation que cette façon de parler de son père eût pu lui causer (évidemment, c'était là un sentiment qu'elle s'était habituée, à l'aide de quels sophismes ? à faire taire en elle dans ces minutes-là), mais parce qu'elles étaient comme un frein que, pour ne pas se montrer égoïste, elle mettait elle-même au plaisir que son amie cherchait à lui procurer. Et puis cette modération souriante en répondant à ces blasphèmes, ce reproche hypocrite et tendre, paraissaient peut-être à sa nature franche et bonne une forme particulièrement infâme, une forme doucereuse de cette scélératesse qu'elle cherchait à s'assimiler. Mais elle ne put résister à l'attrait du plaisir qu'elle éprouverait à être traitée avec douceur par une personne si implacable envers un mort sans défense ; elle sauta sur les genoux de son amie, et lui tendit chastement son front à baiser comme elle aurait pu faire si elle avait été sa fille, sentant avec délices qu'elles allaient ainsi toutes deux au bout de la cruauté en ravissant à M. Vinteuil, jusque dans le tombeau, sa paternité. Son amie lui prit la tête entre ses mains et lui déposa un baiser sur le front avec cette docilité que lui rendait facile la grande affection qu'elle avait pour Mlle Vinteuil et le désir de mettre quelque distraction dans la vie si triste maintenant de l'orpheline.

— Sais-tu ce que j'ai envie de lui faire à cette vieille horreur? dit-elle en prenant le portrait.

Et elle murmura à l'oreille de Mlle Vinteuil quelque chose que je ne pus entendre.

— Oh! tu n'oserais pas.

— Je n'oserais pas cracher dessus? sur *ça?* dit l'amie avec une brutalité voulue.

Je n'en entendis pas davantage, car Mlle Vinteuil, d'un air las, gauche, affairé, honnête et triste, vint fermer les volets et la fenêtre, mais je savais maintenant, pour toutes les souffrances que pendant sa vie M. Vinteuil avait supportées à cause de sa fille, ce qu'après la mort il avait reçu d'elle en salaire.

Et pourtant j'ai pensé depuis que si M. Vinteuil avait pu assister à cette scène, il n'eût peut-être pas encore perdu sa foi dans le bon cœur de sa fille, et peut-être même n'eût-il pas eu en cela tout à fait tort. Certes, dans les habitudes de Mlle Vinteuil l'apparence du mal était si entière qu'on aurait eu de la peine à la rencontrer réalisée à ce degré de perfection ailleurs que chez une sadique; c'est à la lumière de la rampe des théâtres du boulevard plutôt que sous la lampe d'une maison de campagne véritable qu'on peut voir une fille faire cracher une amie sur le portrait d'un père qui n'a vécu que pour elle; et il n'y a guère que le sadisme qui donne un fondement dans la vie à l'esthétique du mélodrame. Dans la réalité, en dehors des cas de sadisme, une fille aurait peut-être des manquements aussi cruels que ceux de Mlle Vinteuil envers la mémoire et les volontés de son père mort, mais elle ne les résumerait pas expressément en un acte d'un symbolisme aussi rudimentaire et aussi naïf; ce que sa conduite aurait de criminel serait plus voilé aux yeux des autres et même à ses yeux à elle qui ferait le mal sans se l'avouer. Mais, au delà de l'apparence, dans le cœur de Mlle Vinteuil, le mal, au début du moins, ne fut sans doute pas sans mélange. Une sadique comme elle est l'artiste du mal, ce qu'une créature entièrement mauvaise ne pourrait être, car le mal ne lui serait pas extérieur, il lui semblerait tout naturel, ne se distinguerait même pas d'elle; et la vertu, la mémoire des morts, la tendresse filiale, comme elle n'en aurait pas le culte, elle ne trouverait pas un plaisir sacrilège à les profaner. Les sadiques de l'espèce de Mlle Vinteuil sont des êtres si purement sentimentaux, si naturellement vertueux que même le plaisir sensuel leur paraît quelque chose de mauvais, le privilège des méchants. Et quand ils se concèdent à eux-mêmes de s'y livrer un moment, c'est dans la peau des méchants qu'ils tâchent d'entrer et de faire entrer leur complice, de façon à avoir eu un moment l'illusion de s'être évadés de leur âme scrupuleuse et tendre, dans le monde inhumain du plaisir. Et je comprenais combien elle l'eût désiré en voyant combien il lui était impossible d'y réussir. Au moment où elle se voulait si différente de son père, ce qu'elle me rappelait, c'était les façons de penser, de dire, du vieux professeur de piano. Bien plus que sa photographie, ce qu'elle profanait, ce qu'elle faisait servir à ses plaisirs mais qui restait entre eux et elle et l'empêchait de les goûter directement, c'était la ressemblance de son visage, les yeux bleus de sa mère à lui qu'il lui avait transmis comme un bijou de famille, ces gestes d'amabilité qui interposaient entre le vice de Mlle Vinteuil et elle une phraséologie, une mentalité qui n'était pas faite pour lui et l'empêchait de le connaître comme quelque chose de très différent des nombreux devoirs de politesse auxquels elle se consacrait d'habitude. Ce n'est pas le mal qui lui donnait l'idée du plaisir, qui lui semblait agréable; c'est le plaisir qui lui semblait malin. Et comme, chaque fois qu'elle s'y adonnait, il s'accompagnait pour elle de ces pensées mauvaises qui le reste du temps étaient absentes de son âme vertueuse, elle finissait par trouver au plaisir quelque chose de diabolique, par l'identifier au Mal. Peut-être Mlle Vinteuil sentait-elle que son amie n'était pas foncièrement mauvaise et qu'elle n'était pas sincère au moment où elle lui tenait ces propos blasphématoires. Du moins avait-elle le plaisir d'embrasser sur son visage des sourires, des regards, feints peut-être, mais analogues dans leur expression vicieuse et basse à ceux qu'aurait eus non un être de bonté et de souffrance, mais un être de cruauté et de plaisir. Elle pouvait s'imaginer un instant qu'elle jouait vraiment les jeux qu'eût joués, avec une complice aussi dénaturée, une fille qui aurait ressenti en effet ces sentiments barbares à l'égard de la mémoire de son père. Peut-être n'eût-elle pas pensé que le mal fût un état si rare, si extraordinaire, si dépaysant, où il était si reposant d'émigrer, si elle avait su discerner en elle, comme en tout le monde, cette indifférence aux souffrances qu'on cause et qui, quelques autres noms qu'on lui donne, est la forme terrible et permanente de la cruauté.

S'il était assez simple d'aller du côté de Méséglise, c'était une autre affaire d'aller du côté de Guermantes, car la promenade était longue et l'on voulait être sûr du temps qu'il ferait. Quand on semblait entrer dans une série de beaux jours ; quand Françoise, désespérée qu'il ne tombât pas une goutte d'eau pour les « pauvres récoltes » et ne voyant que de rares nuages blancs nageant à la surface calme et bleue du ciel, s'écriait en gémissant : « Ne dirait-on pas qu'on voit ni plus ni moins des chiens de mer qui jouent en montrant là-haut leurs museaux ? Ah ! ils pensent bien à faire pleuvoir pour les pauvres laboureurs ! Et puis quand les blés seront poussés, alors la pluie se mettra à tomber tout à petit patapon, sans discontinuer, sans plus savoir sur quoi elle tombe que si c'était sur la mer » ; quand mon père avait reçu invariablement les mêmes réponses favorables du jardinier et du baromètre, alors on disait au dîner : « Demain, s'il fait le même temps, nous irons du côté de Guermantes. » On partait tout de suite après déjeuner par la petite porte du jardin et on tombait dans la rue des Perchamps, étroite et formant un angle aigu, remplie de graminées au milieu desquelles deux ou trois guêpes passaient la journée à herboriser, aussi bizarre que son nom d'où me semblaient dériver ses particularités curieuses et sa personnalité revêche, et qu'on chercherait en vain dans le Combray d'aujourd'hui où sur son tracé ancien s'élève l'école. Mais ma rêverie (semblable à ces architectes élèves de Viollet-le-Duc, qui, croyant retrouver sous un jubé Renaissance et un autel du XVIIe siècle les traces d'un chœur roman, remettent tout l'édifice dans l'état où il devait être au XIIe siècle) ne laisse pas une pierre du bâtiment nouveau, reperce et « restitue » la rue des Perchamps. Elle a d'ailleurs pour ces reconstitutions des données plus précises que n'en ont généralement les restaurateurs : quelques images conservées par ma mémoire, les dernières peut-être qui existent encore actuellement, et destinées à être bientôt anéanties, de ce qu'était le Combray du temps de mon enfance; et, parce que c'est lui-même qui les a tracées en moi avant de disparaître, émouvantes — si on peut comparer un obscur portrait à ces effigies glorieuses dont ma grand'mère aimait à me donner des reproductions — comme ces gravures anciennes de la Cène ou ce tableau de Gentile Bellini, dans lesquels l'on voit en un état qui n'existe plus aujourd'hui le chef-d'œuvre de Vinci et le portail de Saint-Marc.

On passait, rue de l'Oiseau, devant la vieille hôtellerie de l'Oiseau flesché dans la grande cour de laquelle entrèrent quelquefois au XVIIe siècle les carrosses des duchesses de Montpensier, de Guermantes et de Montmorency, quand elles avaient à venir à Combray pour quelque contestation avec leurs fermiers, pour une question d'hommage. On gagnait le mail entre les arbres duquel apparaissait le clocher de Saint-Hilaire. Et j'aurais voulu pouvoir m'asseoir là et rester toute la journée à lire en écoutant les cloches; car il faisait si beau et si tranquille que, quand sonnait l'heure, on aurait dit non qu'elle rompait le calme du jour, mais qu'elle le débarrassait de ce qu'il contenait et que le clocher, avec l'exactitude indolente et soigneuse d'une personne qui n'a rien d'autre à faire, venait seulement — pour exprimer et laisser tomber les quelques gouttes d'or que la chaleur y avait lentement et naturellement amassées — de presser, au moment voulu, la plénitude du silence.

Le plus grand charme du côté de Guermantes, c'est qu'on y avait presque tout le temps à côté de soi le cours de la Vivonne. On la traversait une première fois, dix minutes après avoir quitté la maison, sur une passerelle dite le Pont-Vieux. Dès le lendemain de notre arrivée, le jour de Pâques après le sermon, s'il faisait beau temps, je courais jusque-là, voir dans ce désordre d'un matin de grande fête où quelques préparatifs somptueux font paraître plus sordides les ustensiles de ménage qui traînent encore, la rivière qui se promenait déjà en bleu ciel entre les terres encore noires et nues, accompagnée seulement d'une bande de coucous arrivés trop tôt et de primevères en avance, cependant que çà et là une violette au bec bleu laissait fléchir sa tige sous le poids de la goutte d'odeur qu'elle tenait dans son cornet. Le Pont-Vieux débouchait dans un sentier de halage qui à cet endroit se tapissait l'été du feuillage bleu d'un noisetier sous lequel un pêcheur en chapeau de paille avait pris racine. À Combray où je savais quelle individualité de maréchal ferrant ou de garçon épicier était dissimulée sous l'uniforme du suisse ou le surplis de l'enfant de chœur, ce pêcheur est la seule personne dont je n'aie jamais découvert l'identité. Il devait connaître mes parents, car il soulevait son chapeau quand nous passions; je voulais alors demander son nom, mais on me faisait signe de me taire pour ne pas effrayer le poisson. Nous nous engagions dans le sentier de halage qui dominait le courant d'un talus de plusieurs pieds; de l'autre côté la rive était basse, étendue en vastes prés jusqu'au village et jusqu'à la gare qui en était distante. Ils étaient semés des restes, à demi enfouis dans l'herbe, du château des anciens comtes de Combray qui au moyen âge avait de ce côté le cours de la Vivonne comme défense contre les attaques des sires de Guermantes et des abbés de Martinville. Ce n'étaient plus que quelques fragments de tours bossuant la prairie, à peine apparents, quelques créneaux d'où jadis l'arbalétrier lançait des pierres, d'où le guetteur surveillait Novepont, Clairefontaine, Martinville-le-Sec, Bailleau-l'Exempt, toutes terres vassales de Guermantes entre lesquelles Combray était enclavé, aujourd'hui au ras de l'herbe, dominés par les enfants de l'école des frères qui venaient là apprendre leurs leçons ou jouer aux récréations — passé presque descendu dans la terre, couché au bord de l'eau comme un promeneur qui prend le frais, mais me donnant fort à songer, me faisant ajouter dans le nom de Combray à la petite ville d'aujourd'hui une cité très différente, retenant mes pensées par son visage incompréhensible et d'autrefois qu'il cachait à demi sous les boutons d'or. Ils étaient fort nombreux à cet endroit qu'ils avaient choisi pour leurs jeux sur l'herbe, isolés, par couples, par troupes, jaunes comme un jaune d'œuf, brillant[1] d'autant plus, me semblait-il, que, ne pouvant dériver vers aucune velléité de dégustation le plaisir que leur vue me causait, je l'accumulais dans leur surface dorée, jusqu'à ce qu'il devînt assez puissant pour produire de l'inutile beauté; et cela dès ma plus petite enfance, quand du sentier de halage je tendais les bras vers eux sans pouvoir épeler complètement leur joli nom de Princes de contes de fées français, venus peut-être il y a bien des siècles d'Asie, mais apatriés pour toujours au village, contents du modeste horizon, aimant le soleil et le bord de l'eau, fidèles à la petite vue de la gare, gardant encore pourtant comme certaines de nos vieilles toiles peintes, dans leur simplicité populaire, un poétique éclat d'Orient.

Je m'amusais à regarder les carafes que les gamins mettaient dans la Vivonne pour prendre les petits poissons, et qui, remplies par la rivière où elles sont à leur tour encloses, à la fois « contenant » aux flancs transparents comme une eau durcie et « contenu » plongé dans un plus grand contenant de cristal liquide et courant, évoquaient l'image de la fraîcheur d'une façon plus délicieuse et plus irritante qu'elles n'eussent fait sur une table servie, en ne la montrant qu'en fuite dans cette allitération perpétuelle entre l'eau sans consistance où les mains ne pouvaient la capter et le verre sans fluidité où le palais ne pourrait en jouir. Je me promettais de venir là plus tard avec des lignes; j'obtenais qu'on tirât un peu de pain des provisions du goûter, j'en jetais dans la Vivonne des boulettes qui semblaient suffire pour y provoquer un phénomène de sursaturation, car l'eau se solidifiait aussitôt autour d'elles en grappes ovoïdes de têtards inanitiés qu'elle tenait sans doute jusque-là en dissolution, invisibles, tout près d'être en voie de cristallisation.

Bientôt le cours de la Vivonne s'obstrue de plantes d'eau. Il y en a d'abord d'isolées comme tel nénufar à qui le courant au travers duquel il était placé d'une façon malheureuse laissait si peu de repos que, comme un bac actionné mécaniquement, il n'abordait une rive que pour retourner à celle d'où il était venu, refaisant éternellement la double traversée. Poussé vers la rive, son pédoncule se dépliait, s'allongeait, filait, atteignait l'extrême limite de sa tension jusqu'au bord où le courant le reprenait, le vert cordage se repliait sur lui-même et ramenait la pauvre plante à ce qu'on peut d'autant mieux appeler son point de départ qu'elle n'y restait pas une seconde sans en repartir par une répétition de la même manœuvre. Je la retrouvais de promenade en promenade, toujours dans la même situation, faisant penser à certains neurasthéniques au nombre desquels mon grand-père comptait ma tante Léonie, qui nous offrent sans changement au cours des années le spectacle des habitudes bizarres qu'ils se croient chaque fois à la veille de secouer et qu'ils gardent toujours; pris dans l'engrenage de leurs malaises et de leurs manies, les efforts dans lesquels ils se débattent inutilement pour en sortir ne font qu'assurer le fonctionnement et faire jouer le déclic de leur diététique étrange, inéluctable et funeste. Tel était ce nénufar, pareil aussi à quelqu'un de ces malheureux dont le tourment singulier, qui se répète indéfiniment durant l'éternité, excitait la curiosité de Dante, et dont il se serait fait raconter plus longuement les particularités et la cause par le supplicié lui-même, si Virgile, s'éloignant à grands pas, ne l'avait forcé à le rattraper au plus vite, comme moi mes parents.

Mais plus loin le courant se ralentit, il traverse une propriété dont l'accès était ouvert au public par celui à qui elle appartenait et qui s'y était complu à des travaux d'horticulture aquatique, faisant fleurir, dans les petits étangs que forme la Vivonne, de véritables jardins de nymphéas. Comme les rives étaient à cet endroit très boisées, les grandes ombres des arbres donnaient à l'eau un fond qui était habituellement d'un vert sombre mais que parfois, quand nous rentrions par certains soirs rassérénés d'après-midi orageux, j'ai vu d'un bleu clair et cru, tirant sur le violet, d'apparence cloisonnée et de goût japonais. Çà et là, à la surface, rougissait comme une fraise une fleur de nymphéa au cœur écarlate, blanc sur les bords. Plus loin, les fleurs plus nombreuses étaient plus pâles, moins lisses, plus grenues, plus plissées, et disposées par le hasard en enroulements si gracieux qu'on croyait voir flotter à la dérive, comme après l'effeuillement mélancolique d'une fête galante, des roses mousseuses en guirlandes dénouées. Ailleurs, un coin semblait réservé aux espèces communes qui montraient le blanc et le rose proprets de la julienne, lavés comme de la porcelaine avec un soin domestique, tandis qu'un peu plus loin, pressées les unes contre les autres en une véritable plate-bande flottante, on eût dit des pensées des jardins qui étaient venues poser comme des papillons leurs ailes bleuâtres et glacées sur l'obliquité transparente de ce parterre d'eau; de ce parterre céleste aussi : car il donnait aux fleurs un sol d'une couleur plus précieuse, plus émouvante que la couleur des fleurs elles-mêmes; et, soit que pendant l'après-midi il fît étinceler sous les nymphéas le kaléidoscope d'un bonheur attentif, silencieux et mobile, ou qu'il s'emplît vers le soir, comme quelque port lointain, du rose et de la rêverie du couchant, changeant sans cesse pour rester toujours en accord, autour des corolles de teintes plus fixes, avec ce qu'il y a de plus profond, de plus fugitif, de plus mystérieux — avec ce qu'il y a d'infini — dans l'heure, il semblait les avoir fait fleurir en plein ciel.

Au sortir de ce parc, la Vivonne redevient courante. Que de fois j'ai vu, j'ai désiré imiter quand je serais libre de vivre à ma guise, un rameur, qui, ayant lâché l'aviron, s'était couché à plat sur le dos, la tête en bas, au fond de sa barque, et la laissant flotter à la dérive, ne pouvant voir que le ciel qui filait lentement au-dessus de lui, portait sur son visage l'avant-goût du bonheur et de la paix!

Nous nous asseyions entre les iris au bord de l'eau. Dans le ciel férié flânait longuement un nuage oisif. Par moments, oppressée par l'ennui, une carpe se dressait hors de l'eau dans une aspiration anxieuse. C'était l'heure du goûter. Avant de repartir nous restions longtemps à manger des fruits, du pain et du chocolat, sur l'herbe où parvenaient jusqu'à nous, horizontaux, affaiblis, mais denses et métalliques encore, des sons de la cloche de Saint-Hilaire qui ne s'étaient pas mélangés à l'air qu'ils traversaient depuis si longtemps et, côtelés par la palpitation successive de toutes leurs lignes sonores, vibraient en rasant les fleurs, à nos pieds.

Parfois, au bord de l'eau entourée de bois, nous rencontrions une maison dite de plaisance, isolée, perdue, qui ne voyait rien du monde que la rivière qui baignait ses pieds. Une jeune femme dont le visage pensif et les voiles élégants n'étaient pas de ce pays et qui sans doute était venue, selon l'expression populaire, « s'enterrer » là, goûter le plaisir amer de sentir que son nom, le nom surtout de celui dont elle n'avait pu garder le cœur, y était inconnu, s'encadrait dans la fenêtre qui ne lui laissait pas regarder plus loin que la barque amarrée près de la porte. Elle levait distraitement les yeux en entendant derrière les arbres de la rive la voix des passants dont, avant qu'elle eût aperçu leur visage, elle pouvait être certaine que jamais ils n'avaient connu, ni ne connaîtraient l'infidèle, que rien dans leur passé ne gardait sa marque, que rien dans leur avenir n'aurait l'occasion de la recevoir. On sentait que, dans son renoncement, elle avait volontairement quitté des lieux où elle aurait pu du moins apercevoir celui qu'elle aimait, pour ceux-ci qui ne l'avaient jamais vu. Et je la regardais, revenant de quelque promenade sur un chemin où elle savait qu'il ne passerait pas, ôter de ses mains résignées de longs gants d'une grâce inutile.

Jamais dans la promenade du côté de Guermantes nous ne pûmes remonter jusqu'aux sources de la Vivonne, auxquelles j'avais souvent pensé et qui avaient pour moi une existence si abstraite, si idéale, que j'avais été aussi surpris quand on m'avait dit qu'elles se trouvaient dans le département, à une certaine distance kilométrique de Combray, que le jour où j'avais appris qu'il y avait un autre point précis de la terre où s'ouvrait, dans l'antiquité, l'entrée des Enfers. Jamais non plus nous ne pûmes pousser jusqu'au terme que j'eusse tant souhaité d'atteindre, jusqu'à Guermantes. Je savais que là résidaient des châtelains, le duc et la duchesse de Guermantes, je savais qu'ils étaient des personnages réels et actuellement existants, mais chaque fois que je pensais à eux, je me les représentais tantôt en tapisserie, comme était la comtesse de Guermantes dans le « Couronnement d'Esther » de notre église, tantôt de nuances changeantes, comme était Gilbert le Mauvais dans le vitrail où il passait du vert chou au bleu prune, selon que j'étais encore à prendre de l'eau bénite ou que j'arrivais à nos chaises, tantôt tout à fait impalpables comme l'image de Geneviève de Brabant, ancêtre de la famille de Guermantes, que la lanterne magique promenait sur les rideaux de ma chambre ou faisait monter au plafond, — enfin toujours enveloppés du mystère des temps mérovingiens et baignant, comme dans un coucher de soleil, dans la lumière orangée qui émane de cette syllabe : « antes ». Mais si malgré cela ils étaient pour moi, en tant que duc et duchesse, des êtres réels, bien qu'étranges, en revanche leur personne ducale se distendait démesurément, s'immatérialisait, pour pouvoir contenir en elle ce Guermantes dont ils étaient duc et duchesse, tout ce « côté de Guermantes » ensoleillé, le cours de la Vivonne, ses nymphéas et ses grands arbres, et tant de beaux après-midi. Et je savais qu'ils ne portaient pas seulement le titre de duc et de duchesse de Guermantes, mais que depuis le XIVe siècle où, après avoir inutilement essayé de vaincre ses anciens seigneurs, ils s'étaient alliés à eux par des mariages, ils étaient comtes de Combray, les premiers des citoyens de Combray par conséquent et pourtant les seuls qui n'y habitassent pas. Comtes de Combray, possédant Combray au milieu de leur nom, de leur personne, et sans doute ayant effectivement en eux cette étrange et pieuse tristesse qui était spéciale à Combray; propriétaires de la ville, mais non d'une maison particulière, demeurant sans doute dehors, dans la rue, entre ciel et terre, comme ce Gilbert de Guermantes dont je ne voyais aux vitraux de l'abside de Saint-Hilaire que l'envers de laque noire, si je levais la tête quand j'allais chercher du sel chez Camus.

Puis il arriva que sur le côté de Guermantes je passai parfois devant de petits enclos humides où montaient des grappes de fleurs sombres. Je m'arrêtais, croyant acquérir une notion précieuse, car il me semblait avoir sous les yeux un fragment de cette région fluviatile que je désirais tant connaître depuis que je l'avais vue décrite par un de mes écrivains préférés. Et ce fut avec elle, avec son sol imaginaire traversé de cours d'eau bouillonnants, que Guermantes, changeant d'aspect dans ma pensée[1], s'identifia, quand j'eus entendu le docteur Percepied nous parler des fleurs et des belles eaux vives qu'il y avait dans le parc du château. Je rêvais que Mme de Guermantes m'y faisait venir, éprise pour moi d'un soudain caprice; tout le jour elle y pêchait la truite avec moi. Et le soir, me tenant par la main, en passant devant les petits jardins de ses vassaux, elle me montrait, le long des murs bas, les fleurs qui y appuient leurs quenouilles violettes et rouges et m'apprenait leurs noms. Elle me faisait lui dire le sujet des poèmes que j'avais l'intention de composer. Et ces rêves m'avertissaient que, puisque je voulais un jour être un écrivain, il était temps de savoir ce que je comptais écrire. Mais dès que je me le demandais, tâchant de trouver un sujet où je pusse faire tenir une signification philosophique infinie, mon esprit s'arrêtait[1] de fonctionner, je ne voyais plus que le vide en face de mon attention, je sentais que je n'avais pas de génie ou peut-être une maladie cérébrale l'empêchait de naître. Parfois je comptais sur mon père pour arranger cela. Il était si puissant, si en faveur auprès des gens en place qu'il arrivait à nous faire transgresser les lois que Françoise m'avait appris à considérer comme plus inéluctables que celles de la vie et de la mort, à faire retarder d'un an pour notre maison, seule de tout le quartier, les travaux de « ravalement », à obtenir du ministre, pour le fils de Mme Sazerat qui voulait aller aux eaux, l'autorisation qu'il passât le baccalauréat deux mois d'avance, dans la série des candidats dont le nom commençait par un *A* au lieu d'attendre le tour des *S*. Si j'étais tombé gravement malade, si j'avais été capturé par des brigands, persuadé que mon père avait trop d'intelligences avec les puissances suprêmes, de trop irrésistibles lettres de recommandation auprès du bon Dieu pour que ma maladie ou ma captivité pussent être autre chose que de vains simulacres sans danger pour moi, j'aurais attendu avec calme[2] l'heure inévitable du retour à la bonne réalité, l'heure de la délivrance ou de la guérison; peut-être cette absence de génie, ce trou noir qui se creusait dans mon esprit quand je cherchais le sujet de mes écrits futurs, n'était-il aussi qu'une illusion sans consistance, et cesserait-elle par l'intervention de mon père qui avait dû convenir avec le Gouvernement et avec la Providence que je serais le premier écrivain de l'époque. Mais d'autres fois, tandis que mes parents s'impatientaient de me voir rester en arrière et ne pas les suivre, ma vie actuelle, au lieu de me sembler une création artificielle de mon père et qu'il pouvait modifier à son gré, m'apparaissait au contraire comme comprise[3] dans une réalité qui n'était pas faite pour moi, contre laquelle il n'y avait pas de recours, au cœur de laquelle je n'avais pas d'allié, qui ne cachait rien au delà d'elle-même. Il me semblait alors que j'existais de la même façon que les autres hommes, que je vieillirais, que je mourrais comme eux, et que parmi eux j'étais seulement du nombre de ceux qui n'ont pas de dispositions pour écrire. Aussi, découragé, je renonçais à jamais à la littérature, malgré les encouragements que m'avait donnés Bloch. Ce sentiment intime, immédiat, que j'avais du néant de ma pensée, prévalait contre toutes les paroles flatteuses qu'on pouvait me prodiguer comme, chez un méchant dont chacun vante les bonnes actions, les remords de sa conscience.

Un jour ma mère me dit : « Puisque tu parles toujours de Mme de Guermantes, comme le docteur Percepied l'a très bien soignée il y a quatre ans, elle doit venir à Combray pour assister au mariage de sa fille. Tu pourras l'apercevoir à la cérémonie. ». C'était du reste par le docteur Percepied que j'avais le plus entendu parler de Mme de Guermantes, et il nous avait même montré le numéro d'une revue illustrée où elle était représentée dans le costume qu'elle portait à un bal travesti chez la princesse de Léon.

Tout d'un coup, pendant la messe de mariage, un mouvement que fit le suisse en se déplaçant me permit de voir assise dans une chapelle une dame blonde avec un grand nez, des yeux bleus et perçants, une cravate bouffante en soie mauve, lisse, neuve et brillante, et un petit bouton au coin du nez. Et parce que dans la surface de son visage rouge, comme si elle eût eu très chaud, je distinguais, diluées et à peine perceptibles, des parcelles d'analogie avec le portrait qu'on m'avait montré, parce que surtout les traits particuliers que je relevais en elle, si j'essayais de les énoncer, se formulaient précisément dans les mêmes termes : un grand nez, des yeux bleus, dont s'était servi le docteur Percepied quand il avait décrit devant moi la duchesse de Guermantes, je me dis : Cette dame ressemble à Mme de Guermantes; or la chapelle où elle suivait la messe[1] était celle de Gilbert le Mauvais, sous les plates tombes de laquelle, dorées et distendues comme des alvéoles de miel, reposaient les anciens comtes de Brabant, et que je me rappelais être, à ce qu'on m'avait dit, réservée à la famille de Guermantes quand quelqu'un de ses membres venait[2] pour une cérémonie à Combray; il ne pouvait vraisemblablement y avoir qu'une seule femme ressemblant au portrait de Mme de Guermantes, qui fût ce jour-là, jour où elle devait justement venir, dans cette chapelle : c'était elle! Ma déception était grande. Elle provenait[3] de ce que je n'avais jamais pris garde, quand je pensais à Mme de Guermantes, que je me la représentais avec les couleurs d'une tapisserie ou d'un vitrail, dans un autre siècle, d'une autre manière que le reste des personnes vivantes. Jamais je ne m'étais avisé qu'elle pouvait avoir une figure rouge, une cravate mauve comme Mme Sazerat, et l'ovale de ses joues me fit tellement souvenir de personnes que j'avais vues à la maison que le soupçon m'effleura, pour se dissiper d'ailleurs aussitôt[1], que cette dame, en son principe générateur, en toutes ses molécules, n'était peut-être pas substantiellement la duchesse de Guermantes, mais que son corps, ignorant du nom qu'on lui appliquait, appartenait à un certain type féminin qui comprenait aussi des femmes de médecins et de commerçants. « C'est cela, ce n'est que cela, Mme de Guermantes ! », disait la mine attentive et étonnée avec laquelle je contemplais cette image qui naturellement n'avait aucun rapport avec celles qui, sous le même nom de Mme de Guermantes, étaient apparues tant de fois dans mes songes, puisque, elle, elle n'avait pas été comme les autres arbitrairement formée par moi, mais qu'elle m'avait sauté aux yeux pour la première fois, il y a un moment seulement, dans l'église ; qui n'était pas de la même nature, n'était pas colorable à volonté comme celles qui se laissaient imbiber de la teinte orangée d'une syllabe, mais était si réelle que tout, jusqu'à ce petit bouton qui s'enflammait au coin du nez, certifiait son assujettissement aux lois de la vie, comme, dans une apothéose de théâtre, un plissement de la robe de la fée, un tremblement de son petit doigt, dénoncent la présence matérielle d'une actrice vivante, là où nous étions incertains si nous n'avions pas devant les yeux une simple[2] projection lumineuse.

Mais en même temps, sur cette image que le nez proéminent, les yeux perçants épinglaient dans ma vision (peut-être parce que c'était eux qui l'avaient d'abord atteinte, qui y avaient fait la première encoche, au moment où je n'avais pas encore le temps de songer que la femme qui apparaissait devant moi pouvait être Mme de Guermantes), sur cette image toute récente, inchangeable, j'essayais d'appliquer l'idée : « C'est Mme de Guermantes », sans parvenir qu'à la faire manœuvrer en face de l'image, comme deux disques séparés par un intervalle. Mais cette Mme de Guermantes à laquelle j'avais si souvent rêvé, maintenant que je voyais qu'elle existait effectivement en dehors de moi, en prit plus de puissance encore sur mon imagination qui, un moment paralysée au contact d'une réalité si différente de ce qu'elle attendait, se mit à réagir et à me dire : « Glorieux dès avant Charlemagne, les Guermantes avaient le droit de vie et de mort sur leurs vassaux; la duchesse de Guermantes descend de Geneviève de Brabant. Elle ne connaît, ni ne consentirait à connaître aucune des personnes qui sont ici. »

Et — ô merveilleuse indépendance des regards humains, retenus au visage par une corde si lâche, si longue, si extensible qu'ils peuvent se promener seuls loin de lui! — pendant que Mme de Guermantes était assise dans la chapelle au-dessus des tombes de ses morts, ses regards flânaient çà et là, montaient le long des piliers, s'arrêtaient même sur moi comme un rayon de soleil errant dans la nef, mais un rayon de soleil qui, au moment où je reçus sa caresse, me sembla conscient. Quant à Mme de Guermantes elle-même, comme elle restait immobile, assise comme une mère qui semble ne pas voir les audaces espiègles et les entreprises indiscrètes de ses enfants qui jouent et interpellent des personnes qu'elle ne connaît pas, il me fut impossible de savoir si elle approuvait ou blâmait, dans le désœuvrement de son âme, le vagabondage de ses regards.

Je trouvais important qu'elle ne partît pas avant que j'eusse pu la regarder suffisamment, car je me rappelais que depuis des années je considérais sa vue comme éminemment désirable, et je ne détachais pas mes yeux d'elle, comme si chacun de mes regards eût pu matériellement emporter et mettre en réserve en moi le souvenir du nez proéminent, des joues rouges, de toutes ces particularités qui me semblaient autant de renseignements précieux, authentiques et singuliers sur son visage. Maintenant que me le faisaient trouver beau toutes les pensées que j'y rapportais — et peut-être surtout, forme de l'instinct de conservation des meilleures parties de nous-mêmes, ce désir qu'on a toujours de ne pas avoir été déçu — la replaçant (puisque c'était une seule personne qu'elle et cette duchesse de Guermantes que j'avais évoquée jusque-là) hors du reste de l'humanité dans laquelle la vue pure et simple de son corps me l'avait fait un instant confondre, je m'irritais en entendant dire autour de moi : « Elle est mieux que Mme Sazerat, que Mlle Vinteuil », comme si elle leur eût été comparable.

Et mes regards s'arrêtant à ses cheveux blonds, à ses yeux bleus, à l'attache de son cou et omettant les traits qui eussent pu me rappeler d'autres visages, je m'écriais devant ce croquis volontairement incomplet : « Qu'elle est belle! Quelle noblesse! Comme c'est bien une fière Guermantes, la descendante de Geneviève de Brabant, que j'ai devant moi! » Et l'attention avec laquelle j'éclairais son visage l'isolait tellement qu'aujourd'hui, si je repense à cette cérémonie, il m'est impossible de revoir une seule des personnes qui y assistaient sauf elle et le suisse qui répondit affirmativement quand je lui demandai si cette dame était bien Mme de Guermantes. Mais elle, je la revois, surtout au moment du défilé dans la sacristie qu'éclairait le soleil intermittent et chaud d'un jour de vent et d'orage, et dans laquelle[1] Mme de Guermantes se trouvait au milieu de tous ces gens de Combray dont elle ne savait même pas les noms, mais dont l'infériorité proclamait trop sa suprématie pour qu'elle ne ressentît pas pour eux une sincère bienveillance, et auxquels du reste elle espérait imposer davantage encore à force de bonne grâce et de simplicité. Aussi, ne pouvant émettre ces regards volontaires, chargés d'une signification précise, qu'on adresse à quelqu'un qu'on connaît, mais seulement laisser ses pensées distraites s'échapper incessamment devant elle en un flot de lumière bleue qu'elle ne pouvait contenir, elle ne voulait pas qu'il pût gêner, paraître dédaigner ces petites gens qu'il rencontrait au passage, qu'il atteignait à tous moments. Je revois encore, au-dessus de sa cravate mauve, soyeuse et gonflée, le doux étonnement de ses yeux auxquels elle avait ajouté, sans oser le destiner à personne, mais pour que tous pussent en prendre leur part, un sourire un peu timide de suzeraine qui a l'air de s'excuser auprès de ses vassaux et de les aimer. Ce sourire tomba sur moi qui ne la quittais pas des yeux. Alors me rappelant ce regard qu'elle avait laissé s'arrêter sur moi, pendant la messe, bleu comme un rayon de soleil qui aurait traversé le vitrail de Gilbert le Mauvais, je me dis : « Mais sans doute elle fait attention à moi. » Je crus que je lui plaisais, qu'elle penserait encore à moi quand elle aurait quitté l'église, qu'à cause de moi elle serait peut-être triste le soir à Guermantes. Et aussitôt je l'aimai, car s'il peut quelquefois suffire pour que nous aimions une femme qu'elle nous regarde avec mépris, comme j'avais cru qu'avait fait Mlle Swann, et que nous pensions qu'elle ne pourra jamais nous appartenir, quelquefois aussi il peut suffire qu'elle nous regarde avec bonté comme faisait Mme de Guermantes et que nous pensions qu'elle pourra nous appartenir. Ses yeux bleuissaient comme une pervenche impossible à cueillir et que pourtant elle m'eût dédiée; et le soleil, menacé par un nuage mais dardant encore de toute sa force sur la place et dans la sacristie, donnait une carnation de géranium aux tapis rouges qu'on y avait étendus par terre pour la solennité et sur lesquels s'avançait en souriant Mme de Guermantes, et ajoutait à leur lainage un velouté rose, un épiderme de lumière, cette sorte de tendresse, de sérieuse douceur dans la pompe et dans la joie qui caractérisent certaines pages de *Lohengrin,* certaines peintures de Carpaccio, et qui font comprendre que Baudelaire ait pu appliquer au son de la trompette l'épithète de délicieux.

Combien depuis ce jour, dans mes promenades du côté de Guermantes, il me parut plus affligeant encore qu'auparavant de n'avoir pas de dispositions pour les lettres, et de devoir renoncer à être jamais un écrivain célèbre! Les regrets que j'en éprouvais, tandis que je restais seul à rêver un peu à l'écart, me faisaient tant souffrir, que pour ne plus les ressentir, de lui-même par une sorte d'inhibition devant la douleur, mon esprit s'arrêtait entièrement de penser aux vers, aux romans, à un avenir poétique sur lequel mon manque de talent m'interdisait de compter. Alors, bien en dehors de toutes ces préoccupations littéraires et ne s'y rattachant en rien, tout d'un coup un toit, un reflet de soleil sur une pierre, l'odeur d'un chemin me faisaient arrêter par un plaisir particulier qu'ils me donnaient, et aussi parce qu'ils avaient l'air de cacher, au delà de ce que je voyais, quelque chose qu'ils invitaient à venir prendre et que malgré mes efforts je n'arrivais pas à découvrir. Comme je sentais que cela se trouvait en eux, je restais là, immobile, à regarder, à respirer, à tâcher d'aller avec ma pensée au delà de l'image ou de l'odeur. Et s'il me fallait rattraper mon grand-père, poursuivre ma route, je cherchais à les retrouver en fermant les yeux; je m'attachais à me rappeler exactement la ligne du toit, la nuance de la pierre, qui, sans que je pusse comprendre pourquoi, m'avaient semblé pleines, prêtes à s'entr'ouvrir, à me livrer ce dont elles n'étaient qu'un couvercle. Certes ce n'était pas des impressions de ce genre qui pouvaient me rendre l'espérance que j'avais perdue de pouvoir être un jour écrivain et poète, car elles étaient toujours liées à un objet particulier dépourvu de valeur intellectuelle et ne se rapportant à aucune vérité abstraite. Mais du moins elles me donnaient un plaisir irraisonné, l'illusion d'une sorte de fécondité et par là me distrayaient de l'ennui, du sentiment de mon impuissance que j'avais éprouvés chaque fois que j'avais cherché un sujet philosophique pour une grande œuvre littéraire. Mais le devoir de conscience était si ardu, que m'imposaient ces impressions de forme, de parfum ou de couleur — de tâcher d'apercevoir ce qui se cachait derrière elles, que je ne tardais pas à me chercher à moi-même des excuses qui me permissent de me dérober à ces efforts et de m'épargner cette fatigue. Par bonheur mes parents m'appelaient, je sentais que je n'avais pas présentement la tranquillité nécessaire pour poursuivre utilement ma recherche, et qu'il valait mieux n'y plus penser jusqu'à ce que je fusse rentré, et ne pas me fatiguer d'avance sans résultat. Alors je ne m'occupais plus de cette chose inconnue qui s'enveloppait d'une forme ou d'un parfum, bien tranquille puisque je la ramenais à la maison, protégée par le revêtement d'images sous lesquelles je la trouverais vivante, comme les poissons que, les jours où on m'avait laissé aller à la pêche, je rapportais dans mon panier, couverts par une couche d'herbe qui préservait leur fraîcheur. Une fois à la maison je songeais à autre chose et ainsi s'entassaient dans mon esprit (comme dans ma chambre les fleurs que j'avais cueillies dans mes promenades ou les objets qu'on m'avait donnés) une pierre où jouait un reflet, un toit, un son de cloche, une odeur de feuilles, bien des images différentes sous lesquelles il y a longtemps qu'est morte la réalité pressentie que je n'ai pas eu assez de volonté pour arriver à découvrir. Une fois pourtant — où, notre promenade s'étant prolongée fort au delà de sa durée habituelle, nous avions été bien heureux de rencontrer à mi-chemin du retour, comme l'après-midi finissait, le docteur Percepied qui passait en voiture à bride abattue, nous avait reconnus et fait monter avec lui — j'eus une impression de ce genre et ne l'abandonnai pas sans un peu l'approfondir. On m'avait fait monter près du cocher, nous allions comme le vent parce que le docteur avait encore avant de rentrer à Combray à s'arrêter à Martinville-le-Sec chez un malade à la porte duquel il avait été convenu que nous l'attendrions. Au tournant d'un chemin j'éprouvai tout à coup ce plaisir spécial qui ne ressemblait à aucun autre, à apercevoir les deux clochers de Martinville, sur lesquels donnait le soleil couchant et que le mouvement de notre voiture et les lacets du chemin avaient l'air de faire changer de place, puis celui de Vieuxvicq qui, séparé d'eux par une colline et une vallée, et situé sur un plateau plus élevé dans le lointain, semblait pourtant tout voisin d'eux.

En constatant, en notant la forme de leur flèche, le déplacement de leurs lignes, l'ensoleillement de leur surface, je sentais que je n'allais pas au bout de mon impression, que quelque chose était derrière ce mouvement, derrière cette clarté, quelque chose qu'ils semblaient contenir et dérober à la fois.

Les clochers paraissaient si éloignés et nous avions l'air de si peu nous rapprocher d'eux, que je fus étonné quand, quelques instants après, nous nous arrêtâmes devant l'église de Martinville. Je ne savais pas la raison du plaisir que j'avais eu à les apercevoir à l'horizon et l'obligation de chercher à découvrir cette raison me semblait bien pénible; j'avais envie de garder en réserve dans ma tête ces lignes remuantes au soleil et de n'y plus penser maintenant. Et il est probable que, si je l'avais fait, les deux clochers seraient allés à jamais rejoindre tant d'arbres, de toits, de parfums, de sons, que j'avais distingués des autres à cause de ce plaisir obscur qu'ils m'avaient procuré et que je n'ai jamais approfondi. Je descendis causer avec mes parents en attendant le docteur. Puis nous repartîmes, je repris ma place sur le siège, je tournai la tête pour voir encore les clochers qu'un peu plus tard j'aperçus une dernière fois au tournant d'un chemin. Le cocher qui ne semblait pas disposé à causer ayant à peine répondu à mes propos, force me fut, faute d'autre compagnie, de me rabattre sur celle de moi-même et d'essayer de me rappeler mes clochers. Bientôt leurs lignes et leurs surfaces ensoleillées, comme si elles avaient été une sorte d'écorce, se déchirèrent, un peu de ce qui m'était caché en elles[1] m'apparut, j'eus une pensée qui n'existait pas pour moi l'instant avant, qui se formula en mots dans ma tête, et le plaisir que m'avait fait tout à l'heure éprouver leur vue s'en trouva tellement accru que, pris d'une sorte d'ivresse, je ne pus plus penser à autre chose. À ce moment et comme nous étions déjà loin de Martinville, en tournant la tête je les aperçus de nouveau, tout noirs cette fois, car le soleil était déjà couché. Par moments les tournants du chemin me les dérobaient, puis ils se montrèrent une dernière fois, et enfin je ne les vis plus.

Sans me dire que ce qui était caché derrière les clochers de Martinville devait être quelque chose d'analogue à une jolie phrase, puisque c'était sous la forme de mots qui me faisaient plaisir que cela m'était apparu, demandant un crayon et du papier au docteur, je composai malgré les cahots de la voiture, pour soulager ma conscience et obéir à mon enthousiasme, le petit morceau suivant que j'ai retrouvé depuis et auquel je n'ai eu à faire subir que peu de changements :

« Seuls, s'élevant du niveau de la plaine et comme perdus en rase campagne[1], montaient vers le ciel les deux clochers de Martinville. Bientôt nous en vîmes trois : venant se placer en face d'eux par une volte hardie, un clocher retardataire, celui de Vieuxvicq, les avait rejoints. Les minutes passaient, nous allions vite et pourtant les trois clochers étaient toujours au loin devant nous, comme trois oiseaux posés sur la plaine, immobiles et qu'on distingue au soleil. Puis le clocher de Vieuxvicq s'écarta, prit ses distances, et les clochers de Martinville restèrent seuls, éclairés par la lumière du couchant que même à cette distance, sur leurs pentes, je voyais jouer et sourire. Nous avions été si longs à nous rapprocher d'eux, que je pensais au temps qu'il faudrait encore pour les atteindre quand, tout d'un coup, la voiture ayant tourné, elle nous déposa à leurs pieds ; et ils s'étaient jetés si rudement au-devant d'elle, qu'on n'eut que le temps d'arrêter pour ne pas se heurter au porche. Nous poursuivîmes notre route ; nous avions déjà quitté Martinville depuis un peu de temps et le village après nous avoir accompagnés quelques secondes avait disparu, que restés seuls à l'horizon à nous regarder fuir, ses clochers et celui de Vieuxvicq agitaient en signe d'adieu leurs cimes ensoleillées. Parfois l'un s'effaçait pour que les deux autres pussent nous apercevoir un instant encore; mais la route changea de direction, ils virèrent dans la lumière comme trois pivots d'or et disparurent à mes yeux. Mais, un peu plus tard, comme nous étions déjà près de Combray, le soleil étant maintenant couché, je les aperçus une dernière fois de très loin, qui n'étaient plus que comme trois fleurs peintes sur le ciel au-dessus de la ligne basse des champs. Ils me faisaient penser aussi aux trois jeunes filles d'une légende, abandonnées dans une solitude où tombait déjà l'obscurité; et tandis que nous nous éloignions au galop, je les vis timidement chercher leur chemin et, après quelques gauches trébuchements de leurs nobles silhouettes, se serrer les uns contre les autres, glisser l'un derrière l'autre, ne plus faire sur le ciel encore rose qu'une seule forme noire, charmante et résignée, et s'effacer dans la nuit. »

Je ne repensai jamais à cette page, mais à ce moment-là, quand, au coin du siège où le cocher du docteur plaçait habituellement dans un panier les volailles qu'il avait achetées au marché de Martinville, j'eus fini de l'écrire, je me trouvai si heureux, je sentais qu'elle m'avait si parfaitement débarrassé de ces clochers et de ce qu'ils cachaient derrière eux, que comme si j'avais été moi-même une poule et si je venais de pondre un œuf, je me mis à chanter à tue-tête.

Pendant toute la journée, dans ces promenades, j'avais pu rêver au plaisir que ce serait d'être l'ami de la duchesse de Guermantes, de pêcher la truite, de me promener en barque sur la Vivonne, et, avide de bonheur, ne demander en ces moments-là rien d'autre à la vie que de se composer toujours d'une suite d'heureux après-midi. Mais quand sur le chemin du retour j'avais aperçu sur la gauche une ferme, assez distante de deux autres qui étaient au contraire très rapprochées, et à partir de laquelle, pour entrer dans Combray, il n'y avait plus qu'à prendre une allée de chênes bordée d'un côté de prés appartenant chacun à un petit clos et plantés à intervalles égaux de pommiers qui y portaient, quand ils étaient éclairés par le soleil couchant, le dessin japonais de leurs ombres, brusquement mon cœur se mettait à battre, je savais qu'avant une demi-heure nous serions rentrés et que, comme c'était de règle les jours où nous étions allés du côté de Guermantes et où le dîner était servi plus tard, on m'enverrait me coucher sitôt ma soupe prise, de sorte que ma mère, retenue à table comme s'il y avait du monde à dîner, ne monterait pas me dire bonsoir dans mon lit. La zone de tristesse où je venais d'entrer était aussi distincte de la zone où je m'élançais avec joie, il y avait un moment encore, que dans certains ciels une bande rose, est séparée comme par une ligne d'une bande verte ou d'une bande noire. On voit un oiseau voler dans le rose, il va en atteindre la fin, il touche presque au noir, puis il y est entré. Les désirs qui tout à l'heure m'entouraient, d'aller à Guermantes, de voyager, d'être heureux, j'étais maintenant tellement en dehors d'eux que leur accomplissement ne m'eût fait aucun plaisir. Comme j'aurais donné tout cela pour pouvoir pleurer toute la nuit dans les bras de maman! Je frissonnais, je ne détachais pas mes yeux angoissés du visage de ma mère, qui n'apparaîtrait pas ce soir dans la chambre où je me voyais déjà par la pensée, j'aurais voulu mourir. Et cet état durerait jusqu'au lendemain, quand les rayons du matin, appuyant, comme le jardinier, leurs barreaux au mur revêtu de capucines qui grimpaient jusqu'à ma fenêtre, je sauterais à bas du lit pour descendre vite au jardin, sans plus me rappeler que le soir ramènerait jamais l'heure de quitter ma mère. Et de la sorte c'est du côté de Guermantes que j'ai appris à distinguer ces états qui se succèdent en moi, pendant certaines périodes, et vont jusqu'à se partager chaque journée, l'un revenant chasser l'autre, avec la ponctualité de la fièvre; contigus, mais si extérieurs l'un à l'autre, si dépourvus de moyens de communication entre eux, que je ne puis plus comprendre, plus même me représenter, dans l'un, ce que j'ai désiré, ou redouté, ou accompli dans l'autre.

Aussi[1] le côté de Méséglise et le côté de Guermantes restent-ils pour moi liés à bien des petits événements de celle de toutes les diverses vies que nous menons parallèlement, qui est la plus pleine de péripéties, la plus riche en épisodes, je veux dire la vie intellectuelle. Sans doute elle progresse en nous insensiblement, et les vérités qui en ont changé pour nous le sens et l'aspect, qui nous ont ouvert de nouveaux chemins, nous en préparions depuis longtemps la découverte; mais c'était sans le savoir; et elles ne datent pour nous que du jour, de la minute où elles nous sont devenues visibles. Les fleurs qui jouaient alors sur l'herbe, l'eau qui passait au soleil, tout le paysage qui environna leur apparition continue à accompagner leur souvenir de son visage inconscient ou distrait; et certes quand ils étaient longuement contemplés par cet humble passant, par cet enfant qui rêvait — comme l'est un roi, par un mémorialiste perdu dans la foule, — ce coin de nature, ce bout de jardin n'eussent pu penser que ce serait grâce à lui qu'ils seraient appelés à survivre en leurs particularités les plus éphémères; et pourtant ce parfum d'aubépine qui butine le long de la haie où les églantiers le remplaceront bientôt, un bruit de pas sans écho sur le gravier d'une allée, une bulle formée contre une plante aquatique par l'eau de la rivière et qui crève aussitôt, mon exaltation les a portés et a réussi à leur faire traverser tant d'années successives, tandis qu'alentour les chemins se sont effacés et que sont morts ceux qui les foulèrent et le souvenir de ceux qui les foulèrent. Parfois ce morceau de paysage amené ainsi jusqu'à aujourd'hui se détache si isolé de tout, qu'il flotte incertain dans ma pensée comme une Délos fleurie, sans que je puisse dire de quel pays, de quel temps — peut-être tout simplement de quel rêve — il vient. Mais c'est surtout comme à des gisements profonds de mon sol mental, comme aux terrains résistants sur lesquels je m'appuie encore, que je dois penser au côté de Méséglise et au côté de Guermantes. C'est parce que je croyais aux choses, aux êtres, tandis que je les parcourais, que les choses, les êtres qu'ils m'ont fait connaître sont les seuls que je prenne encore au sérieux et qui me donnent encore de la joie. Soit que la foi qui crée soit tarie en moi, soit que la réalité ne se forme que dans la mémoire, les fleurs qu'on me montre aujourd'hui pour la première fois ne me semblent pas de vraies fleurs. Le côté de Méséglise avec ses lilas, ses aubépines, ses bluets, ses coquelicots, ses pommiers, le côté de Guermantes avec sa rivière à têtards, ses nymphéas et ses boutons d'or, ont constitué à tout jamais pour moi la figure des pays où j'aimerais vivre, où j'exige avant tout qu'on puisse aller à la pêche, se promener en canot, voir des ruines de fortifications gothiques et trouver au milieu des blés, ainsi qu'était Saint-André-des-Champs, une église monumentale, rustique et dorée comme une meule; et les bluets, les aubépines, les pommiers qu'il m'arrive, quand je voyage, de rencontrer encore dans les champs, parce qu'ils sont situés à la même profondeur, au niveau de mon passé, sont immédiatement en communication avec mon cœur. Et pourtant, parce qu'il y a quelque chose d'individuel dans les lieux, quand me saisit le désir de revoir le côté de Guermantes, on ne le satisferait pas en me menant au bord d'une rivière où il y aurait d'aussi beaux, de plus beaux nymphéas que dans la Vivonne, pas plus que le soir en rentrant — à l'heure où s'éveillait en moi cette angoisse qui plus tard émigre dans l'amour, et peut devenir à jamais inséparable de lui — je n'aurais souhaité que vînt me dire bonsoir une mère plus belle et plus intelligente que la mienne. Non; de même que ce qu'il me fallait pour que je pusse m'endormir heureux, avec cette paix sans trouble qu'aucune maîtresse n'a pu me donner depuis, puisqu'on doute d'elles encore au moment où on croit en elles et qu'on ne possède jamais leur cœur comme je recevais dans un baiser celui de ma mère, tout entier, sans la réserve d'une arrière-pensée, sans le reliquat d'une intention qui ne fût pas pour moi — c'est que ce fût elle, c'est qu'elle inclinât vers moi ce visage où il y avait au-dessous de l'œil quelque chose qui était, paraît-il, un défaut, et que j'aimais à l'égal du reste; de même ce que je veux revoir, c'est le côté de Guermantes que j'ai connu, avec la ferme qui est un[1] peu éloignée des deux suivantes serrées l'une contre l'autre, à l'entrée de l'allée des chênes; ce sont ces prairies où, quand le soleil les rend réfléchissantes comme une mare, se dessinent les feuilles des pommiers, c'est ce paysage dont parfois, la nuit dans mes rêves, l'individualité m'étreint avec une puissance presque fantastique et que je ne peux plus retrouver au réveil. Sans doute pour avoir à jamais indissolublement uni en moi des impressions différentes, rien que parce qu'ils me les avaient fait éprouver en même temps, le côté de Méséglise ou le côté de Guermantes m'ont exposé, pour l'avenir, à bien des déceptions et même à bien des fautes. Car souvent j'ai voulu revoir une personne sans discerner que c'était simplement parce qu'elle me rappelait une haie d'aubépines, et j'ai été induit à croire, à faire croire à un regain d'affection, par un simple désir de voyage. Mais par là même aussi, et en restant présents en celles de mes impressions d'aujourd'hui auxquelles ils peuvent se relier, ils leur donnent des assises, de la profondeur, une dimension de plus qu'aux autres. Ils leur ajoutent aussi un charme, une signification qui n'est que pour moi. Quand par les soirs d'été le ciel harmonieux gronde comme une bête fauve et que chacun boude l'orage, c'est au côté de Méséglise que je dois de rester seul en extase à respirer, à travers le bruit de la pluie qui tombe, l'odeur d'invisibles et persistants lilas.

C'est ainsi que je restais souvent jusqu'au matin à songer au temps de Combray, à mes tristes soirées sans sommeil, à tant de jours aussi dont l'image m'avait été plus récemment rendue par la saveur — ce qu'on aurait appelé à Combray le « parfum » — d'une tasse de thé et, par association de souvenirs, à ce que, bien des années après avoir quitté cette petite ville, j'avais appris au sujet d'un amour que Swann avait eu avant ma naissance, avec cette précision dans les détails plus facile à obtenir quelquefois pour la vie de personnes mortes il y a des siècles que pour celle de nos meilleurs amis, et qui semble impossible comme semblait impossible de causer d'une ville à une autre — tant qu'on ignore le biais par lequel cette impossibilité a été tournée. Tous ces souvenirs ajoutés les uns aux autres ne formaient plus qu'une masse, mais non sans qu'on pût[1] distinguer entre eux — entre les plus anciens, et ceux plus récents, nés d'un parfum, puis ceux qui n'étaient que les souvenirs d'une autre personne de qui je les avais appris — sinon des fissures, des failles véritables, du moins ces veinures, ces bigarrures de coloration qui, dans certaines roches, dans certains marbres, révèlent des différences d'origine, d'âge, de « formation ».

Certes quand approchait le matin, il y avait bien longtemps qu'était dissipée la brève incertitude de mon réveil. Je savais dans quelle chambre je me trouvais effectivement, je l'avais reconstruite autour de moi dans l'obscurité et — soit en m'orientant par la seule mémoire, soit en m'aidant, comme indication, d'une faible lueur aperçue, au pied de laquelle je plaçais les rideaux de la croisée — je l'avais reconstruite tout entière et meublée comme un architecte et un tapissier qui gardent leur ouverture primitive aux fenêtres et aux portes, j'avais reposé les glaces et remis la commode à sa place habituelle. Mais à peine le jour — et non plus le reflet d'une dernière braise sur une tringle de cuivre que j'avais pris pour lui — traçait-il dans l'obscurité, et comme à la craie, sa première raie blanche et rectificative, que la fenêtre avec ses rideaux quittait le cadre de la porte où je l'avais située par erreur, tandis que, pour lui faire place, le bureau que ma mémoire avait maladroitement installé là se sauvait à toute vitesse, poussant devant lui la cheminée et écartant le mur mitoyen du couloir; une courette régnait à l'endroit[1] où, il y a un instant encore, s'étendait le cabinet de toilette, et la demeure que j'avais rebâtie dans les ténèbres était allée rejoindre les demeures entrevues dans le tourbillon du réveil, mise en fuite par ce pâle signe qu'avait tracé au-dessus des rideaux le doigt levé du jour.

DEUXIÈME PARTIE

UN AMOUR DE SWANN

Pour faire partie du « petit noyau », du « petit groupe », du « petit clan » des Verdurin, une condition était suffisante mais elle était nécessaire : il fallait adhérer tacitement à un Credo dont un des articles était que le jeune pianiste, protégé par Mme Verdurin cette année-là et dont elle disait : « Ça ne devrait pas être permis de savoir jouer Wagner comme ça ! », « enfonçait » à la fois Planté et Rubinstein et que le docteur Cottard avait plus de diagnostic que Potain. Toute « nouvelle recrue » à qui les Verdurin ne pouvaient pas persuader que les soirées des gens qui n'allaient pas chez eux étaient ennuyeuses comme la pluie, se voyait immédiatement exclue. Les femmes étant à cet égard plus rebelles que les hommes à déposer toute curiosité mondaine et l'envie de se renseigner par soi-même sur l'agrément des autres salons, et les Verdurin sentant d'autre part que cet esprit d'examen et ce démon de frivolité pouvait[1] par contagion devenir fatal à l'orthodoxie de la petite église, ils avaient été amenés à rejeter successivement tous les « fidèles » du sexe féminin.

En dehors de la jeune femme du docteur, ils étaient réduits presque uniquement cette année-là (bien que Mme Verdurin fût elle-même vertueuse et d'une respectable famille bourgeoise, excessivement riche et entièrement obscure, avec laquelle elle avait peu à peu cessé volontairement toute relation) à une personne presque du demi-monde, Mme de Crécy, que Mme Verdurin appelait par son petit nom, Odette, et déclarait être « un amour », et à la tante du pianiste, laquelle devait avoir tiré le cordon; personnes ignorantes du monde et à la naïveté de qui il avait été si facile de faire accroire que la princesse de Sagan et la duchesse de Guermantes étaient obligées de payer des malheureux pour avoir du monde à leurs dîners, que si on leur avait offert de les faire inviter chez ces deux grandes dames, l'ancienne concierge et la cocotte eussent dédaigneusement refusé.

Les Verdurin n'invitaient pas à dîner : on avait chez eux « son couvert mis ». Pour la soirée, il n'y avait pas de programme. Le jeune pianiste jouait, mais seulement si « ça lui chantait », car on ne forçait personne et comme disait M. Verdurin : « Tout pour les amis, vivent les camarades ! » Si le pianiste voulait jouer la chevauchée de la *Walkyrie* ou le prélude de *Tristan,* Mme Verdurin protestait, non que cette musique lui déplût, mais au contraire parce qu'elle lui causait trop d'impression. « Alors vous tenez à ce que j'aie ma migraine ? Vous savez bien que c'est la même chose chaque fois qu'il joue ça. Je sais ce qui m'attend ! Demain quand je voudrai me lever, bonsoir, plus personne ! » S'il ne jouait pas, on causait, et l'un des amis, le plus souvent leur peintre favori d'alors, « lâchait », comme disait M. Verdurin, « une grosse faribole qui faisait esclaffer[1] tout le monde », Mme Verdurin surtout, à qui, — tant elle avait l'habitude de prendre au propre les expressions figurées des émotions qu'elle éprouvait — le docteur Cottard (un jeune débutant à cette époque) dut un jour remettre sa mâchoire qu'elle avait décrochée pour avoir trop ri.

L'habit noir était défendu parce qu'on était entre « copains » et pour ne pas ressembler aux « ennuyeux » dont on se garait comme de la peste et qu'on n'invitait qu'aux grandes soirées, données le plus rarement possible et seulement si cela pouvait amuser le peintre ou faire connaître le musicien. Le reste du temps, on se contentait de jouer des charades, de souper en costumes, mais entre soi, en ne mêlant aucun étranger au petit « noyau ».

Mais au fur et à mesure que les « camarades » avaient pris plus de place dans la vie de Mme Verdurin, les ennuyeux, les réprouvés, ce fut tout ce qui retenait les amis loin d'elle, ce qui les empêchait quelquefois d'être libres, ce fut la mère de l'un, la profession de l'autre, la maison de campagne ou la mauvaise santé d'un troisième. Si le docteur Cottard croyait devoir partir en sortant de table pour retourner auprès d'un malade en danger : « Qui sait, lui disait Mme Verdurin, cela lui fera peut-être beaucoup plus de bien que vous n'alliez pas le déranger ce soir ; il passera une bonne nuit sans vous ; demain matin vous irez de bonne heure et vous le trouverez guéri. » Dès le commencement de décembre, elle était malade à la pensée que les fidèles « lâcheraient » pour le jour de Noël et le 1er janvier. La tante du pianiste exigeait qu'il vînt dîner ce jour-là en famille chez sa mère à elle :

— Vous croyez qu'elle en mourrait, votre mère, s'écria durement Mme Verdurin, si vous ne dîniez pas avec elle le jour de l'an, comme en *province !*

Ses inquiétudes renaissaient à la semaine sainte :

— Vous, Docteur, un savant, un esprit fort, vous venez naturellement le Vendredi saint comme un autre jour ? dit-elle à Cottard, la première année, d'un ton assuré comme si elle ne pouvait douter de la réponse. Mais elle tremblait en attendant qu'il l'eût prononcée, car s'il n'était pas venu, elle risquait de se trouver seule.

— Je viendrai le Vendredi saint... vous faire mes adieux, car nous allons passer les fêtes de Pâques en Auvergne.

— En Auvergne ? pour vous faire manger par les puces et la vermine, grand bien vous fasse !

Et après un silence :

— Si vous nous l'aviez dit au moins, nous aurions tâché d'organiser cela et de faire le voyage ensemble dans des conditions confortables.

De même, si un « fidèle » avait un ami, ou une « habituée » un flirt qui serait capable de[1] faire « lâcher » quelquefois, les Verdurin, qui ne s'effrayaient pas qu'une femme eût un amant pourvu qu'elle l'eût chez eux, l'aimât en eux et ne le leur préférât pas, disaient : « Eh bien ! amenez-le votre ami. » Et on l'engageait à l'essai, pour voir s'il était capable de ne pas avoir de secrets pour Mme Verdurin, s'il était susceptible d'être agrégé au « petit clan ». S'il ne l'était pas[2], on prenait à part le fidèle qui l'avait présenté et on lui rendait le service de le brouiller avec son ami ou avec sa maîtresse. Dans le cas contraire, le « nouveau » devenait à son tour un fidèle. Aussi quand cette année-là, la demi-mondaine raconta à M. Verdurin qu'elle avait fait la connaissance d'un homme charmant, M. Swann, et insinua qu'il serait très heureux d'être reçu chez eux, M. Verdurin transmit-il séance tenante la requête à sa femme. (Il n'avait jamais d'avis qu'après sa femme, dont son rôle particulier était de mettre à exécution les désirs, ainsi que les désirs des fidèles, avec de grandes ressources d'ingéniosité.)

— Voici Mme de Crécy qui a quelque chose à te demander. Elle désirerait te présenter un de ses amis, M. Swann. Qu'en dis-tu ?

— Mais voyons, est-ce qu'on peut refuser quelque chose à une petite perfection comme ça ? Taisez-vous, on ne vous demande pas votre avis, je vous dis que vous êtes une perfection.

— Puisque vous le voulez, répondit Odette sur un ton de marivaudage, et elle ajouta : vous savez que je ne suis pas *fishing for compliments*.

— Eh bien! amenez-le votre ami, s'il est agréable.

Certes le « petit noyau » n'avait aucun rapport avec la société où fréquentait Swann, et de purs mondains auraient trouvé que ce n'était pas la peine d'y occuper comme lui une situation exceptionnelle pour se faire présenter chez les Verdurin. Mais Swann aimait tellement les femmes qu'à partir du jour où il avait connu à peu près toutes celles de l'aristocratie et où elles n'avaient plus rien eu à lui apprendre, il n'avait plus tenu à ces lettres de naturalisation, presque des titres de noblesse, que lui avait octroyées le faubourg Saint-Germain, que comme à une sorte de valeur d'échange, de lettre de crédit, dénuée de prix en elle-même, mais lui permettant de s'improviser une situation dans tel petit trou de province ou tel milieu obscur de Paris, où la fille du hobereau ou du greffier lui avait semblé jolie. Car le désir ou l'amour lui rendait alors un sentiment de vanité dont il était maintenant exempt dans l'habitude de la vie (bien que ce fût lui sans doute qui autrefois l'avait dirigé vers cette carrière mondaine où il avait gaspillé dans les plaisirs frivoles les dons de son esprit et fait servir son érudition en matière d'art à conseiller les dames de la société dans leurs achats de tableaux et pour l'ameublement de leurs hôtels), et qui lui faisait désirer de briller, aux yeux d'une inconnue dont il s'était épris, d'une élégance que le nom de Swann à lui tout seul n'impliquait pas. Il le désirait surtout si l'inconnue était d'humble condition. De même que ce n'est pas à un autre homme intelligent qu'un homme intelligent aura peur de paraître bête, ce n'est pas par un grand seigneur, c'est par un rustre qu'un homme élégant craindra de voir son élégance méconnue.

Les trois quarts des frais d'esprit et des mensonges de vanité qui ont été prodigués depuis que le monde existe par des gens qu'ils ne faisaient que diminuer, l'ont été pour des inférieurs. Et Swann, qui était simple et négligent avec une duchesse, tremblait d'être méprisé, posait, quand il était devant une femme de chambre.

Il n'était pas comme tant de gens qui, par paresse ou sentiment résigné de l'obligation que crée la grandeur sociale de rester attaché à un certain rivage, s'abstiennent des plaisirs que la réalité leur présente en dehors de la position mondaine où ils vivent cantonnés jusqu'à leur mort, se contentant de finir par appeler plaisirs, faute de mieux, une fois qu'ils sont parvenus à s'y habituer, les divertissements médiocres ou les supportables ennuis qu'elle renferme. Swann, lui, ne cherchait pas à trouver jolies les femmes avec qui il passait son temps, mais à passer son temps avec les femmes qu'il avait d'abord trouvées jolies. Et c'étaient souvent des femmes de beauté assez vulgaire, car les qualités physiques qu'il recherchait sans s'en rendre compte étaient en complète opposition avec celles qui lui rendaient admirables les femmes sculptées ou peintes par les maîtres qu'il préférait. La profondeur, la mélancolie de l'expression, glaçaient ses sens, que suffisait au contraire à éveiller une chair saine, plantureuse et rose.

Si en voyage il rencontrait une famille qu'il eût été plus élégant de ne pas chercher à connaître, mais dans laquelle une femme se présentait à ses yeux parée d'un charme qu'il n'avait pas encore connu, rester dans son « quant à soi » et tromper le désir qu'elle avait fait naître, substituer un plaisir différent au plaisir qu'il eût pu connaître avec elle, en écrivant à une ancienne maîtresse de venir le rejoindre, lui eût semblé une aussi lâche abdication devant la vie, un aussi stupide renoncement à un bonheur nouveau que si, au lieu de visiter le pays, il s'était confiné dans sa chambre en regardant des vues de Paris. Il ne s'enfermait pas dans l'édifice de ses relations, mais en avait fait, pour pouvoir le reconstruire à pied d'œuvre sur de nouveaux frais partout où une femme lui avait plu, une de ces tentes démontables comme les explorateurs en emportent avec eux. Pour ce qui n'en était pas transportable ou échangeable contre un plaisir nouveau, il l'eût donné pour rien, si enviable que cela parût à d'autres. Que de fois son crédit auprès d'une duchesse, fait du désir accumulé depuis des années que celle-ci avait eu de lui être agréable sans en avoir trouvé l'occasion, il s'en était défait d'un seul coup en réclamant d'elle par une indiscrète dépêche une recommandation télégraphique qui le mît en relation, sur l'heure, avec un de ses intendants dont il avait remarqué la fille à la campagne, comme ferait un affamé qui troquerait un diamant contre un morceau de pain! Même, après coup, il s'en amusait, car il y avait en lui, rachetée par de rares délicatesses, une certaine muflerie. Puis, il appartenait à cette catégorie d'hommes intelligents qui ont vécu dans l'oisiveté et qui cherchent une consolation et peut-être une excuse dans l'idée que cette oisiveté offre à leur intelligence des objets aussi dignes d'intérêt que pourrait faire l'art ou l'étude, que la « Vie » contient des situations plus intéressantes, plus romanesques que tous les romans. Il l'assurait du moins et le persuadait aisément aux plus affinés de ses amis du monde, notamment au baron de Charlus qu'il s'amusait à égayer par le récit des aventures piquantes qui lui arrivaient, soit qu'ayant rencontré en chemin de fer une femme qu'il avait ensuite ramenée chez lui, il eût découvert qu'elle était la sœur d'un souverain[1] entre les mains de qui se mêlaient en ce moment tous les fils de la politique européenne, au courant de laquelle il se trouvait ainsi tenu d'une façon très agréable, soit que par le jeu complexe des circonstances, il dépendît[2] du choix qu'allait faire le conclave, s'il pourrait ou non devenir l'amant d'une cuisinière.

Ce n'était pas seulement d'ailleurs la brillante phalange de vertueuses douairières, de généraux, d'académiciens, avec lesquels il était particulièrement lié, que Swann forçait avec tant de cynisme à lui servir d'entremetteurs. Tous ses amis avaient l'habitude de recevoir de temps en temps des lettres de lui où un mot de recommandation ou d'introduction leur était demandé avec une habileté diplomatique qui, persistant à travers les amours successives et les prétextes différents, accusait, plus que n'eussent fait les maladresses, un caractère permanent et des buts identiques. Je me suis souvent fait raconter bien des années plus tard, quand je commençai à m'intéresser à son caractère à cause des ressemblances qu'en de tout autres parties il offrait avec le mien, que quand il écrivait à mon grand-père (qui ne l'était pas encore, car c'est vers l'époque de ma naissance que commença la grande liaison de Swann, et elle interrompit longtemps ces pratiques), celui-ci, en reconnaissant sur l'enveloppe l'écriture de son ami, s'écriait : « Voilà Swann qui va demander quelque chose : à la garde ! » Et soit méfiance, soit par le sentiment inconsciemment diabolique qui nous pousse à n'offrir une chose qu'aux gens qui n'en ont pas envie, mes grands-parents opposaient une fin de non-recevoir absolue aux prières les plus faciles à satisfaire qu'il leur adressait, comme de le présenter à une jeune fille qui dînait tous les dimanches à la maison, et qu'ils étaient obligés, chaque fois que Swann leur en reparlait, de faire semblant de ne plus voir, alors que pendant toute la semaine on se demandait qui on pourrait bien inviter avec elle, finissant souvent par ne trouver personne, faute de faire signe à celui qui en eût été si heureux.

Quelquefois tel couple ami de mes grands-parents et qui jusque-là s'était plaint de ne jamais voir Swann, leur annonçait avec satisfaction et peut-être un peu le désir d'exciter l'envie, qu'il était devenu tout ce qu'il y a de plus charmant pour eux, qu'il ne les quittait plus. Mon grand-père ne voulait pas troubler leur plaisir mais regardait ma grand'mère en fredonnant :

> Quel est donc ce mystère ?
> Je n'y puis rien comprendre.

ou :

> Vision fugitive...

ou :

> Dans ces affaires
> Le mieux est de ne rien voir.

Quelques mois après, si mon grand-père demandait au nouvel ami de Swann : « Et Swann, le voyez-vous toujours beaucoup ? » la figure de l'interlocuteur s'allongeait : « Ne prononcez jamais son nom devant moi ! — Mais je croyais que vous étiez si liés... » Il avait été ainsi pendant quelques mois le familier de cousins de ma grand'mère, dînant presque chaque jour chez eux. Brusquement il cessa de venir, sans avoir prévenu. On le crut malade, et la cousine de ma grand'mère allait envoyer demander de ses nouvelles, quand à l'office elle trouva une lettre de lui qui traînait par mégarde dans le livre de comptes de la cuisinière. Il y annonçait à cette femme qu'il allait quitter Paris, qu'il ne pourrait plus venir. Elle était sa maîtresse, et au moment de rompre, c'était elle seule qu'il avait jugé utile d'avertir.

Quand sa maîtresse du moment était au contraire une personne mondaine ou du moins une personne qu'une extraction trop humble ou une situation trop irrégulière n'empêchait pas qu'il fît recevoir dans le monde, alors pour elle il y retournait, mais seulement dans l'orbite particulier où elle se mouvait ou bien où il l'avait entraînée. « Inutile de compter sur Swann ce soir, disait-on, vous savez bien que c'est le jour d'Opéra de son Américaine. » Il la faisait inviter dans les salons particulièrement fermés où il avait ses habitudes, ses dîners hebdomadaires, son poker; chaque soir, après qu'un léger crépelage ajouté à la brosse de ses cheveux roux avait tempéré de quelque douceur la vivacité de ses yeux verts, il choisissait une fleur pour sa boutonnière et partait pour retrouver sa maîtresse à dîner chez l'une ou l'autre des femmes de sa coterie; et alors, pensant à l'admiration et à l'amitié que les gens à la mode, pour qui il faisait la pluie et le beau temps et qu'il allait retrouver là, lui prodigueraient devant la femme qu'il aimait, il retrouvait du charme à cette vie mondaine sur laquelle il s'était blasé, mais dont la matière, pénétrée et colorée chaudement d'une flamme insinuée qui s'y jouait, lui semblait précieuse et belle depuis qu'il y avait incorporé un nouvel amour.

Mais, tandis que chacune de ces liaisons, ou chacun de ces flirts, avait été la réalisation plus ou moins complète d'un rêve né de la vue d'un visage ou d'un corps que Swann avait, spontanément, sans s'y efforcer, trouvés charmants, en revanche, quand un jour au théâtre il fut présenté à Odette de Crécy par un de ses amis d'autrefois, qui lui avait parlé d'elle comme d'une femme ravissante avec qui il pourrait peut-être arriver à quelque chose, mais en la lui donnant pour plus difficile qu'elle n'était en réalité afin de paraître lui-même avoir fait quelque chose de plus aimable en la lui faisant connaître, elle était apparue à Swann non pas certes sans beauté, mais d'un genre de beauté qui lui était indifférent, qui ne lui inspirait aucun désir, lui causait même une sorte de répulsion physique, de ces femmes comme tout le monde a les siennes, différentes pour chacun, et qui sont l'opposé du type que nos sens réclament. Pour lui plaire elle avait un profil trop accusé, la peau trop fragile, les pommettes trop saillantes, les traits trop tirés. Ses yeux étaient beaux, mais si grands qu'ils fléchissaient sous leur propre masse, fatiguaient le reste de son visage et lui donnaient toujours l'air d'avoir mauvaise mine ou d'être de mauvaise humeur. Quelque temps après cette présentation au théâtre, elle lui avait écrit pour lui demander à voir ses collections qui l'intéressaient tant, « elle, ignorante qui avait le goût des jolies choses », disant qu'il lui semblait qu'elle le connaîtrait mieux quand elle l'aurait vu dans « son home » où elle l'imaginait « si confortable avec son thé et ses livres », quoiqu'elle ne lui eût pas caché sa surprise qu'il habitât ce quartier qui devait être si triste et « qui était si peu *smart* pour lui qui l'était tant ». Et après qu'il l'eut laissée venir, en le quittant, elle lui avait dit son regret d'être restée si peu dans cette demeure où elle avait été heureuse de pénétrer, parlant de lui comme s'il avait été pour elle quelque chose de plus que les autres êtres qu'elle connaissait, et semblant établir entre leurs deux personnes une sorte de trait d'union romanesque qui l'avait fait sourire. Mais à l'âge déjà un peu désabusé dont approchait Swann et où l'on sait se contenter d'être amoureux pour le plaisir de l'être sans trop exiger de réciprocité, ce rapprochement des cœurs, s'il n'est plus comme dans la première jeunesse le but vers lequel tend nécessairement l'amour, lui reste uni en revanche par une association d'idées si forte qu'il peut en devenir la cause, s'il se présente avant lui. Autrefois on rêvait de posséder le cœur de la femme dont on était amoureux; plus tard, sentir qu'on possède le cœur d'une femme peut suffire à vous en rendre amoureux. Ainsi, à l'âge où il semblerait, comme on cherche surtout dans l'amour un plaisir subjectif, que la part du goût pour la beauté d'une femme devait y être la plus grande, l'amour peut naître — l'amour le plus physique — sans qu'il y ait eu, à sa base, un désir préalable. À cette époque de la vie, on a déjà été atteint plusieurs fois par l'amour; il n'évolue plus seul suivant ses propres lois inconnues et fatales, devant notre cœur étonné et passif. Nous venons à son aide, nous le faussons par la mémoire, par la suggestion. En reconnaissant un de ses symptômes, nous nous rappelons, nous faisons renaître les autres. Comme nous possédons sa chanson, gravée en nous tout entière, nous n'avons pas besoin qu'une femme nous en dise le début — rempli par l'admiration qu'inspire la beauté — pour en trouver la suite. Et si elle commence au milieu — là où les cœurs se rapprochent, où l'on parle de n'exister plus que l'un pour l'autre — nous avons assez l'habitude de cette musique pour rejoindre tout de suite notre partenaire au passage où elle nous attend.

Odette de Crécy retourna voir Swann, puis rapprocha ses visites; et sans doute, chacune d'elles renouvelait pour lui la déception qu'il éprouvait à se retrouver devant ce visage dont il avait un peu oublié les particularités dans l'intervalle et qu'il ne s'était rappelé[1] ni si expressif ni, malgré sa jeunesse, si fané; il regrettait, pendant qu'elle causait avec lui, que la grande beauté qu'elle avait ne fût pas du genre de celles qu'il aurait spontanément préférées. Il faut d'ailleurs dire que le visage d'Odette paraissait plus maigre et plus proéminent parce que le front et le haut des joues, cette surface unie et plus plane était recouverte par la masse de cheveux qu'on portait alors prolongés en « devants », soulevés en « crêpés », répandus en mèches folles le long des oreilles; et quant à son corps qui était admirablement fait, il était difficile d'en apercevoir la continuité (à cause des modes de l'époque et quoiqu'elle fût une des femmes de Paris qui s'habillaient le mieux), tant le corsage, s'avançant en saillie comme sur un ventre imaginaire et finissant brusquement en pointe pendant que par en dessous commençait à s'enfler le ballon des doubles jupes, donnait à la femme l'air d'être composée de pièces différentes mal emmanchées les unes dans les autres; tant les ruchés, les volants, le gilet suivaient en toute indépendance, selon la fantaisie de leur dessin ou la consistance de leur étoffe, la ligne qui les conduisait aux nœuds, aux bouillons de dentelle, aux effilés de jais perpendiculaires, ou qui les dirigeait le long du busc, mais ne s'attachaient nullement à l'être vivant, qui selon que l'architecture de ces fanfreluches se rapprochait ou s'écartait trop de la sienne, s'y trouvait engoncé ou perdu.

Mais, quand Odette était partie, Swann souriait en pensant qu'elle lui avait dit combien le temps lui durerait jusqu'à ce qu'il lui permît de revenir; il se rappelait l'air inquiet, timide, avec lequel elle l'avait une fois prié que ce ne fût pas dans trop longtemps, et les regards qu'elle avait eus à ce moment-là, fixés sur lui en une imploration craintive, et qui la faisaient touchante sous le bouquet de fleurs de pensées artificielles fixé devant son chapeau rond de paille blanche, à brides de velours noir. « Et vous, avait-elle dit, vous ne viendriez pas une fois chez moi prendre le thé ? » Il avait allégué des travaux en train, une étude — en réalité abandonnée depuis des années — sur Ver Meer de Delft. « Je comprends que je ne peux rien faire, moi chétive, à côté de grands savants comme vous autres, lui avait-elle répondu. Je serais comme la grenouille devant l'aréopage. Et pourtant j'aimerais tant m'instruire, savoir, être initiée. Comme cela doit être amusant de bouquiner, de fourrer son nez dans de vieux papiers ! » avait-elle ajouté avec l'air de contentement de soi-même que prend une femme élégante pour affirmer que sa joie est de se livrer sans crainte de se salir à une besogne malpropre, comme de faire la cuisine en « mettant elle-même les mains à la pâte ». « Vous allez vous moquer de moi, ce peintre qui vous empêche de me voir (elle voulait parler de Ver Meer), je n'avais jamais entendu parler de lui ; vit-il encore ? Est-ce qu'on peut voir de ses œuvres à Paris, pour que je puisse me représenter ce que vous aimez, deviner un peu ce qu'il y a sous ce grand front qui travaille tant, dans cette tête qu'on sent toujours en train de réfléchir, me dire : voilà, c'est à cela qu'il est en train de penser. Quel rêve ce serait d'être mêlée à vos travaux ! » Il s'était excusé sur sa peur des amitiés nouvelles, ce qu'il avait appelé, par galanterie, sa peur d'être malheureux. « Vous avez peur d'une affection ? comme c'est drôle, moi qui ne cherche que cela, qui donnerais ma vie pour en trouver une, avait-elle dit d'une voix si naturelle, si convaincue, qu'il en avait été remué. Vous avez dû souffrir par une femme. Et vous croyez que les autres sont comme elle. Elle n'a pas su vous comprendre ; vous êtes un être si à part. C'est cela que j'ai aimé d'abord en vous, j'ai bien senti que vous n'étiez pas comme tout le monde. — Et puis d'ailleurs vous aussi, lui avait-il dit, je sais bien ce que c'est que les femmes, vous devez avoir des tas d'occupations, être peu libre. — Moi je n'ai jamais rien à faire ! Je suis toujours libre, je le serai toujours pour vous. À n'importe quelle heure du jour ou de la nuit où il pourrait vous être commode de me voir, faites-moi chercher, et je serai trop heureuse d'accourir. Le ferez-vous ? Savez-vous ce qui serait gentil, ce serait de vous faire présenter à Mme Verdurin chez qui je vais tous les soirs. Croyez-vous ! si on s'y retrouvait et si je pensais que c'est un peu pour moi que vous y êtes ! »

Et sans doute, en se rappelant ainsi leurs entretiens, en pensant ainsi à elle quand il était seul, il faisait seulement jouer son image entre beaucoup d'autres images de femmes dans des rêveries romanesques ; mais si, grâce à une circonstance quelconque (ou même peut-être sans que ce fût grâce à elle, la circonstance qui se présente au moment où un état, latent jusque-là, se déclare, pouvant n'avoir influé en rien sur lui) l'image d'Odette de Crécy venait à absorber toutes ces rêveries, si celles-ci n'étaient plus séparables de son souvenir, alors l'imperfection de son corps ne garderait plus aucune importance, ni qu'il eût été, plus ou moins qu'un autre corps, selon le goût de Swann, puisque, devenu le corps de celle qu'il aimait, il serait désormais le seul qui fût capable de lui causer des joies et des tourments.

Mon grand-père avait précisément connu, ce qu'on n'aurait pu dire d'aucun de leurs amis actuels, la famille de ces Verdurin. Mais il avait perdu toute relation avec celui qu'il appelait le « jeune Verdurin » et qu'il considérait, un peu en gros, comme tombé — tout en gardant de nombreux millions — dans la bohème et la racaille. Un jour, il reçut une lettre de Swann lui demandant s'il ne pourrait pas le mettre en rapport avec les Verdurin : « À la garde ! à la garde ! s'était écrié mon grand-père, ça ne m'étonne pas du tout, c'est bien par là que devait finir Swann. Joli milieu ! D'abord je ne peux pas faire ce qu'il me demande, parce que je ne connais plus ce monsieur. Et puis ça doit cacher une histoire de femme, je ne me mêle pas de ces affaires-là. Ah bien ! nous allons avoir de l'agrément, si Swann s'affuble des petits Verdurin. »

Et sur la réponse négative de mon grand-père, c'est Odette qui avait amené elle-même Swann chez les Verdurin.

Les Verdurin avaient eu à dîner, le jour où Swann y fit ses débuts, le docteur et Mme Cottard, le jeune pianiste et sa tante, et le peintre qui avait alors leur faveur, auxquels s'étaient joints dans la soirée quelques autres fidèles.

Le docteur Cottard ne savait jamais d'une façon certaine de quel ton il devait répondre à quelqu'un, si son interlocuteur voulait rire ou était sérieux. Et à tout hasard il ajoutait à toutes ses expressions de physionomie l'offre d'un sourire conditionnel et provisoire dont la finesse expectante le disculperait du reproche de naïveté, si le propos qu'on lui avait tenu se trouvait avoir été facétieux. Mais comme, pour faire face à l'hypothèse opposée, il n'osait pas laisser ce sourire s'affirmer nettement sur son visage, on y voyait flotter perpétuellement une incertitude où se lisait la question qu'il n'osait pas poser : « Dites-vous cela pour de bon ? » Il n'était pas plus assuré de la façon dont il devait se comporter dans la rue, et même en général dans la vie, que dans un salon, et on le voyait opposer aux passants, aux voitures, aux événements un malicieux sourire qui ôtait d'avance à son attitude toute impropriété, puisqu'il prouvait, si elle n'était pas de mise, qu'il le savait bien et que s'il avait adopté celle-là, c'était par plaisanterie.

Sur tous les points cependant où une franche question lui semblait permise, le docteur ne se faisait pas faute de s'efforcer de restreindre le champ de ses doutes et de compléter son instruction.

C'est ainsi que, sur les conseils qu'une mère prévoyante lui avait donnés quand il avait quitté sa province, il ne laissait jamais passer soit une locution ou un nom propre qui lui étaient inconnus, sans tâcher de se faire documenter sur eux.

Pour les locutions, il était insatiable de renseignements, car, leur supposant parfois un sens plus précis qu'elles n'ont[1], il eût désiré savoir ce qu'on voulait dire exactement par celles qu'il entendait le plus souvent employer : la beauté du diable, du sang bleu, une vie de bâton de chaise, le quart d'heure de Rabelais, être le prince des élégances, donner carte blanche, être réduit à quia, etc., et dans quels cas déterminés il pouvait à son tour les faire figurer dans ses propos. À leur défaut il plaçait des jeux de mots qu'il avait appris. Quant aux noms de personnes nouveaux qu'on prononçait devant lui, il se contentait seulement de les répéter sur un ton interrogatif qu'il pensait suffisant pour lui valoir des explications qu'il n'aurait pas l'air de demander.

Comme le sens critique qu'il croyait exercer sur tout lui faisait complètement défaut, le raffinement de politesse qui consiste à affirmer à quelqu'un qu'on oblige, sans souhaiter d'en être cru, que c'est à lui qu'on a obligation, était peine perdue avec lui, il prenait tout au pied de la lettre. Quel que fût l'aveuglement de Mme Verdurin à son égard, elle avait fini, tout en continuant à le trouver très fin, par être agacée de voir que quand elle l'invitait dans une avant-scène à entendre Sarah Bernhardt, lui disant, pour plus de grâce : « Vous êtes trop aimable d'être venu, Docteur, d'autant plus que je suis sûre que vous avez déjà souvent entendu Sarah Bernhardt, et puis nous sommes peut-être trop près de la scène », le docteur Cottard, qui était entré dans la loge avec un sourire qui attendait pour se préciser ou pour disparaître que quelqu'un d'autorisé le renseignât sur la valeur du spectacle, lui répondait : « En effet on est beaucoup trop près et on commence à être fatigué de Sarah Bernhardt. Mais vous m'avez exprimé le désir que je vienne. Pour moi vos désirs sont des ordres. Je suis trop heureux de vous rendre ce petit service. Que ne ferait-on pas pour vous être agréable, vous êtes si bonne ! » Et il ajoutait : « Sarah Bernhardt, c'est bien la Voix d'Or, n'est-ce pas ? On écrit souvent aussi qu'elle brûle les planches. C'est une expression bizarre, n'est-ce pas ? » dans l'espoir de commentaires qui ne venaient point.

« Tu sais, avait dit Mme Verdurin à son mari, je crois que nous faisons fausse route quand par modestie nous dépréciions ce que nous offrons au docteur. C'est un savant qui vit en dehors de l'existence pratique, il ne connaît pas par lui-même la valeur des choses et il s'en rapporte à ce que nous lui en disons. — Je n'avais pas osé te le dire, mais je l'avais remarqué », répondit M. Verdurin. Et au Jour de l'an suivant, au lieu d'envoyer au docteur Cottard un rubis de trois mille francs en lui disant que c'était bien peu de chose, M. Verdurin acheta pour trois cents francs une pierre reconstituée en laissant entendre qu'on pouvait difficilement en voir d'aussi belle.

Quand Mme Verdurin avait annoncé qu'on aurait, dans la soirée, M. Swann : « Swann ? » s'était écrié le docteur d'un accent rendu brutal par la surprise, car la moindre nouvelle prenait toujours plus au dépourvu que quiconque cet homme qui se croyait perpétuellement préparé à tout. Et voyant qu'on ne lui répondait pas : « Swann ? Qui çà, Swann ! » hurla-t-il au comble d'une anxiété qui se détendit soudain quand Mme Verdurin eut dit : « Mais l'ami dont Odette nous avait parlé. — Ah ! bon, bon, ça va bien », répondit le docteur apaisé. Quant au peintre, il se réjouissait de l'introduction de Swann chez Mme Verdurin, parce qu'il le supposait amoureux d'Odette et qu'il aimait à favoriser les liaisons. « Rien ne m'amuse comme de faire des mariages, confia-t-il dans l'oreille au docteur Cottard, j'en ai déjà réussi beaucoup, même entre femmes ! »

En disant aux Verdurin que Swann était très « smart », Odette leur avait fait craindre un « ennuyeux ». Il leur fit, au contraire, une excellente impression dont, à leur insu, sa fréquentation dans la société élégante était une des causes indirectes. Il avait, en effet, sur les hommes même intelligents qui ne sont jamais allés dans le monde une des supériorités de ceux qui y ont un peu vécu, qui est de ne plus le transfigurer par le désir ou par l'horreur qu'il inspire à l'imagination, de le considérer comme sans aucune importance. Leur amabilité, séparée de tout snobisme et de la peur de paraître trop aimable, devenue indépendante, a cette aisance, cette grâce des mouvements de ceux dont les membres assouplis exécutent exactement ce qu'ils veulent, sans participation indiscrète et maladroite du reste du corps. La simple gymnastique élémentaire de l'homme du monde tendant la main avec bonne grâce au jeune homme inconnu qu'on lui présente et s'inclinant avec réserve devant l'ambassadeur à qui on le présente, avait fini par passer, sans qu'il en fût conscient, dans toute l'attitude sociale de Swann, qui vis-à-vis de gens d'un milieu inférieur au sien comme étaient les Verdurin et leurs amis, fit instinctivement montre d'un empressement, se livra à des avances, dont selon eux un ennuyeux se fût abstenu. Il n'eut un moment de froideur qu'avec le docteur Cottard : en le voyant lui cligner de l'œil et lui sourire d'un air ambigu avant qu'ils se fussent encore parlé (mimique que Cottard appelait « laisser venir »), Swann crut que le docteur le connaissait sans doute pour s'être trouvé avec lui en quelque lieu de plaisir, bien que lui-même y allât pourtant fort peu, n'ayant jamais vécu dans le monde de la noce. Trouvant l'allusion de mauvais goût, surtout en présence d'Odette qui pourrait en prendre une mauvaise idée de lui, il affecta un air glacial. Mais quand il apprit qu'une dame qui se trouvait près de lui était Mme Cottard, il pensa qu'un mari aussi jeune n'aurait pas cherché à faire allusion devant sa femme à des divertissements de ce genre; et il cessa de donner à l'air entendu du docteur la signification qu'il redoutait. Le peintre invita tout de suite Swann à venir avec Odette à son atelier; Swann le trouva gentil. « Peut-être qu'on vous favorisera plus que moi, dit Mme Verdurin, sur un ton qui feignait d'être piqué, et qu'on vous montrera le portrait de Cottard (elle l'avait commandé au peintre). Pensez bien, « monsieur » Biche, rappela-t-elle au peintre, à qui c'était une plaisanterie consacrée de dire monsieur, à rendre le joli regard, le petit côté fin, amusant, de l'œil. Vous savez que ce que je veux surtout avoir, c'est son sourire; ce que je vous ai demandé, c'est le portrait de son sourire. » Et comme cette expression lui sembla remarquable, elle la répéta très haut pour être sûre que plusieurs invités l'eussent entendue, et même, sous un prétexte vague, en fit d'abord rapprocher quelques-uns. Swann demanda à faire la connaissance de tout le monde, même d'un vieil ami des Verdurin, Saniette, à qui sa timidité, sa simplicité et son bon cœur avaient fait perdre partout la considération que lui avaient value sa science d'archiviste, sa grosse fortune, et la famille distinguée dont il sortait. Il avait dans la bouche, en parlant, une bouillie qui était adorable parce qu'on sentait qu'elle trahissait moins un défaut de la langue qu'une qualité de l'âme, comme un reste de l'innocence du premier âge qu'il n'avait jamais perdue. Toutes les consonnes qu'il ne pouvait prononcer figuraient comme autant de duretés dont il était incapable. En demandant à être présenté à M. Saniette, Swann fit à Mme Verdurin l'effet de renverser les rôles (au point qu'en réponse, elle dit en insistant sur la différence : « Monsieur Swann, voudriez-vous avoir la bonté de me permettre de vous présenter notre ami Saniette »), mais excita chez Saniette une sympathie ardente que d'ailleurs les Verdurin ne révélèrent jamais à Swann, car Saniette les agaçait un peu, et ils ne tenaient pas à lui faire des amis. Mais, en revanche, Swann les toucha infiniment en croyant devoir demander tout de suite à faire la connaissance de la tante du pianiste. En robe noire comme toujours, parce qu'elle croyait qu'en noir on est toujours bien et que c'est ce qu'il y a de plus distingué, elle avait le visage excessivement rouge comme chaque fois qu'elle venait de manger. Elle s'inclina devant Swann avec respect, mais se redressa avec majesté. Comme elle n'avait aucune instruction et avait peur de faire des fautes de français, elle prononçait exprès d'une manière confuse, pensant que, si elle lâchait un cuir, il serait estompé d'un tel vague qu'on ne pourrait le distinguer avec certitude, de sorte que sa conversation n'était qu'un graillonnement indistinct, duquel émergeaient de temps à autre les rares vocables dont elle se sentait sûre. Swann crut pouvoir se moquer légèrement d'elle en parlant à M. Verdurin, lequel au contraire fut piqué.

« C'est une si excellente femme, répondit-il. Je vous accorde qu'elle n'est pas étourdissante; mais je vous assure qu'elle est agréable quand on cause seul avec elle. — Je n'en doute pas, s'empressa de concéder Swann. Je voulais dire qu'elle ne me semblait pas « éminente », ajouta-t-il en détachant cet adjectif, et en somme c'est plutôt un compliment! — Tenez, dit M. Verdurin, je vais vous étonner, elle écrit d'une manière charmante. Vous n'avez jamais entendu son neveu? c'est admirable, n'est-ce pas, Docteur? Voulez-vous que je lui demande de jouer quelque chose, monsieur Swann? — Mais ce sera un bonheur... », commençait à répondre Swann, quand le docteur l'interrompit d'un air moqueur. En effet, ayant retenu que dans la conversation l'emphase, l'emploi de formes solennelles, était suranné, dès qu'il entendait un mot grave dit sérieusement comme venait de l'être le mot « bonheur », il croyait que celui qui l'avait prononcé venait de se montrer prudhommesque. Et si, de plus, ce mot se trouvait figurer par hasard dans ce qu'il appelait un vieux cliché, si courant que ce mot fût d'ailleurs, le docteur supposait que la phrase commencée était ridicule et la terminait ironiquement par le lieu commun qu'il semblait accuser son interlocuteur d'avoir voulu placer, alors que celui-ci n'y avait jamais pensé.

— Un bonheur pour la France! s'écria-t-il malicieusement en levant les bras avec emphase.

M. Verdurin ne put s'empêcher de rire.

—Qu'est-ce qu'ils ont à rire, toutes ces bonnes gens-là, on a l'air de ne pas engendrer la mélancolie dans votre petit coin là-bas, s'écria Mme Verdurin. Si vous croyez que je m'amuse, moi, à rester toute seule en pénitence, ajouta-t-elle sur un ton dépité, en faisant l'enfant.

Mme Verdurin était assise sur un haut siège suédois en sapin ciré, qu'un violoniste de ce pays lui avait donné et qu'elle conservait, quoiqu'il rappelât la forme d'un escabeau et jurât avec les beaux meubles anciens qu'elle avait, mais elle tenait à garder en évidence les cadeaux que les fidèles avaient l'habitude de lui faire de temps en temps, afin que les donateurs eussent le plaisir de les reconnaître quand ils venaient. Aussi tâchait-elle de persuader qu'on s'en tînt aux fleurs et aux bonbons, qui du moins se détruisent; mais elle n'y réussissait pas, et c'était chez elle une collection de chauffe-pieds, de coussins, de pendules, de paravents, de baromètres, de potiches, dans une accumulation de redites et un disparate d'étrennes.

De ce poste élevé elle participait avec entrain à la conversation des fidèles et s'égayait de leurs « fumisteries », mais depuis l'accident qui était arrivé à sa mâchoire, elle avait renoncé à prendre la peine de pouffer effectivement et se livrait à la place à une mimique conventionnelle qui signifiait, sans fatigue ni risques pour elle, qu'elle riait aux larmes. Au moindre mot que lâchait un habitué contre un ennuyeux ou contre un ancien habitué rejeté au camp des ennuyeux — et pour le plus grand désespoir de M. Verdurin qui avait eu longtemps la prétention d'être aussi aimable que sa femme, mais qui riant pour de bon s'essoufflait vite et avait été distancé et vaincu par cette ruse d'une incessante et fictive hilarité — elle poussait un petit cri, fermait entièrement ses yeux d'oiseau qu'une taie commençait à voiler, et brusquement, comme si elle n'eût eu que le temps de cacher un spectacle indécent ou de parer à un accès mortel, plongeant sa figure dans ses mains qui la recouvraient et n'en laissaient plus rien voir, elle avait l'air de s'efforcer de réprimer, d'anéantir un rire qui, si elle s'y fût abandonnée, l'eût conduite à l'évanouissement. Telle, étourdie par la gaîté des fidèles, ivre de camaraderie, de médisance et d'assentiment, Mme Verdurin, juchée sur son perchoir, pareille à un oiseau dont on eût trempé le colifichet dans du vin chaud, sanglotait d'amabilité.

Cependant M. Verdurin, après voir demandé à Swann la permission d'allumer sa pipe (« ici on ne se gêne pas, on est entre camarades »), priait le jeune artiste de se mettre au piano.

— Allons, voyons, ne l'ennuie pas, il n'est pas ici pour être tourmenté, s'écria Mme Verdurin, je ne veux pas qu'on le tourmente, moi!

— Mais pourquoi veux-tu que ça l'ennuie? dit M. Verdurin, M. Swann ne connaît peut-être pas la sonate en *fa* dièse que nous avons découverte; il va nous jouer l'arrangement pour piano

— Ah! non, non, pas ma sonate! cria Mme Verdurin, je n'ai pas envie à force de pleurer de me fiche un rhume de cerveau avec névralgies faciales, comme la dernière fois; merci du cadeau, je ne tiens pas à recommencer; vous êtes bons vous autres, on voit bien que ce n'est pas vous qui garderez le lit huit jours!

Cette petite scène qui se renouvelait chaque fois que le pianiste allait jouer enchantait les amis aussi bien que si elle avait été nouvelle, comme une preuve de la séduisante originalité de la « Patronne » et de sa sensibilité musicale. Ceux qui étaient près d'elle faisaient signe à ceux qui plus loin fumaient ou jouaient aux cartes, de se rapprocher, qu'il se passait quelque chose, leur disant comme on fait au Reichstag dans les moments intéressants : « Écoutez, écoutez. » Et le lendemain on donnait des regrets à ceux qui n'avaient pas pu venir en leur disant que la scène avait été encore plus amusante que d'habitude.

— Eh bien! voyons, c'est entendu, dit M. Verdurin, il ne jouera que l'andante.

— Que l'andante, comme tu y vas! s'écria Mme Verdurin. C'est justement l'andante qui me casse bras et jambes. Il est vraiment superbe, le Patron! C'est comme si dans la *Neuvième* il disait : nous n'entendrons que le finale, ou dans *les Maîtres* que l'ouverture.

Le docteur, cependant, poussait Mme Verdurin à laisser jouer le pianiste, non pas qu'il crût feints les troubles que la musique lui donnait — il y reconnaissait certains états neurasthéniques — mais par cette habitude qu'ont beaucoup de médecins de faire fléchir immédiatement la sévérité de leurs prescriptions dès qu'est en jeu, chose qui leur semble beaucoup plus importante, quelque réunion mondaine dont ils font partie et dont la personne à qui ils conseillent d'oublier pour une fois sa dyspepsie ou sa grippe, est un des facteurs essentiels.

— Vous ne serez pas malade cette fois-ci, vous verrez, lui dit-il en cherchant à la suggestionner du regard. Et si vous êtes malade, nous vous soignerons.

— Bien vrai? répondit Mme Verdurin, comme si devant l'espérance d'une telle faveur il n'y avait plus qu'à capituler. Peut-être aussi, à force de dire qu'elle serait malade, y avait-il des moments où elle ne se rappelait plus que c'était un mensonge et prenait une âme de malade. Or ceux-ci, fatigués d'être toujours obligés de faire dépendre de leur sagesse la rareté de leurs accès, aiment se laisser aller à croire qu'ils pourront faire impunément tout ce qui leur plaît et leur fait mal d'habitude, à condition de se remettre en les mains d'un être puissant qui, sans qu'ils aient aucune peine à prendre, d'un mot ou d'une pilule les remettra sur pied.

Odette était allée s'asseoir sur un canapé de tapisserie qui était près du piano :

— Vous savez, j'ai ma petite place, dit-elle à Mme Verdurin.

Celle-ci, voyant Swann sur une chaise, le fit lever :

— Vous n'êtes pas bien là, allez donc vous mettre à côté d'Odette, n'est-ce pas Odette, vous ferez bien une place à M. Swann?

— Quel joli Beauvais, dit avant de s'asseoir Swann qui cherchait à être aimable.

— Ah! je suis contente que vous appréciiez mon canapé, répondit Mme Verdurin. Et je vous préviens que si vous voulez en voir d'aussi beau, vous pouvez y renoncer tout de suite. Jamais ils n'ont rien fait de pareil. Les petites chaises aussi sont des merveilles. Tout à l'heure vous regarderez cela. Chaque bronze correspond comme attribut au petit sujet du siège; vous savez, vous avez de quoi vous amuser si vous voulez regarder cela, je vous promets un bon moment. Rien que les petites frises des bordures, tenez là, la petite vigne sur fond rouge de l'Ours et les Raisins. Est-ce dessiné? Qu'est-ce que vous en dites, je crois qu'ils le savaient plutôt, dessiner! Est-elle assez appétissante cette vigne? Mon mari prétend que je n'aime pas les fruits parce que j'en mange moins que lui. Mais non, je suis plus gourmande que vous tous, mais je n'ai pas besoin de me les mettre dans la bouche puisque je jouis par les yeux. Qu'est-ce que vous avez tous à rire ? Demandez au docteur, il vous dira que ces raisins-là me purgent. D'autres font des cures de Fontainebleau, moi je fais ma petite cure de Beauvais. Mais, monsieur Swann, vous ne partirez pas sans avoir touché les petits bronzes des dossiers. Est-ce assez doux comme patine ? Mais non, à pleines mains, touchez-les bien.

— Ah ! si madame Verdurin commence à peloter les bronzes, nous n'entendrons pas de musique ce soir, dit le peintre.

— Taisez-vous, vous êtes un vilain. Au fond, dit-elle en se tournant vers Swann, on nous défend à nous autres femmes des choses moins voluptueuses que cela. Mais il n'y a pas une chair comparable à cela ! Quand M. Verdurin me faisait l'honneur d'être jaloux de moi — allons, sois poli au moins, ne dis pas que tu ne l'as jamais été...

— Mais je ne dis absolument rien. Voyons, Docteur, je vous prends à témoin : est-ce que j'ai dit quelque chose ?

Swann palpait les bronzes par politesse et n'osait pas cesser tout de suite.

— Allons, vous les caresserez plus tard ; maintenant c'est vous qu'on va caresser, qu'on va caresser dans l'oreille ; vous aimez cela, je pense ; voilà un petit jeune homme qui va s'en charger.

Or quand le pianiste eut joué, Swann fut plus aimable encore avec lui qu'avec les autres personnes qui se trouvaient là. Voici pourquoi :

L'année précédente, dans une soirée, il avait entendu une œuvre musicale exécutée au piano et au violon. D'abord, il n'avait goûté que la qualité matérielle des sons sécrétés par les instruments. Et ç'avait déjà été un grand plaisir quand, au-dessous de la petite ligne du violon, mince, résistante, dense et directrice, il avait vu tout d'un coup chercher à s'élever en un clapotement liquide, la masse de la partie de piano, multiforme, indivise, plane et entrechoquée comme la mauve agitation des flots que charme et bémolise le clair de lune. Mais à un moment donné, sans pouvoir nettement distinguer un contour, donner un nom à ce qui lui plaisait, charmé tout d'un coup, il avait cherché à recueillir la phrase ou l'harmonie — il ne savait lui-même — qui passait et qui lui avait ouvert plus largement l'âme, comme certaines odeurs de roses circulant dans l'air humide du soir ont la propriété de dilater nos narines. Peut-être est-ce parce qu'il ne savait pas la musique qu'il avait pu éprouver une impression aussi confuse, une de ces impressions qui sont peut-être pourtant les seules purement musicales, inétendues, entièrement originales, irréductibles à tout autre ordre d'impressions. Une impression de ce genre, pendant un instant, est pour ainsi dire *sine materia.* Sans doute les notes que nous entendons alors, tendent déjà, selon leur hauteur et leur quantité, à couvrir devant nos yeux des surfaces de dimensions variées, à tracer des arabesques, à nous donner des sensations de largeur, de ténuité, de stabilité, de caprice. Mais les notes sont évanouies avant que ces sensations soient assez formées en nous pour ne pas être submergées par celles qu'éveillent déjà les notes suivantes ou même simultanées. Et cette impression continuerait à envelopper de sa liquidité et de son « fondu » les motifs qui par instants en émergent, à peine discernables, pour plonger aussitôt et disparaître, connus seulement par le plaisir particulier qu'ils donnent, impossibles à décrire, à se rappeler, à nommer, ineffables — si la mémoire, comme un ouvrier qui travaille à établir des fondations durables au milieu des flots, en fabriquant pour nous des fac-similés de ces phrases fugitives, ne nous permettait de les comparer à celles qui leur succèdent et de les différencier. Ainsi, à peine la sensation délicieuse que Swann avait ressentie était-elle expirée, que sa mémoire lui en avait fourni séance tenante une transcription sommaire et provisoire, mais sur laquelle il avait jeté les yeux tandis que le morceau continuait, si bien que, quand la même impression était tout d'un coup revenue, elle n'était déjà plus insaisissable. Il s'en représentait l'étendue, les groupements symétriques, la graphie, la valeur expressive; il avait devant lui cette chose qui n'est plus de la musique pure, qui est du dessin, de l'architecture, de la pensée, et qui permet de se rappeler la musique. Cette fois il avait distingué nettement une phrase s'élevant pendant quelques instants au-dessus des ondes sonores. Elle lui avait proposé aussitôt des voluptés particulières, dont il n'avait jamais eu l'idée avant de l'entendre, dont il sentait que rien autre qu'elle ne pourrait les lui faire connaître, et il avait éprouvé pour elle comme un amour inconnu.

D'un rythme lent elle le dirigeait ici d'abord, puis là, puis ailleurs, vers un bonheur noble, inintelligible et précis. Et tout d'un coup, au point où elle était arrivée et d'où il se préparait à la suivre, après une pause d'un instant, brusquement elle changeait de direction, et d'un mouvement nouveau, plus rapide, menu, mélancolique, incessant et doux, elle l'entraînait avec elle vers des perspectives inconnues. Puis elle disparut. Il souhaita passionnément la revoir une troisième fois. Et elle reparut en effet, mais sans lui parler plus clairement, en lui causant même une volupté moins profonde. Mais, rentré chez lui, il eut besoin d'elle : il était comme un homme dans la vie de qui une passante qu'il a aperçue un moment vient de faire entrer l'image d'une beauté nouvelle qui donne à sa propre sensibilité une valeur plus grande, sans qu'il sache seulement s'il pourra revoir jamais celle qu'il aime déjà et dont il ignore jusqu'au nom.

Même cet amour pour une phrase musicale sembla un instant devoir amorcer chez Swann la possibilité d'une sorte de rajeunissement. Depuis si longtemps il avait renoncé à appliquer sa vie à un but idéal et la bornait à la poursuite de satisfactions quotidiennes, qu'il croyait, sans jamais se le dire formellement, que cela ne changerait plus jusqu'à sa mort; bien plus, ne se sentant plus d'idées élevées dans l'esprit, il avait cessé de croire à leur réalité, sans pouvoir non plus la nier tout à fait. Aussi avait-il pris l'habitude de se réfugier dans des pensées sans importance qui lui permettaient de laisser de côté le fond des choses. De même qu'il ne se demandait pas s'il n'eût pas mieux fait de ne pas aller dans le monde, mais en revanche savait avec certitude que s'il avait accepté une invitation il devait s'y rendre et que, s'il ne faisait pas de visite après, il lui fallait laisser des cartes, de même dans sa conversation il s'efforçait de ne jamais exprimer avec cœur une opinion intime sur les choses, mais de fournir[1] des détails matériels qui valaient en quelque sorte par eux-mêmes et lui permettaient de ne pas donner sa mesure. Il était extrêmement précis pour une recette de cuisine, pour la date de la naissance ou de la mort d'un peintre, pour la nomenclature de ses œuvres. Parfois, malgré tout, il se laissait aller à émettre[2] un jugement sur une œuvre, sur une manière de comprendre la vie, mais il donnait alors à ses paroles un ton ironique comme s'il n'adhérait pas tout entier à ce qu'il disait. Or, comme certains valétudinaires chez qui, tout d'un coup, un pays où ils sont arrivés, un régime différent, quelquefois une évolution organique, spontanée et mystérieuse, semblent amener une telle régression de leur mal qu'ils commencent à envisager la possibilité inespérée de commencer sur le tard une vie toute différente, Swann trouvait en lui, dans le souvenir de la phrase qu'il avait entendue, dans certaines sonates qu'il s'était fait jouer, pour voir s'il ne l'y découvrirait pas, la présence d'une de ces réalités invisibles auxquelles il avait cessé de croire et auxquelles, comme si la musique avait eu sur la sécheresse morale dont il souffrait une sorte d'influence élective, il se sentait de nouveau le désir et presque la force de consacrer sa vie. Mais, n'étant pas arrivé à savoir de qui était l'œuvre qu'il avait entendue, il n'avait pu se la procurer et avait fini par l'oublier. Il avait bien rencontré dans la semaine quelques personnes qui se trouvaient comme lui à cette soirée et les avait interrogées; mais plusieurs étaient arrivées après la musique ou parties avant; certaines pourtant étaient là pendant qu'on l'exécutait, mais étaient allées[1] causer dans un autre salon, et d'autres, restées à écouter, n'avaient pas entendu plus que les premières. Quant aux maîtres de maison, ils savaient que c'était une œuvre nouvelle que les artistes qu'ils avaient engagés avaient demandé à jouer; ceux-ci étant partis en tournée, Swann ne put pas en savoir davantage. Il avait bien des amis musiciens, mais tout en se rappelant le plaisir spécial et intraduisible que lui avait fait la phrase, en voyant devant ses yeux les formes qu'elle dessinait, il était pourtant incapable de la leur chanter. Puis il cessa d'y penser.

Or, quelques minutes à peine après que le petit pianiste avait commencé de jouer chez Mme Verdurin, tout d'un coup, après une note haute longuement tenue pendant deux mesures, il vit approcher, s'échappant de sous cette sonorité prolongée et tendue comme un rideau sonore pour cacher le mystère de son incubation, il reconnut, secrète, bruissante et divisée, la phrase aérienne et odorante qu'il aimait. Et elle était si particulière, elle avait un charme si individuel et qu'aucun autre n'aurait pu remplacer, que ce fut pour Swann comme s'il eût rencontré dans un salon ami une personne qu'il avait admirée dans la rue et désespérait de jamais retrouver. À la fin, elle s'éloigna, indicatrice, diligente, parmi les ramifications de son parfum, laissant sur le visage de Swann le reflet de son sourire. Mais maintenant il pouvait demander le nom de son inconnue (on lui dit que c'était l'andante de la *Sonate pour piano et violon* de Vinteuil), il la tenait, il pourrait l'avoir chez lui aussi souvent qu'il voudrait, essayer d'apprendre son langage et son secret.

Aussi quand le pianiste eut fini, Swann s'approcha-t-il de lui pour lui exprimer une reconnaissance dont la vivacité plut beaucoup à Mme Verdurin.

— Quel charmeur, n'est-ce pas, dit-elle à Swann; la comprend-il assez, sa sonate, le petit misérable? Vous ne saviez pas que le piano pouvait atteindre à ça. C'est tout, excepté du piano, ma parole! Chaque fois j'y suis reprise, je crois entendre un orchestre. C'est même plus beau que l'orchestre, plus complet.

Le jeune pianiste s'inclina, et, souriant, soulignant les mots comme s'il avait fait un trait d'esprit :

— Vous êtes très indulgente pour moi, dit-il.

Et tandis que Mme Verdurin disait à son mari : « Allons, donne-lui de l'orangeade, il l'a bien méritée », Swann racontait à Odette comment il avait été amoureux de cette petite phrase. Quand Mme Verdurin, ayant dit d'un peu loin : « Eh bien! il me semble qu'on est en train de vous dire de belles choses, Odette », elle répondit : « Oui, de très belles » et Swann trouva délicieuse sa simplicité. Cependant il demandait des renseignements sur Vinteuil, sur son œuvre, sur l'époque de sa vie où il avait composé cette sonate, sur ce qu'avait pu signifier pour lui la petite phrase, c'est cela surtout qu'il aurait voulu savoir.

Mais tous ces gens qui faisaient profession d'admirer ce musicien (quand Swann avait dit que sa sonate était vraiment belle, Mme Verdurin s'était écriée : « Je vous crois un peu qu'elle est belle! Mais on n'avoue pas qu'on ne connaît pas la sonate de Vinteuil, on n'a pas le droit de ne pas la connaître », et le peintre avait ajouté : « Ah! c'est tout à fait une très grande machine, n'est-ce pas? Ce n'est pas, si vous voulez, la chose « cher » et « public », n'est-ce pas? mais c'est la très grosse impression pour les artistes »), ces gens semblaient ne s'être jamais posé ces questions, car ils furent incapables d'y répondre.

Même à une ou deux remarques particulières que fit Swann sur sa phrase préférée :

— Tiens, c'est amusant, je n'avais jamais fait attention ; je vous dirai que je n'aime pas beaucoup chercher la petite bête et m'égarer dans des pointes d'aiguilles ; on ne perd pas son temps à couper les cheveux en quatre ici, ce n'est pas le genre de la maison », répondit Mme Verdurin que le docteur Cottard regardait avec une admiration béate et un zèle studieux se jouer au milieu de ce flot d'expressions toutes faites. D'ailleurs lui et Mme Cottard, avec une sorte de bon sens comme en ont aussi certaines gens du peuple, se gardaient bien de donner une opinion ou de feindre l'admiration pour une musique qu'ils s'avouaient l'un à l'autre, une fois rentrés chez eux, ne pas plus comprendre que la peinture de « M. Biche ». Comme le public ne connaît du charme, de la grâce, des formes de la nature que ce qu'il en a puisé dans les poncifs d'un art lentement assimilé, et qu'un artiste original commence par rejeter ces poncifs, M. et Mme Cottard, image en cela du public, ne trouvaient ni dans la sonate de Vinteuil, ni dans les portraits du peintre, ce qui faisait pour eux l'harmonie de la musique et la beauté de la peinture. Il leur semblait quand le pianiste jouait la sonate qu'il accrochait au hasard sur le piano des notes que ne reliaient pas en effet les formes auxquelles ils étaient habitués, et que le peintre jetait au hasard des couleurs sur ses toiles. Quand dans celles-ci ils pouvaient reconnaître une forme, ils la trouvaient alourdie et vulgarisée (c'est-à-dire dépourvue de l'élégance de l'école de peinture à travers laquelle ils voyaient dans la rue même les êtres vivants), et sans vérité, comme si M. Biche n'eût pas su comment était construite une épaule et que les femmes n'ont pas[1] les cheveux mauves.

Pourtant les fidèles s'étant dispersés, le docteur sentit qu'il y avait là une occasion propice et, pendant que Mme Verdurin disait un dernier mot sur la sonate de Vinteuil, comme un nageur débutant qui se jette à l'eau pour apprendre mais choisit un moment où il n'y a pas trop de monde pour le voir :

— Alors, c'est ce qu'on appelle un musicien *di primo cartello !* s'écria-t-il avec une brusque résolution.

Swann apprit seulement que l'apparition récente de la sonate de Vinteuil avait produit une grande impression dans une école de tendances très avancées, mais était entièrement inconnue du grand public.

— Je connais bien quelqu'un qui s'appelle Vinteuil, dit Swann, en pensant au professeur de piano des sœurs de ma grand'mère.

— C'est peut-être lui, s'écria Mme Verdurin.

— Oh! non, répondit Swann en riant. Si vous l'aviez vu deux minutes, vous ne vous poseriez pas la question.

— Alors poser la question, c'est la résoudre? dit le docteur.

— Mais ce pourrait être un parent, reprit Swann, cela serait assez triste, mais enfin un homme de génie peut être le cousin d'une vieille bête. Si cela était, j'avoue qu'il n'y a pas de supplice que je ne m'imposerais pour que la vieille bête me présentât à l'auteur de la sonate : d'abord le supplice de fréquenter la vieille bête, et qui doit être affreux.

Le peintre savait que Vinteuil était à ce moment très malade et que le docteur Potain craignait de ne pouvoir le sauver.

— Comment, s'écria Mme Verdurin, il y a encore des gens qui se font soigner par Potain!

— Ah! madame Verdurin, dit Cottard, sur un ton de marivaudage, vous oubliez que vous parlez d'un de mes confrères, je devrais dire un de mes maîtres.

Le peintre avait entendu dire que Vinteuil était menacé d'aliénation mentale. Et il assurait qu'on pouvait s'en apercevoir à certains passages de sa sonate. Swann ne trouva pas cette remarque absurde, mais elle le troubla; car une œuvre de musique pure ne contenant aucun des rapports logiques dont l'altération dans le langage dénonce la folie, la folie reconnue dans une sonate lui paraissait quelque chose d'aussi mystérieux que la folie d'une chienne, la folie d'un cheval, qui pourtant s'observent en effet.

— Laissez-moi donc tranquille avec vos maîtres, vous en savez dix fois autant que lui, répondit Mme Verdurin au docteur Cottard, du ton d'une personne qui a le courage de ses opinions et tient bravement tête à ceux qui ne sont pas du même avis qu'elle. Vous ne tuez pas vos malades, vous au moins!

— Mais, Madame, il est de l'Académie, répliqua le docteur d'un ton ironique. Si un malade préfère mourir de la main d'un des princes de la science... C'est beaucoup plus chic de pouvoir dire : « C'est Potain qui me soigne. »

— Ah! c'est plus chic? dit Mme Verdurin. Alors il y a du chic dans les maladies, maintenant? je ne savais pas ça... Ce que vous m'amusez! s'écria-t-elle tout à coup en plongeant sa figure dans ses mains. Et moi, bonne bête qui discutais sérieusement, sans m'apercevoir que vous me faisiez monter à l'arbre.

Quant à M. Verdurin, trouvant que c'était un peu fatigant de se mettre à rire pour si peu, il se contenta de tirer une bouffée de sa pipe en songeant avec tristesse qu'il ne pouvait plus rattraper sa femme sur le terrain de l'amabilité.

— Vous savez que votre ami nous plaît beaucoup, dit Mme Verdurin à Odette, au moment où celle-ci lui souhaitait le bonsoir. Il est simple, charmant; si vous n'avez jamais à nous présenter que des amis comme cela, vous pouvez les amener.

M. Verdurin fit remarquer que pourtant Swann n'avait pas apprécié la tante du pianiste.

— Il s'est senti un peu dépaysé, cet homme, répondit Mme Verdurin, tu ne voudrais pourtant pas que, la première fois, il ait déjà le ton de la maison comme Cottard qui fait partie de notre petit clan depuis plusieurs années. La première fois ne compte pas, c'était utile pour prendre langue. Odette, il est convenu qu'il viendra nous retrouver demain au Châtelet. Si vous alliez le prendre?

— Mais non, il ne veut pas.

— Ah! enfin, comme vous voudrez. Pourvu qu'il n'aille pas lâcher au dernier moment!

À la grande surprise de Mme Verdurin, il ne lâcha jamais. Il allait les rejoindre n'importe où, quelquefois dans les restaurants de banlieue où on allait peu encore, car ce n'était pas la saison, plus souvent au théâtre, que Mme Verdurin aimait beaucoup; et comme un jour, chez elle, elle dit devant lui que pour les soirs de premières, de galas, un coupe-file leur eût été fort utile, que cela les avait beaucoup gênés de ne pas en avoir le jour de l'enterrement de Gambetta[1], Swann qui ne parlait jamais de ses relations brillantes, mais seulement de celles mal cotées qu'il eût jugé peu délicat de cacher, et au nombre desquelles il avait pris dans le faubourg Saint-Germain l'habitude de ranger les relations avec le monde officiel, répondit :

— Je vous promets de m'en occuper, vous l'aurez à temps pour la reprise des *Danicheff*[1], je déjeune justement demain avec le Préfet de police à l'Élysée.

— Comment ça, à l'Élysée ? cria le docteur Cottard d'une voix tonnante.

— Oui, chez M. Grévy, répondit Swann, un peu gêné de l'effet que sa phrase avait produit.

Et le peintre dit au docteur en manière de plaisanterie :

— Ça vous prend souvent ?

Généralement, une fois l'explication donnée, Cottard disait : « Ah ! bon, bon, ça va bien » et ne montrait plus trace d'émotion. Mais, cette fois-ci, les derniers mots de Swann, au lieu de lui procurer l'apaisement habituel, portèrent au comble son étonnement qu'un homme avec qui il dînait, qui n'avait ni fonctions officielles ni illustration d'aucune sorte, frayât avec le Chef de l'État.

— Comment ça, M. Grévy ? vous connaissez M. Grévy ? dit-il à Swann de l'air stupide et incrédule d'un municipal à qui un inconnu demande à voir le Président de la République et qui, comprenant par ces mots « à qui il a affaire », comme disent les journaux, assure au pauvre dément qu'il va être reçu à l'instant et le dirige sur l'Infirmerie spéciale du Dépôt.

— Je le connais un peu, nous avons des amis communs (il n'osa pas dire que c'était le prince de Galles), du reste il invite très facilement, et je vous assure que ces déjeuners n'ont rien d'amusant, ils sont d'ailleurs très simples, on n'est jamais plus de huit à table, répondit Swann qui tâchait d'effacer ce que semblaient avoir de trop éclatant, aux yeux de son interlocuteur, des relations avec le Président de la République.

Aussitôt Cottard, s'en rapportant aux paroles de Swann, adopta cette opinion, au sujet de la valeur d'une invitation chez M. Grévy, que c'était chose fort peu recherchée et qui courait les rues. Dès lors, il ne s'étonna plus que Swann, aussi bien qu'un autre, fréquentât l'Élysée, et même il le plaignait un peu d'aller à des déjeuners que l'invité avouait lui-même être ennuyeux.

— Ah ! bien, bien, ça va bien, dit-il sur le ton d'un douanier, méfiant tout à l'heure, mais qui, après vos explications, vous donne son visa et vous laisse passer sans ouvrir vos malles.

— Ah! je vous crois qu'ils ne doivent pas être amusants ces déjeuners, vous avez de la vertu d'y aller, dit Mme Verdurin à qui le Président de la République apparaissait comme un ennuyeux particulièrement redoutable parce qu'il disposait de moyens de séduction et de contrainte qui, employés à l'égard des fidèles, eussent été capables de les faire lâcher. Il paraît qu'il est sourd comme un pot et qu'il mange avec ses doigts.

— En effet, alors cela ne doit pas beaucoup vous amuser d'y aller, dit le docteur avec une nuance de commisération; et, se rappelant le chiffre de huit convives: « Sont-ce des déjeuners intimes? » demanda-t-il vivement avec un zèle de linguiste plus encore qu'une curiosité de badaud.

Mais le prestige qu'avait à ses yeux le Président de la République finit pourtant par triompher et de l'humilité de Swann et de la malveillance de Mme Verdurin, et à chaque dîner, Cottard demandait avec intérêt: « Verrons-nous ce soir M. Swann? Il a des relations personnelles avec M. Grévy. C'est bien ce qu'on appelle un gentleman? » Il alla même jusqu'à lui offrir une carte d'invitation pour l'exposition dentaire.

— Vous serez admis avec les personnes qui seront avec vous, mais on ne laisse pas entrer les chiens. Vous comprenez, je vous dis cela parce que j'ai eu des amis qui ne le savaient pas et qui s'en sont mordu les doigts.

Quant à M. Verdurin, il remarqua le mauvais effet qu'avait produit sur sa femme cette découverte que Swann avait des amitiés puissantes dont il n'avait jamais parlé.

Si l'on n'avait pas arrangé une partie au dehors, c'est chez les Verdurin que Swann retrouvait le petit noyau, mais il ne venait que le soir, et n'acceptait presque jamais à dîner malgré les instances d'Odette.

— Je pourrais même dîner seule avec vous, si vous aimiez mieux cela, lui disait-elle.

— Et Mme Verdurin?

— Oh! ce serait bien simple. Je n'aurais qu'à dire que ma robe n'a pas été prête, que mon cab est venu en retard. Il y a toujours moyen de s'arranger.

— Vous êtes gentille.

Mais Swann se disait que, s'il montrait à Odette (en consentant seulement à la retrouver après dîner) qu'il y avait des plaisirs qu'il préférait à celui d'être avec elle, le goût qu'elle ressentait pour lui ne connaîtrait pas de longtemps la satiété. Et, d'autre part, préférant infiniment à celle d'Odette la beauté d'une petite ouvrière fraîche et bouffie comme une rose et dont il était épris, il aimait mieux passer le commencement de la soirée avec elle, étant sûr de voir Odette ensuite. C'est pour les mêmes raisons qu'il n'acceptait jamais qu'Odette vînt le chercher pour aller chez les Verdurin. La petite ouvrière l'attendait près de chez lui à un coin de rue que son cocher Rémi connaissait, elle montait à côté de Swann et restait dans ses bras jusqu'au moment où la voiture l'arrêtait devant chez les Verdurin. À son entrée, tandis que Mme Verdurin montrant des roses qu'il avait envoyées le matin lui disait : « Je vous gronde » et lui indiquait une place à côté d'Odette, le pianiste jouait, pour eux deux, la petite phrase de Vinteuil qui était comme l'air national de leur amour. Il commençait par la tenue des trémolos de violon que pendant quelques mesures on entend seuls, occupant tout le premier plan, puis tout d'un coup ils semblaient s'écarter et, comme dans ces tableaux de Pieter de Hooch qu'approfondit le cadre étroit d'une porte entr'ouverte, tout au loin, d'une couleur autre, dans le velouté d'une lumière interposée, la petite phrase apparaissait, dansante, pastorale, intercalée, épisodique, appartenant à un autre monde. Elle passait à plis simples et immortels, distribuant çà et là les dons de sa grâce, avec le même ineffable sourire; mais Swann y croyait distinguer maintenant du désenchantement. Elle semblait connaître la vanité de ce bonheur dont elle montrait la voie. Dans sa grâce légère, elle avait quelque chose d'accompli, comme le détachement qui succède au regret. Mais peu lui importait, il la considérait moins en elle-même — en ce qu'elle pouvait exprimer pour un musicien qui ignorait l'existence et de lui et d'Odette quand il l'avait composée, et pour tous ceux qui l'entendraient dans des siècles — que comme un gage, un souvenir de son amour qui, même pour les Verdurin, pour[1] le petit pianiste, faisait penser à Odette en même temps qu'à lui, les unissait; c'était au point que, comme Odette, par caprice, l'en avait prié, il avait renoncé à son projet de se faire jouer par un artiste la sonate entière, dont il continua à ne connaître que ce passage. « Qu'avez-vous besoin du reste ? lui avait-elle dit. C'est ça *notre* morceau. » Et même, souffrant de songer, au moment où elle passait si proche et pourtant à l'infini, que tandis qu'elle s'adressait à eux, elle ne les connaissait pas, il regrettait presque qu'elle eût une signification, une beauté intrinsèque et fixe, étrangère à eux, comme en des bijoux donnés, ou même en des lettres écrites par une femme aimée, nous en voulons à l'eau de la gemme et aux mots du langage, de ne pas être faits uniquement de l'essence d'une liaison passagère et d'un être particulier.

Souvent il se trouvait qu'il s'était tant attardé avec la jeune ouvrière avant d'aller chez les Verdurin, qu'une fois la petite phrase jouée par le pianiste, Swann s'apercevait qu'il était bientôt l'heure qu'Odette rentrât. Il la reconduisait jusqu'à la porte de son petit hôtel, rue La Pérouse, derrière l'Arc de Triomphe. Et c'était peut-être à cause de cela, pour ne pas lui demander toutes les faveurs, qu'il sacrifiait le plaisir moins nécessaire pour lui de la voir plus tôt, d'arriver chez les Verdurin avec elle, à l'exercice de ce droit qu'elle lui reconnaissait de partir ensemble et auquel il attachait plus de prix, parce que, grâce à cela, il avait l'impression que personne ne la voyait, ne se mettait entre eux, ne l'empêchait d'être encore avec lui, après qu'il l'avait quittée.

Ainsi revenait-elle dans la voiture de Swann; un soir, comme elle venait d'en descendre et qu'il lui disait à demain, elle cueillit précipitamment dans le petit jardin qui précédait la maison un dernier chrysanthème et le lui donna avant qu'il fût reparti. Il le tint serré contre sa bouche pendant le retour, et quand au bout de quelques jours la fleur fut fanée, il l'enferma précieusement dans son secrétaire.

Mais il n'entrait jamais chez elle. Deux fois seulement dans l'après-midi, il était allé participer à cette opération capitale pour elle : « prendre le thé ». L'isolement et le vide de ces courtes rues (faites presque toutes de petits hôtels contigus, dont tout à coup venait rompre la monotonie quelque sinistre échoppe, témoignage historique et reste sordide du temps où ces quartiers étaient encore mal famés), la neige qui était restée dans le jardin et aux arbres, le négligé de la saison, le voisinage de la nature, donnaient quelque chose de plus mystérieux à la chaleur, aux fleurs qu'il avait trouvées en entrant.

Laissant à gauche, au rez-de-chaussée surélevé, la chambre à coucher d'Odette qui donnait derrière sur une petite rue parallèle, un escalier droit, entre des murs peints de couleur sombre et d'où tombaient des étoffes orientales, des fils de chapelets turcs et une grande lanterne japonaise suspendue à une cordelette de soie (mais qui, pour ne pas priver les visiteurs des derniers conforts de la civilisation occidentale, s'éclairait au gaz), montait au salon et au petit salon. Ils étaient précédés d'un étroit vestibule dont le mur quadrillé d'un treillage de jardin, mais doré, était bordé dans toute sa longueur d'une caisse rectangulaire où fleurissaient comme dans une serre une rangée de ces gros chrysanthèmes encore rares à cette époque, mais bien éloignés cependant de ceux que les horticulteurs réussirent plus tard à obtenir. Swann était agacé par la mode qui depuis l'année dernière se portait sur eux, mais il avait eu plaisir, cette fois, à voir la pénombre de la pièce zébrée de rose, d'orangé et de blanc par les rayons odorants de ces astres éphémères qui s'allument dans les jours gris. Odette l'avait reçu en robe de chambre de soie rose, le cou et les bras nus. Elle l'avait fait asseoir près d'elle dans un des nombreux retraits mystérieux qui étaient ménagés dans les enfoncements du salon, protégés par d'immenses palmiers contenus dans des cache-pot de Chine, ou par des paravents auxquels étaient fixés des photographies, des nœuds de rubans et des éventails. Elle lui avait dit : « Vous n'êtes pas confortable comme cela, attendez, moi je vais bien vous arranger», et avec le petit rire vaniteux qu'elle aurait eu pour quelque invention particulière à elle, avait installé derrière la tête de Swann, sous ses pieds, des coussins de soie japonaise qu'elle pétrissait comme si elle avait été prodigue de ces richesses et insoucieuse de leur valeur. Mais, quand le valet de chambre était venu apporter successivement les nombreuses lampes qui, presque toutes enfermées dans des potiches chinoises, brûlaient isolées ou par couples, toutes sur des meubles différents comme sur des autels et qui dans le crépuscule déjà presque nocturne de cette fin d'après-midi d'hiver avaient fait reparaître un coucher de soleil plus durable, plus rose et plus humain — faisant peut-être rêver dans la rue quelque amoureux arrêté devant le mystère de la présence que décelaient et cachaient à la fois les vitres rallumées, — elle avait surveillé sévèrement du coin de l'œil le domestique pour voir s'il les posait bien à leur place consacrée. Elle pensait qu'en en mettant une seule là où il ne fallait pas, l'effet d'ensemble de son salon eût été détruit, et son portrait, placé sur un chevalet oblique drapé de peluche, mal éclairé. Aussi suivait-elle avec fièvre les mouvements de cet homme grossier et le réprimanda-t-elle vivement parce qu'il avait passé trop près de deux jardinières qu'elle se réservait de nettoyer elle-même dans sa peur qu'on ne les abîmât et qu'elle alla regarder de près pour voir s'il ne les avait pas écornées. Elle trouvait à tous ses bibelots chinois des formes « amusantes », et aussi aux orchidées, aux catleyas surtout, qui étaient, avec les chrysanthèmes, ses fleurs préférées, parce qu'ils avaient le grand mérite de ne pas ressembler à des fleurs, mais d'être en soie, en satin. « Celle-là a l'air d'être découpée dans la doublure de mon manteau », dit-elle à Swann en lui montrant une orchidée, avec une nuance d'estime pour cette fleur si « chic », pour cette sœur élégante et imprévue que la nature lui donnait, si loin d'elle dans l'échelle des êtres et pourtant raffinée, plus digne que bien des femmes qu'elle lui fît une place dans son salon. En lui montrant tour à tour des chimères à langues de feu décorant une potiche ou brodées sur un écran, les corolles d'un bouquet d'orchidées, un dromadaire d'argent niellé aux yeux incrustés de rubis qui voisinait sur la cheminée avec un crapaud de jade, elle affectait tour à tour d'avoir peur de la méchanceté, ou de rire de la cocasserie des monstres, de rougir de l'indécence des fleurs et d'éprouver un irrésistible désir d'aller embrasser le dromadaire et le crapaud qu'elle appelait : « chéris ». Et ces affectations contrastaient avec la sincérité de certaines de ses dévotions, notamment à Notre-Dame de Laghet[1] qui l'avait jadis, quand elle habitait Nice, guérie d'une maladie mortelle, et dont elle portait toujours sur elle une médaille d'or à laquelle elle attribuait un pouvoir sans limites. Odette fit à Swann « son » thé, lui demanda : « Citron ou crème ? » et comme il répondit « crème », lui dit en riant : « Un nuage ! » Et comme il le trouvait bon : « Vous voyez que je sais ce que vous aimez. » Ce thé, en effet, avait paru à Swann quelque chose de précieux comme à elle-même, et l'amour a tellement besoin de se trouver une justification, une garantie de durée, dans des plaisirs qui au contraire sans lui n'en seraient pas et finissent avec lui, que quand il l'avait quittée à sept heures pour rentrer chez lui s'habiller, pendant tout le trajet qu'il fit dans son coupé, ne pouvant contenir la joie que cet après-midi lui avait causée, il se répétait : « Ce serait bien agréable d'avoir ainsi une petite personne chez qui on pourrait trouver cette chose si rare, du bon thé. » Une heure après, il reçut un mot d'Odette et reconnut tout de suite cette grande écriture dans laquelle une affectation de raideur britannique imposait une apparence de discipline à des caractères informes qui eussent signifié peut-être pour des yeux moins prévenus le désordre de la pensée, l'insuffisance de l'éducation, le manque de franchise et de volonté. Swann avait oublié son étui à cigarettes chez Odette. « Que n'y avez-vous oublié aussi votre cœur, je ne vous aurais pas laissé le reprendre. »

Une seconde visite qu'il lui fit eut plus d'importance peut-être. En se rendant chez elle ce jour-là comme chaque fois qu'il devait la voir, d'avance il se la représentait; et la nécessité où il était, pour trouver jolie sa figure, de limiter aux seules pommettes roses et fraîches, les joues qu'elle avait si souvent jaunes, languissantes, parfois piquées de petits points rouges, l'affligeait comme une preuve que l'idéal est inaccessible et le bonheur, médiocre. Il lui apportait une gravure qu'elle désirait voir. Elle était un peu souffrante; elle le reçut en peignoir de crêpe de Chine mauve, ramenant sur sa poitrine, comme un manteau, une étoffe richement brodée. Debout à côté de lui, laissant couler le long de ses joues ses cheveux qu'elle avait dénoués, fléchissant une jambe dans une attitude légèrement dansante pour pouvoir se pencher sans fatigue vers la gravure qu'elle regardait, en inclinant la tête, de ses grands yeux, si fatigués et maussades quand elle ne s'animait pas, elle frappa Swann par sa ressemblance avec cette figure de Zéphora, la fille de Jéthro, qu'on voit dans une fresque de la chapelle Sixtine. Swann avait toujours eu ce goût particulier d'aimer à retrouver dans la peinture des maîtres non pas seulement les caractères généraux de la réalité qui nous entoure, mais ce qui semble au contraire le moins susceptible de généralité, les traits individuels des visages que nous connaissons : ainsi, dans la matière d'un buste du doge Lorédan par Antoine Rizzo, la saillie des pommettes, l'obliquité des sourcils, enfin la ressemblance criante de son cocher Rémi; sous les couleurs d'un Ghirlandajo, le nez de M. de Palancy; dans un portrait de Tintoret, l'envahissement du gras de la joue par l'implantation des premiers poils des favoris, la cassure du nez, la pénétration du regard, la congestion des paupières du docteur du Boulbon. Peut-être, ayant toujours gardé un remords d'avoir borné sa vie aux relations mondaines, à la conversation, croyait-il trouver une sorte d'indulgent pardon à lui accordé par les grands artistes, dans ce fait qu'ils avaient eux aussi considéré avec plaisir, fait entrer dans leur œuvre, de tels visages qui donnent à celle-ci un singulier certificat de réalité et de vie, une saveur moderne; peut-être aussi s'était-il tellement laissé gagner par la frivolité des gens du monde qu'il éprouvait le besoin de trouver dans une œuvre ancienne ces allusions anticipées et rajeunissantes à des noms propres d'aujourd'hui. Peut-être, au contraire, avait-il gardé suffisamment une nature d'artiste pour que ces caractéristiques individuelles lui causassent du plaisir en prenant une signification plus générale, dès qu'il les apercevait, déracinées, délivrées, dans la ressemblance d'un portrait plus ancien avec un original qu'il ne représentait pas. Quoi qu'il en soit, et peut-être parce que la plénitude d'impressions qu'il avait depuis quelque temps, et bien qu'elle lui fût venue plutôt avec l'amour de la musique, avait enrichi même son goût pour la peinture, le plaisir fut plus profond — et devait exercer sur Swann une influence durable, — qu'il trouva à ce moment-là dans la ressemblance d'Odette avec la Zéphora de ce Sandro di Mariano auquel on donne[1] plus volontiers son surnom populaire de Botticelli depuis que celui-ci évoque au lieu de l'œuvre véritable du peintre l'idée banale et fausse qui s'en est vulgarisée. Il n'estima plus le visage d'Odette selon la plus ou moins bonne qualité de ses joues et d'après la douceur purement carnée qu'il supposait devoir leur trouver en les touchant avec ses lèvres si jamais il osait l'embrasser, mais comme un écheveau de lignes subtiles et belles que ses regards dévidèrent, poursuivant la courbe de leur enroulement, rejoignant la cadence de la nuque à l'effusion des cheveux et à la flexion des paupières, comme en un portrait d'elle en lequel son type devenait intelligible et clair.

Il la regardait; un fragment de la fresque apparaissait dans son visage et dans son corps, que dès lors il chercha toujours à y retrouver, soit qu'il fût auprès d'Odette, soit qu'il pensât seulement à elle; et, bien qu'il ne tînt sans doute au chef-d'œuvre florentin que parce qu'il le retrouvait en elle, pourtant cette ressemblance lui conférait à elle aussi une beauté, la rendait plus précieuse. Swann se reprocha d'avoir méconnu le prix d'un être qui eût paru adorable au grand Sandro, et il se félicita que le plaisir qu'il avait à voir Odette trouvât une justification dans sa propre culture esthétique. Il se dit qu'en associant la pensée d'Odette à ses rêves de bonheur, il ne s'était pas résigné à un pis aller aussi imparfait qu'il l'avait cru jusqu'ici, puisqu'elle contentait en lui ses goûts d'art les plus raffinés. Il oubliait qu'Odette n'était pas plus pour cela une femme selon son désir, puisque précisément son désir avait toujours été orienté dans un sens opposé à ses goûts esthétiques. Le mot d'« œuvre florentine » rendit un grand service à Swann. Il lui permit, comme un titre, de faire pénétrer l'image d'Odette dans un monde de rêves où elle n'avait pas eu accès jusqu'ici et où elle s'imprégna de noblesse. Et, tandis que la vue purement charnelle qu'il avait eue de cette femme, en renouvelant perpétuellement ses doutes sur la qualité de son visage, de son corps, de toute sa beauté, affaiblissait son amour, ces doutes furent détruits, cet amour assuré quand il eut à la place pour base les données d'une esthétique certaine; sans compter que le baiser et la possession qui semblaient naturels et médiocres s'ils lui étaient accordés par une chair abîmée, venant couronner l'adoration d'une pièce de musée, lui parurent devoir être surnaturels et délicieux.

Et quand il était tenté de regretter que depuis des mois il ne fît plus que voir Odette, il se disait qu'il était raisonnable de donner beaucoup de son temps à un chef-d'œuvre inestimable, coulé pour une fois dans une matière différente et particulièrement savoureuse, en un exemplaire rarissime qu'il contemplait tantôt avec l'humilité, la spiritualité et le désintéressement d'un artiste, tantôt avec l'orgueil, l'égoïsme et la sensualité d'un collectionneur.

Il plaça sur sa table de travail, comme une photographie d'Odette, une reproduction de la fille de Jéthro. Il admirait les grands yeux, le délicat visage qui laissait deviner la peau imparfaite, les boucles merveilleuses des cheveux le long des joues fatiguées; et, adaptant ce qu'il trouvait beau jusque-là d'une façon esthétique à l'idée d'une femme vivante, il le transformait en mérites physiques qu'il se félicitait de trouver réunis dans un être qu'il pourrait posséder. Cette vague sympathie qui nous porte vers un chef-d'œuvre que nous regardons, maintenant qu'il connaissait l'original charnel de la fille de Jéthro, elle devenait un désir qui suppléa désormais à celui que le corps d'Odette ne lui avait pas d'abord inspiré. Quand il avait regardé longtemps ce Botticelli, il pensait à son Botticelli à lui qu'il trouvait plus beau encore et, approchant de lui la photographie de Zéphora, il croyait serrer Odette contre son cœur.

Et cependant ce n'était pas seulement la lassitude d'Odette qu'il s'ingéniait à prévenir, c'était quelquefois aussi la sienne propre; sentant que depuis qu'Odette avait toutes facilités pour le voir, elle semblait n'avoir pas grand'chose à lui dire, il craignait que les façons un peu insignifiantes, monotones, et comme définitivement fixées, qui étaient maintenant les siennes quand ils étaient ensemble, ne finissent par tuer en lui cet espoir romanesque d'un jour où elle voudrait déclarer sa passion, qui seul l'avait rendu et gardé amoureux. Et pour renouveler un peu l'aspect moral, trop figé, d'Odette, et dont il avait peur de se fatiguer, il lui écrivait tout d'un coup une lettre pleine de déceptions feintes et de colères simulées qu'il lui faisait porter avant le dîner. Il savait qu'elle allait être effrayée, lui répondre, et il espérait que dans la contraction que la peur de le perdre ferait subir à son âme, jailliraient des mots qu'elle ne lui avait encore jamais dits; — et en effet c'est de cette façon qu'il avait obtenu les lettres les plus tendres qu'elle lui eût encore écrites, dont l'une, qu'elle lui avait fait porter à midi de la « Maison Dorée » (c'était le jour de la fête de Paris-Murcie donnée pour les inondés de Murcie), commençait par ces mots : « Mon ami, ma main tremble si fort que je peux à peine écrire », et qu'il avait gardée dans le même tiroir que la fleur séchée du chrysanthème. Ou bien, si elle n'avait pas eu le temps de lui écrire, quand il arriverait chez les Verdurin, elle irait vivement à lui et lui dirait : « J'ai à vous parler », et il contemplerait avec curiosité sur son visage et dans ses paroles ce qu'elle lui avait caché jusque-là de son cœur.

Rien qu'en approchant de chez les Verdurin, quand il apercevait, éclairées par des lampes, les grandes fenêtres dont on ne fermait jamais les volets, il s'attendrissait en pensant à l'être charmant qu'il allait voir épanoui dans leur lumière d'or. Parfois les ombres des invités se détachaient, minces et noires, en écran, devant les lampes, comme ces petites gravures qu'on intercale de place en place dans un abat-jour translucide dont les autres feuillets ne sont que clarté. Il cherchait à distinguer la silhouette d'Odette. Puis, dès qu'il était arrivé, sans qu'il s'en rendît compte, ses yeux brillaient d'une telle joie que M. Verdurin disait au peintre : « Je crois que ça chauffe. » Et la présence d'Odette ajoutait, en effet, pour Swann à cette maison ce dont n'était pourvue aucune de celles où il était reçu : une sorte d'appareil sensitif, de réseau nerveux qui se ramifiait dans toutes les pièces et apportait des excitations constantes à son cœur.

Ainsi le simple fonctionnement de cet organisme social qu'était le petit « clan » prenait automatiquement pour Swann des rendez-vous quotidiens avec Odette et lui permettait de feindre une indifférence à la voir, ou même un désir de ne plus la voir, qui ne lui faisait pas courir de grands risques, puisque, quoi qu'il lui eût écrit dans la journée, il la verrait forcément le soir et la ramènerait chez elle.

Mais une fois qu'ayant songé avec maussaderie à cet inévitable retour ensemble, il avait emmené jusqu'au Bois sa jeune ouvrière pour retarder le moment d'aller chez les Verdurin, il arriva chez eux si tard qu'Odette, croyant qu'il ne viendrait plus, était partie. En voyant qu'elle n'était plus dans le salon, Swann ressentit une souffrance au cœur; il tremblait d'être privé d'un plaisir qu'il mesurait pour la première fois, ayant eu jusque-là cette certitude de le trouver quand il le voulait, qui pour tous les plaisirs nous diminue ou même nous empêche d'apercevoir aucunement leur grandeur.

— As-tu vu la tête qu'il a fait quand il s'est aperçu qu'elle n'était pas là ? dit M. Verdurin à sa femme, je crois qu'on peut dire qu'il est pincé !

— La tête qu'il a fait? demanda avec violence le docteur Cottard qui, étant allé un instant voir un malade, revenait chercher sa femme et ne savait pas de qui on parlait.

— Comment, vous n'avez pas rencontré devant la porte le plus beau des Swann...

— Non. M. Swann est venu?

— Oh! un instant seulement. Nous avons eu un Swann très agité, très nerveux. Vous comprenez, Odette était partie.

— Vous voulez dire qu'elle est du dernier bien avec lui, qu'elle lui a fait voir l'heure du berger, dit le docteur, expérimentant avec prudence le sens de ces expressions.

— Mais non, il n'y a absolument rien, et entre nous, je trouve qu'elle a bien tort et qu'elle se conduit comme une fameuse cruche, qu'elle est du reste.

— Ta, ta, ta, dit M. Verdurin, qu'est-ce que tu en sais, qu'il n'y a rien? nous n'avons pas été y voir, n'est-ce pas?

— À moi, elle me l'aurait dit, répliqua fièrement Mme Verdurin. Je vous dis qu'elle me raconte toutes ses petites affaires! Comme elle n'a plus personne en ce moment, je lui ai dit qu'elle devrait coucher avec lui. Elle prétend qu'elle ne peut pas, qu'elle a bien eu un fort béguin pour lui, mais qu'il est timide avec elle, que cela l'intimide à son tour, et puis qu'elle ne l'aime pas de cette manière-là, que c'est un être idéal, qu'elle a peur de déflorer le sentiment qu'elle a pour lui, est-ce que je sais, moi? Ce serait pourtant absolument ce qu'il lui faut.

— Tu me permettras de ne pas être de ton avis, dit M. Verdurin, il ne me revient qu'à demi ce monsieur; je le trouve poseur.

Mme Verdurin s'immobilisa, prit une expression inerte comme si elle était devenue une statue, fiction qui lui permit d'être censée ne pas avoir entendu ce mot insupportable de poseur qui avait l'air d'impliquer qu'on pouvait « poser » avec eux, donc qu'on était « plus qu'eux ».

— Enfin, s'il n'y a rien, je ne pense pas que ce soit que ce monsieur la croit *vertueuse,* dit ironiquement M. Verdurin. Et après tout, on ne peut rien dire, puisqu'il a l'air de la croire intelligente. Je ne sais si tu as entendu ce qu'il lui débitait l'autre soir sur la sonate de Vinteuil;

j'aime Odette de tout mon cœur, mais pour lui faire des théories d'esthétique[1], il faut tout de même être un fameux jobard!

— Voyons, ne dites pas du mal d'Odette, dit Mme Verdurin en faisant l'enfant. Elle est charmante.

— Mais cela ne l'empêche pas d'être charmante; nous ne disons pas du mal d'elle, nous disons que ce n'est pas une vertu ni une intelligence. Au fond, dit-il au peintre, tenez-vous tant que ça à ce qu'elle soit vertueuse? Elle serait peut-être beaucoup moins charmante, qui sait?

Sur le palier, Swann avait été rejoint par le maître d'hôtel qui ne se trouvait pas là au moment où il était arrivé et avait été chargé par Odette de lui dire — mais il y avait bien une heure déjà — au cas où il viendrait encore, qu'elle irait probablement prendre du chocolat chez Prévost avant de rentrer. Swann partit chez Prévost, mais à chaque pas sa voiture était arrêtée par d'autres ou par des gens qui traversaient, odieux obstacles qu'il eût été heureux de renverser si le procès-verbal de l'agent ne l'eût retardé plus encore que le passage du piéton. Il comptait le temps qu'il mettait, ajoutait quelques secondes à toutes les minutes pour être sûr de ne pas les avoir faites trop courtes, ce qui lui eût laissé croire plus grande qu'elle n'était en réalité sa chance d'arriver assez tôt et de trouver encore Odette. Et à un moment, comme un fiévreux qui vient de dormir et qui prend conscience de l'absurdité des rêvasseries qu'il ruminait sans se distinguer nettement d'elles, Swann tout d'un coup aperçut en lui l'étrangeté des pensées qu'il roulait depuis le moment où on lui avait dit chez les Verdurin qu'Odette était déjà partie, la nouveauté de la douleur au cœur dont il souffrait, mais qu'il constata seulement comme s'il venait de s'éveiller. Quoi? toute cette agitation parce qu'il ne verrait Odette que demain, ce que précisément il avait souhaité, il y a une heure, en se rendant chez Mme Verdurin! Il fut bien obligé de constater que dans cette même voiture qui l'emmenait chez Prévost il n'était plus le même, et qu'il n'était plus seul, qu'un être nouveau était là avec lui, adhérent, amalgamé à lui, duquel il ne pourrait peut-être pas se débarrasser, avec qui il allait être obligé d'user de ménagements comme avec un maître ou avec une maladie. Et pourtant depuis un moment qu'il sentait qu'une nouvelle personne s'était ainsi ajoutée à lui, sa vie lui paraissait plus intéressante. C'est à peine s'il se disait que cette rencontre possible chez Prévost (de laquelle l'attente saccageait, dénudait à ce point les moments qui la précédaient qu'il ne trouvait plus une seule idée, un seul souvenir derrière lequel il pût faire reposer son esprit), il était probable pourtant, si elle avait lieu, qu'elle serait comme les autres, fort peu de chose. Comme chaque soir, dès qu'il serait avec Odette, jetant furtivement sur son changeant visage un regard aussitôt détourné de peur qu'elle n'y vît l'avance d'un désir et ne crût plus à son désintéressement, il cesserait de pouvoir penser à elle, trop occupé à trouver des prétextes qui lui permissent de ne pas la quitter tout de suite et de s'assurer, sans avoir l'air d'y tenir, qu'il la retrouverait le lendemain chez les Verdurin : c'est-à-dire de prolonger pour l'instant et de renouveler un jour de plus la déception et la torture que lui apportait la vaine présence de cette femme qu'il approchait sans oser l'étreindre.

Elle n'était pas chez Prévost; il voulut chercher dans tous les restaurants des boulevards. Pour gagner du temps, pendant qu'il visitait les uns, il envoya dans les autres son cocher Rémi (le doge Lorédan de Rizzo) qu'il alla attendre ensuite — n'ayant rien trouvé lui-même — à l'endroit qu'il lui avait désigné. La voiture ne revenait pas et Swann se représentait le moment qui approchait, à la fois comme celui où Rémi lui dirait : « Cette dame est là » et comme celui où Rémi lui dirait : « Cette dame n'était dans aucun des cafés. » Et ainsi il voyait la fin de la soirée devant lui, une et pourtant alternative, précédée soit par la rencontre d'Odette qui abolirait son angoisse, soit par le renoncement forcé à la trouver ce soir, par l'acceptation de rentrer chez lui sans l'avoir vue.

Le cocher revint, mais, au moment où il s'arrêta devant Swann, celui-ci ne lui dit pas : « Avez-vous trouvé cette dame ? » mais : « Faites-moi donc penser demain à commander du bois, je crois que la provision doit commencer à s'épuiser. » Peut-être se disait-il que si Rémi avait trouvé Odette dans un café où elle l'attendait, la fin de la soirée néfaste était déjà anéantie par la réalisation commencée de la fin de soirée bienheureuse et qu'il n'avait pas besoin de se presser d'atteindre un bonheur capturé et en lieu sûr, qui ne s'échapperait plus. Mais aussi c'était par force d'inertie; il avait dans l'âme le manque de souplesse que certains êtres ont dans le corps, ceux-là qui au moment d'éviter un choc, d'éloigner une flamme de leur habit, d'accomplir un mouvement urgent, prennent leur temps, commencent par rester une seconde dans la situation où ils étaient auparavant comme pour y trouver leur point d'appui, leur élan. Et sans doute, si le cocher l'avait interrompu en lui disant : « Cette dame est là », il eût répondu : « Ah! oui, c'est vrai, la course que je vous avais donnée, tiens, je n'aurais pas cru » et aurait continué à lui parler provision de bois pour lui cacher l'émotion qu'il avait eue et se laisser à lui-même le temps de rompre avec l'inquiétude et de se donner au bonheur.

Mais le cocher revint lui dire qu'il ne l'avait trouvée nulle part, et ajouta son avis, en vieux serviteur :

— Je crois que Monsieur n'a plus qu'à rentrer.

Mais l'indifférence que Swann jouait facilement quand Rémi ne pouvait plus rien changer à la réponse qu'il apportait tomba, quand il le vit essayer de le faire renoncer à son espoir et à sa recherche :

— Mais pas du tout, s'écria-t-il, il faut que nous trouvions cette dame; c'est de la plus haute importance. Elle serait extrêmement ennuyée, pour une affaire, et froissée, si elle ne m'avait pas vu.

— Je ne vois pas comment cette dame pourrait être froissée, répondit Rémi, puisque c'est elle qui est partie sans attendre Monsieur, qu'elle a dit qu'elle allait chez Prévost et qu'elle n'y était pas.

D'ailleurs on commençait à éteindre partout. Sous les arbres des boulevards, dans une obscurité mystérieuse, les passants plus rares erraient, à peine reconnaissables. Parfois l'ombre d'une femme qui s'approchait de lui, lui murmurant un mot à l'oreille, lui demandant de la ramener, fit tressaillir Swann. Il frôlait anxieusement tous ces corps obscurs comme si, parmi les fantômes des morts, dans le royaume sombre, il eût cherché Eurydice.

De tous les modes de production de l'amour, de tous les agents de dissémination du mal sacré, il est bien l'un des plus efficaces, ce grand souffle d'agitation qui parfois passe sur nous. Alors l'être avec qui nous nous plaisons à ce moment-là, le sort en est jeté, c'est lui que nous aimerons. Il n'est même pas besoin qu'il nous plût jusque-là plus ou même autant que d'autres. Ce qu'il fallait, c'est que notre goût pour lui devînt exclusif. Et cette condition-là est réalisée quand — à ce moment où il nous fait défaut — à la recherche des plaisirs que son agrément nous donnait, s'est brusquement substitué en nous un besoin anxieux, qui a pour objet cet être même, un besoin absurde, que les lois de ce monde rendent impossible à satisfaire et difficile à guérir — le besoin insensé et douloureux de le posséder.

Swann se fit conduire dans les derniers restaurants; c'est la seule hypothèse du bonheur qu'il avait envisagée avec calme; il ne cachait plus maintenant son agitation, le prix qu'il attachait à cette rencontre et il promit en cas de succès une récompense à son cocher, comme si, en lui inspirant le désir de réussir qui viendrait s'ajouter à celui qu'il en avait lui-même, il pouvait faire qu'Odette, au cas où elle fût déjà rentrée se coucher, se trouvât pourtant dans un restaurant du boulevard. Il poussa jusqu'à la Maison Dorée, entra deux fois chez Tortoni et, sans l'avoir vue davantage, venait de ressortir du Café Anglais, marchant à grands pas, l'air hagard, pour rejoindre sa voiture qui l'attendait au coin du boulevard des Italiens, quand il heurta une personne qui venait en sens contraire : c'était Odette; elle lui expliqua plus tard que n'ayant pas trouvé de place chez Prévost, elle était allée souper à la Maison Dorée dans un enfoncement où il ne l'avait pas découverte, et elle regagnait sa voiture.

Elle s'attendait si peu à le voir qu'elle eut un mouvement d'effroi. Quant à lui, il avait couru Paris non parce qu'il croyait possible de la rejoindre, mais parce qu'il lui était trop cruel d'y renoncer. Mais cette joie que sa raison n'avait cessé d'estimer, pour ce soir, irréalisable, ne lui en paraissait maintenant que plus réelle; car, il n'y avait pas collaboré par la prévision des vraisemblances, elle lui restait extérieure; il n'avait pas besoin de tirer de son esprit pour la lui fournir, c'est d'elle-même qu'émanait, c'est elle-même qui projetait vers lui, cette vérité qui rayonnait au point de dissiper comme un songe l'isolement qu'il avait redouté, et sur laquelle il appuyait, il reposait, sans penser, sa rêverie heureuse. Ainsi un voyageur arrivé par un beau temps au bord de la Méditerranée, incertain de l'existence des pays qu'il vient de quitter, laisse éblouir sa vue, plutôt qu'il ne leur jette des regards, par les rayons qu'émet vers lui l'azur lumineux et résistant des eaux.

Il monta avec elle dans la voiture qu'elle avait et dit à la sienne de suivre.

Elle tenait à la main un bouquet de catleyas et Swann vit, sous sa fanchon de dentelle, qu'elle avait dans les cheveux des fleurs de cette même orchidée attachées à une aigrette en plumes de cygne. Elle était habillée, sous sa mantille, d'un flot de velours noir qui, par un rattrapé oblique, découvrait en un large triangle le bas d'une jupe de faille blanche et laissait voir un empiècement, également de faille blanche, à l'ouverture du corsage décolleté, où étaient enfoncées d'autres fleurs de catleyas. Elle était à peine remise de la frayeur que Swann lui avait causée quand un obstacle fit faire un écart au cheval. Ils furent vivement déplacés, elle avait jeté un cri et restait toute palpitante, sans respiration.

— Ce n'est rien, lui dit-il, n'ayez pas peur.

Et il la tenait par l'épaule, l'appuyant contre lui pour la maintenir; puis il lui dit :

— Surtout, ne me parlez pas, ne me répondez que par signes pour ne pas vous essouffler encore davantage. Cela ne vous gêne pas que je remette droites les fleurs de votre corsage qui ont été déplacées par le choc? J'ai peur que vous ne les perdiez, je voudrais les enfoncer un peu.

Elle, qui n'avait pas été habituée à voir les hommes faire tant de façons avec elle, dit en souriant :

— Non, pas du tout, ça ne me gêne pas.

Mais lui, intimidé par sa réponse, peut-être aussi pour avoir l'air d'avoir été sincère quand il avait pris ce prétexte, ou même commençant déjà à croire qu'il l'avait été, s'écria :

— Oh! non, surtout, ne parlez pas, vous allez encore vous essouffler, vous pouvez bien me répondre par gestes, je vous comprendrai bien. Sincèrement je ne vous gêne pas? Voyez, il y a un peu... je pense que c'est du pollen qui s'est répandu sur vous; vous permettez que je l'essuie avec ma main? Je ne vais pas trop fort, je ne suis pas trop brutal? Je vous chatouille peut-être un peu? mais c'est que je ne voudrais pas toucher le velours de la robe pour ne pas le friper. Mais, voyez-vous, il était vraiment nécessaire de les fixer, ils seraient tombés; et comme cela, en les enfonçant un peu moi-même... Sérieusement, je ne suis pas désagréable ? Et en les respirant pour voir s'ils n'ont vraiment pas d'odeur, non plus ? Je n'en ai jamais senti, je peux ? dites la vérité.

Souriant, elle haussa légèrement les épaules, comme pour dire « vous êtes fou, vous voyez bien que ça me plaît ».

Il élevait son autre main le long de la joue d'Odette; elle le regarda fixement, de l'air languissant et grave qu'ont les femmes du maître florentin avec lesquelles il lui avait trouvé de la ressemblance; amenés au bord des paupières, ses yeux brillants, larges et minces, comme les leurs, semblaient prêts à se détacher ainsi que deux larmes. Elle fléchissait le cou comme on leur voit faire à toutes, dans les scènes païennes comme dans les tableaux religieux. Et en une attitude qui sans doute lui était habituelle, qu'elle savait convenable à ces moments-là et qu'elle faisait attention à ne pas oublier de prendre, elle semblait avoir besoin de toute sa force pour retenir son visage, comme si une force invisible l'eût attiré vers Swann. Et ce fut Swann[1] qui, avant qu'elle le laissât tomber, comme malgré elle, sur ses lèvres, le retint un instant, à quelque distance, entre ses deux mains. Il avait voulu laisser à sa pensée le temps d'accourir, de reconnaître le rêve qu'elle avait si longtemps caressé et d'assister à sa réalisation, comme une parente qu'on appelle pour prendre sa part du succès d'un enfant qu'elle a beaucoup aimé. Peut-être aussi Swann attachait-il sur ce visage d'Odette non encore possédée, ni même encore embrassée par lui, qu'il voyait pour la dernière fois, ce regard avec lequel, un jour de départ, on voudrait emporter un paysage qu'on va quitter pour toujours.

Mais il était si timide avec elle, qu'ayant fini par la posséder ce soir-là, en commençant par arranger ses catleyas, soit crainte de la froisser, soit peur de paraître rétrospectivement avoir menti, soit manque d'audace pour formuler une exigence plus grande que celle-là (qu'il pouvait renouveler puisqu'elle n'avait pas fâché Odette la première fois), les jours suivants il usa du même prétexte. Si elle avait des catleyas à son corsage, il disait : « C'est malheureux, ce soir, les catleyas n'ont pas besoin d'être arrangés, ils n'ont pas été déplacés comme l'autre soir; il me semble pourtant que celui-ci n'est pas très droit. Je peux voir s'ils ne sentent pas plus que les autres ? » Ou bien, si elle n'en avait pas : « Oh ! pas de catleyas ce soir, pas moyen de me livrer à mes petits arrangements. » De sorte que, pendant quelque temps, ne fut pas changé l'ordre qu'il avait suivi le premier soir, en débutant par des attouchements de doigts et de lèvres sur la gorge d'Odette, et que ce fut par eux encore que commençaient chaque fois ses caresses ; et bien plus tard, quand l'arrangement (ou le simulacre rituel d'arrangement) des catleyas fut depuis longtemps tombé en désuétude, la métaphore « faire catleya », devenue un simple vocable qu'ils employaient sans y penser quand ils voulaient signifier l'acte de la possession physique — où d'ailleurs l'on ne possède rien, — survécut dans leur langage, où elle le commémorait, à cet usage oublié. Et peut-être cette manière particulière de dire « faire l'amour » ne signifiait-elle pas exactement la même chose que ses synonymes. On a beau être blasé sur les femmes, considérer la possession des plus différentes comme toujours la même et connue d'avance, elle devient au contraire un plaisir nouveau s'il s'agit de femmes assez difficiles — ou crues telles par nous — pour que nous soyons obligés de la faire naître de quelque épisode imprévu de nos relations avec elles, comme avait été la première fois pour Swann l'arrangement des catleyas. Il espérait en tremblant, ce soir-là (mais Odette, se disait-il, si elle était la dupe de sa ruse, ne pouvait le deviner), que c'était la possession de cette femme qui allait sortir d'entre leurs larges pétales mauves ; et le plaisir qu'il éprouvait déjà et qu'Odette ne tolérait peut-être, pensait-il, que parce qu'elle ne l'avait pas reconnu, lui semblait, à cause de cela — comme il put paraître au premier homme qui le goûta parmi les fleurs du paradis terrestre — un plaisir qui n'avait pas existé jusque-là, qu'il cherchait à créer, un plaisir — ainsi que le nom spécial qu'il lui donna en garda la trace — entièrement particulier et nouveau.

Maintenant, tous les soirs, quand il l'avait ramenée chez elle, il fallait qu'il entrât, et souvent elle ressortait en robe de chambre et le conduisait jusqu'à sa voiture, l'embrassait aux yeux du cocher, disant : « Qu'est-ce que cela peut me faire, que me font les autres ? » Les soirs où il n'allait pas chez les Verdurin (ce qui arrivait parfois depuis qu'il pouvait la voir autrement), les soirs de plus en plus rares où il allait dans le monde, elle lui demandait de venir chez elle avant de rentrer, quelque heure qu'il fût. C'était le printemps, un printemps pur et glacé. En sortant de soirée, il montait dans sa victoria, étendait une couverture sur ses jambes, répondait aux amis qui s'en allaient en même temps que lui et lui demandaient de revenir avec eux, qu'il ne pouvait pas, qu'il n'allait pas du même côté, et le cocher partait au grand trot sachant où on allait. Eux s'étonnaient, et de fait, Swann n'était plus le même. On ne recevait plus jamais de lettre de lui où il demandât à connaître une femme. Il ne faisait plus attention à aucune, s'abstenait d'aller dans les endroits où on en rencontre. Dans un restaurant, à la campagne, il avait l'attitude inverse de celle à quoi, hier encore, on l'eût reconnu et qui avait semblé devoir toujours être la sienne. Tant une passion est en nous comme un caractère momentané et différent qui se substitue à l'autre et abolit les signes jusque-là invariables par lesquels il s'exprimait! En revanche ce qui était invariable maintenant, c'était que, où que Swann se trouvât, il ne manquât pas d'aller rejoindre Odette. Le trajet qui le séparait d'elle était celui qu'il parcourait inévitablement et comme la pente même, irrésistible et rapide, de sa vie. À vrai dire, souvent resté tard dans le monde, il aurait mieux aimé rentrer directement chez lui sans faire cette longue course et ne la voir que le lendemain; mais le fait même de se déranger à une heure anormale pour aller chez elle, de deviner que les amis qui le quittaient se disaient : « Il est très tenu, il y a certainement une femme qui le force à aller chez elle à n'importe quelle heure », lui faisait sentir qu'il menait la vie des hommes qui ont une affaire amoureuse dans leur existence et en qui le sacrifice qu'ils font de leur repos et de leurs intérêts à une rêverie voluptueuse fait naître un charme intérieur. Puis, sans qu'il s'en rendît compte, cette certitude qu'elle l'attendait, qu'elle n'était pas ailleurs avec d'autres, qu'il ne reviendrait pas sans l'avoir vue, neutralisait cette angoisse oubliée, mais toujours prête à renaître, qu'il avait éprouvée le soir où Odette n'était plus chez les Verdurin, et dont l'apaisement actuel était si doux que cela pouvait s'appeler du bonheur. Peut-être était-ce à cette angoisse qu'il était redevable de l'importance qu'Odette avait prise pour lui. Les êtres nous sont d'habitude si indifférents que, quand nous avons mis dans l'un d'eux de telles possibilités de souffrance et de joie pour nous, il nous semble appartenir à un autre univers, il s'entoure de poésie, il fait de notre vie comme une étendue émouvante où il sera plus ou moins rapproché de nous. Swann ne pouvait se demander sans trouble ce qu'Odette deviendrait pour lui dans les années qui allaient venir. Parfois, en voyant, de sa victoria, dans ces belles nuits froides, la lune brillante qui répandait sa clarté entre ses yeux et les rues désertes, il pensait à cette autre figure claire et légèrement rosée comme celle de la lune, qui, un jour, avait surgi devant sa pensée et, depuis, projetait sur le monde la lumière mystérieuse dans laquelle il le voyait. S'il arrivait après l'heure où Odette envoyait ses domestiques se coucher, avant de sonner à la porte du petit jardin, il allait d'abord dans la rue où donnait au rez-de-chaussée, entre les fenêtres toutes pareilles, mais obscures, des hôtels contigus, la fenêtre, seule éclairée, de sa chambre. Il frappait au carreau, et elle, avertie, répondait et allait l'attendre de l'autre côté, à la porte d'entrée. Il trouvait ouverts sur son piano quelques-uns des morceaux qu'elle préférait : la *Valse des Roses* ou *Pauvre Fou* de Tagliafico (qu'on devait, selon sa volonté écrite, faire exécuter à son enterrement), il lui demandait de jouer à la place la petite phrase de la sonate de Vinteuil, bien qu'Odette jouât fort mal, mais la vision la plus belle qui nous reste d'une œuvre est souvent celle qui s'éleva au-dessus des sons faux tirés par des doigts malhabiles, d'un piano désaccordé. La petite phrase continuait à s'associer pour Swann à l'amour qu'il avait pour Odette. Il sentait bien que cet amour, c'était quelque chose qui ne correspondait à rien d'extérieur, de constatable par d'autres que lui; il se rendait compte que les qualités d'Odette ne justifiaient pas qu'il attachât tant de prix aux moments passés auprès d'elle. Et souvent, quand c'était l'intelligence positive qui régnait seule en Swann, il voulait cesser de sacrifier tant d'intérêts intellectuels et sociaux à ce plaisir imaginaire. Mais la petite phrase, dès qu'il l'entendait, savait rendre libre en lui l'espace qui pour elle était nécessaire, les proportions de l'âme de Swann s'en trouvaient changées; une marge y était réservée à une jouissance qui elle non plus ne correspondait à aucun objet extérieur et qui pourtant, au lieu d'être purement individuelle comme celle de l'amour, s'imposait à Swann comme une réalité supérieure aux choses concrètes. Cette soif d'un charme inconnu, la petite phrase l'éveillait en lui, mais ne lui apportait rien de précis pour l'assouvir. De sorte que ces parties de l'âme de Swann où la petite phrase avait effacé le souci des intérêts matériels, les considérations humaines et valables pour tous, elle les avait laissées vacantes et en blanc, et il était libre d'y inscrire le nom d'Odette. Puis à ce que l'affection d'Odette pouvait avoir d'un peu court et décevant, la petite phrase venait ajouter, amalgamer son essence mystérieuse. À voir le visage de Swann pendant qu'il écoutait la phrase, on aurait dit qu'il était en train d'absorber un anesthésique qui donnait plus d'amplitude à sa respiration. Et le plaisir que lui donnait la musique et qui allait bientôt créer chez lui un véritable besoin, ressemblait en effet, à ces moments-là, au plaisir qu'il aurait eu à expérimenter des parfums, à entrer en contact avec un monde pour lequel nous ne sommes pas faits, qui nous semble sans forme parce que nos yeux ne le perçoivent pas, sans signification parce qu'il échappe à notre intelligence, que nous n'atteignons que par un seul sens. Grand repos, mystérieuse rénovation pour Swann — pour lui dont les yeux, quoique délicats amateurs de peinture, dont l'esprit, quoique fin observateur de mœurs, portaient à jamais la trace indélébile de la sécheresse de sa vie — de se sentir transformé en une créature étrangère à l'humanité, aveugle, dépourvue de facultés logiques, presque une fantastique licorne, une créature chimérique ne percevant le monde que par l'ouïe. Et comme dans la petite phrase il cherchait cependant un sens où son intelligence ne pouvait descendre, quelle étrange ivresse il avait à dépouiller son âme la plus intérieure de tous les secours du raisonnement et à la faire passer seule dans le couloir, dans le filtre obscur du son! Il commençait à se rendre compte de tout ce qu'il y avait de douloureux, peut-être même de secrètement inapaisé au fond de la douceur de cette phrase, mais il ne pouvait pas en souffrir. Qu'importait qu'elle lui dît que l'amour est fragile, le sien était si fort! Il jouait avec la tristesse qu'elle répandait, il la sentait passer sur lui, mais comme une caresse qui rendait plus profond et plus doux le sentiment qu'il avait de son bonheur. Il la faisait rejouer dix fois, vingt fois à Odette, exigeant qu'en même temps elle ne cessât pas de l'embrasser. Chaque baiser appelle un autre baiser. Ah! dans ces premiers temps où l'on aime, les baisers naissent si naturellement! Ils foisonnent si pressés les uns contre les autres; et l'on aurait autant de peine à compter les baisers qu'on s'est donnés pendant une heure que les fleurs d'un champ au mois de mai. Alors elle faisait mine de s'arrêter, disant : « Comment veux-tu que je joue comme cela si tu me tiens? je ne peux tout faire à la fois, sache au moins ce que tu veux, est-ce que je dois jouer la phrase ou faire des petites caresses? », lui se fâchait et elle éclatait d'un rire qui se changeait et retombait sur lui, en une pluie de baisers. Ou bien elle le regardait d'un air maussade, il revoyait un visage digne de figurer dans la *Vie de Moïse* de Botticelli, il l'y situait, il donnait au cou d'Odette l'inclinaison nécessaire; et quand il l'avait bien peinte à la détrempe, au XVe siècle, sur la muraille de la Sixtine, l'idée qu'elle était cependant restée là, près du piano, dans le moment actuel, prête à être embrassée et possédée, l'idée de sa matérialité et de sa vie venait l'enivrer avec une telle force que, l'œil égaré, les mâchoires tendues comme pour dévorer, il se précipitait sur cette vierge de Botticelli et se mettait à lui pincer les joues. Puis, une fois qu'il l'avait quittée, non sans être rentré pour l'embrasser encore parce qu'il avait oublié d'emporter dans son souvenir quelque particularité de son odeur ou de ses traits, tandis qu'il revenait dans sa victoria, il bénissait[1] Odette de lui permettre ces visites quotidiennes dont il sentait qu'elles ne devaient pas lui causer à elle une bien grande joie, mais qui en le préservant de devenir jaloux — en lui ôtant l'occasion de souffrir de nouveau du mal qui s'était déclaré en lui le soir où il ne l'avait pas trouvée chez les Verdurin — l'aideraient à arriver, sans avoir plus d'autres de ces crises dont la première avait été si douloureuse et resterait la seule, au bout de ces heures singulières de sa vie, heures presque enchantées, à la façon de celles où il traversait Paris au clair de lune. Et, remarquant, pendant ce retour, que l'astre était maintenant déplacé par rapport à lui et presque au bout de l'horizon, sentant que son amour obéissait, lui aussi, à des lois immuables et naturelles, il se demandait si cette période où il était entré durerait encore longtemps, si bientôt sa pensée ne verrait plus le cher visage qu'occupant une position lointaine et diminuée, et près de cesser de répandre du charme. Car Swann en trouvait aux choses, depuis qu'il était amoureux, comme au temps où, adolescent, il se croyait artiste; mais ce n'était plus le même charme; celui-ci, c'est Odette seule qui le leur conférait. Il sentait renaître en lui les inspirations de sa jeunesse qu'une vie frivole avait dissipées, mais elles portaient toutes le reflet, la marque d'un être particulier; et, dans les longues heures qu'il prenait maintenant un plaisir délicat à passer chez lui, seul avec son âme en convalescence, il redevenait peu à peu lui-même, mais à une autre.

Il n'allait chez elle que le soir, et il ne savait rien de l'emploi de son temps pendant le jour, pas plus que de son passé, au point qu'il lui manquait même ce petit renseignement initial qui, en nous permettant de nous imaginer ce que nous ne savons pas, nous donne envie de le connaître. Aussi ne se demandait-il pas ce qu'elle pouvait faire, ni quelle avait été sa vie. Il souriait seulement quelquefois en pensant qu'il y a quelques années, quand il ne la connaissait pas, on lui avait parlé d'une femme qui, s'il se rappelait bien, devait certainement être elle, comme d'une fille, d'une femme entretenue, une de ces femmes auxquelles il attribuait encore, comme il avait peu vécu dans leur société, le caractère entier, foncièrement pervers, dont les dota longtemps l'imagination de certains romanciers. Il se disait qu'il n'y a souvent qu'à prendre le contrepied des réputations que fait le monde pour juger exactement une personne, quand à un tel caractère il opposait celui d'Odette, bonne, naïve, éprise d'idéal, presque si incapable de ne pas dire la vérité que, l'ayant un jour priée, pour pouvoir dîner seul avec elle, d'écrire aux Verdurin qu'elle était souffrante, le lendemain, il l'avait vue, devant Mme Verdurin qui lui demandait si elle allait mieux, rougir, balbutier et refléter malgré elle, sur son visage, le chagrin, le supplice que cela lui était de mentir, et, tandis qu'elle multipliait dans sa réponse les détails inventés sur sa prétendue indisposition de la veille, avoir l'air de faire demander pardon, par ses regards suppliants et sa voix désolée, de la fausseté de ses paroles.

Certains jours pourtant, mais rares, elle venait chez lui dans l'après-midi, interrompre sa rêverie ou cette étude sur Ver Meer à laquelle il s'était remis dernièrement. On venait lui dire que Mme de Crécy était dans son petit salon. Il allait l'y retrouver, et quand il ouvrait la porte, au visage rosé d'Odette, dès qu'elle avait aperçu Swann, venait — changeant la forme de sa bouche, le regard de ses yeux, le modelé de ses joues — se mélanger un sourire. Une fois seul, il revoyait ce sourire, celui qu'elle avait eu la veille, un autre dont elle l'avait accueilli telle ou telle fois, celui qui avait été sa réponse, en voiture, quand il lui avait demandé s'il lui était désagréable en redressant les catleyas; et la vie d'Odette pendant le reste du temps, comme il n'en connaissait rien, lui apparaissait, avec son fond neutre et sans couleurs semblable à ces feuilles d'études de Watteau où on voit çà et là, à toutes les places, dans tous les sens, dessinés aux trois crayons sur le papier chamois, d'innombrables sourires. Mais, parfois, dans un coin de cette vie que Swann voyait toute vide, si même son esprit lui disait qu'elle ne l'était pas, parce qu'il ne pouvait pas l'imaginer, quelque ami, qui, se doutant qu'ils s'aimaient, ne se fût pas risqué à lui rien dire d'elle que d'insignifiant, lui décrivait la silhouette d'Odette, qu'il avait aperçue, le matin même, montant à pied la rue Abbattucci dans une « visite » garnie de skunks, sous un chapeau « à la Rembrandt » et un bouquet de violettes à son corsage. Ce simple croquis bouleversait Swann parce qu'il lui faisait tout d'un coup apercevoir qu'Odette avait une vie qui n'était pas tout entière à lui; il voulait savoir à qui elle avait cherché à plaire par cette toilette qu'il ne lui connaissait pas; il se promettait de lui demander où elle allait, à ce moment-là, comme si dans toute la vie incolore — presque inexistante, parce qu'elle lui était invisible — de sa maîtresse, il n'y avait qu'une seule chose en dehors de tous ces sourires adressés à lui : sa démarche sous un chapeau à la Rembrandt, avec un bouquet de violettes au corsage.

Sauf en lui demandant la petite phrase de Vinteuil au lieu de la *Valse des Roses,* Swann ne cherchait pas à lui faire jouer plutôt des choses qu'il aimât et, pas plus en musique qu'en littérature, à corriger son mauvais goût. Il se rendait bien compte qu'elle n'était pas intelligente. En lui disant qu'elle aimerait tant qu'il lui parlât des grands poètes, elle s'était imaginée qu'elle allait connaître tout de suite des couplets héroïques et romanesques dans le genre de ceux du vicomte de Borelli, en plus émouvant encore. Pour Ver Meer de Delft, elle lui demanda s'il avait souffert par une femme, si c'était une femme qui l'avait inspiré, et Swann lui ayant avoué qu'on n'en savait rien, elle s'était désintéressée de ce peintre. Elle disait souvent : « Je crois bien, la poésie, naturellement, il n'y aurait rien de plus beau si c'était vrai, si les poètes pensaient tout ce qu'ils disent. Mais bien souvent, il n'y a pas plus intéressé que ces gens-là. J'en sais quelque chose, j'avais une amie qui a aimé une espèce de poète. Dans ses vers il ne parlait que de l'amour, du ciel, des étoiles. Ah! ce qu'elle a été refaite! Il lui a croqué plus de trois cent mille francs. » Si alors Swann cherchait à lui apprendre en quoi consistait la beauté artistique, comment il fallait admirer les vers ou les tableaux, au bout d'un instant elle cessait d'écouter, disant : « Oui... je ne me figurais pas que c'était comme cela. » Et il sentait qu'elle éprouvait une telle déception qu'il préférait mentir en lui disant que tout cela n'était rien, que ce n'était encore que des bagatelles, qu'il n'avait pas le temps d'aborder le fond, qu'il y avait autre chose. Mais elle lui disait vivement : « Autre chose? quoi?... Dis-le alors », mais il ne le disait pas, sachant combien cela lui paraîtrait mince et différent de ce qu'elle espérait, moins sensationnel et moins touchant, et craignant que, désillusionnée de l'art, elle ne le fût en même temps de l'amour.

Et en effet, elle trouvait Swann, intellectuellement, inférieur à ce qu'elle aurait cru. « Tu gardes toujours ton sang-froid, je ne peux te définir. » Elle s'émerveillait davantage de son indifférence à l'argent, de sa gentillesse pour chacun, de sa délicatesse. Et il arrive, en effet, souvent pour de plus grands que n'était Swann, pour un savant, pour un artiste, quand il n'est pas méconnu par ceux qui l'entourent, que celui de leurs sentiments qui prouve que la supériorité de son intelligence s'est imposée à eux, ce n'est pas leur admiration pour ses idées, car elles leur échappent, mais leur respect pour sa bonté. C'est aussi du respect qu'inspirait à Odette la situation qu'avait Swann dans le monde, mais elle ne désirait pas qu'il cherchât à l'y faire recevoir. Peut-être sentait-elle qu'il ne pourrait pas y réussir, et même craignait-elle que rien qu'en parlant d'elle il ne provoquât des révélations qu'elle redoutait. Toujours est-il qu'elle lui avait fait promettre de ne jamais prononcer son nom. La raison pour laquelle elle ne voulait pas aller dans le monde, lui avait-elle dit, était une brouille qu'elle avait eue autrefois avec une amie qui, pour se venger, avait ensuite dit du mal d'elle. Swann objectait : « Mais tout le monde n'a pas connu ton amie. — Mais si, ça fait la tache d'huile, le monde est si méchant. » D'une part Swann ne comprit pas cette histoire, mais d'autre part il savait que ces propositions : « Le monde est si méchant », « un propos calomnieux fait la tache d'huile », sont généralement tenues pour vraies; il devait y avoir des cas auxquels elles s'appliquaient. Celui d'Odette était-il l'un de ceux-là ? Il se le demandait, mais pas longtemps, car il était sujet, lui aussi, à cette lourdeur d'esprit qui s'appesantissait sur son père, quand il se posait un problème difficile. D'ailleurs ce monde qui faisait si peur à Odette, ne lui inspirait peut-être pas de grands désirs, car pour qu'elle se le représentât bien nettement, il était trop éloigné de celui qu'elle connaissait. Pourtant, tout en étant restée à certains égards vraiment simple (elle avait par exemple gardé pour amie une petite couturière retirée dont elle grimpait presque chaque jour l'escalier raide, obscur et fétide), elle avait soif de chic, mais ne s'en faisait pas la même idée que les gens du monde. Pour eux, le chic est une émanation de quelques personnes peu nombreuses qui le projettent jusqu'à un degré assez éloigné — et plus ou moins affaibli dans la mesure où l'on est distant du centre de leur intimité — dans le cercle de leurs amis ou des amis de leurs amis dont les noms forment une sorte de répertoire. Les gens du monde le possèdent dans leur mémoire, ils ont sur ces matières une érudition d'où ils ont extrait une sorte de goût, de tact, si bien que Swann par exemple, sans avoir besoin de faire appel à son savoir mondain, s'il lisait dans un journal les noms des personnes qui se trouvaient à un dîner pouvait dire immédiatement la nuance du chic de ce dîner, comme un lettré, à la simple lecture d'une phrase, apprécie exactement la qualité littéraire de son auteur. Mais Odette faisait partie des personnes (extrêmement nombreuses, quoi qu'en pensent les gens du monde, et comme il y en a dans toutes les classes de la société) qui ne possèdent pas ces notions, imaginent un chic tout autre, qui revêt divers aspects selon le milieu auquel elles appartiennent, mais a pour caractère particulier — que ce soit celui dont rêvait Odette, ou celui devant lequel s'inclinait Mme Cottard — d'être directement accessible à tous. L'autre, celui des gens du monde, l'est à vrai dire aussi, mais il y faut quelque délai. Odette disait de quelqu'un :

— Il ne va jamais que dans les endroits chics.

Et si Swann lui demandait ce qu'elle entendait par là, elle lui répondait avec un peu de mépris :

— Mais les endroits chics, parbleu! Si à ton âge il faut t'apprendre ce que c'est que les endroits chics, que veux-tu que je te dise, moi? par exemple, le dimanche matin l'avenue de l'Impératrice, à cinq heures le tour du Lac, le jeudi l'Eden Théâtre, le vendredi l'Hippodrome, les bals...

— Mais quels bals?

— Mais les bals qu'on donne à Paris, les bals chics, je veux dire. Tiens, Herbinger, tu sais, celui qui est chez un coulissier? mais si, tu dois savoir, c'est un des hommes les plus lancés de Paris, ce grand jeune homme blond qui est tellement snob, il a toujours une fleur à la boutonnière, une raie dans le dos, des paletots clairs; il est avec ce vieux tableau qu'il promène à toutes les premières. Eh bien! il a donné un bal, l'autre soir, il y avait tout ce qu'il y a de chic à Paris. Ce que j'aurais aimé y aller! mais il fallait présenter sa carte d'invitation à la porte et je n'avais pas pu en avoir. Au fond, j'aime autant ne pas y être allée, c'était une tuerie, je n'aurais rien vu. C'est plutôt pour pouvoir dire qu'on était chez Herbinger. Et tu sais, moi, la gloriole! Du reste, tu peux bien te dire que sur cent qui racontent qu'elles y étaient, il y a bien la moitié dont ça n'est pas vrai... Mais ça m'étonne que toi, un homme si « pschutt », tu n'y étais pas.

Mais Swann ne cherchait nullement à lui faire modifier cette conception du chic; pensant que la sienne n'était pas plus vraie, était aussi sotte, dénuée d'importance, il ne trouvait aucun intérêt à en instruire sa maîtresse, si bien qu'après des mois elle ne s'intéressait aux personnes chez qui il allait que pour les cartes de pesage, de concours hippique, les billets de première qu'il pouvait avoir par elles. Elle souhaitait qu'il cultivât des relations si utiles, mais elle était par ailleurs portée à les croire peu chic, depuis qu'elle avait vu passer dans la rue la marquise de Villeparisis en robe de laine noire, avec un bonnet à brides.

— Mais elle a l'air d'une ouvreuse, d'une vieille concierge, darling! Ça, une marquise! Je ne suis pas marquise, mais il faudrait me payer bien cher pour me faire sortir nippée comme ça!

Elle ne comprenait pas que Swann habitât l'hôtel du quai d'Orléans que, sans oser le lui avouer, elle trouvait indigne de lui.

Certes, elle avait la prétention d'aimer les « antiquités » et prenait un air ravi et fin pour dire qu'elle adorait passer toute une journée à « bibeloter », à chercher « du bric-à-brac », des choses « du temps ». Bien qu'elle s'entêtât dans une sorte de point d'honneur (et semblât pratiquer quelque précepte familial) en ne répondant jamais aux questions et en ne « rendant pas de comptes » sur l'emploi de ses journées, elle parla une fois à Swann d'une amie qui l'avait invitée et chez qui tout était « de l'époque ». Mais Swann ne put arriver à lui faire dire quelle était cette époque. Pourtant, après avoir réfléchi, elle répondit que c'était « moyenâgeux ». Elle entendait par là qu'il y avait des boiseries. Quelque temps après, elle lui reparla de son amie et ajouta, sur le ton hésitant et de l'air entendu dont on cite quelqu'un avec qui on a dîné la veille et dont on n'avait jamais entendu le nom, mais que vos amphitryons avaient l'air de considérer comme quelqu'un de si célèbre qu'on espère que l'interlocuteur saura bien de qui vous voulez parler : « Elle a une salle à manger... du... dix-huitième! » Elle trouvait du reste cela affreux, nu, comme si la maison n'était pas finie, les femmes y paraissaient affreuses et la mode n'en prendrait jamais. Enfin, une troisième fois, elle en reparla et montra à Swann l'adresse de l'homme qui avait fait cette salle à manger et qu'elle avait envie de faire venir, quand elle aurait de l'argent, pour voir s'il ne pourrait pas lui en faire, non pas certes une pareille, mais celle qu'elle rêvait et que malheureusement les dimensions de son petit hôtel ne comportaient pas, avec de hauts dressoirs, des meubles Renaissance et des cheminées comme au château de Blois. Ce jour-là, elle laissa échapper devant Swann ce qu'elle pensait de son habitation du quai d'Orléans; comme il avait critiqué que l'amie d'Odette donnât, non pas dans le Louis XVI, car, disait-il, bien que cela ne se fasse pas, cela peut être charmant, mais dans le faux ancien : « Tu ne voudrais pas qu'elle vécût comme toi au milieu de meubles cassés et de tapis usés », lui dit-elle, le respect humain de la bourgeoise l'emportant encore chez elle sur le dilettantisme de la cocotte.

De ceux qui aimaient à bibeloter, qui aimaient les vers, méprisaient les bas calculs, rêvaient d'honneur et d'amour, elle faisait une élite supérieure au reste de l'humanité. Il n'y avait pas besoin qu'on eût réellement ces goûts, pourvu qu'on les proclamât; d'un homme qui lui avait avoué à dîner qu'il aimait à flâner, à se salir les doigts dans les vieilles boutiques, qu'il ne serait jamais apprécié par ce siècle commercial, car il ne se souciait pas de ses intérêts, et qu'il était pour cela d'un autre temps, elle revenait en disant : « Mais c'est une âme adorable, un sensible, je ne m'en étais jamais doutée! » et elle se sentait pour lui une immense et soudaine amitié. Mais, en revanche ceux qui, comme Swann, avaient ces goûts, mais n'en parlaient pas, la laissaient froide. Sans doute elle était obligée d'avouer que Swann ne tenait pas à l'argent, mais elle ajoutait d'un air boudeur : « Mais lui, ça n'est pas la même chose »; et en effet, ce qui parlait à son imagination, ce n'était pas la pratique du désintéressement, c'en était le vocabulaire.

Sentant que souvent il ne pouvait pas réaliser ce qu'elle rêvait, il cherchait du moins à ce qu'elle se plût avec lui, à ne pas contrecarrer ces idées vulgaires, ce mauvais goût qu'elle avait en toutes choses, et qu'il aimait d'ailleurs comme tout ce qui venait d'elle, qui l'enchantaient même, car c'était autant de traits particuliers grâce auxquels l'essence de cette femme lui apparaissait, devenait visible. Aussi, quand elle avait l'air heureux parce qu'elle devait aller à la *Reine Topaze,* ou que son regard devenait sérieux, inquiet et volontaire, si elle avait peur de manquer la fête des fleurs ou simplement l'heure du thé, avec muffins et toasts, au « Thé de la Rue Royale » où elle croyait que l'assiduité était indispensable pour consacrer la réputation d'élégance d'une femme, Swann, transporté comme nous le sommes par le naturel d'un enfant ou par la vérité d'un portrait qui semble sur le point de parler, sentait si bien l'âme de sa maîtresse affleurer à son visage qu'il ne pouvait résister à venir l'y toucher avec ses lèvres. « Ah! elle veut qu'on la mène à la fête des fleurs, la petite Odette, elle veut se faire admirer, eh bien, on l'y mènera, nous n'avons qu'à nous incliner. » Comme la vue de Swann était un peu basse, il dut se résigner à se servir de lunettes pour travailler chez lui et à adopter, pour aller dans le monde, le monocle qui le défigurait moins. La première fois qu'elle lui en vit un dans l'œil, elle ne put contenir sa joie : « Je trouve que pour un homme, il n'y a pas à dire, ça a beaucoup de chic! Comme tu es bien ainsi! tu as l'air d'un vrai gentleman. Il ne te manque qu'un titre! » ajouta-t-elle, avec une nuance de regret. Il aimait qu'Odette fût ainsi, de même que, s'il avait été épris d'une Bretonne, il aurait été heureux de la voir en coiffe et de lui entendre dire qu'elle croyait aux revenants. Jusque-là, comme beaucoup d'hommes chez qui leur goût pour les arts se développe indépendamment de la sensualité, un disparate bizarre avait existé entre les satisfactions qu'il accordait à l'un et à l'autre, jouissant, dans la compagnie de femmes de plus en plus grossières, des séductions d'œuvres de plus en plus raffinées, emmenant une petite bonne dans une baignoire grillée à la représentation d'une pièce decadente qu'il avait envie d'entendre ou à une exposition de peinture impressionniste, et persuadé d'ailleurs qu'une femme du monde cultivée n'y eût pas compris davantage, mais n'aurait pas su se taire aussi gentiment. Mais, au contraire, depuis qu'il aimait Odette, sympathiser avec elle, tâcher de n'avoir qu'une âme à eux deux lui était si doux, qu'il cherchait à se plaire aux choses qu'elle aimait, et il trouvait un plaisir d'autant plus profond non seulement à imiter ses habitudes, mais à adopter ses opinions, que, comme elles n'avaient aucune racine dans sa propre intelligence, elles lui rappelaient seulement son amour, à cause duquel il les avait préférées. S'il retournait à *Serge Panine,* s'il recherchait les occasions d'aller voir conduire Olivier Métra, c'était pour la douceur d'être initié dans toutes les conceptions d'Odette, de se sentir de moitié dans tous ses goûts. Ce charme de le rapprocher d'elle, qu'avaient les ouvrages ou les lieux qu'elle aimait, lui semblait plus mystérieux que celui qui est intrinsèque à de plus beaux, mais qui ne la lui rappelaient pas. D'ailleurs, ayant laissé s'affaiblir les croyances intellectuelles de sa jeunesse, et son scepticisme d'homme du monde ayant à son insu pénétré jusqu'à elles, il pensait (ou du moins il avait si longtemps pensé cela qu'il le disait encore) que les objets de nos goûts n'ont pas en eux une valeur absolue, mais que tout est affaire d'époque, de classe, consiste en modes, dont les plus vulgaires valent celles qui passent pour les plus distinguées. Et comme il jugeait que l'importance attachée par Odette à avoir des cartes pour le vernissage n'était pas en soi quelque chose de plus ridicule que le plaisir qu'il avait autrefois à déjeuner chez le prince de Galles, de même, il ne pensait pas que l'admiration qu'elle professait pour Monte-Carlo ou pour le Righi fût plus déraisonnable que le goût qu'il avait, lui, pour la Hollande qu'elle se figurait laide et pour Versailles qu'elle trouvait triste. Aussi, se privait-il d'y aller, ayant plaisir à se dire que c'était pour elle, qu'il voulait ne sentir, n'aimer qu'avec elle.

Comme tout ce qui environnait Odette et n'était en quelque sorte que le mode selon lequel il pouvait la voir, causer avec elle, il aimait la société des Verdurin. Là, comme au fond de tous les divertissements, repas, musique, jeux, soupers costumés, parties de campagne, parties de théâtre, même les rares « grandes soirées » données pour les « ennuyeux », il y avait la présence d'Odette, la vue d'Odette, la conversation avec Odette, dont les Verdurin faisaient à Swann, en l'invitant, le don inestimable, il se plaisait mieux que partout ailleurs dans le « petit noyau » et cherchait à lui attribuer des mérites réels, car il s'imaginait ainsi que, par goût, il le fréquenterait toute sa vie. Or, n'osant pas se dire, par peur de ne pas le croire, qu'il aimerait toujours Odette, du moins en supposant[1] qu'il fréquenterait toujours les Verdurin (proposition qui, *a priori*, soulevait moins d'objections de principe de la part de son intelligence), il se voyait dans l'avenir continuant à rencontrer chaque soir Odette; cela ne revenait peut-être pas tout à fait au même que l'aimer toujours, mais pour le moment, pendant qu'il aimait, croire qu'il ne cesserait pas un jour de la voir, c'est tout ce qu'il demandait. « Quel charmant milieu, se disait-il. Comme c'est au fond la vraie vie qu'on mène là! Comme on y est plus intelligent, plus artiste que dans le monde! Comme Mme Verdurin, malgré de petites exagérations un peu risibles, a un amour sincère de la peinture, de la musique, quelle passion pour les œuvres, quel désir de faire plaisir aux artistes! Elle se fait une idée inexacte des gens du monde; mais avec cela que le monde n'en a pas une plus fausse encore, des milieux artistes! Peut-être n'ai-je pas de grands besoins intellectuels à assouvir dans la conversation, mais je me plais parfaitement bien avec Cottard, quoiqu'il fasse des calembours ineptes. Et quant au peintre, si sa prétention est déplaisante quand il cherche à étonner, en revanche c'est une des plus belles intelligences que j'aie connues. Et puis surtout, là, on se sent libre, on fait ce qu'on veut sans contrainte, sans cérémonie. Quelle dépense de bonne humeur il se fait par jour dans ce salon-là! Décidément, sauf quelques rares exceptions, je n'irai plus jamais que dans ce milieu. C'est là que j'aurai de plus en plus mes habitudes et ma vie. »

Et comme les qualités qu'il croyait intrinsèques aux Verdurin n'étaient que le reflet sur eux de plaisirs qu'avait goûtés chez eux son amour pour Odette, ces qualités devenaient plus sérieuses, plus profondes, plus vitales, quand ces plaisirs l'étaient aussi. Comme Mme Verdurin donnait parfois à Swann ce qui seul pouvait constituer pour lui le bonheur; comme, tel soir où il se sentait anxieux parce qu'Odette avait causé avec un invité plus qu'avec un autre, et où, irrité contre elle, il ne voulait pas prendre l'initiative de lui demander si elle reviendrait avec lui, Mme Verdurin lui apportait la paix et la joie en disant spontanément : « Odette, vous allez ramener M. Swann, n'est-ce pas? »; comme, cet été qui venait et où il s'était d'abord demandé avec inquiétude si Odette ne s'absenterait pas sans lui, s'il pourrait continuer à la voir tous les jours, Mme Verdurin allait les inviter à le passer tous deux chez elle à la campagne, — Swann, laissant à son insu la reconnaissance et l'intérêt s'infiltrer dans son intelligence et influer sur ses idées, allait jusqu'à proclamer que Mme Verdurin était une grande âme. De quelques gens exquis ou éminents que tel de ses anciens camarades de l'école du Louvre lui parlât : « Je préfère cent fois les Verdurin », lui répondait-il. Et, avec une solennité qui était nouvelle chez lui : « Ce sont des êtres magnanimes, et la magnanimité est, au fond, la seule chose qui importe et qui distingue ici-bas. Vois-tu, il n'y a que deux classes d'êtres : les magnanimes et les autres; et je suis arrivé à un âge où il faut prendre parti, décider une fois pour toutes qui on veut aimer et qui on veut dédaigner, se tenir à ceux qu'on aime et, pour réparer le temps qu'on a gâché avec les autres, ne plus les quitter jusqu'à sa mort. Eh bien! ajoutait-il avec cette légère émotion qu'on éprouve quand, même sans bien s'en rendre compte, on dit une chose non parce qu'elle est vraie, mais parce qu'on a plaisir à la dire et qu'on l'écoute dans sa propre voix comme si elle venait d'ailleurs que de nous-mêmes, le sort en est jeté, j'ai choisi d'aimer les seuls cœurs magnanimes et de ne plus vivre que dans la magnanimité. Tu me demandes si Mme Verdurin est véritablement intelligente. Je t'assure qu'elle m'a donné les preuves d'une noblesse de cœur, d'une hauteur d'âme où, que veux-tu, on n'atteint pas sans une hauteur égale de pensée. Certes elle a la profonde intelligence des arts. Mais ce n'est peut-être pas là qu'elle est le plus admirable; et telle petite action ingénieusement, exquisement bonne, qu'elle a accomplie pour moi, telle géniale attention, tel geste familièrement sublime, révèlent une compréhension plus profonde de l'existence que tous les traités de philosophie. »

Il aurait pourtant pu se dire qu'il y avait des anciens amis de ses parents aussi simples que les Verdurin, des camarades de sa jeunesse aussi épris d'art, qu'il connaissait d'autres êtres d'un grand cœur, et que, pourtant, depuis qu'il avait opté pour la simplicité, les arts et la magnanimité, il ne les voyait plus jamais. Mais ceux-là ne connaissaient pas Odette, et, s'ils l'avaient connue, ne se seraient pas souciés de la rapprocher de lui.

Ainsi il n'y avait sans doute pas, dans tout le milieu Verdurin, un seul fidèle qui les aimât ou crût les aimer autant que Swann. Et pourtant, quand M. Verdurin avait dit que Swann ne lui revenait pas, non seulement il avait exprimé sa propre pensée, mais il avait deviné celle de sa femme. Sans doute Swann avait pour Odette une affection trop particulière et dont il avait négligé de faire de Mme Verdurin la confidente quotidienne: sans doute la discrétion même avec laquelle il usait de l'hospitalité des Verdurin, s'abstenant souvent de venir dîner pour une raison qu'ils ne soupçonnaient pas et à la place de laquelle ils voyaient le désir de ne pas manquer une invitation chez des « ennuyeux », sans doute aussi, et malgré toutes les précautions qu'il avait prises pour la leur cacher, la découverte progressive qu'ils faisaient de sa brillante situation mondaine, tout cela contribuait à leur irritation contre lui. Mais la raison profonde en était autre. C'est qu'ils avaient très vite senti en lui un espace réservé, impénétrable, où il continuait à professer silencieusement pour lui-même que la princesse de Sagan n'était pas grotesque et que les plaisanteries de Cottard n'étaient pas drôles, enfin, et bien que jamais il ne se départît de son amabilité et ne se révoltât contre leurs dogmes, une impossibilité de les lui imposer, de l'y convertir entièrement, comme ils n'en avaient jamais rencontré une pareille chez personne. Ils lui auraient pardonné de fréquenter des ennuyeux (auxquels d'ailleurs, dans le fond de son cœur, il préférait mille fois les Verdurin et tout le petit noyau), s'il avait consenti, pour le bon exemple, à les renier en présence des fidèles. Mais c'est une abjuration qu'ils comprirent qu'on ne pourrait pas lui arracher.

Quelle différence avec un « nouveau » qu'Odette leur avait demandé d'inviter, quoiqu'elle ne l'eût rencontré que peu de fois, et sur lequel ils fondaient beaucoup d'espoirs, le comte de Forcheville! (Il se trouva qu'il était justement le beau-frère de Saniette, ce qui remplit d'étonnement les fidèles : le vieil archiviste avait des manières si humbles qu'ils l'avaient toujours cru d'un rang social inférieur au leur et ne s'attendaient pas à apprendre qu'il appartenait à un monde riche et relativement aristocratique.) Sans doute Forcheville était grossièrement snob, alors que Swann ne l'était pas; sans doute il était bien loin de placer, comme lui, le milieu des Verdurin au-dessus de tous les autres. Mais il n'avait pas cette délicatesse de nature qui empêchait Swann de s'associer aux critiques trop manifestement fausses que dirigeait Mme Verdurin contre des gens qu'il connaissait. Quant aux tirades prétentieuses et vulgaires que le peintre lançait à certains jours, aux plaisanteries de commis voyageur que risquait Cottard et auxquelles Swann, qui les aimait l'un et l'autre, trouvait facilement des excuses mais n'avait pas le courage et l'hypocrisie d'applaudir, Forcheville était au contraire d'un niveau intellectuel qui lui permettait d'être abasourdi, émerveillé par les unes, sans d'ailleurs les comprendre, et de se délecter aux autres. Et justement le premier dîner chez les Verdurin auquel assista Forcheville mit en lumière toutes ces différences, fit ressortir ses qualités et précipita la disgrâce de Swann.

Il y avait à ce dîner, en dehors des habitués, un professeur de la Sorbonne, Brichot, qui avait rencontré M. et Mme Verdurin aux eaux et, si ses fonctions universitaires et ses travaux d'érudition n'avaient pas rendu très rares ses moments de liberté, serait volontiers venu souvent chez eux. Car il avait cette curiosité, cette superstition de la vie qui, unie à un certain scepticisme relatif à l'objet de leurs études, donne dans n'importe quelle profession, à certains hommes intelligents, médecins qui ne croient pas à la médecine, professeurs de lycée qui ne croient pas au thème latin, la réputation d'esprits larges, brillants, et même supérieurs. Il affectait chez Mme Verdurin de chercher ses comparaisons dans ce qu'il y avait de plus actuel quand il parlait de philosophie et d'histoire, d'abord parce qu'il croyait qu'elles ne sont qu'une préparation à la vie et qu'il s'imaginait trouver en action dans le petit clan ce qu'il n'avait connu jusqu'ici que dans les livres, puis peut-être aussi parce que, s'étant vu inculquer autrefois, et ayant gardé à son insu, le respect de certains sujets, il croyait dépouiller l'universitaire en prenant avec eux des hardiesses qui, au contraire, ne lui paraissaient telles, que parce qu'il l'était resté.

Dès le commencement du repas, comme M. de Forcheville, placé à la droite de Mme Verdurin qui avait fait pour le « nouveau » de grands frais de toilette, lui disait : « C'est original, cette robe blanche », le docteur qui n'avait cessé de l'observer, tant il était curieux de savoir comment était fait ce qu'il appelait un « de », et qui cherchait une occasion d'attirer son attention et d'entrer plus en contact avec lui, saisit au vol le mot « blanche », et sans lever le nez de son assiette, dit : « blanche? Blanche de Castille? », puis sans bouger la tête lança furtivement de droite et de gauche des regards incertains et souriants. Tandis que Swann, par l'effort douloureux et vain qu'il fit pour sourire, témoigna qu'il jugeait ce calembour stupide, Forcheville avait montré à la fois qu'il en goûtait la finesse et qu'il savait vivre, en contenant dans de justes limites une gaîté dont la franchise avait charmé Mme Verdurin.

— Qu'est-ce que vous dites d'un savant comme cela? avait-elle demandé à Forcheville. Il n'y a pas moyen de causer sérieusement deux minutes avec lui. Est-ce que vous leur en dites comme cela, à votre hôpital? avait-elle ajouté en se tournant vers le docteur, ça ne doit pas être ennuyeux tous les jours, alors. Je vois qu'il va falloir que je demande à m'y faire admettre.

— Je crois avoir entendu que le docteur parlait de cette vieille chipie de Blanche de Castille, si j'ose m'exprimer ainsi. N'est-il pas vrai, Madame? demanda Brichot à Mme Verdurin qui, pâmant, les yeux fermés, précipita sa figure dans ses mains d'où s'échappèrent des cris étouffés. Mon Dieu, Madame, je ne voudrais pas alarmer les âmes respectueuses s'il y en a autour de cette table, *sub rosa*... Je reconnais d'ailleurs que notre ineffable république athénienne — ô combien! — pourrait honorer en cette capétienne obscurantiste le premier des préfets de police à poigne. Si fait, mon cher hôte, si fait, si fait[1], reprit-il de sa voix bien timbrée qui détachait chaque syllabe, en réponse à une objection de M. Verdurin. La *Chronique de Saint-Denis* dont nous ne pouvons contester la sûreté d'information ne laisse aucun doute à cet égard. Nulle ne pourrait être mieux choisie comme patronne par un prolétariat laïcisateur que cette mère d'un saint à qui elle en fit d'ailleurs voir de saumâtres, comme dit Suger et autres saint Bernard; car avec elle chacun en prenait pour son grade.

— Quel est ce monsieur? demanda Forcheville à Mme Verdurin, il a l'air d'être de première force.

— Comment, vous ne connaissez pas le fameux Brichot? il est célèbre dans toute l'Europe.

— Ah! c'est Bréchot, s'écria Forcheville qui n'avait pas bien entendu, vous m'en direz tant, ajouta-t-il tout en attachant sur l'homme célèbre des yeux écarquillés. C'est toujours intéressant de dîner avec un homme en vue. Mais, dites-moi, vous nous invitez là avec des convives de choix. On ne s'ennuie pas chez vous.

— Oh! vous savez, ce qu'il y a surtout, dit modestement Mme Verdurin, c'est qu'ils se sentent en confiance. Ils parlent de ce qu'ils veulent, et la conversation rejaillit en fusées. Ainsi Brichot, ce soir, ce n'est rien : je l'ai vu, vous savez, chez moi, éblouissant, à se mettre à genoux devant; eh bien! chez les autres, ce n'est plus le même homme, il n'a plus d'esprit, il faut lui arracher les mots, il est même ennuyeux.

— C'est curieux! dit Forcheville étonné.

Un genre d'esprit comme celui de Brichot aurait été tenu pour stupidité pure dans la coterie où Swann avait passé sa jeunesse, bien qu'il soit compatible avec une intelligence réelle. Et celle du professeur, vigoureuse et bien nourrie, aurait probablement pu être enviée par bien des gens du monde que Swann trouvait spirituels. Mais ceux-ci avaient fini par lui inculquer si bien leurs goûts et leurs répugnances, au moins en tout ce qui touche à la vie mondaine et même en celle de ses parties annexes qui devrait[1] plutôt relever du domaine de l'intelligence : la conversation, que Swann ne put trouver les plaisanteries de Brichot que pédantesques, vulgaires et grasses à écœurer. Puis il était choqué dans l'habitude qu'il avait des bonnes manières, par le ton rude et militaire qu'affectait, en s'adressant à chacun, l'universitaire cocardier. Enfin, peut-être avait-il surtout perdu, ce soir-là, de son indulgence, en voyant l'amabilité que Mme Verdurin déployait pour ce Forcheville qu'Odette avait eu la singulière idée d'amener. Un peu gênée vis-à-vis de Swann, elle lui avait demandé en arrivant :

— Comment trouvez-vous mon invité?

Et lui, s'apercevant pour la première fois que Forcheville qu'il connaissait depuis longtemps pouvait plaire à une femme et était assez bel homme, avait répondu : « Immonde! » Certes, il n'avait pas l'idée d'être jaloux d'Odette, mais il ne se sentait pas aussi heureux que d'habitude et quand Brichot, ayant commencé à raconter l'histoire de la mère de Blanche de Castille qui « avait été avec Henri Plantagenet des années avant de l'épouser », voulut s'en faire demander la suite par Swann en lui disant : « n'est-ce pas, monsieur Swann? » sur le ton martial qu'on prend pour se mettre à la portée d'un paysan ou pour donner du cœur à un troupier, Swann coupa l'effet de Brichot, à la grande fureur de la maîtresse de la maison, en répondant qu'on voulût bien l'excuser de s'intéresser si peu à Blanche de Castille, mais qu'il avait quelque chose à demander au peintre. Celui-ci, en effet, était allé dans l'après-midi visiter l'exposition d'un artiste, ami de Mme Verdurin, qui était mort récemment, et Swann aurait voulu savoir par lui (car il appréciait son goût) si vraiment il y avait dans ces dernières œuvres plus que la virtuosité qui stupéfiait déjà dans les précédentes.

— À ce point de vue-là, c'était extraordinaire, mais cela ne semblait pas d'un art, comme on dit, très « élevé », dit Swann en souriant.

— Élevé... à la hauteur d'une institution, interrompit Cottard en levant les bras avec une gravité simulée.

Toute la table éclata de rire.

—Quand je vous disais qu'on ne peut pas garder son sérieux avec lui, dit Mme Verdurin à Forcheville. Au moment où on s'y attend le moins, il vous sort une calembredaine.

Mais elle remarqua que seul Swann ne s'était pas déridé. Du reste il n'était pas très content que Cottard fît rire de lui devant Forcheville. Mais le peintre, au lieu de répondre d'une façon intéressante à Swann, ce qu'il eût probablement fait s'il eût été seul avec lui, préféra se faire admirer des convives en plaçant un morceau sur l'habileté du maître disparu.

— Je me suis approché, dit-il, pour voir comment c'était fait, j'ai mis le nez dessus. Ah! bien ouiche! on ne pourrait pas dire si c'est fait avec de la colle, avec du rubis, avec du savon, avec du bronze, avec du soleil, avec du caca!

— Et un font douze, s'écria trop tard le docteur dont personne ne comprit l'interruption.

— Ça a l'air fait avec rien, reprit le peintre, pas plus moyen de découvrir le truc que dans *la Ronde* ou *les Régentes* et c'est encore plus fort comme patte que Rembrandt et que Hals. Tout y est, mais non, je vous jure.

Et comme les chanteurs parvenus à la note la plus haute qu'ils puissent donner continuent en voix de tête, piano, il se contenta de murmurer, et en riant, comme si en effet cette peinture eût été dérisoire à force de beauté :

— Ça sent bon, ça vous prend à la tête, ça vous coupe

la respiration, ça vous fait des chatouilles, et pas mèche de savoir avec quoi c'est fait, c'en est sorcier, c'est de la rouerie, c'est du miracle (éclatant tout à fait de rire) : c'en est malhonnête! » Et[1] s'arrêtant, redressant gravement la tête, prenant une note de basse profonde qu'il tâcha de rendre harmonieuse, il ajouta : « et c'est si loyal! »

Sauf au moment où il avait dit : « plus fort que *la Ronde* », blasphème qui avait provoqué une protestation de Mme Verdurin qui tenait *la Ronde* pour le plus grand chef-d'œuvre de l'univers avec *la Neuvième* et *la Samothrace,* et à : « fait avec du caca », qui avait fait jeter à Forcheville un coup d'œil circulaire sur la table pour voir si le mot passait et avait ensuite amené sur sa bouche un sourire prude et conciliant, tous les convives, excepté Swann, avaient attaché sur le peintre des regards fascinés par l'admiration.

— Ce qu'il m'amuse quand il s'emballe comme ça, s'écria, quand il eut terminé, Mme Verdurin, ravie que la table fût justement si intéressante le jour où M. de Forcheville venait pour la première fois. Et toi, qu'est-ce que tu as à rester comme cela, bouche bée comme une grande bête? dit-elle à son mari. Tu sais pourtant qu'il parle bien; on dirait que c'est la première fois qu'il vous entend. Si vous l'aviez vu pendant que vous parliez, il vous buvait. Et demain il nous récitera tout ce que vous avez dit sans manger un mot.

— Mais non, c'est pas de la blague, dit le peintre, enchanté de son succès, vous avez l'air de croire que je fais le boniment, que c'est du chiqué; je vous y mènerai voir, vous direz si j'ai exagéré, je vous fiche mon billet que vous revenez plus emballée que moi!

— Mais nous ne croyons pas que vous exagérez, nous voulons seulement que vous mangiez, et que mon mari mange aussi; redonnez de la sole normande à Monsieur, vous voyez bien que la sienne est froide. Nous ne sommes pas si pressés, vous servez comme s'il y avait le feu, attendez donc un peu pour donner la salade.

Mme Cottard, qui était modeste et parlait peu, savait pourtant ne pas manquer d'assurance[2] quand une heureuse inspiration lui avait fait trouver un mot juste. Elle sentait qu'il aurait du succès, cela la mettait en confiance, et ce qu'elle en faisait était moins pour briller que pour être utile à la carrière de son mari. Aussi ne laissa-t-elle pas échapper le mot de salade que venait de prononcer Mme Verdurin.

— Ce n'est pas de la salade japonaise? dit-elle à mi-voix en se tournant vers Odette.

Et ravie et confuse de l'à-propos et de la hardiesse qu'il y avait à faire ainsi une allusion discrète, mais claire, à la nouvelle et retentissante pièce de Dumas, elle éclata d'un rire charmant d'ingénue, peu bruyant, mais si irrésistible qu'elle resta quelques instants sans pouvoir le maîtriser. « Qui est cette dame? elle a de l'esprit », dit Forcheville.

— Non, mais nous vous en ferons si vous venez tous dîner vendredi.

— Je vais vous paraître bien provinciale, Monsieur, dit Mme Cottard à Swann, mais je n'ai pas encore vu cette fameuse *Francillon* dont tout le monde parle. Le docteur y est déjà allé (je me rappelle même qu'il m'a dit avoir eu le très grand plaisir de passer la soirée avec vous) et j'avoue que je n'ai pas trouvé raisonnable qu'il louât des places pour y retourner avec moi. Évidemment, au Théâtre-Français, on ne regrette jamais sa soirée, c'est toujours si bien joué, mais comme nous avons des amis très aimables (Mme Cottard prononçait rarement un nom propre et se contentait de dire « des amis à nous », « une de mes amies », par « distinction », sur un ton factice, et avec l'air d'importance d'une personne qui ne nomme que qui elle veut) qui ont souvent des loges et ont la bonne idée de nous emmener à toutes les nouveautés qui en valent la peine, je suis toujours sûre de voir *Francillon* un peu plus tôt ou un peu plus tard, et de pouvoir me former une opinion. Je dois pourtant confesser que je me trouve assez sotte, car, dans tous les salons où je vais en visite, on ne parle naturellement que de cette malheureuse salade japonaise. On commence même à en être un peu fatigué, ajouta-t-elle en voyant que Swann n'avait pas l'air aussi intéressé qu'elle aurait cru par une si brûlante actualité. Il faut avouer pourtant que cela donne quelquefois prétexte à des idées assez amusantes. Ainsi j'ai une de mes amies qui est très originale, quoique très jolie femme, très entourée, très lancée, et qui prétend qu'elle a fait faire chez elle cette salade japonaise, mais en faisant mettre tout ce qu'Alexandre Dumas fils dit dans la pièce. Elle avait invité quelques amies à venir en manger. Malheureusement je n'étais pas des élues. Mais elle nous l'a raconté tantôt, à son jour; il paraît que c'était détestable, elle nous a fait rire aux larmes. Mais vous savez, tout est dans la manière de raconter, dit-elle en voyant que Swann gardait un air grave.

Et supposant que c'était peut-être parce qu'il n'aimait pas *Francillon :*

— Du reste je crois que j'aurai une déception. Je ne crois pas que cela vaille *Serge Panine,* l'idole de Mme de Crécy. Voilà au moins des sujets qui ont du fond, qui font réfléchir; mais donner une recette de salade sur la scène du Théâtre-Français! Tandis que *Serge Panine!* Du reste, c'est comme tout ce qui vient de la plume de Georges Ohnet, c'est toujours si bien écrit. Je ne sais pas si vous connaissez *le Maître de Forges* que je préférerais encore à *Serge Panine.*

— Pardonnez-moi, lui dit Swann d'un air ironique, mais j'avoue que mon manque d'admiration est à peu près égal pour ces deux chefs-d'œuvre.

— Vraiment, qu'est-ce que vous leur reprochez? Est-ce un parti pris? Trouvez-vous peut-être que c'est un peu triste? D'ailleurs, comme je dis toujours, il ne faut jamais discuter sur les romans ni sur les pièces de théâtre. Chacun a sa manière de voir et vous pouvez trouver détestable ce que j'aime le mieux.

Elle fut interrompue par Forcheville qui interpellait Swann. En effet, tandis que Mme Cottard parlait de *Francillon,* Forcheville avait exprimé à Mme Verdurin son admiration pour ce qu'il avait appelé le petit « speech » du peintre.

— Monsieur a une facilité de parole, une mémoire! avait-il dit à Mme Verdurin quand le peintre eut terminé, comme j'en ai rarement rencontré. Bigre! je voudrais bien en avoir autant. Il ferait un excellent prédicateur. On peut dire qu'avec M. Bréchot, vous avez là deux numéros qui se valent, je ne sais même pas si comme platine, celui-ci ne damerait pas encore le pion au professeur. Ça vient plus naturellement, c'est moins recherché. Quoi qu'il ait, chemin faisant, quelques mots un peu réalistes, mais c'est le goût du jour, je n'ai pas souvent vu tenir le crachoir avec une pareille dextérité, comme nous disions au régiment, où pourtant j'avais un camarade que justement Monsieur me rappelait un peu. À propos de n'importe quoi, je ne sais que vous dire, sur ce verre, par exemple, il pouvait dégoiser pendant des heures; non, pas à propos de ce verre, ce que je dis est stupide; mais à propos de la bataille de Waterloo, de tout ce que vous voudrez, et il nous envoyait chemin faisant des choses auxquelles vous n'auriez jamais pensé. Du reste Swann était dans le même régiment; il a dû le connaître.

— Vous voyez souvent M. Swann? demanda Mme Verdurin.

— Mais non, répondit M. de Forcheville, et comme, pour se rapprocher plus aisément d'Odette, il désirait être agréable à Swann, voulant saisir cette occasion, pour le flatter, de parler de ses belles relations, mais d'en parler en homme du monde, sur un ton de critique cordiale et n'avoir pas l'air de l'en féliciter comme d'un succès inespéré : N'est-ce pas, Swann? je ne vous vois jamais. D'ailleurs, comment faire pour le voir? Cet animal-là est tout le temps fourré chez les La Trémoïlle, chez les Laumes, chez tout ça!... » Imputation d'autant plus fausse d'ailleurs que depuis un an Swann n'allait plus guère que chez les Verdurin. Mais le seul nom de personnes qu'ils ne connaissaient pas était accueilli chez eux par un silence réprobateur. M. Verdurin, craignant la pénible impression que ces noms d'« ennuyeux », surtout lancés ainsi sans tact à la face de tous les fidèles, avaient dû produire sur sa femme, jeta sur elle à la dérobée un regard plein d'inquiète sollicitude. Il vit alors que dans sa résolution de ne pas prendre acte, de ne pas avoir été touchée par la nouvelle qui venait de lui être notifiée, de ne pas seulement rester muette, mais d'avoir été sourde, comme nous l'affectons quand un ami fautif essaye de glisser dans la conversation une excuse que ce serait avoir l'air d'admettre que de l'avoir écoutée sans protester, ou quand on prononce devant nous le nom défendu d'un ingrat, Mme Verdurin, pour que son silence n'eût pas l'air d'un consentement, mais du silence ignorant des choses inanimées, avait soudain dépouillé son visage de toute vie, de toute motilité; son front bombé n'était plus qu'une belle étude de ronde bosse où le nom de ces La Trémoïlle chez qui était toujours fourré Swann, n'avait pu pénétrer; son nez légèrement froncé laissait voir une échancrure qui semblait calquée sur la vie. On eût dit que sa bouche entr'ouverte allait parler. Ce n'était plus qu'une cire perdue, qu'un masque de plâtre, qu'une maquette pour un monument, qu'un buste pour le Palais de l'Industrie, devant lequel le public s'arrêterait certainement pour admirer comment le sculpteur, en exprimant l'imprescriptible dignité des Verdurin opposée à celle des La Trémoïlle et des Laumes qu'ils valent certes ainsi que tous les ennuyeux de la terre, était arrivé à donner une majesté presque papale à la blancheur et à la rigidité de la pierre. Mais le marbre finit par s'animer et fit entendre qu'il fallait ne pas être dégoûté pour aller chez ces gens-là, car la femme était toujours ivre et le mari si ignorant qu'il disait collidor pour corridor.

— On me paierait bien cher que je ne laisserais pas entrer ça chez moi, conclut Mme Verdurin, en regardant Swann d'un air impérieux.

Sans doute elle n'espérait pas qu'il se soumettrait jusqu'à imiter la sainte simplicité de la tante du pianiste qui venait de s'écrier : « Voyez-vous ça ? Ce qui m'étonne, c'est qu'ils trouvent encore des personnes qui consentent à leur causer ! il me semble que j'aurais peur : un mauvais coup est si vite reçu ! Comment y a-t-il encore du peuple assez brute pour leur courir après ? » Mais[1] que ne répondait-il du moins comme Forcheville : « Dame, c'est une duchesse; il y a des gens que ça impressionne encore », ce qui avait[2] permis au moins à Mme Verdurin de répliquer : « Grand bien leur fasse ! » Au[3] lieu de cela, Swann se contenta de rire d'un air qui signifiait qu'il ne pouvait même pas prendre au[4] sérieux une pareille extravagance. M. Verdurin, continuant à jeter sur sa femme des regards furtifs, voyait avec tristesse et comprenait trop bien qu'elle éprouvait la colère d'un grand inquisiteur qui ne parvient pas à extirper l'hérésie, et pour tâcher d'amener Swann à une rétractation, comme le courage de ses opinions paraît toujours un calcul et une lâcheté aux yeux de ceux à l'encontre de qui il s'exerce, M. Verdurin l'interpella :

— Dites[5] donc franchement votre pensée, nous n'irons pas le leur répéter.

À quoi Swann répondit[6] :

— Mais ce n'est pas du tout par peur de la duchesse

(si c'est des La Trémoïlle que vous parlez). Je vous assure que tout le monde aime aller chez elle. Je ne vous dis pas qu'elle soit « profonde » (il prononça profonde, comme si ç'avait été un mot ridicule, car son langage gardait la trace d'habitudes d'esprit qu'une certaine rénovation, marquée par l'amour de la musique, lui avait momentanément fait perdre — il exprimait parfois ses opinions avec chaleur —) mais, très sincèrement, elle est intelligente et son mari est un véritable lettré. Ce sont des gens charmants.

Si bien que Mme Verdurin, sentant que par ce seul infidèle elle serait empêchée de réaliser l'unité morale du petit noyau, ne put pas s'empêcher dans sa rage contre cet obstiné qui ne voyait pas combien ses paroles la faisaient souffrir, de lui crier du fond du cœur :

— Trouvez-le si vous voulez, mais du moins ne nous le dites pas.

— Tout dépend de ce que vous appelez intelligence, dit Forcheville qui voulait briller à son tour. Voyons, Swann, qu'entendez-vous par intelligence ?

— Voilà ! s'écria Odette, voilà les grandes choses dont je lui demande de me parler, mais il ne veut jamais.

— Mais si... protesta Swann.

— Cette blague ! dit Odette.

— Blague à tabac ? demanda le docteur.

— Pour vous, reprit Forcheville, l'intelligence, est-ce le bagout du monde, les personnes qui savent s'insinuer ?

— Finissez votre entremets qu'on puisse enlever votre assiette, dit Mme Verdurin d'un ton aigre en s'adressant à Saniette, lequel absorbé dans des réflexions, avait cessé de manger. Et peut-être un peu honteuse du ton qu'elle avait pris : « Cela ne fait rien, vous avez votre temps, mais si je vous le dis, c'est pour les autres, parce que cela empêche de servir.

— Il y a, dit Brichot en martelant les syllabes, une définition bien curieuse de l'intelligence dans ce doux anarchiste de Fénelon...

— Écoutez ! dit à Forcheville et au docteur Mme Verdurin, il va nous dire la définition de l'intelligence par Fénelon, c'est intéressant, on n'a pas toujours l'occasion d'apprendre cela.

Mais Brichot attendait que Swann eût donné la sienne. Celui-ci ne répondit pas et en se dérobant fit manquer la brillante joute que Mme Verdurin se réjouissait d'offrir à Forcheville.

— Naturellement, c'est comme avec moi, dit Odette d'un ton boudeur, je ne suis pas fâchée de voir que je ne suis pas la seule qu'il ne trouve pas à la hauteur.

— Ces de La Trémouaille que Mme Verdurin nous a montrés comme si peu recommandables, demanda Brichot, en articulant avec force, descendent-ils de ceux que cette bonne snob de Mme de Sévigné avouait être heureuse de connaître parce que cela faisait bien pour ses paysans ? Il est vrai que la marquise avait une autre raison, et qui pour elle devait primer celle-là, car gendelettre dans l'âme, elle faisait passer la copie avant tout. Or dans le journal qu'elle envoyait régulièrement à sa fille, c'est Mme de la Trémouaille, bien documentée par ses grandes alliances, qui faisait la politique étrangère.

— Mais non, je ne crois pas que ce soit la même famille, dit à tout hasard Mme Verdurin.

Saniette qui, depuis qu'il avait rendu précipitamment au maître d'hôtel son assiette encore pleine, s'était replongé dans un silence méditatif, en sortit enfin pour raconter en riant l'histoire d'un dîner qu'il avait fait avec le duc de La Trémoïlle et d'où il résultait que celui-ci ne savait pas que George Sand était le pseudonyme d'une femme. Swann, qui avait de la sympathie pour Saniette, crut devoir lui donner sur la culture du duc des détails montrant qu'une telle ignorance de la part de celui-ci était matériellement impossible; mais tout d'un coup il s'arrêta, il venait de comprendre que Saniette n'avait pas besoin de ces preuves et savait que l'histoire était fausse, pour la raison qu'il venait de l'inventer il y avait un moment. Cet excellent homme souffrait d'être trouvé si ennuyeux par les Verdurin; et ayant conscience d'avoir été plus terne encore à ce dîner que d'habitude, il n'avait voulu le laisser finir sans avoir réussi à amuser. Il capitula si vite, eut l'air si malheureux de voir manqué l'effet sur lequel il avait compté, et répondit d'un ton si lâche à Swann pour que celui-ci ne s'acharnât pas à une réfutation désormais inutile : « C'est bon, c'est bon; en tous cas, même si je me trompe, ce n'est pas un crime, je pense », que Swann aurait voulu pouvoir dire que l'histoire était vraie et délicieuse. Le docteur qui les avait écoutés eut l'idée que c'était le cas de dire : *Se non è vero,* mais il n'était pas assez sûr des mots et craignit de s'embrouiller.

Après le dîner, Forcheville alla de lui-même vers le docteur.

— Elle n'a pas dû être mal, Mme Verdurin, et puis c'est une femme avec qui on peut causer, pour moi tout est là. Évidemment elle commence à avoir un peu de bouteille. Mais Mme de Crécy, voilà une petite femme qui a l'air intelligente, ah! saperlipopette, on voit tout de suite qu'elle a l'œil américain, celle-là! Nous parlons de Mme de Crécy, dit-il à M. Verdurin qui s'approchait, la pipe à la bouche. Je me figure que comme corps de femme...

— J'aimerais mieux l'avoir dans mon lit que le tonnerre, dit précipitamment Cottard qui depuis quelques instants attendait en vain que Forcheville reprît haleine pour placer cette vieille plaisanterie dont il craignait que ne revînt pas l'à-propos si la conversation changeait de cours, et qu'il débita avec cet excès de spontanéité et d'assurance qui cherche à masquer la froideur et l'émoi inséparables d'une récitation. Forcheville la connaissait, il la comprit et s'en amusa. Quant à M. Verdurin, il ne marchanda pas sa gaîté, car il avait trouvé depuis peu pour la signifier un symbole autre que celui dont usait sa femme, mais aussi simple et aussi clair. À peine avait-il commencé à faire le mouvement de tête et d'épaules de quelqu'un qui s'esclaffe qu'aussitôt il se mettait à tousser comme si, en riant trop fort, il avait avalé la fumée de sa pipe. Et la gardant toujours au coin de sa bouche, il prolongeait indéfiniment le simulacre de suffocation et d'hilarité. Ainsi lui et Mme Verdurin qui, en face, écoutant le peintre qui lui racontait une histoire, fermait les yeux avant de précipiter son visage dans ses mains, avaient l'air de deux masques de théâtre qui figuraient différemment la gaîté.

M. Verdurin avait d'ailleurs fait sagement en ne retirant pas sa pipe de sa bouche, car Cottard qui avait besoin de s'éloigner un instant fit à mi-voix une plaisanterie qu'il avait apprise depuis peu et qu'il renouvelait chaque fois qu'il avait à aller au même endroit : « Il faut que j'aille entretenir un instant le duc d'Aumale », de sorte que la quinte de M. Verdurin recommença.

— Voyons, enlève donc ta pipe de ta bouche, tu vois

bien que tu vas t'étouffer à te retenir de rire comme ça, lui dit Mme Verdurin qui venait offrir des liqueurs.

— Quel homme charmant que votre mari, il a de l'esprit comme quatre, déclara Forcheville à Mme Cottard. Merci Madame. Un vieux troupier comme moi, ça ne refuse jamais la goutte.

— M. de Forcheville trouve Odette charmante, dit M. Verdurin à sa femme.

— Mais justement elle voudrait déjeuner une fois avec vous. Nous allons combiner ça, mais il ne faut pas que Swann le sache. Vous savez, il met un peu de froid. Ça ne vous empêchera pas de venir dîner, naturellement, nous espérons vous avoir très souvent. Avec la belle saison qui vient, nous allons souvent dîner en plein air. Cela ne vous ennuie pas, les petits dîners au Bois? bien, bien, ce sera très gentil. Est-ce que vous n'allez pas travailler de votre métier, vous! cria-t-elle au petit pianiste, afin de faire montre, devant un nouveau de l'importance de Forcheville, à la fois de son esprit et de son pouvoir tyrannique sur les fidèles.

— M. de Forcheville était en train de me dire du mal de toi, dit Mme Cottard à son mari quand il rentra au salon.

Et lui, poursuivant l'idée de la noblesse de Forcheville qui l'occupait depuis le commencement du dîner, lui dit :

— Je soigne en ce moment une baronne, la baronne Putbus; les Putbus étaient aux Croisades, n'est-ce pas? Ils ont, en Poméranie, un lac qui est grand comme dix fois la place de la Concorde. Je la soigne pour de l'arthrite sèche, c'est une femme charmante. Elle connaît du reste Mme Verdurin, je crois.

Ce qui permit à Forcheville, quand il se retrouva, un moment après, seul avec Mme Cottard, de compléter le jugement favorable qu'il avait porté sur son mari :

— Et puis il est intéressant, on voit qu'il connaît du monde. Dame, ça sait tant de choses, les médecins!

— Je vais jouer la phrase de la Sonate pour M. Swann[1], dit le pianiste.

— Ah! bigre! ce n'est pas au moins le « Serpent à Sonates »? demanda M. de Forcheville pour faire de l'effet.

Mais le docteur Cottard, qui n'avait jamais entendu ce calembour, ne le comprit pas et crut à une erreur de

M. de Forcheville. Il s'approcha vivement pour la rectifier :

— Mais non, ce n'est pas serpent à sonates qu'on dit, c'est serpent à sonnettes, dit-il d'un ton zélé, impatient et triomphal.

Forcheville lui expliqua le calembour. Le docteur rougit.

— Avouez qu'il est drôle, Docteur?

— Oh! je le connais depuis si longtemps, répondit Cottard.

Mais ils se turent; sous l'agitation des trémolos de violon qui la protégeaient de leur tenue frémissante à deux octaves de là — et comme dans un pays de montagne, derrière l'immobilité apparente et vertigineuse d'une cascade, on aperçoit, deux cents pieds plus bas, la forme minuscule d'une promeneuse — la petite phrase venait d'apparaître, lointaine, gracieuse, protégée par le long déferlement du rideau transparent, incessant et sonore. Et Swann, en son cœur, s'adressa à elle comme à une confidente de son amour, comme à une amie d'Odette qui devrait bien lui dire de ne pas faire attention à ce Forcheville.

— Ah! vous arrivez tard, dit Mme Verdurin à un fidèle qu'elle n'avait invité qu'en « cure-dents », nous avons eu « un » Brichot incomparable, d'une éloquence! Mais il est parti. N'est-ce pas, monsieur Swann? Je crois que c'est la première fois que vous vous rencontriez avec lui, dit-elle pour lui faire remarquer que c'était à elle qu'il devait de le connaître. N'est-ce pas, il a été délicieux, notre Brichot?

Swann s'inclina poliment.

— Non? il ne vous a pas intéressé? lui demanda sèchement Mme Verdurin.

— Mais si, Madame, beaucoup, j'ai été ravi. Il est peut-être un peu péremptoire et un peu jovial pour mon goût. Je lui voudrais parfois un peu d'hésitations et de douceur, mais on sent qu'il sait tant de choses et il a l'air d'un bien brave homme.

Tout le monde se retira fort tard. Les premiers mots de Cottard à sa femme furent :

— J'ai rarement vu Mme Verdurin aussi en verve que ce soir.

—Qu'est-ce que c'est exactement que cette Mme

Verdurin, un demi-castor? dit Forcheville au peintre à qui il proposa de revenir avec lui.

Odette le vit s'éloigner avec regret, elle n'osa pas ne pas revenir avec Swann, mais fut de mauvaise humeur en voiture, et quand il lui demanda s'il devait entrer chez elle, elle lui dit « Bien entendu », en haussant les épaules avec impatience. Quand tous les invités furent partis, Mme Verdurin dit à son mari :

— As-tu remarqué comme Swann a ri d'un rire niais quand nous avons parlé de Mme La Trémoïlle?

Elle avait remarqué que devant ce nom Swann et Forcheville avaient plusieurs fois supprimé la particule. Ne doutant pas que ce fût pour montrer qu'ils n'étaient pas intimidés par les titres, elle souhaitait d'imiter leur fierté, mais n'avait pas bien saisi par quelle forme grammaticale elle se traduisait. Aussi sa vicieuse façon de parler l'emportant sur son intransigeance républicaine, elle disait encore les de La Trémoïlle ou plutôt par une abréviation en usage dans les paroles des chansons de café-concert et les légendes des caricaturistes et qui dissimulait le de, les d'La Trémoïlle, mais elle se rattrapait en disant : « Madame La Trémoïlle. » « La *Duchesse,* comme dit Swann », ajouta-t-elle ironiquement avec un sourire qui prouvait qu'elle ne faisait que citer et ne prenait pas à son compte une dénomination aussi naïve et ridicule.

— Je te dirai que je l'ai trouvé extrêmement bête.

Et M. Verdurin lui répondit :

— Il n'est pas franc, c'est un monsieur cauteleux, toujours entre le zist et le zest. Il veut toujours ménager la chèvre et le chou. Quelle différence avec Forcheville! Voilà au moins un homme qui vous dit carrément sa façon de penser. Ça vous plaît ou ça ne vous plaît pas. Ce n'est pas comme l'autre qui n'est jamais ni figue ni raisin. Du reste Odette a l'air de préférer joliment le Forcheville, et je lui donne raison. Et puis enfin, puisque Swann veut nous la faire à l'homme du monde, au champion des duchesses, au moins l'autre a son titre; il est toujours comte de Forcheville, ajouta-t-il d'un air délicat, comme si, au courant de l'histoire de ce comté, il en soupesait minutieusement la valeur particulière.

— Je te dirai, dit Mme Verdurin, qu'il a cru devoir lancer contre Brichot quelques insinuations venimeuses et assez ridicules. Naturellement, comme il a vu que Brichot était aimé dans la maison, c'était une manière de nous atteindre, de bêcher notre dîner. On sent le bon, petit camarade qui vous débinera en sortant.

— Mais je te l'ai dit, répondit M. Verdurin, c'est le raté, le petit individu envieux de tout ce qui est un peu grand.

En réalité il n'y avait pas un fidèle qui ne fût plus malveillant que Swann; mais tous ils avaient la précaution d'assaisonner leurs médisances de plaisanteries connues, d'une petite pointe d'émotion et de cordialité; tandis que la moindre réserve que se permettait Swann, dépouillée des formules de convention telles que : « Ce n'est pas du mal que nous disons » et auxquelles il dédaignait de s'abaisser, paraissait une perfidie. Il y a des auteurs originaux dont la moindre hardiesse révolte parce qu'ils n'ont pas d'abord flatté les goûts du public et ne lui ont pas servi les lieux communs auxquels il est habitué; c'est de la même manière que Swann indignait M. Verdurin. Pour Swann comme pour eux, c'était la nouveauté de son langage qui faisait croire à la noirceur de ses intentions.

Swann ignorait encore la disgrâce dont il était menacé chez les Verdurin et continuait à voir leurs ridicules en beau, au travers de son amour.

Il n'avait de rendez-vous avec Odette, au moins le plus souvent, que le soir; mais le jour, ayant peur de la fatiguer de lui en allant chez elle, il aurait aimé du moins ne pas cesser d'occuper sa pensée et à tous moments il cherchait à trouver une occasion d'y intervenir, mais d'une façon agréable pour elle. Si, à la devanture d'un fleuriste ou d'un joaillier, la vue d'un arbuste ou d'un bijou le charmait, aussitôt il pensait à les envoyer à Odette, imaginant le plaisir qu'ils lui avaient procuré, ressenti par elle, venant accroître la tendresse qu'elle avait pour lui, et les faisait porter immédiatement rue La Pérouse, pour ne pas retarder l'instant où, comme elle recevrait quelque chose de lui, il se sentirait en quelque sorte près d'elle. Il voulait surtout qu'elle les reçût avant de sortir pour que la reconnaissance qu'elle éprouverait lui valût un accueil plus tendre quand elle le verrait chez les Verdurin, ou même, qui sait? si le fournisseur faisait assez diligence, peut-être une lettre qu'elle lui enverrait avant le dîner, ou sa venue à elle en personne chez lui, en une visite supplémentaire, pour le remercier. Comme jadis quand il expérimentait sur la nature d'Odette les réactions du dépit, il cherchait par celles de la gratitude à tirer d'elle des parcelles intimes de sentiment qu'elle ne lui avait pas révélées encore.

Souvent elle avait des embarras d'argent et, pressée par une dette, le priait de lui venir en aide. Il en était heureux comme de tout ce qui pouvait donner à Odette une grande idée de l'amour qu'il avait pour elle, ou simplement une grande idée de son influence, de l'utilité dont il pouvait lui être. Sans doute si on lui avait dit au début : « c'est ta situation qui lui plaît », et maintenant : « c'est pour ta fortune qu'elle t'aime », il ne l'aurait pas cru, et n'aurait pas été d'ailleurs très mécontent qu'on se la figurât tenant à lui — qu'on les sentît unis l'un à l'autre — par quelque chose d'aussi fort que le snobisme ou l'argent. Mais, même s'il avait pensé que c'était vrai, peut-être n'eût-il pas souffert de découvrir à l'amour d'Odette pour lui cet étai[1] plus durable que l'agrément ou les qualités qu'elle pouvait lui trouver : l'intérêt, l'intérêt qui empêcherait de venir jamais le jour où elle aurait pu être tentée de cesser de le voir. Pour l'instant, en la comblant de présents, en lui rendant des services, il pouvait se reposer sur des avantages extérieurs à sa personne, à son intelligence, du soin épuisant de lui plaire par lui-même. Et cette volupté d'être amoureux, de ne vivre que d'amour, de la réalité de laquelle il doutait parfois, le prix dont en somme il la payait, en dilettante de sensations immatérielles, lui en augmentait la valeur — comme on voit des gens incertains si le spectacle de la mer et le bruit de ses vagues sont délicieux, s'en convaincre ainsi que de la rare qualité de leurs goûts désintéressés, en louant cent francs par jour la chambre d'hôtel qui leur permet de les goûter.

Un jour que des réflexions de ce genre le ramenaient encore au souvenir du temps où on lui avait parlé d'Odette comme d'une femme entretenue, et où une fois de plus il s'amusait à opposer cette personnification étrange : la femme entretenue — chatoyant amalgame d'éléments inconnus et diaboliques, serti, comme une apparition de Gustave Moreau, de fleurs vénéneuses entrelacées à des joyaux précieux — et cette Odette sur le visage de qui il avait vu passer les mêmes sentiments de pitié pour un malheureux, de révolte contre une injustice, de gratitude pour un bienfait, qu'il avait vu éprouver autrefois par sa propre mère, par ses amis, cette Odette dont les propos avaient si souvent trait aux choses qu'il connaissait le mieux lui-même, à ses collections, à sa chambre, à son vieux domestique, au banquier chez qui il avait ses titres, il se trouva que cette dernière image du banquier lui rappela qu'il aurait à y prendre de l'argent. En effet, si ce mois-ci il venait moins largement à l'aide d'Odette dans ses difficultés matérielles qu'il n'avait fait le mois dernier où il lui avait donné cinq mille francs, et s'il ne lui offrait pas une rivière de diamants qu'elle désirait, il ne renouvellerait pas en elle cette admiration qu'elle avait pour sa générosité, cette reconnaissance, qui le rendaient si heureux, et même il risquerait de lui faire croire que son amour pour elle, comme elle en verrait les manifestations devenir moins grandes, avait diminué. Alors, tout d'un coup, il se demanda si cela, ce n'était pas précisément l'« entretenir » (comme si, en effet, cette notion d'entretenir pouvait être extraite d'éléments non pas mystérieux ni pervers, mais appartenant au fond quotidien et privé de sa vie, tels que ce billet de mille francs, domestique et familier, déchiré et recollé, que son valet de chambre, après lui avoir payé les comptes du mois et le terme, avait serré dans le tiroir du vieux bureau où Swann l'avait repris pour l'envoyer avec quatre autres à Odette) et si on ne pouvait pas appliquer à Odette, depuis qu'il la connaissait (car il ne soupçonna pas un instant qu'elle eût jamais pu recevoir d'argent de personne avant lui), ce mot qu'il avait cru si inconciliable avec elle, de « femme entretenue ». Il ne put approfondir cette idée, car un accès d'une paresse d'esprit qui était chez lui congénitale, intermittente et providentielle, vint à ce moment éteindre toute lumière dans son intelligence, aussi brusquement que, plus tard, quand on eut installé partout l'éclairage électrique, on put couper l'électricité dans une maison. Sa pensée tâtonna un instant dans l'obscurité, il retira ses lunettes, en essuya les verres, se passa la main sur les yeux, et ne revit la lumière que quand il se retrouva en présence d'une idée toute différente, à savoir qu'il faudrait tâcher d'envoyer le mois prochain six ou sept mille francs à Odette au lieu de cinq, à cause de la surprise et de la joie que cela lui causerait.

Le soir, quand il ne restait pas chez lui à attendre l'heure de retrouver Odette chez les Verdurin ou plutôt dans un des restaurants d'été qu'ils affectionnaient au Bois et surtout à Saint-Cloud, il allait dîner dans quelqu'une de ces maisons élégantes dont il était jadis le convive habituel. Il ne voulait pas perdre contact avec des gens qui — savait-on ? — pourraient peut-être un jour être utiles à Odette et grâce auxquels, en attendant, il réussissait souvent à lui être agréable. Puis l'habitude qu'il avait eue longtemps du monde, du luxe, lui en avait donné, en même temps que le dédain, le besoin, de sorte qu'à partir du moment où les réduits les plus modestes lui étaient apparus exactement sur le même pied que les plus princières demeures, ses sens étaient tellement accoutumés aux secondes qu'il eût éprouvé quelque malaise à se trouver dans les premiers. Il avait la même considération — à un degré d'identité qu'ils n'auraient pu croire — pour des petits bourgeois qui faisaient danser au cinquième étage d'un escalier D, palier à gauche, que pour la princesse de Parme qui donnait les plus belles fêtes de Paris; mais il n'avait pas la sensation d'être au bal en se tenant avec les pères dans la chambre à coucher de la maîtresse de la maison, et la vue des lavabos recouverts de serviettes, des lits, transformés en vestiaires, sur le couvre-pied desquels s'entassaient les pardessus et les chapeaux, lui donnait la même sensation d'étouffement que peut causer aujourd'hui à des gens habitués à vingt ans d'électricité l'odeur d'une lampe qui charbonne ou d'une veilleuse qui file.

Le jour où il dînait en ville, il faisait atteler pour sept heures et demie; il s'habillait tout en songeant à Odette et ainsi il ne se trouvait pas seul, car la pensée constante d'Odette donnait aux moments où il était loin d'elle le même charme particulier qu'à ceux où elle était là. Il montait en voiture, mais il sentait que cette pensée y avait sauté en même temps et s'installait sur ses genoux comme une bête aimée qu'on emmène partout et qu'il garderait avec lui à table, à l'insu des convives. Il la caressait, se réchauffait à elle, et, éprouvant une sorte de langueur, se laissait aller à un léger frémissement qui crispait son cou et son nez, et était nouveau chez lui, tout en fixant à sa boutonnière le bouquet d'ancolies. Se sentant souffrant et triste depuis quelque temps, surtout depuis qu'Odette avait présenté Forcheville aux Verdurin, Swann aurait aimé aller se reposer un peu à la campagne. Mais il n'aurait pas eu le courage de quitter Paris un seul jour pendant qu'Odette y était. L'air était chaud; c'étaient les plus beaux jours du printemps. Et il avait beau traverser une ville de pierre pour se rendre en quelque hôtel clos, ce qui était sans cesse devant ses yeux, c'était un parc qu'il possédait près de Combray, où, dès quatre heures, avant d'arriver au plant d'asperges, grâce au vent qui vient des champs de Méséglise, on pouvait goûter sous une charmille autant de fraîcheur qu'au bord de l'étang cerné de myosotis et de glaïeuls, et où, quand il dînait, enlacées par son jardinier, couraient autour de la table les groseilles et les roses.

Après dîner, si le rendez-vous au Bois ou à Saint-Cloud était de bonne heure, il partait si vite en sortant de table — surtout si la pluie menaçait de tomber et de faire rentrer plus tôt les « fidèles » — qu'une fois la princesse des Laumes (chez qui on avait dîné tard et que Swann avait quittée avant qu'on servît le café pour rejoindre les Verdurin dans l'île du Bois) dit :

— Vraiment, si Swann avait trente ans de plus et une maladie de la vessie, on l'excuserait de filer ainsi. Mais tout de même il se moque du monde.

Il se disait que le charme du printemps qu'il ne pouvait pas aller goûter à Combray, il le trouverait du moins dans l'île des Cygnes ou à Saint-Cloud. Mais comme il ne pouvait penser qu'à Odette, il ne savait même pas s'il avait senti l'odeur des feuilles, s'il y avait eu du clair de lune. Il était accueilli par la petite phrase de la sonate jouée dans le jardin sur le piano du restaurant. S'il n'y en avait pas là, les Verdurin prenaient une grande peine pour en faire descendre un d'une chambre ou d'une salle à manger : ce n'est pas que Swann fût rentré en faveur auprès d'eux, au contraire. Mais l'idée d'organiser un plaisir ingénieux pour quelqu'un, même pour quelqu'un qu'ils n'aimaient pas, développait chez eux, pendant les moments nécessaires à ces préparatifs, des sentiments éphémères et occasionnels de sympathie et de cordialité. Parfois il se disait que c'était un nouveau soir de printemps de plus qui passait, il se contraignait à faire attention aux arbres, au ciel. Mais l'agitation où le mettait la présence d'Odette, et aussi un léger malaise fébrile qui ne le quittait guère depuis quelque temps, le privait du calme et du bien-être qui sont le fond indispensable aux impressions que peut donner la nature.

Un soir où Swann avait accepté de dîner avec les Verdurin, comme pendant le dîner il venait de dire que le lendemain il avait un banquet d'anciens camarades, Odette lui avait répondu en pleine table, devant Forcheville, qui était maintenant un des fidèles, devant le peintre, devant Cottard :

— Oui, je sais que vous avez votre banquet; je ne vous verrai donc que chez moi, mais ne venez pas trop tard.

Bien que Swann n'eût encore jamais pris bien sérieusement ombrage de l'amitié d'Odette pour tel ou tel fidèle, il éprouvait une douceur profonde à l'entendre avouer ainsi devant tous, avec cette tranquille impudeur, leurs rendez-vous quotidiens du soir, la situation privilégiée qu'il avait chez elle et la préférence pour lui qui y était impliquée. Certes Swann avait souvent pensé qu'Odette n'était à aucun degré une femme remarquable, et la suprématie qu'il exerçait sur un être qui lui était si inférieur n'avait rien qui dût lui paraître si flatteur[1] à voir proclamer à la face des « fidèles », mais depuis qu'il s'était aperçu qu'à beaucoup d'hommes Odette semblait une femme ravissante et désirable, le charme qu'avait pour eux son corps avait éveillé en lui un besoin douloureux de la maîtriser entièrement dans les moindres parties de son cœur. Et il avait commencé d'attacher un prix inestimable à ces moments passés chez elle le soir, où il l'asseyait sur ses genoux, lui faisait dire ce qu'elle pensait d'une chose, d'une autre, où il recensait les seuls biens à la possession desquels il tînt maintenant sur terre. Aussi, après ce dîner, la prenant à part, il ne manqua pas de la remercier avec effusion, cherchant à lui enseigner selon les degrés de la reconnaissance qu'il lui témoignait, l'échelle des plaisirs qu'elle pouvait lui causer, et dont le suprême était de le garantir, pendant le temps que son amour durerait et l'y rendrait vulnérable, des atteintes de la jalousie.

Quand il sortit le lendemain du banquet, il pleuvait

à verse, il n'avait à sa disposition que sa victoria; un ami lui proposa de le reconduire chez lui en coupé, et comme Odette, par le fait qu'elle lui avait demandé de venir, lui avait donné la certitude qu'elle n'attendait personne, c'est l'esprit tranquille et le cœur content que, plutôt que de partir ainsi dans la pluie, il serait rentré chez lui se coucher. Mais peut-être, si elle voyait qu'il n'avait pas l'air de tenir à passer toujours avec elle, sans aucune exception, la fin de la soirée, négligerait-elle de la lui réserver, justement une fois où il l'aurait particulièrement désiré.

Il arriva chez elle après onze heures, et, comme il s'excusait de n'avoir pu venir plus tôt, elle se plaignit que ce fût en effet bien tard, l'orage l'avait rendue souffrante, elle se sentait mal à la tête et le prévint qu'elle ne le garderait pas plus d'une demi-heure, qu'à minuit elle le renverrait; et, peu après, elle se sentit fatiguée et désira s'endormir.

— Alors, pas de catleyas ce soir? lui dit-il, moi qui espérais un bon petit catleya.

Et d'un air un peu boudeur et nerveux, elle lui répondit :

— Mais non, mon petit, pas de catleyas ce soir, tu vois bien que je suis souffrante!

— Cela t'aurait peut-être fait du bien, mais enfin je n'insiste pas.

Elle le pria d'éteindre la lumière avant de s'en aller, il referma lui-même les rideaux du lit et partit. Mais quand il fut rentré chez lui, l'idée lui vint brusquement que peut-être Odette attendait quelqu'un ce soir, qu'elle avait seulement simulé la fatigue et qu'elle ne lui avait demandé d'éteindre que pour qu'il crût qu'elle allait s'endormir, qu'aussitôt qu'il avait été parti, elle avait rallumé[1], et fait entrer[2] celui qui devait passer la nuit auprès d'elle. Il regarda l'heure. Il y avait à peu près une heure et demie qu'il l'avait quittée, il ressortit, prit un fiacre et se fit arrêter tout près de chez elle, dans une petite rue perpendiculaire à celle sur laquelle donnait, derrière, son hôtel et où il allait quelquefois frapper à la fenêtre de sa chambre à coucher pour qu'elle vînt lui ouvrir; il descendit de voiture, tout était désert et noir dans ce quartier, il n'eut que quelques pas à faire à pied et déboucha presque devant chez elle. Parmi l'obscurité de toutes les fenêtres éteintes depuis longtemps dans la rue, il en vit une seule d'où débordait — entre les volets qui en pressaient la pulpe mystérieuse et dorée — la lumière qui remplissait la chambre et qui, tant d'autres soirs, du plus loin qu'il l'apercevait en arrivant dans la rue, le réjouissait et lui annonçait : « elle est là qui t'attend » et qui maintenant, le torturait en lui disant : « elle est là avec celui qu'elle attendait ». Il voulait savoir qui; il se glissa le long du mur jusqu'à la fenêtre, mais entre les lames obliques des volets il ne pouvait rien voir; il entendait seulement dans le silence de la nuit le murmure d'une conversation.

Certes, il souffrait de voir cette lumière dans l'atmosphère d'or de laquelle se mouvait derrière le châssis le couple invisible et détesté, d'entendre ce murmure qui révélait la présence de celui qui était venu après son départ, la fausseté d'Odette, le bonheur qu'elle était en train de goûter avec lui. Et pourtant il était content d'être venu : le tourment qui l'avait forcé de sortir de chez lui avait perdu de son acuité en perdant de son vague, maintenant que l'autre vie d'Odette, dont il avait eu, à ce moment-là, le brusque et impuissant soupçon, il la tenait là, éclairée en plein par la lampe, prisonnière sans le savoir dans cette chambre où, quand il le voudrait, il entrerait la surprendre et la capturer; ou plutôt il allait frapper aux volets comme il faisait souvent quand il venait très tard; ainsi du moins, Odette apprendrait qu'il avait su, qu'il avait vu la lumière et entendu la causerie, et lui, qui tout à l'heure, se la représentait comme se riant avec l'autre de ses illusions, maintenant, c'était eux qu'il voyait, confiants dans leur erreur, trompés en somme par lui qu'ils croyaient bien loin d'ici et qui, lui, savait déjà qu'il allait frapper aux volets. Et peut-être, ce qu'il ressentait en ce moment de presque agréable, c'était autre chose aussi que l'apaisement d'un doute et d'une douleur : un plaisir de l'intelligence. Si, depuis qu'il était amoureux, les choses avaient repris pour lui un peu de l'intérêt délicieux qu'il leur trouvait autrefois, mais seulement là où elles étaient éclairées par le souvenir d'Odette, maintenant, c'était une autre faculté de sa studieuse jeunesse que sa jalousie ranimait, la passion de la vérité, mais d'une vérité, elle aussi, interposée entre lui et sa maîtresse, ne recevant sa lumière que d'elle, vérité tout individuelle qui avait pour objet unique, d'un prix infini et presque d'une beauté désintéressée, les actions d'Odette, ses relations, ses projets, son passé. À toute autre époque de sa vie, les petits faits et gestes quotidiens d'une personne avaient toujours paru sans valeur à Swann : si on lui en faisait le commérage, il le trouvait insignifiant, et, tandis qu'il l'écoutait, ce n'était que sa plus vulgaire attention qui y était intéressée; c'était pour lui un des moments où il se sentait le plus médiocre. Mais dans cette étrange période de l'amour, l'individuel prend quelque chose de si profond que cette curiosité qu'il sentait s'éveiller en lui à l'égard des moindres occupations d'une femme, c'était celle qu'il avait eue autrefois pour l'Histoire. Et tout ce dont il aurait eu honte jusqu'ici, espionner devant une fenêtre, qui sait? demain peut-être, faire parler habilement les indifférents, soudoyer les domestiques, écouter aux portes, ne lui semblait plus, aussi bien que le déchiffrement des textes, la comparaison des témoignages et l'interprétation des monuments, que des méthodes d'investigation scientifique d'une véritable valeur intellectuelle et appropriées à la recherche de la vérité.

Sur le point de frapper contre[1] les volets, il eut un moment de honte en pensant qu'Odette allait savoir qu'il avait eu des soupçons, qu'il était revenu, qu'il s'était posté dans la rue. Elle lui avait dit souvent l'horreur qu'elle avait des jaloux, des amants qui espionnent. Ce qu'il allait faire était bien maladroit, et elle allait le détester désormais, tandis qu'en ce moment encore, tant qu'il n'avait pas frappé, peut-être, même en le trompant, l'aimait-elle. Que de bonheurs possibles dont on sacrifie ainsi la réalisation à l'impatience d'un plaisir immédiat! Mais le désir de connaître la vérité était plus fort et lui sembla plus noble. Il savait que la réalité de circonstances qu'il eût donné sa vie pour restituer exactement, était lisible derrière cette fenêtre striée de lumière, comme sous la couverture enluminée d'or d'un de ces manuscrits précieux à la richesse artistique elle-même desquels le savant qui les consulte ne peut rester indifférent. Il éprouvait une volupté à connaître la vérité qui le passionnait dans cet exemplaire unique, éphémère et précieux, d'une matière translucide, si chaude et si belle. Et puis l'avantage qu'il se sentait — qu'il avait tant besoin de se sentir — sur eux, était peut-être moins de savoir, que de pouvoir leur montrer qu'il savait. Il se haussa sur la pointe des pieds. Il frappa. On n'avait pas entendu, il refrappa plus fort, la conversation s'arrêta. Une voix d'homme dont il chercha à distinguer auquel de ceux des amis d'Odette qu'il connaissait elle pouvait appartenir demanda :

—Qui est là ?

Il n'était pas sûr de la reconnaître. Il frappa encore une fois. On ouvrit la fenêtre, puis les volets. Maintenant, il n'y avait plus moyen de reculer et, puisqu'elle allait tout savoir, pour ne pas avoir l'air trop malheureux, trop jaloux et curieux, il se contenta de crier d'un air négligent et gai :

— Ne vous dérangez pas, je passais par là, j'ai vu de la lumière, j'ai voulu savoir si vous n'étiez plus souffrante.

Il regarda. Devant lui, deux vieux messieurs étaient à la fenêtre, l'un tenant une lampe, et alors, il vit la chambre, une chambre inconnue. Ayant l'habitude, quand il venait chez Odette très tard, de reconnaître sa fenêtre à ce que c'était la seule éclairée entre les fenêtres toutes pareilles, il s'était trompé et avait frappé à la fenêtre suivante qui appartenait à la maison voisine. Il s'éloigna en s'excusant et rentra chez lui, heureux que la satisfaction de sa curiosité eût laissé leur amour intact et qu'après avoir simulé depuis si longtemps vis-à-vis d'Odette une sorte d'indifférence, il ne lui eût pas donné, par sa jalousie, cette preuve qu'il l'aimait trop, qui, entre deux amants, dispense, à tout jamais, d'aimer assez, celui qui la reçoit.

Il ne lui parla pas de cette mésaventure, lui-même n'y songeait plus. Mais par moments un mouvement de sa pensée venait en rencontrer le souvenir qu'elle n'avait pas aperçu, le heurtait, l'enfonçait plus avant, et Swann avait ressenti une douleur brusque et profonde. Comme si ç'avait été une douleur physique, les pensées de Swann ne pouvaient pas l'amoindrir; mais du moins la douleur physique, parce qu'elle est indépendante de la pensée, la pensée peut s'arrêter sur elle, constater qu'elle a diminué, qu'elle a momentanément cessé. Mais cette douleur-là, la pensée, rien qu'en se la rappelant, la recréait. Vouloir n'y pas penser, c'était y penser encore, en souffrir encore. Et quand, causant avec des amis, il oubliait son mal, tout d'un coup un mot qu'on lui disait le faisait changer de visage, comme un blessé dont un maladroit vient de toucher sans précaution le membre douloureux. Quand il quittait Odette, il était heureux, il se sentait calme, il se rappelait les sourires qu'elle avait eus, railleurs en parlant de tel ou tel autre, et tendres pour lui, la lourdeur de sa tête qu'elle avait détachée de son axe pour l'incliner, la laisser tomber, presque malgré elle, sur ses lèvres, comme elle avait fait la première fois en voiture, les regards mourants qu'elle lui avait jetés pendant qu'elle était dans ses bras, tout en contractant frileusement contre l'épaule sa tête inclinée.

Mais aussitôt sa jalousie, comme si elle était l'ombre de son amour, se complétait du double de ce nouveau sourire qu'elle lui avait adressé le soir même — et qui, inverse maintenant, raillait Swann et se chargeait d'amour pour un autre, — de cette inclinaison de sa tête mais renversée vers d'autres lèvres, et, données à un autre, de[1] toutes les marques de tendresse qu'elle avait eues pour lui. Et tous les souvenirs voluptueux qu'il emportait de chez elle étaient comme autant d'esquisses, de « projets » pareils à ceux que vous soumet un décorateur, et qui permettaient à Swann de se faire une idée des attitudes ardentes ou pâmées qu'elle pouvait avoir avec d'autres. De sorte qu'il en arrivait à regretter chaque plaisir qu'il goûtait près d'elle, chaque caresse inventée et dont il avait eu l'imprudence de lui signaler la douceur, chaque grâce qu'il lui découvrait, car il savait qu'un instant après, elles allaient enrichir d'instruments nouveaux son supplice.

Celui-ci était rendu plus cruel encore quand revenait à Swann le souvenir d'un bref regard qu'il avait surpris, il y avait quelques jours, et pour la première fois, dans les yeux d'Odette. C'était après dîner, chez les Verdurin. Soit que Forcheville, sentant que Saniette, son beau-frère, n'était pas en faveur chez eux, eût voulu le prendre comme tête de Turc et briller devant eux à ses dépens, soit qu'il eût été irrité par un mot maladroit que celui-ci venait de lui dire et qui, d'ailleurs, passa inaperçu pour les assistants qui ne savaient pas quelle allusion désobligeante il pouvait renfermer, bien contre le gré de celui qui le prononçait sans malice aucune, soit enfin qu'il cherchât depuis quelque temps une occasion de faire sortir de la maison quelqu'un qui le connaissait trop bien et qu'il savait trop délicat pour qu'il ne se sentît pas gêné à certains moments rien que de sa présence, Forcheville répondit à ce propos maladroit de Saniette avec une telle grossièreté, se mettant à l'insulter, s'enhardissant, au fur et à mesure qu'il vociférait, de l'effroi, de la douleur, des supplications de l'autre, que le malheureux, après avoir demandé à Mme Verdurin s'il devait rester, et n'ayant pas reçu de réponse, s'était retiré en balbutiant, les larmes aux yeux. Odette avait assisté impassible à cette scène, mais quand la porte se fut refermée sur Saniette, faisant descendre en quelque sorte de plusieurs crans l'expression habituelle de son visage, pour pouvoir se trouver, dans la bassesse, de plain-pied avec Forcheville, elle avait brillanté ses prunelles d'un sourire sournois de félicitations pour l'audace qu'il avait eue, d'ironie pour celui qui en avait été victime; elle lui avait jeté un regard de complicité dans le mal, qui voulait si bien dire : « Voilà une exécution, ou je ne m'y connais pas. Avez-vous vu son air penaud? il en pleurait », que Forcheville, quand ses yeux rencontrèrent ce regard, dégrisé soudain de la colère ou de la simulation de colère dont il était encore chaud, sourit et répondit :

— Il n'avait qu'à être aimable, il serait encore ici, une bonne correction peut être utile à tout âge.

Un jour que Swann était sorti au milieu de l'après-midi pour faire une visite, n'ayant pas trouvé la personne qu'il voulait rencontrer, il eut l'idée d'entrer chez Odette à cette heure où il n'allait jamais chez elle, mais où il savait qu'elle était toujours à la maison à faire sa sieste ou à écrire des lettres avant l'heure du thé, et où il aurait plaisir à la voir un peu sans la déranger. Le concierge lui dit qu'il croyait qu'elle était là; il sonna, crut entendre du bruit, entendre marcher, mais on n'ouvrit pas. Anxieux, irrité, il alla dans la petite rue où donnait l'autre face de l'hôtel, se mit devant la fenêtre de la chambre d'Odette; les rideaux l'empêchaient de rien voir, il frappa avec force aux carreaux, appela; personne n'ouvrit. Il vit que des voisins le regardaient. Il partit, pensant qu'après tout, il s'était peut-être trompé en croyant entendre des pas; mais il en resta si préoccupé qu'il ne pouvait penser à autre chose. Une heure après, il revint.

Il la trouva; elle lui dit qu'elle était chez elle tantôt quand il avait sonné, mais dormait; la sonnette l'avait éveillée, elle avait deviné que c'était Swann, elle avait couru après lui, mais il était déjà parti. Elle avait bien entendu frapper aux carreaux. Swann reconnut tout de suite dans ce dire un de ces fragments d'un fait exact que les menteurs pris de court se consolent de faire entrer dans la composition du fait faux qu'ils inventent, croyant y faire sa part et y dérober sa ressemblance à la Vérité. Certes quand Odette venait de faire quelque chose qu'elle ne voulait pas révéler, elle le cachait bien au fond d'elle-même. Mais dès qu'elle se trouvait en présence de celui à qui elle voulait mentir, un trouble la prenait, toutes ses idées s'effondraient, ses facultés d'invention et de raisonnement étaient paralysées, elle ne trouvait plus dans sa tête que le vide, il fallait pourtant dire quelque chose, et elle rencontrait à sa portée précisément la chose qu'elle avait voulu dissimuler et qui, étant vraie, était seule restée là. Elle en détachait un petit morceau, sans importance par lui-même, se disant qu'après tout c'était mieux ainsi puisque c'était un détail vérifiable[1] qui n'offrait pas les mêmes dangers qu'un détail faux. « Ça du moins, c'est vrai, se disait-elle, c'est toujours autant de gagné, il peut s'informer, il reconnaîtra que c'est vrai, ce n'est toujours pas ça qui me trahira. » Elle se trompait, c'était cela qui la trahissait, elle ne se rendait pas compte que ce détail vrai avait des angles qui ne pouvaient s'emboîter que dans les détails contigus du fait vrai dont elle l'avait arbitrairement détaché et qui, quels que fussent les détails inventés entre lesquels elle le placerait, révéleraient toujours par la matière excédente et les vides non remplis, que ce n'était pas d'entre ceux-là qu'il venait. « Elle avoue qu'elle m'avait entendu sonner, puis frapper, et qu'elle avait cru que c'était moi, qu'elle avait envie de me voir, se disait Swann. Mais cela ne s'arrange pas avec le fait qu'elle n'ait pas fait ouvrir. »

Mais il ne lui fit pas remarquer cette contradiction, car il pensait que, livrée à elle-même, Odette produirait peut-être quelque mensonge qui serait un faible indice de la vérité; elle parlait; il ne l'interrompait pas, il recueillait avec une piété avide et douloureuse ces mots qu'elle lui disait et qu'il sentait (justement parce qu'elle la cachait derrière eux tout en lui parlant) garder vaguement, comme le voile sacré, l'empreinte, dessiner l'incertain modelé, de cette réalité infiniment précieuse et hélas! introuvable : — ce qu'elle faisait tantôt à trois heures, quand il était venu — de laquelle il ne posséderait jamais que ces mensonges, illisibles et divins vestiges, et qui n'existait plus que dans le souvenir recéleur de cet être qui la contemplait sans savoir l'apprécier, mais ne la lui livrerait pas. Certes il se doutait bien par moments qu'en elles-mêmes les actions quotidiennes d'Odette n'étaient pas passionnément intéressantes et que les relations qu'elle pouvait avoir avec d'autres hommes n'exhalaient pas naturellement, d'une façon universelle et pour tout être pensant, une tristesse morbide, capable de donner la fièvre du suicide. Il se rendait compte alors que cet intérêt, cette tristesse n'existaient qu'en lui comme une maladie, et que, quand celle-ci serait guérie, les actes d'Odette, les baisers qu'elle aurait pu donner redeviendraient inoffensifs comme ceux de tant d'autres femmes. Mais que la curiosité douloureuse que Swann y portait maintenant n'eût sa cause qu'en lui, n'était pas pour lui faire trouver déraisonnable de considérer cette curiosité comme importante et de mettre tout en œuvre pour lui donner satisfaction. C'est que Swann arrivait à un âge dont la philosophie — favorisée par celle de l'époque, par celle aussi du milieu où Swann avait beaucoup vécu, de cette coterie de la princesse des Laumes où il était convenu qu'on est intelligent dans la mesure où on doute de tout et où on ne trouvait de réel et d'incontestable que les goûts de chacun — n'est déjà plus celle de la jeunesse, mais une philosophie positive, presque médicale, d'hommes qui au lieu d'extérioriser les objets de leurs aspirations, essayent de dégager de leurs années déjà écoulées un résidu fixe d'habitudes, de passions qu'ils puissent considérer en eux comme caractéristiques et permanentes et auxquelles, délibérément, ils veilleront d'abord que le genre d'existence qu'ils adoptent puisse donner satisfaction. Swann trouvait sage de faire dans sa vie la part de la souffrance qu'il éprouvait à ignorer ce qu'avait fait Odette, aussi bien que la part de la recrudescence qu'un climat humide causait à son eczéma; de prévoir dans son budget une disponibilité importante pour obtenir sur l'emploi des journées d'Odette des renseignements sans lesquels il se sentirait malheureux, aussi bien qu'il en réservait pour d'autres goûts dont il savait qu'il pouvait attendre du plaisir, au moins avant qu'il fût amoureux, comme celui des collections et de la bonne cuisine.

Quand il voulut dire adieu à Odette pour rentrer, elle lui demanda de rester encore et le retint même vivement, en lui prenant le bras, au moment où il allait ouvrir la porte pour sortir. Mais il n'y prit pas garde, car dans la multitude des gestes, des propos, des petits incidents qui remplissent une conversation, il est inévitable que nous passions, sans y rien remarquer qui éveille notre attention, près de ceux qui cachent une vérité que nos soupçons cherchent au hasard, et que nous nous arrêtions au contraire à ceux sous lesquels il n'y a rien. Elle lui redisait tout le temps : « Quel malheur que toi, qui ne viens jamais l'après-midi, pour une fois que cela t'arrive, je ne t'aie pas vu. » Il savait bien qu'elle n'était pas assez amoureuse de lui pour avoir un regret si vif d'avoir manqué sa visite, mais, comme elle était bonne, désireuse de lui faire plaisir, et souvent triste quand elle l'avait contrarié, il trouva tout naturel qu'elle le fût cette fois de l'avoir privé de ce plaisir de passer une heure ensemble qui était très grand, non pour elle, mais pour lui. C'était pourtant une chose assez peu importante pour que l'air douloureux qu'elle continuait d'avoir finît par l'étonner. Elle rappelait ainsi plus encore qu'il ne le trouvait d'habitude, les figures de femmes du peintre de la Primavera. Elle avait en ce moment leur visage abattu et navré qui semble succomber sous le poids d'une douleur trop lourde pour elles, simplement quand elles laissent l'enfant Jésus jouer avec une grenade ou regardent Moïse verser de l'eau dans une auge. Il lui avait déjà vu une fois une telle tristesse, mais ne savait plus quand. Et tout d'un coup, il se rappela : c'était quand Odette avait menti en parlant à Mme Verdurin, le lendemain de ce dîner où elle n'était pas venue sous prétexte qu'elle était malade et en réalité pour rester avec Swann. Certes, eût-elle été la plus scrupuleuse des femmes qu'elle n'aurait pu avoir de remords d'un mensonge aussi innocent. Mais ceux que faisait couramment Odette l'étaient moins et servaient à empêcher des découvertes qui auraient pu lui créer, avec les uns ou avec les autres, de terribles difficultés. Aussi quand elle mentait, prise de peur, se sentant peu armée pour se défendre, incertaine du succès, elle avait envie de pleurer, par fatigue, comme certains enfants qui n'ont pas dormi. Puis elle savait que son mensonge lésait d'ordinaire gravement l'homme à qui elle le faisait et à la merci duquel elle allait peut-être tomber si elle mentait mal. Alors elle se sentait à la fois humble et coupable devant lui. Et quand elle avait à faire un mensonge insignifiant et mondain, par association de sensations et de souvenirs, elle éprouvait le malaise d'un surmenage et le regret d'une méchanceté.

Quel mensonge déprimant était-elle en train de faire à Swann pour qu'elle eût ce regard douloureux, cette voix plaintive qui semblaient fléchir sous l'effort qu'elle s'imposait, et demander grâce ? Il eut l'idée que ce n'était pas seulement la vérité sur l'incident de l'après-midi qu'elle s'efforçait de lui cacher, mais quelque chose de plus actuel, peut-être de non encore survenu et de tout prochain, et qui pourrait l'éclairer sur cette vérité. À ce moment, il entendit un coup de sonnette. Odette ne cessa plus de parler, mais ses paroles n'étaient qu'un gémissement : son regret de ne pas avoir vu Swann dans l'après-midi, de ne pas lui avoir ouvert, était devenu un véritable désespoir.

On entendit la porte d'entrée se refermer et le bruit d'une voiture, comme si repartait une personne — celle probablement que Swann ne devait pas rencontrer — à qui on avait dit qu'Odette était sortie. Alors en songeant que rien qu'en venant à une heure où il n'en avait pas l'habitude, il s'était trouvé déranger tant de choses qu'elle ne voulait pas qu'il sût, il éprouva un sentiment de découragement, presque de détresse. Mais comme il aimait Odette, comme il avait l'habitude de tourner vers elle toutes ses pensées, la pitié qu'il eût pu s'inspirer à lui-même, ce fut pour elle qu'il la ressentit, et il murmura : « Pauvre chérie ! » Quand il la quitta, elle prit plusieurs lettres qu'elle avait sur sa table et lui demanda s'il ne pourrait pas les mettre à la poste. Il les emporta et, une fois rentré, s'aperçut qu'il avait gardé les lettres sur lui. Il retourna jusqu'à la poste, les tira de sa poche et avant de les jeter dans la boîte regarda les adresses. Elles étaient toutes pour des fournisseurs, sauf une pour Forcheville. Il la tenait dans sa main. Il se disait : « Si je voyais ce qu'il y a dedans, je saurais comment elle l'appelle, comment elle lui parle, s'il y a quelque chose entre eux. Peut-être même qu'en ne la regardant pas, je commets une indélicatesse à l'égard d'Odette, car c'est la seule manière de me délivrer d'un soupçon peut-être calomnieux pour elle, destiné en tous cas à la faire souffrir et que rien ne pourrait plus détruire, une fois la lettre partie. »

Il rentra chez lui en quittant la poste, mais il avait gardé sur lui cette dernière lettre. Il alluma une bougie et en approcha l'enveloppe qu'il n'avait pas osé ouvrir. D'abord il ne put rien lire, mais l'enveloppe était mince, et en la faisant adhérer à la carte dure qui y était incluse, il put à travers sa transparence lire les derniers mots. C'était une formule finale très froide. Si, au lieu que ce fût lui qui regardât une lettre adressée à Forcheville, c'eût été Forcheville qui eût lu une lettre adressée à Swann, il aurait pu voir des mots autrement tendres! Il maintint immobile la carte qui dansait dans l'enveloppe plus grande qu'elle, puis, la faisant glisser avec le pouce, en amena successivement les différentes lignes sous la partie de l'enveloppe qui n'était pas doublée, la seule à travers laquelle on pouvait lire.

Malgré cela il ne distinguait pas bien. D'ailleurs cela ne faisait rien, car il en avait assez vu pour se rendre compte qu'il s'agissait d'un petit événement sans importance et qui ne touchait nullement à des relations amoureuses; c'était quelque chose qui se rapportait à un oncle d'Odette. Swann avait bien lu au commencement de la ligne : « J'ai eu raison », mais ne comprenait pas ce qu'Odette avait eu raison de faire, quand soudain, un mot qu'il n'avait pas pu déchiffrer d'abord apparut et éclaira le sens de la phrase tout entière : « J'ai eu raison d'ouvrir, c'était mon oncle. » D'ouvrir! alors Forcheville était là tantôt quand Swann avait sonné et elle l'avait fait partir, d'où le bruit qu'il avait entendu.

Alors il lut toute la lettre; à la fin elle s'excusait d'avoir agi aussi sans façon avec lui et lui disait qu'il avait oublié ses cigarettes chez elle, la même phrase qu'elle avait écrite à Swann une des premières fois qu'il était venu. Mais pour Swann elle avait ajouté : « puissiez-vous y avoir laissé votre cœur, je ne vous aurais pas laissé le reprendre ». Pour Forcheville rien de tel : aucune allusion qui pût faire supposer une intrigue entre eux. À vrai dire d'ailleurs, Forcheville était en tout ceci plus trompé que lui, puisque Odette lui écrivait pour lui faire croire que le visiteur était son oncle. En somme, c'était lui, Swann, l'homme à qui elle attachait de l'importance et pour qui elle avait congédié l'autre. Et pourtant, s'il n'y avait rien entre Odette et Forcheville, pourquoi n'avoir pas ouvert tout de suite, pourquoi avoir dit : « J'ai bien fait d'ouvrir, c'était mon oncle » ? si elle ne faisait rien de mal à ce moment-là, comment Forcheville pourrait-il même s'expliquer qu'elle eût pu ne pas ouvrir ? Swann restait là, désolé, confus et pourtant heureux, devant cette enveloppe qu'Odette lui avait remise sans crainte, tant était absolue la confiance qu'elle avait en sa délicatesse, mais à travers le vitrage transparent de laquelle se dévoilait à lui, avec le secret d'un incident qu'il n'aurait jamais cru possible de connaître, un peu de la vie d'Odette, comme dans une étroite section lumineuse pratiquée à même l'inconnu. Puis sa jalousie s'en réjouissait, comme si cette jalousie eût eu une vitalité indépendante, égoïste, vorace de tout ce qui la nourrirait, fût-ce aux dépens de lui-même. Maintenant elle avait un aliment et Swann allait pouvoir commencer à s'inquiéter chaque jour des visites qu'Odette avait reçues vers cinq heures, à chercher à apprendre où se trouvait Forcheville à cette heure-là. Car la tendresse de Swann continuait à garder le même caractère que lui avait imprimé dès le début à la fois l'ignorance où il était de l'emploi des journées d'Odette et la paresse cérébrale qui l'empêchait de suppléer à l'ignorance par l'imagination. Il ne fut pas jaloux d'abord de toute la vie d'Odette, mais des seuls moments où une circonstance, peut-être mal interprétée, l'avait amené à supposer qu'Odette avait pu le tromper. Sa jalousie, comme une pieuvre qui jette une première, puis une seconde, puis une troisième amarre, s'attacha solidement à ce moment de cinq heures du soir, puis à un autre, puis à un autre encore. Mais Swann ne savait pas inventer ses souffrances. Elles n'étaient que le souvenir, la perpétuation d'une souffrance qui lui était venue du dehors.

Mais là tout lui en apportait. Il voulut éloigner Odette de Forcheville, l'emmener quelques jours dans le Midi. Mais il croyait qu'elle était désirée par tous les hommes qui se trouvaient dans l'hôtel et qu'elle-même les désirait. Aussi lui qui jadis en voyage recherchait les gens nouveaux, les assemblées nombreuses, on le voyait sauvage, fuyant la société des hommes comme si elle l'eût cruellement blessé. Et comment n'aurait-il pas été misanthrope, quand dans tout homme il voyait un amant possible pour Odette? Et ainsi sa jalousie, plus encore que n'avait fait le goût voluptueux et riant qu'il avait eu[1] d'abord pour Odette, altérait le caractère de Swann et changeait du tout au tout, aux yeux des autres, l'aspect même des signes extérieurs par lesquels ce caractère se manifestait.

Un mois après le jour où il avait lu la lettre adressée par Odette à Forcheville, Swann alla à un dîner que les Verdurin donnaient au Bois. Au moment où on se préparait à partir, il remarqua des conciliabules entre Mme Verdurin et plusieurs des invités et crut comprendre qu'on rappelait au pianiste de venir le lendemain à une partie à Chatou; or, lui, Swann, n'y était pas invité.

Les Verdurin n'avaient parlé qu'à demi-voix et en termes vagues, mais le peintre, distrait sans doute, s'écria :

— Il ne faudra aucune lumière et qu'il joue la sonate *Clair de lune* dans l'obscurité pour mieux voir s'éclairer les choses.

Mme Verdurin, voyant que Swann était à deux pas, prit cette expression où le désir de faire taire celui qui parle et de garder un air innocent aux yeux de celui qui entend, se neutralise en une nullité intense du regard, où l'immobile signe d'intelligence du complice se dissimule sous les sourires de l'ingénu et qui enfin, commune à tous ceux qui s'aperçoivent d'une gaffe, la révèle instantanément sinon à ceux qui la font, du moins à celui qui en est l'objet. Odette eut soudain l'air d'une désespérée qui renonce à lutter contre les difficultés écrasantes de la vie, et Swann comptait anxieusement les minutes qui le séparaient du moment où, après avoir quitté ce restaurant, pendant le retour avec elle, il allait pouvoir lui demander des explications, obtenir qu'elle n'allât[2] pas le lendemain à Chatou ou qu'elle l'y fît inviter, et apaiser dans ses bras l'angoisse qu'il ressentait. Enfin on demanda les[3] voitures. Mme Verdurin dit à Swann :

— Alors, adieu, à bientôt, n'est-ce pas? tâchant par l'amabilité du regard et la contrainte du sourire de l'empêcher de penser qu'elle ne lui disait pas, comme elle eût toujours fait jusqu'ici : « À demain à Chatou, à après-demain chez moi. »

M. et Mme Verdurin firent monter avec eux Forcheville, la voiture de Swann s'était rangée derrière la leur dont il attendait le départ pour faire monter Odette dans la sienne.

— Odette, nous vous ramenons, dit Mme Verdurin, nous avons une petite place pour vous à côté de M. de Forcheville.

— Oui, Madame, répondit Odette.

— Comment, mais je croyais que je vous reconduisais, s'écria Swann, disant sans dissimulation les mots nécessaires, car la portière était ouverte, les secondes étaient comptées, et il ne pouvait rentrer sans elle dans l'état où il était.

— Mais Mme Verdurin m'a demandé...

— Voyons, vous pouvez bien revenir seul, nous vous l'avons laissée assez de fois, dit Mme Verdurin.

— Mais c'est que j'avais une chose importante à dire à Madame.

— Eh bien! vous la lui écrirez...

— Adieu, lui dit Odette en lui tendant la main.

Il essaya de sourire, mais il avait l'air atterré.

— As-tu vu les façons que Swann se permet maintenant avec nous? dit Mme Verdurin à son mari quand ils furent rentrés. J'ai cru qu'il allait me manger, parce que nous ramenions Odette. C'est d'une inconvenance, vraiment! Alors, qu'il dise tout de suite que nous tenons une maison de rendez-vous! Je ne comprends pas qu'Odette supporte des manières pareilles. Il a absolument l'air de dire : vous m'appartenez. Je dirai ma manière de penser à Odette, j'espère qu'elle comprendra.

Et elle ajouta encore un instant après, avec colère :

— Non, mais voyez-vous, cette sale bête! employant sans s'en rendre compte, et peut-être en obéissant au même besoin obscur de se justifier — comme Françoise à Combray quand le poulet ne voulait pas mourir — les mots qu'arrachent les derniers sursauts d'un animal inoffensif qui agonise, au paysan qui est en train de l'écraser.

Et quand la voiture de Mme Verdurin fut partie et que celle de Swann s'avança, son cocher le regardant lui demanda s'il n'était pas malade ou s'il n'était pas arrivé de malheur.

Swann le renvoya, il voulait marcher et ce fut à pied,

par le Bois, qu'il rentra. Il parlait seul, à haute voix, et sur le même ton un peu factice qu'il avait pris jusqu'ici quand il détaillait les charmes du petit noyau et exaltait la magnanimité des Verdurin. Mais, de même que les propos, les sourires, les baisers d'Odette lui devenaient aussi odieux qu'il les avait trouvés doux, s'ils étaient adressés à d'autres que lui, de même, le salon des Verdurin, qui tout à l'heure encore lui semblait amusant, respirant un goût vrai pour l'art et même une sorte de noblesse morale, maintenant que c'était un autre que lui qu'Odette allait y rencontrer, y aimer librement, lui exhibait ses ridicules, sa sottise, son ignominie.

Il se représentait avec dégoût la soirée du lendemain à Chatou. « D'abord cette idée d'aller à Chatou! Comme des merciers qui viennent de fermer leur boutique! Vraiment ces gens sont sublimes de bourgeoisisme, ils ne doivent pas exister réellement, ils doivent sortir du théâtre de Labiche! »

Il y aurait là les Cottard, peut-être Brichot. « Est-ce assez grotesque, cette vie de petites gens qui vivent les uns sur les autres, qui se croiraient perdus, ma parole, s'ils ne se retrouvaient pas tous demain *à Chatou!* » Hélas! il y aurait aussi le peintre, le peintre qui aimait « à faire des mariages », qui inviterait Forcheville à venir avec Odette à son atelier. Il voyait Odette avec une toilette trop habillée pour cette partie de campagne, « car elle est si vulgaire et surtout, la pauvre petite, elle est tellement bête!!! »

Il entendait[1] les plaisanteries que ferait Mme Verdurin après dîner, les plaisanteries qui, quel que fût l'ennuyeux qu'elles eussent pour cible, l'avaient toujours amusé parce qu'il voyait Odette en rire, en rire avec lui, presque en lui. Maintenant il sentait que c'était peut-être de lui qu'on allait faire rire Odette. « Quelle gaîté fétide! disait-il en donnant à sa bouche une expression de dégoût si forte qu'il avait lui-même la sensation musculaire de sa grimace jusque dans son cou révulsé contre le col de sa chemise. Et comment une créature dont le visage est fait à l'image de Dieu peut-elle trouver matière à rire dans ces plaisanteries nauséabondes? Toute narine un peu délicate se détournerait avec horreur pour ne pas se laisser offusquer par de tels relents. C'est vraiment incroyable de penser qu'un être humain peut ne pas comprendre qu'en se permettant un sourire à l'égard d'un semblable qui lui a tendu loyalement la main, il se dégrade jusqu'à une fange d'où il ne sera plus possible à la meilleure volonté du monde de jamais le relever. J'habite à trop de milliers de mètres d'altitude au-dessus des bas-fonds où clapotent et clabaudent de tels sales papotages, pour que je puisse être éclaboussé par les plaisanteries d'une Verdurin, s'écria-t-il en relevant la tête, en redressant fièrement son corps en arrière. Dieu m'est témoin que j'ai sincèrement voulu tirer Odette de là, et l'élever dans une atmosphère plus noble et plus pure. Mais la patience humaine a des bornes, et la mienne est à bout », se dit-il, comme si cette mission d'arracher Odette à une atmosphère de sarcasmes datait de plus longtemps que de quelques minutes et comme s'il ne se l'était pas donnée seulement depuis qu'il pensait que ces sarcasmes l'avaient peut-être lui-même pour objet et tentaient de détacher Odette de lui.

Il voyait le pianiste prêt à jouer la sonate *Clair de lune* et les mines de Mme Verdurin s'effrayant du mal que la musique de Beethoven allait faire à ses nerfs : « Idiote, menteuse! s'écria-t-il, et ça croit aimer *l'Art!* » Elle dirait à Odette, après lui avoir insinué adroitement quelques mots louangeurs pour Forcheville, comme elle avait fait si souvent pour lui : « Vous allez faire une petite place à côté de vous à M. de Forcheville. » « Dans l'obscurité! maquerelle, entremetteuse! » « Entremetteuse », c'était le nom qu'il donnait aussi à la musique qui les convierait à se taire, à rêver ensemble, à se regarder, à se prendre la main. Il trouvait du bon à la sévérité contre les arts, de Platon, de Bossuet, et de la vieille éducation française.

En somme, la vie qu'on menait chez les Verdurin et qu'il avait appelée si souvent « la vraie vie » lui semblait la pire de toutes, et leur petit noyau le dernier des milieux. « C'est vraiment, disait-il, ce qu'il y a de plus bas dans l'échelle sociale, le dernier cercle de Dante. Nul doute que le texte auguste ne se réfère aux Verdurin! Au fond, comme les gens du monde, dont on peut médire, mais qui tout de même sont autre chose que ces bandes de voyous, montrent leur profonde sagesse en refusant de les connaître, d'y salir même le bout de leurs doigts! Quelle divination dans ce *Noli me tangere* du faubourg Saint-Germain! » Il avait quitté depuis bien longtemps les allées du Bois, il était presque arrivé chez lui, que, pas encore dégrisé de sa douleur et de la verve d'insincérité dont les intonations menteuses, la sonorité artificielle de sa propre voix lui versaient d'instant en instant plus abondamment l'ivresse, il continuait encore à pérorer tout haut dans le silence de la nuit : « Les gens du monde ont leurs défauts que personne ne reconnaît mieux que moi, mais enfin ce sont tout de même des gens avec qui certaines choses sont impossibles. Telle femme élégante que j'ai connue était loin d'être parfaite, mais enfin il y avait tout de même chez elle un fond de délicatesse, une loyauté dans les procédés qui l'auraient rendue, quoi qu'il arrivât, incapable d'une félonie et qui suffisent à mettre des abîmes entre elle et une mégère comme la Verdurin. Verdurin! quel nom! Ah! on peut dire qu'ils sont complets, qu'ils sont beaux dans leur genre! Dieu merci, il n'était que temps de ne plus condescendre à la promiscuité avec cette infamie, avec ces ordures. »

Mais, comme les vertus qu'il attribuait tantôt encore aux Verdurin n'auraient pas suffi, même s'ils les avaient vraiment possédées, mais s'ils n'avaient pas favorisé et protégé son amour, à provoquer chez Swann cette ivresse où il s'attendrissait sur leur magnanimité et qui, même propagée à travers d'autres personnes, ne pouvait lui venir que d'Odette, — de même, l'immoralité, eût-elle été réelle, qu'il trouvait aujourd'hui aux Verdurin aurait été impuissante, s'ils n'avaient pas invité Odette avec Forcheville et sans lui, à déchaîner son indignation et à lui faire flétrir « leur infamie ». Et sans doute la voix de Swann était plus clairvoyante que lui-même, quand elle se refusait à prononcer ces mots pleins de dégoût pour le milieu Verdurin et de la joie d'en avoir fini avec lui, autrement que sur un ton factice et comme s'ils étaient choisis plutôt pour assouvir sa colère que pour exprimer sa pensée. Celle-ci, en effet, pendant qu'il se livrait à ces invectives, était probablement, sans qu'il s'en aperçût, occupée d'un objet tout à fait différent, car une fois arrivé chez lui, à peine eut-il refermé la porte cochère, que brusquement il se frappa le front, et, la faisant rouvrir, ressortit en s'écriant d'une voix naturelle cette fois : « Je crois que j'ai trouvé le moyen de me faire inviter demain au dîner de Chatou! » Mais le moyen devait être mauvais, car Swann ne fut pas invité : le docteur Cottard qui, appelé en province pour un cas grave, n'avait pas vu les Verdurin depuis plusieurs jours et n'avait pu aller à Chatou, dit, le lendemain de ce dîner, en se mettant à table chez eux :

— Mais, est-ce que nous ne verrons pas M. Swann, ce soir? Il est bien[1] ce qu'on appelle un ami personnel du...

— Mais j'espère bien que non! s'écria Mme Verdurin, Dieu nous en préserve, il est assommant, bête et mal élevé.

Cottard à ces mots manifesta en même temps son étonnement et sa soumission, comme devant une vérité contraire à tout ce qu'il avait cru jusque-là, mais d'une évidence irrésistible; et, baissant d'un air ému et peureux son nez dans son assiette, il se contenta de répondre : « Ah! -ah! -ah! -ah! -ah! » en traversant à reculons, dans sa retraite repliée en bon ordre jusqu'au fond de lui-même, le long d'une gamme descendante, tout le registre de sa voix. Et il ne fut plus question de Swann chez les Verdurin.

Alors ce salon qui avait réuni Swann et Odette devint un obstacle à leurs rendez-vous. Elle ne lui disait plus comme au premier temps de leur amour : « Nous nous verrons en tous cas demain soir, il y a un souper chez les Verdurin » mais : « Nous ne pourrons pas nous voir demain soir, il y a un souper chez les Verdurin. » Ou bien les Verdurin devaient l'emmener à l'Opéra-Comique voir *Une Nuit de Cléopâtre* et Swann lisait dans les yeux d'Odette cet effroi qu'il lui demandât de n'y pas aller, que naguère il n'aurait pu se retenir de baiser au passage sur le visage de sa maîtresse, et qui maintenant l'exaspérait. « Ce n'est pas de la colère, pourtant, se disait-il à lui-même, que j'éprouve en voyant l'envie qu'elle a d'aller picorer dans cette musique stercoraire. C'est du chagrin, non pas certes pour moi, mais pour elle; du chagrin de voir qu'après avoir vécu plus de six mois en contact quotidien avec moi, elle n'a pas su devenir assez une autre pour éliminer spontanément Victor Massé! Surtout pour ne pas être arrivée à comprendre qu'il y a des soirs où un être d'une essence un peu délicate doit savoir renoncer à un plaisir, quand on le lui demande. Elle devrait savoir dire « je n'irai pas », ne fût-ce que par intelligence, puisque c'est sur sa réponse qu'on classera une fois pour toutes sa qualité d'âme. » Et s'étant persuadé à lui-même que c'était seulement en effet pour pouvoir porter un jugement plus favorable sur la valeur spirituelle d'Odette qu'il désirait que ce soir-là elle restât avec lui au lieu d'aller à l'Opéra-Comique, il lui tenait le même raisonnement, au même degré d'insincérité qu'à soi-même, et même à un degré de plus, car alors il obéissait aussi au désir de la prendre par l'amour-propre.

— Je te jure, lui disait-il, quelques instants avant qu'elle partît pour le théâtre, qu'en te demandant de ne pas sortir, tous mes souhaits, si j'étais égoïste, seraient pour que tu me refuses, car j'ai mille choses à faire ce soir, et je me trouverai moi-même pris au piège et bien ennuyé si contre toute attente tu me réponds que tu n'iras pas. Mais mes occupations, mes plaisirs, ne sont pas tout, je dois penser à toi. Il peut venir un jour où, me voyant à jamais détaché de toi, tu auras le droit de me reprocher de ne pas t'avoir avertie dans les minutes décisives où je sentais que j'allais porter sur toi un de ces jugements sévères auxquels l'amour ne résiste pas longtemps. Vois-tu, *Une Nuit de Cléopâtre* (quel titre!) n'est rien dans la circonstance. Ce qu'il faut savoir, c'est si vraiment tu es cet être qui est au dernier rang de l'esprit, et même du charme, l'être méprisable qui n'est pas capable de renoncer à un plaisir. Alors, si tu es cela, comment pourrait-on t'aimer, car tu n'es même pas une personne, une créature définie, imparfaite, mais du moins perfectible ? Tu es une eau informe qui coule selon la pente qu'on lui offre, un poisson sans mémoire et sans réflexion qui, tant qu'il vivra dans son aquarium, se heurtera cent fois par jour contre le vitrage qu'il continuera à prendre pour de l'eau. Comprends-tu que ta réponse, je ne dis pas aura pour effet que je cesserai de t'aimer immédiatement, bien entendu, mais te rendra moins séduisante à mes yeux quand je comprendrai que tu n'es pas une personne, que tu es au-dessous de toutes les choses et ne sais te placer au-dessus d'aucune ? Évidemment j'aurais mieux aimé te demander comme une chose sans importance de renoncer à *Une Nuit de Cléopâtre* (puisque tu m'obliges à me souiller les lèvres de ce nom abject) dans l'espoir que tu irais cependant. Mais, décidé à tenir un tel compte, à tirer de telles conséquences de ta réponse, j'ai trouvé plus loyal de t'en prévenir.

Odette depuis un moment donnait des signes d'émotion et d'incertitude. À défaut du sens de ce discours, elle comprenait qu'il pouvait rentrer dans le genre commun des « laïus » et scènes de reproches ou de supplications, dont[1] l'habitude qu'elle avait des hommes lui permettait, sans s'attacher aux détails des mots, de conclure qu'ils ne les prononceraient pas s'ils n'étaient pas amoureux, que du moment qu'ils étaient amoureux, il était inutile de leur obéir, qu'ils ne le seraient que plus après. Aussi aurait-elle écouté Swann avec le plus grand calme si elle n'avait vu que l'heure passait et que pour peu qu'il parlât encore quelque temps, elle allait, comme elle le lui dit avec un sourire tendre, obstiné et confus, « finir par manquer l'Ouverture ! ».

D'autres fois il lui disait que ce qui plus que tout ferait qu'il cesserait de l'aimer, c'est qu'elle ne voulût pas renoncer à mentir. « Même au simple point de vue de la coquetterie, lui disait-il, ne comprends-tu donc pas combien tu perds de ta séduction en t'abaissant à mentir ? Par un aveu, combien de fautes tu pourrais racheter ! Vraiment tu es bien moins intelligente que je ne croyais ! » Mais c'est en vain que Swann lui exposait ainsi toutes les raisons qu'elle avait de ne pas mentir ; elles auraient pu ruiner chez Odette un système général du mensonge ; mais Odette n'en possédait pas ; elle se contentait seulement, dans chaque cas où elle voulait que Swann ignorât quelque chose qu'elle avait fait, de ne pas le lui dire. Ainsi le mensonge était pour elle un expédient d'ordre particulier ; et ce qui seul pouvait décider si elle devait s'en servir ou avouer la vérité, c'était une raison d'ordre particulier aussi, la chance plus ou moins grande qu'il y avait pour que Swann pût découvrir qu'elle n'avait pas dit la vérité.

Physiquement, elle traversait une mauvaise phase : elle épaississait ; et le charme expressif et dolent, les regards étonnés et rêveurs qu'elle avait autrefois semblaient avoir disparu avec sa première jeunesse. De sorte qu'elle était devenue si chère à Swann au moment pour ainsi dire où il la trouvait précisément bien moins jolie.

Il la regardait longuement pour tâcher de ressaisir le charme qu'il lui avait connu, et ne le retrouvait pas. Mais savoir que sous cette chrysalide nouvelle, c'était toujours Odette qui vivait, toujours la même volonté fugace, insaisissable et sournoise, suffisait à Swann pour qu'il continuât de mettre la même passion à chercher à la capter. Puis il regardait des photographies d'il y avait deux ans, il se rappelait comme elle avait été délicieuse. Et cela le consolait un peu de se donner tant de mal pour elle.

Quand les Verdurin l'emmenaient à Saint-Germain, à Chatou, à Meulan, souvent, si c'était dans la belle saison, ils proposaient, sur place, de rester à coucher et de ne revenir que le lendemain. Mme Verdurin cherchait à apaiser les scrupules du pianiste dont la tante était restée à Paris.

— Elle sera enchantée d'être débarrassée de vous pour un jour. Et comment s'inquiéterait-elle, elle vous sait avec nous; d'ailleurs je prends tout sous mon bonnet.

Mais si elle n'y réussissait pas, M. Verdurin partait en campagne, trouvait un bureau de télégraphe ou un messager et s'informait de ceux des fidèles qui avaient quelqu'un à faire prévenir. Mais Odette le remerciait et disait qu'elle n'avait de dépêche à faire pour personne, car elle avait dit à Swann une fois pour toutes qu'en lui en envoyant une aux yeux de tous, elle se compromettrait. Parfois c'était pour plusieurs jours qu'elle s'absentait, les Verdurin l'emmenaient voir les tombeaux de Dreux, ou à Compiègne admirer, sur le conseil du peintre, des couchers de soleil en forêt, et on poussait jusqu'au château de Pierrefonds.

— Penser qu'elle pourrait visiter de vrais monuments avec moi qui ai étudié l'architecture pendant dix ans et qui suis tout le temps supplié de mener à Beauvais ou à Saint-Loup-de-Naud des gens de la plus haute valeur et ne le ferais que pour elle, et qu'à la place elle va avec les dernières des brutes s'extasier successivement devant les déjections de Louis-Philippe et devant celles de Viollet-le-Duc! Il me semble qu'il n'y a pas besoin d'être artiste pour cela et que, même sans flair particulièrement fin, on ne choisit pas d'aller villégiaturer dans des latrines pour être plus à portée de respirer des excréments.

Mais quand elle était partie pour Dreux ou pour

Pierrefonds — hélas, sans lui permettre d'y aller, comme par hasard, de son côté, car « cela ferait un effet déplorable », disait-elle — il se plongeait dans le plus enivrant des romans d'amour, l'indicateur des chemins de fer, qui lui apprenait les moyens de la rejoindre, l'après-midi, le soir, ce matin même ! Le moyen ? presque davantage : l'autorisation. Car enfin l'indicateur et les trains eux-mêmes n'étaient pas faits pour des chiens. Si on faisait savoir au public, par voie d'imprimés, qu'à huit heures du matin partait un train qui arrivait à Pierrefonds à dix heures, c'est donc qu'aller à Pierrefonds était un acte licite, pour lequel la permission d'Odette était superflue ; et c'était aussi un acte qui pouvait avoir un tout autre motif que le désir de rencontrer Odette, puisque des gens qui ne la connaissaient pas l'accomplissaient chaque jour, en assez grand nombre pour que cela valût la peine de faire chauffer des locomotives.

En somme, elle ne pouvait tout de même pas l'empêcher d'aller à Pierrefonds s'il en avait envie ! Or justement, il sentait qu'il en avait envie et que, s'il n'avait pas connu Odette, certainement il y serait allé. Il y avait longtemps qu'il voulait se faire une idée plus précise des travaux de restauration de Viollet-le-Duc. Et par le temps qu'il faisait, il éprouvait l'impérieux désir d'une promenade dans la forêt de Compiègne.

Ce n'était vraiment pas de chance qu'elle lui défendît le seul endroit qui le tentait aujourd'hui. Aujourd'hui ! S'il y allait, malgré son interdiction, il pourrait la voir *aujourd'hui* même ! Mais alors que, si elle eût retrouvé à Pierrefonds quelque indifférent, elle lui eût dit joyeusement : « Tiens, vous ici ! », et lui aurait demandé d'aller la voir à l'hôtel où elle était descendue avec les Verdurin, au contraire si elle l'y rencontrait, lui, Swann, elle serait froissée, elle se dirait qu'elle était suivie, elle l'aimerait moins, peut-être se détournerait-elle avec colère en l'apercevant. « Alors, je n'ai plus le droit de voyager ! » lui dirait-elle au retour, tandis qu'en somme c'était lui qui n'avait plus le droit de voyager !

Il avait eu un moment l'idée, pour pouvoir aller à Compiègne et à Pierrefonds sans avoir l'air que ce fût pour rencontrer Odette, de s'y faire emmener par un de ses amis, le marquis de Forestelle, qui avait un château dans le voisinage. Celui-ci, à qui il avait fait part de son projet sans lui en dire le motif, ne se sentait pas de joie et s'émerveillait que Swann, pour la première fois depuis quinze ans, consentît enfin à venir voir sa propriété et, puisqu'il ne voulait pas s'y arrêter, lui avait-il dit, lui promît au moins de faire ensemble des promenades et des excursions pendant plusieurs jours. Swann s'imaginait déjà là-bas avec M. de Forestelle. Même avant d'y voir Odette, même s'il ne réussissait pas à l'y voir, quel bonheur il aurait à mettre le pied sur cette terre où, ne sachant pas l'endroit exact, à tel moment, de sa présence, il sentirait palpiter partout la possibilité de sa brusque apparition : dans la cour du château, devenu beau pour lui parce que c'était à cause d'elle qu'il était allé le voir; dans toutes les rues de la ville, qui lui semblait romanesque; sur chaque route de la forêt, rosée par un couchant profond et tendre; — asiles innombrables et alternatifs, où venait simultanément se réfugier, dans l'incertaine ubiquité de ses espérances, son cœur heureux, vagabond et multiplié. « Surtout, dirait-il à M. de Forestelle, prenons garde de ne pas tomber sur Odette et les Verdurin; je viens d'apprendre qu'ils sont justement aujourd'hui à Pierrefonds. On a assez le temps de se voir à Paris, ce ne serait pas la peine de le quitter pour ne pas pouvoir faire un pas les uns sans les autres. » Et son ami ne comprendrait pas pourquoi une fois là-bas il changerait[1] vingt fois de projets, inspecterait les salles à manger de tous les hôtels de Compiègne sans se décider à s'asseoir dans aucune de celles où pourtant on n'avait pas vu trace de Verdurin, ayant l'air de rechercher ce qu'il disait vouloir fuir et du reste le fuyant dès qu'il l'aurait trouvé, car s'il avait rencontré le petit groupe, il s'en serait écarté avec affectation, content d'avoir vu Odette et qu'elle l'eût vu, surtout qu'elle l'eût vu ne se souciant pas d'elle. Mais non, elle devinerait bien que c'était pour elle qu'il était là. Et quand M. de Forestelle venait le chercher pour partir, il lui disait : « Hélas! non, je ne peux pas aller aujourd'hui à Pierrefonds, Odette y est justement. » Et Swann était heureux malgré tout de sentir que, si seul de tous les mortels il n'avait pas le droit en ce jour d'aller à Pierrefonds, c'était parce qu'il était en effet pour Odette quelqu'un de différent des autres, son amant, et que cette restriction apportée pour lui au droit universel de libre circulation, n'était qu'une des formes de cet esclavage, de cet amour qui lui était si cher. Décidément il valait mieux ne pas risquer de se brouiller avec elle, patienter, attendre son retour. Il passait ses journées penché sur une carte de la forêt de Compiègne comme si ç'avait été la carte du Tendre, s'entourait de photographies du château de Pierrefonds. Dès que venait le jour où il était possible qu'elle revînt, il rouvrait l'indicateur, calculait quel train elle avait dû prendre et, si elle s'était attardée, ceux qui lui restaient encore. Il ne sortait pas de peur de manquer une dépêche, ne se couchait pas pour le cas où, revenue par le dernier train, elle aurait voulu lui faire la surprise de venir le voir au milieu de la nuit. Justement il entendait sonner à la porte cochère, il lui semblait qu'on tardait à ouvrir, il voulait éveiller le concierge, se mettait à la fenêtre pour appeler Odette si c'était elle, car malgré les recommandations qu'il était descendu faire plus de dix fois lui-même, on était capable de lui dire qu'il n'était pas là. C'était un domestique qui rentrait. Il remarquait le vol incessant des voitures qui passaient, auquel il n'avait jamais fait attention autrefois. Il écoutait chacune venir au loin, s'approcher, dépasser sa porte sans s'être arrêtée et porter plus loin un message qui n'était pas pour lui. Il attendait toute la nuit, bien inutilement, car les Verdurin ayant avancé leur retour, Odette était à Paris depuis midi; elle n'avait pas eu l'idée de l'en prévenir; ne sachant que faire, elle avait été passer sa soirée seule au théâtre et il y avait longtemps qu'elle était rentrée se coucher et dormait.

C'est qu'elle n'avait même pas pensé à lui. Et de tels moments où elle oubliait jusqu'à l'existence de Swann, étaient plus utiles à Odette, servaient mieux à lui attacher Swann, que toute sa coquetterie. Car ainsi Swann vivait dans cette agitation douloureuse qui avait déjà été assez puissante pour faire éclore son amour, le soir où il n'avait pas trouvé Odette chez les Verdurin et l'avait cherchée toute la soirée. Et il n'avait pas, comme j'eus à Combray dans mon enfance, des journées heureuses pendant lesquelles s'oublient les souffrances qui renaîtront le soir. Les journées, Swann les passait sans Odette; et par moments il se disait que laisser une aussi jolie femme sortir ainsi seule dans Paris était aussi imprudent que de poser un écrin plein de bijoux au milieu de la rue. Alors il s'indignait contre tous les passants comme contre autant de voleurs. Mais leur visage[1] collectif et informe échappant à son imagination ne nourrissait pas sa jalousie. Il fatiguait la pensée de Swann, lequel, se passant la main sur les yeux, s'écriait : « À la grâce de Dieu », comme ceux qui après s'être acharnés à étreindre le problème de la réalité du monde extérieur ou de l'immortalité de l'âme, accordent la détente d'un acte de foi à leur cerveau lassé. Mais toujours la pensée de l'absente était indissolublement mêlée aux actes les plus simples de la vie de Swann — déjeuner, recevoir son courrier, sortir, se coucher — par la tristesse même qu'il avait à les accomplir sans elle, comme ces initiales de Philibert le Beau que dans l'église de Brou, à cause du regret qu'elle avait de lui, Marguerite d'Autriche entrelaça partout aux siennes. Certains jours, au lieu de rester chez lui, il allait prendre son déjeuner dans un restaurant assez voisin dont il avait apprécié autrefois la bonne cuisine et où maintenant il n'allait plus que pour une de ces raisons, à la fois mystiques et saugrenues, qu'on appelle romanesques; c'est que ce restaurant (lequel existe encore) portait le même nom que la rue habitée par Odette : *Lapérouse*. Quelquefois, quand elle avait fait un court déplacement, ce n'est qu'après plusieurs jours qu'elle songeait à lui faire savoir qu'elle était revenue à Paris. Et elle lui disait tout simplement, sans plus prendre comme autrefois la précaution de se couvrir à tout hasard d'un petit morceau emprunté à la vérité, qu'elle venait d'y rentrer à l'instant même par le train du matin. Ces paroles étaient mensongères; du moins pour Odette elles étaient mensongères, inconsistantes, n'ayant pas, comme si elles avaient été vraies, un point d'appui dans le souvenir de son arrivée à la gare; même elle était empêchée de se les représenter au moment où elle les prononçait, par l'image contradictoire de ce qu'elle avait fait de tout différent au moment où elle prétendait être descendue du train. Mais dans l'esprit de Swann, au contraire, ces paroles qui ne rencontraient aucun obstacle venaient s'incruster et prendre l'inamovibilité d'une vérité si indubitable que, si un ami lui disait être venu par ce train et ne pas avoir vu Odette, il était persuadé que c'était l'ami qui se trompait de jour ou d'heure, puisque son dire ne se conciliait pas avec les paroles d'Odette. Celles-ci ne lui eussent paru mensongères que s'il s'était d'abord défié qu'elles le fussent. Pour qu'il crût qu'elle mentait, un soupçon préalable était une condition nécessaire. C'était d'ailleurs aussi une condition suffisante. Alors tout ce que disait Odette lui paraissait suspect. L'entendait-il citer un nom, c'était certainement celui d'un de ses amants; une fois cette supposition forgée, il passait des semaines à se désoler; il s'aboucha même une fois avec une agence de renseignements pour savoir l'adresse, l'emploi du temps de l'inconnu qui ne le laisserait respirer que quand il serait parti en voyage, et dont il finit par apprendre que c'était un oncle d'Odette mort depuis vingt ans.

Bien qu'elle ne lui permît pas en général de la rejoindre dans des lieux publics, disant que cela ferait jaser, il arrivait que dans une soirée où il était invité comme elle — chez Forcheville, chez le peintre, ou à un bal de charité dans un ministère — il se trouvât en même temps qu'elle. Il la voyait mais n'osait pas rester de peur de l'irriter en ayant l'air d'épier les plaisirs qu'elle prenait avec d'autres et qui — tandis qu'il rentrait solitaire, qu'il allait se coucher anxieux comme je devais l'être moi-même quelques années plus tard les soirs où il viendrait dîner à la maison, à Combray — lui semblaient illimités parce qu'il n'en avait pas vu la fin. Et une fois ou deux il connut par de tels soirs de ces joies qu'on serait tenté, si elles ne subissaient avec tant de violence le choc en retour de l'inquiétude brusquement arrêtée, d'appeler des joies calmes, parce qu'elles consistent en un apaisement : il était allé passer un instant à un raout chez le peintre et s'apprêtait à le quitter; il y laissait Odette muée en une brillante étrangère, au milieu d'hommes à qui ses regards et sa gaîté, qui n'étaient pas pour lui, semblaient parler de quelque volupté qui serait goûtée là ou ailleurs (peut-être au « Bal des Incohérents » où il tremblait qu'elle n'allât ensuite) et qui causait à Swann plus de jalousie que l'union charnelle même, parce qu'il l'imaginait plus difficilement; il était déjà prêt à passer la porte de l'atelier quand il s'entendait rappeler par ces mots (qui en retranchant de la fête cette fin qui l'épouvantait, la lui rendaient rétrospectivement innocente, faisaient du retour d'Odette une chose non plus inconcevable et terrible, mais douce et connue et qui tiendrait à côté de lui, pareille à un peu de sa vie de tous les jours, dans sa voiture, et dépouillaient[1] Odette elle-même de son apparence trop brillante et gaie, montraient que ce n'était qu'un déguisement qu'elle avait revêtu un moment, pour lui-même, non en vue de mystérieux plaisirs, et duquel elle était déjà lasse) par ces mots qu'Odette lui jetait, comme il était déjà sur le seuil : « Vous ne voudriez pas m'attendre cinq minutes, je vais partir, nous reviendrions ensemble, vous me ramèneriez chez moi. »

Il est vrai qu'un jour Forcheville avait demandé à être ramené en même temps, mais comme, arrivé devant la porte d'Odette, il avait sollicité la permission d'entrer aussi, Odette lui avait répondu en montrant Swann : « Ah ! cela dépend de ce monsieur-là, demandez-lui. Enfin, entrez un moment si vous voulez, mais pas longtemps, parce que je vous préviens qu'il aime causer tranquillement avec moi, et qu'il n'aime pas beaucoup qu'il y ait des visites quand il vient. Ah ! si vous connaissiez cet être-là autant que je le connais ! n'est-ce pas, *my love,* il n'y a que moi qui vous connaisse bien ? »

Et Swann était peut-être encore plus touché de la voir ainsi lui adresser en présence de Forcheville, non seulement ces paroles de tendresse, de prédilection, mais encore certaines critiques comme : « Je suis sûre que vous n'avez pas encore répondu à vos amis pour votre dîner de dimanche. N'y allez pas si vous ne voulez pas, mais soyez au moins poli », ou : « Avez-vous laissé seulement ici votre essai sur Ver Meer pour pouvoir l'avancer un peu demain ? Quel paresseux ! Je vous ferai travailler, moi ! », qui prouvaient qu'Odette se tenait au courant de ses invitations dans le monde et de ses études d'art, qu'ils avaient bien une vie à eux deux. Et en disant cela, elle lui adressait un sourire au fond duquel il la sentait toute à lui.

Alors à ces moments-là, pendant qu'elle leur faisait de l'orangeade, tout d'un coup, comme quand un réflecteur mal réglé d'abord promène autour d'un objet, sur la muraille, de grandes ombres fantastiques, qui viennent ensuite se replier et s'anéantir en lui, toutes les idées terribles et mouvantes qu'il se faisait d'Odette s'évanouissaient, rejoignaient le corps charmant que Swann avait devant lui. Il avait le brusque soupçon que cette heure passée chez Odette, sous la lampe, n'était peut-être pas une heure factice, à son usage à lui (destinée à masquer cette chose effrayante et délicieuse à laquelle il pensait sans cesse sans pouvoir bien se la représenter, une heure de la vraie vie d'Odette, de la vie d'Odette quand lui n'était pas là), avec des accessoires de théâtre et des fruits de carton, mais était peut-être une heure pour de bon de la vie d'Odette; que s'il n'avait pas été là, elle eût avancé à Forcheville le même fauteuil et lui eût versé non un breuvage inconnu, mais précisément cette orangeade; que le monde habité par Odette n'était pas cet autre monde effroyable et surnaturel où il passait son temps à la situer et qui n'existait peut-être que dans son imagination, mais l'univers réel, ne dégageant aucune tristesse spéciale, comprenant cette table où il allait pouvoir écrire et cette boisson à laquelle il lui serait permis de goûter, tous ces objets qu'il contemplait avec autant de curiosité et d'admiration que de gratitude, car si en absorbant ses rêves ils l'en avaient délivré, eux en revanche s'en étaient enrichis, ils lui en montraient la réalisation palpable, et ils intéressaient son esprit, ils prenaient du relief devant ses regards, en même temps qu'ils tranquillisaient son cœur. Ah! si le destin avait permis qu'il pût n'avoir qu'une seule demeure avec Odette et que chez elle il fût chez lui, si en demandant au domestique ce qu'il y avait à déjeuner, c'eût été[1] le menu d'Odette qu'il avait appris en réponse, si quand Odette voulait aller le matin se promener avenue du Bois de Boulogne, son devoir de bon mari l'avait obligé, n'eût-il pas envie de sortir, à l'accompagner, portant son manteau quand elle avait trop chaud, et le soir après le dîner si elle avait envie de rester chez elle en déshabillé, s'il avait été forcé de rester là près d'elle, à faire ce qu'elle voudrait; alors combien tous les riens de la vie de Swann qui lui semblaient si tristes, au contraire parce qu'ils auraient en même temps fait partie de la vie d'Odette auraient pris, même les plus familiers — et comme cette lampe, cette orangeade, ce fauteuil qui contenaient tant de rêve, qui matérialisaient tant de désir — une sorte de douceur surabondante et de densité mystérieuse!

Pourtant il se doutait bien que ce qu'il regrettait ainsi, c'était un calme, une paix qui n'auraient pas été pour son amour une atmosphère favorable. Quand Odette cesserait d'être pour lui une créature toujours absente, regrettée, imaginaire; quand le sentiment qu'il aurait pour elle ne serait plus ce même trouble mystérieux que lui causait la phrase de la sonate, mais de l'affection, de la reconnaissance; quand s'établiraient entre eux des rapports normaux qui mettraient fin à sa folie et à sa tristesse, alors sans doute les actes de la vie d'Odette lui paraîtraient peu intéressants en eux-mêmes — comme il avait déjà eu plusieurs fois le soupçon qu'ils étaient, par exemple le jour où il avait lu à travers l'enveloppe la lettre adressée à Forcheville. Considérant son mal avec autant de sagacité que s'il se l'était inoculé pour en faire l'étude, il se disait que, quand il serait guéri, ce que pourrait faire Odette lui serait indifférent. Mais du sein de son état morbide, à vrai dire, il redoutait à l'égal de la mort une telle guérison, qui eût été en effet la mort de tout ce qu'il était actuellement.

Après ces tranquilles soirées, les soupçons de Swann étaient calmés; il bénissait Odette et le lendemain, dès le matin, il faisait envoyer chez elle les plus beaux bijoux, parce que ces bontés de la veille avaient excité ou sa gratitude, ou le désir de les voir se renouveler, ou un paroxysme d'amour qui avait besoin de se dépenser.

Mais, à d'autres moments, sa douleur le reprenait, il s'imaginait qu'Odette était la maîtresse de Forcheville et que quand tous deux l'avaient vu, du fond du landau des Verdurin, au Bois, la veille de la fête de Chatou où il n'avait pas été invité, la prier vainement, avec cet air de désespoir qu'avait remarqué jusqu'à son cocher, de revenir avec lui, puis s'en retourner de son côté, seul et vaincu, elle avait dû avoir pour le désigner à Forcheville et lui dire : « Hein! ce qu'il rage! » les mêmes regards brillants, malicieux, abaissés et sournois, que le jour où celui-ci avait chassé Saniette de chez les Verdurin.

Alors Swann la détestait. « Mais aussi, je suis trop bête, se disait-il, je paie avec mon argent le plaisir des autres. Elle fera tout de même bien de faire attention et de ne pas trop tirer sur la corde, car je pourrais bien ne plus rien donner du tout. En tous cas, renonçons provisoirement aux gentillesses supplémentaires! Penser que pas plus tard qu'hier, comme elle disait avoir envie d'assister à la saison de Bayreuth, j'ai eu la bêtise de lui proposer de louer un des jolis châteaux du roi de Bavière pour nous deux dans les environs. Et d'ailleurs elle n'a pas paru plus ravie que cela, elle n'a encore dit ni oui ni non; espérons qu'elle refusera, grand Dieu! Entendre du Wagner pendant quinze jours avec elle qui s'en soucie comme un poisson d'une pomme, ce serait gai! » Et sa haine, tout comme son amour, ayant besoin de se manifester et d'agir, il se plaisait à pousser de plus en plus loin ses imaginations mauvaises, parce que, grâce aux perfidies qu'il prêtait à Odette, il la détestait davantage et pourrait si — ce qu'il cherchait à se figurer — elles se trouvaient être vraies, avoir une occasion de la punir et d'assouvir sur elle sa rage grandissante. Il alla ainsi jusqu'à supposer qu'il allait recevoir une lettre d'elle où elle lui demanderait de l'argent pour louer ce château près de Bayreuth, mais en le prévenant qu'il n'y pourrait pas venir, parce qu'elle avait promis à Forcheville et aux Verdurin de les inviter. Ah! comme il eût aimé qu'elle pût avoir cette audace! Quelle joie il aurait à refuser, à rédiger la réponse vengeresse dont il se complaisait à choisir, à énoncer tout haut les termes, comme s'il avait reçu la lettre en réalité!

Or, c'est ce qui arriva le lendemain même. Elle lui écrivit que les Verdurin et leurs amis avaient manifesté le désir d'assister à ces représentations de Wagner et que, s'il voulait bien lui envoyer cet argent, elle aurait enfin, après avoir été si souvent reçue chez eux, le plaisir de les inviter à son tour. De lui, elle ne disait pas un mot, il était sous-entendu que leur présence excluait la sienne.

Alors cette terrible réponse dont il avait arrêté chaque mot la veille sans oser espérer qu'elle pourrait servir jamais, il avait la joie de la lui faire porter. Hélas! il sentait bien qu'avec l'argent qu'elle avait, ou qu'elle trouverait facilement, elle pourrait tout de même louer à Bayreuth puisqu'elle en avait envie, elle qui n'était pas capable de faire de différence entre Bach et Clapisson. Mais elle y vivrait malgré tout plus chichement. Pas moyen, comme s'il lui eût envoyé cette fois quelques billets de mille francs, d'organiser chaque soir, dans un château, de ces soupers fins après lesquels elle se serait peut-être passé la fantaisie — qu'il était possible qu'elle n'eût jamais eue encore — de tomber dans les bras de Forcheville. Et puis du moins, ce voyage détesté, ce n'était pas lui, Swann, qui le paierait! — Ah! s'il avait pu l'empêcher! si elle avait pu se fouler le pied avant de partir, si le cocher de la voiture qui l'emmènerait à la gare avait consenti, à n'importe quel prix, à la conduire dans un lieu où elle fût restée quelque temps séquestrée, cette femme perfide, aux yeux émaillés par un sourire de complicité adressé à Forcheville, qu'Odette était pour Swann depuis quarante-huit heures!

Mais elle ne l'était jamais pour très longtemps; au bout de quelques jours le regard luisant et fourbe perdait de son éclat et de sa duplicité, cette image d'une Odette exécrée disant à Forcheville : « Ce qu'il rage! » commençait à pâlir, à s'effacer. Alors, progressivement reparaissait et s'élevait en brillant doucement, le visage de l'autre Odette, de celle qui adressait aussi un sourire à Forcheville, mais un sourire où il n'y avait pour Swann que de la tendresse, quand elle disait : « Ne restez pas longtemps, car ce monsieur-là n'aime pas beaucoup que j'aie des visites quand il a envie d'être auprès de moi. Ah! si vous connaissiez cet être-là autant que je le connais! », ce même sourire qu'elle avait pour remercier Swann de quelque trait de sa délicatesse qu'elle prisait si fort, de quelque conseil qu'elle lui avait demandé dans une de ces circonstances graves où elle n'avait confiance qu'en lui.

Alors, à cette Odette-là, il se demandait comment il avait pu écrire cette lettre outrageante dont sans doute jusqu'ici elle ne l'eût pas cru capable, et qui avait dû le faire descendre du rang élevé, unique, que par sa bonté, sa loyauté, il avait conquis dans son estime. Il allait lui devenir moins cher, car c'était pour ces qualités-là, qu'elle ne trouvait ni à Forcheville ni à aucun autre, qu'elle l'aimait. C'était à cause d'elles qu'Odette lui témoignait si souvent une gentillesse qu'il comptait pour rien au moment où il était jaloux, parce qu'elle n'était pas une marque de désir, et prouvait même plutôt de l'affection que de l'amour, mais dont il recommençait à sentir l'importance au fur et à mesure que la détente spontanée de ses soupçons, souvent accentuée par la distraction que lui apportait une lecture d'art ou la conversation d'un ami, rendait sa passion moins exigeante de réciprocités.

Maintenant qu'après cette oscillation, Odette était naturellement revenue à la place d'où la jalousie de Swann l'avait un moment écartée, dans l'angle où il la trouvait charmante, il se la figurait pleine de tendresse, avec un regard de consentement, si jolie ainsi, qu'il ne pouvait s'empêcher d'avancer les lèvres vers elle comme si elle avait été là et qu'il eût pu l'embrasser; et il lui gardait de ce regard enchanteur et bon autant de reconnaissance que si elle venait de l'avoir réellement et si ce[1] n'eût pas été seulement son imagination qui venait de le peindre pour donner satisfaction à son désir.

Comme il avait dû lui faire de la peine! Certes il trouvait des raisons valables à son ressentiment contre elle, mais elles n'auraient pas suffi à le lui faire éprouver s'il ne l'avait pas autant aimée. N'avait-il pas eu des griefs aussi graves contre d'autres femmes, auxquelles il eût néanmoins volontiers rendu service aujourd'hui, étant contre elles sans colère parce qu'il ne les aimait plus? S'il devait jamais un jour se trouver dans le même état d'indifférence vis-à-vis d'Odette, il comprendrait que c'était sa jalousie seule qui lui avait fait trouver quelque chose d'atroce, d'impardonnable, à ce désir, au fond si naturel, provenant d'un peu d'enfantillage et aussi d'une certaine délicatesse d'âme, de pouvoir à son tour, puisqu'une occasion s'en présentait, rendre des politesses aux Verdurin, jouer à la maîtresse de maison.

Il revenait à ce point de vue — opposé à celui de son amour et de sa jalousie, et auquel il se plaçait quelquefois par une sorte d'équité intellectuelle et pour faire la part des diverses probabilités — d'où il essayait de juger Odette comme s'il ne l'avait pas aimée, comme si elle était pour lui une femme comme les autres, comme si la vie d'Odette n'avait pas été, dès qu'il n'était plus là, différente, tramée en cachette de lui, ourdie contre lui.

Pourquoi croire qu'elle goûterait là-bas avec Forcheville ou avec d'autres des plaisirs enivrants qu'elle n'avait pas connus auprès de lui et que seule sa jalousie forgeait de toutes pièces? À Bayreuth comme à Paris, s'il arrivait que Forcheville pensât à lui, ce n'eût pu être que comme à quelqu'un qui comptait beaucoup dans la vie d'Odette, à qui il était obligé de céder la place, quand ils se rencontraient chez elle. Si Forcheville et elle triomphaient d'être là-bas malgré lui, c'est lui qui l'aurait voulu en cherchant inutilement à l'empêcher d'y aller, tandis que s'il avait approuvé son projet, d'ailleurs défendable, elle aurait eu l'air d'être là-bas d'après son avis, elle s'y serait sentie envoyée, logée par lui, et le plaisir qu'elle aurait éprouvé à recevoir ces gens qui l'avaient tant reçue, c'est à Swann qu'elle en aurait su gré.

Et — au lieu qu'elle allait partir brouillée avec lui, sans l'avoir revu — s'il lui envoyait cet argent, s'il l'encourageait à ce voyage et s'occupait de le lui rendre agréable, elle allait accourir, heureuse, reconnaissante, et il aurait cette joie de la voir qu'il n'avait pas goûtée depuis près d'une semaine et que rien ne pouvait lui remplacer. Car sitôt que Swann pouvait se la représenter sans horreur, qu'il revoyait de la bonté dans son sourire, et que le désir de l'enlever à tout autre n'était plus ajouté par la jalousie à son amour, cet amour redevenait surtout un goût pour les sensations que lui donnait la personne d'Odette, pour le plaisir qu'il avait à admirer comme un spectacle ou à interroger comme un phénomène, le lever d'un de ses regards, la formation d'un de ses sourires, l'émission d'une intonation de sa voix. Et ce plaisir différent de tous les autres avait fini par créer en lui un besoin d'elle et qu'elle seule pouvait assouvir par sa présence ou ses lettres, presque aussi désintéressé, presque aussi artistique, aussi pervers, qu'un autre besoin qui caractérisait cette période nouvelle de la vie de Swann où à la sécheresse, à la dépression des années antérieures avait succédé une sorte de trop-plein spirituel, sans qu'il sût davantage à quoi il devait cet enrichissement inespéré de sa vie intérieure[1] qu'une personne de santé délicate qui à partir d'un certain moment se fortifie, engraisse, et semble pendant quelque temps s'acheminer vers une complète guérison : cet autre besoin qui se développait aussi en dehors du monde réel, c'était celui d'entendre, de connaître de la musique.

Ainsi, par le chimisme même de son mal, après qu'il avait fait de la jalousie avec son amour, il recommençait à fabriquer de la tendresse, de la pitié pour Odette. Elle était redevenue l'Odette charmante et bonne. Il avait des remords d'avoir été dur pour elle. Il voulait qu'elle vînt près de lui et, auparavant, il voulait lui avoir procuré quelque plaisir, pour voir la reconnaissance pétrir son visage et modeler son sourire.

Aussi Odette, sûre de le voir venir après quelques jours, aussi tendre et soumis qu'avant, lui demander une réconciliation, prenait-elle l'habitude de ne plus craindre de lui déplaire et même de l'irriter et lui refusait-elle, quand cela lui était commode, les faveurs auxquelles il tenait le plus.

Peut-être ne savait-elle pas combien il avait été sincère vis-à-vis d'elle pendant la brouille, quand il lui avait dit qu'il ne lui enverrait pas d'argent et chercherait à lui faire du mal. Peut-être ne savait-elle pas davantage combien il l'était, vis-à-vis sinon d'elle, du moins de lui-même, en d'autres cas où dans l'intérêt de l'avenir de leur liaison, pour montrer à Odette qu'il était capable de se passer d'elle, qu'une rupture restait toujours possible, il décidait de rester quelque temps sans aller chez elle.

Parfois c'était après quelques jours où elle ne lui avait pas causé de souci nouveau; et comme, des visites prochaines qu'il lui ferait, il savait qu'il ne pouvait tirer nulle bien grande joie, mais plus probablement quelque chagrin qui mettrait fin au calme où il se trouvait, il lui écrivait qu'étant très occupé il ne pourrait la voir aucun des jours qu'il lui avait dit. Or une lettre d'elle, se croisant avec la sienne, le priait précisément de déplacer un rendez-vous. Il se demandait pourquoi; ses soupçons, sa douleur le reprenaient. Il ne pouvait plus tenir, dans l'état nouveau d'agitation où il se trouvait, l'engagement qu'il avait pris dans l'état antérieur de calme relatif, il courait chez elle et exigeait de la voir tous les jours suivants. Et même si elle ne lui avait pas écrit la première, si elle répondait seulement, en y acquiesçant, à sa demande d'une courte séparation[1], cela suffisait pour qu'il ne pût plus rester sans la voir. Car, contrairement au calcul de Swann, le consentement d'Odette avait tout changé en lui. Comme tous ceux qui possèdent une chose, pour savoir ce qui arriverait s'il cessait un moment de la posséder, il avait ôté cette chose de son esprit, en y laissant tout le reste dans le même état que quand elle était là. Or l'absence d'une chose, ce n'est pas que cela, ce n'est pas un simple manque partiel, c'est un bouleversement de tout le reste, c'est un état nouveau qu'on ne peut prévoir dans l'ancien.

Mais d'autres fois au contraire — Odette était sur le point de partir en voyage — c'était après quelque petite querelle dont il choisissait le prétexte, qu'il se résolvait à ne pas lui écrire et à ne pas la revoir avant son retour, donnant ainsi les apparences, et demandant le bénéfice, d'une grande brouille, qu'elle croirait peut-être définitive, à une séparation dont la plus longue part était inévitable du fait du voyage et qu'il faisait commencer seulement un peu plus tôt. Déjà il se figurait Odette inquiète, affligée de n'avoir reçu ni visite ni lettre, et cette image, en calmant sa jalousie, lui rendait facile de se déshabituer de la voir. Sans doute, par moments, tout au bout de son esprit où sa résolution la refoulait grâce à toute la longueur interposée des trois semaines de séparation acceptée, c'était avec plaisir qu'il considérait l'idée qu'il reverrait Odette à son retour : mais c'était aussi avec si peu d'impatience, qu'il commençait à se demander s'il ne doublerait pas volontiers la durée d'une abstinence si facile. Elle ne datait encore que de trois jours, temps beaucoup moins long que celui qu'il avait souvent passé en ne voyant pas Odette, et sans l'avoir comme maintenant prémédité. Et pourtant voici qu'une légère contrariété ou un malaise physique — en l'incitant à considérer le moment présent comme un moment exceptionnel, en dehors de la règle, où la sagesse même admettrait d'accueillir l'apaisement qu'apporte un plaisir et de donner congé, jusqu'à la reprise utile de l'effort, à la volonté — suspendait l'action de celle-ci qui cessait d'exercer sa compression; ou, moins que cela, le souvenir d'un renseignement qu'il avait oublié de demander à Odette, si elle avait décidé la couleur dont elle voulait faire repeindre sa voiture, ou, pour une certaine valeur de bourse, si c'était des actions ordinaires ou privilégiées qu'elle désirait acquérir (c'était très joli de lui montrer qu'il pouvait rester sans la voir, mais si après ça la peinture était à refaire ou si les actions ne donnaient pas de dividende, il serait bien avancé), voici que comme un caoutchouc tendu qu'on lâche ou comme l'air dans une machine pneumatique qu'on entr'ouvre, l'idée de la revoir, des lointains où elle était maintenue, revenait d'un bond dans le champ du présent et des possibilités immédiates.

Elle y revenait sans plus trouver de résistance, et d'ailleurs si irrésistible que Swann avait eu bien moins de peine à sentir s'approcher un à un les quinze jours qu'il devait rester séparé d'Odette, qu'il n'en avait à attendre les dix minutes que son cocher mettait pour atteler la voiture qui allait l'emmener chez elle et qu'il passait dans des transports d'impatience et de joie où il ressaisissait mille fois pour lui prodiguer sa tendresse, cette idée de la retrouver qui, par un retour si brusque, au moment où il la croyait si loin, était de nouveau près de lui dans sa plus proche conscience. C'est qu'elle ne trouvait plus pour lui faire obstacle le désir de chercher sans plus tarder à lui résister, qui n'existait plus chez Swann depuis que, s'étant prouvé à lui-même — il le croyait du moins — qu'il en était si aisément capable, il ne voyait plus aucun inconvénient à ajourner un essai de séparation qu'il était certain maintenant de mettre à exécution dès qu'il le voudrait. C'est aussi que cette idée de la revoir revenait parée pour lui d'une nouveauté, d'une séduction, douée d'une virulence que l'habitude avait émoussées, mais qui s'étaient retrempées dans cette privation non de trois jours mais de quinze (car la durée d'un renoncement doit se calculer, par anticipation, sur le terme assigné), et de ce qui jusque-là eût été un plaisir attendu qu'on sacrifie aisément, avait fait un bonheur inespéré contre lequel on est sans force. C'est enfin qu'elle y revenait embellie par l'ignorance où était Swann de ce qu'Odette avait pu penser, faire peut-être, en voyant qu'il ne lui avait pas donné signe de vie, si bien que ce qu'il allait trouver c'était la révélation passionnante d'une Odette presque inconnue.

Mais elle, de même qu'elle avait cru que son refus d'argent n'était qu'une feinte, ne voyait qu'un prétexte dans le renseignement que Swann venait lui demander sur la voiture à repeindre ou la valeur à acheter. Car elle ne reconstituait pas les diverses phases de ces crises qu'il traversait et, dans l'idée qu'elle s'en faisait, elle omettait d'en comprendre le mécanisme, ne croyant qu'à ce qu'elle connaissait d'avance, à la nécessaire, à l'infaillible et toujours identique terminaison. Idée incomplète — d'autant plus profonde peut-être — si on la jugeait du point de vue de Swann qui eût sans doute trouvé qu'il était incompris d'Odette, comme un morphinomane ou un tuberculeux, persuadés qu'ils ont été arrêtés, l'un par un événement extérieur au moment où il allait se délivrer de son habitude invétérée, l'autre par une indisposition accidentelle au moment où il allait être enfin rétabli, se sentent incompris du médecin qui n'attache pas la même importance qu'eux à ces prétendues contingences, simples déguisements selon lui, revêtus, pour redevenir sensibles à ses malades, par le vice et l'état morbide qui, en réalité, n'ont pas cessé de peser incurablement sur eux tandis qu'ils berçaient des rêves de sagesse ou de guérison. Et de fait, l'amour de Swann en était arrivé à ce degré où le médecin et, dans certaines affections, le chirurgien le plus audacieux, se demandent si priver un malade de son vice ou lui ôter son mal, est encore raisonnable ou même possible.

Certes l'étendue de cet amour, Swann n'en avait pas une conscience directe. Quand il cherchait à le mesurer, il lui arrivait parfois qu'il semblât diminué, presque réduit à rien; par exemple, le peu de goût, presque le dégoût que lui avaient inspiré, avant qu'il aimât Odette, ses traits expressifs[1], son teint sans fraîcheur, lui revenait à certains jours. « Vraiment il y a progrès sensible, se disait-il le lendemain; à voir exactement les choses, je n'avais presque aucun plaisir hier à être dans son lit : c'est curieux, je la trouvais même laide. » Et certes, il était sincère, mais son amour s'étendait bien au delà des régions du désir physique. La personne même d'Odette n'y tenait plus une grande place. Quand du regard il rencontrait sur sa table la photographie d'Odette, ou quand elle venait le voir, il avait peine à identifier la figure de chair ou de bristol avec le trouble douloureux et constant qui habitait en lui. Il se disait presque avec étonnement : « C'est elle », comme si tout d'un coup on nous montrait extériorisée devant nous une de nos maladies et que nous ne la trouvions pas ressemblante à ce que nous souffrons. « Elle », il essayait de se demander ce que c'était; car c'est une ressemblance de l'amour et de la mort, plutôt que celles, si vagues, que l'on redit toujours, de nous faire interroger plus avant, dans la peur que sa réalité se dérobe, le mystère de la personnalité. Et cette maladie qu'était l'amour de Swann avait tellement multiplié, il était si étroitement mêlé à toutes les habitudes de Swann, à tous ses actes, à sa pensée, à sa santé, à son sommeil, à sa vie, même à ce qu'il désirait pour après sa mort, il ne faisait tellement plus qu'un avec lui, qu'on n'aurait pas pu l'arracher de lui sans le détruire lui-même à peu près tout entier : comme on dit en chirurgie, son amour n'était plus opérable.

Par cet amour Swann avait été tellement détaché de

tous les intérêts que quand par hasard il retournait dans le monde, en se disant que ses relations, comme une monture élégante qu'elle n'aurait pas d'ailleurs su estimer très exactement, pouvaient lui rendre à lui-même un peu de prix aux yeux d'Odette (et ç'aurait peut-être été vrai, en effet, si elles n'avaient été avilies par cet amour même, qui pour Odette dépréciait toutes les choses qu'il touchait par le fait qu'il semblait les proclamer moins précieuses), il y éprouvait, à côté de la détresse d'être dans des lieux, au milieu de gens qu'elle ne connaissait pas, le plaisir désintéressé qu'il aurait pris à un roman ou à un tableau où sont peints les divertissements d'une classe oisive, comme, chez lui, il se complaisait à considérer le fonctionnement de sa vie domestique, l'élégance de sa garde-robe et de sa livrée, le bon placement de ses valeurs, de la même façon qu'à lire dans Saint-Simon, qui était un de ses auteurs favoris, la mécanique des journées, le menu des repas de Mme de Maintenon, ou l'avarice avisée et le grand train de Lulli. Et dans la faible mesure où ce détachement n'était pas absolu, la raison de ce plaisir nouveau que goûtait Swann, c'était de pouvoir émigrer un moment dans les rares parties de lui-même restées presque étrangères à son amour, à son chagrin. À cet égard, cette personnalité que lui attribuait ma grand'tante, de « fils Swann », distincte de sa personnalité plus individuelle de Charles Swann, était celle où il se plaisait maintenant le mieux. Un jour que, pour l'anniversaire de la princesse de Parme (et parce qu'elle pouvait souvent être indirectement agréable à Odette en lui faisant avoir des places pour des galas, des jubilés), il avait voulu lui envoyer des fruits, ne sachant pas trop comment les commander, il en avait chargé une cousine de sa mère qui, ravie de faire une commission pour lui, lui avait écrit, en lui rendant compte, qu'elle n'avait pas pris tous les fruits au même endroit, mais les raisins chez Crapote dont c'est la spécialité, les fraises chez Jauret, les poires chez Chevet, où elles étaient plus belles, etc., « chaque fruit visité et examiné un par un par moi ». Et en effet, par les remerciements de la princesse, il avait pu juger du parfum des fraises et du moelleux des poires. Mais surtout le « chaque fruit visité et examiné un par un par moi » avait été un apaisement à sa souffrance, en emmenant sa conscience dans une région où il se rendait rarement, bien qu'elle lui appartînt comme héritier d'une famille de riche et bonne bourgeoisie où s'étaient conservés héréditairement, tout prêts à être mis à son service dès qu'il le souhaitait, la connaissance des « bonnes adresses » et l'art de savoir bien faire une commande.

Certes, il avait trop longtemps oublié qu'il était le « fils Swann » pour ne pas ressentir, quand il le redevenait un moment, un plaisir plus vif que ceux qu'il eût pu éprouver le reste du temps et sur lesquels il était blasé; et si l'amabilité des bourgeois, pour lesquels il restait surtout cela, était moins vive que celle de l'aristocratie (mais plus flatteuse d'ailleurs, car chez eux du moins elle ne se sépare jamais de la considération), une lettre d'altesse, quelques divertissements princiers qu'elle lui proposât, ne pouvait lui être aussi agréable que celle qui lui demandait d'être témoin, ou seulement d'assister à un mariage dans la famille de vieux amis de ses parents, dont les uns avaient continué à le voir — comme mon grand-père qui, l'année précédente, l'avait invité au mariage de ma mère — et dont certains autres le connaissaient personnellement à peine, mais se croyaient des devoirs de politesse envers le fils, envers le digne successeur de feu M. Swann.

Mais, par les intimités déjà anciennes qu'il avait parmi eux, les gens du monde, dans une certaine mesure, faisaient aussi partie de sa maison, de son domestique et de sa famille. Il se sentait, à considérer ses brillantes amitiés, le même appui hors de lui-même, le même confort, qu'à regarder les belles terres, la belle argenterie, le beau linge de table, qui lui venaient des siens. Et la pensée que s'il tombait chez lui frappé d'une attaque, ce serait tout naturellement le duc de Chartres, le prince de Reuss, le duc de Luxembourg et le baron de Charlus que son valet de chambre courrait chercher, lui apportait la même consolation qu'à notre vieille Françoise de savoir qu'elle serait ensevelie dans des draps fins à elle, marqués, non reprisés (ou si finement que cela ne donnait qu'une plus haute idée du soin de l'ouvrière), linceul de l'image fréquente duquel elle tirait une certaine satisfaction, sinon de bien-être, au moins d'amour-propre. Mais surtout, comme, dans toutes celles de ses actions et de ses pensées qui se rapportaient à Odette, Swann était constamment dominé et dirigé par le sentiment inavoué qu'il lui était, peut-être pas moins cher, mais moins agréable[1] à voir que quiconque, que le plus ennuyeux fidèle des Verdurin, — quand il se reportait à un monde pour qui il était l'homme exquis par excellence, qu'on faisait tout pour attirer, qu'on se désolait de ne pas voir, il recommençait à croire à l'existence d'une vie plus heureuse, presque à en éprouver l'appétit, comme il arrive à un malade alité depuis des mois, à la diète, et qui aperçoit dans un journal le menu d'un déjeuner officiel ou l'annonce d'une croisière en Sicile.

S'il était obligé de donner des excuses aux gens du monde pour ne pas leur faire de visites, c'était de lui en faire qu'il cherchait à s'excuser auprès d'Odette. Encore les payait-il (se demandant à la fin du mois, pour peu qu'il eût un peu abusé de sa patience et fût allé souvent la voir, si c'était assez de lui envoyer quatre mille francs), et pour chacune trouvait un prétexte, un présent à lui apporter, un renseignement dont elle avait besoin, M. de Charlus qu'il avait rencontré allant chez elle et qui avait exigé qu'il l'accompagnât. Et à défaut d'aucun, il priait M. de Charlus de courir chez elle, de lui dire comme spontanément, au cours de la conversation, qu'il se rappelait avoir à parler à Swann, qu'elle voulût bien lui faire demander de passer tout de suite chez elle; mais le plus souvent Swann attendait en vain et M. de Charlus lui disait le soir que son moyen n'avait pas réussi. De sorte que si elle faisait maintenant de fréquentes absences, même à Paris, quand elle y restait, elle le voyait peu, et elle qui, quand elle l'aimait, lui disait : « Je suis toujours libre » et « Qu'est-ce que l'opinion des autres peut me faire ? », maintenant, chaque fois qu'il voulait la voir, elle invoquait les convenances ou prétextait des occupations. Quand il parlait d'aller à une fête de charité, à un vernissage, à une première où elle serait, elle lui disait qu'il voulait afficher leur liaison, qu'il la traitait comme une fille. C'est au point que pour tâcher de n'être pas partout privé de la rencontrer, Swann qui savait qu'elle connaissait et affectionnait beaucoup mon grand-oncle Adolphe dont il avait été lui-même l'ami, alla le voir un jour dans son petit appartement de la rue de Bellechasse afin de lui demander d'user de son influence sur Odette. Comme elle prenait toujours, quand elle parlait à Swann de mon oncle[1], des airs poétiques, disant : « Ah! lui, ce n'est pas comme toi, c'est une si belle chose, si grande, si jolie, que son amitié pour moi! Ce n'est pas lui qui me considérerait assez peu pour vouloir se montrer avec moi dans tous les lieux publics », Swann fut embarrassé et ne savait pas à quel ton il devait se hausser pour parler d'elle à mon oncle. Il posa d'abord l'excellence *a priori* d'Odette, l'axiome de sa supra-humanité séraphique, la révélation de ses vertus indémontrables et dont la notion ne pouvait dériver de l'expérience. « Je veux parler avec vous. Vous, vous savez quelle femme au-dessus de toutes les femmes, quel être adorable, quel ange est Odette. Mais vous savez ce que c'est que la vie de Paris. Tout le monde ne connaît pas Odette sous le jour où nous la connaissons vous et moi. Alors il y a des gens qui trouvent que je joue un rôle un peu ridicule; elle ne peut même pas admettre que je la rencontre dehors, au théâtre. Vous, en qui elle a tant de confiance, ne pourriez-vous lui dire quelques mots pour moi, lui assurer qu'elle s'exagère le tort qu'un salut de moi lui cause? »

Mon oncle conseilla à Swann de rester un peu sans voir Odette qui ne l'en aimerait que plus, et à Odette de laisser Swann la retrouver partout où cela lui plairait. Quelques jours après, Odette disait à Swann qu'elle venait d'avoir une déception en voyant que mon oncle était pareil à tous les hommes : il venait d'essayer de la prendre de force. Elle calma Swann qui au premier moment voulait aller provoquer mon oncle, mais il refusa de lui serrer la main quand il le rencontra. Il regretta d'autant plus cette brouille avec mon oncle Adolphe qu'il avait espéré, s'il l'avait revu quelquefois et avait pu causer en toute confiance avec lui, tâcher de tirer au clair certains bruits relatifs à la vie qu'Odette avait menée autrefois à Nice. Or mon oncle Adolphe y passait l'hiver. Et Swann pensait que c'était même peut-être là qu'il avait connu Odette. Le peu qui avait échappé à quelqu'un devant lui, relativement à un homme qui aurait été l'amant d'Odette, avait bouleversé Swann. Mais les choses qu'il aurait, avant de les connaître, trouvé le plus affreux d'apprendre et le plus impossible de croire, une fois qu'il les savait, elles étaient incorporées à tout jamais à sa tristesse, il les admettait, il n'aurait plus pu comprendre qu'elles n'eussent pas été. Seulement chacune opérait sur l'idée qu'il se faisait de sa maîtresse une retouche ineffaçable. Il crut même comprendre, une fois, que cette légèreté des mœurs d'Odette qu'il n'eût pas soupçonnée, était assez connue, et qu'à Bade et à Nice, quand elle y passait jadis plusieurs mois, elle avait eu une sorte de notoriété galante. Il chercha, pour les interroger, à se rapprocher de certains viveurs; mais ceux-ci savaient qu'il connaissait Odette; et puis il avait peur de les faire penser de nouveau à elle, de les mettre sur ses traces. Mais lui à qui jusque-là rien n'aurait pu paraître aussi fastidieux que tout ce qui se rapportait à la vie cosmopolite de Bade ou de Nice, apprenant qu'Odette avait peut-être fait autrefois la fête dans ces villes de plaisir, sans qu'il dût jamais arriver à savoir si c'était seulement pour satisfaire à des besoins d'argent que grâce à lui elle n'avait plus, ou à des caprices qui pouvaient renaître, maintenant il se penchait avec une angoisse impuissante, aveugle et vertigineuse vers l'abîme sans fond où étaient allées s'engloutir ces années du début du Septennat pendant lesquelles on passait l'hiver sur la promenade des Anglais, l'été sous les tilleuls de Bade, et il leur trouvait une profondeur douloureuse mais magnifique comme celle que leur eût prêtée un poète; et il eût mis à reconstituer les petits faits de la chronique de la Côte d'Azur d'alors, si elle avait pu l'aider à comprendre quelque chose du sourire ou des regards — pourtant si honnêtes et si simples — d'Odette, plus de passion que l'esthéticien qui interroge les documents subsistant de la Florence du xve siècle pour tâcher d'entrer plus avant dans l'âme de la Primavera, de la bella Vanna, ou de la Vénus, de Botticelli. Souvent sans lui rien dire il la regardait, il songeait; elle lui disait : « Comme tu as l'air triste! » Il n'y avait pas bien longtemps encore, de l'idée qu'elle était une créature bonne, analogue aux meilleures qu'il eût connues, il avait passé à l'idée qu'elle était une femme entretenue; inversement il lui était arrivé depuis de revenir de l'Odette de Crécy, peut-être trop connue des fêtards, des hommes à femmes, à ce visage d'une expression parfois si douce, à cette nature si humaine. Il se disait : « Qu'est-ce que cela veut dire qu'à Nice tout le monde sache qui est Odette de Crécy? Ces réputations-là, même vraies, sont faites avec les idées des autres »; il pensait que cette légende — fût-elle authentique — était extérieure à Odette, n'était pas en elle comme une personnalité irréductible et malfaisante; que la créature qui avait pu être amenée à mal faire, c'était une femme aux bons yeux, au cœur plein de pitié pour la souffrance, au corps docile qu'il avait tenu, qu'il avait serré dans ses bras et manié, une femme qu'il pourrait arriver un jour à posséder toute, s'il réussissait à se rendre indispensable à elle. Elle était là, souvent fatiguée, le visage vidé pour un instant de la préoccupation fébrile et joyeuse des choses inconnues qui faisaient souffrir Swann; elle écartait ses cheveux avec ses mains; son front, sa figure paraissaient plus larges; alors, tout d'un coup, quelque pensée simplement humaine, quelque bon sentiment comme il en existe dans toutes les créatures, quand dans un moment de repos ou de repliement elles sont livrées à elles-mêmes, jaillissait de ses yeux comme un rayon jaune. Et aussitôt tout son visage s'éclairait comme une campagne grise, couverte de nuages qui soudain s'écartent, pour sa transfiguration, au moment du soleil couchant. La vie qui était en Odette à ce moment-là, l'avenir même qu'elle semblait rêveusement regarder, Swann aurait pu les partager avec elle; aucune agitation mauvaise ne semblait y avoir laissé de résidu. Si rares qu'ils devinssent, ces moments-là ne furent pas inutiles. Par le souvenir Swann reliait ces parcelles, abolissait les intervalles, coulait comme en or une Odette de bonté et de calme pour laquelle il fit plus tard (comme on le verra dans la deuxième partie de cet ouvrage) des sacrifices que l'autre Odette n'eût pas obtenus. Mais que ces moments étaient rares, et que maintenant il la voyait peu! Même pour leur rendez-vous du soir, elle ne lui disait qu'à la dernière minute si elle pourrait le lui accorder, car, comptant qu'elle le trouverait toujours libre, elle voulait d'abord être certaine que personne d'autre ne lui proposerait de venir. Elle alléguait qu'elle était obligée d'attendre une réponse de la plus haute importance pour elle, et même si après qu'elle avait fait venir Swann, des amis demandaient à Odette, quand la soirée était déjà commencée, de les rejoindre au théâtre ou à souper, elle faisait un bond joyeux et s'habillait à la hâte. Au fur et à mesure qu'elle avançait dans sa toilette, chaque mouvement qu'elle faisait rapprochait Swann du moment où il faudrait la quitter, où elle s'enfuirait d'un élan irrésistible; et quand, enfin prête, plongeant une dernière fois dans son miroir ses regards tendus et éclairés par l'attention, elle remettait un peu de rouge à ses lèvres, fixait une mèche sur son front et demandait son manteau de soirée bleu ciel avec des glands d'or, Swann avait l'air si triste qu'elle ne pouvait réprimer un geste d'impatience et disait : « Voilà comme tu me remercies de t'avoir gardé jusqu'à la dernière minute. Moi qui croyais avoir fait quelque chose de gentil. C'est bon à savoir pour une autre fois! » Parfois, au risque de la fâcher, il se promettait de chercher à savoir où elle était allée, il rêvait d'une alliance avec Forcheville qui peut-être aurait pu le renseigner. D'ailleurs quand il savait avec qui elle passait la soirée, il était bien rare qu'il ne pût pas découvrir dans toutes ses relations à lui quelqu'un qui connaissait, fût-ce indirectement, l'homme avec qui elle était sortie et pouvait facilement en obtenir tel ou tel renseignement. Et tandis qu'il écrivait à un de ses amis pour lui demander de chercher à éclaircir tel ou tel point, il éprouvait le repos de cesser de se poser ses questions sans réponses et de transférer à un autre la fatigue d'interroger. Il est vrai que Swann n'était guère plus avancé quand il avait certains renseignements. Savoir ne permet pas toujours d'empêcher, mais du moins les choses que nous savons, nous les tenons, sinon entre nos mains, du moins dans notre pensée où nous les disposons à notre gré, ce qui nous donne l'illusion d'une sorte de pouvoir sur elles. Il était heureux toutes les fois où M. de Charlus était avec Odette. Entre M. de Charlus et elle, Swann savait qu'il ne pouvait rien se passer, que quand M. de Charlus sortait avec elle, c'était par amitié pour lui et qu'il ne ferait pas difficulté à lui raconter ce qu'elle avait fait. Quelquefois elle avait déclaré si catégoriquement à Swann qu'il lui était impossible de le voir un certain soir, elle avait l'air de tenir tant à une sortie, que Swann attachait une véritable importance à ce que M. de Charlus fût libre de l'accompagner. Le lendemain, sans oser poser beaucoup de questions à M. de Charlus, il le contraignait, en ayant l'air de ne pas bien comprendre ses premières réponses, à lui en donner de[1] nouvelles, après chacune desquelles il se sentait plus soulagé, car il apprenait bien vite qu'Odette avait occupé sa soirée aux plaisirs les plus innocents. « Mais comment, mon petit Mémé, je ne comprends pas bien..., ce n'est pas en sortant de chez elle que vous êtes allés au musée Grévin. Vous étiez allés ailleurs d'abord. Non? Oh! que c'est drôle! Vous ne savez pas comme vous m'amusez, mon petit Mémé. Mais quelle drôle d'idée elle a eue d'aller ensuite au Chat Noir, c'est bien une idée d'elle... Non? c'est vous. C'est curieux. Après tout ce n'est pas une mauvaise idée, elle devait y connaître beaucoup de monde? Non? elle n'a parlé à personne? C'est extraordinaire. Alors vous êtes restés là comme cela tous les deux tout seuls? Je vois d'ici cette scène. Vous êtes gentil, mon petit Mémé, je vous aime bien. » Swann se sentait soulagé. Pour lui à qui il était arrivé, en causant avec des indifférents qu'il écoutait à peine, d'entendre quelquefois certaines phrases (celle-ci par exemple : « J'ai vu hier Mme de Crécy, elle était avec un monsieur que je ne connais pas »), phrases qui, aussitôt dans le cœur de Swann, passaient à l'état solide, s'y durcissaient comme une incrustation, le déchiraient[1], n'en bougeaient plus, qu'ils étaient doux au contraire ces mots : « Elle ne connaissait personne, elle n'a parlé à personne », comme ils circulaient aisément en lui, qu'ils étaient fluides, faciles, respirables! Et pourtant au bout d'un instant il se disait qu'Odette devait le trouver bien ennuyeux pour que ce fussent là les plaisirs qu'elle préférait à sa compagnie. Et leur insignifiance, si elle le rassurait, lui faisait pourtant de la peine comme une trahison.

Même quand il ne pouvait savoir où elle était allée, il lui aurait suffi pour calmer l'angoisse qu'il éprouvait alors, et contre laquelle la présence d'Odette, la douceur d'être auprès d'elle était le seul spécifique (un spécifique qui à la longue aggravait le mal[2], mais du moins calmait momentanément la souffrance), il lui aurait suffi, si Odette l'avait seulement permis, de rester chez elle tant qu'elle ne serait pas là, de l'attendre jusqu'à cette heure du retour dans l'apaisement de laquelle seraient venues se confondre les heures qu'un prestige, un maléfice lui avaient fait croire différentes des autres. Mais elle ne le voulait pas; il revenait chez lui; il se forçait en chemin à former divers projets, il cessait de songer à Odette; même il arrivait, tout en se déshabillant, à rouler en lui des pensées assez joyeuses; c'est le cœur plein de l'espoir d'aller le lendemain voir quelque chef-d'œuvre qu'il se mettait au lit et éteignait sa lumière; mais, dès que, pour se préparer à dormir, il cessait d'exercer sur lui-même une contrainte dont il n'avait même pas conscience tant elle était devenue habituelle, au même instant un frisson glacé refluait en lui et il se mettait à sangloter. Il ne voulait même pas savoir pourquoi, s'essuyait les yeux, se disait en riant : « C'est charmant, je deviens névropathe. » Puis il ne pouvait penser sans une grande lassitude que le lendemain il faudrait recommencer de chercher à savoir ce qu'Odette avait fait, à mettre en jeu des influences pour tâcher de la voir. Cette nécessité d'une activité sans trêve, sans variété, sans résultats, lui était si cruelle qu'un jour, apercevant une grosseur sur son ventre, il ressentit une véritable joie à la pensée qu'il avait peut-être une tumeur mortelle, qu'il n'allait plus avoir à s'occuper de rien, que c'était la maladie qui allait le gouverner, faire de lui son jouet, jusqu'à la fin prochaine. Et en effet si, à cette époque, il lui arriva souvent, sans se l'avouer, de désirer la mort, c'était pour échapper moins à l'acuité de ses souffrances qu'à la monotonie de son effort.

Et pourtant il aurait voulu vivre jusqu'à l'époque où il ne l'aimerait plus, où elle n'aurait aucune raison de lui mentir et où il pourrait enfin apprendre d'elle si le jour où il était allé la voir dans l'après-midi, elle était ou non couchée avec Forcheville. Souvent pendant quelques jours, le soupçon qu'elle aimait quelqu'un d'autre le détournait de se poser cette question relative à Forcheville, la lui rendait presque indifférente, comme ces formes nouvelles d'un même état maladif qui semblent momentanément nous avoir délivrés des précédentes. Même il y avait des jours où il n'était tourmenté par aucun soupçon. Il se croyait guéri. Mais le lendemain matin, au réveil, il sentait à la même place la même douleur dont, la veille pendant la journée, il avait comme dilué la sensation dans le torrent des impressions différentes. Mais elle n'avait pas bougé de place. Et même, c'était l'acuité de cette douleur qui avait réveillé Swann.

Comme Odette ne lui donnait aucun renseignement sur ces choses si importantes qui l'occupaient tant chaque jour (bien qu'il eût assez vécu pour savoir qu'il n'y en a jamais d'autres que les plaisirs), il ne pouvait pas chercher longtemps de suite à les imaginer, son cerveau fonctionnait à vide; alors il passait son doigt sur ses paupières fatiguées comme il aurait essuyé le verre de son lorgnon, et cessait entièrement de penser. Il surnageait pourtant à cet inconnu certaines occupations qui réapparaissaient de temps en temps, vaguement rattachées par elle à quelque obligation envers des parents éloignés ou des amis d'autrefois, qui, parce qu'ils étaient les seuls qu'elle lui citait souvent comme l'empêchant de le voir, paraissaient à Swann former le cadre fixe, nécessaire, de la vie d'Odette. À cause du ton dont elle lui disait de temps à autre « le jour où je vais avec mon amie à l'Hippodrome », si, s'étant senti malade et ayant pensé : « Peut-être Odette voudrait bien passer chez moi », il se rappelait brusquement que c'était justement ce jour-là, il se disait : « Ah! non, ce n'est pas la peine de lui demander de venir, j'aurais dû y penser plus tôt, c'est le jour où elle va avec son amie à l'Hippodrome. Réservons-nous pour ce qui est possible; c'est inutile de s'user à proposer des choses inacceptables et refusées d'avance. » Et ce devoir qui incombait à Odette d'aller à l'Hippodrome et devant lequel Swann s'inclinait ainsi ne lui paraissait pas seulement inéluctable; mais ce caractère de nécessité dont il était empreint semblait rendre plausible et légitime tout ce qui de près ou de loin se rapportait à lui. Si, Odette dans la rue ayant reçu d'un passant un salut qui avait éveillé la jalousie de Swann, elle répondait aux questions de celui-ci en rattachant l'existence de l'inconnu à un des deux ou trois grands devoirs dont elle lui parlait, si, par exemple, elle disait : « C'est un monsieur qui était dans la loge de mon amie avec qui je vais à l'Hippodrome », cette explication calmait les soupçons de Swann qui en effet trouvait inévitable que l'amie eût d'autres invités qu'Odette dans sa loge à l'Hippodrome, mais n'avait jamais cherché ou réussi à se les figurer. Ah! comme il eût aimé la connaître, l'amie qui allait à l'Hippodrome, et qu'elle l'y emmenât avec Odette! Comme il aurait donné toutes ses relations pour n'importe quelle personne qu'avait l'habitude de voir Odette, fût-ce une manucure ou une demoiselle de magasin! Il eût fait pour elles plus de frais que pour des reines. Ne lui auraient-elles pas fourni, dans ce qu'elles contenaient de la vie d'Odette, le seul calmant efficace pour ses souffrances? Comme il aurait couru avec joie passer les journées chez telle de ces petites gens avec lesquelles Odette gardait des relations, soit par intérêt, soit par simplicité véritable! Comme il eût volontiers élu domicile à jamais au cinquième étage de telle maison sordide et enviée où Odette ne l'emmenait pas et où, s'il y avait habité avec la petite couturière retirée dont il eût volontiers fait semblant d'être l'amant, il aurait presque chaque jour reçu sa visite! Dans ces quartiers presque populaires, quelle existence modeste, abjecte, mais douce, mais nourrie de calme et de bonheur, il eût accepté de vivre indéfiniment!

Il arrivait encore parfois, quand, ayant rencontré Swann, elle voyait s'approcher d'elle quelqu'un qu'il ne connaissait pas, qu'il pût remarquer sur le visage d'Odette cette tristesse qu'elle avait eue le jour où il était venu pour la voir pendant que Forcheville était là. Mais c'était rare; car les jours où, malgré tout ce qu'elle avait à faire et la crainte de ce que penserait le monde, elle arrivait à voir Swann, ce qui dominait maintenant dans son attitude était l'assurance : grand contraste, peut-être revanche inconsciente ou réaction naturelle de l'émotion craintive qu'aux premiers temps où elle l'avait connu, elle éprouvait auprès de lui, et même loin de lui, quand elle commençait une lettre par ces mots : « Mon ami, ma main tremble si fort que je peux à peine écrire » (elle le prétendait du moins, et un peu de cet émoi devait être sincère pour qu'elle désirât d'en feindre davantage). Swann lui plaisait alors. On ne tremble jamais que pour soi, que pour ceux qu'on aime. Quand notre bonheur n'est plus dans leurs mains, de quel calme, de quelle aisance, de quelle hardiesse on jouit auprès d'eux! En lui parlant, en lui écrivant, elle n'avait plus de ces mots par lesquels elle cherchait à se donner l'illusion qu'il lui appartenait, faisant naître les occasions de dire « mon », « mien », quand il s'agissait de lui : « Vous êtes mon bien, c'est le parfum de notre amitié, je le garde », de lui parler de l'avenir, de la mort même, comme d'une seule chose pour eux deux. Dans ce temps-là, à tout ce qu'il disait, elle répondait avec admiration : « Vous, vous ne serez jamais comme tout le monde »; elle regardait sa longue tête un peu chauve, dont les gens qui connaissaient les succès de Swann pensaient : « Il n'est pas régulièrement beau, si vous voulez, mais il est chic : ce toupet, ce monocle, ce sourire! », et, plus curieuse peut-être de connaître ce qu'il était que désireuse d'être sa maîtresse, elle disait : « Si je pouvais savoir ce qu'il y a dans cette tête-là! » Maintenant, à toutes les paroles de Swann elle répondait d'un ton parfois irrité, parfois indulgent : « Ah! tu ne seras donc jamais comme tout le monde! » Elle regardait cette tête qui n'était qu'un peu plus vieillie par le souci (mais dont maintenant tous pensaient, en vertu de cette même aptitude qui permet de découvrir les intentions d'un morceau symphonique dont on a lu le programme, et les ressemblances d'un enfant quand on connaît sa parenté : « Il n'est pas positivement laid si vous voulez, mais il est ridicule; ce monocle, ce toupet, ce sourire! », réalisant dans leur imagination suggestionnée la démarcation immatérielle qui sépare à quelques mois de distance une tête d'amant de cœur et une tête de cocu), elle disait : « Ah! si je pouvais changer, rendre raisonnable ce qu'il y a dans cette tête-là. »

Toujours prêt à croire ce qu'il souhaitait, si seulement les manières d'être d'Odette avec lui laissaient place au doute, il se jetait avidement sur cette parole.

— Tu le peux si tu le veux, lui disait-il.

Et il tâchait de lui montrer que l'apaiser, le diriger, le faire travailler, serait une noble tâche à laquelle ne demandaient qu'à se vouer d'autres femmes qu'elle, entre les mains desquelles il est vrai d'ajouter que la noble tâche ne lui eût paru plus qu'une indiscrète et insupportable usurpation de sa liberté. « Si elle ne m'aimait pas un peu, se disait-il, elle ne souhaiterait pas de me transformer. Pour me transformer, il faudra qu'elle me voie davantage. » Ainsi trouvait-il dans ce reproche qu'elle lui faisait, comme une preuve d'intérêt, d'amour peut-être; et en effet, elle lui en donnait maintenant si peu qu'il était obligé de considérer comme telles les défenses qu'elle lui faisait d'une chose ou d'une autre. Un jour, elle lui déclara qu'elle n'aimait pas son cocher, qu'il lui montait peut-être la tête contre elle, qu'en tous cas il n'était pas avec lui de l'exactitude et de la déférence qu'elle voulait. Elle sentait qu'il désirait lui entendre dire : « Ne le prends plus pour venir chez moi », comme il aurait désiré un baiser. Comme elle était de bonne humeur, elle le lui dit; il fut attendri.

Le soir, causant avec M. de Charlus avec qui il avait la douceur de pouvoir parler d'elle ouvertement (car les moindres propos qu'il tenait, même aux personnes qui ne la connaissaient pas, se rapportaient en quelque manière à elle), il lui dit :

— Je crois pourtant qu'elle m'aime; elle est si gentille pour moi, ce que je fais ne lui est certainement pas indifférent.

Et si, au moment d'aller chez elle, montant dans sa voiture avec un ami qu'il devait laisser en route, l'autre lui disait : « Tiens, ce n'est pas Lorédan qui est sur le siège ? », avec quelle joie mélancolique Swann lui répondait :

— Oh! sapristi non! je te dirai, je ne peux pas prendre Lorédan quand je vais rue La Pérouse. Odette n'aime pas que je prenne Lorédan, elle ne le trouve pas bien pour moi; enfin que veux-tu, les femmes, tu sais! je sais que ça lui déplairait beaucoup. Ah bien oui! je n'aurais eu qu'à prendre Rémi! j'en aurais eu une histoire!

Ces nouvelles façons indifférentes, distraites, irritables, qui étaient maintenant celles d'Odette avec lui, certes Swann en souffrait; mais il ne connaissait pas sa souffrance; comme c'était progressivement, jour par jour, qu'Odette s'était refroidie à son égard, ce n'est qu'en mettant en regard de ce qu'elle était aujourd'hui ce qu'elle avait été au début, qu'il aurait pu sonder la profondeur du changement qui s'était accompli. Or ce changement c'était sa profonde, sa secrète blessure qui lui faisait mal jour et nuit, et dès qu'il sentait que ses pensées allaient un peu trop près d'elle, vivement il les dirigeait d'un autre côté de peur de trop souffrir. Il se disait bien d'une façon abstraite : « Il fut un temps où Odette m'aimait davantage », mais jamais il ne revoyait ce temps. De même qu'il y avait dans son cabinet une commode qu'il s'arrangeait à ne pas regarder, qu'il faisait un crochet pour éviter en entrant et en sortant, parce que dans un tiroir étaient serrés le chrysanthème qu'elle lui avait donné le premier soir où il l'avait reconduite, les lettres où elle disait : « Que n'y avez-vous oublié aussi votre cœur, je ne vous aurais pas laissé le reprendre » et « À quelque heure du jour et de la nuit que vous ayez besoin de moi, faites-moi signe et disposez de ma vie », de même il y avait en lui une place dont il ne laissait jamais approcher son esprit, lui faisant faire s'il le fallait le détour d'un long raisonnement pour qu'il n'eût pas à passer devant elle : c'était celle où vivait le souvenir des jours heureux.

Mais sa si précautionneuse prudence fut déjouée un soir qu'il était allé dans le monde.

C'était chez la marquise de Saint-Euverte, à la dernière, pour cette année-là, des soirées où elle faisait entendre des artistes qui lui servaient ensuite pour ses concerts de charité. Swann, qui avait voulu successivement aller à toutes les précédentes et n'avait pu s'y résoudre, avait reçu, tandis qu'il s'habillait pour se rendre à celle-ci, la visite du baron de Charlus qui venait lui offrir de retourner avec lui chez la marquise, si sa compagnie devait l'aider à s'y ennuyer un peu moins, à s'y trouver moins triste. Mais Swann lui avait répondu :

— Vous ne doutez pas du plaisir que j'aurais à être avec vous. Mais le plus grand plaisir que vous puissiez me faire, c'est d'aller plutôt voir Odette. Vous savez l'excellente influence que vous avez sur elle. Je crois qu'elle ne sort pas ce soir avant d'aller chez son ancienne couturière où, du reste, elle sera sûrement contente que vous l'accompagniez. En tous cas vous la trouveriez chez elle avant. Tâchez de la distraire et aussi de lui parler raison. Si vous pouviez arranger quelque chose pour demain qui lui plaise et que nous pourrions faire tous les trois ensemble... Tâchez aussi de poser des jalons pour cet été, si elle avait envie de quelque chose, d'une croisière que nous ferions tous les trois, que sais-je? Quant à ce soir, je ne compte pas la voir; maintenant si elle le désirait ou si vous trouviez un joint, vous n'avez qu'à m'envoyer un mot chez Mme de Saint-Euverte jusqu'à minuit, et après chez moi. Merci de tout ce que vous faites pour moi, vous savez comme je vous aime.

Le baron lui promit d'aller faire la visite qu'il désirait après qu'il l'aurait conduit jusqu'à la porte de l'hôtel Saint-Euverte, où Swann arriva tranquillisé par la pensée que M. de Charlus passerait la soirée rue La Pérouse, mais dans un état de mélancolique indifférence à toutes les choses qui ne touchaient pas Odette, et en particulier aux choses mondaines, qui leur donnait le charme de ce qui, n'étant plus un but pour notre volonté, nous apparaît en soi-même. Dès sa descente de voiture, au premier plan de ce résumé fictif de leur vie domestique que les maîtresses de maison prétendent offrir à leurs invités les jours de cérémonie et où elles cherchent à respecter la vérité du costume et celle du décor, Swann prit plaisir à voir les héritiers des « tigres » de Balzac, les grooms, suivants ordinaires de la promenade, qui, chapeautés et bottés, restaient dehors devant l'hôtel sur le sol de l'avenue, ou devant les écuries, comme des jardiniers auraient été rangés à l'entrée de leurs parterres. La disposition particulière qu'il avait toujours eue à chercher des analogies entre les êtres vivants et les portraits des musées, s'exerçait encore mais d'une façon plus constante et plus générale; c'est la vie mondaine tout entière, maintenant qu'il en était détaché, qui se présentait à lui comme une suite de tableaux. Dans le vestibule où autrefois, quand il était un mondain, il entrait enveloppé dans son pardessus pour en sortir en frac, mais sans savoir ce qui s'y était passé, étant par la pensée, pendant les quelques instants qu'il y séjournait, ou bien encore dans la fête qu'il venait de quitter, ou bien déjà dans la fête où on allait l'introduire, pour la première fois il remarqua, réveillée par l'arrivée inopinée d'un invité aussi tardif, la meute éparse, magnifique et désœuvrée des[1] grands valets de pied qui dormaient çà et là sur des banquettes et des coffres et qui, soulevant leurs nobles profils aigus de lévriers, se dressèrent et, rassemblés, formèrent le cercle autour de lui.

L'un d'eux, d'aspect particulièrement féroce et assez semblable à l'exécuteur dans certains tableaux de la Renaissance qui figurent des supplices, s'avança vers lui d'un air implacable pour lui prendre ses affaires. Mais la dureté de son regard d'acier était compensée par la douceur de ses gants de fil, si bien qu'en approchant de Swann il semblait témoigner du mépris pour sa personne et des égards pour son chapeau. Il le prit avec un soin auquel l'exactitude de sa pointure donnait quelque chose de méticuleux et une délicatesse que rendait presque touchante l'appareil de sa force. Puis il le passa à un de ses aides, nouveau et timide, qui exprimait l'effroi qu'il ressentait en roulant en tous sens des regards furieux et montrait l'agitation d'une bête captive dans les premières heures de sa domesticité.

À quelques pas, un grand gaillard en livrée rêvait,

immobile, sculptural, inutile, comme ce guerrier purement décoratif qu'on voit dans les tableaux les plus tumultueux de Mantegna, songer, appuyé sur son bouclier, tandis qu'on se précipite et qu'on s'égorge à côté de lui; détaché du groupe de ses camarades qui s'empressaient autour de Swann, il semblait aussi résolu à se désintéresser de cette scène, qu'il suivait vaguement de ses yeux glauques et cruels, que si c'eût été le massacre des Innocents ou le martyre de saint Jacques. Il semblait précisément appartenir à cette race disparue — ou qui peut-être n'exista jamais que dans le retable de San Zeno et les fresques des Eremitani où Swann l'avait approchée et où elle rêve encore — issue de la fécondation d'une statue antique par quelque modèle padouan du Maître ou quelque Saxon d'Albert Dürer. Et les mèches de ses cheveux roux crespelés par la nature, mais collés par la brillantine, étaient largement traitées comme elles sont dans la sculpture grecque qu'étudiait sans cesse le peintre de Mantoue, et qui, si dans la création elle ne figure que l'homme, sait du moins tirer de ses simples formes des richesses si variées et comme empruntées à toute la nature vivante, qu'une chevelure, par l'enroulement lisse et les becs aigus de ses boucles, ou dans la superposition du triple et fleurissant diadème de ses tresses, a l'air à la fois d'un paquet d'algues, d'une nichée de colombes, d'un bandeau de jacinthes et d'une torsade de serpents.

D'autres encore, colossaux aussi, se tenaient sur les degrés d'un escalier monumental que leur présence décorative et leur immobilité marmoréenne auraient pu faire nommer comme celui du Palais Ducal : « l'Escalier des Géants » et dans lequel Swann s'engagea avec la tristesse de penser qu'Odette ne l'avait jamais gravi. Ah! avec quelle joie au contraire il eût grimpé les étages noirs, malodorants et casse-cou de la petite couturière retirée, dans le « cinquième » de laquelle il aurait été si heureux de payer plus cher qu'une avant-scène hebdomadaire à l'Opéra le droit de passer la soirée quand Odette y venait, et même les autres jours, pour pouvoir parler d'elle, vivre avec les gens qu'elle avait l'habitude de voir quand il n'était pas là, et qui à cause de cela lui paraissaient recéler, de la vie de sa maîtresse, quelque chose de plus réel, de plus inaccessible et de plus mystérieux. Tandis que dans cet escalier pestilentiel et désiré de l'ancienne couturière, comme il n'y en avait pas un second pour le service, on voyait le soir devant chaque porte une boîte au lait vide et sale préparée sur le paillasson, dans l'escalier magnifique et dédaigné que Swann montait à ce moment, d'un côté et de l'autre, à des hauteurs différentes, devant chaque anfractuosité que faisait dans le mur la fenêtre de la loge ou la porte d'un appartement, représentant le service intérieur qu'ils dirigeaient et en faisant hommage aux invités, un concierge, un majordome, un argentier (braves gens qui vivaient le reste de la semaine un peu indépendants dans leur domaine, y dînaient chez eux comme de petits boutiquiers et seraient peut-être demain au service bourgeois d'un médecin ou d'un industriel), attentifs à ne pas manquer aux recommandations qu'on leur avait faites avant de leur laisser endosser la livrée éclatante qu'ils ne revêtaient qu'à de rares intervalles et dans laquelle ils ne se sentaient pas très à leur aise, se tenaient sous l'arcature de leur portail avec un éclat pompeux tempéré de bonhomie populaire, comme des saints dans leur niche; et un énorme suisse, habillé comme à l'église, frappait les dalles de sa canne au passage de chaque arrivant. Parvenu en haut de l'escalier le long duquel l'avait suivi un domestique à face blême, avec une petite queue de cheveux noués d'un catogan derrière la tête, comme un sacristain de Goya ou un tabellion du répertoire, Swann passa devant un bureau où des valets, assis comme des notaires devant de grands registres, se levèrent et inscrivirent son nom. Il traversa alors un petit vestibule qui — tel que certaines pièces aménagées par leur propriétaire pour servir de cadre à une seule œuvre d'art, dont elles tirent leur nom[1] et, d'une nudité voulue, ne contiennent rien d'autre — exhibait à son entrée, comme quelque précieuse effigie de Benvenuto Cellini représentant un homme de guet, un jeune valet de pied, le corps légèrement fléchi en avant, dressant sur son hausse-col rouge une figure plus rouge encore d'où s'échappaient des torrents de feu, de timidité et de zèle, et qui, perçant les tapisseries d'Aubusson tendues devant le salon où on écoutait la musique, de son regard impétueux, vigilant, éperdu, avait l'air, avec une impassibilité militaire ou une foi surnaturelle — allégorie de l'alarme, incarnation de l'attente, commémoration du branle-bas — d'épier, ange ou vigie, d'une tour de donjon ou de cathédrale, l'apparition de l'ennemi ou l'heure du Jugement. Il ne restait plus à Swann qu'à pénétrer dans la salle du concert dont un huissier chargé de chaînes lui ouvrit les portes en s'inclinant, comme il lui aurait remis les clefs d'une ville. Mais il pensait à la maison où il aurait pu se trouver en ce moment même, si Odette l'avait permis, et le souvenir entrevu d'une boîte au lait vide sur un paillasson lui serra le cœur.

Swann retrouva rapidement le sentiment de la laideur masculine, quand, au delà de la tenture de tapisserie, au spectacle des domestiques succéda celui des invités. Mais cette laideur même de visages, qu'il connaissait pourtant si bien, lui semblait neuve depuis que leurs traits — au lieu d'être pour lui des signes pratiquement utilisables à l'identification de telle personne qui lui avait représenté jusque-là un faisceau de plaisirs à poursuivre, d'ennuis à éviter, ou de politesses à rendre — reposaient, coordonnés[1] seulement par des rapports esthétiques, dans l'autonomie de leurs lignes. Et en ces hommes au milieu desquels Swann se trouva enserré, il n'était pas jusqu'aux monocles que beaucoup portaient (et qui, autrefois, auraient tout au plus permis à Swann de dire qu'ils portaient un monocle), qui, déliés maintenant de signifier une habitude, la même pour tous, ne lui apparussent chacun avec une sorte d'individualité. Peut-être parce qu'il ne regarda le général de Froberville et le marquis de Bréauté qui causaient dans l'entrée que comme deux personnages dans un tableau, alors qu'ils avaient été longtemps pour lui les amis utiles qui l'avaient présenté au Jockey et assisté dans des duels, le monocle du général, resté entre ses paupières comme un éclat d'obus dans sa figure vulgaire, balafrée et triomphale, au milieu du front qu'il éborgnait comme l'œil unique du cyclope, apparut à Swann comme une blessure monstrueuse qu'il pouvait être glorieux d'avoir reçue, mais qu'il était indécent d'exhiber; tandis que celui que M. de Bréauté ajoutait, en signe de festivité, aux gants gris perle, au « gibus », à la cravate blanche et substituait au binocle familier (comme faisait Swann lui-même) pour aller dans le monde, portait, collé à son revers, comme une préparation d'histoire naturelle sous un microscope, un regard infinitésimal et grouillant d'amabilité, qui ne cessait de sourire à la hauteur des plafonds, à la beauté des fêtes, à l'intérêt des programmes et à la qualité des rafraîchissements.

— Tiens, vous voilà, mais il y a des éternités qu'on ne vous a vu, dit à Swann le général qui, remarquant ses traits tirés et en concluant que c'était peut-être une maladie grave qui l'éloignait du monde, ajouta : « Vous avez bonne mine, vous savez! » pendant que M. de Bréauté demandait : « Comment, vous, mon cher, qu'est-ce que vous pouvez bien faire ici? » à un romancier mondain qui venait d'installer au coin de son œil un monocle, son seul organe d'investigation psychologique et d'impitoyable analyse, et répondit d'un air important et mystérieux, en roulant l'*r* :

— J'observe.

Le monocle du marquis de Forestelle était minuscule, n'avait aucune bordure et, obligeant à une crispation incessante et douloureuse l'œil où il s'incrustait comme un cartilage superflu dont la présence est inexplicable et la matière recherchée, il donnait au visage du marquis une délicatesse mélancolique, et le faisait juger par les femmes comme capable de grands chagrins d'amour. Mais celui de M. de Saint-Candé, entouré d'un gigantesque anneau, comme Saturne, était le centre de gravité d'une figure qui s'ordonnait à tout moment par rapport à lui, dont le nez frémissant et rouge et la bouche lippue et sarcastique tâchaient par leurs grimaces d'être à la hauteur des feux roulants d'esprit dont étincelait le disque de verre, et se voyait préférer aux plus beaux regards du monde par des jeunes femmes snobs et dépravées qu'il faisait rêver de charmes artificiels et d'un raffinement de volupté; et cependant, derrière le sien, M. de Palancy qui, avec sa grosse tête de carpe aux yeux ronds, se déplaçait lentement au milieu des fêtes en desserrant d'instant en instant ses mandibules comme pour chercher son orientation, avait l'air de transporter seulement avec lui un fragment accidentel, et peut-être purement symbolique, du vitrage de son aquarium, partie destinée à figurer le tout, qui rappela à Swann, grand admirateur des *Vices* et des *Vertus* de Giotto à Padoue, cet Injuste à côté duquel un rameau feuillu évoque les forêts où se cache son repaire.

Swann s'était avancé, sur l'insistance de Mme de Saint-Euverte, et pour entendre un air d'*Orphée* qu'exécutait un flûtiste, s'était mis dans un coin où il avait malheureusement comme seule perspective deux dames déjà mûres assises l'une à côté de l'autre, la marquise de Cambremer et la vicomtesse de Franquetot, lesquelles, parce qu'elles étaient cousines, passaient leur temps dans les soirées, portant leurs sacs et suivies de leurs filles, à se chercher comme dans une gare et n'étaient tranquilles que quand elles avaient marqué, par leur éventail ou leur mouchoir, deux places voisines : Mme de Cambremer, comme elle avait très peu de relations, étant d'autant plus heureuse d'avoir une compagne, Mme de Franquetot, qui était[1] au contraire très lancée, trouvant quelque chose d'élégant, d'original, à montrer à toutes ses belles connaissances qu'elle leur préférait une dame obscure avec qui elle avait en commun des souvenirs de jeunesse. Plein d'une mélancolique ironie[2], Swann les regardait écouter l'intermède de piano (« Saint François parlant aux oiseaux » de Liszt) qui avait succédé à l'air de flûte, et suivre le jeu vertigineux du virtuose, Mme de Franquetot anxieusement, les yeux éperdus comme si les touches sur lesquelles il courait avec agilité avaient été une suite de trapèzes d'où il pouvait tomber d'une hauteur de quatre-vingts mètres, et non sans lancer à sa voisine des regards d'étonnement, de dénégation qui signifiaient : « Ce n'est pas croyable, je n'aurais jamais pensé qu'un homme pût faire cela », Mme de Cambremer, en femme qui a reçu une forte éducation musicale, battant la mesure avec sa tête transformée en balancier de métronome dont l'amplitude et la rapidité d'oscillations d'une épaule à l'autre étaient devenus telles (avec cette espèce d'égarement et d'abandon du regard qu'ont les douleurs qui ne se connaissent plus ni ne cherchent à se maîtriser et disent « Que voulez-vous ! ») qu'à tout moment elle accrochait avec ses solitaires les pattes de son corsage et était obligée de redresser les raisins noirs qu'elle avait dans les cheveux, sans cesser pour cela d'accélérer le mouvement. De l'autre côté de Mme de Franquetot, mais un peu en avant, était la marquise de Gallardon, occupée à sa pensée favorite, l'alliance qu'elle avait avec les Guermantes et d'où elle tirait pour le monde et pour elle-même beaucoup de gloire avec quelque honte, les plus brillants d'entre eux la tenant un peu à l'écart, peut-être parce qu'elle était ennuyeuse, ou parce qu'elle était méchante, ou parce qu'elle était d'une branche inférieure, ou peut-être sans aucune raison. Quand elle se trouvait auprès de quelqu'un qu'elle ne connaissait pas, comme en ce moment auprès de Mme de Franquetot, elle souffrait que la conscience qu'elle avait de sa parenté avec les Guermantes ne pût se manifester extérieurement en caractères visibles comme ceux qui, dans les mosaïques des églises byzantines, placés les uns au-dessous des autres, inscrivent en une colonne verticale, à côté d'un saint personnage, les mots qu'il est censé prononcer. Elle songeait en ce moment qu'elle n'avait jamais reçu une invitation ni une visite de sa jeune cousine la princesse des Laumes, depuis six ans que celle-ci était mariée. Cette pensée la remplissait de colère, mais aussi de fierté; car, à force de dire aux personnes qui s'étonnaient de ne pas la voir chez Mme des Laumes, que c'est parce qu'elle aurait été exposée à y rencontrer la princesse Mathilde — ce que sa famille ultralégitimiste ne lui aurait jamais pardonné, — elle avait fini par croire que c'était en effet la raison pour laquelle elle n'allait pas chez sa jeune cousine. Elle se rappelait pourtant qu'elle avait demandé plusieurs fois à Mme des Laumes comment elle pourrait faire pour la rencontrer, mais ne se le rappelait que confusément et d'ailleurs neutralisait et au delà ce souvenir un peu humiliant en murmurant : « Ce n'est tout de même pas à moi à faire les premiers pas, j'ai vingt ans de plus qu'elle. » Grâce à la vertu de ces paroles intérieures, elle rejetait fièrement en arrière ses épaules détachées de son buste et sur lesquelles sa tête posée presque horizontalement faisait penser à la tête « rapportée » d'un orgueilleux faisan qu'on sert sur une table avec toutes ses plumes. Ce n'est pas qu'elle ne fût par nature courtaude, hommasse et boulotte; mais les camouflets l'avaient redressée comme ces arbres qui, nés dans une mauvaise position au bord d'un précipice, sont forcés de croître en arrière pour garder leur équilibre. Obligée, pour se consoler de ne pas être tout à fait l'égale des autres Guermantes, de se dire sans cesse que c'était par intransigeance de principes et fierté qu'elle les voyait peu, cette pensée avait fini par modeler son corps et par lui enfanter une sorte de prestance qui passait aux yeux des bourgeoises pour un signe de race et troublait quelquefois d'un désir fugitif le regard fatigué des hommes de cercle. Si on avait fait subir à la conversation de Mme de Gallardon ces analyses qui en relevant la fréquence plus ou moins grande de chaque terme permettent de découvrir la clef d'un langage chiffré, on se fût rendu compte qu'aucune expression, même la plus usuelle, n'y revenait aussi souvent que « chez mes cousins de Guermantes », « chez ma tante de Guermantes », « la santé d'Elzéar de Guermantes », « la baignoire de ma cousine de Guermantes ». Quand on lui parlait d'un personnage illustre, elle répondait que, sans le connaître personnellement, elle l'avait rencontré mille fois chez sa tante de Guermantes, mais elle répondait cela d'un ton si glacial et d'une voix si sourde qu'il était clair que, si elle ne le connaissait pas personnellement, c'était en vertu de tous les principes indéracinables et entêtés auxquels ses épaules touchaient en arrière, comme à ces échelles sur lesquelles les professeurs de gymnastique vous font étendre pour vous développer le thorax.

Or, la princesse des Laumes, qu'on ne se serait pas attendu à voir chez Mme de Saint-Euverte, venait précisément d'arriver. Pour montrer qu'elle ne cherchait pas à faire sentir dans un salon, où elle ne venait que par condescendance, la supériorité de son rang, elle était entrée en effaçant les épaules là même où il n'y avait aucune foule à fendre et personne à laisser passer, restant exprès dans le fond, de l'air d'y être à sa place, comme un roi qui fait la queue à la porte d'un théâtre tant que les autorités n'ont pas été prévenues qu'il est là; et, bornant simplement son regard — pour ne pas avoir l'air de signaler sa présence et de réclamer des égards — à la considération d'un dessin du tapis ou de sa propre jupe, elle se tenait debout à l'endroit qui lui avait paru le plus modeste (et d'où elle savait bien qu'une exclamation ravie de Mme de Saint-Euverte allait la tirer dès que celle-ci l'aurait aperçue), à côté de Mme de Cambremer qui lui était inconnue. Elle observait la mimique de sa voisine mélomane, mais ne l'imitait pas. Ce n'est pas que, pour une fois qu'elle venait passer cinq minutes chez Mme de Sainte-Euverte, la princesse des Laumes n'eût souhaité, pour que la politesse qu'elle lui faisait comptât double, de[1] se montrer le plus aimable possible. Mais par nature, elle avait horreur de ce qu'elle appelait « les exagérations » et tenait à montrer qu'elle « n'avait pas à » se livrer à des manifestations qui n'allaient pas avec le « genre » de la coterie où elle vivait, mais qui pourtant d'autre part ne laissaient pas de l'impressionner, à la faveur de cet esprit d'imitation voisin de la timidité que développe, chez les gens les plus sûrs d'eux-mêmes, l'ambiance d'un milieu nouveau, fût-il inférieur. Elle commençait à se demander si cette gesticulation n'était pas rendue nécessaire par le morceau qu'on jouait et qui ne rentrait peut-être pas dans le cadre de la musique qu'elle avait entendue jusqu'à ce jour, si s'abstenir n'était pas faire preuve d'incompréhension à l'égard de l'œuvre et d'inconvenance vis-à-vis de la maîtresse de la maison : de sorte que pour exprimer par une « cote mal taillée » ses sentiments contradictoires, tantôt elle se contentait de remonter la bride de ses épaulettes ou d'assurer dans ses cheveux blonds les petites boules de corail ou d'émail rose, givrées de diamant, qui lui faisaient une coiffure simple et charmante, en examinant avec une froide curiosité sa fougueuse voisine, tantôt de son éventail elle battait pendant un instant la mesure, mais, pour ne pas abdiquer son indépendance, à contretemps. Le pianiste ayant terminé le morceau de Liszt et ayant commencé un prélude de Chopin, Mme de Cambremer lança à Mme de Franquetot un sourire attendri de satisfaction compétente et d'allusion au passé. Elle avait appris dans sa jeunesse à caresser les phrases, au long col sinueux et démesuré, de Chopin, si libres, si flexibles, si tactiles, qui commencent par chercher et essayer leur place en dehors et bien loin de la direction de leur départ, bien loin du point où on avait pu espérer qu'atteindrait leur attouchement, et qui ne se jouent dans cet écart de fantaisie que pour revenir plus délibérément — d'un retour plus prémédité, avec plus de précision, comme sur un cristal qui résonnerait jusqu'à faire crier — vous frapper au cœur.

Vivant dans une famille provinciale qui avait peu de relations, n'allant guère au bal, elle s'était grisée dans la solitude de son manoir, à ralentir, à précipiter la danse de tous ces couples imaginaires, à les égrener comme des fleurs, à quitter un moment le bal pour entendre le vent souffler dans les sapins, au bord du lac, et à y voir tout d'un coup s'avancer, plus différent de tout ce qu'on a jamais rêvé que ne sont les amants de la terre, un mince jeune homme à la voix un peu chantante, étrangère et fausse, en gants blancs. Mais aujourd'hui la beauté démodée de cette musique semblait défraîchie. Privée depuis quelques années de l'estime des connaisseurs, elle avait perdu son honneur et son charme, et ceux mêmes dont le goût est mauvais n'y trouvaient plus qu'un plaisir inavoué et médiocre. Mme de Cambremer jeta un regard furtif derrière elle. Elle savait que sa jeune bru (pleine de respect pour sa nouvelle famille, sauf en ce qui touchait les choses de l'esprit sur lesquelles, sachant jusqu'à l'harmonie et jusqu'au grec, elle avait des lumières spéciales) méprisait Chopin et souffrait quand elle en entendait jouer. Mais loin de la surveillance de cette wagnérienne qui était plus loin avec un groupe de personnes de son âge, Mme de Cambremer se laissait aller à des impressions délicieuses. La princesse des Laumes les éprouvait aussi. Sans être par nature douée pour la musique, elle avait reçu il y a quinze ans les leçons qu'un professeur de piano du faubourg Saint-Germain, femme de génie qui avait été à la fin de sa vie réduite à la misère, avait recommencé, à l'âge de soixante-dix ans, à donner aux filles et aux petites-filles de ses anciennes élèves. Elle était morte aujourd'hui. Mais sa méthode, son beau son, renaissaient parfois sous les doigts de ses élèves, même de celles qui étaient devenues pour le reste des personnes médiocres, avaient abandonné la musique et n'ouvraient presque plus jamais un piano. Aussi Mme des Laumes put-elle secouer la tête, en pleine connaissance de cause, avec une appréciation juste de la façon dont le pianiste jouait ce prélude qu'elle savait par cœur. La fin de la phrase commencée chanta d'elle-même sur ses lèvres. Et elle murmura « C'est toujours *ch*armant », avec un double *ch* au commencement du mot qui était une marque de délicatesse et dont elle sentait ses lèvres si romanesquement froissées comme une belle fleur, qu'elle harmonisa instinctivement son regard avec elles en lui donnant à ce moment-là une sorte de sentimentalité et de vague. Cependant Mme de Gallardon était en train de se dire qu'il était fâcheux qu'elle n'eût que bien rarement l'occasion de rencontrer la princesse des Laumes, car elle souhaitait lui donner une leçon en ne répondant pas à son salut. Elle ne savait pas que sa cousine fût là. Un mouvement de tête de Mme de Franquetot la lui découvrit. Aussitôt elle se précipita vers elle en dérangeant tout le monde; mais, désireuse de garder un air hautain et glacial qui rappelât à tous qu'elle ne désirait pas avoir de relations avec une personne chez qui on pouvait se trouver nez à nez avec la princesse Mathilde et au-devant de qui elle n'avait pas à aller car elle n'était pas « sa contemporaine », elle voulut pourtant compenser cet air de hauteur et de réserve par quelque propos qui justifiât sa démarche et forçât la princesse à engager la conversation; aussi une fois arrivée près de sa cousine[1], Mme de Gallardon, avec un visage dur, une main tendue comme une carte forcée, lui dit : « Comment va ton mari ? » de la même voix soucieuse que si le prince avait été gravement malade. La princesse, éclatant d'un rire qui lui était particulier et qui était destiné à la fois à montrer aux autres qu'elle se moquait de quelqu'un et aussi à se faire paraître plus jolie en concentrant les traits de son visage autour de sa bouche animée et de son regard brillant, lui répondit :

— Mais le mieux du monde !

Et elle rit encore. Cependant tout en redressant sa taille et refroidissant sa mine, inquiète encore pourtant de l'état du prince, Mme de Gallardon dit à sa cousine :

— Oriane (ici Mme des Laumes regarda d'un air étonné et rieur un tiers invisible vis-à-vis duquel elle semblait tenir à attester qu'elle n'avait jamais autorisé Mme de Gallardon à l'appeler par son prénom), je tiendrais beaucoup à ce que tu viennes un moment demain soir chez moi entendre un quintette avec clarinette de Mozart. Je voudrais avoir ton appréciation.

Elle semblait non pas adresser une invitation, mais demander un service, et avoir besoin de l'avis de la princesse sur le quintette de Mozart, comme si ç'avait été un plat de la composition d'une nouvelle cuisinière sur les talents de laquelle il lui eût été précieux de recueillir l'opinion d'un gourmet.

— Mais je connais ce quintette, je peux te dire tout de suite... que je l'aime !

— Tu sais, mon mari n'est pas bien, son foie..., cela lui ferait grand plaisir de te voir, reprit Mme de Gallardon, faisant maintenant à la princesse une obligation de charité de paraître à sa soirée.

La princesse n'aimait pas à dire aux gens qu'elle ne voulait pas aller chez eux. Tous les jours elle écrivait son regret d'avoir été privée — par une visite inopinée de sa belle-mère, par une invitation de son beau-frère, par l'Opéra, par une partie de campagne — d'une soirée à laquelle elle n'aurait jamais songé à se rendre. Elle donnait ainsi à beaucoup de gens la joie de croire qu'elle était de leurs relations, qu'elle eût été volontiers chez eux, qu'elle n'avait été empêchée de le faire que par les contretemps princiers qu'ils étaient flattés de voir entrer en concurrence avec leur soirée. Puis, faisant partie de cette spirituelle coterie des Guermantes où survivait quelque chose de l'esprit alerte, dépouillé de lieux communs et de sentiments convenus, qui descend de Mérimée et a trouvé sa dernière expression dans le théâtre de Meilhac et Halévy, elle l'adaptait même aux rapports sociaux, le transposait jusque dans sa politesse qui s'efforçait d'être positive, précise, de se rapprocher de l'humble vérité. Elle ne développait pas longuement à une maîtresse de maison l'expression du désir qu'elle avait d'aller à sa soirée; elle trouvait plus aimable de lui exposer quelques petits faits d'où dépendrait qu'il lui fût ou non possible de s'y rendre.

— Écoute, je vais te dire, dit-elle à Mme de Gallardon, il faut demain soir que j'aille chez une amie qui m'a demandé mon jour depuis longtemps. Si elle nous emmène au théâtre, il n'y aura pas, avec la meilleure volonté, possibilité que j'aille chez toi; mais si nous restons chez elle, comme je sais que nous serons seuls, je pourrai la[1] quitter.

— Tiens, tu as vu ton ami M. Swann?

— Mais non, cet amour de Charles, je ne savais pas qu'il fût là, je vais tâcher qu'il me voie.

— C'est drôle qu'il aille même chez la mère Saint-Euverte, dit Mme de Gallardon. Oh! je sais qu'il est intelligent, ajouta-t-elle en voulant dire par là intrigant, mais cela ne fait rien, un Juif chez la sœur et la belle-sœur de deux archevêques!

— J'avoue à ma honte que je n'en suis pas choquée, dit la princesse des Laumes.

— Je sais qu'il est converti, et même déjà ses parents

et ses grands-parents. Mais on dit que les convertis restent plus attachés à leur religion que les autres, que c'est une frime, est-ce vrai ?

— Je suis sans lumières à ce sujet.

Le pianiste qui avait à jouer deux morceaux de Chopin, après avoir terminé le prélude, avait attaqué aussitôt une polonaise. Mais depuis que Mme de Gallardon avait signalé à sa cousine la présence de Swann, Chopin ressuscité aurait pu venir jouer lui-même toutes ses œuvres sans que Mme des Laumes pût y faire attention. Elle faisait partie d'une de ces deux moitiés de l'humanité chez qui la curiosité qu'a l'autre moitié pour les êtres qu'elle ne connaît pas est remplacée par l'intérêt pour les êtres qu'elle connaît. Comme beaucoup de femmes du faubourg Saint-Germain, la présence dans un endroit où elle se trouvait de quelqu'un de sa coterie, et auquel d'ailleurs elle n'avait rien de particulier à dire, accaparait exclusivement son attention aux dépens de tout le reste. À partir de ce moment, dans l'espoir que Swann la remarquerait, la princesse ne fit plus, comme une souris blanche apprivoisée à qui on tend puis on retire un morceau de sucre, que tourner sa figure, remplie de mille signes de connivence dénués de rapports avec le sentiment de la polonaise de Chopin, dans la direction où était Swann et si celui-ci changeait de place, elle déplaçait parallèlement son sourire aimanté.

— Oriane, ne te fâche pas, reprit Mme de Gallardon qui ne pouvait jamais s'empêcher de sacrifier ses plus grandes espérances sociales et d'éblouir un jour le monde, au plaisir obscur, immédiat et privé, de dire quelque chose de désagréable, il y a des gens qui prétendent que ce M. Swann, c'est quelqu'un qu'on ne peut pas recevoir chez soi, est-ce vrai ?

— Mais... tu dois bien savoir que c'est vrai, répondit la princesse des Laumes, puisque tu l'as invité cinquante fois et qu'il n'est jamais venu.

Et quittant sa cousine mortifiée, elle éclata de nouveau d'un rire qui scandalisa les personnes qui écoutaient la musique, mais attira l'attention de Mme de Saint-Euverte, restée par politesse près du piano et qui aperçut seulement alors la princesse. Mme de Saint-Euverte était d'autant plus ravie de voir Mme des Laumes qu'elle la croyait encore à Guermantes en train de soigner son beau-père malade.

— Mais comment, princesse, vous étiez là?

— Oui, je m'étais mise dans un petit coin, j'ai entendu de belles choses.

— Comment, vous êtes là depuis déjà un long moment!

— Mais oui, un très long moment qui m'a semblé très court, long seulement parce que je ne vous voyais pas.

Mme de Saint-Euverte voulut donner son fauteuil à la princesse qui répondit :

— Mais pas du tout! Pourquoi? Je suis bien n'importe où!

Et, avisant avec intention, pour mieux manifester sa simplicité de grande dame, un petit siège sans dossier :

— Tenez, ce pouf, c'est tout ce qu'il me faut. Cela me fera tenir droite. Oh! mon Dieu, je fais encore du bruit, je vais me faire conspuer.

Cependant le pianiste redoublant de vitesse, l'émotion musicale était à son comble, un domestique passait des rafraîchissements sur un plateau et faisait tinter des cuillers et, comme chaque semaine, Mme de Saint-Euverte lui faisait, sans qu'il la vît, des signes de s'en aller. Une nouvelle mariée, à qui on avait appris qu'une jeune femme ne doit pas avoir l'air blasé, souriait de plaisir, et cherchait des yeux la maîtresse de maison pour lui témoigner par son regard sa reconnaissance d'avoir « pensé à elle » pour un pareil régal. Pourtant, quoique avec plus de calme que Mme de Franquetot, ce n'est pas sans inquiétude qu'elle suivait le morceau; mais la sienne avait pour objet, au lieu du pianiste, le piano sur lequel une bougie tressautant à chaque fortissimo risquait, sinon de mettre le feu à l'abat-jour, du moins de faire des taches sur le palissandre. À la fin elle n'y tint plus et escaladant les deux marches de l'estrade sur laquelle était placé le piano, se précipita pour enlever la bobèche. Mais à peine ses mains allaient-elles la toucher que, sur un dernier accord, le morceau finit et le pianiste se leva. Néanmoins l'initiative hardie de cette jeune femme, la courte promiscuité qui en résulta entre elle et l'instrumentiste, produisirent une impression généralement favorable.

— Vous avez remarqué ce qu'a fait cette personne, princesse, dit le général de Froberville à la princesse des Laumes qu'il était venu saluer et que Mme de Saint-Euverte quitta un instant. C'est curieux. Est-ce donc une artiste ?

— Non, c'est une petite Mme de Cambremer, répondit étourdiment la princesse et elle ajouta vivement : Je vous répète ce que j'ai entendu dire, je n'ai aucune espèce de notion de qui c'est, on a dit derrière moi que c'étaient des voisins de campagne de Mme de Saint-Euverte, mais je ne crois pas que personne les connaisse. Ça doit être des « gens de la campagne » ! Du reste, je ne sais pas si vous êtes très répandu dans la brillante société qui se trouve ici, mais je n'ai pas idée du nom de toutes ces étonnantes personnes. À quoi pensez-vous qu'ils passent leur vie en dehors des soirées de Mme de Saint-Euverte ? Elle a dû les faire venir avec les musiciens, les chaises et les rafraîchissements. Avouez que ces « invités de chez Belloir » sont magnifiques. Est-ce que vraiment elle a le courage de louer ces figurants toutes les semaines ? Ce n'est pas possible !

— Ah ! Mais Cambremer, c'est un nom authentique et ancien, dit le général.

— Je ne vois aucun mal à ce que ce soit ancien, répondit sèchement la princesse, mais en tous cas ce n'est pas *euphonique,* ajouta-t-elle en détachant le mot euphonique comme s'il était entre guillemets, petite affectation de débit qui était particulière à la coterie Guermantes.

— Vous trouvez ? Elle est jolie à croquer, dit le général qui ne perdait pas Mme de Cambremer de vue. Ce n'est pas votre avis, princesse ?

— Elle se met trop en avant, je trouve que chez une si jeune femme, ce n'est pas agréable, car je ne crois pas qu'elle soit ma contemporaine, répondit Mme des Laumes (cette expression étant commune aux Gallardon et aux Guermantes).

Mais la princesse voyant que M. de Froberville continuait à regarder Mme de Cambremer, ajouta moitié par méchanceté pour celle-ci, moitié par amabilité pour le général : « Pas agréable... pour son mari ! Je regrette de ne pas la connaître puisqu'elle vous tient à cœur, je vous aurais présenté », dit la princesse qui probablement n'en aurait rien fait si elle avait connu la jeune femme. « Je vais être obligée de vous dire bonsoir, parce que c'est la fête d'une amie à qui je dois aller la souhaiter, dit-elle d'un ton modeste et vrai, réduisant la réunion mondaine à laquelle elle se rendait à la simplicité d'une cérémonie ennuyeuse, mais où il était obligatoire et touchant d'aller. D'ailleurs je dois y retrouver Basin qui, pendant que j'étais ici, est allé voir ses amis que vous connaissez[1], je crois, qui ont un nom de pont, les Iéna. »

— Ç'a été d'abord un nom de victoire, princesse, dit le général. Qu'est-ce que vous voulez, pour un vieux briscard comme moi, ajouta-t-il en ôtant son monocle pour l'essuyer, comme il aurait changé un pansement, tandis que la princesse détournait instinctivement les yeux, cette noblesse d'Empire, c'est autre chose bien entendu, mais enfin, pour ce que c'est, c'est très beau dans son genre, ce sont des gens qui en somme se sont battus en héros.

— Mais je suis pleine de respect pour les héros, dit la princesse, sur un ton légèrement ironique : si je ne vais pas avec Basin chez cette princesse d'Iéna, ce n'est pas du tout pour ça, c'est tout simplement parce que je ne les connais pas. Basin les connaît, les chérit. Oh! non, ce n'est pas ce que vous pouvez penser, ce n'est pas un flirt, je n'ai pas à m'y opposer! Du reste, pour ce que cela sert quand je veux m'y opposer! ajouta-t-elle d'une voix mélancolique, car tout le monde savait que dès le lendemain du jour où le prince des Laumes avait épousé sa ravissante cousine, il n'avait pas cessé de la tromper. Mais enfin ce n'est pas le cas, ce sont des gens qu'il a connus autrefois, il en fait ses choux gras, je trouve cela très bien. D'abord je vous dirai que rien que ce qu'il m'a dit de leur maison... Pensez que tous leurs meubles sont « Empire »!

— Mais, princesse, naturellement, c'est parce que c'est le mobilier de leurs grands-parents.

— Mais je ne vous dis pas, mais ça n'est pas moins laid pour ça. Je comprends très bien qu'on ne puisse pas avoir de jolies choses, mais au moins qu'on n'ait pas de choses ridicules. Qu'est-ce que vous voulez? je ne connais rien de plus pompier, de plus bourgeois que cet horrible style, avec ces commodes qui ont des têtes de cygnes comme des baignoires.

— Mais je crois même qu'ils ont de belles choses, ils

doivent avoir la fameuse table de mosaïque sur laquelle a été signé le traité de...

— Ah! Mais qu'ils aient des choses intéressantes au point de vue de l'histoire, je ne vous dis pas. Mais ça ne peut pas être beau... puisque c'est horrible! Moi j'ai aussi des choses comme ça que Basin a héritées des Montesquiou. Seulement elles sont dans les greniers de Guermantes où personne ne les voit. Enfin, du reste, ce n'est pas la question, je me précipiterais chez eux avec Basin, j'irais les voir même au milieu de leurs sphinx et de leur cuivre si je les connaissais, mais... je ne les connais pas! Moi, on m'a toujours dit quand j'étais petite que ce n'était pas poli d'aller chez les gens qu'on ne connaissait pas, dit-elle en prenant un ton puéril. Alors, je fais ce qu'on m'a appris. Voyez-vous ces braves gens s'ils voyaient entrer une personne qu'ils ne connaissent[1] pas? Ils me recevraient peut-être très mal! dit la princesse.

Et par coquetterie elle embellit le sourire que cette supposition lui arrachait, en donnant à son regard bleu fixé sur le général une expression rêveuse et douce.

— Ah! princesse, vous savez bien qu'ils ne se tiendraient pas de joie...

— Mais non, pourquoi? lui demanda-t-elle avec une extrême vivacité, soit pour ne pas avoir l'air de savoir que c'est parce qu'elle était une des plus grandes dames de France, soit pour avoir le plaisir de l'entendre dire au général. Pourquoi? Qu'en savez-vous? Cela leur serait peut-être tout ce qu'il y a de plus désagréable. Moi je ne sais pas, mais si j'en juge par moi, cela m'ennuie déjà tant de voir les personnes que je connais, je crois que s'il fallait voir des gens que je ne connais pas, « même héroïques », je deviendrais folle. D'ailleurs, voyons, sauf lorsqu'il s'agit de vieux amis comme vous qu'on connaît sans cela, je ne sais pas si l'héroïsme serait d'un format très portatif dans le monde. Ça m'ennuie déjà souvent de donner des dîners, mais s'il fallait offrir le bras à Spartacus pour aller à table... Non vraiment, ce ne serait jamais à Vercingétorix que je ferais signe comme quatorzième. Je sens que je le réserverais pour les grandes soirées. Et comme je n'en donne pas...

— Ah! princesse, vous n'êtes pas Guermantes pour des prunes. Le possédez-vous assez, l'esprit des Guermantes!

— Mais on dit toujours l'esprit *des* Guermantes, je n'ai jamais pu comprendre pourquoi. Vous en connaissez donc *d'autres* qui en aient, ajouta-t-elle dans un éclat de rire écumant et joyeux, les traits de son visage concentrés, accouplés dans le réseau de son animation, les yeux étincelants, enflammés d'un ensoleillement radieux de gaîté que seuls avaient le pouvoir de faire rayonner ainsi les propos, fussent-ils tenus par la princesse elle-même, qui étaient une louange de son esprit ou de sa beauté. Tenez, voilà Swann qui a l'air de saluer votre Cambremer; là... il est à côté de la mère Saint-Euverte, vous ne voyez pas! Demandez-lui de vous présenter. Mais dépêchez-vous, il cherche à s'en aller!

— Avez-vous remarqué quelle affreuse mine il a? dit le général.

— Mon petit Charles! Ah! enfin il vient, je commençais à supposer qu'il ne voulait pas me voir!

Swann aimait beaucoup la princesse des Laumes, puis sa vue lui rappelait Guermantes, terre voisine de Combray, tout ce pays qu'il aimait tant et où il ne retournait plus pour ne pas s'éloigner d'Odette. Usant des formes mi-artistes, mi-galantes, par lesquelles il savait plaire à la princesse et qu'il retrouvait tout naturellement quand il se retrempait un instant dans son ancien milieu — et voulant d'autre part pour lui-même exprimer la nostalgie qu'il avait de la campagne :

— Ah! dit-il à la cantonade, pour être entendu à la fois de Mme de Saint-Euverte à qui il parlait et de Mme des Laumes pour qui il parlait, voici la charmante princesse! Voyez, elle est venue tout exprès de Guermantes pour entendre le *Saint François d'Assise* de Liszt et elle n'a eu le temps, comme une jolie mésange, que d'aller piquer pour les mettre sur sa tête quelques petits fruits de prunier des oiseaux et d'aubépine; il y a même encore de petites gouttes de rosée, un peu de la gelée blanche qui doit faire gémir la duchesse. C'est très joli, ma chère princesse.

— Comment, la princesse est venue exprès de Guermantes? Mais c'est trop! Je ne savais pas, je suis confuse, s'écria[1] naïvement Mme de Saint-Euverte qui était peu habituée au tour d'esprit de Swann. Et examinant la coiffure de la princesse : Mais c'est vrai, cela imite... comment dirais-je, pas les châtaignes, non oh! c'est une idée ravissante! Mais comment la princesse pouvait-elle connaître mon programme! Les musiciens ne me l'ont même pas communiqué à moi.

Swann, habitué, quand il était auprès d'une femme avec qui il avait gardé des habitudes galantes de langage, de dire des choses délicates que beaucoup de gens du monde ne comprenaient pas, ne daigna pas expliquer à Mme de Saint-Euverte qu'il n'avait parlé que par métaphore. Quant à la princesse, elle se mit à rire aux éclats, parce que l'esprit de Swann était extrêmement apprécié dans sa coterie, et aussi parce qu'elle ne pouvait entendre un compliment s'adressant à elle sans lui trouver les grâces les plus fines et une irrésistible drôlerie.

— Hé bien! je suis ravie, Charles, si mes petits fruits d'aubépine vous plaisent. Pourquoi est-ce que vous saluez cette Cambremer, est-ce que vous êtes aussi son voisin de campagne?

Mme de Saint-Euverte voyant que la princesse avait l'air content de causer avec Swann s'était éloignée.

— Mais vous l'êtes vous-même, princesse.

— Moi, mais ils ont donc des campagnes partout, ces gens! Mais comme j'aimerais être à leur place!

— Ce ne sont pas les Cambremer, c'étaient ses parents à elle; elle est une demoiselle Legrandin qui venait à Combray. Je ne sais pas si vous savez que vous êtes comtesse de Combray et que le chapitre vous doit une redevance?

— Je ne sais pas ce que me doit le chapitre, mais je sais que je suis tapée de cent francs tous les ans par le curé, ce dont je me passerais. Enfin ces Cambremer ont un nom bien étonnant. Il finit juste à temps, mais il finit mal! dit-elle en riant.

— Il ne commence pas mieux, répondit Swann.

— En effet cette double abréviation!...

— C'est quelqu'un de très en colère et de très convenable qui n'a pas osé aller jusqu'au bout du premier mot.

— Mais puisqu'il ne devait pas pouvoir s'empêcher de commencer le second, il aurait mieux fait d'achever le premier pour en finir une bonne fois. Nous sommes en train de faire des plaisanteries d'un goût charmant, mon petit Charles, mais comme c'est ennuyeux de ne plus vous voir, ajouta-t-elle d'un ton câlin, j'aime tant causer avec vous. Pensez que je n'aurais même pas pu faire comprendre à cet idiot de Froberville que le nom de Cambremer était étonnant. Avouez que la vie est une chose affreuse. Il n'y a que quand je vous vois que je cesse de m'ennuyer.

Et sans doute cela n'était pas vrai. Mais Swann et la princesse avaient une même manière de juger les petites choses qui avait pour effet — à moins que ce ne fût pour cause — une grande analogie dans la façon de s'exprimer et jusque dans la prononciation. Cette ressemblance ne frappait pas parce que rien n'était plus différent que leurs deux voix. Mais si on parvenait par la pensée à ôter aux propos de Swann la sonorité qui les enveloppait, les moustaches d'entre lesquelles ils sortaient, on se rendait compte que c'étaient les mêmes phrases, les mêmes inflexions, le tour de la coterie Guermantes. Pour les choses importantes, Swann et la princesse n'avaient les mêmes idées sur rien. Mais depuis que Swann était si triste, ressentant toujours cette espèce de frisson qui précède le moment où l'on va pleurer, il avait le même besoin de parler du chagrin qu'un assassin a de parler de son crime. En entendant la princesse lui dire que la vie était une chose affreuse, il éprouva la même douceur que si elle lui avait parlé d'Odette.

— Oh! oui, la vie est une chose affreuse. Il faut que nous nous voyions, ma chère amie. Ce qu'il y a de gentil avec vous, c'est que vous n'êtes pas gaie. On pourrait passer une soirée ensemble.

— Mais je crois bien, pourquoi ne viendriez-vous pas à Guermantes, ma belle-mère serait folle de joie. Cela passe pour très laid, mais je vous dirai que ce pays ne me déplaît pas, j'ai horreur des pays « pittoresques ».

— Je crois bien, c'est admirable, répondit Swann, c'est presque trop beau, trop vivant pour moi, en ce moment; c'est un pays pour être heureux. C'est peut-être parce que j'y ai vécu, mais les choses m'y parlent tellement! Dès qu'il se lève un souffle d'air, que les blés commencent à remuer, il me semble qu'il y a quelqu'un qui va arriver, que je vais recevoir une nouvelle; et ces petites maisons au bord de l'eau... je serais bien malheureux!

— Oh! mon petit Charles, prenez garde, voilà l'affreuse Rampillon qui m'a vue, cachez-moi, rappelez-moi donc ce qui lui est arrivé, je confonds, elle a marié sa fille ou son amant, je ne sais plus; peut-être les deux... et ensemble!... Ah! non, je me rappelle, elle a été répudiée par son prince... ayez l'air de me parler, pour que cette Bérénice ne vienne pas m'inviter à dîner. Du reste, je me sauve. Écoutez, mon petit Charles, pour une fois que je vous vois, vous ne voulez pas vous laisser enlever et que je vous emmène chez la princesse de Parme qui serait tellement contente, et Basin aussi qui doit m'y rejoindre. Si on n'avait pas de vos nouvelles par Mémé... Pensez que je ne vous vois plus jamais!

Swann refusa; ayant prévenu M. de Charlus qu'en quittant de chez Mme de Saint-Euverte, il rentrerait directement chez lui, il ne se souciait pas en allant chez la princesse de Parme de risquer de manquer un mot qu'il avait tout le temps espéré se voir remettre par un domestique pendant la soirée, et que peut-être il allait trouver chez son concierge. « Ce pauvre Swann, dit ce soir-là Mme des Laumes à son mari, il est toujours gentil, mais il a l'air bien malheureux. Vous le verrez, car il a promis de venir dîner un de ces jours. Je trouve ridicule au fond qu'un homme de son intelligence souffre pour une personne de ce genre et qui n'est même pas intéressante, car on la dit idiote », ajouta-t-elle[1] avec la sagesse des gens non amoureux, qui trouvent qu'un homme d'esprit ne devrait être malheureux que pour une personne qui en valût la peine; c'est à peu près comme s'étonner qu'on daigne souffrir du choléra par le fait d'un être aussi petit que le bacille virgule.

Swann voulait partir, mais au moment où il allait enfin s'échapper, le général de Froberville lui demanda à connaître Mme de Cambremer et il fut obligé de rentrer avec lui dans le salon pour la chercher.

— Dites donc, Swann, j'aimerais mieux être le mari de cette femme-là que d'être massacré par les sauvages, qu'en dites-vous?

Ces mots « massacré par les sauvages » percèrent douloureusement le cœur de Swann; aussitôt il éprouva le besoin de continuer la conversation avec le général :

— Ah! lui dit-il, il y a eu de bien belles vies qui ont fini de cette façon... Ainsi vous savez... ce navigateur dont Dumont d'Urville ramena les cendres, La Pérouse... (et Swann était déjà heureux comme s'il avait parlé d'Odette). C'est un beau caractère et qui m'intéresse beaucoup que celui de La Pérouse, ajouta-t-il d'un air mélancolique.

— Ah! parfaitement, La Pérouse, dit le général. C'est un nom connu. Il a sa rue.

— Vous connaissez quelqu'un rue La Pérouse? demanda Swann d'un air agité.

— Je ne connais que Mme de Chanlivault, la sœur de ce brave Chaussepierre. Elle nous a donné une jolie soirée de comédie l'autre jour. C'est un salon qui sera un jour très élégant, vous verrez!

— Ah! elle demeure rue La Pérouse. C'est sympathique, c'est une jolie rue, si triste.

— Mais non, c'est que vous n'y êtes pas allé depuis quelque temps; ce n'est plus triste, cela commence à se construire, tout ce quartier-là.

Quand enfin Swann présenta[1] M. de Froberville à la jeune Mme de Cambremer, comme c'était la première fois qu'elle entendait le nom du général, elle esquissa le sourire de joie et de surprise qu'elle aurait eu si on n'en avait jamais prononcé devant elle d'autre que celui-là, car ne connaissant pas les amis de sa nouvelle famille, à chaque personne qu'on lui amenait, elle croyait que c'était l'un d'eux, et pensant qu'elle faisait preuve de tact en ayant l'air d'en avoir tant entendu parler depuis qu'elle était mariée, elle tendait la main d'un air hésitant destiné à prouver la réserve apprise qu'elle avait à vaincre et la sympathie spontanée qui réussissait à en triompher. Aussi ses beaux-parents, qu'elle croyait encore les gens les plus brillants de France, déclaraient-ils qu'elle était un ange; d'autant plus qu'ils préféraient paraître, en la faisant épouser à leur fils, avoir cédé à l'attrait plutôt de ses qualités que de sa grande fortune.

— On voit que vous êtes musicienne dans l'âme, Madame, lui dit le général, en faisant inconsciemment allusion à l'incident de la bobèche.

Mais le concert recommença et Swann comprit qu'il ne pourrait pas s'en aller avant la fin de ce nouveau numéro du programme. Il souffrait de rester enfermé au milieu de ces gens dont la bêtise et les ridicules le frappaient d'autant plus douloureusement qu'ignorant son amour, incapables, s'ils l'avaient connu, de s'y intéresser et de faire autre chose que d'en sourire comme d'un enfantillage ou de le[2] déplorer comme une folie, ils le lui faisaient apparaître sous l'aspect d'un état subjectif qui n'existait que pour lui, dont rien d'extérieur ne lui affirmait la réalité; il souffrait surtout, et au point que même le son des instruments lui donnait envie de crier, de prolonger son exil dans ce lieu où Odette ne viendrait jamais, où personne, où rien ne la connaissait, d'où elle était entièrement absente.

Mais tout à coup ce fut comme si elle était entrée, et cette apparition lui fut une si déchirante souffrance qu'il dut porter la main à son cœur. C'est que le violon était monté à des notes hautes où il restait comme pour une attente, une attente qui se prolongeait sans qu'il cessât de les tenir, dans l'exaltation où il était d'apercevoir déjà l'objet de son attente qui s'approchait, et avec un effort désespéré pour tâcher de durer jusqu'à son arrivée, de l'accueillir avant d'expirer, de lui maintenir encore un moment de toutes ses dernières forces le chemin ouvert pour qu'il pût passer, comme on soutient une porte qui sans cela retomberait. Et avant que Swann eût eu le temps de comprendre, et de se dire : « C'est la petite phrase de la sonate de Vinteuil, n'écoutons pas ! » tous ses souvenirs du temps où Odette était éprise de lui, et qu'il avait réussi jusqu'à ce jour à maintenir invisibles dans les profondeurs de son être, trompés par ce brusque rayon du temps d'amour qu'ils crurent revenu, s'étaient réveillés et, à tire-d'aile, étaient remontés lui chanter éperdument, sans pitié pour son infortune présente, les refrains oubliés du bonheur.

Au lieu des expressions abstraites « temps où j'étais heureux », « temps où j'étais aimé », qu'il avait souvent prononcées jusque-là et sans trop souffrir, car son intelligence n'y avait enfermé du passé que de prétendus extraits qui n'en conservaient rien, il retrouva tout ce qui de ce bonheur perdu avait fixé à jamais la spécifique et volatile essence; il revit tout, les pétales neigeux et frisés du chrysanthème qu'elle lui avait jeté dans sa voiture, qu'il avait gardé contre ses lèvres — l'adresse en relief de la « Maison Dorée » sur la lettre où il avait lu : « Ma main tremble si fort en vous écrivant » — le rapprochement de ses sourcils quand elle lui avait dit d'un air suppliant : « Ce n'est pas dans trop longtemps que vous me ferez signe ? »; il sentit l'odeur du fer du coiffeur par lequel il se faisait relever sa « brosse » pendant que Lorédan allait chercher la petite ouvrière, les pluies d'orage qui tombèrent si souvent ce printemps-là, le retour glacial dans sa victoria, au clair de lune, toutes les mailles d'habitudes mentales, d'impressions saisonnières, de réactions[1] cutanées, qui avaient étendu sur une suite de semaines un réseau uniforme dans lequel son corps se trouvait repris. À ce moment-là, il satisfaisait une curiosité voluptueuse en connaissant les plaisirs des gens qui vivent par l'amour. Il avait cru qu'il pourrait s'en tenir là, qu'il ne serait pas obligé d'en apprendre les douleurs; comme maintenant le charme d'Odette lui était peu de chose auprès de cette formidable terreur qui le prolongeait comme un trouble halo, cette immense angoisse de ne pas savoir à tous moments ce qu'elle avait fait, de ne pas la posséder partout et toujours! Hélas, il se rappela l'accent dont elle s'était écriée : « Mais je pourrai toujours vous voir, je suis toujours libre! » elle qui ne l'était plus jamais! l'intérêt, la curiosité qu'elle avait eus pour sa vie à lui, le désir passionné qu'il lui fît la faveur — redoutée au contraire par lui en ce temps-là comme une cause d'ennuyeux dérangements — de l'y laisser pénétrer; comme elle avait été obligée de le prier pour qu'il se laissât mener chez les Verdurin; et quand il la faisait venir chez lui une fois par mois, comme il avait fallu, avant qu'il se laissât fléchir, qu'elle lui répétât le délice que serait cette habitude de se voir tous les jours dont elle rêvait, alors qu'elle ne lui[2] semblait à lui qu'un fastidieux tracas, puis qu'elle avait prise en dégoût et définitivement rompue, pendant qu'elle était devenue pour lui un si invincible et si douloureux besoin. Il ne savait pas dire si vrai quand, à la troisième fois qu'il l'avait vue, comme elle lui répétait : « Mais pourquoi ne me laissez-vous pas venir plus souvent? », il lui avait dit en riant, avec galanterie : « par peur de souffrir ». Maintenant, hélas! il arrivait encore parfois qu'elle lui écrivît d'un restaurant ou d'un hôtel sur du papier qui en portait le nom imprimé; mais c'était comme des lettres de feu qui le brûlaient. « C'est écrit de l'hôtel Vouillemont? Qu'y peut-elle être allée faire? avec qui? que s'y est-il passé? » Il se rappela les becs de gaz qu'on éteignait boulevard des Italiens, quand il l'avait rencontrée contre tout espoir parmi les ombres errantes, dans cette nuit qui lui avait semblé presque surnaturelle et qui en effet

— nuit d'un temps où il n'avait même pas à se demander s'il ne la contrarierait pas en la cherchant, en la retrouvant, tant il était sûr qu'elle n'avait pas de plus grande joie que de le voir et de rentrer avec lui — appartenait bien à un monde mystérieux où on ne peut jamais revenir quand les portes s'en sont refermées. Et Swann aperçut, immobile en face de ce bonheur revécu, un malheureux qui lui fit pitié parce qu'il ne le reconnut pas tout de suite, si bien qu'il dut baisser les yeux pour qu'on ne vît pas qu'ils étaient pleins de larmes. C'était lui-même.

Quand il l'eut compris, sa pitié cessa, mais il fut jaloux de l'autre lui-même qu'elle avait aimé, il fut jaloux de ceux dont il s'était dit souvent sans trop souffrir « elle les aime peut-être », maintenant qu'il avait échangé l'idée vague d'aimer, dans laquelle il n'y a pas d'amour, contre les pétales du chrysanthème et l'« en-tête » de la Maison d'Or, qui, eux, en étaient pleins. Puis sa souffrance devenant trop vive, il passa sa main sur son front, laissa tomber son monocle, en essuya le verre. Et sans doute, s'il s'était vu à ce moment-là, il eût ajouté à la collection de ceux qu'il avait distingués, le monocle qu'il déplaçait comme une pensée importune et sur la face embuée duquel, avec un mouchoir, il cherchait à effacer des soucis.

Il y a dans le violon — si, ne voyant pas l'instrument, on ne peut pas rapporter ce qu'on entend à son image, laquelle modifie la sonorité — des accents qui lui sont si communs avec certaines voix de contralto, qu'on a l'illusion qu'une chanteuse s'est ajoutée au concert. On lève les yeux, on ne voit que les étuis, précieux comme des boîtes chinoises, mais, par moments, on est encore trompé par l'appel décevant de la sirène; parfois aussi on croit entendre un génie captif qui se débat au fond de la docte boîte, ensorcelée et frémissante, comme un diable dans un bénitier; parfois enfin, c'est, dans l'air, comme un être surnaturel et pur qui passe en déroulant son message invisible.

Comme si les instrumentistes, beaucoup moins jouaient la petite phrase qu'ils n'exécutaient les rites exigés d'elle pour qu'elle apparût, et procédaient aux incantations nécessaires pour obtenir et prolonger quelques instants le prodige de son évocation, Swann, qui ne pouvait pas plus la voir que si elle avait appartenu à un monde ultra-violet, et qui goûtait comme le rafraîchissement d'une métamorphose dans la cécité momentanée dont il était frappé en approchant d'elle, Swann la sentait présente, comme une déesse protectrice et confidente de son amour, et qui pour pouvoir arriver jusqu'à lui devant la foule et l'emmener à l'écart pour lui parler, avait revêtu le déguisement de cette apparence sonore. Et tandis qu'elle passait, légère, apaisante et murmurée comme un parfum, lui disant ce qu'elle avait à lui dire et dont il scrutait tous les mots, regrettant de les voir s'envoler si vite, il faisait involontairement avec ses lèvres le mouvement de baiser au passage le corps harmonieux et fuyant. Il ne se sentait plus exilé et seul puisque, elle, qui s'adressait à lui, lui parlait à mi-voix d'Odette. Car il n'avait plus comme autrefois l'impression qu'Odette et lui n'étaient pas connus de la petite phrase. C'est que si souvent elle avait été témoin de leurs joies! Il est vrai que souvent aussi elle l'avait averti de leur fragilité. Et même, alors que dans ce temps-là il devinait de la souffrance dans son sourire, dans son intonation limpide et désenchantée, aujourd'hui il y trouvait plutôt la grâce d'une résignation presque gaie. De ces chagrins dont elle lui parlait autrefois et qu'il la voyait, sans qu'il fût atteint par eux, entraîner en souriant dans son cours sinueux et rapide, de ces chagrins qui maintenant étaient devenus les siens sans qu'il eût l'espérance d'en être jamais délivré, elle semblait lui dire comme jadis de son bonheur : « Qu'est-ce cela? tout cela n'est rien. » Et la pensée de Swann se porta pour la première fois dans un élan de pitié et de tendresse vers ce Vinteuil, vers ce frère inconnu et sublime qui lui aussi avait dû tant souffrir; qu'avait pu être sa vie? au fond de quelles douleurs avait-il puisé cette force de dieu, cette puissance illimitée de créer? Quand c'était la petite phrase qui lui parlait de la vanité de ses souffrances, Swann trouvait de la douceur à cette même sagesse qui tout à l'heure pourtant lui avait paru intolérable, quand il croyait la lire dans les visages des indifférents qui considéraient son amour comme une divagation sans importance. C'est que la petite phrase, au contraire, quelque opinion qu'elle pût avoir sur la brève durée de ces états de l'âme, y voyait quelque chose, non pas comme faisaient tous ces gens, de moins sérieux que la vie positive, mais au contraire de si supérieur à elle que seul il valait la peine d'être exprimé. Ces charmes d'une tristesse intime, c'était eux qu'elle essayait d'imiter, de recréer, et jusqu'à leur essence qui est pourtant d'être incommunicables et de sembler frivoles à tout autre qu'à celui qui les éprouve, la petite phrase l'avait captée, rendue visible. Si bien qu'elle faisait confesser leur prix et goûter leur douceur divine, par tous ces mêmes assistants — si seulement ils étaient un peu musiciens — qui ensuite les méconnaîtraient dans la vie, en chaque amour particulier qu'ils verraient naître près d'eux. Sans doute la forme sous laquelle elle les avait codifiés ne pouvait pas se résoudre en raisonnements. Mais depuis plus d'une année que, lui révélant à lui-même bien des richesses de son âme, l'amour de la musique était, pour quelque temps au moins, né en lui, Swann tenait les motifs musicaux pour de véritables idées, d'un autre monde, d'un autre ordre, idées voilées de ténèbres, inconnues, impénétrables à l'intelligence, mais qui n'en sont pas moins parfaitement distinctes les unes des autres, inégales entre elles de valeur et de signification. Quand après la soirée Verdurin, se faisant rejouer la petite phrase, il avait cherché à démêler comment à la façon d'un parfum, d'une caresse, elle le circonvenait, elle l'enveloppait, il s'était rendu compte que c'était au faible écart entre les cinq notes qui la composaient et au rappel constant de deux d'entre elles qu'était due cette impression de douceur rétractée et frileuse; mais en réalité il savait qu'il raisonnait ainsi non sur la phrase elle-même, mais sur de simples valeurs, substituées pour la commodité de son intelligence à la mystérieuse entité qu'il avait perçue, avant de connaître les Verdurin, à cette soirée où il avait entendu pour la première fois la sonate. Il savait que le souvenir même du piano faussait encore le plan dans lequel il voyait les choses de la musique, que le champ ouvert au musicien n'est pas un clavier mesquin de sept notes, mais un clavier incommensurable, encore presque tout entier inconnu, où seulement çà et là, séparées par d'épaisses ténèbres inexplorées, quelques-unes des millions de touches de tendresse, de passion, de courage, de sérénité, qui le composent, chacune aussi différente des autres qu'un univers d'un autre univers, ont été découvertes par quelques grands artistes qui nous rendent le service, en éveillant en nous le correspondant du thème qu'ils ont trouvé, de nous montrer quelle richesse, quelle variété, cache à notre insu cette grande nuit impénétrée et décourageante de notre âme que nous prenons pour du vide et pour du néant. Vinteuil avait été l'un de ces musiciens. En sa petite phrase, quoiqu'elle présentât à la raison une surface obscure, on sentait un contenu si consistant, si explicite, auquel elle donnait une force si nouvelle, si originale, que ceux qui l'avaient entendue la conservaient en eux de plain-pied avec les idées de l'intelligence. Swann s'y reportait comme à une conception de l'amour et du bonheur dont immédiatement il savait aussi bien en quoi elle était particulière, qu'il le savait pour *la Princesse de Clèves* ou pour *René,* quand leur nom se présentait à sa mémoire. Même quand il ne pensait pas à la petite phrase, elle existait latente dans son esprit au même titre que certaines autres notions sans équivalent, comme la notion de lumière, de son, de relief, de volupté physique[1], qui sont les riches possessions dont se diversifie et se pare notre domaine intérieur. Peut-être les perdrons-nous, peut-être s'effaceront-elles, si nous retournons au néant. Mais tant que nous vivons, nous ne pouvons pas plus faire que nous ne les ayons connues que nous ne le pouvons pour quelque objet réel, que nous ne pouvons par exemple douter de la lumière de la lampe qu'on allume devant les objets métamorphosés de notre chambre d'où s'est échappé jusqu'au souvenir de l'obscurité. Par là, la phrase de Vinteuil avait, comme tel thème de *Tristan* par exemple, qui nous représente aussi une certaine acquisition sentimentale, épousé notre condition mortelle, pris quelque chose d'humain qui était assez touchant. Son sort était lié à l'avenir, à la réalité de notre âme dont elle était un des ornements les plus particuliers, les mieux différenciés. Peut-être est-ce le néant qui est le vrai et tout notre rêve est-il inexistant, mais alors nous sentons qu'il faudra que ces phrases musicales, ces notions qui existent par rapport à lui, ne soient rien non plus. Nous périrons, mais nous avons pour otages ces captives divines qui suivront notre chance. Et la mort avec elles a quelque chose de moins amer, de moins inglorieux, peut-être de moins probable.

Swann n'avait donc pas tort de croire que la phrase

de la sonate existât réellement. Certes, humaine à ce point de vue, elle appartenait pourtant à un ordre de créatures surnaturelles et que nous n'avons jamais vues, mais que malgré cela[1] nous reconnaissons avec ravissement quand quelque explorateur de l'invisible arrive à en capter une, à l'amener, du monde divin où il a accès, briller quelques instants au-dessus du nôtre. C'est ce que Vinteuil avait fait pour la petite phrase. Swann sentait que le compositeur s'était contenté, avec ses instruments de musique, de la dévoiler, de la rendre visible, d'en suivre et d'en respecter le dessin d'une main si tendre, si prudente, si délicate et si sûre que le son s'altérait à tout moment, s'estompant pour indiquer une ombre, revivifié quand il lui fallait suivre à la piste un plus hardi contour. Et une preuve que Swann ne se trompait pas quand il croyait à l'existence réelle de cette phrase, c'est que tout amateur un peu fin se fût tout de suite aperçu de l'imposture, si Vinteuil, ayant eu moins de puissance pour en voir et en rendre les formes, avait cherché à dissimuler, en ajoutant çà et là des traits de son cru, les lacunes de sa vision ou les défaillances de sa main.

Elle avait disparu. Swann savait qu'elle reparaîtrait à la fin du dernier mouvement, après tout un long morceau que le pianiste de Mme Verdurin sautait toujours. Il y avait là d'admirables idées que Swann n'avait pas distinguées à la première audition et qu'il percevait maintenant, comme si elles se fussent, dans le vestiaire de sa mémoire, débarrassées du déguisement uniforme de la nouveauté. Swann écoutait tous les thèmes épars qui entreraient dans la composition de la phrase, comme les prémisses dans la conclusion nécessaire, il assistait à sa genèse. « O audace aussi géniale peut-être, se disait-il, que celle d'un Lavoisier, d'un Ampère, l'audace d'un Vinteuil expérimentant, découvrant les lois secrètes d'une force inconnue, menant à travers l'inexploré, vers le seul but possible, l'attelage invisible auquel il se fie et qu'il n'apercevra jamais! » Le beau dialogue que Swann entendit entre le piano et le violon au commencement du dernier morceau! La suppression des mots humains, loin d'y laisser régner la fantaisie, comme on aurait pu croire, l'en avait éliminée; jamais le langage parlé ne fut si inflexiblement nécessité, ne connut à ce point la pertinence des questions, l'évidence des réponses. D'abord le piano solitaire se plaignit, comme un oiseau abandonné de sa compagne; le violon l'entendit, lui répondit comme d'un arbre voisin. C'était comme au commencement du monde, comme s'il n'y avait encore eu qu'eux deux sur la terre, ou plutôt dans ce monde fermé à tout le reste, construit par la logique d'un créateur et où ils ne seraient jamais que tous les deux : cette sonate. Est-ce un oiseau, est-ce l'âme incomplète encore de la petite phrase, est-ce une fée, cet être[1] invisible et gémissant dont le piano ensuite redisait tendrement la plainte? Ses cris étaient si soudains que le violoniste devait se précipiter sur son archet pour les recueillir. Merveilleux oiseau! le violoniste semblait vouloir le charmer, l'apprivoiser, le capter. Déjà il avait passé dans son âme, déjà la petite phrase évoquée agitait comme celui d'un médium le corps vraiment possédé du violoniste. Swann savait qu'elle allait parler une fois encore. Et il s'était si bien dédoublé que l'attente de l'instant imminent où il allait se retrouver en face d'elle le secoua d'un de ces sanglots qu'un beau vers ou une triste nouvelle provoquent en nous, non pas quand nous sommes seuls, mais si nous les apprenons à des amis en qui nous nous apercevons comme un autre dont l'émotion probable les attendrit. Elle reparut, mais cette fois pour se suspendre dans l'air et se jouer un instant seulement, comme immobile, et pour expirer après. Aussi Swann ne perdait-il rien du temps si court où elle se prorogeait. Elle était encore là comme une bulle irisée qui se soutient. Tel un arc-en-ciel, dont l'éclat faiblit, s'abaisse, puis se relève et, avant de s'éteindre, s'exalte un moment comme il n'avait pas encore fait : aux deux couleurs qu'elle avait jusque-là laissé paraître, elle ajouta d'autres cordes diaprées, toutes celles du prisme, et les fit chanter. Swann n'osait pas bouger et aurait voulu faire tenir tranquilles aussi les autres personnes, comme si le moindre mouvement avait pu compromettre le prestige surnaturel, délicieux et fragile qui était si près de s'évanouir. Personne, à dire vrai, ne songeait à parler. La parole ineffable d'un seul absent, peut-être d'un mort (Swann ne savait pas si Vinteuil vivait encore), s'exhalant au-dessus des rites de ces officiants, suffisait à tenir en échec l'attention de trois cents personnes, et faisait de cette estrade où une âme était ainsi évoquée un des plus nobles autels où pût[2] s'accomplir une cérémonie surnaturelle. De sorte que, quand la phrase se fut enfin défaite, flottant en lambeaux dans les motifs suivants qui déjà avaient pris sa place, si Swann au premier instant fut irrité de voir la comtesse de Monteriender, célèbre par ses naïvetés, se pencher vers lui pour lui confier ses impressions avant même que la sonate fût finie, il ne put s'empêcher de sourire, et peut-être de trouver aussi un sens profond qu'elle n'y voyait pas, dans les mots dont elle se servit. Émerveillée par la virtuosité des exécutants, la comtesse s'écria en s'adressant à Swann : « C'est prodigieux, je n'ai jamais rien vu d'aussi fort... » Mais un scrupule d'exactitude lui faisant corriger cette première assertion, elle ajouta cette réserve : « rien d'aussi fort... depuis les tables tournantes ! »

À partir de cette soirée, Swann comprit que le sentiment qu'Odette avait eu pour lui ne renaîtrait jamais, que ses espérances de bonheur ne se réaliseraient plus. Et les jours où par hasard elle avait encore été gentille et tendre avec lui, si elle avait eu quelque attention, il notait ces signes apparents et menteurs d'un léger retour vers lui, avec cette sollicitude attendrie et sceptique, cette joie désespérée de ceux qui, soignant un ami arrivé aux derniers jours d'une maladie incurable, relatent comme des faits précieux : « Hier, il a fait ses comptes lui-même et c'est lui qui a relevé une erreur d'addition que nous avions faite ; il a mangé un œuf avec plaisir, s'il le digère bien on essaiera demain d'une côtelette », quoiqu'ils les sachent dénués de signification à la veille d'une mort inévitable. Sans doute Swann était certain que s'il avait vécu maintenant loin d'Odette, elle aurait fini par lui devenir indifférente, de sorte qu'il aurait été content qu'elle quittât Paris pour toujours ; il aurait eu le courage de rester ; mais il n'avait pas celui de partir.

Il en avait eu souvent la pensée. Maintenant qu'il s'était remis à son étude sur Ver Meer, il aurait eu besoin de retourner au moins quelques jours à la Haye, à Dresde, à Brunswick. Il était persuadé qu'une « Toilette de Diane » qui avait été achetée par le Mauritshuis à la vente Goldschmidt comme un Nicolas Maes, était en réalité de Ver Meer. Et il aurait voulu pouvoir étudier le tableau sur place pour étayer sa conviction. Mais quitter Paris pendant qu'Odette y était et même quand elle était absente — car dans des lieux nouveaux où les sensations ne sont pas amorties par l'habitude, on retrempe, on ranime une douleur — c'était pour lui un projet si cruel qu'il ne se sentait capable d'y penser sans cesse que parce qu'il se savait résolu à ne l'exécuter jamais. Mais il arrivait qu'en dormant l'intention du voyage renaissait en lui — sans qu'il se rappelât que ce voyage était impossible — et elle s'y réalisait. Un jour il rêva qu'il partait pour un an; penché à la portière du wagon vers un jeune homme qui sur le quai lui disait adieu en pleurant, Swann cherchait à le convaincre de partir avec lui. Le train s'ébranlant, l'anxiété le réveilla, il se rappela qu'il ne partait pas, qu'il verrait Odette ce soir-là, le lendemain et presque chaque jour. Alors, encore tout ému de son rêve, il bénit les circonstances particulières qui le rendaient indépendant, grâce auxquelles il pouvait rester près d'Odette, et aussi réussir à ce qu'elle lui permît de la voir quelquefois; et, récapitulant tous ces avantages : sa situation, — sa fortune, dont elle avait souvent trop besoin pour ne pas reculer devant une rupture (ayant même, disait-on, une arrière-pensée de se faire épouser par lui), — cette amitié de M. de Charlus qui à vrai dire ne lui avait jamais fait obtenir grand'chose d'Odette, mais lui donnait la douceur de sentir qu'elle entendait parler de lui d'une manière flatteuse par cet ami commun pour qui elle avait une si grande estime, — et jusqu'à son intelligence enfin, qu'il employait tout entière à combiner chaque jour une intrigue nouvelle qui rendît sa présence sinon agréable, du moins nécessaire à Odette, — il songea à ce qu'il serait devenu si tout cela lui avait manqué, il songea que s'il avait été, comme tant d'autres, pauvre, humble, dénué, obligé d'accepter toute besogne, ou lié à des parents, à une épouse, il aurait pu être obligé de quitter Odette, que ce rêve dont l'effroi était encore si proche aurait pu être vrai, et il se dit : « On ne connaît pas son bonheur. On n'est jamais aussi malheureux qu'on croit. » Mais il compta que cette existence durait déjà depuis plusieurs années, que tout ce qu'il pouvait espérer c'est qu'elle durât toujours, qu'il sacrifierait ses travaux, ses plaisirs, ses amis, finalement toute sa vie à l'attente quotidienne d'un rendez-vous qui ne pouvait rien lui apporter d'heureux, et il se demanda s'il ne se trompait pas, si ce qui avait favorisé sa liaison et en avait empêché la rupture n'avait pas desservi sa destinée, si l'événement désirable, ce n'aurait pas été celui dont il se réjouissait tant qu'il n'eût eu lieu qu'en rêve : son départ; il se dit qu'on ne connaît pas son malheur, qu'on n'est jamais si heureux qu'on croit.

Quelquefois il espérait qu'elle mourrait sans souffrances dans un accident, elle qui était dehors, dans les rues, sur les routes, du matin au soir. Et comme elle revenait saine et sauve, il admirait que le corps humain fût si souple et si fort, qu'il pût continuellement tenir en échec, déjouer tous les périls qui l'environnent (et que Swann trouvait innombrables depuis que son secret désir les avait supputés) et permît ainsi aux êtres de se livrer chaque jour et à peu près impunément à leur œuvre de mensonge, à la poursuite du plaisir. Et Swann sentait bien près de son cœur ce Mahomet II dont il aimait le portrait par Bellini et qui, ayant senti qu'il était devenu amoureux fou d'une de ses femmes, la poignarda afin, dit naïvement son biographe vénitien, de retrouver sa liberté d'esprit. Puis il s'indignait de ne penser ainsi[1] qu'à soi, et les souffrances qu'il avait éprouvées lui semblaient ne mériter aucune pitié puisque lui-même faisait si bon marché de la vie d'Odette.

Ne pouvant se séparer d'elle sans retour, du moins, s'il l'avait vue sans séparations, sa douleur aurait fini par s'apaiser et peut-être son amour par s'éteindre. Et du moment qu'elle ne voulait pas quitter Paris à jamais, il eût souhaité qu'elle ne le quittât jamais. Du moins comme il savait que la seule grande absence qu'elle faisait était tous les ans celle d'août et septembre, il avait le loisir plusieurs mois d'avance d'en dissoudre l'idée amère dans tout le Temps à venir qu'il portait en lui par anticipation et qui, composé de jours homogènes aux jours actuels, circulait transparent et froid en son esprit où il entretenait la tristesse, mais sans lui causer de trop vives souffrances. Mais cet avenir intérieur, ce fleuve incolore et libre, voici qu'une seule parole d'Odette venait l'atteindre jusqu'en Swann et, comme un morceau de glace, l'immobilisait, durcissait sa fluidité, le faisait geler tout entier; et Swann s'était senti soudain rempli d'une masse énorme et infrangible qui pesait sur les parois intérieures de son être jusqu'à le faire éclater : c'est qu'Odette lui avait dit, avec un regard souriant et sournois qui l'observait : « Forcheville va faire un beau voyage, à la Pentecôte. Il va en Égypte », et Swann avait aussitôt compris que cela signifiait : « Je vais aller en Égypte à la Pentecôte avec Forcheville. » Et en effet, si quelques jours après, Swann lui disait : « Voyons, à propos de ce voyage que tu m'as dit que tu ferais avec Forcheville », elle répondait étourdiment : « Oui, mon petit, nous partons le 19, on t'enverra une vue des Pyramides. » Alors il voulait apprendre si elle était la maîtresse de Forcheville, le lui demander à elle-même. Il savait que, superstitieuse comme elle était, il y avait certains parjures qu'elle ne ferait pas, et puis la crainte, qui l'avait retenu jusqu'ici, d'irriter Odette en l'interrogeant, de se faire détester d'elle, n'existait plus maintenant qu'il avait perdu tout espoir d'en être jamais aimé.

Un jour, il reçut une lettre anonyme qui lui disait qu'Odette avait été la maîtresse d'innombrables hommes (dont on lui citait quelques-uns, parmi lesquels Forcheville, M. de Bréauté et le peintre), de femmes, et qu'elle fréquentait les maisons de passe. Il fut tourmenté de penser qu'il y avait parmi ses amis un être capable de lui avoir adressé cette lettre (car par certains détails elle révélait chez celui qui l'avait écrite une connaissance familière de la vie de Swann). Il chercha qui cela pouvait être. Mais il n'avait jamais eu aucun soupçon des actions inconnues des êtres, de celles qui sont sans liens visibles avec leurs propos. Et quand il voulut savoir si c'était plutôt sous le caractère apparent de M. de Charlus, de M. des Laumes, de M. d'Orsan, qu'il devait situer la région inconnue où cet acte ignoble avait dû naître, comme aucun de ces hommes[1] n'avait jamais approuvé devant lui les lettres anonymes et que tout ce qu'ils lui avaient dit impliquait qu'ils les réprouvaient, il ne vit pas[2] de raisons pour relier[3] cette infamie plutôt à la nature de l'un que de l'autre. Celle de M. de Charlus était un peu d'un détraqué, mais foncièrement bonne et tendre; celle de M. des Laumes, un peu sèche, mais saine et droite. Quant à M. d'Orsan, Swann n'avait jamais rencontré personne qui, dans les circonstances même les plus tristes, vînt à lui avec une parole plus sentie, un geste plus discret et plus juste. C'était au point qu'il ne[4] pouvait comprendre le rôle peu délicat qu'on prêtait à M. d'Orsan dans la liaison qu'il avait avec une femme riche et que, chaque fois que Swann pensait à lui, il était obligé de laisser de côté cette mauvaise réputation inconciliable avec tant de témoignages certains de délicatesse. Un instant Swann sentit que son esprit s'obscurcissait et il pensa à autre chose pour retrouver un peu de lumière. Puis il eut le courage de revenir vers ces réflexions. Mais alors, après n'avoir pu soupçonner personne, il lui fallut soupçonner tout le monde. Après tout, M. de Charlus l'aimait, avait bon cœur. Mais c'était un névropathe, peut-être demain pleurerait-il de le savoir malade, et aujourd'hui par jalousie, par colère, sur[1] quelque idée subite qui s'était emparée de lui, avait-il désiré lui faire du mal. Au fond, cette race d'hommes est la pire de toutes. Certes, le prince des Laumes était bien loin d'aimer Swann autant que M. de Charlus. Mais à cause de cela même, il n'avait pas avec lui les mêmes susceptibilités; et puis c'était une nature froide sans doute, mais aussi incapable de vilenies que de grandes actions; Swann se repentait de ne s'être pas attaché dans la vie qu'à de tels êtres. Puis il songeait que ce qui empêche les hommes de faire du mal à leur prochain, c'est la bonté, qu'il ne pouvait au fond répondre que de natures analogues à la sienne, comme était, à l'égard du cœur, celle de M. de Charlus. La seule pensée de faire cette peine à Swann eût révolté celui-ci. Mais, avec un homme insensible, d'une autre humanité, comme était le prince des Laumes, comment prévoir à quels actes pouvaient le conduire des mobiles d'une essence différente? Avoir du cœur, c'est tout, et M. de Charlus en avait. M. d'Orsan n'en manquait pas non plus, et ses relations, cordiales mais peu intimes, avec Swann, nées de l'agrément que, pensant de même sur tout, ils avaient à causer ensemble, étaient de plus de repos que l'affection exaltée de M. de Charlus, capable de se porter à des actes de passion, bons ou mauvais. S'il y avait quelqu'un par qui Swann s'était toujours senti compris et délicatement aimé, c'était par M. d'Orsan. Oui, mais cette vie peu honorable qu'il menait? Swann regrettait de n'en avoir pas tenu compte, d'avoir souvent avoué en plaisantant qu'il n'avait jamais éprouvé si vivement des sentiments de sympathie et d'estime que dans la société d'une canaille. Ce n'est pas pour rien, se disait-il maintenant, que depuis que les hommes jugent leur prochain, c'est sur ses actes. Il n'y a que cela qui signifie quelque chose, et nullement ce que nous disons, ce que nous pensons. Charlus et des Laumes peuvent avoir tels ou tels défauts, ce sont d'honnêtes gens. Orsan n'en a peut-être pas, mais ce n'est pas un honnête homme. Il a pu mal agir une fois de plus. Puis Swann soupçonna Rémi qui, il est vrai, n'aurait pu qu'inspirer la lettre, mais cette piste lui parut un instant la bonne. D'abord Lorédan avait des raisons d'en vouloir à Odette. Et puis comment ne pas supposer que nos domestiques, vivant dans une situation inférieure à la nôtre, ajoutant à notre fortune et à nos défauts des richesses et des vices imaginaires pour lesquels ils nous envient et nous méprisent, se trouveront fatalement amenés à agir autrement que des gens de notre monde? Il soupçonna aussi mon grand-père. Chaque fois que Swann lui avait demandé un service, ne le lui avait-il pas toujours refusé? puis, avec ses idées bourgeoises, il avait pu croire agir pour le bien de Swann. Celui-ci soupçonna encore Bergotte, le peintre, les Verdurin, admira une fois de plus au passage la sagesse des gens du monde de ne pas vouloir frayer avec ces milieux artistes où de telles choses sont possibles, peut-être même avouées sous le nom de bonnes farces; mais il se rappelait des traits de droiture de ces bohèmes et les rapprocha de la vie d'expédients, presque d'escroqueries, où le manque d'argent, le besoin de luxe, la corruption des plaisirs conduisent souvent l'aristocratie. Bref, cette lettre anonyme prouvait qu'il connaissait un être capable de scélératesse, mais il ne voyait pas plus de raison pour que cette scélératesse fût cachée dans le tuf — inexploré d'autrui — du caractère de l'homme tendre que de l'homme froid, de l'artiste que du bourgeois, du grand seigneur que du valet. Quel critérium adopter pour juger les hommes? au fond il n'y avait pas une seule des personnes qu'il connaissait qui ne pût être capable d'une infamie. Fallait-il cesser de les voir toutes? Son esprit se voila; il passa deux ou trois fois ses mains sur son front, essuya les verres de son lorgnon avec son mouchoir et, songeant qu'après tout des gens qui le valaient fréquentaient M. de Charlus, le prince des Laumes et les autres, il se dit que cela signifiait, sinon qu'ils fussent incapables d'infamie, du moins que c'est une nécessité de la vie à laquelle chacun se soumet, de fréquenter des gens qui n'en sont peut-être pas incapables. Et il continua à serrer la main à tous ces amis qu'il avait soupçonnés, avec cette réserve de pur style qu'ils avaient peut-être cherché à le désespérer.

Quant au fond même de la lettre, il ne s'en inquiéta pas, car pas une des accusations formulées contre Odette n'avait l'ombre de vraisemblance. Swann comme beaucoup de gens avait l'esprit paresseux et manquait d'invention. Il savait bien comme une vérité générale que la vie des êtres est pleine de contrastes, mais, pour chaque être en particulier, il imaginait toute la partie de sa vie qu'il ne connaissait pas comme identique à la partie qu'il connaissait. Il imaginait ce qu'on lui taisait à l'aide de ce qu'on lui disait. Dans les moments où Odette était auprès de lui, s'ils parlaient ensemble d'une action indélicate commise ou d'un sentiment indélicat éprouvé par un autre, elle les flétrissait en vertu des mêmes principes que Swann avait toujours entendu professer par ses parents et auxquels il était resté fidèle; et puis elle arrangeait ses fleurs, elle buvait une tasse de thé, elle s'inquiétait des travaux de Swann. Donc Swann étendait ces habitudes au reste de la vie d'Odette, il répétait ces gestes quand il voulait se représenter les moments où elle était loin de lui. Si on la lui avait dépeinte telle qu'elle était ou plutôt qu'elle avait été si longtemps avec lui, mais auprès d'un autre homme, il eût souffert, car cette image lui eût paru[1] vraisemblable. Mais qu'elle allât chez des maquerelles, se livrât à des orgies avec des femmes, qu'elle menât la vie crapuleuse de créatures abjectes, quelle divagation insensée, à la réalisation de laquelle, Dieu merci, les chrysanthèmes imaginés, les thés successifs, les indignations vertueuses ne laissaient aucune place! Seulement de temps à autre, il laissait entendre à Odette que, par méchanceté, on lui racontait tout ce qu'elle faisait; et, se servant, à propos, d'un détail insignifiant mais vrai, qu'il avait appris par hasard, comme s'il était le seul petit bout qu'il laissât passer malgré lui, entre tant d'autres, d'une reconstitution complète de la vie d'Odette qu'il tenait cachée en lui, il l'amenait à supposer qu'il était renseigné sur des choses qu'en réalité il ne savait ni même ne soupçonnait, car si bien souvent il adjurait Odette de ne pas altérer la vérité, c'était seulement, qu'il s'en rendît compte ou non, pour qu'Odette lui dît tout ce qu'elle faisait. Sans doute, comme il le disait à Odette, il aimait la sincérité, mais il l'aimait comme une proxénète pouvant le tenir au courant de la vie de sa maîtresse. Aussi son amour de la sincérité, n'étant pas désintéressé, ne l'avait pas rendu meilleur. La vérité qu'il chérissait, c'était celle que lui dirait Odette; mais lui-même, pour obtenir cette vérité, ne craignait pas de recourir au mensonge, le mensonge qu'il ne cessait de peindre à Odette comme conduisant à la dégradation toute créature humaine. En somme, il mentait autant qu'Odette parce que, plus malheureux qu'elle, il n'était pas moins égoïste. Et elle, entendant Swann lui raconter ainsi à elle-même des choses qu'elle avait faites, le regardait d'un air méfiant, et, à toute aventure, fâché, pour ne pas avoir l'air de s'humilier et de rougir de ses actes.

Un jour, étant dans la période de calme la plus longue qu'il eût encore pu traverser sans être repris d'accès de jalousie, il avait accepté d'aller le soir au théâtre avec la princesse des Laumes. Ayant ouvert le journal, pour chercher ce qu'on jouait, la vue du titre : *Les Filles de Marbre* de Théodore Barrière le frappa si cruellement qu'il eut un mouvement de recul et détourna la tête. Éclairé comme par la lumière de la rampe, à la place nouvelle où il figurait, ce mot de « marbre » qu'il avait perdu la faculté de distinguer tant il avait l'habitude de l'avoir souvent sous les yeux, lui était soudain redevenu visible et l'avait aussitôt fait souvenir de cette histoire qu'Odette lui avait racontée autrefois, d'une visite qu'elle avait faite au Salon du Palais de l'Industrie avec Mme Verdurin et où celle-ci lui avait dit : « Prends garde, je saurai bien te dégeler, tu n'es pas de marbre. » Odette lui avait affirmé que ce n'était qu'une plaisanterie, et il n'y avait attaché aucune importance. Mais il avait alors plus de confiance en elle qu'aujourd'hui. Et justement la lettre anonyme parlait d'amours[1] de ce genre. Sans oser lever les yeux vers le journal, il le déplia, tourna une feuille pour ne plus voir ce mot : « Les Filles de Marbre » et commença à lire machinalement les nouvelles des départements. Il y avait eu une tempête dans la Manche, on signalait des dégâts à Dieppe, à Cabourg, à Beuzeval. Aussitôt il fit un nouveau mouvement en arrière.

Le nom de Beuzeval l'avait fait penser à celui d'une

autre localité de cette région, Beuzeville, qui porte uni à celui-là par un trait d'union un autre nom, celui de Bréauté, qu'il avait vu souvent sur les cartes, mais dont pour la première fois il remarquait que c'était le même que celui de son ami M. de Bréauté, dont la lettre anonyme disait qu'il avait été l'amant d'Odette. Après tout, pour M. de Bréauté, l'accusation n'était pas invraisemblable; mais en ce qui concernait Mme Verdurin, il y avait impossibilité. De ce qu'Odette mentait quelquefois, on ne pouvait conclure qu'elle ne disait jamais la vérité et, dans ces propos qu'elle avait échangés avec Mme Verdurin et qu'elle avait racontés elle-même à Swann, il avait reconnu ces plaisanteries inutiles et dangereuses que, par inexpérience de la vie et ignorance du vice, tiennent des femmes dont ils révèlent l'innocence et qui — comme par exemple Odette — sont plus éloignées qu'aucune d'éprouver une tendresse exaltée pour une autre femme. Tandis qu'au contraire, l'indignation avec laquelle elle avait repoussé les soupçons qu'elle avait involontairement fait naître un instant en lui par son récit, cadrait[1] avec tout ce qu'il savait des goûts, du tempérament de sa maîtresse. Mais à ce moment, par une de ces inspirations de jaloux, analogues à celle qui apporte au poète ou au savant, qui n'a encore qu'une rime ou qu'une observation, l'idée ou la loi qui leur donnera toute leur puissance, Swann se rappela pour la première fois une phrase qu'Odette lui avait dite, il y avait déjà deux ans : « Oh! Mme Verdurin, en ce moment il n'y en a que pour moi, je suis un amour, elle m'embrasse, elle veut que je fasse des courses avec elle, elle veut que je la tutoie. » Loin de voir alors dans cette phrase un rapport quelconque avec les absurdes propos destinés à simuler le vice que lui avait racontés Odette, il l'avait accueillie comme la preuve d'une chaleureuse amitié. Maintenant voilà que le souvenir de cette tendresse de Mme Verdurin était venu brusquement rejoindre le souvenir de sa conversation de mauvais goût. Il ne pouvait plus les séparer dans son esprit et les vit mêlées aussi dans la réalité, la tendresse donnant quelque chose de sérieux et d'important à ces plaisanteries qui en retour lui faisaient perdre de son innocence. Il alla chez Odette. Il s'assit loin d'elle. Il n'osait l'embrasser, ne sachant si en elle, si en lui, c'était l'affection ou la colère qu'un baiser réveillerait. Il se taisait, il regardait mourir leur amour. Tout à coup il prit une résolution.

— Odette, lui dit-il, mon chéri, je sais bien que je suis odieux, mais il faut que je te demande des choses. Tu te souviens de l'idée que j'avais eue à propos de toi et de Mme Verdurin? Dis-moi si c'était vrai, avec elle ou avec une autre.

Elle secoua la tête en fronçant la bouche, signe fréquemment employé par les gens pour répondre qu'ils n'iront pas, que cela les ennuie, à quelqu'un qui leur a demandé : « Viendrez-vous voir passer la cavalcade, assisterez-vous à la Revue? » Mais ce hochement de tête affecté ainsi d'habitude à un événement à venir, mêle à cause de cela de quelque incertitude la dénégation d'un événement passé. De plus il n'évoque que des raisons de convenance personnelle plutôt que la réprobation, qu'une impossibilité morale. En voyant Odette lui faire ainsi le signe que c'était faux, Swann comprit que c'était peut-être vrai.

— Je te l'ai dit, tu le sais bien, ajouta-t-elle[1] d'un air irrité et malheureux.

— Oui, je sais, mais en es-tu sûre? Ne me dis pas : « Tu le sais bien », dis-moi : « Je n'ai jamais fait ce genre de choses avec aucune femme. »

Elle répéta comme une leçon, sur un ton ironique, et comme si elle voulait se débarrasser de lui :

— Je n'ai jamais fait ce genre de choses avec aucune femme.

— Peux-tu me le jurer sur ta médaille de Notre-Dame de Laghet?

Swann savait qu'Odette ne se parjurerait pas sur cette médaille-là.

— Oh! que tu me rends malheureuse, s'écria-t-elle en se dérobant par un sursaut à l'étreinte de sa question. Mais as-tu bientôt fini? Qu'est-ce que tu as aujourd'hui? Tu as donc décidé qu'il fallait que je te déteste, que je t'exècre? Voilà, je voulais reprendre avec toi le bon temps comme autrefois et voilà ton remerciement!

Mais, ne la lâchant pas, comme un chirurgien attend la fin du spasme qui interrompt son intervention, mais ne l'y fait pas renoncer :

— Tu as bien tort de te figurer que je t'en voudrais le moins du monde, Odette, lui dit-il avec une douceur persuasive et menteuse. Je ne te parle jamais que de ce que je sais, et j'en sais toujours bien plus long que je ne dis. Mais toi seule peux adoucir, par ton aveu, ce qui me fait te haïr, tant que cela ne m'a été dénoncé que par d'autres. Ma colère contre toi ne vient pas de tes actions, je te pardonne tout puisque je t'aime, mais de ta fausseté, de ta fausseté absurde qui te fait persévérer à nier des choses que je sais. Mais comment veux-tu que je puisse continuer à t'aimer, quand je te vois me soutenir, me jurer une chose que je sais fausse? Odette, ne prolonge pas cet instant qui est une torture pour nous deux. Si tu le veux, ce sera fini dans une seconde, tu seras pour toujours délivrée. Dis-moi sur ta médaille, si oui ou non, tu as jamais fait ces choses.

— Mais je n'en sais rien, moi, s'écria-t-elle avec colère, peut-être il y a très longtemps, sans me rendre compte de ce que je faisais, peut-être deux ou trois fois.

Swann avait envisagé toutes les possibilités. La réalité est donc quelque chose qui n'a aucun rapport avec les possibilités, pas plus qu'un coup de couteau que nous recevons avec les légers mouvements des nuages au-dessus de notre tête, puisque ces mots « deux ou trois fois » marquèrent à vif une sorte de croix dans son cœur. Chose étrange que ces mots « deux ou trois fois », rien que des mots, des mots prononcés dans l'air, à distance, puissent ainsi déchirer le cœur comme s'ils le touchaient véritablement, puissent rendre malade, comme un poison qu'on absorberait. Involontairement Swann pensa à ce mot qu'il avait entendu chez Mme de Saint-Euverte : « C'est ce que j'ai vu de plus fort depuis les tables tournantes. » Cette souffrance qu'il ressentait ne ressemblait à rien de ce qu'il avait cru. Non pas seulement parce que dans ses heures de plus entière méfiance il avait rarement imaginé si loin dans le mal, mais parce que, même quand il imaginait cette chose, elle restait vague, incertaine, dénuée de cette horreur particulière qui s'était échappée des mots « peut-être deux ou trois fois », dépourvue de cette cruauté spécifique aussi différente de tout ce qu'il avait connu qu'une maladie dont on est atteint pour la première fois. Et pourtant cette Odette d'où lui venait tout ce mal, ne lui était pas moins chère, bien au contraire plus précieuse, comme si au fur et à mesure que grandissait la souffrance, grandissait en même temps le prix du calmant, du contrepoison que seule cette femme possédait. Il voulait lui donner plus de soins comme à une maladie qu'on découvre soudain plus grave. Il voulait que la chose affreuse qu'elle lui avait dit[1] avoir faite « deux ou trois fois » ne pût pas se renouveler. Pour cela il lui fallait veiller sur Odette. On dit souvent qu'en dénonçant à un ami les fautes de sa maîtresse, on ne réussit qu'à le rapprocher d'elle parce qu'il ne leur ajoute pas foi, mais combien davantage s'il leur ajoute foi! Mais se disait Swann, comment réussir à la protéger? Il pouvait peut-être la préserver d'une certaine femme mais il y en avait des centaines d'autres, et il comprit quelle folie avait passé sur lui quand il avait, le soir où il n'avait pas trouvé Odette chez les Verdurin, commencé de désirer la possession, toujours impossible, d'un autre être. Heureusement pour Swann, sous les souffrances nouvelles qui venaient d'entrer dans son âme comme des hordes d'envahisseurs, il existait un fond de nature plus ancien, plus doux et silencieusement laborieux, comme les cellules d'un organe blessé qui se mettent aussitôt en mesure de refaire les tissus lésés, comme les muscles d'un membre paralysé qui tendent à reprendre leurs mouvements. Ces plus anciens, plus autochtones habitants de son âme, employèrent un instant toutes les forces de Swann à ce travail obscurément réparateur qui donne l'illusion du repos à un convalescent, à un opéré. Cette fois-ci, ce fut moins comme d'habitude dans le cerveau de Swann que se produisit cette détente par épuisement, ce fut plutôt dans son cœur. Mais toutes les choses de la vie qui ont existé une fois tendent à se recréer, et comme un animal expirant qu'agite de nouveau le sursaut d'une convulsion qui semblait finie, sur le cœur, un instant épargné, de Swann, d'elle-même la même souffrance vint retracer la même croix. Il se rappela ces soirs de clair de lune où, allongé dans sa victoria qui le menait rue La Pérouse, il cultivait voluptueusement en lui les émotions de l'homme amoureux, sans savoir le fruit empoisonné qu'elles produiraient nécessairement. Mais toutes ces pensées ne durèrent que l'espace d'une seconde, le temps qu'il portât la main à son cœur, reprît sa respiration et parvînt à sourire pour dissimuler sa torture. Déjà il recommençait à poser ses questions. Car sa jalousie qui avait pris une peine qu'un ennemi ne se serait pas donnée pour arriver à lui faire assener ce coup, à lui faire faire la connaissance de la douleur la plus cruelle qu'il eût[1] encore jamais connue, sa jalousie ne trouvait pas qu'il eût assez souffert et cherchait à lui faire recevoir une blessure plus profonde encore. Telle, comme une divinité méchante, sa jalousie inspirait Swann et le poussait à sa perte. Ce ne fut pas sa faute, mais celle d'Odette seulement, si d'abord son supplice ne s'aggrava pas.

— Ma chérie, lui dit-il, c'est fini, était-ce avec une personne que je connais?

— Mais non, je te jure, d'ailleurs je crois que j'ai exagéré, que je n'ai pas été jusque-là.

Il sourit et reprit :

— Que veux-tu? cela ne fait rien, mais c'est malheureux que tu ne puisses pas me dire le nom. De pouvoir me représenter la personne, cela m'empêcherait[2] de plus jamais y penser. Je le dis pour toi, parce que je ne t'ennuierais plus. C'est si calmant de se représenter les choses! Ce qui est affreux, c'est ce qu'on ne peut pas imaginer. Mais tu as déjà été si gentille, je ne veux pas te fatiguer. Je te remercie de tout mon cœur de tout le bien que tu m'as fait. C'est fini. Seulement ce mot : « Il y a combien de temps? »

— Oh! Charles, mais tu ne vois pas que tu me tues! c'est tout ce qu'il y a de plus ancien. Je n'y avais jamais repensé, on dirait que tu veux absolument me redonner ces idées-là. Tu seras bien avancé, dit-elle, avec une sottise inconsciente et une méchanceté voulue.

— Oh! je voulais seulement savoir si c'est depuis que je te connais. Mais ce serait si naturel, est-ce que ça se passait ici? tu ne peux pas me dire un certain soir, que je me représente ce que je faisais ce soir-là; tu comprends bien qu'il n'est pas possible que tu ne te rappelles pas avec qui, Odette, mon amour.

— Mais je ne sais pas, moi, je crois que c'était au Bois un soir où tu es venu nous retrouver dans l'île[3]. Tu avais dîné chez la princesse des Laumes, dit-elle, heureuse de fournir un détail précis qui attestait sa véracité. À une table voisine il y avait une femme que je n'avais pas vue depuis très longtemps. Elle m'a dit : « Venez donc derrière le petit rocher voir l'effet du clair de lune sur l'eau. » D'abord j'ai bâillé et j'ai répondu : « Non, je suis fatiguée et je suis bien ici. » Elle a assuré qu'il n'y avait jamais eu un clair de lune pareil. Je lui ai dit : « Cette blague! »; je savais bien où elle voulait en venir.

Odette racontait cela presque en riant, soit que cela lui parût tout naturel, ou parce qu'elle croyait en atténuer ainsi l'importance, ou pour ne pas avoir l'air humilié. En voyant le visage de Swann, elle changea de ton :

— Tu es un misérable, tu te plais à me torturer, à me faire faire des mensonges que je dis afin que tu me laisses tranquille.

Ce second coup porté à Swann était plus atroce encore que le premier. Jamais il n'avait supposé que ce fût une chose aussi récente, cachée à ses yeux, qui n'avaient pas su la découvrir, non dans un passé qu'il n'avait pas connu, mais dans des soirs qu'il se rappelait si bien, qu'il avait vécus avec Odette, qu'il avait crus connus si bien par lui et qui maintenant prenaient rétrospectivement quelque chose de fourbe et d'atroce; au milieu d'eux, tout d'un coup, se creusait cette ouverture béante, ce moment dans l'île du Bois. Odette, sans être intelligente, avait le charme du naturel. Elle avait raconté, elle avait mimé cette scène avec tant de simplicité que Swann, haletant, voyait tout : le bâillement d'Odette, le petit rocher. Il l'entendait répondre — gaîment, hélas! — : « Cette blague! » Il sentait qu'elle ne dirait rien de plus ce soir, qu'il n'y avait aucune révélation nouvelle à attendre en ce moment; il lui dit[1] : « Mon pauvre chéri, pardonne-moi, je sens que je te fais de la peine, c'est fini, je n'y pense plus. »

Mais elle vit que ses yeux restaient fixés sur les choses qu'il ne savait pas et sur ce passé de leur amour, monotone et doux dans sa mémoire parce qu'il était vague, et que déchirait maintenant comme une blessure cette minute dans l'île du Bois, au clair de lune, après le dîner chez la princesse des Laumes. Mais il avait tellement pris l'habitude de trouver la vie intéressante — d'admirer les curieuses découvertes qu'on peut y faire — que tout en souffrant au point de croire qu'il ne pourrait pas supporter longtemps une pareille douleur, il se disait : « La vie est vraiment étonnante et réserve de belles surprises; en somme le vice est quelque chose de plus répandu qu'on ne croit. Voilà une femme en qui j'avais confiance, qui a l'air si simple, si honnête, en tous cas, si même elle était légère, qui semblait bien normale et saine dans ses goûts : sur une dénonciation invraisemblable, je l'interroge, et le peu qu'elle m'avoue révèle bien plus que ce qu'on eût pu soupçonner. » Mais il ne pouvait pas se borner à ces remarques désintéressées. Il cherchait à apprécier exactement la valeur de ce qu'elle lui avait raconté, afin de savoir s'il devait conclure que ces choses, elle les avait faites souvent, qu'elles se renouvelleraient. Il se répétait ces mots qu'elle avait dits : « Je voyais bien où elle voulait en venir », « Deux ou trois fois », « Cette blague ! », mais ils ne reparaissaient pas désarmés dans la mémoire de Swann, chacun d'eux tenait son couteau et lui en portait un nouveau coup. Pendant bien longtemps, comme un malade ne peut s'empêcher d'essayer à toute minute de faire le mouvement qui lui est douloureux, il se redisait ces mots : « Je suis bien ici », « Cette blague ! », mais la souffrance était si forte qu'il était obligé de s'arrêter. Il s'émerveillait que des actes que toujours il avait jugés si légèrement, si gaîment, maintenant fussent devenus pour lui graves comme une maladie dont on peut mourir. Il connaissait bien des femmes à qui il eût pu demander de surveiller Odette. Mais comment espérer qu'elles se placeraient au même point de vue que lui et ne resteraient pas à celui qui avait été si longtemps le sien, qui avait toujours guidé sa vie voluptueuse, ne lui diraient pas en riant : « Vilain jaloux qui veut priver les autres d'un plaisir » ? Par quelle trappe soudainement abaissée (lui qui n'avait eu autrefois de son amour pour Odette que des plaisirs délicats) avait-il été brusquement précipité dans ce nouveau cercle de l'enfer d'où il n'apercevait pas comment il pourrait jamais sortir. Pauvre Odette ! il ne lui en voulait pas. Elle n'était qu'à demi coupable. Ne disait-on pas que c'était par sa propre mère qu'elle avait été livrée, presque enfant, à Nice, à un riche Anglais ? Mais quelle vérité douloureuse prenaient pour lui ces lignes du *Journal d'un Poète* d'Alfred de Vigny qu'il avait lues avec indifférence autrefois : « Quand on se sent pris d'amour pour une femme, on devrait se dire : Comment est-elle entourée ? Quelle a été sa vie ? Tout le bonheur de la vie est appuyé là-dessus. » Swann s'étonnait que de simples phrases épelées par sa pensée, comme « Cette blague ! », « Je voyais bien où elle voulait en venir » pussent lui faire si mal. Mais il comprenait que ce qu'il croyait de simples phrases n'était que les pièces de l'armature entre lesquelles tenait, pouvait lui être rendue, la souffrance qu'il avait éprouvée pendant le récit d'Odette. Car c'était bien cette souffrance-là qu'il éprouvait de nouveau. Il avait beau savoir maintenant, — même il eut beau, le temps passant, avoir un peu oublié, avoir pardonné, — au moment où il se redisait ces[1] mots, la souffrance ancienne le refaisait tel qu'il était avant qu'Odette ne parlât : ignorant, confiant; sa cruelle jalousie le replaçait, pour le faire frapper par l'aveu d'Odette, dans la position de quelqu'un qui ne sait pas encore, et au bout de plusieurs mois cette vieille histoire le bouleversait toujours comme une révélation. Il admirait la terrible puissance recréatrice de sa mémoire. Ce n'est que de l'affaiblissement de cette génératrice dont la fécondité diminue avec l'âge qu'il pouvait espérer un apaisement à sa torture. Mais quand paraissait un peu épuisé le pouvoir qu'avait de le faire souffrir un des mots prononcés par Odette, alors un de ceux sur lesquels l'esprit de Swann s'était moins arrêté jusque-là, un mot presque nouveau venait relayer les autres et le frappait avec une vigueur intacte. La mémoire du soir où il avait dîné chez la princesse des Laumes lui était douloureuse, mais ce n'était que le centre de son mal. Celui-ci irradiait confusément à l'entour dans tous les jours avoisinants. Et à quelque point d'elle qu'il voulût[2] toucher dans ses souvenirs, c'est la saison tout entière où les Verdurin avaient si souvent dîné dans l'île du Bois qui lui faisait mal. Si mal que peu à peu les curiosités qu'excitait en lui sa jalousie furent neutralisées par la peur des tortures nouvelles qu'il s'infligerait en les satisfaisant. Il se rendait compte que toute la période de la vie d'Odette écoulée avant qu'elle ne le rencontrât, période qu'il n'avait jamais cherché à se représenter, n'était pas l'étendue abstraite qu'il voyait vaguement, mais avait été faite d'années particulières, remplie d'incidents concrets. Mais en les apprenant, il craignait que ce passé incolore, fluide et supportable, ne prît un corps tangible et immonde, un visage individuel et diabolique. Et il continuait à ne pas chercher à le concevoir, non plus par paresse de penser, mais par peur de souffrir. Il espérait qu'un jour il finirait par pouvoir entendre le nom de l'île du Bois, de la princesse des Laumes, sans ressentir le déchirement ancien, et trouvait imprudent de provoquer Odette à lui fournir de nouvelles paroles, le nom d'endroits, de circonstances différentes qui, son mal à peine calmé, le feraient renaître sous une autre forme.

Mais souvent les choses qu'il ne connaissait pas, qu'il redoutait maintenant de connaître, c'est Odette elle-même qui les lui révélait spontanément, et sans s'en rendre compte; en effet l'écart que le vice mettait entre la vie réelle d'Odette et la vie relativement innocente que Swann avait cru, et bien souvent croyait encore, que menait sa maîtresse, cet écart, Odette en ignorait l'étendue : un être vicieux, affectant toujours la même vertu devant les êtres de qui il ne veut pas que soient soupçonnés ses vices, n'a pas de contrôle pour se rendre compte combien ceux-ci, dont la croissance continue est insensible pour lui-même, l'entraînent peu à peu loin des façons de vivre normales. Dans leur cohabitation, au sein de l'esprit d'Odette, avec le souvenir des actions qu'elle cachait à Swann, d'autres peu à peu en recevaient le reflet, étaient contagionnées par elles, sans qu'elle pût leur trouver rien d'étrange, sans qu'elles détonnassent dans le milieu particulier où elle les faisait vivre en elle; mais si elle les racontait à Swann, il était épouvanté par la révélation de l'ambiance qu'elles trahissaient. Un jour il cherchait, sans blesser Odette, à lui demander si elle n'avait jamais été chez des entremetteuses. À vrai dire, il était convaincu que non; la lecture de la lettre anonyme en avait introduit la supposition dans son intelligence, mais d'une façon mécanique; elle n'y avait rencontré aucune créance, mais en fait y était restée, et Swann, pour être débarrassé de la présence purement matérielle mais pourtant gênante du soupçon, souhaitait qu'Odette l'extirpât[1]. « Oh! non! Ce n'est pas que je ne sois pas persécutée pour cela, ajouta-t-elle, en dévoilant dans un sourire une satisfaction de vanité qu'elle ne s'apercevait plus ne pas pouvoir paraître légitime à Swann. Il y en a une qui est encore restée plus de deux heures hier à m'attendre, elle me proposait n'importe quel prix. Il paraît qu'il y a un ambassadeur qui lui a dit : « Je me tue si vous ne me l'amenez pas. » On lui a dit que j'étais sortie, j'ai fini par aller moi-même lui parler pour qu'elle s'en aille. J'aurais voulu que tu voies comme je l'ai reçue, ma femme de chambre qui m'entendait de la pièce voisine m'a dit que je criais à tue-tête : « Mais puisque je vous dis que je ne veux pas! C'est une idée comme ça, ça ne me plaît pas. Je pense que je suis libre de faire ce que je veux, tout de même! Si j'avais besoin d'argent, je comprends... » Le concierge a ordre de ne plus la laisser entrer, il dira que je suis à la campagne. Ah! j'aurais voulu que tu sois caché quelque part. Je crois que tu aurais été content, mon chéri. Elle a du bon, tout de même, tu vois, ta petite Odette, quoiqu'on la trouve si détestable. »

D'ailleurs ses aveux même, quand elle lui en faisait, de fautes qu'elle le supposait avoir découvertes, servaient plutôt pour Swann de point de départ à de nouveaux doutes qu'ils ne mettaient un terme aux anciens. Car ils n'étaient jamais exactement proportionnés à ceux-ci. Odette avait eu beau retrancher de sa confession tout l'essentiel, il restait dans l'accessoire quelque chose que Swann n'avait jamais imaginé, qui l'accablait de sa nouveauté et allait lui permettre de changer les termes du problème de sa jalousie. Et ces aveux, il ne pouvait plus les oublier. Son âme les charriait, les rejetait, les berçait, comme des cadavres. Et elle en était empoisonnée.

Une fois elle lui parla d'une visite que Forcheville lui avait faite le jour de la fête de Paris-Murcie. « Comment, tu le connaissais déjà? Ah! oui, c'est vrai », dit-il, en se reprenant pour ne pas paraître l'avoir ignoré[1]. Et tout d'un coup il se mit à trembler à la pensée que le jour de cette fête de Paris-Murcie où il avait reçu d'elle la lettre qu'il avait si précieusement gardée, elle déjeunait peut-être avec Forcheville à la Maison d'Or. Elle lui jura que non. « Pourtant la Maison d'Or me rappelle je ne sais quoi que j'ai su ne pas être vrai », lui dit-il pour l'effrayer. « Oui, que je n'y étais pas allée le soir où je t'ai dit que j'en sortais quand tu m'avais cherchée chez Prévost », lui répondit-elle (croyant à son air qu'il le savait), avec une décision où il y avait, beaucoup plutôt que du cynisme, de la timidité, une peur de contrarier Swann et que par amour-propre elle voulait cacher, puis le désir de lui montrer qu'elle pouvait être franche. Aussi frappa-t-elle avec une netteté et une vigueur de bourreau et qui étaient exemptes de cruauté, car Odette n'avait pas conscience du mal qu'elle faisait à Swann;

et même elle se mit à rire, peut-être, il est vrai, surtout pour ne pas avoir l'air humilié, confus. « C'est vrai que je n'avais pas été à la Maison Dorée, que je sortais de chez Forcheville. J'avais vraiment été chez Prévost, ça c'était pas de la blague, il m'y avait rencontrée et m'avait demandé d'entrer regarder ses gravures. Mais il était venu quelqu'un pour le voir. Je t'ai dit que je venais de la Maison d'Or, parce que j'avais peur que cela ne t'ennuie. Tu vois, c'était plutôt gentil de ma part. Mettons que j'aie eu tort, au moins je te le dis carrément. Quel intérêt aurais-je à ne pas te dire aussi bien que j'avais déjeuné avec lui le jour de la Fête Paris-Murcie, si c'était vrai ? D'autant plus qu'à ce moment-là on ne se connaissait pas encore beaucoup tous les deux, dis, chéri. » Il lui sourit avec la lâcheté soudaine de l'être sans forces qu'avaient fait de lui ces accablantes paroles. Ainsi, même dans les mois auxquels il n'avait jamais plus osé repenser parce qu'ils avaient été trop heureux, dans ces mois où elle l'avait aimé, elle lui mentait déjà ! Aussi bien que ce moment (le premier soir qu'ils avaient « fait catleya ») où elle lui avait dit sortir de la Maison Dorée, combien devait-il y en avoir eu d'autres, receleurs eux aussi d'un mensonge que Swann n'avait pas soupçonné. Il se rappela qu'elle lui avait dit un jour : « Je n'aurais qu'à dire à Mme Verdurin que ma robe n'a pas été prête, que mon cab est venu en retard. Il y a toujours moyen de s'arranger. » À lui aussi probablement, bien des fois où elle lui avait glissé de ces mots qui expliquent un retard, justifient un changement d'heure dans un rendez-vous, ils avaient dû cacher, sans qu'il s'en fût douté alors, quelque chose qu'elle avait à faire avec un autre, avec un autre à qui elle avait dit : « Je n'aurai[1] qu'à dire à Swann que ma robe n'a pas été prête, que mon cab est arrivé en retard, il y a toujours moyen de s'arranger. » Et sous tous les souvenirs les plus doux de Swann, sous les paroles les plus simples que lui avait dites autrefois Odette, qu'il avait crues comme paroles d'évangile, sous les actions quotidiennes qu'elle lui avait racontées, sous les lieux les plus accoutumés, la maison de sa couturière, l'avenue du Bois, l'Hippodrome, il sentait, dissimulée à la faveur de cet excédent de temps qui dans les journées les plus détaillées laisse encore du jeu, de la place, et peut servir de cachette à certaines actions, il sentait s'insinuer la présence possible et souterraine de mensonges qui lui rendaient ignoble tout ce qui lui était resté le plus cher (ses meilleurs soirs, la rue La Pérouse elle-même qu'Odette avait toujours dû quitter à d'autres heures que celles qu'elle lui avait dites[1]) faisant circuler partout un peu de la ténébreuse horreur qu'il avait ressentie en entendant l'aveu relatif à la Maison Dorée, et, comme les bêtes immondes dans la Désolation de Ninive, ébranlant pierre à pierre tout son passé. Si maintenant il se détournait chaque fois que sa mémoire lui disait le nom cruel de la Maison Dorée, ce n'était plus, comme tout récemment encore à la soirée de Mme de Saint-Euverte, parce qu'il lui rappelait un bonheur qu'il avait perdu depuis longtemps, mais un malheur qu'il venait seulement d'apprendre. Puis il en fut du nom de la Maison Dorée comme de celui de l'île du Bois, il cessa peu à peu de faire souffrir Swann. Car ce que nous croyons notre amour, notre jalousie, n'est pas une même passion continue, indivisible. Ils se composent d'une infinité d'amours successifs, de jalousies différentes et qui sont éphémères, mais par leur multitude ininterrompue donnent l'impression de la continuité, l'illusion de l'unité. La vie de l'amour de Swann, la fidélité de sa jalousie, étaient faites de la mort, de l'infidélité d'innombrables désirs, d'innombrables doutes, qui avaient tous Odette pour objet. S'il était resté longtemps sans la voir[2], ceux qui mouraient[3] n'auraient pas été remplacés par d'autres. Mais la présence d'Odette continuait d'ensemencer le cœur de Swann de tendresses[4] et de soupçons alternés.

Certains soirs elle redevenait tout d'un coup avec lui d'une gentillesse dont elle l'avertissait durement qu'il devait profiter tout de suite, sous peine de ne pas la voir se renouveler avant des années; il fallait rentrer immédiatement chez elle « faire catleya », et ce désir qu'elle prétendait avoir de lui était si soudain, si inexplicable, si impérieux, les caresses qu'elle lui prodiguait ensuite si démonstratives et si insolites, que cette tendresse brutale et sans vraisemblance faisait autant de chagrin à Swann qu'un mensonge et qu'une méchanceté. Un soir qu'il était ainsi, sur l'ordre qu'elle lui en avait donné, rentré avec elle, et qu'elle entremêlait ses baisers de paroles passionnées qui contrastaient avec sa sécheresse ordinaire, il crut tout d'un coup entendre du bruit; il se leva, chercha partout, ne trouva personne, mais n'eut pas le courage de reprendre sa place auprès d'elle qui alors, au comble de la rage, brisa un vase et dit à Swann : « On ne peut jamais rien faire avec toi! » Et il resta incertain si elle n'avait pas caché quelqu'un dont elle avait voulu faire souffrir la jalousie ou allumer les sens.

Quelquefois il allait dans des maisons de rendez-vous, espérant apprendre quelque chose d'elle, sans oser la nommer cependant. « J'ai une petite qui va vous plaire », disait l'entremetteuse. Et il restait une heure à causer tristement avec quelque pauvre fille étonnée qu'il ne fît rien de plus. Une toute jeune et ravissante lui dit un jour : « Ce que je voudrais, c'est trouver un ami, alors il pourrait être sûr, je n'irais plus jamais avec personne. — Vraiment, crois-tu que ce soit possible qu'une femme soit touchée qu'on l'aime, ne vous trompe jamais? lui demanda Swann anxieusement. — Pour sûr! ça dépend des caractères! » Swann ne pouvait s'empêcher de dire à ces filles les mêmes choses qui auraient plu à la princesse des Laumes. À celle qui cherchait un ami, il dit en souriant : « C'est gentil, tu as mis des yeux bleus de la couleur de ta ceinture. — Vous aussi, vous avez des manchettes bleues. — Comme nous avons une belle conversation, pour un endroit de ce genre! Je ne t'ennuie pas? tu as peut-être à faire? — Non, j'ai tout mon temps. Si vous m'auriez[1] ennuyée, je vous l'aurais dit. Au contraire, j'aime bien vous entendre causer. — Je suis très flatté. N'est-ce pas que nous causons gentiment? dit-il à l'entremetteuse qui venait d'entrer. — Mais oui, c'est justement ce que je me disais. Comme ils sont sages! Voilà! on vient maintenant pour causer chez moi. Le Prince le disait, l'autre jour, c'est bien mieux ici que chez sa femme. Il paraît que maintenant dans le monde elles ont toutes un genre, c'est un vrai scandale! Je vous quitte, je suis discrète. » Et elle laissa Swann avec la fille qui avait les yeux bleus. Mais bientôt il se leva et lui dit adieu, elle lui était indifférente, elle ne connaissait pas Odette.

Le peintre ayant été malade, le docteur Cottard lui conseilla un voyage en[2] mer; plusieurs fidèles parlèrent de partir avec lui; les Verdurin ne purent se résoudre à rester seuls, louèrent un yacht, puis s'en rendirent acquéreurs, et ainsi Odette fit de fréquentes croisières. Chaque fois qu'elle était partie depuis un peu de temps, Swann sentait qu'il commençait à se détacher d'elle, mais comme si cette distance morale était proportionnée à la distance matérielle, dès qu'il savait Odette de retour, il ne pouvait pas rester sans la voir. Une fois, partis pour un mois seulement, croyaient-ils, soit qu'ils eussent été tentés en route, soit que M. Verdurin eût sournoisement arrangé les choses d'avance pour faire plaisir à sa femme et n'eût averti les fidèles qu'au fur et à mesure, d'Alger ils allèrent à Tunis, puis en Italie, puis en Grèce, à Constantinople, en Asie Mineure. Le voyage durait depuis près d'un an. Swann se sentait absolument tranquille, presque heureux. Bien que Mme Verdurin[1] eût cherché à persuader au pianiste et au docteur Cottard que la tante de l'un et les malades de l'autre n'avaient aucun besoin d'eux et qu'en tous cas il était imprudent de laisser Mme Cottard rentrer à Paris que M. Verdurin[2] assurait être en révolution, elle fut obligée[3] de leur rendre leur liberté à Constantinople. Et le peintre partit avec eux. Un jour, peu après le retour de ces trois voyageurs, Swann voyant passer un omnibus pour le Luxembourg où il avait à faire, avait sauté dedans, et s'y était trouvé assis en face de Mme Cottard qui faisait sa tournée de visites « de jours », en grande tenue, plumet au chapeau, robe de soie, manchon, en-tout-cas, porte-cartes, et gants blancs nettoyés. Revêtue de ces insignes, quand il faisait sec elle allait à pied d'une maison à l'autre, dans un même quartier, mais pour passer ensuite dans un quartier différent usait de l'omnibus avec correspondance. Pendant les premiers instants, avant que la gentillesse native de la femme eût pu percer l'empesé de la petite bourgeoise, et ne sachant trop d'ailleurs si elle devait parler des Verdurin à Swann, elle tint tout naturellement, de sa voix lente, gauche et douce que par moments l'omnibus couvrait complètement de son tonnerre, des propos choisis[4] parmi ceux qu'elle entendait et répétait dans les vingt-cinq maisons dont elle montait les étages dans une journée :

— Je ne vous demande pas, Monsieur, si un homme dans le mouvement comme vous a vu, aux Mirlitons, le portrait de Machard qui fait courir tout Paris. Eh bien, qu'en dites-vous ? Êtes-vous dans le camp de ceux qui approuvent ou dans le camp de ceux qui blâment? Dans tous les salons on ne parle que du portrait de Machard; on n'est pas chic, on n'est pas pur, on n'est pas dans le train, si on ne donne pas son opinion sur le portrait de Machard.

Swann ayant répondu qu'il n'avait pas vu ce portrait, Mme Cottard eut peur de l'avoir blessé en l'obligeant à le confesser.

— Ah[1]! c'est très bien, au moins vous l'avouez franchement, vous ne vous croyez pas déshonoré parce que vous n'avez pas vu le portrait de Machard. Je trouve cela très beau de votre part. Hé bien, moi je l'ai vu, les avis sont partagés, il y en a qui trouvent que c'est un peu léché, un peu crème fouettée, moi, je le trouve idéal. Évidemment elle ne ressemble pas aux femmes bleues et jaunes de notre ami Biche. Mais je dois vous l'avouer franchement, vous ne me trouverez pas très fin de siècle, mais je le dis comme je le pense, je ne comprends pas. Mon Dieu, je reconnais les qualités qu'il y a dans le portrait de mon mari, c'est moins étrange que ce qu'il fait d'habitude, mais il a fallu qu'il lui fasse des moustaches bleues. Tandis que Machard! Tenez, justement le mari de l'amie chez qui je vais en ce moment (ce qui me donne le très grand plaisir de faire route avec vous) lui a promis, s'il est nommé à l'Académie (c'est un des collègues du docteur) de lui faire faire son portrait par Machard. Évidemment c'est un beau rêve! J'ai une autre amie qui prétend qu'elle aime mieux Leloir. Je ne suis qu'une pauvre profane et Leloir est peut-être encore supérieur comme science. Mais je trouve que la première qualité d'un portrait, surtout quand il coûte 10.000 francs, est d'être ressemblant et d'une ressemblance agréable.

Ayant tenu ces propos que lui inspiraient la hauteur de son aigrette, le chiffre de son porte-cartes, le petit numéro tracé à l'encre dans ses gants par le teinturier et l'embarras de parler à Swann des Verdurin, Mme Cottard, voyant qu'on était encore loin du coin de la rue Bonaparte où le conducteur devait l'arrêter, écouta son cœur qui lui conseillait d'autres paroles.

— Les oreilles ont dû vous tinter, Monsieur, lui dit-elle, pendant le voyage que nous avons fait avec Mme Verdurin. On ne parlait que de vous.

Swann fut bien étonné, il supposait que son nom n'était jamais proféré devant les Verdurin.

— D'ailleurs, ajouta Mme Cottard, Mme de Crécy était là, et c'est tout dire. Quand Odette est quelque part, elle ne peut jamais rester bien longtemps sans parler de vous. Et vous pensez que ce n'est pas en mal. Comment! vous en doutez? dit-elle, en voyant un geste sceptique de Swann.

Et emportée par la sincérité de sa conviction, ne mettant d'ailleurs aucune mauvaise pensée sous ce mot qu'elle prenait seulement dans le sens où on l'emploie pour parler de l'affection qui unit des amis :

— Mais elle vous adore! Ah! je crois qu'il ne faudrait pas dire ça de vous devant elle! On serait bien arrangé! À propos de tout, si on voyait un tableau par exemple elle disait : « Ah! s'il était là, c'est lui qui saurait vous dire si c'est authentique ou non. Il n'y a personne comme lui pour ça. » Et à tout moment elle demandait : « Qu'est-ce qu'il peut faire en ce moment? Si seulement il travaillait un peu! C'est malheureux, un garçon si doué, qu'il soit si paresseux. (Vous me pardonnez, n'est-ce pas?) En ce moment je le vois, il pense à nous, il se demande où nous sommes. » Elle a même eu un mot que j'ai trouvé bien joli : M. Verdurin lui disait : « Mais comment pouvez-vous voir ce qu'il fait en ce moment puisque vous êtes à huit cents lieues de lui? » Alors Odette lui a répondu : « Rien n'est impossible à l'œil d'une amie. » Non je vous jure, je ne vous dis pas cela pour vous flatter, vous avez là une vraie amie comme on n'en a pas beaucoup. Je vous dirai du reste que si vous ne le savez pas, vous êtes le seul. Mme Verdurin me le disait encore le dernier jour (vous savez, les veilles de départ on cause mieux) : « Je ne dis pas qu'Odette ne nous aime pas, mais tout ce que nous lui disons ne pèserait pas lourd auprès de ce que lui dirait M. Swann. » Oh! mon Dieu, voilà que le conducteur m'arrête, en bavardant avec vous j'allais laisser passer la rue Bonaparte... me rendriez-vous le service de me dire si mon aigrette est droite? »

Et Mme Cottard sortit de son manchon pour la tendre à Swann sa main gantée de blanc d'où s'échappa, avec une correspondance, une vision de haute vie qui remplit l'omnibus, mêlée à l'odeur du teinturier. Et Swann se sentit déborder de tendresse pour elle, autant que pour

Mme Verdurin (et presque autant que pour Odette, car le sentiment qu'il éprouvait pour cette dernière, n'étant plus mêlé de douleur, n'était plus guère de l'amour), tandis que de la plate-forme il la suivait de ses yeux attendris, qui enfilait courageusement la rue Bonaparte, l'aigrette haute, d'une main relevant sa jupe, de l'autre tenant son en-tout-cas et son porte-cartes dont elle laissait voir le chiffre, laissant baller devant elle son manchon.

Pour faire concurrence aux sentiments maladifs que Swann avait pour Odette, Mme Cottard, meilleur thérapeute que n'eût été son mari, avait greffé à côté d'eux d'autres sentiments, normaux ceux-là, de gratitude, d'amitié des sentiments qui dans l'esprit de Swann rendraient Odette plus humaine (plus semblable aux autres femmes, parce que d'autres femmes aussi pouvaient les lui inspirer), hâteraient sa transformation définitive en cette Odette aimée d'affection paisible, qui l'avait ramené un soir, après une fête chez le peintre, boire un verre d'orangeade avec Forcheville et près de qui Swann avait entrevu qu'il pourrait vivre heureux.

Jadis ayant souvent pensé avec terreur, qu'un jour il cesserait d'être épris d'Odette, il s'était promis d'être vigilant et, dès qu'il sentirait que son amour commencerait[1] à le quitter, de s'accrocher à lui, de le retenir. Mais voici qu'à l'affaiblissement de son amour correspondait simultanément un affaiblissement du désir de rester amoureux. Car on ne peut pas changer, c'est-à-dire devenir une autre personne, tout en continuant à obéir aux sentiments de celle qu'on n'est plus. Parfois le nom aperçu dans un journal, d'un des hommes qu'il supposait avoir pu être les amants d'Odette, lui redonnait de la jalousie. Mais elle était bien légère et comme elle lui prouvait qu'il n'était pas encore complètement sorti de ce temps où il avait tant souffert — mais aussi où il avait connu une manière de sentir si voluptueuse — et que les hasards de la route lui permettraient peut-être d'en apercevoir encore furtivement et de loin les beautés, cette jalousie lui procurait plutôt une excitation agréable comme au morne Parisien qui quitte Venise pour retrouver la France, un dernier moustique prouve que l'Italie et l'été ne sont pas encore bien loin. Mais le plus souvent, le temps si particulier de sa vie d'où il sortait, quand il faisait effort, sinon pour y rester, du moins pour en avoir une vision claire pendant qu'il le pouvait encore, il s'apercevait qu'il ne le pouvait déjà plus; il aurait voulu apercevoir, comme un paysage qui allait disparaître, cet amour qu'il venait de quitter; mais il est si difficile d'être double et de se donner le spectacle véridique d'un sentiment qu'on a cessé de posséder, que bientôt, l'obscurité se faisant dans son cerveau, il ne voyait plus rien, renonçait à regarder, retirait son lorgnon, en essuyait les verres; et il se disait qu'il valait mieux se reposer un peu, qu'il serait encore temps tout à l'heure, et se rencognait avec l'incuriosité, dans l'engourdissement du voyageur ensommeillé qui rabat son chapeau sur ses yeux pour dormir dans le wagon qu'il sent l'entraîner de plus en plus vite, loin du pays où il a si longtemps vécu et qu'il s'était promis de ne pas laisser fuir sans lui donner un dernier adieu. Même, comme ce voyageur s'il se réveille seulement en France, quand Swann ramassa par hasard près de lui la preuve que Forcheville avait été l'amant d'Odette, il s'aperçut qu'il n'en ressentait aucune douleur, que l'amour était loin maintenant, et regretta de n'avoir pas été averti du moment où il le quittait pour toujours. Et de même qu'avant d'embrasser Odette pour la première fois il avait cherché[1] à imprimer dans sa mémoire le visage qu'elle avait eu si longtemps pour lui et qu'allait transformer le souvenir de ce baiser, de même il eût voulu, en pensée au moins, avoir pu faire ses adieux, pendant qu'elle existait encore, à cette Odette lui inspirant de l'amour, de la jalousie, à cette Odette lui causant des souffrances et que maintenant il ne reverrait jamais.

Il se trompait. Il devait la revoir une fois encore, quelques semaines plus tard. Ce fut en dormant, dans le crépuscule d'un rêve. Il se promenait avec Mme Verdurin, le docteur Cottard, un jeune homme en fez qu'il ne pouvait identifier, le peintre, Odette, Napoléon III et mon grand-père, sur un chemin qui suivait la mer et la surplombait à pic tantôt de très haut, tantôt de quelques mètres seulement, de sorte qu'on montait et redescendait constamment; ceux des promeneurs qui redescendaient déjà n'étaient plus visibles à ceux qui montaient encore, le peu de jour qui restât faiblissait et il semblait alors qu'une nuit noire allait s'étendre immédiatement. Par moments les vagues sautaient jusqu'au bord, et Swann sentait sur sa joue des éclaboussures glacées. Odette lui disait de les essuyer, il ne pouvait pas et en était confus vis-à-vis d'elle, ainsi que d'être en chemise de nuit. Il espérait qu'à cause de l'obscurité on ne s'en rendait pas compte, mais cependant Mme Verdurin le fixa d'un regard étonné durant un long moment pendant lequel il vit sa figure se déformer, son nez s'allonger et qu'elle avait de grandes moustaches. Il se détourna pour regarder Odette, ses joues étaient pâles, avec des petits points rouges, ses traits tirés, cernés, mais elle le regardait avec des yeux pleins de tendresse prêts à se détacher comme des larmes pour tomber sur lui, et il se sentait l'aimer tellement qu'il aurait voulu l'emmener tout de suite. Tout d'un coup Odette tourna son poignet, regarda une petite montre et dit : « Il faut que je m'en aille », elle prenait congé de tout le monde de la même façon, sans prendre à part Swann, sans lui dire où elle le reverrait le soir ou un autre jour. Il n'osa pas le lui demander, il aurait voulu la suivre et était obligé, sans se retouner vers elle, de répondre en souriant à une question de Mme Verdurin, mais son cœur battait horriblement, il éprouvait de la haine pour Odette, il aurait voulu crever ses yeux qu'il aimait tant tout à l'heure, écraser ses joues sans fraîcheur. Il continuait à monter avec Mme Verdurin, c'est-à-dire à s'éloigner à chaque pas d'Odette, qui descendait en sens inverse. Au bout d'une seconde il y eut beaucoup d'heures qu'elle était partie. Le peintre fit remarquer à Swann que Napoléon III s'était éclipsé un instant après elle. « C'était certainement entendu entre eux, ajouta-t-il, ils ont dû se rejoindre en bas de la côte, mais n'ont pas voulu dire adieu ensemble à cause des convenances. Elle est sa maîtresse. » Le jeune homme inconnu se mit à pleurer. Swann essaya de le consoler. « Après tout elle a raison, lui dit-il en lui essuyant les yeux et en lui ôtant son fez pour qu'il fût plus à son aise. Je le lui ai conseillé dix fois. Pourquoi en être triste ? C'était bien l'homme qui pouvait la comprendre. » Ainsi Swann se parlait-il à lui-même, car le jeune homme qu'il n'avait pu identifier d'abord était aussi lui; comme certains romanciers, il avait distribué sa personnalité à deux personnages, celui qui faisait le rêve, et un qu'il voyait devant lui coiffé d'un fez.

Quant à Napoléon III, c'est à Forcheville que quelque vague association d'idées, puis une certaine modification dans la physionomie habituelle du baron, enfin le grand cordon de la Légion d'honneur en sautoir, lui avaient fait donner ce nom; mais en réalité, et pour tout ce que le personnage présent dans le rêve lui représentait et lui rappelait, c'était bien Forcheville. Car, d'images incomplètes et changeantes, Swann endormi tirait des déductions fausses, ayant d'ailleurs momentanément un tel pouvoir créateur qu'il se reproduisait par simple division comme certains organismes inférieurs; avec la chaleur sentie de sa propre paume il modelait le creux d'une main étrangère qu'il croyait serrer, et de sentiments et d'impressions dont il n'avait pas conscience encore, faisait naître comme des péripéties qui, par leur enchaînement logique, amèneraient à point nommé dans le sommeil de Swann le personnage nécessaire pour recevoir son amour ou provoquer son réveil. Une nuit noire se fit tout d'un coup, un tocsin sonna, des habitants passèrent en courant, se sauvant des maisons en flammes; Swann entendait le bruit des vagues qui sautaient et son cœur qui, avec la même violence, battait d'anxiété dans sa poitrine. Tout d'un coup ses palpitations de cœur redoublèrent de vitesse, il éprouva une souffrance, une nausée inexplicables[1]; un paysan couvert de brûlures lui jetait en passant : « Venez demander à Charlus où Odette est allée finir la soirée avec son camarade, il a été avec elle autrefois et elle lui dit tout. C'est eux qui ont mis le feu. » C'était son valet de chambre qui venait l'éveiller et lui disait :

— Monsieur, il est huit heures et le coiffeur est là, je lui ai dit de repasser dans une heure.

Mais ces paroles, en pénétrant dans les ondes du sommeil où Swann était plongé, n'étaient arrivées jusqu'à sa conscience qu'en subissant cette déviation qui fait qu'au fond de l'eau un rayon paraît un soleil, de même qu'un moment auparavant le bruit de la sonnette, prenant au fond de ces abîmes une sonorité de tocsin, avait enfanté l'épisode de l'incendie. Cependant le décor qu'il avait sous les yeux vola en poussière, il ouvrit les yeux, entendit une dernière fois le bruit d'une des vagues de la mer qui s'éloignait. Il toucha sa joue. Elle était sèche. Et pourtant il se rappelait la sensation de l'eau froide et le goût du sel. Il se leva, s'habilla. Il avait fait venir le coiffeur de bonne heure parce qu'il avait écrit la veille à mon grand-père qu'il irait dans l'après-midi à Combray, ayant appris que Mme de Cambremer — Mlle Legrandin — devait y passer quelques jours, Associant dans son souvenir au charme de ce jeune visage celui d'une campagne où il n'était pas allé depuis si longtemps, ils lui offraient ensemble un attrait qui l'avait décidé à quitter enfin Paris pour quelques jours. Comme les différents hasards qui nous mettent en présence de certaines personnes ne coïncident pas avec le temps où nous les aimons, mais, le dépassant, peuvent se produire avant qu'il commence et se répéter après qu'il a fini, les premières apparitions que fait dans notre vie un être destiné plus tard à nous plaire, prennent rétrospectivement à nos yeux une valeur d'avertissement, de présage. C'est de cette façon que Swann s'était souvent reporté à l'image d'Odette rencontrée au théâtre, ce premier soir où il ne songeait pas à la revoir jamais — et qu'il se rappelait maintenant la soirée de Mme de Saint-Euverte où il avait présenté le général de Froberville à Mme de Cambremer. Les intérêts de notre vie sont si multiples qu'il n'est pas rare que dans une même circonstance les jalons d'un bonheur qui n'existe pas encore soient posés à côté de l'aggravation d'un chagrin dont nous souffrons. Et sans doute cela aurait pu arriver à Swann ailleurs que chez Mme de Saint-Euverte. Qui sait même, dans le cas où, ce soir-là, il se fût trouvé ailleurs, si d'autres bonheurs, d'autres chagrins ne lui seraient pas arrivés, et qui ensuite lui eussent paru avoir été inévitables? Mais ce qui lui semblait l'avoir été, c'était ce qui avait eu lieu, et il n'était pas loin de voir quelque chose de providentiel dans ce fait qu'il se fût décidé à aller à la soirée de Mme de Saint-Euverte, parce que son esprit désireux d'admirer la richesse d'invention de la vie et incapable de se poser longtemps une question difficile, comme de savoir ce qui eût été le plus à souhaiter, considérait dans les souffrances qu'il avait éprouvées ce soir-là et les plaisirs encore insoupçonnés qui germaient déjà — et entre lesquels la balance était trop difficile à établir — une sorte d'enchaînement nécessaire.

Mais tandis que, une heure après son réveil, il donnait des indications au coiffeur pour que sa brosse ne se dérangeât pas en wagon, il repensa à son rêve, il revit, comme il les avait sentis tout près de lui, le teint pâle d'Odette, les joues trop maigres, les traits tirés, les yeux battus, tout ce que — au cours des tendresses successives qui avaient fait de son durable amour pour Odette un long oubli de l'image première qu'il avait reçue d'elle — il avait cessé de remarquer depuis les premiers temps de leur liaison dans lesquels sans doute, pendant qu'il dormait, sa mémoire en avait été chercher la sensation exacte. Et avec cette muflerie intermittente qui reparaissait chez lui dès qu'il n'était plus malheureux et que baissait du même coup le niveau de sa moralité, il s'écria en lui-même : « Dire que j'ai gâché des années de ma vie, que j'ai voulu mourir, que j'ai eu mon plus grand amour, pour une femme qui ne me plaisait pas, qui n'était pas mon genre ! »

TROISIÈME PARTIE

NOMS DE PAYS :

LE NOM

PARMI les chambres dont j'évoquais le plus souvent l'image dans mes nuits d'insomnie, aucune ne ressemblait moins aux chambres de Combray, saupoudrées d'une atmosphère grenue, pollinisée, comestible et dévote, que celle du Grand-Hôtel de la Plage, à Balbec, dont les murs passés au ripolin contenaient, comme les parois polies d'une piscine où l'eau bleuit, un air pur, azuré et salin. Le tapissier bavarois qui avait été chargé de l'aménagement de cet hôtel avait varié la décoration des pièces et sur trois côtés fait courir le long des murs, dans celle que je me trouvai habiter, des bibliothèques basses, à vitrines en glace, dans lesquelles, selon la place qu'elles occupaient, et par un effet qu'il n'avait pas prévu, telle ou telle partie du[1] tableau changeant de la mer se reflétait, déroulant une frise de claires marines, qu'interrompaient seuls les pleins[2] de l'acajou. Si bien que toute la pièce avait l'air d'un de ces dortoirs modèles qu'on présente dans les expositions « modern style » du mobilier, où ils sont ornés d'œuvres d'art qu'on a supposées capables de réjouir les yeux de celui qui couchera là, et auxquelles on a donné des sujets en rapport avec le genre de site où l'habitation doit se trouver.

Mais rien ne ressemblait moins non plus à ce Balbec réel que celui dont j'avais souvent rêvé, les jours de tempête, quand le vent était si fort que Françoise en me menant aux Champs-Élysées me recommandait de ne pas marcher trop près des murs pour ne pas recevoir de tuiles sur la tête, et parlait en gémissant des grands sinistres et naufrages annoncés par les journaux. Je n'avais pas de plus grand désir que de voir une tempête sur la mer, moins comme un beau spectacle que comme un moment dévoilé de la vie réelle de la nature; ou plutôt il n'y avait pour moi de beaux spectacles que ceux que je savais qui n'étaient pas artificiellement combinés pour mon plaisir, mais étaient nécessaires, inchangeables, — les beautés des paysages ou du grand art. Je n'étais curieux, je n'étais avide de connaître que ce que je croyais plus vrai que moi-même, ce qui avait pour moi le prix de me montrer un peu de la pensée d'un grand génie, ou de la force ou de la grâce de la nature telle qu'elle se manifeste livrée à elle-même, sans l'intervention des hommes. De même que le beau son de sa voix, isolément reproduit par le phonographe, ne nous consolerait pas d'avoir perdu notre mère, de même une tempête mécaniquement imitée m'aurait laissé aussi indifférent que les fontaines lumineuses de l'Exposition. Je voulais aussi, pour que la tempête fût absolument vraie, que le rivage lui-même fût un rivage naturel, non une digue récemment créée par une municipalité. D'ailleurs la nature, par tous les sentiments qu'elle éveillait en moi, me semblait ce qu'il y avait de plus opposé aux productions mécaniques des hommes. Moins elle portait leur empreinte et plus elle offrait d'espace à l'expansion de mon cœur. Or j'avais retenu le nom de Balbec que nous avait cité Legrandin, comme d'une plage toute proche de « ces côtes funèbres, fameuses par tant de naufrages, qu'enveloppent six mois de l'année le linceul des brumes et l'écume des vagues ».

« On y sent encore sous ses pas, disait-il, bien plus qu'au Finistère lui-même (et quand bien même des hôtels s'y superposeraient maintenant, sans pouvoir y modifier la plus antique ossature de la terre), on y sent la véritable fin de la terre française, européenne, de la Terre antique. Et c'est le dernier campement de pêcheurs, pareils à tous les pêcheurs qui ont vécu depuis le commencement du monde, en face du royaume éternel des brouillards de la mer et des ombres. »

Un jour qu'à Combray j'avais parlé de cette plage de Balbec devant M. Swann, afin d'apprendre de lui si c'était le point le mieux choisi pour voir les plus fortes tempêtes, il m'avait répondu : « Je crois bien que je connais Balbec! L'église de Balbec, du XIIe et XIIIe siècle, encore à moitié romane, est peut-être le plus curieux échantillon du gothique normand, et si singulière! on dirait de l'art persan. » Et ces lieux qui jusque-là ne m'avaient semblé être que de la nature immémoriale, restée contemporaine des grands phénomènes géologiques — et tout aussi en dehors de l'histoire humaine que l'Océan ou la Grande Ourse, avec ces sauvages pêcheurs pour qui, pas plus que pour les baleines, il n'y eut[1] de moyen âge —, ç'avait été un grand charme pour moi de les voir tout d'un coup entrés dans la série des siècles, ayant connu l'époque romane, et de savoir que le trèfle gothique était venu nervurer aussi ces rochers sauvages à l'heure voulue, comme ces plantes frêles mais vivaces qui, quand c'est le printemps, étoilent çà et là la neige des pôles. Et si le gothique apportait à ces lieux et à ces hommes une détermination qui leur manquait, eux aussi lui en conféraient une en retour. J'essayais de me représenter comment ces pêcheurs avaient vécu, le timide et insoupçonné essai de rapports sociaux qu'ils avaient tenté là, pendant le moyen âge, ramassés sur un point des côtes d'Enfer, aux pieds des falaises de la mort; et le gothique me semblait plus vivant maintenant que, séparé des villes où je l'avais toujours imaginé jusque-là, je pouvais voir comment, dans un cas particulier, sur des rochers sauvages, il avait germé et fleuri en un fin clocher. On me mena voir des reproductions des plus célèbres statues de Balbec — les apôtres moutonnants et camus, la Vierge du porche, et de joie ma respiration s'arrêtait dans ma poitrine quand je pensais que je pourrais les voir se modeler en relief sur le brouillard éternel et salé. Alors, par les soirs orageux et doux de février, le vent — soufflant dans mon cœur, qu'il ne faisait pas trembler moins fort que la cheminée de ma chambre, le projet d'un voyage à Balbec — mêlait en moi le désir de l'architecture gothique avec celui d'une tempête sur la mer.

J'aurais voulu prendre dès le lendemain le beau train généreux d'une heure vingt-deux dont je ne pouvais jamais sans que mon cœur palpitât lire, dans les réclames des Compagnies de chemin de fer, dans les annonces de voyages circulaires, l'heure de départ : elle me semblait inciser à un point précis de l'après-midi une savoureuse entaille, une marque mystérieuse à partir de laquelle les heures déviées conduisaient bien encore au soir, au matin du lendemain, mais qu'on verrait, au lieu de Paris, dans l'une de ces villes par où le train passe et entre lesquelles il nous permettait de choisir; car il s'arrêtait à Bayeux, à Coutances, à Vitré, à Questambert, à Pontorson, à Balbec, à Lannion, à Lamballe, à Benodet, à Pont-Aven, à Quimperlé, et s'avançait magnifiquement surchargé de noms qu'il m'offrait et entre lesquels je ne savais lequel j'aurais préféré, par impossibilité d'en sacrifier aucun. Mais sans même l'attendre, j'aurais pu, en m'habillant à la hâte, partir le soir même, si mes parents me l'avaient permis, et arriver à Balbec quand le petit jour se lèverait sur la mer furieuse, contre les écumes envolées de laquelle j'irais me réfugier dans l'église de style persan. Mais à l'approche des vacances de Pâques, quand mes parents m'eurent promis de me les faire passer une fois dans le nord de l'Italie, voilà qu'à ces rêves de tempête dont j'avais été rempli tout entier, ne souhaitant voir que des vagues accourant de partout, toujours plus haut, sur la côte la plus sauvage, près d'églises escarpées et rugueuses comme des falaises et dans les tours desquelles crieraient les oiseaux de mer, voilà que tout à coup les effaçant, leur ôtant tout charme, les excluant parce qu'ils lui étaient opposés et n'auraient pu que l'affaiblir, se substituait[1] en moi le rêve contraire du printemps le plus diapré, non pas le printemps de Combray qui piquait encore aigrement avec toutes les aiguilles du givre, mais celui qui couvrait déjà de lys et d'anémones les champs de Fiesole et éblouissait Florence de fonds d'or pareils à ceux de l'Angelico. Dès lors, seuls les rayons, les parfums, les couleurs me semblaient avoir du prix; car l'alternance des images avait amené en moi un changement de front du désir, et — aussi brusque que ceux qu'il y a parfois en musique — un complet changement de ton dans ma sensibilité. Puis il arriva qu'une simple variation atmosphérique suffît à provoquer en moi cette modulation sans qu'il y eût besoin d'attendre le retour d'une saison. Car souvent dans l'une on trouve égaré un jour d'une autre, qui nous y fait vivre, en évoque aussitôt, en fait désirer les plaisirs particuliers et interrompt les rêves que nous étions en train de faire, en plaçant plus tôt ou plus tard qu'à son tour ce feuillet détaché d'un autre chapitre, dans le calendrier interpolé du Bonheur. Mais bientôt, comme ces phénomènes naturels dont notre confort ou notre santé ne peuvent tirer qu'un bénéfice accidentel et assez mince jusqu'au jour où la science s'empare d'eux et, les produisant à volonté, remet en nos mains la possibilité de leur apparition, soustraite à la tutelle et dispensée de l'agrément du hasard, de même la production de ces rêves d'Atlantique et d'Italie cessa d'être soumise uniquement aux changements des saisons et du temps. Je n'eus besoin pour les faire renaître que de prononcer ces noms : Balbec, Venise, Florence, dans l'intérieur desquels avait fini par s'accumuler le désir que m'avaient inspiré les lieux qu'ils désignaient. Même au printemps, trouver dans un livre le nom de Balbec suffisait à réveiller en moi le désir des tempêtes et du gothique normand; même par un jour de tempête, le nom de Florence ou de Venise me donnait le désir du soleil, des lys, du palais des Doges et de Sainte-Marie-des-Fleurs.

Mais si ces noms absorbèrent à tout jamais l'image que j'avais de ces villes, ce ne fut qu'en la transformant, qu'en soumettant sa réapparition en moi à leurs lois propres; ils eurent ainsi pour conséquence de la rendre plus belle, mais aussi plus différente de ce que les villes de Normandie ou de Toscane pouvaient être en réalité, et, en accroissant les joies arbitraires de mon imagination, d'aggraver la déception future de mes voyages. Ils exaltèrent l'idée que je me faisais de certains lieux de la terre, en les faisant plus particuliers, par conséquent plus réels. Je ne me représentais pas alors les villes, les paysages, les monuments comme des tableaux plus ou moins agréables, découpés çà et là dans une même matière, mais chacun d'eux comme un inconnu, essentiellement différent des autres, dont mon âme avait soif et qu'elle aurait profit à connaître. Combien ils prirent quelque chose de plus individuel encore, d'être désignés par des noms, des noms qui n'étaient que pour eux, des noms comme en ont les personnes! Les mots nous présentent des choses une petite image claire et usuelle comme celles que l'on suspend aux murs des écoles pour donner aux enfants l'exemple de ce qu'est un établi, un oiseau, une fourmilière, choses conçues comme pareilles à toutes celles de même sorte. Mais les noms présentent des personnes — et des villes qu'ils nous habituent à croire individuelles, uniques comme des personnes — une image confuse qui tire d'eux, de leur sonorité éclatante ou sombre, la couleur dont elle est peinte uniformément, comme une de ces affiches, entièrement bleues ou entièrement rouges, dans lesquelles, à cause des limites du procédé employé ou par un caprice du décorateur, sont bleus ou rouges, non seulement le ciel et la mer, mais les barques, l'église, les passants. Le nom de Parme, une des villes où je désirais le plus aller depuis que j'avais lu *la Chartreuse,* m'apparaissant compact, lisse, mauve et doux, si on me parlait d'une maison quelconque de Parme dans laquelle je serais reçu, on me causait le plaisir de penser que j'habiterais une demeure lisse, compacte, mauve et douce, qui n'avait de rapport avec les demeures d'aucune ville d'Italie, puisque je l'imaginais seulement à l'aide de cette syllabe lourde du nom de Parme, où ne circule aucun air, et de tout ce que je lui avais fait absorber de douceur stendhalienne et du reflet des violettes. Et quand je pensais à Florence, c'était comme à une ville miraculeusement embaumée et semblable à une corolle, parce qu'elle s'appelait la cité des lys et sa cathédrale, Sainte-Marie-des-Fleurs. Quant à Balbec, c'était un de ces noms où, comme sur une vieille poterie normande qui garde la couleur de la terre d'où elle fut tirée, on voit se peindre encore la représentation de quelque usage aboli, de quelque droit féodal, d'un état ancien de lieux, d'une manière désuète de prononcer qui en avait formé les syllabes hétéroclites et que je ne doutais pas de retrouver jusque chez l'aubergiste qui me servirait du café au lait à mon arrivée, me menant voir la mer déchaînée devant l'église, et auquel je prêtais l'aspect disputeur, solennel et médiéval d'un personnage de fabliau.

Si ma santé s'affermissait et que mes parents me permissent, sinon d'aller séjourner à Balbec, du moins de prendre une fois, pour faire connaissance avec l'architecture et les paysages de la Normandie ou de la Bretagne, ce train d'une heure vingt-deux dans lequel j'étais monté tant de fois en imagination, j'aurais voulu m'arrêter de préférence dans les villes les plus belles; mais j'avais beau les comparer, comment choisir, plus qu'entre des êtres individuels qui ne sont pas interchangeables, entre Bayeux si haute dans sa noble dentelle rougeâtre et dont le faîte était illuminé par le vieil or de sa dernière syllabe; Vitré dont l'accent aigu losangeait de bois noir le vitrage ancien; le doux Lamballe qui, dans son blanc, va du jaune coquille d'œuf au gris perle; Coutances, cathédrale normande, que sa diphtongue finale, grasse et jaunissante, couronne par une tour de beurre; Lannion avec le bruit, dans son silence villageois, du coche suivi de la mouche; Questambert, Pontorson, risibles et naïfs, plumes blanches et becs jaunes éparpillés sur la route de ces[1] lieux fluviatiles et poétiques; Benodet, nom à peine amarré que semble vouloir entraîner la rivière au milieu de ses algues; Pont-Aven, envolée blanche et rose de l'aile d'une coiffe légère qui se reflète en tremblant dans une eau verdie de canal; Quimperlé, lui, mieux attaché, et depuis le moyen âge, entre les ruisseaux dont il gazouille et s'emperle en une grisaille pareille à celle que dessinent, à travers les toiles d'araignées d'une verrière, les rayons de soleil changés en pointes émoussées d'argent bruni?

Ces images étaient fausses pour une autre raison encore; c'est qu'elles étaient forcément très simplifiées; sans doute ce à quoi aspirait mon imagination et que mes sens ne percevaient qu'incomplètement et sans plaisir dans le présent, je l'avais enfermé dans le refuge des noms; sans doute, parce que j'y avais accumulé du rêve, ils aimantaient maintenant mes désirs; mais les noms ne sont pas très vastes; c'est tout au plus si je pouvais y faire entrer deux ou trois des « curiosités » principales de la ville et elles s'y juxtaposaient sans intermédiaires; dans le nom de Balbec, comme dans le verre grossissant de ces porte-plume qu'on achète aux bains de mer, j'apercevais des vagues soulevées autour d'une église de style persan. Peut-être même la simplification de ces images fut-elle une des causes de l'empire qu'elles prirent sur moi. Quand mon père eut décidé, une année, que nous irions passer les vacances de Pâques à Florence et à Venise, n'ayant pas la place de faire entrer dans le nom de Florence les éléments qui composent d'habitude les villes, je fus contraint à faire sortir une cité surnaturelle de la fécondation, par certains parfums printaniers, de ce que je croyais être, en son essence, le génie de Giotto. Tout au plus — et parce qu'on ne peut pas faire tenir dans un nom beaucoup plus de durée que d'espace — comme certains tableaux de Giotto eux-mêmes qui montrent à deux moments différents de l'action un même personnage, ici couché dans son lit, là s'apprêtant à monter à cheval, le nom de Florence était-il divisé en deux compartiments. Dans l'un, sous un dais architectural, je contemplais une fresque à laquelle était partiellement superposé un rideau de soleil matinal, poudreux, oblique et progressif; dans l'autre (car, ne pensant pas aux noms comme à un idéal inaccessible, mais comme à une ambiance réelle dans laquelle j'irais me plonger, la vie non vécue encore, la vie intacte et pure que j'y enfermais donnait aux plaisirs les plus matériels, aux scènes les plus simples, cet attrait qu'ils ont dans les œuvres des primitifs) je traversais rapidement — pour trouver plus vite le déjeuner qui m'attendait avec des fruits et du vin de Chianti — le Ponte Vecchio encombré de jonquilles, de narcisses et d'anémones. Voilà (bien que je fusse à Paris) ce que je voyais, et non ce qui était autour de moi. Même à un simple point de vue réaliste, les pays que nous désirons tiennent à chaque moment beaucoup plus de place dans notre vie véritable, que le pays où nous nous trouvons effectivement. Sans doute si alors j'avais fait moi-même plus attention à ce qu'il y avait dans ma pensée quand je prononçais les mots « aller à Florence, à Parme, à Pise, à Venise », je me serais rendu compte que ce que je voyais n'était nullement une ville, mais quelque chose d'aussi différent de tout ce que je connaissais, d'aussi délicieux, que pourrait être pour une humanité dont la vie se serait toujours écoulée dans des fins d'après-midi d'hiver, cette merveille inconnue : une matinée de printemps. Ces images irréelles, fixes, toujours pareilles, remplissant mes nuits et mes jours, différencièrent cette époque de ma vie de celles qui l'avaient précédée (et qui auraient pu se confondre avec elle aux yeux d'un observateur qui ne voit les choses que du dehors, c'est-à-dire qui ne voit rien), comme dans un opéra un motif mélodique introduit une nouveauté qu'on ne pourrait pas soupçonner si on ne faisait que lire le livret, moins encore si on restait en dehors du théâtre à compter seulement les quarts d'heure qui s'écoulent. Et encore, même à ce point de vue de simple quantité, dans notre vie les jours ne sont pas égaux. Pour parcourir les jours, les natures un peu nerveuses, comme était la mienne, disposent, comme les voitures automobiles, de « vitesses » différentes. Il y a des jours montueux et malaisés qu'on met un temps infini à gravir et des jours en pente qui se laissent descendre à fond de train en chantant. Pendant ce mois — où je ressassai comme une mélodie, sans pouvoir m'en rassasier, ces images de Florence, de Venise et de Pise, desquelles le désir qu'elles excitaient en moi gardait quelque chose d'aussi profondément individuel que si ç'avait été un amour, un amour pour une personne — je ne cessai pas de croire qu'elles correspondaient à une réalité indépendante de moi, et elles me firent connaître une aussi belle espérance que pouvait en nourrir un chrétien des premiers âges à la veille d'entrer dans le paradis. Aussi, sans que je me souciasse de la contradiction qu'il y avait à vouloir regarder et toucher avec les organes des sens ce qui avait été élaboré par la rêverie et non perçu par eux — et d'autant plus tentant pour eux, plus différent de ce qu'ils connaissaient, — c'est ce qui me rappelait la réalité de ces images qui enflammait le plus mon désir, parce que c'était comme une promesse qu'il serait contenté. Et, bien que mon exaltation eût pour motif un désir de jouissances artistiques, les guides l'entretenaient encore plus que les livres d'esthétique et, plus que les guides, l'indicateur des chemins de fer. Ce qui m'émouvait, c'était de penser que cette Florence que je voyais proche, mais inaccessible, dans mon imagination, si le trajet qui la séparait de moi, en moi-même, n'était pas viable, je pourrais l'atteindre par un biais, par un détour, en prenant la « voie de terre ». Certes, quand je me répétais, donnant ainsi tant de valeur à ce que j'allais voir, que Venise était « l'école de Giorgione, la demeure du Titien, le plus complet musée de l'architecture domestique au moyen âge », je me sentais heureux. Je l'étais pourtant davantage quand, sorti pour une course, marchant vite à cause du temps qui, après quelques jours de printemps précoce, était redevenu un temps d'hiver (comme celui que nous trouvions d'habitude à Combray, la Semaine Sainte) — voyant sur les boulevards les marronniers qui, plongés dans un air glacial et liquide comme de l'eau, n'en commençaient pas moins, invités exacts, déjà en tenue, et qui ne se sont pas laissé décourager, à arrondir et à ciseler, en leurs blocs congelés, l'irrésistible verdure dont la puissance abortive du froid contrariait, mais ne parvenait pas à refréner la progressive poussée — je pensais que déjà le Ponte Vecchio était jonché à foison de jacinthes et d'anémones et que le soleil du printemps teignait déjà les flots du Grand Canal d'un si sombre azur et de si nobles émeraudes qu'en venant se briser aux pieds des peintures du Titien, ils pouvaient rivaliser de riche coloris avec elles. Je ne pus plus contenir ma joie quand mon père, tout en consultant le baromètre et en déplorant le froid, commença à chercher quels seraient les meilleurs trains, et quand je compris qu'en pénétrant après le déjeuner dans le laboratoire charbonneux, dans la chambre magique qui se chargeait d'opérer la transmutation tout autour d'elle, on pouvait s'éveiller le lendemain dans la cité de marbre et d'or « rehaussée de jaspe et pavée d'émeraudes ». Ainsi, elle et la Cité des lys n'étaient pas seulement des tableaux fictifs qu'on mettait à volonté devant son imagination, mais existaient à une certaine distance de Paris qu'il fallait absolument franchir si l'on voulait les voir, à une certaine place déterminée de la terre, et à aucune autre, en un mot étaient bien réelles. Elles le devinrent encore plus pour moi, quand mon père en disant : « En somme, vous pourriez rester à Venise du 20 avril au 29 et arriver à Florence dès le matin de Pâques », les fit sortir toutes deux non plus seulement de l'Espace abstrait, mais de ce Temps imaginaire où nous situons non pas un seul voyage à la fois, mais d'autres, simultanés, et sans trop d'émotion puisqu'ils ne sont que possibles — ce Temps qui se refabrique si bien qu'on peut encore le passer dans une ville après qu'on l'a passé dans une autre — et leur consacra de ces jours particuliers qui sont le certificat d'authenticité des objets auxquels on les emploie, car ces jours uniques, ils se consument par l'usage, ils ne reviennent pas, on ne peut plus les vivre ici quand on les a vécus là; je sentis que c'était vers la semaine qui commençait le lundi où la blanchisseuse devait[1] rapporter le gilet blanc que j'avais couvert d'encre, que se dirigeaient pour s'y absorber, au sortir du temps idéal où elles n'existaient pas encore, les deux cités Reines dont j'allais avoir, par la plus émouvante des géométries, à inscrire les dômes et les tours dans le plan de ma propre vie. Mais je n'étais encore qu'en chemin vers le dernier degré de l'allégresse; je l'atteignis enfin (ayant seulement alors la révélation que, sur les rues clapotantes, rougies du reflet des fresques de Giorgione, ce n'était pas, comme j'avais, malgré tant d'avertissements, continué à l'imaginer, les hommes « majestueux et terribles comme la mer, portant leur armure aux reflets de bronze sous les plis de leur manteau sanglant » qui se promèneraient dans Venise la semaine prochaine, la veille de Pâques, mais que ce pourrait être moi, le personnage minuscule que, dans une grande photographie de Saint-Marc qu'on m'avait prêtée, l'illustrateur avait représenté, en chapeau melon, devant les porches), quand j'entendis mon père me dire : « Il doit faire encore froid sur le Grand Canal, tu ferais bien de mettre à tout hasard dans ta malle ton pardessus d'hiver et ton gros veston. » À ces mots je m'élevai à une sorte d'extase; ce que j'avais cru jusque-là impossible, je me sentis vraiment pénétrer entre ces « rochers d'améthyste pareils à un récif de la mer des Indes »; par une gymnastique suprême et au-dessus de mes forces, me dévêtant comme d'une carapace sans objet de l'air de ma chambre qui m'entourait, je le remplaçai par des parties égales d'air vénitien, cette atmosphère marine, indicible et particulière comme celle des rêves, que mon imagination avait enfermée dans le nom de Venise; je sentis s'opérer en moi une miraculeuse désincarnation; elle se doubla aussitôt de la vague envie de vomir qu'on éprouve quand on vient de prendre un gros mal de gorge, et on dut me mettre au lit avec une fièvre si tenace que le docteur déclara qu'il fallait renoncer non seulement à me laisser partir maintenant à Florence et à Venise mais, même quand je serais entièrement rétabli, m'éviter, d'ici au moins un an, tout projet de voyage et toute cause d'agitation.

Et hélas, il défendit aussi d'une façon absolue qu'on me laissât aller au théâtre entendre la Berma; l'artiste sublime, à laquelle Bergotte trouvait du génie, m'aurait, en me faisant connaître quelque chose qui était peut-être aussi important et aussi beau, consolé de n'avoir pas été à Florence et à Venise, de n'aller pas à Balbec. On devait se contenter de m'envoyer chaque jour aux Champs-Élysées, sous la surveillance d'une personne qui m'empêcherait de me fatiguer et qui fut Françoise, entrée à notre service après la mort de ma tante Léonie. Aller aux Champs-Élysées me fut insupportable. Si seulement

Bergotte les eût décrits dans un de ses livres, sans doute j'aurais désiré de les connaître, comme toutes les choses dont on avait commencé par mettre le « double » dans mon imagination. Elle les réchauffait, les faisait vivre, leur donnait une personnalité, et je voulais les retrouver dans la réalité; mais dans ce jardin public rien ne se rattachait à mes rêves.

Un jour, comme je m'ennuyais à notre place familière, à côté des chevaux de bois, Françoise m'avait emmené en excursion — au delà de la frontière que gardent à intervalles égaux les petits bastions des marchandes de sucre d'orge — dans ces régions voisines mais étrangères où les visages sont inconnus, où passe la voiture aux chèvres; puis elle était revenue prendre ses affaires sur sa chaise adossée à un massif de lauriers; en l'attendant je foulais la grande pelouse chétive et rase, jaunie par le soleil, au bout de laquelle le bassin est dominé par une statue, quand, de l'allée, s'adressant à une fillette à cheveux roux qui jouait au volant devant la vasque, une autre, en train de mettre son manteau et de serrer sa raquette, lui cria, d'une voix brève : « Adieu, Gilberte, je rentre, n'oublie pas que nous venons ce soir chez toi après dîner. » Ce nom de Gilberte passa près de moi, évoquant d'autant plus l'existence de celle qu'il désignait qu'il ne la nommait pas seulement comme un absent dont on parle, mais l'interpellait; il passa ainsi près de moi, en action pour ainsi dire, avec une puissance qu'accroissait la courbe de son jet et l'approche de son but; — transportant à son bord, je le sentais, la connaissance, les notions qu'avait de celle à qui il était adressé, non pas moi, mais l'amie qui l'appelait, tout ce que, tandis qu'elle le prononçait, elle revoyait ou, du moins, possédait en sa mémoire, de leur intimité quotidienne, des visites qu'elles se faisaient l'une chez l'autre, et tout cet inconnu encore plus inaccessible et plus douloureux pour moi d'être au contraire si familier et si maniable pour cette fille heureuse qui m'en frôlait sans que j'y puisse pénétrer et le jetait en plein air dans un cri; — laissant déjà flotter dans l'air l'émanation délicieuse qu'il avait fait se dégager, en les touchant avec précision, de quelques points invisibles de la vie de Mlle Swann, du soir qui allait venir, tel qu'il serait, après dîner, chez elle; — formant, passager céleste au milieu des enfants et des bonnes, un petit nuage d'une couleur précieuse, pareil à celui qui, bombé au-dessus d'un beau jardin du Poussin, reflète minutieusement, comme un nuage d'opéra plein de chevaux et de chars, quelque apparition de la vie des dieux; — jetant enfin, sur cette herbe pelée, à l'endroit où elle était un morceau à la fois de pelouse flétrie et un moment de l'après-midi de la blonde joueuse de volant (qui ne s'arrêta de le lancer et de le rattraper que quand une institutrice à plumet bleu l'eut appelée), une petite bande merveilleuse et couleur d'héliotrope, impalpable comme un reflet et superposée comme un tapis, sur lequel je ne pus me lasser de promener mes pas attardés, nostalgiques et profanateurs, tandis que Françoise me criait : « Allons, aboutonnez voir votre paletot et filons » et que je remarquais pour la première fois avec irritation qu'elle avait un langage vulgaire, et hélas! pas de plumet bleu à son chapeau.

Retournerait-elle seulement aux Champs-Élysées? Le lendemain elle n'y était pas; mais je l'y vis, les jours suivants; je tournais tout le temps autour de l'endroit où elle jouait avec ses amies, si bien qu'une fois où elles ne se trouvèrent pas en nombre pour leur partie de barres, elle me fit demander si je voulais compléter leur camp, et je jouai désormais avec elle chaque fois qu'elle était là. Mais ce n'était pas tous les jours; il y en avait où elle était empêchée de venir par ses cours, le catéchisme, un goûter, toute cette vie séparée de la mienne que par deux fois, condensée dans le nom de Gilberte, j'avais sentie passer si douloureusement près de moi, dans le raidillon de Combray et sur la pelouse des Champs-Élysées. Ces jours-là, elle annonçait d'avance qu'on ne la verrait pas; si c'était à cause de ses études, elle disait : « C'est rasant, je ne pourrai pas venir demain; vous allez tous vous amuser sans moi », d'un air chagrin qui me consolait un peu; mais en revanche quand elle était invitée à une matinée et que, ne le sachant pas, je lui demandais si elle viendrait jouer, elle me répondait : « J'espère bien que non! J'espère bien que maman me laissera aller chez mon amie. » Du moins, ces jours-là, je savais que je ne la verrais pas, tandis que, d'autres fois, c'était à l'improviste que sa mère l'emmenait faire des courses avec elle, et le lendemain elle disait : « Ah!

oui, je suis sortie avec maman », comme une chose naturelle, et qui n'eût pas été pour quelqu'un le plus grand malheur possible[1]. Il y avait aussi les jours de mauvais temps où son institutrice, qui pour elle-même craignait la pluie, ne voulait pas l'emmener aux Champs-Élysées.

Aussi si le ciel était douteux, dès le matin je ne cessais de l'interroger et je tenais compte de tous les présages. Si je voyais la dame d'en face qui, près de la fenêtre, mettait son chapeau, je me disais : « Cette dame va sortir; donc il fait un temps où l'on peut sortir : pourquoi Gilberte ne ferait-elle pas comme cette dame ? » Mais le temps s'assombrissait, ma mère disait qu'il pouvait se lever encore, qu'il suffirait pour cela d'un rayon de soleil, mais que plus probablement il pleuvrait; et s'il pleuvait, à quoi bon aller aux Champs-Élysées ? Aussi depuis le déjeuner mes regards anxieux ne quittaient plus le ciel incertain et nuageux. Il restait sombre. Devant la fenêtre, le balcon était gris. Tout d'un coup, sur sa pierre maussade je ne voyais pas une couleur moins terne, mais je sentais comme un effort vers une couleur moins terne, la pulsation d'un rayon hésitant qui voudrait libérer sa lumière. Un instant après, le balcon était pâle et réfléchissant comme une eau matinale, et mille reflets de la ferronnerie de son treillage étaient venus s'y poser. Un souffle de vent les dispersait, la pierre s'était de nouveau assombrie, mais, comme apprivoisés, ils revenaient; elle recommençait imperceptiblement à blanchir et par un de ces crescendos continus comme ceux qui, en musique, à la fin d'une Ouverture, mènent une seule note jusqu'au fortissimo suprême en la faisant passer rapidement par tous les degrés intermédiaires, je la voyais atteindre à cet or inaltérable et fixe des beaux jours, sur lequel l'ombre découpée de l'appui ouvragé de la balustrade se détachait en noir comme une végétation capricieuse, avec une ténuité dans la délinéation des moindres détails qui semblait trahir une conscience appliquée, une satisfaction d'artiste, et avec un tel relief, un tel velours dans le repos de ses masses sombres et heureuses qu'en vérité ces reflets larges et feuillus qui reposaient sur ce lac de soleil semblaient savoir qu'ils étaient des gages de calme et de bonheur.

Lierre instantané, flore pariétaire et fugitive! la plus incolore, la plus triste, au gré de beaucoup, de celles qui peuvent ramper sur le mur ou décorer la croisée; pour moi, de toutes la plus chère depuis le jour où elle était apparue sur notre balcon, comme l'ombre même de la présence de Gilberte qui était peut-être déjà aux Champs-Élysées et, dès que j'y arriverais, me dirait : « Commençons tout de suite à jouer aux barres, vous êtes dans mon camp »; fragile, emportée par un souffle, mais aussi en rapport non pas avec la saison, mais avec l'heure; promesse du bonheur immédiat que la journée refuse ou accomplira, et par là du bonheur immédiat par excellence, le bonheur de l'amour; plus douce, plus chaude sur la pierre que n'est la mousse même; vivace, à qui il suffit d'un rayon pour naître et faire éclore de la joie, même au cœur de l'hiver.

Et jusque dans ces jours où toute autre végétation a disparu, où le beau cuir vert qui enveloppe le tronc des vieux arbres est caché sous la neige, quand celle-ci cessait de tomber, mais que le temps restait trop couvert pour espérer que Gilberte sortît, alors tout d'un coup, faisant dire à ma mère : « Tiens voilà justement qu'il fait beau, vous pourriez peut-être essayer tout de même d'aller aux Champs-Élysées », sur le manteau de neige qui couvrait le balcon, le soleil apparu entrelaçait des fils d'or et brodait des reflets noirs. Ce jour-là nous ne trouvions personne, ou une seule fillette prête à partir qui m'assurait que Gilberte ne viendrait pas. Les chaises désertées par l'assemblée imposante mais frileuse des institutrices étaient vides. Seule, près de la pelouse, était assise une dame d'un certain âge qui venait par tous les temps, toujours harnachée d'une toilette identique, magnifique et sombre, et pour faire la connaissance de laquelle j'aurais à cette époque sacrifié, si l'échange m'avait été permis, tous les plus grands avantages futurs de ma vie. Car Gilberte allait tous les jours la saluer; elle demandait à Gilberte des nouvelles de « son amour de mère »; et il me semblait que, si je l'avais connue, j'aurais été pour Gilberte quelqu'un de tout autre, quelqu'un qui connaissait les relations de ses parents. Pendant que ses petits-enfants jouaient plus loin, elle lisait toujours les *Débats* qu'elle appelait « mes vieux Débats », et par genre aristocratique disait en parlant du sergent de ville ou de la loueuse de chaises : « Mon vieil ami le sergent de ville », « la loueuse de chaises et moi qui sommes de vieux amis ».

Françoise avait trop froid pour rester immobile, nous allâmes jusqu'au pont de la Concorde voir la Seine prise, dont chacun et même les enfants s'approchaient sans peur comme d'une immense baleine échouée, sans défense, et qu'on allait dépecer. Nous revenions aux Champs-Élysées; je languissais de douleur entre les chevaux de bois immobiles et la pelouse blanche, prise dans le réseau noir des allées dont on avait enlevé la neige et sur laquelle la statue avait à la main un jet de glace ajouté, qui semblait l'explication de son geste. La vieille dame elle-même, ayant plié ses *Débats,* demanda l'heure à une bonne d'enfants qui passait et qu'elle remercia en lui disant : « Comme vous êtes aimable! » puis, priant le cantonnier de dire à ses petits-enfants de revenir, qu'elle avait froid, ajouta : « Vous serez mille fois bon. Vous savez que je suis confuse! » Tout à coup l'air se déchira[1] : entre le guignol et le cirque, à l'horizon embelli, sur le ciel entr'ouvert, je venais d'apercevoir, comme un signe fabuleux, le plumet bleu de Mademoiselle. Et déjà Gilberte courait à toute vitesse dans ma direction, étincelante et rouge sous un bonnet carré de fourrure, animée par le froid, le retard et le désir du jeu; un peu avant d'arriver à moi, elle se laissa glisser sur la glace et, soit pour mieux garder son équilibre, soit parce qu'elle trouvait cela plus gracieux, ou par affectation du maintien d'une patineuse, c'est les bras grands ouverts qu'elle avançait en souriant, comme si elle avait voulu m'y recevoir. « Brava! Brava! ça c'est très bien, je dirais comme vous que c'est chic, que c'est crâne, si je n'étais pas d'un autre temps, du temps de l'ancien régime, s'écria la vieille dame prenant la parole au nom des Champs-Élysées silencieux pour remercier Gilberte d'être venue sans se laisser intimider par le temps. Vous êtes comme moi, fidèle quand même à nos vieux Champs-Élysées; nous sommes deux intrépides. Si je vous disais que je les aime, même ainsi. Cette neige, vous allez rire de moi, ça me fait penser à de l'hermine! » Et la vieille dame se mit à rire.

Le premier de ces jours — auxquels la neige, image des puissances qui pouvaient me priver de voir Gilberte, donnait la tristesse d'un jour de séparation et jusqu'à l'aspect d'un jour de départ, parce qu'il changeait la figure et empêchait presque l'usage du lieu habituel de nos seules entrevues, maintenant changé, tout enveloppé de housses — ce jour fit pourtant faire un progrès à mon amour, car il fut comme un premier chagrin qu'elle eût partagé avec moi. Il n'y avait que nous deux de notre bande, et être ainsi le seul qui fût avec elle, c'était non seulement comme un commencement d'intimité, mais aussi de sa part — comme si elle ne fût venue rien que pour moi par un temps pareil — cela me semblait aussi touchant que si, un de ces jours où elle était invitée à une matinée, elle y avait renoncé pour venir me retrouver aux Champs-Élysées; je prenais plus de confiance en la vitalité et en l'avenir de notre amitié qui restait vivace au milieu de l'engourdissement, de la solitude et de la ruine des choses environnantes; et tandis qu'elle me mettait des boules de neige dans le cou, je souriais avec attendrissement à ce qui me semblait à la fois une prédilection qu'elle me marquait en me tolérant comme compagnon de voyage dans ce pays hivernal et nouveau, et une sorte de fidélité qu'elle me gardait au milieu du malheur. Bientôt, l'une après l'autre, comme des moineaux hésitants, ses amies arrivèrent, toutes noires sur la neige. Nous commençâmes à jouer, et comme ce jour si tristement commencé devait finir dans la joie, comme je m'approchais, avant de jouer aux barres, de l'amie à la voix brève que j'avais entendue le premier jour crier le nom de Gilberte, elle me dit : « Non, non, on sait bien que vous aimez mieux être dans le camp de Gilberte, d'ailleurs, vous voyez, elle vous fait signe. » Elle m'appelait en effet pour que je vinsse[1] sur la pelouse de neige, dans son camp, dont le soleil en lui donnant les reflets roses, l'usure métallique des brocarts anciens, faisait un Camp[2] du Drap d'or.

Ce jour que j'avais tant redouté fut au contraire un des seuls où je ne fus pas trop malheureux.

Car, moi qui ne pensais plus qu'à ne jamais rester un jour sans voir Gilberte (au point qu'une fois, ma grand'mère n'étant pas rentrée pour l'heure du dîner, je ne pus m'empêcher de me dire tout de suite que si elle avait été écrasée par une voiture, je ne pourrais pas aller de quelque temps aux Champs-Élysées; on n'aime plus personne dès qu'on aime), pourtant ces moments où j'étais auprès d'elle et que depuis la veille j'avais si impatiemment attendus, pour lesquels j'avais tremblé, auxquels j'aurais sacrifié tout le reste, n'étaient nullement des moments heureux; et je le savais bien, car c'était les seuls moments de ma vie sur lesquels je concentrasse une attention méticuleuse, acharnée, et elle ne découvrait pas en eux un atome de plaisir.

Tout le temps que j'étais loin de Gilberte, j'avais besoin de la voir, parce que cherchant sans cesse à me représenter son image, je finissais par ne plus y réussir, et par ne plus savoir exactement à quoi correspondait mon amour. Puis, elle ne m'avait encore jamais dit qu'elle m'aimait. Bien au contraire, elle avait souvent prétendu qu'elle avait des amis qu'elle me préférait, que j'étais un bon camarade avec qui elle jouait volontiers, quoique trop distrait, pas assez au jeu; enfin elle m'avait donné souvent des marques apparentes de froideur qui auraient pu ébranler ma croyance que j'étais pour elle un être différent des autres, si cette croyance avait pris sa source dans un amour que Gilberte aurait eu pour moi, et non pas, comme cela était, dans l'amour que j'avais pour elle, ce qui la rendait autrement résistante, puisque cela la faisait dépendre de la manière même dont j'étais obligé, par une nécessité intérieure, de penser à Gilberte. Mais les sentiments que je ressentais pour elle, moi-même je ne les lui avais pas encore déclarés. Certes, à toutes les pages de mes cahiers, j'écrivais indéfiniment son nom et son adresse, mais à la vue de ces vagues lignes que je traçais sans qu'elle pensât pour cela à moi, qui lui faisaient prendre autour de moi tant de place apparente sans qu'elle fût mêlée davantage à ma vie, je me sentais découragé parce qu'elles ne me parlaient pas de Gilberte qui ne les verrait même pas, mais de mon propre désir qu'elles semblaient me montrer comme quelque chose de purement personnel, d'irréel, de fastidieux et d'impuissant. Le plus pressé était que nous nous vissions, Gilberte et moi, et que nous pussions[1] nous faire l'aveu réciproque de notre amour, qui jusque-là n'aurait pour ainsi dire pas commencé. Sans doute les diverses raisons qui me rendaient si impatient de la voir auraient été moins impérieuses pour un homme mûr. Plus tard, il arrive que, devenus habiles dans la culture de nos plaisirs, nous nous contentions de celui que nous avons à penser à une femme comme je pensais à Gilberte, sans être inquiets de savoir si cette image correspond à la réalité, et aussi de celui de l'aimer sans avoir besoin d'être certains qu'elle nous aime ; ou encore que nous renoncions au plaisir de lui avouer notre inclination pour elle, afin d'entretenir plus vivace l'inclination qu'elle a pour nous, imitant ces jardiniers japonais qui, pour obtenir une plus belle fleur, en sacrifient plusieurs autres. Mais à l'époque où j'aimais Gilberte, je croyais encore que l'Amour existait réellement en dehors de nous ; que, en permettant tout au plus que nous écartions les obstacles, il offrait ses bonheurs dans un ordre auquel on n'était pas libre de rien changer ; il me semblait que si j'avais, de mon chef, substitué à la douceur de l'aveu la simulation de l'indifférence, je ne me serais pas seulement privé d'une des joies dont j'avais le plus rêvé, mais que je me serais fabriqué à ma guise un amour factice et sans valeur, sans communication avec le vrai, dont j'aurais renoncé à suivre les chemins mystérieux et préexistants.

Mais quand j'arrivais aux Champs-Élysées — et que d'abord j'allais pouvoir confronter mon amour, pour lui faire subir les rectifications nécessaires, à sa cause vivante, indépendante de moi — dès que j'étais en présence de cette Gilberte Swann sur la vue de laquelle j'avais compté pour rafraîchir les images que ma mémoire fatiguée ne retrouvait plus, de cette Gilberte Swann avec qui j'avais joué hier, et que venait de me faire saluer et reconnaître un instinct aveugle comme celui qui dans la marche nous met un pied devant l'autre avant que nous ayons eu le temps de penser, aussitôt tout se passait comme si elle et la fillette qui était l'objet de mes rêves avaient été deux êtres différents. Par exemple, si depuis la veille je portais dans ma mémoire deux yeux de feu dans des joues pleines et brillantes, la figure de Gilberte m'offrait maintenant avec insistance quelque chose que précisément je ne m'étais pas rappelé, un certain effilement aigu du nez qui, s'associant instantanément à d'autres traits, prenait l'importance de ces caractères qui en histoire naturelle définissent une espèce, et la transmuait en une fillette du genre de celles à museau pointu. Tandis que je m'apprêtais à profiter de cet instant désiré pour me livrer, sur l'image de Gilberte que j'avais préparée avant de venir et que je ne retrouvais plus dans ma tête, à la mise au point qui me permettrait, dans les longues heures où j'étais seul, d'être sûr que c'était bien elle que je me rappelais, que c'était bien mon amour pour elle que j'accroissais peu à peu comme un ouvrage qu'on compose, elle me passait une balle; et comme le philosophe idéaliste dont le corps tient compte du monde extérieur à la réalité duquel son intelligence ne croit pas, le même moi qui m'avait fait la saluer avant que je l'eusse identifiée, s'empressait de me faire saisir la balle qu'elle me tendait (comme si elle était une camarade avec qui j'étais venu jouer, et non une âme sœur que j'étais venu rejoindre), me faisait lui tenir par bienséance jusqu'à l'heure où elle s'en allait, mille propos aimables et insignifiants et m'empêchait ainsi ou de garder le silence pendant lequel j'aurais pu enfin remettre la main sur l'image urgente et égarée, ou de lui dire les paroles qui pouvaient faire faire à notre amour les progrès décisifs sur lesquels j'étais chaque fois obligé de ne plus compter que pour l'après-midi suivante.

Il en faisait pourtant quelques-uns. Un jour, nous étions allés avec Gilberte jusqu'à la baraque de notre marchande qui était particulièrement aimable pour nous — car c'était chez elle que M. Swann faisait acheter son pain d'épice, et par hygiène, il en consommait beaucoup, souffrant d'un eczéma ethnique et de la constipation des Prophètes —, Gilberte me montrait en riant deux petits garçons qui étaient comme le petit coloriste et le petit naturaliste des livres d'enfants. Car l'un ne voulait pas d'un sucre d'orge rouge parce qu'il préférait le violet, et l'autre, les larmes aux yeux, refusait une prune que voulait lui acheter sa bonne, parce que, finit-il par dire d'une voix passionnée : « J'aime mieux l'autre prune, parce qu'elle a un ver! » J'achetai deux billes d'un sou. Je regardais avec admiration, lumineuses et captives dans une sébile isolée, les billes d'agate qui me semblaient précieuses parce qu'elles étaient souriantes et blondes comme des jeunes filles et parce qu'elles coûtaient cinquante centimes pièce. Gilberte, à qui on donnait beaucoup plus d'argent qu'à moi, me demanda laquelle je trouvais la plus belle. Elles avaient la transparence et le fondu de la vie. Je n'aurais voulu lui en faire sacrifier aucune. J'aurais aimé qu'elle pût les acheter, les délivrer toutes. Pourtant je lui en désignai une qui avait la couleur de ses yeux. Gilberte la prit, chercha son rayon doré, la caressa, paya sa rançon, mais aussitôt me remit sa captive en me disant : « Tenez, elle est à vous, je vous la donne, gardez-la comme souvenir. »

Une autre fois, toujours préoccupé du désir d'entendre la Berma dans une pièce classique, je lui avais demandé si elle ne possédait pas une brochure où Bergotte parlait de Racine et qui ne se trouvait plus dans le commerce. Elle m'avait prié de lui en rappeler le titre exact, et le soir je lui avais adressé un petit télégramme en écrivant sur l'enveloppe ce nom de Gilberte Swann que j'avais tant de fois tracé sur mes cahiers. Le lendemain elle m'apporta, dans un paquet noué de faveurs mauves et scellé de cire blanche, la brochure qu'elle avait fait chercher. « Vous voyez que c'est bien ce que vous m'avez demandé », me dit-elle, tirant de son manchon le télégramme que je lui avais envoyé. Mais dans l'adresse de ce pneumatique — qui hier encore n'était rien, n'était qu'un petit bleu que j'avais écrit, et qui, depuis qu'un télégraphiste l'avait remis au concierge de Gilberte et qu'un domestique l'avait porté jusqu'à sa chambre, était devenu cette chose sans prix, un des petits bleus qu'elle avait reçus ce jour-là — j'eus peine à reconnaître les lignes vaines et solitaires de mon écriture sous les cercles imprimés qu'y avait apposés la poste, sous les inscriptions qu'y avait ajoutées au crayon un des facteurs, signes de réalisation effective, cachets du monde extérieur, violettes ceintures symboliques de la vie, qui pour la première fois venaient épouser, maintenir, relever, réjouir mon rêve.

Et il y eut un jour aussi où elle me dit : « Vous savez, vous pouvez m'appeler Gilberte, en tous cas moi, je vous appellerai par votre nom de baptême. C'est trop gênant. » Pourtant elle continua encore un moment à se contenter de me dire « vous » et, comme je le lui faisais remarquer, elle sourit et, composant, construisant une phrase comme celles qui dans les grammaires étrangères n'ont d'autre but que de nous faire employer un mot nouveau, elle la termina par mon petit nom. En[1] me souvenant plus tard de ce que j'avais senti alors, j'y ai démêlé l'impression d'avoir été tenu un instant dans sa bouche, moi-même, nu, sans plus aucune des modalités sociales qui appartenaient aussi soit à ses autres camarades, soit, quand elle disait mon nom de famille, à mes parents, et dont ses lèvres — en l'effort qu'elle faisait, un peu comme son père, pour articuler les mots qu'elle voulait mettre en valeur — eurent l'air de me dépouiller, de me dévêtir, comme de sa peau un fruit dont on ne peut avaler que la pulpe, tandis que son regard, se mettant au même degré nouveau d'intimité que prenait sa parole, m'atteignait aussi plus directement, non sans témoigner la conscience, le plaisir et jusque la gratitude qu'il en avait, en se faisant accompagner d'un sourire.

Mais au moment même, je ne pouvais apprécier la valeur de ces plaisirs nouveaux. Ils n'étaient pas donnés par la fillette que j'aimais, au moi qui l'aimais, mais par l'autre, par celle avec qui je jouais, à cet autre moi qui ne possédait ni le souvenir de la vraie Gilberte, ni le cœur indisponible qui seul aurait pu savoir le prix d'un bonheur, parce que seul il l'avait désiré. Même après être rentré à la maison, je ne les goûtais pas, car chaque jour, la nécessité qui me faisait espérer que le lendemain j'aurais la contemplation exacte, calme, heureuse de Gilberte, qu'elle m'avouerait enfin son amour, en m'expliquant pour quelles raisons elle avait dû me le cacher jusqu'ici, cette même nécessité me forçait à tenir le passé pour rien, à ne jamais regarder que devant moi, à considérer les petits avantages qu'elle m'avait donnés non pas en eux-mêmes et comme s'ils se suffisaient, mais comme des échelons nouveaux où poser le pied, qui allaient me permettre de faire un pas de plus en avant et d'atteindre enfin le bonheur que je n'avais pas encore rencontré.

Si elle me donnait parfois de ces marques d'amitié, elle me faisait aussi de la peine en ayant l'air de ne pas avoir de plaisir à me voir, et cela arrivait souvent les jours mêmes sur lesquels j'avais le plus compté pour réaliser mes espérances. J'étais sûr que Gilberte viendrait aux Champs-Élysées et j'éprouvais une allégresse qui me paraissait seulement la vague anticipation d'un grand bonheur quand — entrant dès le matin au salon pour embrasser maman déjà toute prête, la tour de ses cheveux noirs entièrement construite et ses belles mains blanches et potelées sentant encore le savon — j'avais appris, en voyant une colonne de poussière se tenir debout toute seule au-dessus du piano et en entendant un orgue de Barbarie jouer sous la fenêtre *En revenant de la revue,* que l'hiver recevait jusqu'au soir la visite inopinée et radieuse d'une journée de printemps. Pendant que nous déjeunions, en ouvrant sa croisée, la dame d'en face avait fait décamper en un clin d'œil, d'à côté de ma chaise — rayant d'un seul bond toute la largeur de notre salle à manger — un rayon qui y avait commencé sa sieste et était déjà revenu la continuer l'instant d'après. Au collège, à la classe d'une heure, le soleil me faisait languir d'impatience et d'ennui en laissant traîner une lueur dorée jusque sur mon pupitre, comme une invitation à la fête où je ne pourrais arriver avant trois heures, jusqu'au moment où Françoise venait me chercher à la sortie et où nous nous acheminions vers les Champs-Élysées par les rues décorées de lumière, encombrées par la foule et où les balcons, descellés par le soleil et vaporeux, flottaient devant les maisons comme des nuages d'or. Hélas! aux Champs-Élysées je ne trouvais pas Gilberte, elle n'était pas encore arrivée. Immobile sur la pelouse nourrie par le soleil invisible qui çà et là faisait flamboyer la pointe d'un brin d'herbe, et sur laquelle les pigeons qui s'y étaient posés avaient l'air de sculptures antiques que la pioche du jardinier a ramenées à la surface d'un sol auguste, je restais les yeux fixés sur l'horizon, je m'attendais à tout moment à voir apparaître l'image de Gilberte suivant son institutrice, derrière la statue qui semblait tendre l'enfant qu'elle portait et qui ruisselait de rayons, à la bénédiction du soleil. La vieille lectrice des *Débats* était assise sur son fauteuil, toujours à la même place, elle interpellait un gardien à qui elle faisait un geste amical de la main en lui criant : « Quel joli temps! » Et la préposée s'étant approchée d'elle pour percevoir le prix du fauteuil, elle faisait mille minauderies en mettant dans l'ouverture de son gant le ticket de dix centimes, comme si ç'avait été un bouquet pour qui elle cherchait, par amabilité pour le donateur, la place la plus flatteuse possible. Quand elle l'avait trouvée, elle faisait exécuter une évolution circulaire à son cou, redressait son boa et plantait sur la chaisière, en lui montrant le bout de papier jaune qui dépassait sur son poignet, le beau sourire dont une femme, en indiquant son corsage à un jeune homme, lui dit : « Vous reconnaissez vos roses! »

J'emmenais Françoise au-devant de Gilberte jusqu'à l'Arc-de-Triomphe, nous ne la rencontrions pas, et je revenais vers la pelouse persuadé qu'elle ne viendrait plus, quand, devant les chevaux de bois, la fillette à la voix brève se jetait sur moi : « Vite, vite, il y a déjà un quart d'heure que Gilberte est arrivée. Elle va repartir bientôt. On vous attend pour faire une partie de barres. » Pendant que je montais l'avenue des Champs-Élysées, Gilberte était venue par la rue Boissy-d'Anglas, Mademoiselle ayant profité du beau temps pour faire des courses pour elle; et M. Swann allait venir chercher sa fille. Aussi, c'était ma faute; je n'aurais pas dû m'éloigner de la pelouse; car on ne savait jamais sûrement par quel côté Gilberte viendrait, si ce serait plus ou moins tard, et cette attente finissait par me rendre plus émouvants, non seulement les Champs-Élysées entiers et toute la durée de l'après-midi, comme une immense étendue d'espace et de temps sur chacun des points et à chacun des moments de laquelle il était possible qu'apparût l'image de Gilberte, mais encore cette image elle-même, parce que derrière cette image je sentais se cacher la raison pour laquelle elle m'était décochée en plein cœur à quatre heures au lieu de deux heures et demie, surmontée d'un chapeau de visite à la place d'un béret de jeu, devant les « Ambassadeurs » et non entre les deux guignols, je devinais quelqu'une de ces occupations où je ne pouvais suivre Gilberte et qui la forçaient à sortir ou à rester à la maison, j'étais en contact avec le mystère de sa vie inconnue. C'était ce mystère aussi qui me troublait quand, courant sur l'ordre de la fillette à la voix brève pour commencer tout de suite notre partie de barres, j'apercevais Gilberte, si vive et brusque avec nous, faisant une révérence à la dame aux *Débats* (qui lui disait : « Quel beau soleil, on dirait du feu »), lui parlant avec un sourire timide, d'un air compassé qui m'évoquait la jeune fille différente que Gilberte devait être[1] chez ses parents, avec les amis de ses parents, en visite, dans toute son autre existence qui m'échappait. Mais de cette existence, personne ne me donnait l'impression comme M. Swann qui venait un peu après pour retrouver sa fille. C'est que lui et Mme Swann — parce que leur fille habitait chez eux, parce que ses études, ses jeux, ses amitiés dépendaient d'eux — contenaient pour moi, comme Gilberte, peut-être même plus que Gilberte, comme il convenait à des dieux[1] tout-puissants sur elle, en qui il aurait eu sa source, un inconnu inaccessible, un charme douloureux. Tout ce qui les concernait était de ma part l'objet d'une préoccupation si constante que les jours où, comme ceux-là, M. Swann (que j'avais vu si souvent autrefois sans qu'il excitât ma curiosité, quand il était lié avec mes parents) venait chercher Gilberte aux Champs-Élysées, une fois calmés les battements de cœur qu'avait excités en moi l'apparition de son chapeau gris et de son manteau à pèlerine, son aspect m'impressionnait encore comme celui d'un personnage historique sur lequel nous venons de lire une série d'ouvrages et dont les moindres particularités nous passionnent. Ses relations avec le comte de Paris qui, quand j'en entendais parler à Combray, me semblaient indifférentes, prenaient maintenant pour moi quelque chose de merveilleux, comme si personne d'autre n'eût jamais connu les Orléans; elles le faisaient se détacher vivement sur le fond vulgaire des promeneurs de différentes classes qui encombraient cette allée des Champs-Élysées et au milieu desquels j'admirais qu'il consentît à figurer sans réclamer d'eux d'égards spéciaux, qu'aucun d'ailleurs ne songeait à lui rendre, tant était profond l'incognito dont il était enveloppé.

Il répondait poliment aux saluts des camarades de Gilberte, même au mien quoiqu'il fût brouillé avec ma famille, mais sans avoir l'air de me connaître. (Cela me rappela qu'il m'avait pourtant vu bien souvent à la campagne; souvenir que j'avais gardé, mais dans l'ombre, parce que depuis que j'avais revu Gilberte, pour moi Swann était surtout son père, et non plus le Swann de Combray; comme les idées sur lesquelles j'embranchais maintenant son nom étaient différentes des idées dans le réseau desquelles il était autrefois compris et que je n'utilisais plus jamais quand j'avais à penser à lui, il était devenu un personnage nouveau; je le rattachai pourtant par une ligne artificielle, secondaire et transversale[2] à notre invité d'autrefois; et comme rien n'avait plus pour moi de prix que dans la mesure où mon amour pouvait en profiter, ce fut avec un mouvement de honte et le regret de ne pouvoir les effacer que je retrouvai les années où, aux yeux de ce même Swann qui était en ce moment devant moi aux Champs-Élysées et à qui heureusement Gilberte n'avait peut-être pas dit mon nom, je m'étais si souvent, le soir, rendu ridicule en envoyant demander à maman de monter dans ma chambre me dire bonsoir, pendant qu'elle prenait le café avec lui, mon père et mes grands-parents, à la table du jardin.) Il disait à Gilberte qu'il lui permettait de faire une partie, qu'il pouvait attendre un quart d'heure et, s'asseyant comme tout le monde sur une chaise de fer, payait son ticket de cette main que Philippe VII avait si souvent retenue dans la sienne, tandis que nous commencions à jouer sur la pelouse, faisant envoler les pigeons dont les beaux corps irisés qui ont la forme d'un cœur et sont comme les lilas du règne des oiseaux, venaient se réfugier comme en des lieux d'asile, tel sur le grand vase de pierre à qui son bec en y disparaissant faisait faire le geste et assignait la destination d'offrir en abondance les fruits ou les graines qu'il avait l'air d'y picorer, tel autre sur le front de la statue qu'il semblait surmonter d'un de ces objets en émail desquels la polychromie varie dans certaines œuvres antiques la monotonie de la pierre, et d'un attribut qui, quand la déesse le porte, lui vaut une épithète particulière et en fait, comme pour une mortelle un prénom différent, une divinité nouvelle.

Un de ces jours de soleil qui n'avait[1] pas réalisé mes espérances, je n'eus pas le courage de cacher ma déception à Gilberte.

— J'avais justement beaucoup de choses à vous demander, lui dis-je. Je croyais que ce jour compterait beaucoup dans notre amitié. Et aussitôt arrivée, vous allez partir! Tâchez de venir demain de bonne heure, que je puisse enfin vous parler.

Sa figure resplendit et ce fut en sautant de joie qu'elle me répondit :

— Demain, comptez-y, mon bel ami, mais je ne viendrai pas! j'ai un grand goûter; après-demain[2] non plus, je vais chez une amie pour voir de ses fenêtres l'arrivée du roi Théodose, ce sera superbe, et le lendemain encore à *Michel Strogoff* et puis après, cela va être bientôt Noël et les vacances du jour de l'An. Peut-être on va m'emmener dans le Midi. Ce que ce serait chic! quoique cela me fera manquer un arbre de Noël; en tous cas si je reste à Paris, je ne viendrai pas ici, car j'irai faire des visites avec maman. Adieu, voilà papa qui m'appelle.

Je revins avec Françoise par les rues qui étaient encore pavoisées de soleil, comme au soir d'une fête qui est finie. Je ne pouvais pas traîner mes jambes.

— Ça n'est pas étonnant, dit Françoise, ce n'est pas un temps de saison, il fait trop chaud. Hélas! mon Dieu, de partout il doit y avoir bien des pauvres malades, c'est à croire que là-haut aussi tout se détraque.

Je me redisais en étouffant mes sanglots les mots où Gilberte avait laissé éclater sa joie de ne pas venir de longtemps aux Champs-Élysées. Mais déjà le charme dont, par son simple fonctionnement, se remplissait mon esprit dès qu'il songeait à elle, la position particulière, unique — fût-elle affligeante — où me plaçait inévitablement, par rapport à Gilberte, la contrainte interne d'un pli mental, avaient commencé à ajouter, même à cette marque d'indifférence, quelque chose de romanesque, et au milieu de mes larmes se formait un sourire qui n'était que l'ébauche timide d'un baiser. Et quand vint l'heure du courrier, je me dis, ce soir-là comme tous les autres : « Je vais recevoir une lettre de Gilberte, elle va me dire enfin qu'elle n'a jamais cessé de m'aimer, et m'expliquera[1] la raison mystérieuse pour laquelle elle a été forcée de me le cacher jusqu'ici, de faire semblant de pouvoir être heureuse sans me voir, la raison pour laquelle elle a pris l'apparence de la Gilberte simple camarade. »

Tous les soirs je me plaisais à imaginer cette lettre, je croyais la lire, je m'en récitais chaque phrase. Tout d'un coup, je m'arrêtais effrayé. Je comprenais que si je devais recevoir une lettre de Gilberte, ce[2] ne pourrait pas en tous cas être celle-là, puisque c'était moi qui venais de la composer. Et dès lors, je m'efforçais de détourner ma pensée des mots que j'aurais aimé qu'elle m'écrivît, par peur, en les énonçant, d'exclure justement ceux-là, — les plus chers, les plus désirés — du champ des réalisations possibles. Même si par une invraisemblable coïncidence, c'eût été justement la lettre que j'avais inventée que de son côté m'eût adressée Gilberte, y reconnaissant mon œuvre, je n'eusse pas eu l'impression de recevoir quelque chose qui ne vînt pas de moi, quelque chose de réel, de nouveau, un bonheur extérieur à mon esprit, indépendant de ma volonté, vraiment donné par l'amour.

En attendant, je relisais une page que ne m'avait pas écrite Gilberte, mais qui du moins me venait d'elle, cette page de Bergotte sur la beauté des vieux mythes dont s'est inspiré Racine, et que, à côté de la bille d'agate, je gardais toujours auprès de moi. J'étais attendri par la bonté de mon amie qui me l'avait fait rechercher; et comme chacun a besoin de trouver des raisons à sa passion, jusqu'à être heureux de reconnaître dans l'être qu'il aime des qualités que la littérature ou la conversation lui ont appris être de celles qui sont dignes d'exciter l'amour, jusqu'à les assimiler par imitation et en faire des raisons nouvelles de son amour, ces qualités fussent-elles les plus opposées à celles que cet amour eût recherchées tant qu'il était spontané — comme Swann autrefois, le caractère esthétique de la beauté d'Odette — moi, qui avais d'abord aimé Gilberte, dès Combray, à cause de tout l'inconnu de sa vie, dans lequel j'aurais voulu me précipiter, m'incarner, en délaissant la mienne qui ne m'était plus rien, je pensais maintenant comme à un inestimable avantage, que de cette mienne vie trop connue, dédaignée, Gilberte pourrait devenir un jour l'humble servante, la commode et confortable collaboratrice qui le soir, m'aidant dans mes travaux, collationnerait[1] pour moi des brochures. Quant à Bergotte, ce vieillard infiniment sage et presque divin à cause de qui j'avais d'abord aimé Gilberte, avant même de l'avoir vue, maintenant c'était surtout à cause de Gilberte que je l'aimais. Avec autant de plaisir que les pages qu'il avait écrites sur Racine, je regardais le papier fermé de grands cachets de cire blancs et noué d'un flot de rubans mauves dans lequel elle me les avait apportées. Je baisais[2] la bille d'agate qui était la meilleure part du cœur de mon amie, la part qui n'était pas frivole, mais fidèle, et qui bien que parée du charme mystérieux de la vie de Gilberte, demeurait près de moi, habitait ma chambre, couchait dans mon lit. Mais la beauté de cette pierre, et la beauté aussi de ces pages de Bergotte que j'étais heureux d'associer à l'idée de mon amour pour Gilberte, comme si dans les moments où celui-ci ne m'apparaissait plus que comme un néant, elles lui donnaient une sorte de consistance, je m'apercevais qu'elles étaient antérieures à cet amour, qu'elles ne lui ressemblaient pas, que leurs éléments avaient été fixés par le talent ou par les lois minéralogiques avant que Gilberte ne me connût, que rien dans le livre ni dans la pierre n'eût été autre si Gilberte ne m'avait pas aimé, et que rien par conséquent ne m'autorisait à lire en eux un message de bonheur. Et tandis que mon amour, attendant sans cesse du lendemain l'aveu de celui de Gilberte, annulait, défaisait chaque soir le travail mal fait de la journée, dans l'ombre de moi-même une ouvrière inconnue ne laissait pas au rebut les fils arrachés et les disposait, sans souci de me plaire et de travailler à mon bonheur, dans un ordre différent qu'elle donnait à tous ses ouvrages. Ne portant aucun intérêt particulier à mon amour, ne commençant pas par décider que j'étais aimé, elle recueillait les actions de Gilberte qui m'avaient semblé inexplicables et ses fautes que j'avais excusées. Alors les unes et les autres prenaient un sens. Il semblait dire, cet ordre nouveau, qu'en voyant Gilberte, au lieu qu'elle vînt aux Champs-Élysées, aller à une matinée, faire des courses avec son institutrice et se préparer à une absence pour les vacances du jour de l'an, j'avais tort de penser[1] : « C'est qu'elle est frivole ou docile. » Car elle eût cessé d'être l'un ou l'autre si elle m'avait aimé, et si elle avait été forcée d'obéir, c'eût été avec le même désespoir que j'avais les jours où je ne la voyais pas. Il disait encore, cet ordre nouveau, que je devais pourtant savoir ce que c'était qu'aimer, puisque j'aimais Gilberte; il me faisait remarquer le souci perpétuel que j'avais de me faire valoir à ses yeux, à cause duquel j'essayais de persuader à ma mère d'acheter à Françoise un caoutchouc et un chapeau avec un plumet bleu, ou plutôt de ne plus m'envoyer aux Champs-Élysées avec cette bonne dont je rougissais (à quoi ma mère répondait que j'étais injuste pour Françoise, que c'était une brave femme qui nous était dévouée), et aussi ce besoin unique de voir Gilberte qui faisait que, des mois d'avance, je ne pensais qu'à tâcher d'apprendre à quelle époque elle quitterait Paris et où elle irait, trouvant le pays le plus agréable un lieu d'exil si elle ne devait pas y être, et ne désirant que rester toujours à Paris tant que je pourrais la voir aux Champs-Élysées; et il n'avait pas de peine à me montrer que ce souci-là, ni ce besoin, je ne les trouverais sous les actions de Gilberte. Elle, au contraire, appréciait son institutrice, sans s'inquiéter de ce que j'en pensais. Elle trouvait naturel de ne pas venir aux Champs-Élysées, si c'était pour aller faire des emplettes avec Mademoiselle, agréable, si c'était pour sortir avec sa mère. Et à supposer même qu'elle m'eût permis d'aller passer les vacances au même endroit qu'elle, du moins pour choisir cet endroit elle s'occupait du désir de ses parents, de mille amusements dont on lui avait parlé, et nullement que ce fût celui où ma famille avait l'intention de m'envoyer. Quand elle m'assurait parfois qu'elle m'aimait moins qu'un de ses amis, moins qu'elle ne m'aimait la veille, parce que je lui avais fait perdre sa partie par une négligence, je lui demandais pardon, je lui demandais ce qu'il fallait faire pour qu'elle recommençât à m'aimer autant, pour qu'elle m'aimât plus que les autres; je voulais qu'elle me dît que c'était déjà fait, je l'en suppliais comme si elle avait pu modifier son affection pour moi à son gré, au mien, pour me faire plaisir, rien que par les mots qu'elle dirait, selon ma bonne ou ma mauvaise conduite. Ne savais-je donc pas que ce que j'éprouvais, moi, pour elle, ne dépendait ni de ses actions, ni de ma volonté?

Il disait enfin, l'ordre nouveau dessiné par l'ouvrière invisible, que si nous pouvons désirer que les actions d'une personne qui nous a peinés jusqu'ici n'aient pas été sincères, il y a dans leur suite une clarté contre quoi notre désir ne peut rien et à laquelle, plutôt qu'à lui, nous devons demander quelles seront ses actions de demain.

Ces paroles nouvelles, mon amour les entendait; elles le persuadaient que le lendemain ne serait pas différent de ce qu'avaient été tous les autres jours; que le sentiment de Gilberte pour moi, trop ancien déjà pour pouvoir changer, c'était l'indifférence; que dans mon amitié avec Gilberte, c'est moi seul qui aimais. « C'est vrai, répondait mon amour, il n'y a plus rien à faire de cette amitié-là, elle ne changera pas. » Alors, dès le lendemain (ou attendant une fête s'il y en avait une prochaine, un anniversaire, le nouvel an peut-être, un de ces jours qui ne sont pas pareils aux autres, où le temps recommence sur de nouveaux frais en rejetant l'héritage du passé, en n'acceptant pas le legs de ses tristesses) je demandais à Gilberte de renoncer à notre amitié ancienne et de jeter les bases d'une nouvelle amitié.

J'avais toujours à portée de ma main un plan de Paris qui, parce qu'on pouvait y distinguer la rue où habitaient M. et Mme Swann, me semblait contenir un trésor. Et par plaisir, par une sorte de fidélité chevaleresque aussi, à propos de n'importe quoi, je disais le nom de cette rue, si bien que mon père me demandait, n'étant pas comme ma mère et ma grand'mère au courant de mon amour :

— Mais pourquoi parles-tu tout le temps de cette rue? elle n'a rien d'extraordinaire, elle est très agréable à habiter parce qu'elle est à deux pas du Bois, mais il y en a dix autres dans le même cas.

Je m'arrangeais à tout propos à faire prononcer à mes parents le nom de Swann; certes je me le répétais mentalement sans cesse; mais j'avais besoin aussi d'entendre sa sonorité délicieuse et de me faire jouer cette musique dont la lecture muette ne me suffisait pas. Ce nom de Swann d'ailleurs, que je connaissais depuis si longtemps, était maintenant pour moi, ainsi qu'il arrive à certains aphasiques à l'égard des mots les plus usuels, un nom nouveau. Il était toujours présent à ma pensée et pourtant elle ne pouvait pas s'habituer à lui. Je le décomposais, je l'épelais, son orthographe était pour moi une surprise. Et en même temps que d'être familier, il avait cessé de me paraître innocent. Les joies que je prenais à l'entendre, je les croyais si coupables qu'il me semblait qu'on devinait ma pensée et qu'on changeait la conversation si je cherchais à l'y amener. Je me rabattais sur les sujets qui touchaient encore à Gilberte, je rabâchais sans fin les mêmes paroles, et j'avais beau savoir que ce n'était que des paroles — des paroles prononcées loin d'elle, qu'elle n'entendait pas, des paroles sans vertu qui répétaient ce qui était, mais ne le pouvaient modifier — pourtant il me semblait qu'à force de manier, de brasser ainsi tout ce qui avoisinait Gilberte, j'en ferais peut-être sortir quelque chose d'heureux. Je redisais à mes parents que Gilberte aimait bien son institutrice, comme si cette proposition énoncée pour la centième fois allait avoir enfin pour effet de faire brusquement entrer Gilberte, venant à tout jamais vivre avec nous.

Je reprenais l'éloge de la vieille dame qui lisait les *Débats* (j'avais insinué à mes parents que c'était une ambassadrice ou peut-être une altesse) et je continuais à célébrer sa beauté, sa magnificence, sa noblesse, jusqu'au jour où je dis que d'après le nom qu'avait prononcé Gilberte, elle devait s'appeler Mme Blatin.

— Oh! mais je vois ce que c'est, s'écria ma mère, tandis que je me sentais rougir de honte. À la garde! À la garde! comme aurait dit ton pauvre grand-père. Et c'est elle que tu trouves belle! Mais elle est horrible et elle l'a toujours été. C'est la veuve d'un huissier. Tu ne te rappelles pas, quand tu étais enfant, les manèges que je faisais pour l'éviter à la leçon de gymnastique où, sans me connaître, elle voulait venir me parler sous prétexte de me dire que tu étais « trop beau pour un garçon ». Elle a toujours eu la rage de connaître du monde et il faut bien qu'elle soit une espèce de folle comme j'ai toujours pensé, si elle connaît vraiment Mme Swann. Car si elle était d'un milieu fort commun, au moins il n'y a jamais rien eu que je sache à dire sur elle. Mais il fallait toujours qu'elle se fasse des relations. Elle est horrible, affreusement vulgaire, et avec cela faiseuse d'embarras. »

Quant à Swann, pour tâcher de lui ressembler, je passais tout mon temps à table, à me tirer sur le nez et à me frotter les yeux. Mon père disait : « Cet enfant est idiot, il deviendra affreux. » J'aurais surtout voulu être aussi chauve que Swann. Il me semblait un être si extraordinaire que je trouvais merveilleux que des personnes que je fréquentais le connussent aussi et que dans les hasards d'une journée quelconque on pût être amené à le rencontrer. Et une fois, ma mère, en train de nous raconter, comme chaque soir à dîner, les courses qu'elle avait faites dans l'après-midi, rien qu'en disant : « À ce propos, devinez qui j'ai rencontré aux Trois Quartiers, au rayon des parapluies : Swann », fit éclore au milieu de son récit, fort aride pour moi, une fleur mystérieuse. Quelle mélancolique volupté, d'apprendre que cet après-midi-là, profilant dans la foule sa forme surnaturelle, Swann avait été acheter un parapluie! Au milieu des événements grands et minimes, également indifférents, celui-là éveillait en moi ces vibrations particulières dont était perpétuellement ému mon amour pour Gilberte.

Mon père disait que je ne m'intéressais à rien parce que je n'écoutais pas quand on parlait des conséquences politiques que pouvait avoir la visite du roi Théodose, en ce moment l'hôte de la France et, prétendait-on, son allié. Mais combien en revanche, j'avais envie de savoir si Swann avait son manteau à pèlerine!

— Est-ce que vous vous êtes dit bonjour? demandai-je.

— Mais naturellement, répondit ma mère qui avait toujours l'air de craindre que, si elle eût avoué que nous étions en froid avec Swann, on eût cherché à les réconcilier plus qu'elle ne souhaitait, à cause de Mme Swann qu'elle ne voulait pas connaître. C'est lui qui est venu me saluer, je ne le voyais pas.

— Mais alors, vous n'êtes pas brouillés?

— Brouillés? mais pourquoi veux-tu que nous soyons brouillés? répondit-elle vivement comme si j'avais attenté à la fiction de ses bons rapports avec Swann et essayé de travailler à un « rapprochement ».

— Il pourrait t'en vouloir de ne plus l'inviter.

— On n'est pas obligé d'inviter tout le monde; est-ce qu'il m'invite? Je ne connais pas sa femme.

— Mais il venait bien à Combray.

— Eh bien oui! il venait à Combray, et puis à Paris il a autre chose à faire, et moi aussi. Mais je t'assure que nous n'avions pas du tout l'air de deux personnes brouillées. Nous sommes restés un moment ensemble parce qu'on ne lui apportait pas son paquet. Il m'a demandé de tes nouvelles, il m'a dit que tu jouais avec sa fille, ajouta ma mère, m'émerveillant du prodige que j'existasse dans l'esprit de Swann, bien plus, que ce fût d'une façon assez complète, pour que, quand je tremblais d'amour devant lui aux Champs-Élysées, il sût mon nom, qui était ma mère, et pût amalgamer autour de ma qualité de camarade de sa fille quelques renseignements sur mes grands-parents, leur famille, l'endroit que nous habitions, certaines particularités de notre vie d'autrefois, peut-être même inconnues de moi. Mais ma mère ne paraissait pas avoir trouvé un charme particulier à ce rayon des Trois Quartiers où elle avait représenté pour Swann, au moment où il l'avait vue, une personne définie, avec qui il avait des souvenirs communs qui avaient motivé chez lui le mouvement de s'approcher d'elle, le geste de la saluer.

Ni elle d'ailleurs ni mon père ne semblaient non plus trouver à parler des grands-parents de Swann, du titre d'agent de change honoraire, un plaisir qui passât tous les autres. Mon imagination avait isolé et consacré dans le Paris social une certaine famille, comme elle avait fait dans le Paris de pierre pour une certaine maison dont elle avait sculpté la porte cochère et rendu précieuses les fenêtres. Mais ces ornements, j'étais seul à les voir. De même que mon père et ma mère trouvaient la maison qu'habitait Swann pareille aux autres maisons construites en même temps dans le quartier du Bois, de même la famille de Swann leur semblait du même genre que beaucoup d'autres familles d'agents de change. Ils la jugeaient plus ou moins favorablement selon le degré où elle avait participé à des mérites communs au reste de l'univers et ne lui trouvaient rien d'unique. Ce qu'au contraire ils y appréciaient, ils le rencontraient à un degré égal, ou plus élevé, ailleurs. Aussi après avoir trouvé la maison bien située, ils parlaient d'une autre qui l'était mieux, mais qui n'avait rien à voir avec Gilberte, ou de financiers d'un cran supérieur à son grand-père; et s'ils avaient eu l'air un moment d'être du même avis que moi, c'était par un malentendu qui ne tardait pas à se dissiper. C'est que, pour percevoir dans tout ce qui entourait Gilberte, une qualité inconnue, analogue dans le monde des émotions à ce que peut être dans celui des couleurs l'infra-rouge, mes parents étaient dépourvus de ce sens supplémentaire et momentané dont m'avait doté l'amour.

Les jours où Gilberte m'avait annoncé qu'elle ne devait pas venir aux Champs-Élysées, je tâchais de faire des promenades qui me rapprochassent un peu d'elle. Parfois j'emmenais Françoise en pèlerinage devant la maison qu'habitaient les Swann. Je lui faisais répéter sans fin ce que, par l'institutrice, elle avait appris relativement à Mme Swann. « Il paraît qu'elle a bien confiance à des médailles. Jamais elle ne partira en voyage si elle a entendu la chouette, ou bien comme un tic-tac d'horloge dans le mur, ou si elle a vu un chat à ménuit, ou si le bois d'un meuble, il a craqué. Ah! c'est une personne très croyante! » J'étais si amoureux de Gilberte que si sur le chemin j'apercevais leur vieux maître d'hôtel promenant un chien, l'émotion m'obligeait à m'arrêter, j'attachais sur ses favoris blancs des regards pleins de passion. Françoise me disait :

— Qu'est-ce que vous avez ?

Puis, nous poursuivions notre route jusque devant leur porte cochère où un concierge différent de tout concierge et pénétré jusque dans les galons de sa livrée du même charme douloureux que j'avais ressenti dans le nom de Gilberte, avait l'air de savoir que j'étais de ceux à qui une indignité originelle interdirait toujours de pénétrer dans la vie mystérieuse qu'il était chargé de garder et sur laquelle les fenêtres de l'entresol paraissaient conscientes d'être refermées, ressemblant beaucoup moins, entre la noble retombée de leurs rideaux de mousseline, à n'importe quelles autres fenêtres qu'aux regards de Gilberte. D'autres fois, nous allions sur les boulevards et je me postais à l'entrée de la rue Duphot; on m'avait dit qu'on pouvait souvent y voir passer Swann se rendant chez son dentiste; et mon imagination différenciait tellement le père de Gilberte du reste de l'humanité, sa présence au milieu du monde réel y introduisait tant de merveilleux que, avant même d'arriver à la Madeleine, j'étais ému à la pensée d'approcher d'une rue où pouvait se produire inopinément l'apparition surnaturelle.

Mais le plus souvent — quand je ne devais pas voir Gilberte — comme j'avais appris que Mme Swann se promenait presque chaque jour dans l'allée « des Acacias », autour du grand Lac, et dans l'allée de la « Reine-Marguerite », je dirigeais Françoise du côté du Bois de Boulogne. Il était pour moi comme ces jardins zoologiques où l'on voit rassemblés des flores diverses et des paysages opposés, où après une colline on trouve une grotte, un pré, des rochers, une rivière, une fosse, une colline, un marais, mais où l'on sait qu'ils ne sont là que pour fournir aux ébats de l'hippopotame, des zèbres, des crocodiles, des lapins russes, des ours et du héron, un milieu approprié ou un cadre pittoresque; lui, le Bois, complexe aussi, réunissant des petits mondes divers et clos — faisant succéder quelque ferme plantée d'arbres rouges, de chênes d'Amérique, comme une exploitation agricole dans la Virginie, à une sapinière au bord du lac, ou à une futaie d'où surgit tout à coup dans sa souple fourrure, avec les beaux yeux d'une bête, quelque promeneuse rapide —, il était le Jardin des femmes; et

— comme l'allée de Myrtes de l'*Énéide* —, plantée pour elles d'arbres d'une seule essence, l'allée des Acacias était fréquentée par les Beautés célèbres. Comme, de loin, la culmination du rocher d'où elle se jette dans l'eau, transporte de joie les enfants qui savent qu'ils vont voir l'otarie, bien avant d'arriver à l'allée des Acacias leur parfum qui, irradiant alentour, faisait sentir de loin l'approche et la singularité d'une puissante et molle individualité végétale, puis, quand je me rapprochais, le faîte aperçu de leur frondaison légère et mièvre, d'une élégance facile, d'une coupe coquette et d'un mince tissu, sur laquelle des centaines de fleurs s'étaient abattues comme des colonies ailées et vibratiles de parasites précieux, enfin jusqu'à leur nom féminin, désœuvré et doux, me faisaient battre le cœur, mais d'un désir mondain, comme ces valses qui ne nous évoquent plus que le nom des belles invitées que l'huissier annonce à l'entrée d'un bal. On m'avait dit que je verrais dans l'allée certaines élégantes que, bien qu'elles n'eussent pas toutes été épousées, l'on citait habituellement à côté de Mme Swann, mais le plus souvent sous leur nom de guerre; leur nouveau nom, quand il y en avait un, n'était qu'une sorte d'incognito que ceux qui voulaient parler d'elles avaient soin de lever pour se faire comprendre. Pensant que le Beau — dans l'ordre des élégances féminines — était régi par des lois occultes à la connaissance desquelles elles avaient été initiées, et qu'elles avaient le pouvoir de le réaliser, j'acceptais d'avance comme une révélation l'apparition de leur toilette, de leur attelage, de mille détails au sein desquels je mettais ma croyance comme une âme intérieure qui donnait la cohésion d'un chef-d'œuvre à cet ensemble éphémère et mouvant. Mais c'est Mme Swann que je voulais voir, et j'attendais qu'elle passât, ému comme si ç'avait été Gilberte, dont les parents, imprégnés, comme tout ce qui l'entourait, de son charme, excitaient en moi autant d'amour qu'elle, même un trouble plus douloureux (parce que leur point de contact avec elle était cette partie intestine de sa vie qui m'était interdite), et enfin (car je sus bientôt, comme on le verra, qu'ils n'aimaient pas que je jouasse avec elle) ce sentiment de vénération que nous vouons toujours à ceux qui exercent sans frein la puissance de nous faire du mal.

J'assignais la première place à la simplicité dans l'ordre des mérites esthétiques et des grandeurs mondaines, quand j'apercevais Mme Swann à pied, dans une polonaise de drap, sur la tête un petit toquet agrémenté d'une aile de lophophore, un bouquet de violettes au corsage, pressée, traversant l'allée des Acacias comme si ç'avait été seulement le chemin le plus court pour rentrer chez elle et répondant d'un clin d'œil aux messieurs en voiture qui, reconnaissant de loin sa silhouette, la saluaient et se disaient que personne n'avait autant de chic. Mais, au lieu de la simplicité, c'est le faste que je mettais au plus haut rang, si, après que j'avais forcé Françoise, qui n'en pouvait plus et disait que les jambes « lui rentraient », à faire les cent pas pendant une heure, je voyais enfin, débouchant de l'allée qui vient de la Porte Dauphine — image pour moi d'un prestige royal, d'une arrivée souveraine, telle qu'aucune reine véritable n'a pu m'en donner l'impression dans la suite, parce que j'avais de leur pouvoir une notion moins vague et plus expérimentale — emportée par le vol de deux chevaux ardents, minces et contournés comme on en voit dans les dessins de Constantin Guys, portant établi sur son siège un énorme cocher fourré comme un cosaque, à côté d'un petit groom rappelant le « tigre » de « feu Baudenord », je voyais — ou plutôt je sentais imprimer sa forme dans mon cœur par une nette et épuisante blessure — une incomparable victoria, à dessein un peu haute et laissant passer à travers son luxe « dernier cri » des allusions aux formes anciennes, au fond de laquelle reposait avec abandon Mme Swann, ses cheveux maintenant blonds avec une seule mèche grise ceints d'un mince bandeau de fleurs, le plus souvent des violettes, d'où descendaient de longs voiles, à la main une ombrelle mauve, aux lèvres un sourire ambigu où je ne voyais que la bienveillance d'une Majesté et où il y avait surtout la provocation de la cocotte, et qu'elle inclinait avec douceur sur les personnes qui la saluaient. Ce sourire en réalité disait aux uns : « Je me rappelle très bien, c'était exquis! »; à d'autres : « Comme j'aurais aimé! ç'a été la mauvaise chance! »; à d'autres : « Mais si vous voulez! Je vais suivre encore un moment la file et dès que je pourrai, je couperai. » Quand passaient des inconnus, elle laissait cependant autour de ses lèvres un sourire oisif, comme tourné vers l'attente ou le souvenir d'un ami, et qui faisait dire : « Comme elle est belle ! » Et pour certains hommes seulement elle avait un sourire aigre, contraint, timide et froid et qui signifiait : « Oui, rosse, je sais que vous avez une langue de vipère, que vous ne pouvez pas vous tenir de parler ! Est-ce que je m'occupe de vous, moi ? » Coquelin passait en discourant au milieu d'amis qui l'écoutaient et faisait avec la main, à des personnes en voiture, un large bonjour de théâtre. Mais je ne pensais qu'à Mme Swann et je faisais semblant de ne pas l'avoir vue, car je savais qu'arrivée à la hauteur du Tir aux pigeons elle dirait à son cocher de couper la file et de l'arrêter pour qu'elle pût descendre l'allée à pied. Et les jours où je me sentais le courage de passer à côté d'elle, j'entraînais Françoise dans cette direction. À un moment, en effet, c'est dans l'allée des piétons, marchant vers nous, que j'apercevais Mme Swann laissant s'étaler derrière elle la longue traîne de sa robe mauve, vêtue, comme le peuple imagine les reines, d'étoffes et de riches atours que les autres femmes ne portaient pas, abaissant parfois son regard sur le manche de son ombrelle, faisant peu attention aux personnes qui passaient, comme si sa grande affaire et son but avaient été de prendre de l'exercice, sans penser qu'elle était vue et que toutes les têtes étaient tournées vers elle. Parfois pourtant, quand elle s'était retournée pour appeler son lévrier, elle jetait imperceptiblement un regard circulaire autour d'elle.

Ceux mêmes qui ne la connaissaient pas étaient avertis par quelque chose de singulier et d'excessif — ou peut-être par une radiation télépathique, comme celles qui déchaînaient des applaudissements dans la foule ignorante aux moments où la Berma était sublime — que ce devait être quelque personne connue. Ils se demandaient : « Qui est-ce ? », interrogeaient quelquefois un passant, ou se promettaient de se rappeler la toilette comme un point de repère pour des amis plus instruits qui les renseigneraient aussitôt. D'autres promeneurs, s'arrêtant à demi, disaient :

— Vous savez qui c'est ? Mme Swann ! Cela ne vous dit rien ? Odette de Crécy ?

— Odette de Crécy ? Mais je me disais aussi, ces yeux tristes... Mais savez-vous qu'elle ne doit plus être de la première jeunesse ! Je me rappelle que j'ai couché avec elle le jour de la démission de Mac-Mahon.

— Je crois que vous ferez bien de ne pas le lui rappeler. Elle est maintenant Mme Swann, la femme d'un monsieur du Jockey, ami du prince de Galles. Elle est du reste encore superbe.

— Oui, mais si vous l'aviez connue à ce moment-là, ce qu'elle était jolie! Elle habitait un petit hôtel très étrange avec des chinoiseries. Je me rappelle que nous étions embêtés par le bruit des crieurs de journaux, elle a fini par me faire lever.

Sans entendre les réflexions, je percevais autour d'elle le murmure indistinct de la célébrité. Mon cœur battait d'impatience quand je pensais qu'il allait se passer un instant encore avant que tous ces gens, au milieu desquels je remarquais avec désolation que n'était pas un banquier mulâtre par lequel je me sentais méprisé, vissent le jeune homme inconnu auquel ils ne prêtaient aucune attention, saluer (sans la connaître, à vrai dire, mais je m'y croyais autorisé parce que mes parents connaissaient son mari et que j'étais le camarade de sa fille) cette femme dont la réputation de beauté, d'inconduite et d'élégance était universelle. Mais déjà j'étais tout près de Mme Swann, alors je lui tirais un si grand coup de chapeau, si étendu, si prolongé, qu'elle ne pouvait s'empêcher de sourire. Des gens riaient. Quant à elle, elle ne m'avait jamais vu avec Gilberte, elle ne savait pas mon nom, mais j'étais pour elle — comme un des gardes du Bois, ou le batelier, ou les canards du lac à qui elle jetait du pain — un des personnages secondaires, familiers, anonymes, aussi dénués de caractères individuels qu'un « emploi de théâtre », de ses promenades au Bois. Certains jours où je ne l'avais pas vue allée des Acacias, il m'arrivait de la rencontrer dans l'allée de la Reine-Marguerite où vont les femmes qui cherchent à être seules, ou à avoir l'air de chercher à l'être; elle ne le restait pas longtemps, bientôt rejointe par quelque ami, souvent coiffé d'un « tube » gris, que je ne connaissais pas et qui causait longuement avec elle, tandis que leurs deux voitures suivaient.

Cette complexité du Bois de Boulogne qui en fait un lieu factice et, dans le sens zoologique ou mythologique du mot, un Jardin, je l'ai retrouvée cette année comme je le traversais pour aller à Trianon, un des premiers matins de ce mois de novembre où, à Paris, dans les maisons, la proximité et la privation du spectacle de l'automne qui s'achève si vite sans qu'on y assiste, donnent une nostalgie, une véritable fièvre des feuilles mortes qui peut aller jusqu'à empêcher de dormir. Dans ma chambre fermée, elles s'interposaient depuis un mois, évoquées par mon désir de les voir, entre ma pensée et n'importe quel objet auquel je m'appliquais, et tourbillonnaient comme ces taches jaunes qui parfois, quoi que nous regardions, dansent devant nos yeux. Et ce matin-là, n'entendant plus la pluie tomber comme les jours précédents, voyant le beau temps sourire aux coins des rideaux fermés comme aux coins d'une bouche close qui laisse échapper le secret de son bonheur, j'avais senti que ces feuilles jaunes, je pourrais les regarder[1] traversées par la lumière, dans leur suprême beauté; et ne pouvant pas davantage me tenir d'aller voir des arbres qu'autrefois, quand le vent soufflait trop fort dans ma cheminée, de partir pour le bord de la mer, j'étais sorti pour aller à Trianon, en passant par le Bois de Boulogne. C'était l'heure et c'était la saison où le Bois semble peut-être le plus multiple, non seulement parce qu'il est plus subdivisé, mais encore parce qu'il l'est autrement. Même dans les parties découvertes où l'on embrasse un grand espace, çà et là, en face des sombres masses lointaines des arbres qui n'avaient pas de feuilles ou qui avaient encore leurs feuilles de l'été, un double rang de marronniers orangés semblait, comme dans un tableau à peine commencé, avoir seul encore été peint par le décorateur qui n'aurait pas mis de couleur sur le reste, et tendait son allée en pleine lumière pour la promenade épisodique de personnages qui ne seraient ajoutés que plus tard.

Plus loin, là où toutes leurs feuilles vertes couvraient les arbres, un seul, petit, trapu, étêté et têtu, secouait au vent une vilaine chevelure rouge. Ailleurs encore c'était le premier éveil de ce mois de mai des feuilles, et celles d'un ampelopsis, merveilleux et souriant comme une épine rose de l'hiver, depuis le matin même étaient tout en fleur. Et le Bois avait l'aspect provisoire et factice d'une pépinière ou d'un parc où, soit dans un intérêt botanique, soit pour la préparation d'une fête, on vient d'installer, au milieu des arbres de sorte commune qui n'ont pas encore été déplantés, deux ou trois espèces précieuses, aux feuillages fantastiques et qui semblent autour d'eux réserver du vide, donner de l'air, faire de la clarté. Ainsi c'était la saison où le Bois de Boulogne trahit le plus d'essences diverses et juxtapose le plus de parties distinctes en un assemblage composite. Et c'était aussi l'heure. Dans les endroits où les arbres gardaient encore leurs feuilles, ils semblaient subir une altération de leur matière à partir du point où ils étaient touchés par la lumière du soleil, presque horizontale le matin, comme elle le redeviendrait quelques heures plus tard, au moment où dans le crépuscule commençant elle s'allume comme une lampe, projette à distance sur le feuillage un reflet artificiel et chaud, et fait flamber les suprêmes feuilles d'un arbre qui reste le candélabre incombustible et terne de son faîte incendié. Ici, elle épaississait, comme des briques, et, comme une jaune maçonnerie persane à dessins bleus, cimentait grossièrement contre le ciel les feuilles des marronniers, là au contraire les détachait de lui, vers qui elles crispaient leurs doigts d'or. À mi-hauteur d'un arbre habillé de vigne vierge, elle greffait et faisait épanouir, impossible à discerner nettement dans l'éblouissement, un immense bouquet comme de fleurs rouges, peut-être une variété d'œillet. Les différentes parties du Bois, mieux confondues l'été dans l'épaisseur et la monotonie des verdures, se trouvaient dégagées. Des espaces plus éclaircis laissaient voir l'entrée de presque toutes, ou bien un feuillage somptueux la désignait comme une oriflamme. On distinguait comme sur une carte en couleur Armenonville, le Pré Catelan, Madrid, le Champ de courses, les bords du Lac. Par moments apparaissait quelque construction inutile, une fausse grotte, un moulin à qui les arbres en s'écartant faisaient place ou qu'une pelouse portait en avant sur sa moelleuse plate-forme. On sentait que le Bois n'était pas qu'un bois, qu'il répondait à une destination étrangère à la vie de ses arbres; l'exaltation que j'éprouvais n'était pas causée que par l'admiration de l'automne, mais par un désir. Grande source d'une joie que l'âme ressent d'abord sans en reconnaître la cause, sans comprendre que rien au dehors ne la motive. Ainsi regardais-je les arbres avec une tendresse insatisfaite qui les dépassait et se portait à mon insu vers ce chef-d'œuvre des belles promeneuses qu'ils enferment chaque jour pendant quelques heures. J'allais vers l'allée des Acacias. Je traversais des futaies où la lumière du matin, qui leur imposait des divisions nouvelles, émondait les arbres, mariait ensemble les tiges diverses et composait des bouquets. Elle attirait adroitement à elle deux arbres; s'aidant du ciseau puissant du rayon et de l'ombre, elle retranchait à chacun une moitié de son tronc et de ses branches et, tressant ensemble les deux moitiés qui restaient, en faisait soit un seul pilier d'ombre que délimitait l'ensoleillement d'alentour, soit un seul fantôme de clarté dont un réseau d'ombre noire cernait le factice et tremblant contour. Quand un rayon de soleil dorait les plus hautes branches, elles semblaient, trempées d'une humidité étincelante, émerger seules de l'atmosphère liquide et couleur d'émeraude où la futaie tout entière était plongée comme sous la mer. Car les arbres continuaient à vivre de leur vie propre et, quand ils n'avaient plus de feuilles, elle brillait mieux sur le fourreau de velours vert qui enveloppait leurs troncs ou dans l'émail blanc des sphères de gui qui étaient semées au faîte des peupliers, rondes comme le soleil et la lune dans *la Création* de Michel-Ange. Mais, forcés depuis tant d'années par une sorte de greffe à vivre en commun avec la femme, ils m'évoquaient la dryade, la belle mondaine rapide et colorée qu'au passage ils couvrent de leurs branches et obligent à ressentir comme eux la puissance de la saison; ils me rappelaient le temps heureux de ma croyante jeunesse, quand je venais avidement aux lieux où des chefs-d'œuvre d'élégance féminine se réaliseraient pour quelques instants entre les feuillages inconscients et complices. Mais la beauté que faisaient désirer les sapins et les acacias du Bois de Boulogne, plus troublants en cela que les marronniers et les lilas de Trianon que j'allais voir, n'était pas fixée en dehors de moi dans les souvenirs d'une époque historique, dans des œuvres d'art, dans un petit temple à l'Amour au pied duquel s'amoncellent les feuilles palmées d'or. Je rejoignis les bords du Lac, j'allai jusqu'au Tir aux pigeons. L'idée de perfection que je portais en moi, je l'avais prêtée alors à la hauteur d'une victoria[1], à la maigreur de ces chevaux furieux et légers comme des guêpes, les yeux injectés de sang comme les cruels chevaux de Diomède, et que maintenant, pris d'un désir de revoir ce que j'avais aimé, aussi ardent que celui qui me poussait bien des années auparavant dans ces mêmes chemins, je voulais avoir de nouveau sous les yeux, au moment où l'énorme cocher de Mme Swann, surveillé par un petit groom gros comme le poing et aussi enfantin que saint Georges, essayait de maîtriser leurs ailes d'acier qui se débattaient effarouchées et palpitantes. Hélas! il n'y avait plus que des automobiles conduites par des mécaniciens moustachus qu'accompagnaient de grands valets de pied. Je voulais tenir sous les yeux de mon corps, pour savoir s'ils étaient aussi charmants que les voyaient les yeux de ma mémoire, de petits chapeaux de femmes si bas qu'ils semblaient une simple couronne. Tous maintenant étaient immenses, couverts de fruits et de fleurs et d'oiseaux variés. Au lieu des belles robes dans lesquelles Mme Swann avait l'air d'une reine, des tuniques gréco-saxonnes relevaient avec les plis des Tanagra, et quelquefois dans le style du Directoire, des chiffons liberty semés de fleurs comme un papier peint. Sur la tête des messieurs qui auraient pu se promener avec Mme Swann dans l'allée de la Reine-Marguerite, je ne trouvais pas le chapeau gris d'autrefois, ni même un autre. Ils sortaient nu-tête. Et toutes ces parties nouvelles du spectacle, je n'avais plus de croyance à y introduire pour leur donner a consistance, l'unité, l'existence; elles passaient éparses devant moi, au hasard, sans vérité, ne contenant en elles aucune beauté que mes yeux eussent pu essayer comme autrefois de composer. C'étaient des femmes quelconques, en l'élégance desquelles je n'avais aucune foi et dont les toilettes me semblaient sans importance. Mais quand disparaît une croyance, il lui survit, et de plus en plus vivace, pour masquer le manque de la puissance que nous avons perdue de donner de la réalité à des choses nouvelles, un attachement fétichiste aux anciennes qu'elle avait animées, comme si c'était en elles[1] et non en nous que le divin résidait et si notre incrédulité actuelle avait une cause contingente, la mort des Dieux.

Quelle horreur! me disais-je : peut-on trouver ces automobiles élégantes comme étaient les anciens attelages? je suis sans doute déjà trop vieux, mais je ne suis pas fait pour un monde où les femmes s'entravent dans des robes qui ne sont pas même en étoffe. À quoi bon venir sous ces arbres, si rien n'est plus de ce qui s'assemblait sous ces délicats feuillages rougissants, si la vulgarité et la folie ont remplacé ce qu'ils encadraient d'exquis ? Quelle horreur ! Ma consolation, c'est de penser aux femmes que j'ai connues, aujourd'hui qu'il n'y a plus d'élégance. Mais comment des gens qui contemplent ces horribles créatures sous leurs chapeaux couverts d'une volière ou d'un potager, pourraient-ils même sentir ce qu'il y avait de charmant à voir Mme Swann coiffée d'une simple capote mauve ou d'un petit chapeau que dépassait une seule fleur d'iris toute droite ? Aurais-je même pu leur faire comprendre l'émotion que j'éprouvais par les matins d'hiver à rencontrer Mme Swann à pied, en paletot de loutre, coiffée d'un simple béret que dépassaient deux couteaux de plumes de perdrix, mais autour de laquelle la tiédeur factice de son appartement était évoquée, rien que par le bouquet de violettes qui s'écrasait à son corsage et dont le fleurissement vivant et bleu en face du ciel gris, de l'air glacé, des arbres aux branches nues, avait le même charme de ne prendre la saison et le temps que comme un cadre et de vivre dans une atmosphère humaine, dans l'atmosphère de cette femme, qu'avaient dans les vases et les jardinières de son salon, près du feu allumé, devant le canapé de soie, les fleurs qui regardaient par la fenêtre close la neige tomber ? D'ailleurs il ne m'eût pas suffi que les toilettes fussent les mêmes qu'en ces années-là. À cause de la solidarité qu'ont entre elles les différentes parties d'un souvenir et que notre mémoire maintient équilibrées dans un assemblage où il ne nous est pas permis de rien distraire ni refuser, j'aurais voulu pouvoir aller finir la journée chez une de ces femmes, devant une tasse de thé, dans un appartement aux murs peints de couleurs sombres, comme était encore celui de Mme Swann (l'année d'après celle où se termine la première partie de ce récit) et où luiraient les feux orangés, la rouge combustion, la flamme rose et blanche des chrysanthèmes dans le crépuscule de novembre, pendant des instants pareils à ceux où (comme on le verra plus tard) je n'avais pas su découvrir les plaisirs que je désirais. Mais maintenant, même ne me conduisant à rien, ces instants me semblaient avoir eu eux-mêmes assez de charme. Je voulais[1] les retrouver tels que je me les rappelais. Hélas ! il n'y avait plus que des appartements Louis XVI tout blancs, émaillés d'hortensias bleus. D'ailleurs, on ne revenait plus à Paris que très tard. Mme Swann m'eût répondu d'un château qu'elle ne rentrerait qu'en février, bien après le temps des chrysanthèmes, si je lui avais demandé de reconstituer pour moi les éléments de ce souvenir que je sentais attaché à une année lointaine, à un millésime vers lequel il ne m'était pas permis de remonter, les éléments de ce désir devenu lui-même inaccessible comme le plaisir qu'il avait jadis vainement poursuivi. Et il m'eût fallu aussi que ce fussent les mêmes femmes, celles dont la toilette m'intéressait parce que, au temps où je croyais encore, mon imagination les avait individualisées et les avait pourvues d'une légende. Hélas! dans l'avenue des Acacias — l'allée de[1] Myrtes — j'en revis quelques-unes, vieilles, et qui n'étaient plus que les ombres terribles de ce qu'elles avaient été, errant, cherchant désespérément on ne sait quoi dans les bosquets virgiliens. Elles avaient fui depuis longtemps, que j'étais encore à interroger vainement les chemins désertés. Le soleil s'était caché. La nature recommençait à régner sur le Bois d'où s'était envolée l'idée qu'il était le Jardin élyséen de la Femme; au-dessus du moulin factice le vrai ciel était gris; le vent ridait le Grand Lac de petites vaguelettes, comme un lac; de gros oiseaux parcouraient rapidement le Bois, comme un bois, et poussant des cris aigus se posaient l'un après l'autre sur les grands chênes qui, sous leur couronne druidique et avec une majesté dodonéenne, semblaient proclamer le vide inhumain de la forêt désaffectée, et m'aidaient à mieux comprendre la contradiction que c'est de chercher dans la réalité les tableaux de la mémoire, auxquels manquerait toujours le charme qui leur vient de la mémoire même et de n'être pas perçus par les sens. La réalité que j'avais connue n'existait plus. Il suffisait que Mme Swann n'arrivât pas toute pareille au même moment, pour que l'Avenue fût autre. Les lieux que nous avons connus n'appartiennent pas qu'au monde de l'espace où nous les situons pour plus de facilité. Ils n'étaient qu'une mince tranche au milieu d'impressions contiguës qui formaient notre vie d'alors; le souvenir d'une certaine image n'est que le regret d'un certain instant; et les maisons, les routes, les avenues, sont fugitives, hélas! comme les années.

À L'OMBRE
DES JEUNES FILLES
EN FLEURS

PREMIÈRE PARTIE[1]

AUTOUR DE Mme SWANN

Coup de barre et changement de direction dans les caractères. — Le marquis de Norpois. — Bergotte. — Comment je cesse momentanément de voir Gilberte; première et légère esquisse du chagrin que cause une séparation et des progrès irréguliers de l'oubli.

Ma mère, quand il fut question d'avoir pour la première fois M. de Norpois à dîner, ayant exprimé le regret que le professeur Cottard fût en voyage et qu'elle-même eût entièrement cessé de fréquenter Swann, car l'un et l'autre eussent sans doute intéressé l'ancien Ambassadeur, mon père répondit qu'un convive éminent, un savant illustre, comme Cottard, ne pouvait jamais mal faire dans un dîner, mais que Swann, avec son ostentation, avec sa manière de crier sur les toits ses moindres relations, était un vulgaire esbroufeur que le marquis de Norpois eût sans doute trouvé, selon son expression, « puant ». Or cette réponse de mon père demande quelques mots d'explication, certaines personnes se souvenant peut-être d'un Cottard bien médiocre et d'un Swann poussant jusqu'à la plus extrême délicatesse, en matière mondaine, la modestie et la discrétion. Mais pour ce qui regarde celui-ci, il était arrivé qu'au « fils Swann » et aussi au Swann du Jockey, l'ancien ami de mes parents avait ajouté une personnalité nouvelle (et qui ne devait pas être la dernière), celle de mari d'Odette. Adaptant aux humbles ambitions de cette femme l'instinct, le désir, l'industrie, qu'il avait toujours eus, il s'était ingénié à se bâtir, fort au-dessous de l'ancienne, une position nouvelle et appropriée à la compagne qui l'occuperait avec lui. Or il s'y montrait un autre homme. Puisque (tout en continuant à fréquenter seul ses amis personnels, à qui il ne voulait pas imposer Odette quand ils ne lui demandaient pas spontanément à la connaître) c'était une seconde vie qu'il commençait, en commun avec sa femme, au milieu d'êtres nouveaux, on eût encore compris que pour mesurer le rang de ceux-ci, et par conséquent le plaisir d'amour-propre qu'il pouvait éprouver à les recevoir, il se fût servi comme point de comparaison non pas des gens les plus brillants qui formaient sa société avant son mariage, mais des relations antérieures d'Odette. Mais, même quand on savait que c'était avec d'inélégants fonctionnaires, avec des femmes tarées, parure des bals de ministères, qu'il désirait de se lier, on était étonné de l'entendre, lui qui autrefois et même encore aujourd'hui dissimulait si gracieusement une invitation de Twickenham ou de Buckingham Palace, faire sonner bien haut que la femme d'un sous-chef de cabinet était venue rendre sa visite à Mme Swann. On dira peut-être que cela tenait à ce que la simplicité du Swann élégant n'avait été chez lui qu'une forme plus raffinée de la vanité et que, comme certains israélites, l'ancien ami de mes parents avait pu présenter tour à tour les états successifs par où avaient passé ceux de sa race, depuis le snobisme le plus naïf et la plus grossière goujaterie jusqu'à la plus fine politesse. Mais la principale raison, et celle-là applicable à l'humanité en général, était que nos vertus elles-mêmes ne sont pas quelque chose de libre, de flottant, de quoi nous gardions la disponibilité permanente; elles finissent par s'associer si étroitement dans notre esprit avec les actions à l'occasion desquelles nous nous sommes fait un devoir de les exercer, que si surgit pour nous une activité d'un autre ordre, elle nous prend au dépourvu et sans que nous ayons seulement l'idée qu'elle pourrait comporter la mise en œuvre de ces mêmes vertus. Swann empressé avec ces nouvelles relations et les citant avec fierté, était comme ces grands artistes modestes ou généreux qui, s'ils se mettent à la fin de leur vie à se mêler de cuisine ou de jardinage, étalent une satisfaction naïve des louanges qu'on donne à leurs plats ou à leurs plates-bandes pour lesquels ils n'admettent pas la critique qu'ils acceptent aisément s'il s'agit de leurs chefs-d'œuvre; ou bien qui, donnant une de leurs toiles pour rien, ne peuvent en revanche sans mauvaise humeur perdre quarante sous aux dominos.

Quant au professeur Cottard, on le reverra, longuement, beaucoup plus loin, chez la Patronne, au château de la Raspelière. Qu'il suffise actuellement, à son égard, de faire observer d'abord[1] ceci : pour Swann, à la rigueur, le changement peut surprendre puisqu'il était accompli et non soupçonné de moi quand je voyais le père de Gilberte aux Champs-Élysées, où d'ailleurs ne m'adressant pas la parole il ne pouvait faire étalage devant moi de ses relations politiques (il est vrai que s'il l'eût fait, je ne me fusse peut-être pas aperçu tout de suite de sa vanité, car l'idée qu'on s'est faite longtemps d'une personne bouche les yeux et les oreilles; ma mère pendant trois ans ne distingua pas plus le fard qu'une de ses nièces se mettait aux lèvres que s'il eût été invisiblement dissous[2] dans un liquide; jusqu'au jour où une parcelle supplémentaire, ou bien quelque autre cause amena le phénomène appelé sursaturation; tout le fard non aperçu cristallisa, et ma mère devant cette débauche soudaine de couleurs déclara, comme on eût fait à Combray, que c'était une honte, et cessa presque toute relation avec sa nièce). Mais pour Cottard au contraire, l'époque où on l'a vu[3] assister aux débuts de Swann chez les Verdurin était déjà assez lointaine; or les honneurs, les titres officiels viennent avec les années. Deuxièmement, on peut être illettré, faire des calembours stupides, et posséder un don particulier qu'aucune culture générale ne remplace, comme le don du grand stratège ou du grand clinicien. Ce n'est pas seulement en effet comme un praticien obscur, devenu, à la longue, notoriété européenne, que ses confrères considéraient Cottard. Les plus intelligents d'entre les jeunes médecins déclarèrent — au moins pendant quelques années, car les modes changent, étant nées elles-mêmes du besoin de changement — que si jamais ils tombaient malades, Cottard était le seul maître auquel ils confieraient leur peau. Sans doute ils préféraient le commerce de certains chefs plus lettrés, plus artistes, avec lesquels ils pouvaient parler de Nietzsche, de Wagner. Quand on faisait de la musique chez Mme Cottard, aux soirées où elle recevait, avec l'espoir qu'il devînt un jour doyen de la Faculté, les collègues et les élèves de son mari, celui-ci, au lieu d'écouter, préférait jouer aux cartes dans un salon voisin. Mais on vantait la promptitude, la profondeur, la sûreté de son coup d'œil, de son diagnostic. En troisième lieu, en ce qui concerne l'ensemble de façons que le professeur Cottard montrait à un homme comme mon père, remarquons que la nature que nous faisons paraître dans la seconde partie de notre vie n'est pas toujours, si elle l'est souvent, notre nature première développée ou flétrie, grossie ou atténuée; elle est quelquefois une nature inverse, un véritable vêtement retourné. Sauf chez les Verdurin qui s'étaient engoués de lui, l'air hésitant de Cottard, sa timidité, son amabilité excessives, lui avaient, dans sa jeunesse, valu de perpétuels brocards. Quel ami charitable lui conseilla l'air glacial? L'importance de sa situation lui rendit plus aisé de le prendre. Partout, sinon chez les Verdurin où il redevenait instinctivement lui-même, il se rendit froid, volontiers silencieux, péremptoire quand il fallait parler, n'oubliant[1] pas de dire des choses désagréables. Il put faire l'essai de cette nouvelle attitude devant des clients qui, ne l'ayant pas encore vu, n'étaient pas à même de faire des comparaisons et eussent été bien étonnés d'apprendre qu'il n'était pas un homme d'une rudesse naturelle. C'est surtout à l'impassibilité qu'il s'efforçait, et même dans son service d'hôpital, quand il débitait quelques-uns de ces calembours qui faisaient rire tout le monde, du chef de clinique au plus récent externe, il le faisait toujours sans qu'un muscle bougeât dans sa figure d'ailleurs méconnaissable depuis qu'il avait rasé barbe et moustaches.

Disons pour finir qui était le marquis de Norpois. Il avait été ministre plénipotentiaire avant la guerre et ambassadeur au Seize Mai, et, malgré cela, au grand étonnement de beaucoup, chargé plusieurs fois, depuis, de représenter la France dans des missions extraordinaires — et même comme contrôleur de la Dette, en Égypte, où grâce à ses grandes capacités financières il avait rendu d'importants services — par des cabinets radicaux qu'un simple bourgeois réactionnaire se fût refusé à servir, et auxquels le passé de M. de Norpois, ses attaches, ses opinions eussent dû le rendre suspect. Mais ces ministres avancés semblaient se rendre compte qu'ils montraient par une telle désignation quelle largeur d'esprit était la leur dès qu'il s'agissait des intérêts supérieurs de la France, se mettaient hors de pair des hommes politiques en méritant que le *Journal des Débats* lui-même les qualifiât d'hommes d'État, et bénéficiaient enfin du prestige qui s'attache à un nom aristocratique et de l'intérêt qu'éveille comme un coup de théâtre un choix inattendu. Et ils savaient aussi que ces avantages ils pouvaient, en faisant appel à M. de Norpois, les recueillir sans avoir à craindre de celui-ci un manque de loyalisme politique contre lequel la naissance du marquis devait non pas les mettre en garde, mais les garantir. Et en cela le gouvernement de la République ne se trompait pas. C'est d'abord parce qu'une certaine aristocratie, élevée dès l'enfance à considérer son nom comme un avantage intérieur que rien ne peut lui enlever (et dont ses pairs, ou ceux qui sont de naissance plus haute encore, connaissent assez exactement la valeur), sait qu'elle peut s'éviter, car ils ne lui ajouteraient rien, les efforts que sans résultat ultérieur appréciable font tant de bourgeois pour ne professer que des opinions bien portées et ne[1] fréquenter que des gens bien pensants. En revanche, soucieuse de se grandir aux yeux des familles princières ou ducales au-dessous desquelles elle est immédiatement située, cette aristocratie sait qu'elle ne le peut qu'en augmentant son nom de ce qu'il ne contenait pas, de ce qui fait qu'à nom égal, elle prévaudra : une influence politique, une réputation littéraire ou artistique, une grande fortune. Et les frais dont elle se dispense à l'égard de l'inutile hobereau recherché des bourgeois et de la stérile amitié duquel un prince ne lui saurait aucun gré, elle les prodiguera aux hommes politiques, fussent-ils francs-maçons, qui peuvent faire arriver dans les ambassades ou patronner dans les élections, aux artistes ou aux savants dont l'appui aide à « percer » dans la branche où ils priment, à tous ceux enfin qui sont en mesure de conférer une illustration nouvelle ou de faire réussir un riche mariage.

Mais en ce qui concernait M. de Norpois, il y avait surtout que, dans une longue pratique de la diplomatie, il s'était imbu de cet esprit négatif, routinier, conservateur, dit « esprit de gouvernement » et qui est, en effet, celui de tous les gouvernements et, en particulier, sous tous les gouvernements, l'esprit des chancelleries. Il avait puisé dans la Carrière l'aversion, la crainte et le mépris de ces procédés plus ou moins révolutionnaires, et à tout le moins incorrects, que sont les procédés des oppositions. Sauf chez quelques illettrés du peuple et du monde, pour qui la différence des genres est lettre morte, ce qui rapproche, ce n'est pas la communauté des opinions, c'est la consanguinité des esprits. Un académicien du genre de Legouvé et qui serait partisan des classiques, eût applaudi plus volontiers à l'éloge de Victor Hugo par Maxime Du Camp ou Mézières, qu'à celui de Boileau par Claudel. Un même nationalisme suffit à rapprocher Barrès de ses électeurs qui ne doivent pas faire grande différence entre lui et M. Georges Berry, mais non de ceux de ses collègues de l'Académie qui, ayant ses opinions politiques mais un autre genre d'esprit, lui préféreront même des adversaires comme MM. Ribot et Deschanel, dont à leur tour de fidèles monarchistes se sentent beaucoup plus près que de Maurras et de Léon Daudet qui souhaitent cependant aussi le retour du Roi. Avare de ses mots, non seulement par pli professionnel de prudence et de réserve, mais aussi parce qu'ils ont plus de prix, offrent plus de nuances aux yeux d'hommes dont les efforts de dix années pour rapprocher deux pays se résument, se traduisent — dans un discours, dans un protocole — par un simple adjectif, banal en apparence, mais où ils voient tout un monde, M. de Norpois passait pour très froid à la Commission, où il siégeait à côté de mon père et où chacun félicitait celui-ci de l'amitié que lui témoignait l'ancien ambassadeur. Elle étonnait mon père tout le premier. Car étant généralement peu aimable, il avait l'habitude de n'être pas recherché en dehors du cercle de ses intimes et l'avouait avec simplicité. Il avait conscience qu'il y avait dans les avances du diplomate un effet de ce point de vue tout individuel où chacun se place pour décider de ses sympathies, et d'où toutes les qualités intellectuelles ou la sensibilité d'une personne ne seront pas auprès de l'un de nous qu'elle ennuie ou agace une aussi bonne recommandation que la rondeur et la gaieté d'une autre qui passerait, aux yeux de beaucoup, pour vide, frivole et nulle. « De Norpois m'a invité de nouveau à dîner; c'est extraordinaire; tout le monde en est stupéfait à la Commission où il n'a de relations privées avec personne. Je suis sûr qu'il va encore me raconter des choses palpitantes sur la guerre de 70. » Mon père savait que seul, peut-être, M. de Norpois avait averti l'Empereur de la puissance grandissante et des intentions belliqueuses de la Prusse, et que Bismarck avait pour son intelligence une estime particulière. Dernièrement encore à l'Opéra, pendant le gala offert au roi Théodose, les journaux avaient remarqué l'entretien prolongé que le souverain avait accordé à M. de Norpois. « Il faudra que je sache si cette visite du roi a vraiment de l'importance, nous dit mon père qui s'intéressait beaucoup à la politique étrangère. Je sais bien que le père Norpois est très boutonné, mais avec moi il s'ouvre si gentiment. »

Quant à ma mère, peut-être l'Ambassadeur n'avait-il pas par lui-même le genre d'intelligence vers lequel elle se sentait le plus attirée. Et je dois dire que la conversation de M. de Norpois était un répertoire si complet des formes surannées du langage particulières à une carrière, à une classe et à un temps — un temps qui, pour cette carrière et cette classe-là, pourrait bien ne pas être tout à fait aboli — que je regrette parfois de n'avoir pas retenu purement et simplement les propos que je lui ai entendu tenir. J'aurais ainsi obtenu un effet de démodé, à aussi bon compte et de la même façon que cet acteur du Palais-Royal à qui on demandait où il pouvait trouver ses surprenants chapeaux et qui répondait : « Je ne trouve pas mes chapeaux. Je les garde. » En un mot, je crois que ma mère jugeait M. de Norpois un peu « vieux jeu », ce qui était loin de lui sembler déplaisant au point de vue des manières, mais la charmait moins dans le domaine, sinon des idées — car celles de M. de Norpois étaient fort modernes — mais des expressions. Seulement, elle sentait que c'était flatter délicatement son mari que de lui parler avec admiration du diplomate qui lui marquait une prédilection si rare. En fortifiant dans l'esprit de mon père la bonne opinion qu'il avait de M. de Norpois, et par là en le conduisant à en prendre une bonne aussi de lui-même, elle avait conscience de remplir celui de ses devoirs qui consistait à rendre la vie agréable à son époux, comme elle faisait quand elle veillait à ce que la cuisine fût soignée et le service silencieux. Et comme elle était incapable de mentir à mon père, elle s'entraînait elle-même à admirer l'Ambassadeur pour pouvoir le louer avec sincérité. D'ailleurs, elle goûtait naturellement son air de bonté, sa politesse un peu désuète (et si cérémonieuse que quand, marchant en redressant sa haute taille, il apercevait ma mère qui passait en voiture, avant de lui envoyer un coup de chapeau, il jetait au loin un cigare à peine commencé), sa conversation si mesurée, où il parlait de lui-même le moins possible et tenait toujours compte de ce qui pouvait être agréable à l'interlocuteur, sa ponctualité tellement surprenante à répondre à une lettre que quand, venant de lui en envoyer une, mon père reconnaissait l'écriture de M. de Norpois sur une enveloppe, son premier mouvement était de croire que par mauvaise chance leur correspondance s'était croisée : on eût dit qu'il existait, pour lui, à la poste, des levées supplémentaires et de luxe. Ma mère s'émerveillait qu'il fût si exact quoique si occupé, si aimable quoique si répandu, sans songer que les « quoique » sont toujours des « parce que » méconnus, et que (de même que les vieillards sont étonnants pour leur âge, les rois pleins de simplicité, et les provinciaux au courant de tout) c'étaient les mêmes habitudes qui permettaient à M. de Norpois de satisfaire à tant d'occupations et d'être si ordonné dans ses réponses, de plaire dans le monde et d'être aimable avec nous. De plus, l'erreur de ma mère, comme celle de toutes les personnes qui ont trop de modestie, venait de ce qu'elle mettait les choses qui la concernaient au-dessous, et par conséquent en dehors des autres. La réponse qu'elle trouvait que l'ami de mon père avait eu tant de mérite à nous adresser rapidement parce qu'il écrivait par jour beaucoup de lettres, elle l'exceptait de ce grand nombre de lettres dont ce n'était que l'une; de même elle ne considérait pas qu'un dîner chez nous fût pour M. de Norpois un des actes innombrables de sa vie sociale : elle ne songeait pas que l'Ambassadeur avait été habitué autrefois dans la diplomatie à considérer les dîners en ville comme faisant partie de ses fonctions, et à déployer une grâce invétérée dont c'eût été trop lui demander que de se départir par extraordinaire quand il venait chez nous.

Le premier dîner que M. de Norpois fit à la maison, une année où je jouais encore aux Champs-Élysées, est resté dans ma mémoire, parce que l'après-midi de ce même jour fut celui où j'allai enfin entendre la Berma, en « matinée », dans *Phèdre,* et aussi parce qu'en causant avec M. de Norpois je me rendis compte tout d'un coup, et d'une façon nouvelle, combien les sentiments éveillés en moi par tout ce qui concernait Gilberte Swann et ses parents différaient de ceux que cette même famille faisait éprouver à n'importe quelle autre personne.

Ce fut sans doute en remarquant l'abattement où me plongeait l'approche des vacances du jour de l'an pendant lesquelles, comme elle me l'avait annoncé elle-même, je ne devais pas voir Gilberte, qu'un jour, pour me distraire, ma mère me dit : « Si tu as encore le même grand désir d'entendre la Berma, je crois que ton père permettrait peut-être que tu y ailles : ta grand'mère pourrait t'y emmener. »

Mais c'était parce que M. de Norpois lui avait dit qu'il devrait me laisser entendre la Berma, que c'était, pour un jeune homme, un souvenir à garder, que mon père, jusque-là si hostile à ce que j'allasse perdre mon temps et risquer de prendre du mal pour ce qu'il appelait, au grand scandale de ma grand'mère, des inutilités, n'était plus loin de considérer cette soirée préconisée par l'Ambassadeur comme faisant vaguement partie d'un ensemble de recettes précieuses pour la réussite d'une brillante carrière. Ma grand'mère qui, en renonçant pour moi au profit que, selon elle, j'aurais trouvé à entendre la Berma, avait fait un gros sacrifice à l'intérêt de ma santé, s'étonnait que celui-ci devînt négligeable sur une seule parole de M. de Norpois. Mettant ses espérances invincibles de rationaliste dans le régime de grand air et de coucher de bonne heure qui m'avait été prescrit, elle déplorait comme un désastre cette infraction que j'allais y faire et, sur un ton navré, disait : « Comme vous êtes léger » à mon père qui, furieux, répondait : « Comment, c'est vous maintenant qui ne voulez pas qu'il y aille ! c'est un peu fort, vous qui nous répétiez tout le temps que cela pouvait lui être utile. »

Mais M. de Norpois avait changé sur un point bien plus important pour moi, les intentions de mon père. Celui-ci avait toujours désiré que je fusse diplomate, et je ne pouvais supporter l'idée que, même si je devais rester quelque temps attaché au ministère, je risquasse d'être envoyé un jour comme ambassadeur dans des capitales que Gilberte n'habiterait pas. J'aurais préféré revenir aux projets littéraires que j'avais autrefois formés et abandonnés au cours de mes promenades du côté de Guermantes. Mais mon père avait fait une constante opposition à ce que je me destinasse à la carrière des lettres qu'il estimait fort inférieure à la diplomatie, lui refusant même le nom de carrière, jusqu'au jour où M. de Norpois, qui n'aimait pas beaucoup les agents diplomatiques des nouvelles couches, lui avait assuré qu'on pouvait, comme écrivain, s'attirer autant de considération, exercer autant d'action et garder plus d'indépendance que dans les ambassades.

« Hé bien! je ne l'aurais pas cru, le père Norpois n'est pas du tout opposé à l'idée que tu fasses de la littérature », m'avait dit mon père. Et comme, assez influent lui-même, il croyait qu'il n'y avait rien qui ne s'arrangeât, ne trouvât sa solution favorable dans la conversation des gens importants : « Je le ramènerai dîner un de ces soirs en sortant de la Commission. Tu causeras un peu avec lui, pour qu'il puisse t'apprécier. Écris quelque chose de bien que tu puisses lui montrer; il est très lié avec le directeur de la *Revue des Deux Mondes,* il t'y fera entrer, il réglera cela, c'est un vieux malin; et, ma foi, il a l'air de trouver que la diplomatie, aujourd'hui!... »

Le bonheur que j'aurais à ne pas être séparé de Gilberte me rendait désireux mais non capable d'écrire une belle chose qui pût être montrée à M. de Norpois. Après quelques pages préliminaires, l'ennui me faisant tomber la plume des mains, je pleurais de rage en pensant que je n'aurais jamais de talent, que je n'étais pas doué et ne pourrais même pas profiter de la chance que la prochaine venue de M. de Norpois m'offrait de rester toujours à Paris. Seule l'idée qu'on allait me laisser entendre la Berma me distrayait de mon chagrin. Mais de même que je ne souhaitais voir des tempêtes que sur les côtes où elles étaient le plus violentes, de même je n'aurais voulu entendre la grande actrice que dans un de ces rôles classiques où Swann m'avait dit qu'elle touchait au sublime. Car quand c'est dans l'espoir d'une découverte précieuse que nous désirons recevoir certaines impressions de nature ou d'art, nous avons quelque scrupule à laisser notre âme accueillir à leur place des impressions moindres qui pourraient nous tromper sur la valeur exacte du Beau. La Berma dans *Andromaque,* dans *les Caprices de Marianne,* dans *Phèdre,* c'était de ces choses fameuses que mon imagination avait tant désirées. J'aurais le même ravissement que le jour où une gondole m'emmènerait au pied du Titien des Frari ou des Carpaccio de San Giorgio dei Schiavoni, si jamais j'entendais réciter par la Berma les vers :

On dit qu'un prompt départ vous éloigne de nous,
Seigneur, etc.

Je les connaissais par la simple reproduction en noir et blanc qu'en donnent les éditions imprimées; mais mon cœur battait quand je pensais, comme à la réalisation d'un voyage, que je les verrais enfin baigner effectivement dans l'atmosphère et l'ensoleillement de la voix dorée. Un Carpaccio à Venise, la Berma dans *Phèdre,* chefs-d'œuvre d'art pictural ou dramatique que le prestige qui s'attachait à eux rendait en moi si vivants, c'est-à-dire si indivisibles, que, si j'avais été voir des Carpaccio dans une salle du Louvre ou la Berma dans quelque pièce dont je n'aurais jamais entendu parler, je n'aurais plus éprouvé le même étonnement délicieux d'avoir enfin les yeux ouverts devant l'objet inconcevable et unique de tant de milliers de mes rêves. Puis, attendant du jeu de la Berma des révélations sur certains aspects de la noblesse, de la douleur, il me semblait que ce qu'il y avait de grand, de réel dans ce jeu, devait l'être davantage si l'actrice le superposait à une œuvre d'une valeur véritable au lieu de broder en somme du vrai et du beau sur une trame médiocre et vulgaire.

Enfin, si j'allais entendre la Berma dans une pièce nouvelle, il ne me serait pas facile de juger de son art, de sa diction, puisque je ne pourrais pas faire le départ entre un texte que je ne connaîtrais pas d'avance et ce que lui ajouteraient des intonations et des gestes qui me sembleraient faire corps avec lui; tandis que les œuvres anciennes que je savais par cœur, m'apparaissaient comme de vastes espaces réservés et tout prêts où je pourrais apprécier en pleine liberté les inventions dont la Berma les couvrirait, comme à fresque, des perpétuelles trouvailles de son inspiration. Malheureusement, depuis des années qu'elle avait quitté les grandes scènes et faisait la fortune d'un théâtre de boulevard dont elle était l'étoile, elle ne jouait plus de classique, et j'avais beau consulter les affiches, elles n'annonçaient jamais que des pièces toutes récentes, fabriquées exprès pour elle par des auteurs en vogue; quand un matin, cherchant sur la colonne des théâtres les matinées de la semaine du jour de l'an, j'y vis pour la première fois — en fin de spectacle, après un lever de rideau probablement insignifiant dont le titre me sembla opaque parce qu'il contenait tout le particulier d'une action que j'ignorais — deux actes de *Phèdre* avec Mme Berma, et aux matinées suivantes *le Demi-Monde, les Caprices de Marianne,* noms qui, comme celui de *Phèdre,* étaient pour moi transparents, remplis seulement de clarté, tant l'œuvre m'était connue, illuminés jusqu'au fond d'un sourire d'art. Ils me parurent ajouter de la noblesse à Mme Berma elle-même quand je lus dans les journaux, après le programme de ces spectacles, que c'était elle qui avait résolu de se montrer de nouveau au public dans quelques-unes de ses anciennes créations. Donc, l'artiste savait que certains rôles ont un intérêt qui survit à la nouveauté de leur apparition ou au succès de leur reprise, elle les considérait, interprétés par elle, comme des chefs-d'œuvre de musée qu'il pouvait être instructif de remettre sous les yeux de la génération qui l'y avait admirée ou de celle qui ne l'y avait pas vue. En faisant afficher ainsi, au milieu de pièces qui n'étaient destinées qu'à faire passer le temps d'une soirée, *Phèdre,* dont le titre n'était pas plus long que les leurs et n'était pas imprimé en caractères différents, elle y ajoutait comme le sous-entendu d'une maîtresse de maison qui, en vous présentant à ses convives au moment d'aller à table, vous dit au milieu des noms d'invités qui ne sont que des invités, et sur le même ton qu'elle a cité les autres : M. Anatole France.

Le médecin qui me soignait — celui qui m'avait défendu tout voyage — déconseilla à mes parents de me laisser aller au théâtre; j'en reviendrais malade, pour longtemps peut-être, et j'aurais en fin de compte plus de souffrance que de plaisir. Cette crainte eût pu m'arrêter si ce que j'avais attendu d'une telle représentation eût été seulement un plaisir qu'en somme une souffrance ultérieure peut annuler, par compensation. Mais — de même qu'au voyage à Balbec, au voyage à Venise que j'avais tant désirés — ce que je demandais à cette matinée, c'était tout autre chose qu'un plaisir : des vérités appartenant à un monde plus réel que celui où je vivais, et desquelles l'acquisition une fois faite ne pourrait pas m'être enlevée par des incidents insignifiants, fussent-ils douloureux à mon corps, de mon oiseuse existence. Tout au plus, le plaisir que j'aurais pendant le spectacle m'apparaissait-il comme la forme peut-être nécessaire de la perception de ces vérités; et c'était assez pour que je souhaitasse que les malaises prédits ne commençassent qu'une fois la représentation finie, afin qu'il ne fût pas par eux compromis et faussé. J'implorais mes parents, qui, depuis la visite du médecin, ne voulaient plus me permettre d'aller à *Phèdre*. Je me récitais sans cesse la tirade :

On dit qu'un prompt départ vous éloigne de nous...

cherchant toutes les intonations qu'on pouvait y mettre, afin de mieux mesurer l'inattendu de celle que la Berma trouverait. Cachée comme le Saint des Saints sous le rideau qui me la dérobait et derrière lequel je lui prêtais à chaque instant un aspect nouveau, selon ceux des mots de Bergotte — dans la plaquette retrouvée par Gilberte — qui me revenaient à l'esprit : « noblesse plastique, cilice chrétien, pâleur janséniste, princesse de Trézène et de Clèves, drame mycénien, symbole delphique, mythe solaire », la divine Beauté que devait me révéler le jeu de la Berma, nuit et jour, sur un autel perpétuellement allumé, trônait au fond de mon esprit, de mon esprit dont mes parents sévères et légers allaient décider s'il enfermerait ou non, et pour jamais, les perfections de la Déesse dévoilée à cette même place où se dressait sa forme invisible. Et les yeux fixés sur l'image inconcevable, je luttais du matin au soir contre les obstacles que ma famille m'opposait. Mais quand ils furent tombés, quand ma mère — bien que cette matinée eût lieu précisément le jour de la séance de la Commission après laquelle mon père devait ramener dîner M. de Norpois — m'eût dit : « Hé bien, nous ne voulons pas te chagriner, si tu crois que tu auras tant de plaisir, il faut y aller », quand cette journée de théâtre, jusque-là défendue, ne dépendit plus que de moi, alors, pour la première fois, n'ayant plus à m'occuper qu'elle cessât d'être impossible, je me demandai si elle était souhaitable, si d'autres raisons que la défense de mes parents n'auraient pas dû m'y faire renoncer. D'abord, après avoir détesté leur cruauté, leur consentement me les rendait si chers que l'idée de leur faire de la peine m'en causait à moi-même une, à travers laquelle la vie ne m'apparaissait plus comme ayant pour but la vérité, mais la tendresse, et ne me semblait plus bonne ou mauvaise que selon que mes parents seraient heureux ou malheureux. « J'aimerais mieux ne pas y aller, si cela doit vous affliger », dis-je à ma mère qui, au contraire, s'efforçait de m'ôter cette arrière-pensée qu'elle pût en être triste, laquelle, disait-elle, gâterait ce plaisir que j'aurais à *Phèdre* et en considération duquel elle et mon père étaient revenus sur leur défense. Mais alors cette sorte d'obligation d'avoir du plaisir me semblait bien lourde. Puis si je rentrais malade, serais-je guéri assez vite pour pouvoir aller aux Champs-Élysées, les vacances finies, aussitôt qu'y retournerait Gilberte ? À toutes ces raisons, je confrontais, pour décider ce qui devait l'emporter, l'idée, invisible derrière son voile, de la perfection de la Berma. Je mettais dans un des plateaux de la balance[1] « sentir maman triste, risquer de ne pas pouvoir aller aux Champs-Élysées », dans l'autre, « pâleur janséniste, mythe solaire »; mais ces mots eux-mêmes finissaient par s'obscurcir devant mon esprit, ne me disaient plus rien, perdaient tout poids; peu à peu mes hésitations devenaient si douloureuses que si j'avais maintenant opté pour le théâtre, ce n'eût plus été que pour les faire cesser et en être délivré une fois pour toutes. C'eût été pour abréger ma souffrance, et non plus dans l'espoir d'un bénéfice intellectuel et en cédant à l'attrait de la perfection, que je me serais laissé conduire non vers la Sage Déesse, mais vers l'implacable Divinité sans visage et sans nom qui lui avait été subrepticement substituée sous son voile. Mais brusquement tout fut changé, mon désir d'aller entendre la Berma reçut un coup de fouet nouveau qui me permit d'attendre dans l'impatience et dans la joie cette « matinée » : étant allé faire devant la colonne des théâtres ma station quotidienne, depuis peu si cruelle, de stylite, j'avais vu, tout humide encore, l'affiche détaillée de *Phèdre* qu'on venait de coller pour la première fois (et où, à vrai dire, le reste de la distribution ne m'apportait aucun attrait nouveau qui[2] pût me décider). Mais elle donnait à l'un des buts entre lesquels oscillait mon indécision une forme plus concrète et — comme l'affiche était datée non du jour où je la lisais, mais de celui où la représentation aurait lieu, et de l'heure même du lever du rideau — presque imminente, déjà en voie de réalisation, si bien que je sautai de joie devant la colonne en pensant que ce jour-là, exactement à cette heure, je serais prêt à entendre la Berma, assis à ma place; et de peur que mes parents n'eussent plus le temps d'en trouver deux bonnes pour ma grand'mère et pour moi, je ne fis qu'un bond jusqu'à la maison, cinglé que j'étais par ces mots magiques qui avaient remplacé dans ma pensée « pâleur janséniste » et « mythe solaire » : « Les dames ne seront pas reçues à l'orchestre en chapeau, les portes seront fermées à deux heures. »

Hélas! cette première matinée fut une grande déception. Mon père nous proposa de nous déposer ma grand'mère et moi au théâtre, en se rendant à sa Commission. Avant de quitter la maison, il dit à ma mère : « Tâche d'avoir un bon dîner; tu te rappelles que je dois ramener de Norpois ? » Ma mère ne l'avait pas oublié. Et depuis la veille, Françoise, heureuse de s'adonner à cet art de la cuisine pour lequel elle avait certainement un don, stimulée, d'ailleurs, par l'annonce d'un convive nouveau, et sachant qu'elle aurait à composer, selon des méthodes sues d'elle seule, du bœuf à la gelée, vivait dans l'effervescence de la création; comme elle attachait une importance extrême à la qualité intrinsèque des matériaux qui devaient entrer dans la fabrication de son œuvre, elle allait elle-même aux Halles se faire donner les plus beaux carrés de romsteck, de[1] jarret de bœuf, de pied de veau, comme Michel-Ange passant huit mois dans les montagnes de Carrare à choisir les blocs de marbre les plus parfaits pour le monument de Jules II. Françoise dépensait dans ces allées et venues une telle ardeur que maman voyant sa figure enflammée craignait que notre vieille servante ne tombât malade de surmenage comme l'auteur du Tombeau des Médicis dans les carrières de Pietrasanta. Et dès la veille Françoise avait envoyé cuire dans le four du boulanger, protégé de mie de pain[2], comme du marbre rose, ce qu'elle appelait du jambon de Nev'York. Croyant la langue moins riche qu'elle n'est et ses propres oreilles peu sûres, sans doute la première fois qu'elle avait entendu parler de jambon d'York avait-elle cru — trouvant d'une prodigalité invraisemblable dans le vocabulaire qu'il pût exister à la fois York et New-York — qu'elle avait mal entendu et qu'on avait voulu dire le nom qu'elle connaissait déjà. Aussi, depuis, le mot d'York se faisait précéder dans ses oreilles ou devant ses yeux, si elle lisait une annonce, de : New qu'elle prononçait Nev'. Et c'est de la meilleure foi du monde qu'elle disait à sa fille de cuisine : « Allez me chercher du jambon chez Olida. Madame m'a bien recommandé que ce soit du Nev'York. »

Ce jour-là, si Françoise avait la brûlante certitude des grands créateurs, mon lot était la cruelle inquiétude du chercheur. Sans doute, tant que je n'eus pas entendu la Berma, j'éprouvai du plaisir. J'en éprouvai dans le petit square qui précédait le théâtre et dont, deux heures plus tard, les marronniers dénudés allaient luire avec des reflets métalliques dès que les becs de gaz allumés éclaireraient le détail de leurs ramures; devant les employés du contrôle, desquels le choix, l'avancement, le sort, dépendaient de la grande artiste — qui seule détenait le pouvoir dans cette administration à la tête de laquelle des directeurs éphémères et purement nominaux se succédaient obscurément — et qui prirent nos billets sans nous regarder, agités qu'ils étaient de savoir si toutes les prescriptions de Mme Berma avaient bien été transmises au personnel nouveau, s'il était bien entendu que la claque ne devait jamais applaudir pour elle, que les fenêtres devaient être ouvertes tant qu'elle ne serait pas en scène et la moindre porte fermée après, un pot d'eau chaude dissimulé près d'elle pour faire tomber la poussière du plateau : et, en effet, dans un moment sa voiture attelée de deux chevaux à longue crinière allait s'arrêter devant le théâtre, elle en descendrait enveloppée dans des fourrures, et, répondant d'un geste maussade aux saluts, elle enverrait une de ses suivantes s'informer de l'avant-scène qu'on avait réservée pour ses amis, de la température de la salle, de la composition des loges, de la tenue des ouvreuses, théâtre et public n'étant pour elle qu'un second vêtement plus extérieur dans lequel elle entrerait et le milieu plus ou moins bon conducteur que son talent aurait à traverser. Je fus heureux aussi dans la salle même; depuis que je savais que — contrairement à ce que m'avaient si longtemps représenté mes imaginations enfantines — il n'y avait qu'une scène pour tout le monde, je pensais qu'on devait être empêché de bien voir par les autres spectateurs comme on l'est au milieu d'une foule; or je me rendis compte qu'au contraire, grâce à une disposition qui est comme le symbole de toute perception, chacun se sent le centre du théâtre; ce qui m'expliqua qu'une fois qu'on avait envoyé Françoise voir un mélodrame aux troisièmes galeries, elle avait assuré en rentrant que sa place était la meilleure qu'on pût avoir, et au lieu de se trouver trop loin, s'était sentie intimidée par la proximité mystérieuse et vivante du rideau. Mon plaisir s'accrut encore quand je commençai à distinguer derrière ce rideau baissé des bruits confus comme on en entend sous la coquille d'un œuf quand le poussin va sortir, qui bientôt grandirent, et tout à coup, de ce monde impénétrable à notre regard, mais qui nous voyait du sien, s'adressèrent indubitablement à nous sous la forme impérieuse de trois coups aussi émouvants que des signaux venus de la planète Mars. Et — ce rideau une fois levé — quand sur la scène une table à écrire et une cheminée, assez ordinaires d'ailleurs, signifièrent que les personnages qui allaient entrer seraient, non pas des acteurs venus pour réciter comme j'en avais vu une fois en soirée, mais des hommes en train de vivre chez eux un jour de leur vie dans laquelle je pénétrais par effraction sans qu'ils pussent me voir, mon plaisir continua de durer; il fut interrompu par une courte inquiétude : juste comme je dressais l'oreille avant que commençât la pièce, deux hommes entrèrent sur[1] la scène, bien en colère, puisqu'ils parlaient assez fort pour que dans cette salle où il y avait plus de mille personnes on distinguât toutes leurs paroles, tandis que dans un petit café on est obligé de demander au garçon ce que disent deux individus qui se collettent; mais dans le même instant, étonné de voir que le public les entendait sans protester, submergé qu'il était par un unanime silence sur lequel vint bientôt clapoter un rire ici, un autre là, je compris que ces insolents étaient les acteurs et que la petite pièce, dite lever de rideau, venait de commencer. Elle fut suivie d'un entr'acte si long que les spectateurs revenus à leurs places s'impatientaient, tapaient des pieds. J'en étais effrayé; car de même que dans le compte rendu d'un procès, quand je lisais qu'un homme d'un noble cœur allait venir, au mépris de ses intérêts, témoigner en faveur d'un innocent, je craignais toujours qu'on ne fût pas assez gentil pour lui, qu'on ne lui marquât pas assez de reconnaissance, qu'on ne le récompensât pas richement, et, qu'écœuré, il se mît du côté de l'injustice; de même, assimilant en cela le génie à la vertu, j'avais peur que la

Berma, dépitée par les mauvaises façons d'un public aussi mal élevé — dans lequel j'aurais voulu au contraire qu'elle pût reconnaître avec satisfaction quelques célébrités au jugement de qui elle eût attaché de l'importance — ne lui exprimât son mécontentement et son dédain en jouant mal. Et je regardais d'un air suppliant ces brutes trépignantes qui allaient briser dans leur fureur l'impression fragile et précieuse que j'étais venu chercher. Enfin, les derniers moments de mon plaisir furent pendant les premières scènes de *Phèdre*. Le personnage de Phèdre ne paraît pas dans ce commencement du second acte; et pourtant, dès que le rideau fut levé et qu'un second rideau, en velours rouge celui-là, se fut écarté, qui dédoublait la profondeur de la scène dans toutes les pièces où jouait l'étoile, une actrice entra par le fond, qui avait la figure et la voix qu'on m'avait dit être celles de la Berma. On avait dû changer la distribution, tout le soin que j'avais mis à étudier le rôle de la femme de Thésée devenait inutile. Mais une autre actrice donna la réplique à la première. J'avais dû me tromper en prenant celle-là pour la Berma, car la seconde lui ressemblait davantage encore et, plus que l'autre, avait sa diction. Toutes deux d'ailleurs ajoutaient à leur rôle de nobles gestes — que je distinguais clairement et dont je comprenais la relation avec le texte, tandis qu'elles soulevaient leurs beaux péplums — et aussi des intonations ingénieuses, tantôt passionnées, tantôt ironiques, qui me faisaient comprendre la signification d'un vers que j'avais lu chez moi sans apporter assez d'attention à ce qu'il voulait dire. Mais tout d'un coup, dans l'écartement du rideau rouge du sanctuaire, comme dans un cadre, une femme parut et aussitôt, à la peur que j'eus, bien plus anxieuse que pouvait être celle de la Berma, qu'on la gênât en ouvrant une fenêtre, qu'on altérât le son d'une de ses paroles en froissant un programme, qu'on l'indisposât en applaudissant ses camarades, en ne l'applaudissant pas, elle, assez; — à ma façon, plus absolue encore que celle de la Berma, de ne considérer, dès cet instant, salle, public, acteurs, pièce, et mon propre corps que comme un milieu acoustique n'ayant d'importance que dans la mesure où il était favorable aux inflexions de cette voix, je compris que les deux actrices que j'admirais depuis quelques minutes n'avaient aucune ressemblance avec celle que j'étais venu entendre. Mais en même temps tout mon plaisir avait cessé; j'avais beau tendre vers la Berma mes yeux, mes oreilles, mon esprit, pour ne pas laisser échapper une miette des raisons qu'elle me donnerait de l'admirer, je ne parvenais pas à en recueillir une seule. Je ne pouvais même pas, comme pour ses camarades, distinguer dans sa diction et dans son jeu des intonations intelligentes, de beaux gestes. Je l'écoutais comme j'aurais lu *Phèdre,* ou comme si Phèdre elle-même avait dit en ce moment les choses que j'entendais, sans que le talent de la Berma semblât leur avoir rien ajouté. J'aurais voulu — pour pouvoir l'approfondir, pour tâcher d'y découvrir ce qu'elle avait de beau — arrêter, immobiliser longtemps devant moi chaque intonation de l'artiste, chaque expression de sa physionomie; du moins, je tâchais, à force d'agilité mentale, en ayant avant un vers mon attention tout installée et mise au point, de ne pas distraire en préparatifs une parcelle de la durée de chaque mot, de chaque geste, et, grâce à l'intensité de mon attention, d'arriver à descendre en eux aussi profondément que j'aurais fait si j'avais eu de longues heures à moi. Mais que cette durée était brève! A peine un son était-il reçu dans mon oreille qu'il était remplacé par un autre. Dans une scène où la Berma reste immobile un instant, le bras levé à la hauteur du visage, baignée[1] grâce à un artifice d'éclairage dans une lumière verdâtre, devant le décor qui représente la mer, la salle éclata en applaudissements, mais déjà l'actrice avait changé de place et le tableau que j'aurais voulu étudier n'existait plus. Je dis à ma grand'mère que je ne voyais pas bien, elle me passa sa lorgnette. Seulement, quand on croit à la réalité des choses, user d'un moyen artificiel pour se les faire montrer n'équivaut pas tout à fait à se sentir près d'elles. Je pensais que ce n'était plus la Berma que je voyais, mais son image, dans le verre grossissant. Je reposai la lorgnette; mais peut-être l'image que recevait mon œil, diminuée par l'éloignement, n'était pas plus exacte; laquelle des deux Berma était la vraie? Quant à la déclaration à Hippolyte, j'avais beaucoup compté sur ce morceau où, à en juger par la signification ingénieuse que ses camarades me découvraient à tout moment dans des parties moins belles, elle aurait certainement des intonations plus surprenantes que celles que chez moi, en lisant, j'avais tâché d'imaginer; mais elle n'atteignit même pas jusqu'à celles qu'Œnone ou Aricie eussent trouvées, elle passa au rabot d'une mélopée uniforme toute la tirade où se trouvèrent confondues ensemble des oppositions pourtant si tranchées qu'une tragédienne à peine intelligente, même des élèves de lycée, n'en eussent pas négligé l'effet; d'ailleurs, elle la débita tellement vite que ce fut seulement quand elle fut arrivée au dernier vers que mon esprit prit conscience de la monotonie voulue qu'elle avait imposée aux premiers.

Enfin éclata mon premier sentiment d'admiration : il fut provoqué par les applaudissements frénétiques des spectateurs. J'y mêlai les miens en tâchant de les prolonger, afin que, par reconnaissance, la Berma se surpassant, je fusse certain de l'avoir entendue dans un de ses meilleurs jours. Ce qui est du reste curieux, c'est que le moment où se déchaîna cet enthousiasme du public fut, je l'ai su depuis, celui où la Berma a une de ses plus belles trouvailles. Il semble que certaines réalités transcendantes émettent autour d'elles[1] des rayons auxquels la foule est sensible. C'est ainsi que, par exemple, quand un événement se produit, quand à la frontière une armée est en danger, ou battue, ou victorieuse, les nouvelles assez obscures qu'on reçoit et d'où l'homme cultivé ne sait pas tirer grand'chose, excitent dans la foule une émotion qui le surprend et dans laquelle, une fois que les experts l'ont mis au courant de la véritable situation militaire, il reconnaît la perception par le peuple de cette « aura » qui entoure les grands événements et qui peut être visible à des centaines de kilomètres. On apprend la victoire, ou après coup quand la guerre est finie, ou tout de suite par la joie du concierge. On découvre un trait génial du jeu de la Berma huit jours après l'avoir entendue, par la critique, ou sur le coup, par les acclamations du parterre. Mais cette connaissance immédiate de la foule étant mêlée à cent autres toutes erronées, les applaudissements tombaient le plus souvent à faux, sans compter qu'ils étaient mécaniquement soulevés par la force des applaudissements antérieurs, comme dans une tempête, une fois que la mer a été suffisamment remuée, elle continue à grossir, même si le vent ne s'accroît plus. N'importe, au fur et à mesure que j'applaudissais, il me semblait que la Berma avait mieux joué. « Au moins, disait à côté de moi une femme assez commune, elle se dépense celle-là, elle se frappe à se faire mal, elle court, parlez-moi de ça, c'est jouer. » Et heureux de trouver ces raisons de la supériorité de la Berma, tout en me doutant qu'elles ne l'expliquaient pas plus que celle de la Joconde ou du Persée de Benvenuto, l'exclamation d'un paysan : « C'est bien fait tout de même! c'est tout en or, et du beau! quel travail! », je partageai avec ivresse le vin grossier de cet enthousiasme populaire. Je n'en sentis pas moins, le rideau tombé, un désappointement que ce plaisir que j'avais tant désiré n'eût pas été plus grand, mais en même temps le besoin de le prolonger, de ne pas quitter pour jamais, en sortant de la salle, cette vie du théâtre qui pendant quelques heures avait été la mienne, et dont je me serais arraché comme en un départ pour l'exil, en rentrant directement à la maison, si je n'avais espéré d'y apprendre beaucoup sur la Berma par son admirateur auquel je devais qu'on m'eût permis d'aller à *Phèdre,* M. de Norpois.

Je lui fus présenté avant le dîner par mon père qui m'appela pour cela dans son cabinet. À mon entrée, l'Ambassadeur se leva, me tendit la main, inclina sa haute taille et fixa attentivement sur moi ses yeux bleus. Comme les étrangers de passage qui lui étaient présentés, au temps où il représentait la France, étaient plus ou moins — jusqu'aux chanteurs connus — des personnes de marque et dont il savait alors qu'il pourrait dire plus tard, quand on prononcerait leur nom à Paris ou à Pétersbourg, qu'il se rappelait parfaitement la soirée qu'il avait passée avec eux à Munich ou à Sofia, il avait pris l'habitude de leur marquer par son affabilité la satisfaction qu'il avait de les connaître : mais de plus, persuadé que dans la vie des capitales, au contact à la fois des individualités intéressantes qui les traversent et des usages du peuple qui les habite, on acquiert une connaissance approfondie, et que les livres ne donnent pas, de l'histoire, de la géographie, des mœurs des différentes nations, du mouvement intellectuel de l'Europe, il exerçait sur chaque nouveau venu ses facultés aiguës d'observateur afin de savoir de suite à quelle espèce d'homme il avait à faire. Le gouvernement ne lui avait plus depuis longtemps confié de poste à l'étranger, mais dès qu'on lui présentait quelqu'un, ses yeux, comme s'ils n'avaient pas reçu notification de sa mise en disponibilité, commençaient à observer avec fruit, cependant que par toute son attitude il cherchait à montrer que le nom de l'étranger ne lui était pas inconnu. Aussi, tout en me parlant avec bonté et de l'air d'importance d'un homme qui sait sa vaste expérience, il ne cessait de m'examiner avec une curiosité sagace et pour son profit, comme si j'eusse été quelque usage exotique, quelque monument instructif, ou quelque étoile en tournée. Et de la sorte, à mon endroit[1], il faisait preuve à la fois de la majestueuse amabilité du sage Mentor et de la curiosité studieuse du jeune Anacharsis.

Il ne m'offrit absolument rien pour la *Revue des Deux Mondes,* mais me posa un certain nombre de questions sur ce qu'avaient été ma vie et mes études, sur mes goûts dont j'entendis parler pour la première fois comme s'il pouvait être raisonnable de les suivre, tandis que j'avais cru jusqu'ici que c'était un devoir de les contrarier. Puisqu'ils me portaient du côté de la littérature, il ne me détourna pas d'elle; il m'en parla au contraire avec déférence comme d'une personne vénérable et charmante du cercle choisi de laquelle, à Rome ou à Dresde, on a gardé le meilleur souvenir et qu'on regrette par suite des nécessités de la vie de retrouver si rarement. Il semblait m'envier en souriant d'un air presque grivois les bons moments que, plus heureux que lui et plus libre, elle me ferait passer. Mais les termes mêmes dont il se servait me montraient la Littérature comme trop différente de l'image que je m'en étais faite à Combray, et je compris que j'avais eu doublement raison de renoncer à elle. Jusqu'ici je m'étais seulement rendu compte que je n'avais pas le don d'écrire; maintenant M. de Norpois m'en ôtait même le désir. Je voulus lui expliquer ce que j'avais rêvé; tremblant d'émotion, je me serais fait un scrupule que toutes mes paroles ne fussent pas l'équivalent le plus sincère possible de ce que j'avais senti et que je n'avais jamais essayé de me formuler; c'est dire que mes paroles n'eurent aucune netteté. Peut-être par habitude professionnelle, peut-être en vertu du calme qu'acquiert tout homme important dont on sollicite le conseil et qui, sachant qu'il gardera en mains la maîtrise de la conversation, laisse l'interlocuteur s'agiter, s'efforcer, peiner à son aise, peut-être aussi pour faire valoir le caractère de sa tête (selon lui grecque, malgré les grands favoris), M. de Norpois, pendant qu'on lui exposait quelque chose, gardait une immobilité de visage aussi absolue que si vous aviez parlé devant quelque buste antique — et sourd — dans une glyptothèque. Tout à coup, tombant comme le marteau du commissaire-priseur, ou comme un oracle de Delphes, la voix de l'Ambassadeur qui vous répondait vous impressionnait d'autant plus que rien dans sa face ne vous avait laissé soupçonner le genre d'impression que vous aviez produit sur lui, ni l'avis qu'il allait émettre.

— Précisément, me dit-il tout à coup comme si la cause était jugée et après m'avoir laissé bafouiller en face des yeux immobiles qui ne me quittaient pas un instant, j'ai le fils d'un de mes amis qui, *mutatis mutandis,* est comme vous (et il prit pour parler de nos dispositions communes le même ton rassurant que si elles avaient été des dispositions non pas à la littérature, mais au rhumatisme, et s'il avait voulu me montrer qu'on n'en mourait pas). Aussi a-t-il préféré quitter le quai d'Orsay où la voie lui était pourtant toute tracée par son père, et, sans se soucier du qu'en-dira-t-on, il s'est mis à produire. Il n'a certes pas lieu de s'en repentir. Il a publié il y a deux ans — il est d'ailleurs beaucoup plus âgé que vous, naturellement, — un ouvrage relatif au sentiment de l'Infini sur la rive occidentale du lac Victoria-Nyanza et cette année un opuscule moins important, mais conduit d'une plume alerte, parfois même acérée, sur le fusil à répétition dans l'armée bulgare, qui l'ont mis tout à fait hors de pair. Il a déjà fait un joli chemin, il n'est pas homme à s'arrêter en route, et je sais que, sans que l'idée d'une candidature ait été envisagée, on a laissé tomber son nom deux ou trois fois dans la conversation, et d'une façon qui n'avait rien de défavorable, à l'Académie des Sciences morales. En somme, sans pouvoir dire encore qu'il soit au pinacle, il a conquis de haute lutte une fort jolie position et le succès qui ne va pas toujours qu'aux agités et aux brouillons, aux faiseurs d'embarras qui sont presque toujours des faiseurs, le succès a récompensé son effort.

Mon père, me voyant déjà académicien dans quelques années, respirait une satisfaction que M. de Norpois porta à son comble quand, après un instant d'hésitation pendant lequel il sembla calculer les conséquences de son acte, il me dit, en me tendant sa carte : « Allez donc le voir de ma part, il pourra vous donner d'utiles conseils », me causant par ces mots une agitation aussi pénible que s'il m'avait annoncé qu'on m'embarquerait le lendemain comme mousse à bord d'un voilier.

Ma tante Léonie m'avait fait héritier, en même temps que de beaucoup d'objets et de meubles fort embarrassants, de presque toute sa fortune liquide — révélant ainsi après sa mort une affection pour moi que je n'avais guère soupçonnée pendant sa vie. Mon père, qui devait gérer cette fortune jusqu'à ma majorité, consulta M. de Norpois sur un certain nombre de placements. Il conseilla des titres à faible rendement qu'il jugeait particulièrement solides, notamment les Consolidés Anglais et le 4 % Russe. « Avec ces valeurs de tout premier ordre, dit M. de Norpois, si le revenu n'est pas très élevé, vous êtes du moins assuré de ne jamais voir fléchir le capital. » Pour le reste, mon père lui dit en gros ce qu'il avait acheté. M. de Norpois eut un imperceptible sourire de félicitations : comme tous les capitalistes, il estimait la fortune une chose enviable, mais trouvait plus délicat de ne complimenter que par un signe d'intelligence à peine avoué, au sujet de celle qu'on possédait; d'autre part, comme il était lui-même colossalement riche, il trouvait de bon goût d'avoir l'air de juger considérables les revenus moindres d'autrui, avec pourtant un retour joyeux et confortable sur la supériorité des siens. En revanche il n'hésita pas à féliciter mon père de la « composition » de son portefeuille « d'un goût très sûr, très délicat, très fin ». On aurait dit qu'il attribuait aux relations des valeurs de bourse entre elles, et même aux valeurs de bourse en elles-mêmes, quelque chose comme un mérite esthétique. D'une, assez nouvelle et ignorée, dont mon père lui parla, M. de Norpois, pareil à ces gens qui ont lu des livres que vous vous croyiez seul à connaître, lui dit : « Mais si, je me suis amusé pendant quelque temps à la suivre dans la Cote, elle était intéressante », avec le sourire rétrospectivement captivé d'un abonné qui a lu le dernier roman d'une revue, par tranches, en feuilleton. « Je ne vous déconseillerais pas de souscrire à l'émission qui va être lancée prochainement. Elle est attrayante, car on vous offre les titres à des prix tentants. » Pour certaines valeurs anciennes au contraire, mon père, ne se rappelant plus exactement les noms, faciles à confondre avec ceux d'actions similaires, ouvrit un tiroir et montra les titres eux-mêmes à l'Ambassadeur. Leur vue me charma; ils étaient enjolivés de flèches de cathédrales et de figures allégoriques comme certaines vieilles publications romantiques que j'avais feuilletées autrefois. Tout ce qui est d'un même temps se ressemble; les artistes qui illustrent les poèmes d'une époque sont les mêmes que font travailler pour elles les Sociétés financières. Et rien ne fait mieux penser à certaines livraisons de *Notre-Dame de Paris* et d'œuvres de Gérard de Nerval, telles qu'elles étaient accrochées à la devanture de l'épicerie de Combray, que, dans son encadrement rectangulaire et fleuri que supportaient des divinités fluviales, une action nominative de la Compagnie des Eaux.

Mon père avait pour mon genre d'intelligence un mépris suffisamment corrigé par la tendresse pour qu'au total, son sentiment sur tout ce que je faisais fût une indulgence aveugle. Aussi n'hésita-t-il pas à m'envoyer chercher un petit poème en prose que j'avais fait autrefois à Combray en revenant d'une promenade. Je l'avais écrit avec une exaltation qu'il me semblait devoir communiquer à ceux qui le liraient. Mais elle ne dut pas gagner M. de Norpois, car ce fut sans me dire une parole qu'il me le rendit.

Ma mère, pleine de respect pour les occupations de mon père, vint demander, timidement, si elle pouvait faire servir. Elle avait peur d'interrompre une conversation où elle n'aurait pas eu à être mêlée. Et, en effet, à tout moment mon père rappelait au marquis quelque mesure utile qu'ils avaient décidé de soutenir à la prochaine séance de la Commission, et il le faisait sur le ton particulier qu'ont ensemble dans un milieu différent — pareils en cela à deux collégiens — deux collègues à qui leurs habitudes professionnelles créent des souvenirs communs où n'ont pas accès les autres et auxquels ils s'excusent de se reporter devant eux.

Mais la parfaite indépendance des muscles du visage à laquelle M. de Norpois était arrivé lui permettait d'écouter sans avoir l'air d'entendre. Mon père finissait par se troubler : « J'avais pensé à demander l'avis de la Commission... », disait-il à M. de Norpois après de longs préambules. Alors du visage de l'aristocratique virtuose qui avait gardé l'inertie d'un instrumentiste dont le moment n'est pas venu d'exécuter sa partie, sortait avec un débit égal, sur un ton aigu et comme ne faisant que finir, mais confiée cette fois à un autre timbre, la phrase commencée : « Que, bien entendu, vous n'hésiterez pas à réunir, d'autant plus que les membres vous sont individuellement connus et peuvent facilement se déplacer. » Ce n'était pas évidemment en elle-même une terminaison bien extraordinaire. Mais l'immobilité qui l'avait précédée la faisait se détacher avec la netteté cristalline, l'imprévu quasi malicieux de ces phrases par lesquelles le piano, silencieux jusque-là, réplique, au moment voulu, au violoncelle qu'on vient d'entendre, dans un concerto de Mozart.

— Hé bien, as-tu été content de ta matinée ? » me dit mon père tandis qu'on passait à table, pour me faire briller et pensant que mon enthousiasme me ferait bien juger par M. de Norpois. « Il est allé entendre la Berma tantôt, vous vous rappelez que nous en avions parlé ensemble », dit-il en se tournant vers le diplomate, du même ton d'allusion rétrospective, technique et mystérieuse que s'il se fût agi d'une séance de la Commission.

— Vous avez dû être enchanté, surtout si c'était la première fois que vous l'entendiez. Monsieur votre père s'alarmait du contre-coup que cette petite escapade pouvait avoir sur votre état de santé, car vous êtes un peu délicat, un peu frêle, je crois. Mais je l'ai rassuré. Les théâtres ne sont plus aujourd'hui ce qu'ils étaient il y a seulement vingt ans. Vous avez des sièges à peu près confortables, une atmosphère renouvelée, quoique nous ayons fort à faire encore pour rejoindre l'Allemagne et l'Angleterre, qui à cet égard comme à bien d'autres ont une formidable avance sur nous. Je n'ai pas vu Mme Berma dans *Phèdre,* mais j'ai entendu dire qu'elle y était admirable. Et vous avez été ravi, naturellement ?

M. de Norpois, mille fois plus intelligent que moi, devait détenir cette vérité que je n'avais pas su extraire du jeu de la Berma, il allait me la découvrir; en répondant à sa question, j'allais le prier de me dire en quoi cette vérité consistait; et il justifierait ainsi ce désir que j'avais eu de voir l'actrice. Je n'avais qu'un moment, il fallait en profiter et faire porter mon interrogatoire sur les points essentiels. Mais quels étaient-ils ? Fixant mon attention tout entière sur mes impressions si confuses, et ne songeant nullement à me faire admirer de M. de Norpois, mais à obtenir de lui la vérité souhaitée, je ne cherchais pas à remplacer les mots qui me manquaient par des expressions toutes faites, je balbutiai, et finalement, pour tâcher de le provoquer à déclarer ce que la Berma avait d'admirable, je lui avouai que j'avais été déçu.

— Mais comment, s'écria mon père, ennuyé de l'impression fâcheuse que l'aveu de mon incompréhension pouvait produire sur M. de Norpois, comment peux-tu dire que tu n'as pas eu de plaisir? ta grand'mère nous a raconté que tu ne perdais pas un mot de ce que la Berma disait, que tu avais les yeux hors de la tête, qu'il n'y avait que toi dans la salle comme cela.

— Mais oui, j'écoutais de mon mieux pour savoir ce qu'elle avait de si remarquable. Sans doute, elle est très bien...

— Si elle est très bien, qu'est-ce qu'il te faut de plus?

— Une des choses qui contribuent certainement au succès de Mme Berma, dit M. de Norpois en se tournant avec application vers ma mère pour ne pas la laisser en dehors de la conversation et afin de remplir consciencieusement son devoir de politesse envers une maîtresse de maison, c'est le goût parfait qu'elle apporte dans le choix de ses rôles et qui lui vaut toujours un franc succès, et de bon aloi. Elle joue rarement des médiocrités. Voyez, elle s'est attaquée au rôle de Phèdre. D'ailleurs, ce goût elle l'apporte dans ses toilettes, dans son jeu. Bien qu'elle ait fait de fréquentes et fructueuses tournées en Angleterre et en Amérique, la vulgarité je ne dirai pas de John Bull, ce qui serait injuste, au moins pour l'Angleterre de l'ère Victorienne, mais de l'oncle Sam n'a pas déteint sur elle. Jamais de couleurs trop voyantes, de cris exagérés. Et puis cette voix admirable qui la sert si bien et dont elle joue à ravir, je serais presque tenté de dire en musicienne!

Mon intérêt pour le jeu de la Berma n'avait cessé de grandir depuis que la représentation était finie parce qu'il ne subissait plus la compression et les limites de la réalité; mais j'éprouvais le besoin de lui trouver des explications; de plus, il s'était porté avec une intensité égale, pendant que la Berma jouait, sur tout ce qu'elle offrait, dans l'indivisibilité de la vie, à mes yeux, à mes oreilles; il n'avait rien séparé et distingué; aussi fut-il heureux de se découvrir une cause raisonnable dans ces éloges donnés à la simplicité, au bon goût de l'artiste, il les attirait à lui par son pouvoir d'absorption, s'emparait d'eux comme l'optimisme d'un homme ivre des actions de son voisin dans lesquelles il trouve une raison d'attendrissement. « C'est vrai, me disais-je, quelle belle voix, quelle absence de cris, quels costumes simples, quelle intelligence d'avoir été choisir *Phèdre !* Non, je n'ai pas été déçu. »

Le bœuf froid aux carottes fit son apparition, couché par le Michel-Ange de notre cuisine sur d'énormes cristaux de gelée pareils à des blocs de quartz transparent.

— Vous avez un chef de tout premier ordre, Madame, dit M. de Norpois. Et ce n'est pas peu de chose. Moi qui ai eu à l'étranger à tenir un certain train de maison, je sais combien il est souvent difficile de trouver un parfait maître queux. Ce sont de véritables agapes auxquelles vous nous avez conviés là.

Et, en effet, Françoise, surexcitée par l'ambition de réussir pour un invité de marque un dîner enfin semé de difficultés dignes d'elle, s'était donné une peine qu'elle ne prenait plus quand nous étions seuls et avait retrouvé sa manière incomparable de Combray.

— Voilà ce qu'on ne peut obtenir au cabaret, je dis dans les meilleurs : une daube de bœuf où la gelée ne sente pas la colle, et où le bœuf ait pris parfum des carottes, c'est admirable! Permettez-moi d'y revenir, ajouta-t-il en faisant signe qu'il voulait encore de la gelée. Je serais curieux de juger votre Vatel maintenant sur un mets tout différent, je voudrais, par exemple, le trouver aux prises avec le bœuf Stroganof.

M. de Norpois, pour contribuer lui aussi à l'agrément du repas, nous servit diverses histoires dont il régalait fréquemment ses collègues de carrière, tantôt en citant une période ridicule dite par un homme politique coutumier du fait et qui les faisait longues et pleines d'images incohérentes, tantôt telle formule lapidaire d'un diplomate plein d'atticisme. Mais, à vrai dire, le critérium qui distinguait pour lui ces deux ordres de phrases ne ressemblait en rien à celui que j'appliquais à la littérature. Bien des nuances m'échappaient; les mots qu'il récitait en s'esclaffant ne me paraissaient pas très différents de ceux qu'il trouvait remarquables. Il appartenait au genre d'hommes qui pour les œuvres que j'aimais eût dit : « Alors, vous comprenez? Moi, j'avoue que je ne comprends pas, je ne suis pas initié », mais j'aurais pu lui rendre la pareille, je ne saisissais pas l'esprit ou la sottise, l'éloquence ou l'enflure qu'il trouvait dans une réplique ou dans un discours, et l'absence de toute raison perceptible pour quoi ceci était mal et ceci bien, faisait que cette sorte de littérature m'était plus mystérieuse, me semblait plus obscure qu'aucune. Je démêlai seulement que répéter ce que tout le monde pensait n'était pas en politique une marque d'infériorité mais de supériorité. Quand M. de Norpois se servait de certaines expressions qui traînaient dans les journaux et les prononçait[1] avec force, on sentait qu'elles devenaient un acte par le seul fait qu'il les avait employées, et un acte qui susciterait des commentaires.

Ma mère comptait beaucoup sur la salade d'ananas et de truffes. Mais l'Ambassadeur, après avoir exercé un instant sur le mets la pénétration de son regard d'observateur, la mangea en restant entouré de discrétion diplomatique et ne nous livra pas sa pensée. Ma mère insista pour qu'il en reprît, ce que fit M. de Norpois, mais en disant seulement au lieu du compliment qu'on espérait : « J'obéis, Madame, puisque je vois que c'est là de votre part un véritable oukase. »

— Nous avons lu dans les « feuilles » que vous vous étiez entretenu longuement avec le roi Théodose, lui dit mon père.

— En effet, le roi, qui a une rare mémoire des physionomies, a eu la bonté de se souvenir en m'apercevant à l'orchestre que j'avais eu l'honneur de le voir pendant plusieurs jours à la cour de Bavière, quand il ne songeait pas à son trône oriental (vous savez qu'il y a été appelé par un congrès européen, et il a même fort hésité à l'accepter, jugeant cette souveraineté un peu inégale à sa race, la plus noble, héraldiquement parlant, de toute l'Europe). Un aide de camp est venu me dire d'aller saluer Sa Majesté, à l'ordre de qui je me suis naturellement empressé de déférer.

— Avez-vous été content des résultats de son séjour?

— Enchanté! Il était permis de concevoir quelque appréhension sur la façon dont un monarque encore si jeune se tirerait de ce pas difficile, surtout dans des conjonctures aussi délicates. Pour ma part je faisais pleine confiance au sens politique du souverain. Mais j'avoue que mes espérances ont été dépassées. Le toast qu'il a prononcé à l'Élysée, et qui, d'après des renseignements qui me viennent de source tout à fait autorisée, avait été composé par lui du premier mot jusqu'au dernier, était entièrement digne de l'intérêt qu'il a excité partout. C'est tout simplement un coup de maître; un peu hardi je le veux bien, mais d'une audace qu'en somme l'événement a pleinement justifiée. Les traditions diplomatiques ont certainement du bon, mais dans l'espèce elles avaient fini par faire vivre son pays et le nôtre dans une atmosphère de renfermé qui n'était plus respirable. Eh bien! une des manières de renouveler l'air, évidemment une de celles qu'on ne peut pas recommander, mais que le roi Théodose pouvait se permettre, c'est de casser les vitres. Et il l'a fait avec une belle humeur qui a ravi tout le monde, et aussi une justesse dans les termes où on a reconnu tout de suite la race de princes lettrés à laquelle il appartient par sa mère. Il est certain que quand il a parlé des « affinités » qui unissent son pays à la France, l'expression, pour peu usitée qu'elle puisse être dans le vocabulaire des chancelleries, était singulièrement heureuse. Vous voyez que la littérature ne nuit pas, même dans la diplomatie, même sur un trône, ajouta-t-il en s'adressant à moi. La chose était constatée depuis longtemps, je le veux bien, et les rapports entre les deux puissances étaient devenus excellents. Encore fallait-il qu'elle fût dite. Le mot était attendu, il a été choisi à merveille, vous avez vu comme il a porté. Pour ma part j'y applaudis des deux mains.

— Votre ami, M. de Vaugoubert, qui préparait le rapprochement depuis des années, a dû être content.

— D'autant plus que Sa Majesté, qui est assez coutumière du fait, avait tenu à lui en faire la surprise. Cette surprise a été complète du reste pour tout le monde, à commencer par le Ministre des Affaires étrangères, qui, à ce qu'on m'a dit, ne l'a pas trouvée à son goût. À quelqu'un qui lui en parlait, il aurait répondu très nettement, assez haut pour être entendu des personnes voisines : « Je n'ai été ni consulté, ni prévenu », indiquant clairement par là qu'il déclinait toute responsabilité dans l'événement. Il faut avouer que celui-ci a fait un beau tapage et je n'oserais pas affirmer, ajouta-t-il avec un sourire malicieux, que tels de mes collègues pour qui la loi suprême semble être celle du moindre effort, n'en ont pas été troublés dans leur quiétude. Quant à Vaugoubert, vous savez qu'il avait été fort attaqué pour sa politique de rapprochement avec la France, et il avait dû d'autant plus en souffrir que c'est un sensible, un cœur exquis. J'en puis d'autant mieux témoigner que, bien qu'il soit mon cadet et de beaucoup, je l'ai fort pratiqué, nous sommes amis de longue date, et je le connais bien. D'ailleurs qui ne le connaîtrait ? c'est une âme de cristal. C'est même le seul défaut qu'on pourrait lui reprocher, il n'est pas nécessaire que le cœur d'un diplomate soit aussi transparent que le sien. Cela n'empêche pas qu'on parle de l'envoyer à Rome, ce qui est un bel avancement, mais un bien gros morceau. Entre nous, je crois que Vaugoubert, si dénué qu'il soit d'ambition, en serait fort content et ne demande nullement qu'on éloigne de lui ce calice. Il fera peut-être merveille là-bas ; il est le candidat de la Consulta, et pour ma part, je le vois très bien, lui si artiste, dans le cadre du palais Farnèse et la galerie des Carraches. Il semble qu'au moins personne ne devrait pouvoir le haïr ; mais il y a autour du roi Théodose toute une camarilla plus ou moins inféodée à la Wilhelmstrasse dont elle suit docilement les inspirations et qui a cherché de toutes façons à lui tailler des croupières. Vaugoubert n'a pas eu à faire face seulement aux intrigues de couloirs mais aux injures de folliculaires à gages qui plus tard, lâches comme l'est tout journaliste stipendié, ont été des premiers à demander l'*aman,* mais qui en attendant n'ont pas reculé à faire état, contre notre représentant, des ineptes accusations de gens sans aveu. Pendant plus d'un mois les ennemis de Vaugoubert ont dansé autour de lui la danse du scalp, dit M. de Norpois, en détachant avec force ce dernier mot. Mais un bon averti en vaut deux ; ces injures il les a repoussées du pied, ajouta-t-il plus énergiquement encore, et avec un regard si farouche que nous cessâmes un instant de manger. Comme dit un beau proverbe arabe : « Les chiens aboient, la caravane passe. » Après avoir jeté cette citation, M. de Norpois s'arrêta pour nous regarder et juger de l'effet qu'elle avait produit sur nous. Il fut grand ; le proverbe nous était connu : il avait remplacé cette année-là chez les hommes de haute valeur cet autre : « Qui sème le vent récolte la tempête », lequel avait besoin de repos, n'étant pas infatigable et vivace comme : « Travailler pour le roi de Prusse ». Car la culture de ces gens éminents était une culture alternée, et généralement triennale. Certes les citations de ce genre, et desquelles M. de Norpois excellait à émailler ses articles de la *Revue,* n'étaient point nécessaires pour que ceux-ci parussent solides et bien informés. Même dépourvus de l'ornement qu'elles leur apportaient, il suffisait que M. de Norpois écrivît à point nommé — ce qu'il ne manquait pas de faire — : « Le Cabinet de Saint-James ne fut pas le dernier à sentir le péril » ou bien « L'émotion fut grande au Pont-aux-Chantres où l'on suivait d'un œil inquiet la politique égoïste mais habile de la monarchie bicéphale », ou « Un cri d'alarme partit de Montecitorio », ou encore « Cet éternel double jeu qui est bien dans la manière du Ballplatz ». À ces expressions le lecteur profane avait aussitôt reconnu et salué le diplomate de carrière. Mais ce qui avait fait dire qu'il était plus que cela, qu'il possédait une culture supérieure, ç'avait été[1] l'emploi raisonné de citations dont le modèle achevé restait alors : « Faites-moi de bonne politique et je vous ferai de bonnes finances, comme avait coutume de dire le baron Louis. » (On n'avait pas encore importé d'Orient : « La Victoire est à celui des deux adversaires qui sait souffrir un quart d'heure de plus que l'autre, comme disent les Japonais. ») Cette réputation de grand lettré, jointe à un véritable génie d'intrigue caché sous le masque de l'indifférence, avait fait entrer M. de Norpois à l'Académie des Sciences morales. Et quelques personnes pensèrent même qu'il ne serait pas déplacé à l'Académie française, le jour où, voulant indiquer que c'est en resserrant l'alliance russe que nous pourrions arriver à une entente avec l'Angleterre, il n'hésita pas à écrire : « Qu'on le sache bien au quai d'Orsay, qu'on l'enseigne désormais dans tous les manuels de géographie qui se montrent incomplets à cet égard, qu'on refuse impitoyablement au baccalauréat tout candidat qui ne saura pas le dire : Si tous les chemins mènent à Rome, en revanche la route qui va de Paris à Londres passe nécessairement par Pétersbourg. »

— Somme toute, continua M. de Norpois en s'adressant à mon père, Vaugoubert s'est taillé là un beau succès et qui dépasse même celui qu'il avait escompté. Il s'attendait en effet à un toast correct (ce qui après les nuages des dernières années était déjà fort beau) mais à rien de plus. Plusieurs personnes qui étaient au nombre des assistants m'ont assuré qu'on ne peut pas en lisant ce toast se rendre compte de l'effet qu'il a produit, prononcé et détaillé à merveille par le roi qui est maître en l'art de dire et qui soulignait au passage toutes les intentions, toutes les finesses. Je me suis laissé raconter à ce propos un fait assez piquant et qui met en relief une fois de plus chez le roi Théodose cette bonne grâce juvénile qui lui gagne si bien les cœurs. On m'a affirmé que précisément à ce mot d'« affinités » qui était en somme la grosse innovation du discours, et qui défraiera encore longtemps, vous verrez, les commentaires des chancelleries, Sa Majesté, prévoyant la joie de notre ambassadeur, qui allait trouver là le juste couronnement de ses efforts, de son rêve pourrait-on dire et, somme toute, son bâton de maréchal, se tourna à demi vers Vaugoubert et, fixant sur lui ce regard si prenant des Oettingen, détacha ce mot si bien choisi d'« affinités », ce mot qui était une véritable trouvaille, sur un ton qui faisait savoir à tous qu'il était employé à bon escient et en pleine connaissance de cause. Il paraît que Vaugoubert avait peine à maîtriser son émotion et, dans une certaine mesure, j'avoue que je le comprends. Une personne digne de toute créance m'a même confié que le roi se serait approché de Vaugoubert après le dîner, quand Sa Majesté a tenu cercle, et lui aurait dit à mi-voix : « Êtes-vous content de votre élève, mon cher marquis ? » Il est certain, conclut M. de Norpois, qu'un pareil toast a plus fait que vingt ans de négociations pour resserrer encore entre les deux pays leurs « affinités[1] », selon la pittoresque expression de Théodose II. Ce n'est qu'un mot, si vous voulez, mais voyez quelle fortune il a fait, comme toute la presse européenne le répète, quel intérêt il éveille, quel son nouveau il a rendu. Il est d'ailleurs bien dans la manière du souverain. Je n'irai pas jusqu'à vous dire qu'il trouve tous les jours de purs diamants comme celui-là. Mais il est bien rare que dans ses discours étudiés, mieux encore, dans le primesaut de la conversation, il ne donne pas son signalement — j'allais dire il n'appose pas sa signature — par quelque mot à l'emporte-pièce. Je suis d'autant moins suspect de partialité en la matière que je suis ennemi de toute innovation en ce genre. Dix-neuf fois sur vingt elles sont dangereuses.

— Oui, j'ai pensé que le récent télégramme de l'empereur d'Allemagne n'a pas dû être de votre goût, dit mon père.

M. de Norpois leva les yeux au ciel d'un air de dire : Ah! celui-là! « D'abord, c'est un acte d'ingratitude. C'est plus qu'un crime, c'est une faute, et d'une sottise que je qualifierai de pyramidale! Au reste si personne n'y met le holà, l'homme qui a chassé Bismarck est bien capable de répudier peu à peu toute la politique bismarckienne, alors c'est le saut dans l'inconnu. »

— Et mon mari m'a dit, Monsieur, que vous l'entraîneriez peut-être un de ces étés en Espagne, j'en suis ravie pour lui.

— Mais oui, c'est un projet tout à fait attrayant et[1] dont je me réjouis. J'aimerais beaucoup faire avec vous ce voyage, mon cher. Et vous, Madame, avez-vous déjà songé à l'emploi des vacances?

— J'irai peut-être avec mon fils à Balbec, je ne sais.

— Ah! Balbec est agréable, j'ai passé par là il y a quelques années. On commence à y construire des villas fort coquettes : je crois que l'endroit vous plaira. Mais puis-je vous demander ce qui vous a fait choisir Balbec?

— Mon fils a le grand désir de voir certaines églises du pays, surtout celle de Balbec. Je craignais un peu pour sa santé les fatigues du voyage et surtout du séjour. Mais j'ai appris qu'on vient de construire un excellent hôtel qui lui permettra de vivre dans les conditions de confort requises par son état.

— Ah! il faudra que je donne ce renseignement à certaine personne qui n'est pas femme à en faire fi.

— L'église de Balbec est admirable, n'est-ce pas, Monsieur? demandai-je, surmontant la tristesse d'avoir appris qu'un des attraits de Balbec résidait dans ses coquettes villas.

— Non, elle n'est pas mal, mais enfin elle ne peut soutenir la comparaison avec ces véritables bijoux ciselés que sont les cathédrales de Reims, de Chartres et, à mon goût, la perle de toutes, la Sainte-Chapelle de Paris.

— Mais l'église de Balbec est en partie romane?

— En effet, elle est du style roman, qui est déjà par lui-même extrêmement froid et ne laisse en rien présager l'élégance, la fantaisie des architectes gothiques qui fouillent la pierre comme de la dentelle. L'église de Balbec mérite une visite si on est dans le pays, elle est assez curieuse; si un jour de pluie vous ne savez que faire, vous pourrez entrer là, vous verrez le tombeau de Tourville.

— Est-ce que vous étiez hier au banquet des Affaires étrangères? je n'ai pas pu y aller, dit mon père.

— Non, répondit M. de Norpois avec un sourire, j'avoue que je l'ai délaissé pour une soirée assez différente. J'ai dîné chez une femme dont vous avez peut-être entendu parler, la belle madame Swann.

Ma mère réprima un frémissement, car d'une sensibilité plus prompte que mon père, elle s'alarmait pour lui de ce qui ne devait le contrarier qu'un instant après. Les désagréments qui lui arrivaient étaient perçus d'abord par elle comme ces mauvaises nouvelles de France qui sont connues plus tôt à l'étranger que chez nous. Mais curieuse de savoir quel genre de personnes les Swann pouvaient recevoir, elle s'enquit auprès de M. de Norpois de celles qu'il y avait rencontrées.

— Mon Dieu... c'est une maison où il me semble que vont surtout... des messieurs. Il y avait quelques hommes mariés, mais leurs femmes étaient souffrantes ce soir-là et n'étaient pas venues, répondit l'Ambassadeur avec une finesse voilée de bonhomie et en jetant autour de lui des regards dont la douceur et la discrétion faisaient mine de tempérer et exagéraient habilement la malice.

— Je dois dire, ajouta-t-il, pour être tout à fait juste, qu'il y va cependant des femmes, mais... appartenant plutôt..., comment dirais-je, au monde républicain qu'à la société de Swann (il prononçait Svann). Qui sait? Ce sera peut-être un jour un salon politique ou littéraire. Du reste, il semble qu'ils soient contents comme cela. Je trouve que Swann le montre même un peu trop. Il nommait les gens chez qui lui et sa femme étaient invités pour la semaine suivante et de l'intimité desquels il n'y a pourtant pas lieu de s'enorgueillir, avec un manque de réserve et de goût, presque de tact, qui m'a étonné chez un homme aussi fin. Il répétait : « Nous n'avons pas un soir de libre », comme si ç'avait été une gloire, et en véritable parvenu, qu'il n'est pas cependant. Car Swann avait beaucoup d'amis et même d'amies, et sans trop m'avancer, ni vouloir commettre d'indiscrétion, je crois pouvoir dire que non pas toutes, ni même le plus grand nombre, mais l'une au moins et qui est une fort grande dame, ne se serait peut-être pas montrée entièrement réfractaire à l'idée d'entrer en relations avec madame Swann, auquel cas, vraisemblablement, plus d'un mouton de Panurge aurait suivi. Mais il semble qu'il n'y ait eu de la part de Swann aucune démarche esquissée en ce sens. Comment ? encore un pudding à la Nesselrode ! Ce ne sera pas de trop de la cure de Carlsbad pour me remettre d'un pareil festin de Lucullus. Peut-être Swann a-t-il senti qu'il y aurait trop de résistances à vaincre. Le mariage, cela est certain, n'a pas plu. On a parlé de la fortune de la femme, ce qui est une grosse bourde. Mais, enfin, tout cela n'a pas paru agréable. Et puis Swann a une tante excessivement riche et admirablement posée, femme d'un homme qui, financièrement parlant, est une puissance. Et non seulement elle a refusé de recevoir Mme Swann, mais elle a mené une campagne en règle pour que ses amies et connaissances en fissent autant. Je n'entends pas par là qu'aucun Parisien de bonne compagnie ait manqué de respect à madame Swann... Non ! cent fois non ! le mari était[1] d'ailleurs homme à relever le gant. En tous cas, il y a une chose curieuse, c'est de voir combien Swann, qui connaît tant de monde et du plus choisi, montre d'empressement auprès d'une société dont le moins qu'on puisse dire est qu'elle est fort mêlée. Moi qui l'ai connu jadis, j'avoue que j'éprouvais autant de surprise que d'amusement à voir un homme aussi bien élevé, aussi à la mode dans les coteries les plus triées, remercier avec effusion le directeur du Cabinet du ministre des Postes d'être venu chez eux et lui demander si madame Swann pourrait *se permettre* d'aller voir sa femme. Il doit pourtant se trouver dépaysé ; évidemment ce n'est plus le même monde. Mais je ne crois pas cependant que Swann soit malheureux. Il y a eu, il est vrai, dans les années qui précédèrent le mariage, d'assez vilaines manœuvres de chantage de la part de la femme ; elle privait Swann de sa fille chaque fois qu'il lui refusait quelque chose. Le pauvre Swann, aussi naïf qu'il est pourtant raffiné, croyait chaque fois que l'enlèvement de sa fille était une coïncidence et ne voulait pas voir la réalité. Elle lui faisait d'ailleurs des scènes si continuelles qu'on pensait que le jour où elle serait arrivée à ses fins et se serait fait épouser, rien ne la retiendrait plus et que leur vie serait un enfer. Hé bien! c'est le contraire qui est arrivé. On plaisante beaucoup la manière dont Swann parle de sa femme, on en fait même des gorges chaudes. On ne demandait certes pas que, plus ou moins conscient d'être... (vous savez le mot de Molière), il allât le proclamer *urbi et orbi ;* n'empêche qu'on le trouve exagéré quand il dit que sa femme est une excellente épouse. Or, ce n'est pas aussi faux qu'on le croit. À sa manière qui n'est pas celle que tous les maris préféreraient, — mais enfin, entre nous, il me semble difficile que Swann, qui la connaissait depuis longtemps et est loin d'être un maître sot, ne sût pas à quoi s'en tenir, — il est indéniable qu'elle semble avoir de l'affection pour lui. Je ne dis pas qu'elle ne soit pas volage, et Swann lui-même ne se fait pas faute de l'être, à en croire les bonnes langues qui, vous pouvez le penser, vont leur train. Mais elle lui est reconnaissante de ce qu'il a fait pour elle, et, contrairement aux craintes éprouvées par tout le monde, elle paraît devenue d'une douceur d'ange.

Ce changement n'était peut-être pas aussi extraordinaire que le trouvait M. de Norpois. Odette n'avait pas cru que Swann finirait par l'épouser; chaque fois qu'elle lui annonçait tendancieusement qu'un homme comme il faut venait de se marier avec sa maîtresse, elle lui avait vu garder un silence glacial et tout au plus, si elle l'interpellait directement en lui demandant : « Alors, tu ne trouves pas que c'est très bien, que c'est bien beau ce qu'il a fait là pour une femme qui lui a consacré sa jeunesse ? », répondre sèchement : « Mais je ne te dis pas que ce soit mal, chacun agit à sa guise. » Elle n'était même pas loin de croire que, comme il le lui disait dans des moments de colère, il l'abandonnerait tout à fait, car elle avait depuis peu entendu dire par une femme sculpteur : « On peut s'attendre à tout de la part des hommes, ils sont si mufles », et frappée par la profondeur de cette maxime pessimiste, elle se l'était appropriée, elle la répétait à tout bout de champ d'un air découragé qui semblait dire : « Après tout, il n'y aurait rien d'impossible, c'est bien ma chance. »

Et, par suite, toute vertu avait été enlevée à la maxime optimiste qui avait jusque-là guidé Odette dans la vie : « On peut tout faire aux hommes qui vous aiment, ils sont si idiots », et qui s'exprimait dans son visage par le même clignement d'yeux qui eût pu accompagner des mots tels que : « Ayez pas peur, il ne cassera rien. » En attendant, Odette souffrait de ce que telle de ses amies, épousée par un homme qui était resté moins longtemps avec elle qu'elle-même avec Swann, et n'avait pas, elle, d'enfant, relativement considérée maintenant, invitée aux bals de l'Élysée, devait penser de la conduite de Swann. Un consultant plus profond que ne l'était M. de Norpois eût sans doute pu diagnostiquer que c'était ce sentiment d'humiliation et de honte qui avait aigri Odette, que le caractère infernal qu'elle montrait ne lui était pas essentiel, n'était pas un mal sans remède, et eût aisément prédit ce qui était arrivé, à savoir qu'un régime nouveau, le régime matrimonial, ferait cesser avec une rapidité presque magique ces accidents pénibles, quotidiens, mais nullement organiques. Presque tout le monde s'étonna de ce mariage, et cela même est étonnant. Sans doute peu de personnes comprennent le caractère purement subjectif du phénomène qu'est l'amour, et la sorte de création que c'est d'une personne supplémentaire, distincte de celle qui porte le même nom dans le monde, et dont la plupart des éléments sont tirés de nous-mêmes. Aussi y a-t-il peu de gens qui puissent trouver naturelles les proportions énormes que finit par prendre pour nous un être qui n'est pas le même que celui qu'ils voient. Pourtant il semble qu'en ce qui concerne Odette on aurait pu se rendre compte que si, certes, elle n'avait jamais entièrement compris l'intelligence de Swann, du moins savait-elle les titres, tout le détail de ses travaux, au point que le nom de Ver Meer lui était aussi familier que celui de son couturier; de Swann, elle connaissait à fond ces traits du caractère que le reste du monde ignore ou ridiculise et dont seule une maîtresse, une sœur, possèdent l'image ressemblante et aimée; et nous tenons tellement à eux, même à ceux que nous voudrions le plus corriger, que c'est parce qu'une femme finit par en prendre une habitude indulgente et amicalement railleuse, pareille à l'habitude que nous en avons nous-mêmes et qu'en ont nos parents, que les vieilles liaisons ont quelque chose de la douceur et de la force des affections de famille. Les liens qui nous unissent à un être se trouvent sanctifiés quand il se place au même point de vue que nous pour juger une de nos tares. Et parmi ces traits particuliers, il y en avait aussi qui appartenaient autant à l'intelligence de Swann qu'à son caractère, et que pourtant, en raison de la racine qu'ils avaient malgré tout en celui-ci, Odette avait plus facilement discernés. Elle se plaignait que quand Swann faisait métier d'écrivain, quand il publiait des études, on ne reconnût pas ces traits-là autant que dans ses lettres ou dans sa conversation où ils abondaient. Elle lui conseillait de leur faire la part plus grande. Elle l'aurait voulu parce que c'était ceux qu'elle préférait en lui, mais comme elle les préférait parce qu'ils étaient plus à lui, elle n'avait peut-être pas tort de souhaiter qu'on les retrouvât dans ce qu'il écrivait. Peut-être aussi pensait-elle que des ouvrages plus vivants, en lui procurant enfin à lui le succès, lui eussent permis à elle de se faire ce que chez les Verdurin elle avait appris à mettre au-dessus de tout : un salon.

Parmi les gens qui trouvaient ce genre de mariage ridicule, gens qui pour eux-mêmes se demandaient : « Que pensera M. de Guermantes, que dira Bréauté, quand j'épouserai Mlle de Montmorency ? », parmi les gens ayant cette sorte d'idéal social, aurait figuré, vingt ans plus tôt, Swann lui-même, Swann qui s'était donné du mal pour être reçu au Jockey et avait compté dans ce temps-là faire un éclatant mariage qui eût achevé, en consolidant sa situation, de faire de lui un des hommes les plus en vue de Paris. Seulement, les images que représente un tel mariage à l'intéressé ont, comme toutes les images, pour ne pas dépérir et s'effacer complètement, besoin d'être alimentées du dehors. Votre rêve le plus ardent est d'humilier l'homme qui vous a offensé. Mais si vous n'entendez plus jamais parler de lui, ayant changé de pays, votre ennemi finira par ne plus avoir pour vous aucune importance. Si on a perdu de vue pendant vingt ans toutes les personnes à cause desquelles on aurait aimé entrer au Jockey ou à l'Institut, la perspective d'être membre de l'un ou de l'autre de ces groupements ne tentera nullement. Or, tout autant qu'une retraite, qu'une maladie, qu'une conversion religieuse, une liaison prolongée substitue d'autres images aux anciennes. Il n'y eut pas de la part de Swann, quand il épousa Odette, renoncement aux ambitions mondaines, car de ces ambitions-là depuis longtemps Odette l'avait, au sens spirituel du mot, détaché. D'ailleurs, ne l'eût-il pas été qu'il n'en aurait eu que plus de mérite. C'est parce qu'ils impliquent le sacrifice d'une situation plus ou moins flatteuse à une douceur purement intime, que généralement les mariages infamants sont les plus estimables de tous (on ne peut en effet entendre par mariage infamant un mariage d'argent, n'y ayant point d'exemple d'un ménage où la femme ou bien le mari se soient vendus et qu'on n'ait fini par recevoir, ne fût-ce que par tradition et sur la foi de tant d'exemples et pour ne pas avoir deux poids et deux mesures). Peut-être, d'autre part, en artiste, sinon en corrompu, Swann eût-il en tous cas éprouvé une certaine volupté à accoupler à lui, dans un de ces croisements d'espèces comme en pratiquent les *mendelistes* ou comme en raconte la mythologie, un être de race différente, archiduchesse ou cocotte, à contracter une alliance royale ou à faire une mésalliance. Il n'y avait eu dans le monde qu'une seule personne dont il se fût préoccupé, chaque fois qu'il avait pensé à son mariage possible avec Odette, c'était, et non par snobisme, la duchesse de Guermantes. De celle-là, au contraire, Odette se souciait peu, pensant seulement aux personnes situées immédiatement au-dessus d'elle-même plutôt que dans un aussi vague empyrée. Mais quand Swann dans ses heures de rêverie voyait Odette devenue sa femme, il se représentait invariablement le moment où il l'amènerait, elle et surtout sa fille, chez la princesse des Laumes, devenue bientôt duchesse de Guermantes par la mort de son beau-père. Il ne désirait pas les présenter ailleurs, mais il s'attendrissait quand il inventait, en énonçant les mots eux-mêmes, tout ce que la duchesse dirait de lui à Odette, et Odette à Mme de Guermantes, la tendresse que celle-ci témoignerait à Gilberte, la gâtant, le rendant fier de sa fille. Il se jouait à lui-même la scène de la présentation avec la même précision dans le détail imaginaire qu'ont les gens qui examinent comment ils emploieraient, s'ils le gagnaient, un lot dont ils fixent arbitrairement le chiffre. Dans la mesure où une image qui accompagne une de nos résolutions la motive, on peut dire que si Swann épousa Odette, ce fut pour la présenter, elle et Gilberte, sans qu'il y eût personne là, au besoin sans que personne le sût jamais, à la duchesse de Guermantes. On verra comment cette seule ambition mondaine qu'il avait souhaitée pour sa femme et sa fille fut justement celle dont la réalisation se trouva lui être interdite, et par un veto si absolu que Swann mourut sans supposer que la duchesse pourrait jamais les connaître. On verra aussi qu'au contraire la duchesse de Guermantes se lia avec Odette et Gilberte après la mort de Swann. Et peut-être eût-il été sage — pour autant qu'il pouvait attacher de l'importance à si peu de chose — en ne se faisant pas une idée trop sombre de l'avenir à cet égard, et en réservant que la réunion souhaitée pourrait bien avoir lieu quand il ne serait plus là pour en jouir. Le travail de causalité qui finit par produire à peu près tous les effets possibles, et par conséquent aussi ceux qu'on avait cru l'être le moins, ce travail est parfois lent, rendu un peu plus lent encore par notre désir — qui, en cherchant à l'accélérer, l'entrave—, par notre existence même, et n'aboutit que quand nous avons cessé de désirer, et quelquefois de vivre. Swann ne le savait-il pas par sa propre expérience, et n'était-ce pas déjà, dans sa vie — comme une préfiguration de ce qui devait arriver après sa mort — un bonheur après décès que ce mariage avec cette Odette qu'il avait passionnément aimée — si elle ne lui avait pas plu au premier abord — et qu'il avait épousée quand il ne l'aimait plus, quand l'être qui, en Swann, avait tant souhaité et tant désespéré de vivre toute sa vie avec Odette, quand cet être-là était mort?

Je me mis à parler du comte de Paris, à demander s'il n'était pas ami de Swann, car je craignais que la conversation se détournât de celui-ci. « Oui, en effet, répondit M. de Norpois en se tournant vers moi et en fixant sur ma modeste personne le regard bleu où flottaient, comme dans leur élément vital, ses grandes facultés de[1] travail et son esprit d'assimilation. Et, mon Dieu, ajouta-t-il en s'adressant de nouveau à mon père, je ne crois pas franchir les bornes du respect dont je fais profession pour le Prince (sans cependant entretenir avec lui des relations personnelles que rendrait difficiles ma situation, si peu officielle qu'elle soit) en vous citant ce fait assez piquant que, pas plus tard qu'il y a quatre ans, dans une petite gare de chemins de fer d'un des pays de l'Europe Centrale, le Prince eut l'occasion d'apercevoir Mme Swann. Certes, aucun de ses familiers ne s'est permis de demander à Monseigneur comment il l'avait trouvée. Cela n'eût pas été séant. Mais quand par hasard la conversation amenait son nom, à de certains signes, imperceptibles si l'on veut, mais qui ne trompent pas, le Prince semblait donner assez volontiers à entendre que son impression était en somme loin d'avoir été défavorable.

— Mais il n'y aurait pas eu possibilité de la présenter au comte de Paris ? demanda mon père.

— Eh bien ! on ne sait pas ; avec les princes on ne sait jamais, répondit M. de Norpois ; les plus glorieux, ceux qui savent le plus se faire rendre ce qu'on leur doit, sont aussi quelquefois ceux qui s'embarrassent le moins des décrets de l'opinion publique, même les plus justifiés, pour peu qu'il s'agisse de récompenser certains attachements. Or, il est certain que le comte de Paris a toujours agréé avec beaucoup de bienveillance le dévouement de Swann qui est, d'ailleurs, un garçon d'esprit s'il en fut.

— Et votre impression à vous, quelle a-t-elle été, monsieur l'Ambassadeur ? demanda ma mère par politesse et par curiosité.

Avec une énergie de vieux connaisseur, qui tranchait sur la modération habituelle de ses propos :

— Tout à fait excellente ! répondit M. de Norpois.

Et sachant que l'aveu d'une forte sensation produite par une femme rentre, à condition qu'on le fasse avec enjouement, dans une certaine forme particulièrement appréciée de l'esprit de conversation, il éclata d'un petit rire qui se prolongea pendant quelques instants, humectant les yeux bleus du vieux diplomate et faisant vibrer les ailes de son nez nervurées de fibrilles rouges.

— Elle est tout à fait charmante !

— Est-ce qu'un écrivain du nom de Bergotte était à ce dîner, Monsieur ? demandai-je timidement pour tâcher de retenir la conversation sur le sujet des Swann.

— Oui, Bergotte était là, répondit M. de Norpois, inclinant la tête de mon côté avec courtoisie, comme si, dans son désir d'être aimable avec mon père, il attachait à tout ce qui tenait à lui une véritable importance, et même aux questions d'un garçon de mon âge qui n'était pas habitué à se voir montrer tant de politesse par des personnes du sien. Est-ce que vous le connaissez? ajouta-t-il en fixant sur moi ce regard clair dont Bismarck admirait la pénétration.

— Mon fils ne le connaît pas mais l'admire beaucoup, dit ma mère.

— Mon Dieu, dit M. de Norpois (qui m'inspira sur ma propre intelligence des doutes plus graves que ceux qui me déchiraient d'habitude, quand je vis que ce que je mettais mille et mille fois au-dessus de moi-même, ce que je trouvais de plus élevé au monde, était pour lui tout en bas de l'échelle de ses admirations), je ne partage pas cette manière de voir. Bergotte est ce que j'appelle un joueur de flûte; il faut reconnaître du reste qu'il en joue agréablement quoique avec bien du maniérisme, de l'afféterie. Mais enfin ce n'est que cela, et cela n'est pas grand'chose. Jamais on ne trouve dans ses ouvrages sans muscles ce qu'on pourrait nommer la charpente. Pas d'action — ou si peu — mais surtout pas de portée. Ses livres pèchent par la base ou plutôt il n'y a pas de base du tout. Dans un temps comme le nôtre où la complexité croissante de la vie laisse à peine le temps de lire, où la carte de l'Europe a subi des remaniements profonds et est à la veille d'en subir de plus grands encore peut-être, où tant de problèmes menaçants et nouveaux se posent partout, vous m'accorderez qu'on a le droit de demander à un écrivain d'être autre chose qu'un bel esprit qui nous fait oublier dans des discussions oiseuses et byzantines sur des mérites de pure forme, que nous pouvons être envahis d'un instant à l'autre par un double flot de Barbares, ceux du dehors et ceux du dedans. Je sais que c'est blasphémer contre la Sacro-Sainte École de ce que ces messieurs appellent l'Art pour l'Art, mais à notre époque il y a des tâches plus urgentes que d'agencer des mots d'une façon harmonieuse. Celle de Bergotte est parfois assez séduisante, je n'en disconviens pas, mais au total tout cela est bien mièvre, bien mince, et bien peu viril. Je comprends mieux maintenant, en me reportant à votre admiration tout à fait exagérée pour Bergotte, les quelques lignes que vous m'avez montrées tout à l'heure et sur lesquelles j'aurais mauvaise grâce à ne pas passer l'éponge, puisque vous avez dit vous-même, en toute simplicité, que ce n'était qu'un griffonnage d'enfant (je l'avais dit, en effet, mais je n'en pensais pas un mot). À tout péché miséricorde et surtout aux péchés de jeunesse. Après tout, d'autres que vous en ont de pareils sur la conscience, et vous n'êtes pas le seul qui se soit cru poète à son heure. Mais on voit dans ce que vous m'avez montré la mauvaise influence de Bergotte. Évidemment, je ne vous étonnerai pas en vous disant qu'il n'y avait là aucune de ses qualités, puisqu'il est passé maître dans l'art, tout superficiel du reste, d'un certain style dont à votre âge vous ne pouvez posséder même le rudiment. Mais c'est déjà le même défaut, ce contresens d'aligner des mots bien sonores en ne se souciant qu'ensuite du fond. C'est mettre la charrue avant les bœufs[1]. Même dans les livres de Bergotte, toutes ces chinoiseries de forme, toutes ces subtilités de mandarin déliquescent me semblent bien vaines. Pour quelques feux d'artifice agréablement tirés par un écrivain, on crie tout de suite au chef-d'œuvre. Les chefs-d'œuvre ne sont pas si fréquents que cela! Bergotte n'a pas à son actif, dans son bagage si je puis dire, un roman d'une envolée un peu haute, un de ces livres qu'on place dans le bon coin de sa bibliothèque. Je n'en vois pas un seul dans son œuvre. Il n'empêche que chez lui l'œuvre est infiniment supérieure à l'auteur. Ah! voilà quelqu'un qui donne raison à l'homme d'esprit qui prétendait qu'on ne doit connaître les écrivains que par leurs livres. Impossible de voir un individu qui réponde moins aux siens, plus prétentieux, plus solennel, moins homme de bonne compagnie. Vulgaire par moments, parlant à d'autres comme un livre, et même pas comme un livre de lui, mais comme un livre ennuyeux, ce qu'au moins ne sont pas les siens, tel est ce Bergotte. C'est un esprit des plus confus, alambiqué, ce que nos pères appelaient un diseur de phébus et qui rend encore plus déplaisantes, par sa façon de les énoncer, les choses qu'il dit. Je ne sais si c'est Loménie ou Sainte-Beuve qui raconte que Vigny rebutait par le même travers. Mais Bergotte n'a jamais écrit *Cinq-Mars,* ni le *Cachet rouge,* où certaines pages sont de véritables morceaux d'anthologie.

Atterré par ce que M. de Norpois venait de me dire du fragment que je lui avais soumis, songeant d'autre part aux difficultés que j'éprouvais quand je voulais écrire un essai ou seulement me livrer à des réflexions sérieuses, je sentis une fois de plus ma nullité intellectuelle et que je n'étais pas né pour la littérature. Sans doute autrefois à Combray, certaines impressions fort humbles, ou une lecture de Bergotte, m'avaient mis dans un état de rêverie qui m'avait paru avoir une grande valeur. Mais cet état, mon poème en prose le reflétait : nul doute que M. de Norpois n'en eût saisi et percé à jour tout de suite ce que j'y trouvais de beau seulement par un mirage entièrement trompeur, puisque l'Ambassadeur n'en était pas dupe. Il venait de m'apprendre au contraire quelle place infime était la mienne (quand j'étais jugé du dehors, objectivement, par le connaisseur le mieux disposé et le plus intelligent). Je me sentais consterné, réduit; et mon esprit comme un fluide qui n'a de dimensions que celles du vase qu'on lui fournit, de même qu'il s'était dilaté jadis à remplir les capacités immenses du génie, contracté maintenant, tenait tout entier dans la médiocrité étroite où M. de Norpois l'avait soudain enfermé et restreint.

— Notre mise en présence, à Bergotte et à moi, ajouta-t-il en se tournant vers mon père, ne laissait pas que d'être assez épineuse (ce qui après tout est aussi une manière d'être piquante). Bergotte, voilà quelques années de cela, fit un voyage à Vienne, pendant que j'y étais ambassadeur; il me fut présenté par la princesse de Metternich, vint s'inscrire et désirait être invité. Or, étant à l'étranger représentant de la France, à qui en somme il fait honneur par ses écrits, dans une certaine mesure, disons, pour être exacts, dans une mesure bien faible, j'aurais passé sur la triste opinion que j'ai de sa vie privée. Mais il ne voyageait pas seul et bien plus il prétendait ne pas être invité sans sa compagne. Je crois ne pas être plus pudibond qu'un autre et, étant célibataire, je pouvais peut-être ouvrir un peu plus largement les portes de l'Ambassade que si j'eusse été marié et père de famille. Néanmoins, j'avoue qu'il y a un degré d'ignominie dont je ne saurais m'accommoder, et qui est rendu plus écœurant encore par le ton plus que moral, tranchons le mot, moralisateur, que prend Bergotte dans ses livres où on ne voit qu'analyses perpétuelles et d'ailleurs, entre nous, un peu languissantes, de scrupules douloureux, de remords maladifs, et, pour de simples peccadilles, de véritables prêchi-prêcha (on sait ce qu'en vaut l'aune), alors qu'il montre tant d'inconscience et de cynisme dans sa vie privée. Bref, j'éludai la réponse, la princesse revint à la charge, mais sans plus de succès. De sorte que je ne suppose pas que je doive être très en odeur de sainteté auprès du personnage, et je ne sais pas jusqu'à quel point il a apprécié l'attention de Swann de l'inviter en même temps que moi. À moins que ce ne soit lui qui l'ait demandé. On ne peut pas savoir, car au fond c'est un malade. C'est même sa seule excuse.

— Et est-ce que la fille de Mme Swann était à ce dîner ? demandai-je à M. de Norpois, profitant pour faire cette question d'un moment où, comme on passait au salon, je pouvais dissimuler plus facilement mon émotion que je n'aurais fait à table, immobile et en pleine lumière.

M. de Norpois parut chercher un instant à se souvenir :

— Oui, une jeune personne de quatorze à quinze ans ? En effet, je me souviens qu'elle m'a été présentée avant le dîner comme la fille de notre amphitryon. Je vous dirai que je l'ai peu vue, elle est allée se coucher de bonne heure. Ou elle allait chez des amies, je ne me rappelle pas bien. Mais je vois que vous êtes fort au courant de la maison Swann.

— Je joue avec Mlle Swann aux Champs-Élysées, elle est délicieuse.

— Ah ! voilà ! voilà ! Mais à moi, en effet, elle m'a paru charmante. Je vous avoue pourtant que je ne crois pas qu'elle approchera jamais de sa mère, si je peux dire cela sans blesser en vous un sentiment trop vif.

— Je préfère la figure de Mlle Swann, mais j'admire aussi énormément sa mère, je vais me promener au Bois rien que dans l'espoir de la voir passer.

— Ah ! mais je vais leur dire cela, elles seront très flattées.

Pendant qu'il disait ces mots, M. de Norpois était, pour quelques secondes encore, dans la situation de toutes les personnes qui, m'entendant parler de Swann comme d'un homme intelligent, de ses parents comme d'agents de change honorables, de sa maison comme d'une belle maison, croyaient que je parlerais aussi volontiers d'un autre homme aussi intelligent, d'autres agents de change aussi honorables, d'une autre maison aussi belle ; c'est le moment où un homme sain d'esprit qui cause avec un fou ne s'est pas encore aperçu que c'est un fou. M. de Norpois savait qu'il n'y a rien que de naturel dans le plaisir de regarder les jolies femmes, qu'il est de bonne compagnie, dès que quelqu'un nous parle avec chaleur de l'une d'elles, de faire semblant de croire qu'il en est amoureux, de l'en plaisanter et de lui promettre de seconder ses desseins. Mais en disant qu'il parlerait de moi à Gilberte et à sa mère (ce qui me permettrait, comme une divinité de l'Olympe qui a pris la fluidité d'un souffle ou plutôt l'aspect du vieillard dont Minerve emprunte les traits, de pénétrer moi-même, invisible, dans le salon de Mme Swann, d'attirer son attention, d'occuper sa pensée, d'exciter sa reconnaissance pour mon admiration, de lui apparaître comme l'ami d'un homme important, de lui sembler à l'avenir digne d'être invité par elle et d'entrer dans l'intimité de sa famille), cet homme important qui allait user en ma faveur du grand prestige qu'il devait avoir aux yeux de Mme Swann, m'inspira subitement une tendresse si grande que j'eus peine à me retenir de ne pas embrasser ses douces mains blanches et fripées, qui avaient l'air d'être restées trop longtemps dans l'eau. J'en ébauchai presque le geste que je me crus seul à avoir remarqué. Il est difficile, en effet, à chacun de nous de calculer exactement à quelle échelle ses paroles ou ses mouvements apparaissent à autrui; par peur de nous exagérer notre importance et en grandissant dans des proportions énormes le champ sur lequel sont obligés de s'étendre les souvenirs des autres au cours de leur vie, nous nous imaginons que les parties accessoires de notre discours, de nos attitudes, pénètrent à peine dans la conscience, à plus forte raison ne demeurent pas dans la mémoire de ceux avec qui nous causons. C'est d'ailleurs à une supposition de ce genre qu'obéissent les criminels quand ils retouchent après coup un mot qu'ils ont dit et duquel ils pensent qu'on ne pourra confronter cette variante à aucune autre version. Mais il est bien possible que, même en ce qui concerne la vie millénaire de l'humanité, la philosophie du feuilletoniste selon laquelle tout est promis à l'oubli soit moins vraie qu'une philosophie contraire qui prédirait la conservation de toutes choses. Dans le même journal où le moraliste du « Premier Paris » nous dit d'un événement, d'un chef-d'œuvre, à plus forte raison d'une chanteuse qui eut « son heure de célébrité » : « Qui se souviendra de tout cela dans dix ans ? », à la troisième page, le compte rendu de l'Académie des Inscriptions ne parle-t-il pas souvent d'un fait par lui-même moins important, d'un poème de peu de valeur, qui date de l'époque des Pharaons et qu'on connaît encore intégralement ? Peut-être n'en est-il pas tout à fait de même pour la courte vie humaine. Pourtant quelques années plus tard, dans une maison où M. de Norpois, qui s'y trouvait en visite, me semblait le plus solide appui que j'y pusse rencontrer, parce qu'il était ami de mon père, indulgent, porté à nous vouloir du bien à tous, d'ailleurs habitué par sa profession et ses origines à la discrétion, quand, une fois l'Ambassadeur parti, on me raconta qu'il avait fait allusion à une soirée d'autrefois dans laquelle il avait « vu le moment où j'allais lui baiser les mains », je ne rougis pas seulement jusqu'aux oreilles, je fus stupéfait d'apprendre qu'étaient si différentes de ce que j'aurais cru, non seulement la façon dont M. de Norpois parlait de moi, mais encore la composition de ses souvenirs. Ce « potin » m'éclaira sur les proportions inattendues de distraction et de présence d'esprit, de mémoire et d'oubli dont est fait l'esprit humain ; et je fus aussi merveilleusement surpris que le jour où je lus pour la première fois, dans un livre de Maspero, qu'on savait exactement la liste des chasseurs qu'Assourbanipal invitait à ses battues, dix siècles avant Jésus-Christ.

— Oh ! Monsieur, dis-je à M. de Norpois, quand il m'annonça qu'il ferait part à Gilberte et à sa mère de l'admiration que j'avais pour elles, si vous faisiez cela, si vous parliez de moi à Mme Swann, ce ne serait pas assez de toute ma vie pour vous témoigner ma gratitude, et cette vie vous appartiendrait ! Mais je tiens à vous faire remarquer que je ne connais pas Mme Swann et que je ne lui ai jamais été présenté.

J'avais ajouté ces derniers mots par scrupule et pour ne pas avoir l'air de m'être vanté d'une relation que je n'avais pas. Mais en les prononçant, je sentais qu'ils étaient déjà devenus inutiles, car dès le début de mon remerciement, d'une ardeur réfrigérante, j'avais vu passer sur le visage de l'Ambassadeur une expression d'hésitation et de mécontentement, et dans ses yeux ce regard vertical, étroit et oblique (comme, dans le dessin en perspective d'un solide, la ligne fuyante d'une de ses faces), regard qui s'adresse à cet interlocuteur invisible qu'on a en soi-même, au moment où on lui dit quelque chose que l'autre interlocuteur, le monsieur avec qui on parlait jusqu'ici — moi dans la circonstance — ne doit pas entendre. Je me rendis compte aussitôt que ces phrases que j'avais prononcées et qui, faibles encore auprès de l'effusion reconnaissante dont j'étais envahi, m'avaient paru devoir toucher M. de Norpois et achever de le décider à une intervention qui lui eût donné si peu de peine, et à moi tant de joie, étaient peut-être (entre toutes celles qu'eussent pu chercher diaboliquement des personnes qui m'eussent voulu du mal) les seules qui pussent avoir pour résultat de l'y faire renoncer. En les entendant en effet, de même qu'au moment où un inconnu, avec qui nous venions d'échanger agréablement des impressions que nous avions pu croire semblables sur des passants que nous nous accordions à trouver vulgaires, nous montre tout à coup l'abîme pathologique qui le sépare de nous en ajoutant négligemment tout en tâtant sa poche : « C'est malheureux que je n'aie pas mon revolver, il n'en serait pas resté un seul », M. de Norpois, qui savait que rien n'était moins précieux ni plus aisé que d'être recommandé à Mme Swann et introduit chez elle, et qui vit que pour moi, au contraire, cela présentait un tel prix, par conséquent, sans doute, une grande difficulté, pensa que le désir, normal en apparence, que j'avais exprimé, devait dissimuler quelque pensée différente, quelque visée suspecte, quelque faute antérieure, à cause de quoi, dans la certitude de déplaire à Mme Swann, personne n'avait jusqu'ici voulu se charger de lui transmettre une commission de ma part. Et je compris que cette commission, il ne la ferait jamais, qu'il pourrait voir Mme Swann quotidiennement pendant des années, sans pour cela lui parler une seule fois de moi. Il lui demanda cependant quelques jours plus tard un renseignement que je désirais et chargea mon père de me le transmettre. Mais il n'avait pas cru devoir dire pour qui il le demandait. Elle n'apprendrait donc pas que je connaissais M. de Norpois et que je souhaitais tant d'aller chez elle; et ce fut peut-être un malheur moins grand que je ne croyais. Car la seconde de ces nouvelles n'eût probablement pas beaucoup ajouté à l'efficacité de la première[1]; efficacité d'ailleurs incertaine : pour Odette, l'idée de sa propre vie et de sa propre demeure[1] n'éveillant aucun trouble mystérieux, une personne qui la connaissait, qui allait chez elle, ne lui semblait pas un être fabuleux comme il le paraissait[2] à moi qui aurais jeté dans les fenêtres des Swann une pierre si j'avais pu écrire sur elle que je connaissais M. de Norpois : j'étais persuadé qu'un tel message, même transmis d'une façon aussi brutale, m'eût donné beaucoup plus de prestige aux yeux de la maîtresse de la maison qu'il ne l'eût indisposée contre moi. Mais, même si j'avais pu me rendre compte que la mission dont ne s'acquitta pas M. de Norpois fût restée sans utilité, bien plus, qu'elle eût pu me nuire auprès des Swann, je n'aurais pas eu le courage, s'il s'était montré consentant, d'en décharger l'Ambassadeur et de renoncer à la volupté, si funestes qu'en pussent être les suites, que mon nom et ma personne se trouvassent ainsi un moment auprès de Gilberte, dans sa maison et sa vie inconnues.

Quand M. de Norpois fut parti, mon père jeta un coup d'œil sur le journal du soir; je songeais de nouveau à la Berma. Le plaisir que j'avais eu à l'entendre exigeait d'autant plus d'être complété qu'il était loin d'égaler celui que je m'étais promis; aussi s'assimilait-il immédiatement tout ce qui était susceptible de le nourrir, par exemple ces mérites que M. de Norpois avait reconnus à la Berma et que mon esprit avait bus d'un seul trait comme un pré trop sec sur qui on verse de l'eau. Or mon père me passa le journal en me désignant un entrefilet conçu en ces termes : « La représentation de *Phèdre* qui a été donnée devant une salle enthousiaste où on remarquait les principales notabilités du monde des arts et de la critique a été pour Mme Berma, qui jouait le rôle de Phèdre, l'occasion d'un triomphe comme elle en a rarement connu de plus éclatant au cours de sa prestigieuse carrière. Nous reviendrons plus longuement sur cette représentation qui constitue un véritable événement théâtral; disons seulement que les juges les plus autorisés s'accordaient à déclarer qu'une telle interprétation renouvelait entièrement le rôle de Phèdre, qui est un des plus beaux et des plus fouillés de Racine, et constituait la plus pure et la plus haute manifestation d'art à laquelle de notre temps il ait été donné d'assister. » Dès que mon esprit eut conçu cette idée nouvelle de « la plus pure et haute manifestation d'art », celle-ci se rapprocha du plaisir imparfait que j'avais éprouvé au théâtre, lui ajouta un peu de ce qui lui manquait et leur réunion forma quelque chose de si exaltant que je m'écriai : « Quelle grande artiste ! » Sans doute on peut trouver que je n'étais pas absolument sincère. Mais qu'on songe plutôt à tant d'écrivains qui, mécontents du morceau qu'ils viennent d'écrire, s'ils lisent un éloge du génie de Chateaubriand ou évoquent[1] tel grand artiste dont ils ont souhaité d'être l'égal, fredonnant par exemple en eux-mêmes telle phrase de Beethoven de laquelle ils comparent la tristesse à celle qu'ils ont voulu mettre dans leur prose, se remplissent tellement de cette idée de génie qu'ils l'ajoutent à leurs propres productions en repensant à elles, ne les voient plus telles qu'elles leur étaient apparues d'abord, et risquant un acte de foi dans la valeur de leur œuvre se disent : « Après tout ! » sans se rendre compte que, dans le total qui détermine leur satisfaction finale, ils font entrer le souvenir de merveilleuses pages de Chateaubriand qu'ils assimilent aux leurs, mais enfin qu'ils n'ont point écrites ; qu'on se rappelle tant d'hommes qui croient en l'amour d'une maîtresse de qui ils ne connaissent que les trahisons ; tous ceux aussi qui espèrent alternativement soit une survie incompréhensible dès qu'ils pensent, maris inconsolables, à une femme qu'ils ont perdue et qu'ils aiment encore, artistes, à la gloire future de laquelle ils pourront jouir, soit un néant rassurant quand leur intelligence se reporte au contraire aux fautes que sans lui ils auraient à expier après leur mort ; qu'on pense encore aux touristes qu'exalte la beauté d'ensemble d'un voyage dont jour par jour ils n'ont éprouvé que de l'ennui, et qu'on dise si dans la vie en commun que mènent les idées au sein de notre esprit, il est une seule de celles qui nous rendent le plus heureux qui n'ait été d'abord, en véritable parasite, demander à une idée étrangère et voisine le meilleur de la force qui lui manquait.

Ma mère ne parut pas très satisfaite que mon père ne songeât plus pour moi à la « carrière ». Je crois que, soucieuse avant tout qu'une règle d'existence disciplinât les caprices de mes nerfs, ce qu'elle regrettait, c'était moins de me voir renoncer à la diplomatie que m'adonner à la littérature. « Mais laisse donc, s'écria mon père, il faut avant tout prendre du plaisir à ce qu'on fait. Or, il n'est plus un enfant. Il sait bien maintenant ce qu'il aime, il est peu probable qu'il change, et il est capable de se rendre compte de ce qui le rendra heureux dans l'existence. » En attendant que, grâce à la liberté qu'elles m'octroyaient, je fusse, ou non, heureux dans l'existence, les paroles de mon père me firent ce soir-là bien de la peine. De tout temps ses gentillesses imprévues m'avaient, quand elles se produisaient, donné une telle envie d'embrasser au-dessus de sa barbe ses joues colorées que si je n'y cédais pas, c'était seulement par peur de lui déplaire. Aujourd'hui, comme un auteur s'effraye de voir ses propres rêveries qui lui paraissent sans grande valeur parce qu'il ne les sépare pas de lui-même, obliger un éditeur à choisir un papier, à employer des caractères peut-être trop beaux pour elles, je me demandais si mon désir d'écrire était quelque chose d'assez important pour que mon père dépensât à cause de cela tant de bonté. Mais surtout en parlant de mes goûts qui ne changeraient plus, de ce qui était destiné à rendre mon existence heureuse, il insinuait en moi deux soupçons terriblement douloureux[1]. Le premier, c'était que (alors que chaque jour je me considérais comme sur le seuil de ma vie encore intacte et qui ne débuterait que le lendemain matin) mon existence était déjà commencée, bien plus, que ce qui en allait[2] suivre ne serait pas très différent de ce qui avait précédé. Le second soupçon, qui n'était à vrai dire qu'une autre forme du premier, c'est que je n'étais pas situé en dehors du Temps, mais soumis à ses lois, tout comme ces personnages de roman qui, à cause de cela, me jetaient dans une telle tristesse quand je lisais leur vie, à Combray, au fond de ma guérite d'osier. Théoriquement on sait que la terre tourne, mais en fait on ne s'en aperçoit pas, le sol sur lequel on marche semble ne pas bouger et on vit tranquille. Il en est ainsi du Temps dans la vie. Et pour rendre sa fuite sensible, les romanciers sont obligés, en accélérant follement les battements de l'aiguille, de faire franchir au lecteur dix, vingt, trente ans, en deux minutes. Au haut d'une page on a quitté un amant plein d'espoir, au bas de la suivante on le retrouve octogénaire, accomplissant péniblement dans le préau d'un hospice sa promenade quotidienne, répondant à peine aux paroles qu'on lui adresse, ayant oublié le passé. En disant de moi : « Ce n'est plus un enfant, ses goûts ne changeront plus, etc. », mon père venait tout d'un coup de me faire apparaître à moi-même dans le Temps, et me causait le même genre de tristesse que si j'avais été non pas encore l'hospitalisé ramolli, mais ces héros dont l'auteur, sur un ton indifférent qui est particulièrement cruel, nous dit à la fin d'un livre : « Il quitte de moins en moins la campagne. Il a fini par s'y fixer définitivement, etc. »

Cependant, mon père, pour aller au-devant des critiques que nous aurions pu faire sur notre invité, dit à maman :

— J'avoue que le père Norpois a été un peu « poncif » comme vous dites. Quand il a dit qu'il aurait été « peu séant » de poser une question au comte de Paris, j'ai eu peur que vous ne vous mettiez à rire.

— Mais pas du tout, répondit ma mère, j'aime beaucoup qu'un homme de cette valeur et de cet âge ait gardé cette sorte de naïveté qui ne prouve qu'un fond d'honnêteté et de bonne éducation.

— Je crois bien! Cela ne l'empêche pas d'être fin et intelligent, je le sais moi qui le vois à la Commission tout autre qu'il n'est ici, s'écria mon père, heureux de voir que maman appréciait M. de Norpois, et voulant lui persuader qu'il était encore supérieur à ce qu'elle croyait, parce que la cordialité surfait avec autant de plaisir qu'en prend la taquinerie à déprécier. Comment a-t-il donc dit... « avec les princes on ne sait jamais... »

— Mais oui, comme tu dis là. J'avais remarqué, c'est très fin. On voit qu'il a une profonde expérience de la vie.

— C'est extraordinaire qu'il ait dîné chez les Swann et qu'il y ait trouvé en somme des gens réguliers, des fonctionnaires. Où est-ce que Mme Swann a pu aller pêcher tout ce monde-là?

— As-tu remarqué avec quelle malice il a fait cette réflexion : « C'est une maison où il va surtout des hommes »?

Et tous deux cherchaient à reproduire la manière dont M. de Norpois avait dit cette phrase, comme ils auraient fait pour quelque intonation de Bressant ou de Thiron dans *l'Aventurière* ou dans *le Gendre de M. Poirier*. Mais de tous ses mots, le plus goûté le fut par Françoise qui, encore plusieurs années après, ne pouvait pas « tenir son sérieux » si on lui rappelait qu'elle avait été traitée par l'Ambassadeur de « chef de premier ordre », ce que ma mère était allée lui transmettre comme un ministre de la Guerre, les félicitations d'un souverain de passage après « la Revue ». Je l'avais d'ailleurs précédée à la cuisine. Car j'avais fait promettre à Françoise, pacifiste mais cruelle, qu'elle ne ferait pas trop souffrir le lapin qu'elle avait à tuer et je n'avais pas eu de nouvelles de cette mort; Françoise m'assura qu'elle s'était passée le mieux du monde et très rapidement : « J'ai jamais vu une bête comme ça; elle est morte sans dire seulement une parole, vous auriez dit qu'elle était muette. » Peu au courant du langage des bêtes, j'alléguai que le lapin ne criait peut-être pas comme le poulet. « Attendez un peu voir, me dit Françoise indignée de mon ignorance, si les lapins ne crient pas autant comme les poulets. Ils ont même la voix bien plus forte. » Françoise accepta les compliments de M. de Norpois avec la fière simplicité, le regard joyeux et — fût-ce momentanément — intelligent, d'un artiste à qui on parle de son art. Ma mère l'avait envoyée autrefois dans certains grands restaurants voir comment on y faisait la cuisine. J'eus ce soir-là, à l'entendre traiter les plus célèbres de gargotes, le même plaisir qu'autrefois à apprendre, pour les artistes dramatiques, que la hiérarchie de leurs mérites n'était pas la même que celle de leurs réputations. « L'Ambassadeur, lui dit ma mère, assure que nulle part on ne mange de bœuf froid et de soufflés comme les vôtres. » Françoise, avec un air de modestie et de rendre hommage à la vérité, l'accorda, sans être, d'ailleurs, impressionnée par le titre d'ambassadeur; elle disait de M. de Norpois, avec l'amabilité due à quelqu'un qui l'avait prise pour un « chef » : « C'est un bon vieux comme moi. » Elle avait bien cherché à l'apercevoir quand il était arrivé, mais sachant que maman détestait qu'on fût derrière les portes ou aux fenêtres et pensant qu'elle saurait par les autres domestiques ou par les concierges qu'elle avait fait le guet (car Françoise ne voyait partout que « jalousies » et « racontages » qui jouaient dans son imagination le même rôle permanent et funeste que, pour telles autres personnes, les intrigues des jésuites ou des juifs), elle s'était contentée de regarder par la croisée de la cuisine « pour ne pas avoir des raisons avec Madame » et, sur[1] l'aspect sommaire de M. de Norpois, elle avait « cru Monsieur Legrandin », à cause de son *agileté,* et bien qu'il n'y eût pas un trait commun entre eux. « Mais enfin, lui demanda ma mère, comment expliquez-vous que personne ne fasse la gelée aussi bien que vous (quand vous le voulez)? — Je ne sais pas d'où ce que ça devient », répondit Françoise (qui n'établissait pas une démarcation bien nette entre le verbe venir, au moins pris dans certaines acceptions, et le verbe devenir). Elle disait vrai du reste, en partie, et n'était pas beaucoup plus capable — ou désireuse — de dévoiler le mystère qui faisait la supériorité de ses gelées ou de ses crèmes, qu'une grande élégante pour ses toilettes, ou une grande cantatrice pour son chant. Leurs explications ne nous disent pas grand'chose; il en était de même des recettes de notre cuisinière. « Ils font cuire trop à la va vite, répondit-elle en parlant des grands restaurateurs, et puis pas tout ensemble. Il faut que le bœuf, il devienne comme une éponge, alors il boit tout le jus jusqu'au fond. Pourtant il y avait un de ces Cafés où il me semble qu'on savait bien un peu faire la cuisine. Je ne dis pas que c'était tout à fait ma gelée, mais c'était fait bien doucement, et les soufflés ils avaient bien de la crème. — Est-ce Henry? demanda mon père qui nous avait rejoints et appréciait beaucoup le restaurant de la place Gaillon où il avait à dates fixes des repas de corps. — Oh non! dit Françoise avec une douceur qui cachait un profond dédain, je parlais d'un petit restaurant. Chez cet Henry, c'est très bon bien sûr, mais c'est pas un restaurant, c'est plutôt... un bouillon! — Weber? — Ah! non, Monsieur, je voulais dire un bon restaurant. Weber c'est dans la rue Royale, ce n'est pas un restaurant, c'est une brasserie. Je ne sais pas si ce qu'ils vous donnent est servi. Je crois qu'ils n'ont même pas de nappe, ils posent cela comme cela sur la table, va comme je te pousse. — Cirro? » Françoise sourit : « Oh! là, je crois qu'en fait de cuisine il y a surtout des dames du monde. (Monde signifiait pour Françoise demi-monde.) Dame, il faut ça pour la jeunesse. » Nous nous apercevions qu'avec son air de simplicité Françoise était pour les cuisiniers célèbres une plus terrible « camarade » que ne peut l'être l'actrice la plus envieuse et la plus infatuée. Nous sentîmes pourtant qu'elle avait un sentiment juste de son art et le respect des traditions, car elle ajouta : « Non, je veux dire un restaurant où c'est qu'il y avait l'air d'avoir une bien bonne petite cuisine bourgeoise. C'est une maison encore assez conséquente. Ça travaillait beaucoup. Ah! on en ramassait des sous là dedans (Françoise, économe, comptait par sous, non par louis comme les décavés). Madame connaît bien là-bas à droite, sur les grands boulevards, un peu en arrière... » Le restaurant dont elle parlait avec cette équité mêlée d'orgueil et de bonhomie, c'était... le Café Anglais.

Quand vint le 1er janvier, je fis d'abord des visites de famille avec maman, qui, pour ne pas me fatiguer, les avait d'avance (à l'aide d'un itinéraire tracé par mon père) classées par quartier plutôt que selon le degré exact de la parenté. Mais à peine entrés dans le salon d'une cousine assez éloignée qui avait comme raison de passer d'abord que sa demeure ne le fût pas de la nôtre, ma mère était épouvantée en voyant, ses marrons glacés ou déguisés à la main, le meilleur ami du plus susceptible de mes oncles auquel il allait rapporter que nous n'avions pas commencé notre tournée par lui. Cet oncle serait sûrement blessé; il n'eût trouvé que naturel que nous allassions de la Madeleine au Jardin des Plantes où il habitait, avant de nous arrêter à Saint-Augustin, pour repartir rue de l'École-de-Médecine.

Les visites finies (ma grand'mère dispensait que nous en fissions une chez elle, comme nous y dînions ce jour-là), je courus jusqu'aux Champs-Élysées porter à notre marchande, pour qu'elle la remît à la personne qui venait plusieurs fois par semaine de chez les Swann y chercher du pain d'épices, la lettre que, dès le jour où mon amie m'avait fait tant de peine, j'avais décidé de lui envoyer au nouvel an, et dans laquelle je lui disais que notre amitié ancienne disparaissait avec l'année finie, que j'oubliais mes griefs et mes déceptions et qu'à partir du 1er janvier, c'était une amitié neuve que nous allions bâtir, si solide que rien ne la détruirait, si merveilleuse que j'espérais que Gilberte mettrait quelque coquetterie à lui garder toute sa beauté et à m'avertir à temps, comme je promettais de le faire moi-même, aussitôt que surviendrait le moindre péril qui pourrait l'endommager. En rentrant, Françoise me fit arrêter, au coin de la rue Royale, devant un étalage en plein vent où elle choisit, pour ses propres étrennes, des photographies de Pie IX et de Raspail et où, pour ma part, j'en achetai une de la Berma. Les innombrables admirations qu'excitait l'artiste donnaient quelque chose d'un peu pauvre à ce visage unique qu'elle avait pour y répondre, immuable et précaire comme ce vêtement des personnes qui n'en ont pas de rechange, et où elle ne pouvait exhiber toujours que le petit pli au-dessus de la lèvre supérieure, le relèvement des sourcils, quelques autres particularités physiques, toujours les mêmes, qui, en somme, étaient à la merci d'une brûlure ou d'un choc. Ce visage, d'ailleurs, ne m'eût pas à lui seul semblé beau, mais il me donnait l'idée et par conséquent l'envie, de l'embrasser à cause de tous les baisers qu'il avait dû supporter et que, du fond de la « carte-album », il semblait appeler encore par ce regard coquettement tendre et ce sourire artificieusement ingénu. Car la Berma devait ressentir effectivement pour bien des jeunes hommes ces désirs qu'elle avouait sous le couvert du personnage de Phèdre et dont tout, même le prestige de son nom qui ajoutait à sa beauté et prorogeait sa jeunesse, devait lui rendre l'assouvissement si facile. Le soir tombait, je m'arrêtai devant une colonne de théâtre où était affichée la représentation que la Berma donnait pour le 1er janvier. Il soufflait un vent humide et doux. C'était un temps que je connaissais; j'eus la sensation et le pressentiment que le jour de l'an n'était pas un jour différent des autres, qu'il n'était pas le premier d'un monde nouveau où j'aurais pu, avec une chance encore intacte, refaire la connaissance de Gilberte comme au temps de la Création, comme s'il n'existait pas encore de passé, comme si eussent été anéanties, avec les indices qu'on aurait pu en tirer pour l'avenir, les déceptions qu'elle m'avait parfois causées : un nouveau monde où rien ne subsistât de l'ancien... rien qu'une chose : mon désir que Gilberte m'aimât. Je compris que si mon cœur souhaitait ce renouvellement autour de lui d'un univers qui ne l'avait pas satisfait, c'est que lui, mon cœur, n'avait pas changé, et je me dis qu'il n'y avait pas de raison pour que celui de Gilberte eût changé davantage; je sentis que cette nouvelle amitié c'était la même, comme ne sont pas séparées des autres par un fossé les années nouvelles que notre désir, sans pouvoir les atteindre et les modifier, recouvre à leur insu d'un nom différent. J'avais beau dédier celle-ci à Gilberte et, comme on superpose une religion aux lois aveugles de la nature, essayer d'imprimer au jour de l'an l'idée particulière que je m'étais faite de lui, c'était en vain; je sentais qu'il ne savait pas qu'on l'appelât le jour de l'an, qu'il finissait dans le crépuscule d'une façon qui ne m'était pas nouvelle : dans le vent doux qui soufflait autour de la colonne d'affiches, j'avais reconnu, j'avais senti reparaître la matière éternelle et commune, l'humidité familière, l'ignorante fluidité des anciens jours.

Je revins à la maison. Je venais de vivre le 1er janvier des hommes vieux qui diffèrent ce jour-là des jeunes, non parce qu'on ne leur donne plus d'étrennes, mais parce qu'ils ne croient plus au nouvel an. Des étrennes j'en avais reçu, mais non pas les seules qui m'eussent fait plaisir et qui eussent été un mot de Gilberte. J'étais pourtant jeune encore tout de même puisque j'avais pu lui en écrire un par lequel j'espérais, en lui disant les rêves solitaires de ma tendresse, en éveiller de pareils en elle. La tristesse des hommes qui ont vieilli c'est de ne pas même songer à écrire de telles lettres dont ils ont appris l'inefficacité.

Quand je fus couché, les bruits de la rue, qui se prolongeaient plus tard ce soir de fête, me tinrent éveillé. Je pensais à tous les gens qui finiraient leur nuit dans les plaisirs, à l'amant, à la troupe de débauchés peut-être, qui avaient dû aller chercher la Berma à la fin de cette représentation que j'avais vue annoncée pour le soir. Je ne pouvais même pas, pour calmer l'agitation que cette idée faisait naître en moi dans cette nuit d'insomnie, me dire que la Berma ne pensait peut-être pas à l'amour, puisque les vers qu'elle récitait, qu'elle avait longuement étudiés, lui rappelaient à tous moments qu'il est délicieux, comme elle le savait d'ailleurs, si bien qu'elle en faisait apparaître les troubles bien connus — mais doués d'une violence nouvelle et d'une douceur insoupçonnée — à des spectateurs émerveillés dont chacun pourtant les avait ressentis par soi-même. Je rallumai ma bougie éteinte pour regarder encore une fois son visage. À la pensée qu'il était sans doute en ce moment caressé par ces hommes que je ne pouvais empêcher de donner à la Berma, et de recevoir d'elle, des joies surhumaines et vagues, j'éprouvais un émoi plus cruel qu'il n'était voluptueux, une nostalgie que vint aggraver le son du cor, comme on l'entend la nuit de la Mi-Carême, et souvent des autres fêtes, et qui, parce qu'il est alors sans poésie, est plus triste, sortant d'un mastroquet, que « le soir au fond des bois ». À ce moment-là, un mot de Gilberte n'eût peut-être pas été ce qu'il m'eût fallu. Nos désirs vont s'interférant et, dans la confusion de l'existence, il est rare qu'un bonheur vienne justement se poser sur le désir qui l'avait réclamé.

Je continuai à aller aux Champs-Élysées les jours de beau temps, par des rues dont les maisons élégantes et roses baignaient, parce que c'était le moment de la grande vogue des Expositions d'Aquarellistes, dans un ciel mobile et léger. Je mentirais en disant que dans ce temps-là les palais de Gabriel m'aient paru d'une plus grande beauté ni même d'une autre époque que les hôtels avoisinants. Je trouvais plus de style et aurais cru plus d'ancienneté sinon au Palais de l'Industrie, du moins à celui du Trocadéro. Plongée dans un sommeil agité, mon adolescence enveloppait d'un même rêve tout le quartier où elle le promenait, et je n'avais jamais songé qu'il pût y avoir un édifice du XVIIIe siècle dans la rue Royale, de même que j'aurais été étonné si j'avais appris que la Porte Saint-Martin et la Porte Saint-Denis, chefs-d'œuvre du temps de Louis XIV, n'étaient pas contemporains des immeubles les plus récents de ces arrondissements sordides[1]. Une seule fois un des palais de Gabriel me fit arrêter longuement; c'est que, la nuit étant venue, ses colonnes dématérialisées par le clair de lune avaient l'air découpées dans du carton et, me rappelant un décor de l'opérette *Orphée aux Enfers,* me donnaient pour la première fois une impression de beauté.

Gilberte cependant ne revenait toujours pas aux Champs-Élysées. Et pourtant j'aurais eu besoin de la voir, car je ne me rappelais même pas sa figure. La manière chercheuse, anxieuse, exigeante que nous avons de regarder la personne que nous aimons, notre attente de la parole qui nous donnera ou nous ôtera l'espoir d'un rendez-vous pour le lendemain, et, jusqu'à ce que cette parole soit dite, notre imagination alternative, sinon simultanée, de la joie et du désespoir, tout cela rend notre attention en face de l'être aimé trop tremblante pour qu'elle puisse obtenir de lui une image bien nette. Peut-être aussi cette activité de tous les sens à la fois et qui essaye de connaître avec les regards seuls ce qui est au delà d'eux, est-elle trop indulgente aux mille formes, à toutes les saveurs, aux mouvements de la personne vivante que d'habitude, quand nous n'aimons pas, nous immobilisons. Le modèle chéri, au contraire, bouge; on n'en a jamais que des photographies manquées. Je ne savais vraiment plus comment étaient faits les traits de Gilberte, sauf dans les moments divins où elle les dépliait pour moi : je ne me rappelais que son sourire. Et ne pouvant revoir ce visage bien-aimé, quelque effort que je fisse pour m'en souvenir, je m'irritais de trouver, dessinés dans ma mémoire avec une exactitude définitive, les visages inutiles et frappants de l'homme des chevaux de bois et de la marchande de sucre d'orge : ainsi, ceux qui ont perdu un être aimé qu'ils ne revoient jamais en dormant, s'exaspèrent de rencontrer sans cesse dans leurs rêves tant de gens insupportables et que c'est déjà trop d'avoir connus dans l'état de veille. Dans leur impuissance à se représenter l'objet de leur douleur, ils s'accusent presque de n'avoir pas de douleur. Et moi je n'étais pas loin de croire que, ne pouvant me rappeler les traits de Gilberte, je l'avais oubliée elle-même, je ne l'aimais plus.

Enfin elle revint jouer presque tous les jours, mettant devant moi de nouvelles choses à désirer, à lui demander, pour le lendemain, faisant bien chaque jour, en ce sens-là, de ma tendresse une tendresse nouvelle. Mais une chose changea une fois de plus et brusquement la façon dont tous les après-midi vers deux heures se posait le problème de mon amour. M. Swann avait-il surpris la lettre que j'avais écrite à sa fille, ou Gilberte ne faisait-elle que m'avouer longtemps après, et afin que je fusse plus prudent, un état de choses déjà ancien? Comme je lui disais combien j'admirais son père et sa mère, elle prit cet air vague, plein de réticences et de secret qu'elle avait quand on lui parlait de ce qu'elle avait à faire, de ses courses et de ses visites, et tout d'un coup finit par me dire : « Vous savez, ils ne vous gobent pas! » et glissante comme une ondine — elle était ainsi — elle éclata de rire. Souvent son rire en désaccord avec ses paroles semblait, comme fait la musique, décrire dans un autre plan une surface invisible. M. et Mme Swann ne demandaient pas à Gilberte de cesser de jouer avec moi, mais eussent autant aimé, pensait-elle, que cela n'eût pas commencé. Ils ne voyaient pas mes relations avec elle d'un œil favorable, ne me croyaient pas d'une grande moralité et s'imaginaient que je ne pouvais exercer sur leur fille qu'une mauvaise influence. Ce genre de jeunes gens peu scrupuleux auxquels Swann me croyait ressembler, je me les représentais comme détestant les parents de la jeune fille qu'ils aiment, les flattant quand ils sont là, mais se moquant d'eux avec elle, la poussant à leur désobéir et, quand ils ont une fois conquis leur fille, les privant même de la voir. À ces traits (qui ne sont jamais ceux sous lesquels le plus grand misérable se voit lui-même) avec quelle violence mon cœur opposait ces sentiments dont il était animé à l'égard de Swann, si passionnés au contraire que je ne doutais pas que, s'il les eût soupçonnés, il ne se fût repenti de son jugement à mon égard comme d'une erreur judiciaire! Tout ce que je ressentais pour lui, j'osai le lui écrire dans une longue lettre que je confiai à Gilberte en la priant de la lui remettre. Elle y consentit. Hélas ! il voyait donc en moi un plus grand imposteur encore que je ne pensais; ces sentiments que j'avais cru peindre, en seize pages, avec tant de vérité, il en avait donc douté : la lettre que je lui écrivis, aussi ardente et aussi sincère que les paroles que j'avais dites à M. de Norpois, n'eut pas plus de succès. Gilberte me raconta le lendemain, après m'avoir emmené à l'écart derrière un massif de lauriers, dans une petite allée où nous nous assîmes chacun sur une chaise, qu'en lisant la lettre, qu'elle me rapportait, son père avait haussé les épaules en disant : « Tout cela ne signifie rien, cela ne fait que prouver combien j'ai raison. » Moi qui savais la pureté de mes intentions, la bonté de mon âme, j'étais indigné que mes paroles n'eussent même pas effleuré l'absurde erreur de Swann. Car que ce fût une erreur, je n'en doutais pas alors. Je sentais que j'avais décrit avec tant d'exactitude certaines caractéristiques irrécusables de mes sentiments généreux que, pour que d'après elles Swann ne les eût pas aussitôt reconstitués, ne fût pas venu me demander pardon et avouer qu'il s'était trompé, il fallait que ces nobles sentiments, il ne les eût lui-même jamais ressentis, ce qui devait le rendre incapable de les comprendre chez les autres.

Or, peut-être simplement Swann savait-il que la générosité n'est souvent que l'aspect intérieur que prennent nos sentiments égoïstes quand nous ne les avons pas encore nommés et classés. Peut-être avait-il reconnu dans la sympathie que je lui exprimais un simple effet — et une confirmation enthousiaste — de mon amour pour Gilberte, par lequel — et non par ma vénération secondaire pour lui — seraient fatalement dans la suite dirigés mes actes. Je ne pouvais partager ses prévisions, car je n'avais pas réussi à abstraire de moi-même mon amour, à le faire rentrer dans la généralité des autres et à en supputer expérimentalement les conséquences; j'étais désespéré. Je dus quitter un instant Gilberte, Françoise m'ayant appelé. Il me fallut l'accompagner dans un petit pavillon treillissé de vert, assez semblable aux bureaux d'octroi désaffectés du vieux Paris et dans lequel étaient depuis peu installés ce qu'on appelle en Angleterre un lavabo et en France, par une anglomanie mal informée, des water-closets. Les murs humides et anciens de l'entrée où je restai à attendre Françoise, dégageaient une fraîche odeur de renfermé qui, m'allégeant aussitôt des soucis que venaient de faire naître en moi les paroles de Swann rapportées par Gilberte, me pénétra d'un plaisir non pas de la même espèce que les autres, lesquels nous laissent plus instables, incapables de les retenir, de les posséder, mais au contraire d'un plaisir consistant auquel je pouvais m'étayer, délicieux, paisible, riche d'une vérité durable, inexpliquée et certaine. J'aurais voulu, comme autrefois dans mes promenades du côté de Guermantes, essayer de pénétrer le charme de cette impression qui m'avait saisi et rester immobile à interroger cette émanation vieillotte qui me proposait non de jouir du plaisir qu'elle ne me donnait que par surcroît, mais de descendre dans la réalité qu'elle ne m'avait pas dévoilée. Mais la tenancière de l'établissement, vieille dame à joues plâtrées et à perruque rousse, se mit à me parler. Françoise la croyait « tout à fait bien de chez elle ». Sa demoiselle avait épousé ce que Françoise appelait « un jeune homme de famille », par conséquent quelqu'un qu'elle trouvait plus différent d'un ouvrier que Saint-Simon un duc d'un homme « sorti de la lie du peuple ». Sans doute la tenancière, avant de l'être, avait eu des revers. Mais Françoise assurait qu'elle était marquise et appartenait à la famille de Saint-Ferréol. Cette marquise me conseilla de ne pas rester au frais et m'ouvrit même un cabinet en me disant : « Vous ne voulez pas entrer? en voici un tout propre, pour vous ce sera gratis. » Elle le faisait peut-être seulement comme les demoiselles de chez Gouache, quand nous venions faire une commande, m'offraient un des bonbons qu'elles avaient sur le comptoir sous des cloches de verre et que maman me défendait, hélas ! d'accepter; peut-être aussi, moins innocemment, comme telle vieille fleuriste par qui maman faisait remplir ses « jardinières » et qui me donnait une rose en roulant des yeux doux. En tous cas, si la « marquise » avait du goût pour les jeunes garçons, en leur ouvrant la porte hypogéenne de ces cubes de pierre où les hommes sont accroupis comme des sphinx, elle devait chercher dans ses générosités moins l'espérance de les corrompre que le plaisir qu'on éprouve à se montrer vainement prodigue envers ce qu'on aime, car je n'ai jamais vu auprès d'elle d'autre visiteur qu'un vieux garde forestier du jardin.

Un instant après je prenais congé de la « marquise », accompagné de Françoise, et je quittai cette dernière pour retourner auprès de Gilberte. Je l'aperçus tout de suite, sur une chaise, derrière le massif de lauriers. C'était pour ne pas être vue de ses amies : on jouait à cache-cache. J'allai m'asseoir à côté d'elle. Elle avait une toque plate qui descendait assez bas sur ses yeux, leur donnant ce même regard « en dessous », rêveur et fourbe que je lui avais vu la première fois à Combray. Je lui demandai s'il n'y avait pas moyen que j'eusse une explication verbale avec son père. Gilberte me dit qu'elle la lui avait proposée, mais qu'il la jugeait inutile. « Tenez, ajouta-t-elle, ne me laissez pas votre lettre, il faut rejoindre les autres puisqu'ils ne m'ont pas trouvée. »

Si Swann était arrivé alors avant même que je l'eusse reprise, cette lettre de la sincérité de laquelle je trouvais qu'il avait été si insensé de ne pas s'être laissé persuader, peut-être aurait-il vu que c'était lui qui avait raison. Car m'approchant de Gilberte qui, renversée sur sa chaise, me disait de prendre la lettre et ne me la tendait pas, je me sentis si attiré par son corps que je lui dis :

— Voyons, empêchez-moi de l'attraper, nous allons voir qui sera le plus fort.

Elle la mit dans son dos, je passai mes mains derrière son cou, en soulevant les nattes de cheveux qu'elle portait sur les épaules, soit que ce fût encore de son âge, soit que sa mère voulût la faire paraître plus longtemps enfant, afin de se rajeunir elle-même; nous luttions, arc-boutés. Je tâchais de l'attirer, elle résistait ; ses pommettes enflammées par l'effort étaient rouges et rondes comme des cerises ; elle riait comme si je l'eusse chatouillée ; je la tenais serrée entre mes jambes comme un arbuste après lequel j'aurais voulu grimper ; et, au milieu de la gymnastique que je faisais, sans qu'en fût à peine augmenté l'essoufflement que me donnaient l'exercice musculaire et l'ardeur du jeu, je répandis, comme quelques gouttes de sueur arrachées par l'effort, mon plaisir auquel je ne pus pas même m'attarder le temps d'en connaître le goût ; aussitôt je pris la lettre. Alors, Gilberte me dit avec bonté :

— Vous savez, si vous voulez, nous pouvons lutter encore un peu.

Peut-être avait-elle obscurément senti que mon jeu avait un autre objet que celui que j'avais avoué, mais n'avait-elle pas su remarquer que je l'avais atteint. Et moi qui craignais qu'elle s'en fût aperçue (et un certain mouvement rétractile et contenu de pudeur offensée qu'elle eut un instant après, me donna à penser que je n'avais pas eu tort de le craindre), j'acceptai de lutter encore, de peur qu'elle pût croire que je ne m'étais pas proposé d'autre but que celui après quoi je n'avais plus envie que de rester tranquille auprès d'elle.

En rentrant, j'aperçus, je me rappelai brusquement l'image, cachée jusque-là, dont m'avait approché, sans me la laisser voir ni reconnaître, le frais, sentant presque la suie, du pavillon treillagé. Cette image était celle de la petite pièce de mon oncle Adolphe, à Combray, laquelle exhalait en effet le même parfum d'humidité. Mais je ne pus comprendre, et je remis à plus tard de chercher pourquoi le rappel d'une image si insignifiante m'avait donné une telle félicité. En attendant, il me sembla que je méritais vraiment le dédain de M. de Norpois : j'avais préféré jusqu'ici à tous les écrivains celui qu'il appelait un simple « joueur de flûte » et une véritable exaltation m'avait été communiquée, non par quelque idée importante, mais par une odeur de moisi.

Depuis quelque temps, dans certaines familles, le nom des Champs-Élysées, si quelque visiteur le prononçait, était accueilli par les mères avec l'air malveillant qu'elles réservent à un médecin réputé auquel elles prétendent avoir vu faire trop de diagnostics erronés pour avoir encore confiance en lui ; on assurait que ce jardin ne réussissait pas aux enfants, qu'on pouvait citer plus d'un mal de gorge, plus d'une rougeole et nombre de fièvres dont il était responsable. Sans mettre ouvertement en doute la tendresse de maman qui continuait à m'y envoyer, certaines de ses amies déploraient du moins son aveuglement.

Les névropathes sont peut-être, malgré l'expression consacrée, ceux qui « s'écoutent » le moins : ils entendent en eux tant de choses dont ils se rendent compte ensuite qu'ils avaient eu tort de s'alarmer, qu'ils finissent par ne plus faire attention à aucune. Leur système nerveux leur a si souvent crié : « Au secours ! » comme pour une grave maladie, quand tout simplement il allait tomber de la neige ou qu'on allait changer d'appartement, qu'ils prennent l'habitude de ne pas plus tenir compte de ces avertissements qu'un soldat, lequel, dans l'ardeur de l'action, les perçoit si peu qu'il est capable, étant mourant, de continuer encore quelques jours à mener la vie d'un homme en bonne santé. Un matin, portant coordonnés en moi mes malaises habituels, de la circulation constante et intestine desquels je tenais toujours mon esprit détourné aussi bien que de celle de mon sang, je courais allégrement vers la salle à manger où mes parents étaient déjà à table, et — m'étant dit comme d'ordinaire qu'avoir froid peut signifier non qu'il faut se chauffer, mais, par exemple, qu'on a été grondé, et ne pas avoir faim, qu'il va pleuvoir et non qu'il ne faut pas manger — je me mettais à table, quand, au moment d'avaler la première bouchée d'une côtelette appétissante, une nausée, un étourdissement m'arrêtèrent, réponse fébrile d'une maladie commencée, dont la glace de mon indifférence avait masqué, retardé les symptômes, mais qui refusait obstinément la nourriture que je n'étais pas en état d'absorber. Alors, dans la même seconde, la pensée que l'on m'empêcherait de sortir si l'on s'apercevait que j'étais malade me donna, comme l'instinct de conservation à un blessé, la force de me traîner jusqu'à ma chambre où je vis que j'avais 40° de fièvre, et ensuite de me préparer pour aller aux Champs-Élysées. À travers le corps languissant et perméable dont elle était enveloppée, ma pensée souriante rejoignait, exigeait le plaisir si doux d'une partie de barres avec Gilberte, et une heure plus tard, me soutenant à peine, mais heureux à côté d'elle, j'avais la force de le goûter encore.

Françoise, au retour, déclara que je m'étais « trouvé indisposé », que j'avais dû prendre un « chaud et froid », et le docteur, aussitôt appelé, déclara « préférer » la « sévérité », la « virulence » de la poussée fébrile qui accompagnait ma congestion pulmonaire et ne serait « qu'un feu de paille » à des formes plus « insidieuses » et « larvées ». Depuis longtemps déjà j'étais sujet à des étouffements et notre médecin, malgré la désapprobation de ma grand'mère, qui me voyait déjà mourant alcoolique, m'avait conseillé, outre la caféine qui m'était prescrite pour m'aider à respirer, de prendre de la bière, du champagne ou du cognac quand je sentais venir une crise. Celles-ci avorteraient, disait-il, dans l' « euphorie » causée par l'alcool. J'étais souvent obligé pour que ma grand'mère permît qu'on m'en donnât, de ne pas dissimuler, de faire presque montre de mon état de suffocation. D'ailleurs, dès que je le sentais s'approcher, toujours incertain des proportions qu'il prendrait, j'en étais inquiet à cause de la tristesse de ma grand'mère que je craignais beaucoup plus que ma souffrance. Mais en même temps mon corps, soit qu'il fût trop faible pour garder seul le secret de celle-ci, soit qu'il redoutât que dans l'ignorance du mal imminent on exigeât de moi quelque effort qui lui eût été impossible ou dangereux, me donnait le besoin d'avertir ma grand'mère de mes malaises avec une exactitude où je finissais par mettre une sorte de scrupule physiologique. Apercevais-je en moi un symptôme fâcheux que je n'avais pas encore discerné, mon corps était en détresse tant que je ne l'avais pas communiqué à ma grand'mère. Feignait-elle de n'y prêter aucune attention, il me demandait d'insister. Parfois j'allais trop loin; et le visage aimé, qui n'était plus toujours aussi maître de ses émotions qu'autrefois, laissait paraître une expression de pitié, une contraction douloureuse. Alors mon cœur était torturé par la vue de la peine qu'elle avait : comme si mes baisers eussent dû effacer cette peine, comme si ma tendresse eût pu donner à ma grand'mère autant de joie que mon bonheur, je me jetais dans ses bras. Et les scrupules étant d'autre part apaisés par la certitude qu'elle connaissait le malaise ressenti, mon corps ne faisait pas opposition à ce que je la rassurasse. Je protestais que ce malaise n'avait rien de pénible, que je n'étais nullement à plaindre, qu'elle pouvait être certaine que j'étais heureux; mon corps avait voulu obtenir exactement ce qu'il méritait de pitié et, pourvu qu'on sût qu'il avait une douleur en son côté droit, il ne voyait pas d'inconvénient à ce que je déclarasse que cette douleur n'était pas un mal et n'était pas pour moi un obstacle au bonheur, mon corps ne se piquant pas de philosophie; elle n'était pas de son ressort. J'eus presque chaque jour de ces crises d'étouffement pendant ma convalescence. Un soir que ma grand'mère m'avait laissé assez bien, elle rentra dans ma chambre très tard dans la soirée, et s'apercevant que la respiration me manquait : « Oh! mon Dieu, comme tu souffres », s'écria-t-elle, les traits bouleversés. Elle me quitta aussitôt, j'entendis la porte cochère, et elle rentra un peu plus tard avec du cognac qu'elle était allée acheter parce qu'il n'y en avait pas à la maison. Bientôt je commençai à me sentir heureux. Ma grand'mère, un peu rouge, avait l'air gêné, et ses yeux, une expression de lassitude et de découragement.

— J'aime mieux te laisser et que tu profites un peu de ce mieux, me dit-elle, en me quittant brusquement. Je l'embrassai pourtant et je sentis sur ses joues fraîches quelque chose de mouillé dont je ne sus pas si c'était l'humidité de l'air nocturne qu'elle venait de traverser. Le lendemain, elle ne vint que le soir dans ma chambre parce qu'elle avait eu, me dit-on, à sortir. Je trouvai que c'était montrer bien de l'indifférence pour moi, et je me retins pour ne pas la lui reprocher.

Mes suffocations ayant persisté alors que ma congestion depuis longtemps finie ne les expliquait plus, mes parents firent venir en consultation le professeur Cottard. Il ne suffit pas à un médecin appelé dans des cas de ce genre d'être instruit. Mis en présence de symptômes qui peuvent être ceux de trois ou quatre maladies différentes, c'est en fin de compte son flair, son coup d'œil qui décident à laquelle, malgré les apparences à peu près semblables, il y a chance qu'il ait à faire. Ce don mystérieux n'implique pas de supériorité dans les autres parties de l'intelligence, et un être d'une grande vulgarité, aimant la plus mauvaise peinture, la plus mauvaise musique, n'ayant aucune curiosité d'esprit, peut parfaitement le posséder. Dans mon cas, ce qui était matériellement observable pouvait aussi bien être causé par des spasmes nerveux, par un commencement de tuberculose, par de l'asthme, par une dyspnée toxi-alimentaire avec insuffisance rénale, par de la bronchite chronique, par un état complexe dans lequel seraient entrés plusieurs de ces facteurs. Or les spasmes nerveux demandaient à être traités par le mépris, la tuberculose par de grands soins et par un genre de suralimentation qui eût été mauvais[1] pour un état arthritique comme l'asthme et eût pu devenir dangereux en cas de dyspnée toxi-alimentaire, laquelle exige un régime qui en revanche serait néfaste pour un tuberculeux. Mais les hésitations de Cottard furent courtes et ses prescriptions impérieuses : « Purgatifs violents et drastiques, lait pendant plusieurs jours, rien que du lait. Pas de viande, pas d'alcool. » Ma mère murmura que j'avais pourtant bien besoin d'être reconstitué, que j'étais déjà assez nerveux, que cette purge de cheval et ce régime me mettraient à bas. Je vis aux yeux de Cottard, aussi inquiets que s'il avait peur de manquer le train, qu'il se demandait s'il ne s'était pas laissé aller à sa douceur naturelle. Il tâchait de se rappeler s'il avait pensé à prendre un masque froid, comme on cherche une glace pour regarder si on n'a pas oublié de nouer sa cravate. Dans le doute et pour faire, à tout hasard, compensation, il répondit grossièrement : « Je n'ai pas l'habitude de répéter deux fois mes ordonnances. Donnez-moi une plume. Et surtout au lait. Plus tard, quand nous aurons jugulé les crises et l'agrypnie, je veux bien que vous preniez quelques potages, puis des purées, mais toujours au lait, au lait. Cela vous plaira, puisque l'Espagne est à la mode, ollé! ollé! (Ses élèves connaissaient bien ce calembour qu'il faisait à l'hôpital chaque fois qu'il mettait un cardiaque ou un hépatique au régime lacté.) Ensuite vous reviendrez progressivement à la vie commune. Mais chaque fois que la toux et les étouffements recommenceront, purgatifs, lavages intestinaux, lit, lait. » Il écouta d'un air glacial, sans y répondre, les dernières objections de ma mère, et, comme il nous quitta sans avoir daigné expliquer les raisons de ce régime, mes parents le jugèrent sans rapport avec mon cas, inutilement affaiblissant et ne me le firent pas essayer. Ils cherchèrent naturellement à cacher au professeur leur désobéissance, et pour y réussir plus sûrement, évitèrent toutes les maisons où ils auraient pu le rencontrer. Puis, mon état s'aggravant, on se décida à me faire suivre à la lettre les prescriptions de Cottard; au bout de trois jours je n'avais plus de râles, plus de toux et je respirais bien. Alors nous comprîmes que Cottard, tout en me trouvant, comme il le dit dans la suite, assez asthmatique et surtout « toqué », avait discerné que ce qui prédominait à ce moment-là en moi, c'était l'intoxication, et qu'en faisant couler mon foie et en lavant mes reins, il décongestionnerait mes bronches, me rendrait le souffle, le sommeil, les forces. Et nous comprîmes que cet imbécile était un grand clinicien. Je pus enfin me lever. Mais on parlait de ne plus m'envoyer aux Champs-Élysées. On disait que c'était à cause du mauvais air; je pensais bien qu'on profitait du prétexte pour que je ne pusse plus voir Mlle Swann et je me contraignais à redire tout le temps le nom de Gilberte, comme ce langage natal que les vaincus s'efforcent de maintenir pour ne pas oublier la patrie qu'ils ne reverront pas. Quelquefois ma mère passait sa main sur mon front en me disant :

— Alors, les petits garçons ne racontent plus à leur maman les chagrins qu'ils ont?

Françoise s'approchait tous les jours de moi en me disant : « Monsieur a une mine! Vous ne vous êtes pas regardé, on dirait un mort! » Il est vrai que si j'avais eu un simple rhume, Françoise eût pris le même air funèbre. Ces déplorations tenaient plus à sa « classe » qu'à mon état de santé. Je ne démêlais pas alors si ce pessimisme était chez Françoise douloureux ou satisfait. Je conclus provisoirement qu'il était social et professionnel.

Un jour, à l'heure du courrier, ma mère posa sur mon lit une lettre. Je l'ouvris distraitement puisqu'elle ne pouvait pas porter la seule signature qui m'eût rendu heureux, celle de Gilberte avec qui je n'avais pas de relations en dehors des Champs-Élysées. Or, au bas du papier, timbré d'un sceau d'argent représentant un chevalier casqué sous lequel se contournait cette devise : *Per viam rectam,* au-dessous d'une lettre, d'une grande écriture, et où presque toutes les phrases semblaient soulignées, simplement parce que la barre des *t* étant tracée non au travers d'eux, mais au-dessus, mettait un trait sous le mot correspondant de la ligne supérieure, ce fut justement la signature de Gilberte que je vis. Mais parce que je la savais impossible dans une lettre adressée à moi, cette vue, non accompagnée de croyance, ne me causa pas de joie. Pendant un instant elle ne fit que frapper d'irréalité tout ce qui m'entourait. Avec une vitesse vertigineuse, cette signature sans vraisemblance jouait aux quatre coins avec mon lit, ma cheminée, mon mur. Je voyais tout vaciller comme quelqu'un qui tombe de cheval et je me demandais s'il n'y avait pas une existence toute différente de celle que je connaissais, en contradiction avec elle, mais qui serait la vraie, et qui m'étant montrée tout d'un coup me remplissait de cette hésitation que les sculpteurs dépeignant le Jugement dernier ont donnée aux morts réveillés qui se trouvent au seuil de l'autre Monde. « Mon cher ami, disait la lettre, j'ai appris que vous aviez été très souffrant et que vous ne veniez plus aux Champs-Élysées. Moi je n'y vais guère non plus parce qu'il y a énormément de malades. Mais mes amies viennent goûter tous les lundis et vendredis à la maison. Maman me charge de vous dire que vous nous feriez très grand plaisir en venant aussi dès que vous serez rétabli, et nous pourrions reprendre à la maison nos bonnes causeries des Champs-Élysées. Adieu, mon cher ami, j'espère que vos parents vous permettront de venir très souvent goûter, et je vous envoie toutes mes amitiés. Gilberte. »

Tandis que je lisais ces mots, mon système nerveux recevait avec une diligence admirable la nouvelle qu'il m'arrivait un grand bonheur. Mais mon âme, c'est-à-dire moi-même, et en somme le principal intéressé, l'ignorait encore. Le bonheur, le bonheur par Gilberte, c'était une chose à laquelle j'avais constamment songé, une chose toute en pensées, c'était, comme disait Léonard de la peinture, *cosa mentale*. Une feuille de papier couverte de caractères, la pensée ne s'assimile pas cela tout de suite. Mais dès que j'eus terminé la lettre, je pensai à elle, elle devint un objet de rêverie, elle devint, elle aussi, *cosa mentale* et je l'aimais déjà tant que toutes les cinq minutes il me fallait la relire, l'embrasser. Alors, je connus mon bonheur.

La vie est semée de ces miracles que peuvent toujours espérer les personnes qui aiment. Il est possible que celui-ci eût été provoqué artificiellement par ma mère qui, voyant que depuis quelque temps j'avais perdu tout cœur à vivre, avait peut-être fait demander à Gilberte de m'écrire, comme, au temps de mes premiers bains de mer, pour me donner du plaisir à plonger, ce que je détestais parce que cela me coupait la respiration, elle remettait en cachette à mon guide baigneur de merveilleuses boîtes en coquillages et des branches de corail que je croyais trouver moi-même au fond des eaux. D'ailleurs, pour tous les événements qui dans la vie et ses situations contrastées se rapportent à l'amour, le mieux est de ne pas essayer de comprendre, puisque, dans ce qu'ils ont d'inexorable comme d'inespéré, ils semblent régis par des lois plutôt magiques que rationnelles. Quand un multimillionnaire, homme malgré cela charmant, reçoit son congé d'une femme pauvre et sans agrément avec qui il vit, appelle à lui, dans son désespoir, toutes les puissances de l'or et fait jouer toutes les influences de la terre, sans réussir à se faire reprendre, mieux vaut, devant l'invincible entêtement de sa maîtresse, supposer que le Destin veut l'accabler et le faire mourir d'une maladie de cœur plutôt que de chercher une explication logique. Ces obstacles contre lesquels les amants ont à lutter et que leur imagination surexcitée par la souffrance cherche en vain à deviner, résident parfois dans quelque singularité de caractère de la femme qu'ils ne peuvent ramener à eux, dans sa bêtise, dans l'influence qu'ont prise sur elle et les craintes que lui ont suggérées des êtres que l'amant ne connaît pas, dans le genre de plaisirs qu'elle demande momentanément à la vie, plaisirs que son amant, ni la fortune de son amant ne peuvent lui offrir. En tous cas l'amant est mal placé pour connaître la nature des obstacles que la ruse de la femme lui cache et que son propre jugement faussé par l'amour l'empêche d'apprécier exactement. Ils ressemblent à ces tumeurs que le médecin finit par réduire mais sans en avoir connu l'origine. Comme elles ces obstacles restent mystérieux mais sont temporaires. Seulement ils durent généralement plus que l'amour. Et comme celui-ci n'est pas une passion désintéressée, l'amoureux qui n'aime plus ne cherche pas à savoir pourquoi la femme pauvre et légère qu'il aimait, s'est obstinément refusée pendant des années à ce qu'il continuât à l'entretenir.

Or, le même mystère qui dérobe souvent aux yeux la cause des catastrophes, quand il s'agit de l'amour, entoure tout aussi fréquemment la soudaineté de certaines solutions heureuses (telle que celle qui m'était apportée par la lettre de Gilberte). Solutions heureuses ou du moins qui paraissent l'être, car il n'y en a guère qui le soient réellement quand il s'agit d'un sentiment d'une telle sorte que toute satisfaction qu'on lui donne ne fait généralement que déplacer la douleur. Parfois pourtant une trêve est accordée et l'on a pendant quelque temps l'illusion d'être guéri.

En ce qui concerne cette lettre au bas de laquelle Françoise se refusa à reconnaître le nom de Gilberte parce que le G historié, appuyé sur un *i* sans point avait l'air d'un A, tandis que la dernière syllabe était indéfiniment prolongée à l'aide d'un paraphe dentelé, si l'on tient à chercher une explication rationnelle du revirement qu'elle traduisait et qui me rendait si joyeux, peut-être pourra-t-on penser que j'en fus, pour une part, redevable à un incident que j'avais cru au contraire de nature à me perdre à jamais dans l'esprit des Swann. Peu de temps auparavant, Bloch était venu pour me voir, pendant que le professeur Cottard, que depuis que je suivais son régime on avait fait revenir, se trouvait dans ma chambre. La consultation étant finie et Cottard restant seulement en visiteur parce que mes parents l'avaient retenu à dîner, on laissa entrer Bloch. Comme nous étions tous en train de causer, Bloch ayant raconté qu'il avait entendu dire que Mme Swann m'aimait beaucoup, par une personne avec qui il avait dîné la veille et qui elle-même était très liée avec Mme Swann, j'aurais voulu lui répondre qu'il se trompait certainement, et bien établir, par le même scrupule qui me l'avait fait déclarer à M. de Norpois et de peur que Mme Swann me prît pour un menteur, que je ne la connaissais pas et ne lui avais jamais parlé. Mais je n'eus pas le courage de rectifier l'erreur de Bloch, parce que je compris bien qu'elle était volontaire et que, s'il inventait quelque chose que Mme Swann n'avait pas pu dire en effet, c'était pour faire savoir, ce qu'il jugeait flatteur et ce qui n'était pas vrai, qu'il avait dîné à côté d'une des amies de cette dame. Or il arriva que tandis que M. de Norpois, apprenant que je ne connaissais pas et aurais aimé connaître Mme Swann, s'était bien gardé de lui parler de moi, Cottard, qu'elle avait pour médecin, ayant induit de ce qu'il avait entendu dire à Bloch qu'elle me connaissait beaucoup et m'appréciait, pensa que, quand il la verrait, dire que j'étais un charmant garçon avec lequel il était lié ne pourrait en rien être utile pour moi et serait flatteur pour lui, deux raisons qui le décidèrent à parler de moi à Odette dès qu'il en trouva l'occasion.

Alors je connus cet appartement d'où dépassait jusque dans l'escalier le parfum dont se servait Mme Swann, mais qu'embaumait bien plus encore le charme particulier et douloureux qui émanait de la vie de Gilberte. L'implacable concierge, changé en une bienveillante Euménide, prit l'habitude, quand je lui demandais si je pouvais monter, de m'indiquer, en soulevant sa casquette d'une main propice, qu'il exauçait ma prière. Les fenêtres qui du dehors interposaient entre moi et les trésors qui ne m'étaient pas destinés un regard brillant, distant et superficiel qui me semblait le regard même des Swann, il m'arriva, quand à la belle saison j'avais passé tout un après-midi avec Gilberte dans sa chambre, de les ouvrir moi-même pour laisser entrer un peu d'air et même de m'y pencher à côté d'elle, si c'était le jour de réception de sa mère, pour voir arriver les visites qui souvent, levant la tête en descendant de voiture, me faisaient bonjour de la main, me prenant pour quelque neveu de la maîtresse de maison. Les nattes de Gilberte dans ces moments-là touchaient ma joue. Elles me semblaient, en la finesse de leur gramen, à la fois naturel et surnaturel, et la puissance de leurs rinceaux d'art, un ouvrage unique pour lequel on avait utilisé le gazon même du Paradis. À une section même infime d'elles, quel herbier céleste n'eussé-je pas donné comme châsse? Mais n'espérant point obtenir un morceau vrai de ces nattes, si au moins j'avais pu en posséder la photographie, combien plus précieuse que celle de fleurettes dessinées par le Vinci! Pour en avoir une, je fis auprès d'amis des Swann et même de photographes, des bassesses qui ne me procurèrent pas ce que je voulais, mais me lièrent pour toujours avec des gens très ennuyeux.

Les parents de Gilberte, qui si longtemps m'avaient empêché de la voir, maintenant — quand j'entrais dans la sombre antichambre où planait perpétuellement, plus formidable et plus désirée que jadis à Versailles l'apparition du Roi, la possibilité de les rencontrer, et où habituellement, après avoir buté contre un énorme portemanteaux à sept branches comme le Chandelier de l'Écriture, je me confondais en salutations devant un valet de pied assis, dans sa longue jupe grise, sur le coffre à bois et que dans l'obscurité j'avais pris pour Mme Swann — les parents de Gilberte, si l'un d'eux se trouvait passer au moment de mon arrivée, loin d'avoir l'air irrité, me serraient la main en souriant et me disaient :

— Comment allez-vous? (qu'ils prononçaient tous deux « commen allez-vous » sans faire la liaison du *t*, liaison qu'on pense bien qu'une fois rentré à la maison je me faisais un incessant et voluptueux exercice de supprimer). Gilberte sait-elle que vous êtes là? alors je vous quitte.

Bien plus, les goûters eux-mêmes que Gilberte offrait à ses amies et qui si longtemps m'avaient paru la plus infranchissable des séparations accumulées entre elle et moi devenaient maintenant une occasion de nous réunir dont elle m'avertissait par un mot, écrit (parce que j'étais une relation encore assez nouvelle) sur un papier à lettres toujours différent. Une fois il était orné d'un caniche bleu en relief surmontant une légende humoristique écrite en anglais et suivie d'un point d'exclamation, une autre fois timbré d'une ancre marine, ou du chiffre G. S., démesurément allongé en un rectangle qui tenait toute la hauteur de la feuille, ou encore du nom « Gilberte » tantôt tracé en travers dans un coin en caractères dorés qui imitaient la signature de mon amie et finissaient par un paraphe, au-dessous d'un parapluie ouvert imprimé en noir, tantôt enfermé dans un monogramme en forme de chapeau chinois qui en contenait toutes les lettres en majuscules sans qu'il fût possible d'en distinguer une seule. Enfin comme la série des papiers à lettres que Gilberte possédait, pour nombreuse que fût cette série, n'était pas illimitée, au bout d'un certain nombre de semaines, je voyais revenir celui qui portait, comme la première fois qu'elle m'avait écrit, la devise : *Per viam rectam*, au-dessous du chevalier casqué, dans une médaille d'argent bruni. Et chacun était choisi tel jour plutôt que tel autre en vertu de certains rites, pensais-je alors, mais plutôt, je le crois maintenant, parce qu'elle cherchait à se rappeler ceux dont elle s'était servie les autres fois, de façon à ne jamais envoyer le même à un de ses correspondants, au moins de ceux pour qui elle prenait la peine de faire des frais, qu'aux intervalles les plus éloignés possible. Comme à cause de la différence des heures de leurs leçons, certaines des amies que Gilberte invitait à ces goûters étaient obligées de partir comme les autres arrivaient seulement, dès l'escalier j'entendais s'échapper de l'antichambre un murmure de voix qui, dans l'émotion que me causait la cérémonie imposante à laquelle j'allais assister, rompait brusquement, bien avant que j'atteignisse le palier, les liens qui me rattachaient encore à la vie antérieure et m'ôtait[1] jusqu'au souvenir d'avoir à retirer mon foulard une fois que je serais au chaud et de regarder l'heure pour ne pas rentrer en retard. Cet escalier, d'ailleurs, tout en bois, comme on faisait alors dans certaines maisons de rapport de ce style Henri II qui avait été si longtemps l'idéal d'Odette et dont elle devait bientôt se déprendre, et pourvu d'une pancarte sans équivalent chez nous, sur laquelle on lisait ces mots : « Défense de se servir de l'ascenseur pour descendre », me semblait quelque chose de tellement prestigieux que je dis à mes parents que c'était un escalier ancien rapporté de très loin par M. Swann. Mon amour de la vérité était si grand que je n'aurais pas hésité à leur donner ce renseignement même si j'avais su qu'il était faux, car seul il pouvait leur permettre d'avoir pour la dignité de l'escalier des Swann le même respect que moi. C'est ainsi que devant un ignorant qui ne peut comprendre en quoi consiste le génie d'un grand médecin, on croirait bien faire de ne pas avouer qu'il ne sait pas guérir le rhume de cerveau. Mais comme je n'avais aucun esprit d'observation, comme en général je ne savais ni le nom ni l'espèce des choses qui se trouvaient sous mes yeux et comprenais seulement que, quand elles approchaient les Swann, elles devaient être extraordinaires, il ne me parut pas certain qu'en avertissant mes parents de la valeur artistique et de la provenance lointaine de cet escalier, je commisse un mensonge. Cela ne me parut pas certain; mais cela dut me paraître probable, car je me sentis devenir très rouge quand mon père m'interrompit en disant : « Je connais ces maisons-là; j'en ai vu une, elles sont toutes pareilles; Swann occupe simplement plusieurs étages, c'est Berlier qui les a construites. » Il ajouta qu'il avait voulu louer dans l'une d'elles, mais qu'il y avait renoncé, ne les trouvant pas commodes et l'entrée pas assez claire; il le dit; mais je sentis instinctivement que mon esprit devait faire au prestige des Swann et à mon bonheur les sacrifices nécessaires, et par un coup d'autorité intérieure, malgré ce que je venais d'entendre, j'écartai à tout jamais de moi, comme un dévot la *Vie de Jésus* de Renan, la pensée dissolvante que leur appartement était un appartement quelconque que nous aurions pu habiter.

Cependant, ces jours de goûter, m'élevant dans l'escalier marche à marche, déjà dépouillé de ma pensée et de ma mémoire, n'étant plus que le jouet des plus vils réflexes, j'arrivais à la zone où le parfum de Mme Swann se faisait sentir. Je croyais déjà voir la majesté du gâteau au chocolat, entouré d'un cercle d'assiettes à petits fours et de petites serviettes damassées grises à dessins, exigées par l'étiquette et particulières aux Swann. Mais cet ensemble inchangeable et réglé semblait, comme l'univers nécessaire de Kant, suspendu à un acte suprême de liberté. Car quand nous étions tous dans le petit salon de Gilberte, tout d'un coup regardant l'heure elle disait :

— Dites donc, mon déjeuner commence à être loin, je ne dîne qu'à huit heures, j'ai bien envie de manger quelque chose. Qu'en diriez-vous ?

Et elle nous faisait entrer dans la salle à manger, sombre comme l'intérieur d'un Temple asiatique peint par Rembrandt, et où un gâteau architectural, aussi débonnaire et familier qu'il était imposant, semblait trôner là à tout hasard comme un jour quelconque, pour le cas où il aurait pris fantaisie à Gilberte de le découronner de ses créneaux en chocolat et d'abattre ses remparts aux pentes fauves et raides, cuites au four comme les bastions du palais de Darius. Bien mieux, pour procéder à la destruction de la pâtisserie ninivite, Gilberte ne consultait pas seulement sa faim; elle s'informait encore de la mienne, tandis qu'elle extrayait pour moi du monument écroulé tout un pan verni et cloisonné de fruits écarlates, dans le goût oriental. Elle me demandait même l'heure à laquelle mes parents dînaient, comme si je l'avais encore sue, comme si le trouble qui me dominait avait laissé persister la sensation de l'inappétence ou de la faim, la notion du dîner ou l'image de la famille, dans ma mémoire vide et mon estomac paralysé. Malheureusement cette paralysie n'était que momentanée. Les gâteaux que je prenais sans m'en apercevoir, il viendrait un moment où il faudrait les digérer. Mais il était encore lointain. En attendant, Gilberte me faisait « mon thé ». J'en buvais indéfiniment, alors qu'une seule tasse m'empêchait de dormir pour vingt-quatre heures. Aussi ma mère avait-elle l'habitude de dire : « C'est ennuyeux, cet enfant ne peut aller chez les Swann sans rentrer malade. » Mais savais-je seulement, quand j'étais chez les Swann, que c'était du thé que je buvais ? L'eussé-je su que j'en eusse pris tout de même, car en admettant que j'eusse recouvré un instant le discernement du présent, cela ne m'eût pas rendu le souvenir du passé et la prévision de l'avenir. Mon imagination n'était pas capable d'aller jusqu'au temps lointain où je pourrais avoir l'idée de me coucher et le besoin du sommeil.

Les amies de Gilberte n'étaient pas toutes plongées dans cet état d'ivresse où une décision est impossible. Certaines refusaient du thé ! Alors Gilberte disait, phrase très répandue à cette époque : « Décidément, je n'ai pas de succès avec mon thé ! » Et pour effacer davantage l'idée de cérémonie, dérangeant l'ordre des chaises autour de la table : « Nous avons l'air d'une noce ; mon Dieu que les domestiques sont bêtes. »

Elle grignotait, assise de côté sur un siège en forme d'x et placé de travers. Même, comme si elle eût pu avoir tant de petits fours à sa disposition sans avoir demandé la permission à sa mère, quand Mme Swann — dont le « jour » coïncidait d'ordinaire avec les goûters de Gilberte — après avoir reconduit une visite, entrait un moment après, en courant, quelquefois habillée de velours bleu, souvent dans une robe en satin noir couverte de dentelles blanches, elle disait d'un air étonné :

— Tiens, ça a l'air bon ce que vous mangez là, cela me donne faim de vous voir manger du cake.

— Eh bien, maman, nous vous invitons, répondait Gilberte.

— Mais non, mon trésor, qu'est-ce que diraient mes visites, j'ai encore Mme Trombert, Mme Cottard et Mme Bontemps, tu sais que chère Mme Bontemps ne fait pas des visites très courtes et elle vient seulement d'arriver. Qu'est-ce qu'ils diraient toutes ces bonnes gens de ne pas me voir revenir ? S'il ne vient plus personne, je reviendrai bavarder avec vous (ce qui m'amusera beaucoup plus) quand elles seront parties. Je crois que je mérite d'être un peu tranquille, j'ai eu quarante-cinq visites et sur quarante-cinq il y en a eu quarante-deux qui ont parlé du tableau de Gérôme ! Mais venez donc un de ces jours, me disait-elle, prendre *votre* thé avec Gilberte, elle vous le fera comme vous l'aimez, comme vous le prenez dans votre petit « studio », ajoutait-elle, tout en s'enfuyant vers ses visites et comme si ç'avait été quelque chose d'aussi connu de moi que mes habitudes (fût-ce celle que j'aurais eue de prendre le thé, si j'en avais jamais pris ; quant à un « studio » j'étais incertain si j'en avais un ou non) que j'étais venu chercher dans ce monde mystérieux. « Quand viendrez-vous ? Demain ? On vous fera des toasts aussi bons que chez Colombin. Non ? Vous êtes un vilain », disait-elle, car depuis qu'elle aussi commençait à avoir un salon, elle prenait les façons de Mme Verdurin, son ton de despotisme minaudier. Les toasts m'étant d'ailleurs aussi inconnus que Colombin, cette dernière promesse n'aurait pu ajouter à ma tentation. Il semblera plus étrange, puisque tout le monde parle ainsi et peut-être même maintenant à Combray, que je n'eusse pas à la première minute compris de qui voulait parler Mme Swann, quand je l'entendis me faire l'éloge de notre vieille « nurse ». Je ne savais pas l'anglais, je compris bientôt pourtant que ce mot désignait Françoise. Moi qui, aux Champs-Élysées, avais eu si peur de la fâcheuse impresssion qu'elle devait produire, j'appris par Mme Swann que c'est tout ce que Gilberte lui avait raconté sur ma « nurse » qui leur avait donné à elle et à son mari de la sympathie pour moi. « On sent qu'elle vous est si dévouée, qu'elle est si bien. » (Aussitôt je changeai entièrement d'avis sur Françoise. Par contrecoup, avoir une institutrice pourvue d'un caoutchouc et d'un plumet ne me sembla plus chose si nécessaire.) Enfin je compris, par quelques mots échappés à Mme Swann sur Mme Blatin dont elle reconnaissait la bienveillance mais redoutait les visites, que des relations personnelles avec cette dame ne m'eussent pas été aussi précieuses que j'avais cru et n'eussent amélioré en rien ma situation chez les Swann.

Si j'avais déjà commencé d'explorer avec ces tressaillements de respect et de joie le domaine féerique qui contre toute attente avait ouvert devant moi ses avenues jusque-là fermées, pourtant c'était seulement en tant qu'ami de Gilberte. Le royaume dans lequel j'étais accueilli était contenu lui-même dans un plus mystérieux encore où Swann et sa femme menaient leur vie surnaturelle, et vers lequel ils se dirigeaient après m'avoir serré la main quand ils traversaient en même temps que moi, en sens inverse, l'antichambre. Mais bientôt je pénétrai aussi au cœur du Sanctuaire. Par exemple, Gilberte n'était pas là, M. ou Mme Swann se trouvait à la maison. Ils avaient demandé qui avait sonné, et apprenant que c'était moi, m'avaient fait prier d'entrer un instant auprès d'eux, désirant que j'usasse dans tel ou tel sens, pour une chose ou pour une autre, de mon influence sur leur fille. Je me rappelais cette lettre si complète, si persuasive, que j'avais naguère écrite à Swann et à laquelle il n'avait même pas daigné répondre. J'admirais l'impuissance de l'esprit, du raisonnement et du cœur à opérer la moindre conversion, à résoudre une seule de ces difficultés qu'ensuite la vie, sans qu'on sache seulement comment elle s'y est prise, dénoue si aisément. Ma position nouvelle d'ami de Gilberte, doué sur elle d'une excellente influence, me faisait maintenant bénéficier de la même faveur que si, ayant eu pour camarade, dans un collège où on m'eût classé toujours premier, le fils d'un roi, j'avais dû à ce hasard mes petites entrées au Palais et des audiences dans la salle du Trône; Swann, avec une bienveillance infinie et comme s'il n'avait pas été surchargé d'occupations glorieuses, me faisait entrer dans sa bibliothèque et m'y laissait pendant une heure répondre par des balbutiements, des silences de timidité coupés de brefs et incohérents élans de courage, à des propos dont mon émoi m'empêchait de comprendre un seul mot; il me montrait des objets d'art et des livres qu'il jugeait susceptibles de m'intéresser et dont je ne doutais pas d'avance qu'ils ne passassent infiniment en beauté tous ceux que possèdent le Louvre et la Bibliothèque Nationale, mais qu'il m'était impossible de regarder. À ces moments-là son maître d'hôtel m'aurait fait plaisir en me demandant de lui donner ma montre, mon épingle de cravate, mes bottines et de signer un acte qui le reconnaissait pour mon héritier : selon la belle expression populaire dont, comme pour les plus célèbres épopées, on ne connaît pas l'auteur, mais qui comme elles et contrairement à la théorie de Wolf en a eu certainement un (un de ces esprits inventifs et modestes ainsi qu'il s'en rencontre chaque année, lesquels font des trouvailles telles que « mettre un nom sur une figure », mais leur nom à eux, ils ne le font pas connaître), *je ne savais plus ce que je faisais*. Tout au plus m'étonnais-je, quand la visite se prolongeait, à quel néant de réalisation, à quelle absence de conclusion heureuse, conduisaient ces heures vécues dans la demeure enchantée. Mais ma déception ne tenait ni à l'insuffisance des chefs-d'œuvre montrés, ni à l'impossibilité d'arrêter sur eux un regard distrait. Car ce n'était pas la beauté intrinsèque des choses qui me rendait miraculeux d'être dans le cabinet de Swann, c'était l'adhérence à ces choses — qui eussent pu être les plus laides du monde — du sentiment particulier, triste et voluptueux que j'y localisais depuis tant d'années et qui l'imprégnait encore; de même la multitude des miroirs, des brosses d'argent, des autels à saint Antoine de Padoue sculptés et peints par les plus grands artistes, ses amis, n'étaient pour rien dans le sentiment de mon indignité et de sa bienveillance royale qui m'était inspiré[1] quand Mme Swann me recevait un moment dans sa chambre où trois belles et imposantes créatures, sa première, sa deuxième et sa troisième femme de chambre préparaient en souriant des toilettes merveilleuses, et vers laquelle, sur l'ordre proféré par le valet de pied en culotte courte que Madame désirait me dire un mot, je me dirigeais par le sentier sinueux d'un couloir tout embaumé à distance des essences précieuses qui exhalaient sans cesse du cabinet de toilette leurs effluves odoriférants[2].

Quand Mme Swann était retournée auprès de ses visites, nous l'entendions encore parler et rire, car même devant deux personnes et comme si elle avait eu à tenir tête à tous les « camarades », elle élevait la voix, lançait les mots, comme elle avait si souvent, dans le petit clan, entendu faire à la « patronne », dans les moments où celle-ci « dirigeait la conversation ». Les expressions que nous avons récemment empruntées aux autres étant celles, au moins pendant un temps, dont nous aimons le plus à nous servir, Mme Swann choisissait tantôt celles qu'elle avait apprises de gens distingués que son mari n'avait pu éviter de lui faire connaître (c'est d'eux qu'elle tenait le maniérisme qui consiste à supprimer l'article ou le pronom démonstratif devant un adjectif qualifiant une personne), tantôt de plus vulgaires (par exemple : « C'est un rien! » mot favori d'une de ses amies) et cherchait à les placer dans toutes les histoires que, selon une habitude prise dans le « petit clan », elle aimait à raconter. Elle disait volontiers ensuite : « J'aime beaucoup cette histoire », « ah! avouez, c'est une bien *belle* histoire! »; ce qui lui venait, par son mari, des Guermantes qu'elle ne connaissait pas.

Mme Swann avait quitté la salle à manger, mais son mari qui venait de rentrer faisait à son tour une apparition auprès de nous. — Sais-tu si ta mère est seule, Gilberte? — Non, elle a encore du monde, papa. — Comment, encore? à sept heures! C'est effrayant. La pauvre femme doit être brisée. C'est odieux. (À la maison j'avais toujours entendu, dans *odieux,* prononcer l'*o* long audieux —, mais M. et Mme Swann disaient odieux, en faisant l'*o* bref.) Pensez, depuis deux heures de l'après-midi! reprenait-il en se tournant vers moi. Et Camille me disait qu'entre quatre et cinq heures, il est bien venu douze personnes. Qu'est-ce que je dis douze, je crois qu'il m'a dit quatorze. Non, douze; enfin je ne sais plus. Quand je suis rentré, je ne songeais pas que c'était son jour et, en voyant toutes ces voitures devant la porte, je croyais qu'il y avait un mariage dans la maison. Et depuis un moment que je suis dans ma bibliothèque, les coups de sonnette n'ont pas arrêté; ma parole d'honneur, j'en ai mal à la tête. Et il y a encore beaucoup de monde près d'elle? — Non, deux visites seulement. — Sais-tu qui? — Mme Cottard et Mme Bontemps. — Ah! la femme du chef de cabinet du ministre des Travaux publics. — J'sais que son mari est employé dans un ministère, mais j'sais pas au juste comme quoi, disait Gilberte en faisant l'enfant.

— Comment, petite sotte, tu parles comme si tu avais deux ans. Qu'est-ce que tu dis : employé dans un ministère? Il est tout simplement chef de cabinet, chef de toute la boutique, et encore, où ai-je la tête, ma parole, je suis aussi distrait que toi, il n'est pas chef de cabinet, il est *directeur* du cabinet.

— J'sais pas, moi; alors c'est beaucoup d'être le directeur du cabinet? répondait Gilberte qui ne perdait jamais une occasion de manifester de l'indifférence pour tout ce qui donnait de la vanité à ses parents (elle pouvait d'ailleurs penser qu'elle ne faisait qu'ajouter à une relation aussi éclatante, en n'ayant pas l'air d'y attacher trop d'importance).

— Comment, si c'est beaucoup! s'écriait Swann qui préférait à cette modestie qui eût pu me laisser dans le doute, un langage plus explicite. Mais c'est simplement le premier après le ministre! C'est même plus que le ministre, car c'est lui qui fait tout. Il paraît du reste que c'est une capacité, un homme de premier ordre, un individu tout à fait distingué. Il est officier de la Légion d'honneur. C'est un homme délicieux, même fort joli garçon.

Sa femme d'ailleurs l'avait épousé envers et contre tous parce que c'était un « être de charme ». Il avait, ce qui peut suffire à constituer un ensemble rare et délicat, une barbe blonde et soyeuse, de jolis traits, une voix nasale, l'haleine forte et un œil de verre.

— Je vous dirai, ajoutait-il en s'adressant à moi, que je m'amuse beaucoup de voir ces gens-là dans le gouvernement actuel, parce que ce sont les Bontemps, de la maison Bontemps-Chenut, le type de la bourgeoisie réactionnaire, cléricale, à idées étroites. Votre pauvre grand-père a bien connu, au moins de réputation et de vue, le vieux père Chenut qui ne donnait qu'un sou de pourboire aux cochers bien qu'il fût riche pour l'époque, et le baron Bréau-Chenut. Toute la fortune a sombré dans le krach de l'Union Générale, vous êtes trop jeune pour avoir connu ça, et dame on s'est refait comme on a pu.

— C'est l'oncle d'une petite qui venait à mon cours, dans une classe bien au-dessous de moi, la fameuse « Albertine ». Elle sera sûrement très « fast », mais en attendant elle a une drôle de touche.

— Elle est étonnante ma fille, elle connaît tout le monde.

— Je ne la connais pas. Je la voyais seulement passer, on criait Albertine par-ci, Albertine par-là. Mais je connais Mme Bontemps, et elle ne me plaît pas non plus.

— Tu as le plus grand tort, elle est charmante, jolie,

intelligente. Elle est même spirituelle. Je vais aller lui dire bonjour, lui demander si son mari croit que nous allons avoir la guerre, et si on peut compter sur le roi Théodose. Il doit savoir cela, n'est-ce pas, lui qui est dans le secret des dieux?

Ce n'est pas ainsi que Swann parlait autrefois; mais qui n'a vu des princesses royales fort simples, si dix ans plus tard elles se sont fait enlever par un valet de chambre et qu'elles cherchent à revoir du monde et sentent qu'on ne vient pas volontiers chez elles, prendre spontanément le langage des vieilles raseuses et, quand on cite une duchesse à la mode, ne les a entendues dire : « Elle était hier chez moi », et : « Je vis très à l'écart »? Aussi est-il inutile d'observer les mœurs, puisqu'on peut les déduire des lois psychologiques.

Les Swann participaient à ce travers des gens chez qui peu de monde va; la visite, l'invitation, une simple parole aimable de personnes un peu marquantes étaient pour eux un événement auquel ils souhaitaient de donner de la publicité. Si la mauvaise chance voulait que les Verdurin fussent à Londres quand Odette avait eu un dîner un peu brillant, on s'arrangeait pour que par quelque ami commun la nouvelle leur en fût câblée outre-Manche. Il n'est pas jusqu'aux lettres, aux télégrammes flatteurs reçus par Odette, que les Swann ne fussent incapables de garder pour eux. On en parlait aux amis, on les faisait passer de mains en mains. Le salon des Swann ressemblait ainsi à ces hôtels de villes d'eaux où on affiche les dépêches.

Du reste, les personnes qui n'avaient pas seulement connu l'ancien Swann en dehors du monde, comme j'avais fait, mais dans le monde, dans ce milieu Guermantes où, en exceptant les Altesses et les Duchesses, on était d'une exigence infinie pour l'esprit et le charme, où on prononçait l'exclusive pour des hommes éminents qu'on trouvait ennuyeux ou vulgaires, ces personnes-là auraient pu s'étonner en constatant que l'ancien Swann avait cessé d'être non seulement discret quand il parlait de ses relations, mais difficile quand il s'agissait de les choisir. Comment Mme Bontemps, si commune, si méchante, ne l'exaspérait-elle pas? Comment pouvait-il la déclarer agréable? Le souvenir du milieu Guermantes aurait dû l'en empêcher, semblait-il; en réalité, il l'y aidait. Il y avait certes chez les Guermantes, à l'encontre des trois quarts des milieux mondains, du goût, un goût raffiné même, mais aussi du snobisme, d'où possibilité d'une interruption momentanée dans l'exercice du goût. S'il s'agissait de quelqu'un qui n'était pas indispensable à cette coterie, d'un ministre des Affaires étrangères, républicain un peu solennel, d'un académicien bavard, le goût s'exerçait à fond contre lui, Swann plaignait Mme de Guermantes d'avoir dîné à côté de pareils convives dans une ambassade et on leur préférait mille fois un homme élégant, c'est-à-dire un homme du milieu Guermantes, bon à rien, mais possédant l'esprit des Guermantes, quelqu'un qui était de la même chapelle. Seulement, une grande-duchesse, une princesse du sang dînait-elle souvent chez Mme de Guermantes, elle se trouvait alors faire partie de cette chapelle elle aussi, sans y avoir aucun droit, sans en posséder en rien l'esprit. Mais avec la naïveté des gens du monde, du moment qu'on la recevait, on s'ingéniait à la trouver agréable, faute de pouvoir se dire que c'est parce qu'on l'avait trouvée agréable qu'on la recevait. Swann, venant au secours de Mme de Guermantes, lui disait quand l'Altesse était partie : « Au fond elle est bonne femme, elle a même un certain sens du comique. Mon Dieu je ne pense pas qu'elle ait approfondi la *Critique de la Raison pure,* mais elle n'est pas déplaisante.

— Je suis absolument de votre avis, répondait la duchesse. Et encore elle était intimidée, mais vous verrez qu'elle peut être charmante. — Elle est bien moins embêtante que Mme XJ (la femme de l'académicien bavard, laquelle était remarquable) qui vous cite vingt volumes. — Mais il n'y a même pas de comparaison possible. » La faculté de dire de telles choses, de les dire sincèrement, Swann l'avait acquise chez la duchesse, et conservée. Il en usait maintenant à l'égard des gens qu'il recevait. Il s'efforçait à discerner, à aimer en eux les qualités que tout être humain révèle, si on l'examine avec une prévention favorable et non avec le dégoût des délicats; il mettait en valeur les mérites de Mme Bontemps comme autrefois ceux de la princesse de Parme, laquelle eût dû être exclue du milieu Guermantes, s'il n'y avait pas eu entrée de faveur pour certaines Altesses et si, même quand il s'agissait d'elles, on n'eût vraiment considéré que l'esprit et un certain charme. On a vu d'ailleurs autrefois que Swann avait le goût (dont il faisait maintenant une application seulement plus durable) d'échanger sa situation mondaine contre une autre qui dans certaines circonstances lui convenait mieux. Il n'y a que les gens incapables de décomposer, dans leur perception, ce qui au premier abord paraît indivisible, qui croient que la situation fait corps avec la personne. Un même être, pris à des moments successifs de sa vie, baigne à différents degrés de l'échelle sociale dans des milieux qui ne sont pas forcément de plus en plus élevés; et chaque fois que dans une période autre de l'existence, nous nouons, ou renouons, des liens avec un certain milieu, que nous nous y sentons choyés, nous commençons tout naturellement à nous y attacher en y poussant d'humaines racines.

Pour ce qui concerne Mme Bontemps, je crois aussi que Swann en parlant d'elle avec cette insistance n'était pas fâché de penser que mes parents apprendraient qu'elle venait voir sa femme. À vrai dire, à la maison, le nom des personnes que celle-ci arrivait peu à peu à connaître piquait plus la curiosité qu'il n'excitait d'admiration. Au nom de Mme Trombert, ma mère disait :

— Ah! mais voilà une nouvelle recrue et qui lui en amènera d'autres.

Et comme si elle eût comparé la façon un peu sommaire, rapide et violente dont Mme Swann conquérait ses relations à une guerre coloniale, maman ajoutait :

— Maintenant que les Trombert sont soumis, les tribus voisines ne tarderont pas à se rendre.

Quand elle croisait dans la rue Mme Swann, elle nous disait en rentrant :

— J'ai aperçu Mme Swann sur son pied de guerre, elle devait partir pour quelque offensive fructueuse chez les Masséchutos, les Cynghalais ou les Trombert.

Et toutes les personnes nouvelles que je lui disais avoir vues dans ce milieu un peu composite et artificiel où elles avaient souvent été amenées assez difficilement et de mondes assez différents, elle en devinait tout de suite l'origine et parlait d'elles comme elle aurait fait de trophées chèrement achetés; elle disait :

— Rapporté d'une Expédition chez les un Tel.

Pour Mme Cottard, mon père s'étonnait que Mme Swann pût trouver quelque avantage à attirer cette bourgeoise peu élégante et disait : « Malgré la situation du professeur, j'avoue que je ne comprends pas. » Ma mère, elle, au contraire, comprenait très bien; elle savait qu'une grande partie des plaisirs qu'une femme trouve à pénétrer dans un milieu différent de celui où elle vivait autrefois lui manquerait si elle ne pouvait informer ses anciennes relations de celles, relativement plus brillantes, par lesquelles elle les a remplacées. Pour cela il faut un témoin qu'on laisse pénétrer dans ce monde nouveau et délicieux, comme dans une fleur un insecte bourdonnant et volage, qui ensuite, au hasard de ses visites, répandra, on l'espère du moins, la nouvelle, le germe dérobé d'envie et d'admiration. Mme Cottard toute trouvée pour remplir ce rôle rentrait dans cette catégorie spéciale d'invités que maman, qui avait certains côtés de la tournure d'esprit de son père, appelait des : « Étranger, va dire à Sparte! » D'ailleurs — en dehors d'une autre raison qu'on ne sut que bien des années après — Mme Swann, en conviant à ses « jours » cette amie bienveillante, réservée et modeste, n'avait pas à craindre d'introduire chez soi un traître ou une concurrente[1]. Elle savait le nombre énorme de calices bourgeois que pouvait, quand elle était armée de l'aigrette et du porte-cartes, visiter en un seul après-midi cette active ouvrière. Elle en connaissait le pouvoir de dissémination et, en se basant sur le calcul des probabilités, était fondée à penser que, très vraisemblablement, tel habitué des Verdurin apprendrait dès le surlendemain que le gouverneur de Paris avait mis des cartes chez elle, ou que M. Verdurin lui-même entendrait raconter que M. Le Hault de Pressagny, président du Concours hippique, les avait emmenés, elle et Swann, au gala du roi Théodose; elle ne supposait les Verdurin informés que de ces deux événements flatteurs pour elle, parce que les matérialisations particulières sous lesquelles nous nous représentons et nous poursuivons la gloire sont peu nombreuses par le défaut de notre esprit, qui n'est pas capable d'imaginer à la fois toutes les formes que nous espérons bien d'ailleurs — en gros — que, simultanément, elle ne manquera pas de revêtir pour nous.

D'ailleurs, Mme Swann n'avait obtenu de résultats que dans ce qu'on appelait le « monde officiel ». Les femmes élégantes n'allaient pas chez elle. Ce n'était pas la présence de notabilités républicaines qui les avait fait fuir. Au temps de ma petite enfance, tout ce qui appartenait à la société conservatrice était mondain, et dans un salon bien posé on n'eût pas pu recevoir un républicain. Les personnes qui vivaient dans un tel milieu s'imaginaient que l'impossibilité de jamais inviter un « opportuniste », à plus forte raison un affreux « radical », était une chose qui durerait toujours, comme les lampes à huile et les omnibus à chevaux. Mais pareille aux kaléidoscopes qui tournent de temps en temps, la société place successivement de façon différente des éléments qu'on avait crus immuables et compose une autre figure. Je n'avais pas encore fait ma première communion, que des dames bien pensantes avaient la stupéfaction de rencontrer en visite une Juive élégante. Ces dispositions nouvelles du kaléidoscope sont produites par ce qu'un philosophe appellerait un changement de critère. L'affaire Dreyfus en amena un nouveau, à une époque un peu postérieure à celle où je commençais à aller chez Mme Swann, et le kaléidoscope renversa une fois de plus ses petits losanges colorés. Tout ce qui était juif passa en bas, fût-ce la dame élégante, et des nationalistes obscurs montèrent prendre sa place. Le salon le plus brillant de Paris fut celui d'un prince autrichien et ultra-catholique. Qu'au lieu de l'affaire Dreyfus il fût survenu une guerre avec l'Allemagne, le tour du kaléidoscope se fût produit dans un autre sens. Les Juifs ayant, à l'étonnement général, montré qu'ils étaient patriotes, auraient gardé leur situation, et personne n'aurait plus voulu aller ni même avouer être jamais allé chez le prince autrichien. Cela n'empêche pas que chaque fois que la société est momentanément immobile, ceux qui y vivent s'imaginent qu'aucun changement n'aura plus lieu, de même qu'ayant vu commencer le téléphone, ils ne veulent pas croire à l'aéroplane. Cependant, les philosophes du journalisme flétrissent la période précédente, non seulement le genre de plaisirs que l'on y prenait et qui leur semble le dernier mot de la corruption, mais même les œuvres des artistes et des philosophes qui n'ont plus à leurs yeux aucune valeur, comme si elles étaient reliées indissolublement aux modalités successives de la frivolité mondaine. La seule chose qui ne change pas est qu'il semble chaque fois qu'il y ait « quelque chose de changé en France ». Au moment où j'allai chez Mme Swann, l'affaire Dreyfus n'avait pas encore éclaté, et certains grands Juifs étaient fort puissants. Aucun ne l'était plus que sir Rufus Israels dont la femme, lady Israels, était la[1] tante de Swann. Elle n'avait pas personnellement des intimités aussi élégantes que son neveu qui, d'autre part, ne l'aimant pas, ne l'avait jamais beaucoup cultivée, quoiqu'il dût vraisemblablement être son héritier. Mais c'était la seule des parentes de Swann qui eût conscience de la situation mondaine de celui-ci, les autres étant toujours restées à cet égard dans la même ignorance qui avait été longtemps la nôtre. Quand, dans une famille, un des membres émigre dans la haute société — ce qui lui semble à lui un phénomène unique, mais ce qu'à dix ans de distance il constate avoir été accompli d'une autre façon et pour des raisons différentes par plus d'un jeune homme avec qui il avait été élevé — il décrit autour de lui une zone d'ombre, une *terra incognita,* fort visible en ses moindres nuances pour tous ceux qui l'habitent, mais qui n'est que nuit, pur néant[2] pour ceux qui n'y pénètrent pas et la côtoient sans en soupçonner, tout près d'eux, l'existence. Aucune Agence Havas n'ayant renseigné les cousines de Swann sur les gens qu'il fréquentait, c'est (avant son horrible mariage, bien entendu) avec des sourires de condescendance qu'on se racontait dans les dîners de famille qu'on avait « vertueusement » employé son dimanche à aller voir le « cousin Charles » que, le croyant un peu envieux et parent pauvre, on appelait spirituellement, en jouant sur le titre du roman de Balzac : « Le Cousin Bête[3] ». Lady Rufus Israels, elle, savait à merveille qui étaient ces gens qui prodiguaient à Swann une amitié dont elle était jalouse. La famille de son mari, qui était à peu près l'équivalent des Rothschild, faisait depuis plusieurs générations les affaires des princes d'Orléans. Lady Israels, excessivement riche, disposait d'une grande influence et elle l'avait employée à ce qu'aucune personne qu'elle connaissait ne reçût Odette. Une seule avait désobéi, en cachette. C'était la comtesse de Marsantes. Or, le malheur avait voulu qu'Odette étant allée faire visite à Mme de Marsantes, lady Israels était entrée presque en même temps. Mme de Marsantes était sur des épines[4]. Avec la lâcheté des gens qui pourtant pourraient tout se permettre, elle n'adressa pas une fois la parole à Odette qui ne fut pas encouragée à pousser désormais plus loin une incursion dans un monde qui du reste n'était nullement celui où elle eût aimé être reçue. Dans ce complet désintéressement du faubourg Saint-Germain, Odette continuait à être la cocotte illettrée bien différente des bourgeois ferrés sur les moindres points de généalogie et qui trompent dans la lecture des anciens mémoires la soif des relations aristocratiques que la vie réelle ne leur fournit pas. Et Swann, d'autre part, continuait sans doute d'être l'amant à qui toutes ces particularités d'une ancienne maîtresse semblent agréables ou inoffensives, car souvent j'entendis sa femme proférer de vraies hérésies mondaines sans que (par un reste de tendresse, un manque d'estime, ou la paresse de la perfectionner) il cherchât à les corriger. C'était peut-être aussi là une forme de cette simplicité qui nous avait si longtemps trompés à Combray et qui faisait[1] maintenant que, continuant à connaître, au moins pour son compte, des gens très brillants, il ne tenait pas à ce que dans la conversation on eût l'air dans le salon de sa femme de leur trouver quelque importance. Ils en avaient d'ailleurs moins que jamais pour Swann, le centre de gravité de sa vie s'étant déplacé. En tous cas, l'ignorance d'Odette en matière mondaine était telle que, si le nom de la princesse de Guermantes venait dans la conversation après celui de la duchesse, sa cousine : « Tiens, ceux-là sont princes, ils ont donc monté en grade », disait Odette. Si quelqu'un disait : « le prince » en parlant du duc de Chartres, elle rectifiait : « Le duc, il est duc de Chartres et non prince. » Pour le duc d'Orléans, fils du comte de Paris : « C'est drôle, le fils est plus que le père », tout en ajoutant, comme elle était anglomane : « On s'y embrouille dans ces « Royalties »; et à une personne qui lui demandait de quelle province étaient les Guermantes, elle répondit : « de l'Aisne ».

Swann était du reste aveugle, en ce qui concernait Odette, non seulement devant ces lacunes de son éducation, mais aussi devant la médiocrité de son intelligence. Bien plus, chaque fois qu'Odette racontait une histoire bête, Swann écoutait sa femme avec une complaisance, une gaieté, presque une admiration où il devait entrer des restes de volupté; tandis que, dans la même conversation, ce que lui-même pouvait dire de fin, même de profond, était écouté par Odette habituellement sans intérêt, assez vite, avec impatience et quelquefois contredit avec sévérité. Et on conclura que cet asservissement de l'élite à la vulgarité est de règle dans bien des ménages, si l'on pense, inversement, à tant de femmes supérieures qui se laissent charmer par un butor, censeur impitoyable de leurs plus délicates paroles, tandis qu'elles s'extasient, avec l'indulgence infinie de la tendresse, devant ses facéties les plus plates. Pour revenir aux raisons qui empêchèrent à cette époque Odette de pénétrer dans le faubourg Saint-Germain, il faut dire que le plus récent tour du kaléidoscope mondain avait été provoqué par une série de scandales. Des femmes chez qui on allait en toute confiance avaient été reconnues être des filles publiques, des espionnes anglaises. On allait pendant quelque temps demander aux gens, on le croyait du moins, d'être avant tout bien posés, bien assis... Odette représentait exactement tout ce avec quoi on venait de rompre et d'ailleurs immédiatement de renouer (car les hommes, ne changeant pas du jour au lendemain, cherchent dans un nouveau régime la continuation de l'ancien), mais en le cherchant sous une forme différente qui permît d'être dupe et de croire que ce n'était plus la société d'avant la crise. Or, aux dames « brûlées » de cette société Odette ressemblait trop. Les gens du monde sont fort myopes; au moment où ils cessent toutes relations avec des dames israélites qu'ils connaissaient, pendant qu'ils se demandent comment remplacer[1] ce vide, ils aperçoivent, poussée là comme à la faveur d'une nuit d'orage, une dame nouvelle, israélite aussi; mais grâce à sa nouveauté, elle n'est pas associée dans leur esprit, comme les précédentes, avec ce qu'ils croient devoir détester. Elle ne demande pas qu'on respecte son Dieu. On l'adopte. Il ne s'agissait pas d'antisémitisme à l'époque où je commençai d'aller chez Odette. Mais elle était pareille à ce qu'on voulait fuir pour un temps.

Swann, lui, allait souvent faire visite à quelques-unes de ses relations d'autrefois et par conséquent appartenant toutes au plus grand monde. Pourtant, quand il nous parlait des gens qu'il venait d'aller voir, je remarquai qu'entre celles qu'il avait connues jadis le choix qu'il faisait était guidé par cette même sorte de goût, mi-artistique, mi-historique, qui inspirait chez lui le collectionneur. Et remarquant que c'était souvent telle ou telle grande dame déclassée qui l'intéressait parce qu'elle avait été la maîtresse de Liszt ou qu'un roman de Balzac avait été dédié à sa grand'mère (comme il achetait un dessin si Chateaubriand l'avait décrit), j'eus le soupçon que nous avions remplacé à Combray l'erreur de croire Swann un bourgeois n'allant pas dans le monde, par une autre, celle de le croire un des hommes les plus élégants de Paris. Être l'ami du comte de Paris ne signifie rien. Combien y en a-t-il de ces « amis des princes » qui ne seraient pas reçus dans un salon un peu fermé? Les princes se savent princes, ne sont pas snobs et se croient d'ailleurs tellement au-dessus de ce qui n'est pas de leur sang que grands seigneurs et bourgeois leur apparaissent, au-dessous d'eux, presque au même niveau.

Au reste, Swann ne se contentait pas de chercher dans la société telle qu'elle existe et en s'attachant aux noms que le passé y a inscrits et qu'on peut encore y lire, un simple plaisir de lettré et d'artiste, il goûtait un divertissement assez vulgaire à faire comme des bouquets sociaux en groupant des éléments hétérogènes, en réunissant des personnes prises ici et là. Ces expériences de sociologie amusante (ou que Swann trouvait telle) n'avaient pas sur toutes les amies de sa femme — du moins d'une façon constante — une répercussion identique. « J'ai l'intention d'inviter ensemble les Cottard et la duchesse de Vendôme », disait-il en riant à Mme Bontemps, de l'air friand d'un gourmet qui a l'intention et veut faire l'essai de remplacer dans une sauce les clous de girofle par du poivre de Cayenne. Or ce projet qui allait paraître en effet plaisant, dans le sens ancien du mot, aux Cottard, avait le don d'exaspérer Mme Bontemps. Elle avait été récemment présentée par les Swann à la duchesse de Vendôme et avait trouvé cela aussi agréable que naturel. En tirer gloire auprès des Cottard, en le leur racontant, n'avait pas été la partie la moins savoureuse de son plaisir. Mais comme les nouveaux décorés qui, dès qu'ils le sont, voudraient voir se fermer aussitôt le robinet des croix, Mme Bontemps eût souhaité qu'après elle, personne de son monde à elle ne fût présenté à la princesse. Elle maudissait intérieurement le goût dépravé de Swann qui lui faisait, pour réaliser une misérable bizarrerie esthétique, dissiper d'un seul coup toute la poudre qu'elle avait jeté aux yeux des Cottard en leur parlant de la duchesse de Vendôme. Comment allait-elle même oser annoncer à son mari que le professeur et sa femme allaient à leur tour avoir leur part de ce plaisir qu'elle lui avait vanté comme unique ? Encore si les Cottard avaient pu savoir qu'ils n'étaient pas invités pour de bon, mais pour l'amusement ! Il est vrai que les Bontemps l'avaient été de même, mais Swann ayant pris à l'aristocratie cet éternel donjuanisme qui, entre deux femmes de rien, fait croire à chacune que ce n'est qu'elle qu'on aime sérieusement, avait parlé à Mme Bontemps de la duchesse de Vendôme comme d'une personne avec qui il était tout indiqué qu'elle dînât. « Oui, nous comptons inviter la princesse avec les Cottard, dit quelques semaines plus tard Mme Swann, mon mari croit que cette conjonction pourra donner quelque chose d'amusant », car si elle avait gardé du « petit noyau » certaines habitudes chères à Mme Verdurin, comme de crier très fort pour être entendue de tous les fidèles, en revanche, elle employait certaines expressions — comme « conjonction » — chères au milieu Guermantes duquel elle subissait ainsi à distance et à son insu, comme la mer le fait pour la lune, l'attraction, sans pourtant se rapprocher sensiblement de lui. « Oui, les Cottard et la duchesse de Vendôme, est-ce que vous ne trouvez pas que cela sera drôle ? » demanda Swann. « Je crois que ça marchera très mal et que ça ne vous attirera que des ennuis, il ne faut pas jouer avec le feu », répondit Mme Bontemps, furieuse. Elle et son mari furent, d'ailleurs, ainsi que le prince d'Agrigente, invités à ce dîner, que Mme Bontemps et Cottard eurent deux manières de raconter, selon les personnes à qui ils s'adressaient. Aux uns, Mme Bontemps de son côté, Cottard du sien, disaient négligemment quand on leur demandait qui il y avait d'autre au dîner : « Il n'y avait que le prince d'Agrigente, c'était tout à fait intime. » Mais d'autres risquaient d'être mieux informés (même une fois quelqu'un avait dit à Cottard : « Mais est-ce qu'il n'y avait pas aussi les Bontemps ? — Je les oubliais », avait en rougissant répondu Cottard au maladroit qu'il classa désormais dans la catégorie des mauvaises langues). Pour ceux-là les Bontemps et les Cottard adoptèrent chacun, sans s'être consultés, une version dont le cadre était identique et où seuls leurs noms respectifs étaient interchangés. Cottard disait : « Hé bien, il y avait seulement les maîtres de maison, le duc et la duchesse de Vendôme — (en souriant avantageusement) le professeur et Mme Cottard, et, ma foi, du diable si on a jamais su pourquoi, car ils allaient là comme des cheveux sur la soupe, M. et Mme Bontemps. » Mme Bontemps récitait exactement le même morceau, seulement c'était M. et Mme Bontemps qui étaient nommés avec une emphase satisfaite, entre la duchesse de Vendôme et le prince d'Agrigente, et les pelés qu'à la fin elle accusait de s'être invités eux-mêmes et qui faisaient tache, c'était les Cottard.

De ses visites Swann rentrait souvent assez peu de temps avant le dîner. À ce moment de six heures du soir où jadis il se sentait si malheureux, il ne se demandait plus ce qu'Odette pouvait être en train de faire et s'inquiétait peu qu'elle eût du monde chez elle, ou fût sortie. Il se rappelait parfois qu'il avait, bien des années auparavant, essayé un jour de lire à travers l'enveloppe une lettre adressée par Odette à Forcheville. Mais ce souvenir ne lui était pas agréable et, plutôt que d'approfondir la honte qu'il ressentait, il préférait se livrer à une petite grimace du coin de la bouche complétée au besoin d'un hochement de tête qui signifiait : « Qu'est-ce que ça peut me faire ? » Certes, il estimait maintenant que l'hypothèse à laquelle il s'était souvent arrêté jadis et d'après quoi c'étaient les imaginations de sa jalousie qui seules noircissaient la vie, en réalité innocente, d'Odette, que cette hypothèse (en somme bienfaisante puisque, tant qu'avait duré sa maladie amoureuse, elle avait diminué ses souffrances en les lui faisant paraître imaginaires) n'était pas la vraie, que c'était sa jalousie qui avait vu juste, et que si Odette l'avait aimé plus qu'il n'avait cru, elle l'avait aussi trompé davantage. Autrefois, pendant qu'il souffrait tant, il s'était juré que, dès qu'il n'aimerait plus Odette et ne craindrait plus de la fâcher ou de lui faire croire qu'il l'aimait trop, il se donnerait la satisfaction d'élucider avec elle, par simple amour de la vérité et comme un point d'histoire, si oui ou non Forcheville était couché avec elle le jour où il avait sonné et frappé au carreau sans qu'on lui ouvrît, et où elle avait écrit à Forcheville que c'était un oncle à elle qui était venu. Mais le problème si intéressant qu'il attendait seulement la fin de sa jalousie pour tirer au clair, avait précisément perdu tout intérêt aux yeux de Swann, quand il avait cessé d'être jaloux. Pas immédiatement pourtant.

Il n'éprouvait déjà plus de jalousie à l'égard d'Odette, que le jour des coups frappés en vain par lui dans l'après-midi à la porte du petit hôtel de la rue La Pérouse, avait continué à en exciter chez lui. C'était comme si la jalousie, pareille un peu en cela à ces maladies qui semblent avoir leur siège, leur source de contagionnement, moins dans certaines personnes que dans certains lieux, dans certaines maisons, n'avait pas eu tant pour objet Odette elle-même que ce jour, cette heure du passé perdu où Swann avait frappé à toutes les entrées de l'hôtel d'Odette. On aurait dit que ce jour, cette heure avaient seuls fixé quelques dernières parcelles de la personnalité amoureuse que Swann avait eue autrefois et qu'il ne les retrouvait plus que là. Il était depuis longtemps insoucieux qu'Odette l'eût trompé et le trompât encore. Et pourtant il avait continué pendant quelques années à rechercher d'anciens domestiques d'Odette tant avait persisté chez lui la douloureuse curiosité de savoir si ce jour-là, tellement ancien, à six heures, Odette était couchée avec Forcheville. Puis cette curiosité elle-même avait disparu, sans pourtant que ses investigations cessassent. Il continuait à tâcher d'apprendre ce qui ne l'intéressait plus, parce que son moi ancien, parvenu à l'extrême décrépitude, agissait encore machinalement, selon des préoccupations abolies au point que Swann ne réussissait même plus à[1] se représenter cette angoisse, si forte pourtant autrefois qu'il ne pouvait se figurer alors qu'il s'en délivrât jamais et que seule la mort de celle qu'il aimait (la mort qui, comme le montrera plus loin, dans ce livre, une cruelle contre-épreuve, ne diminue en rien les souffrances de la jalousie) lui semblait capable d'aplanir pour lui la route, entièrement barrée, de sa vie.

Mais éclaircir un jour les faits de la vie d'Odette auxquels il avait dû ces souffrances n'avait pas été le seul souhait de Swann; il avait mis en réserve aussi celui de se venger d'elles, quand n'aimant plus Odette il ne la craindrait plus; or, d'exaucer ce second souhait, l'occasion se présentait justement, car Swann aimait une autre femme, une femme qui ne lui donnait pas de motifs de jalousie, mais pourtant de la jalousie, parce qu'il n'était plus capable de renouveler sa façon d'aimer et que c'était celle dont il avait usé pour Odette qui lui servait encore pour une autre. Pour que la jalousie de Swann renaquît, il n'était pas nécessaire que cette femme fût infidèle, il suffisait que pour une raison quelconque elle fût loin de lui, à une soirée par exemple, et eût paru s'y amuser. C'était assez pour réveiller en lui l'ancienne angoisse, lamentable et contradictoire excroissance de son amour, et qui éloignait Swann de ce qu'elle était comme un besoin d'atteindre (le sentiment réel que cette jeune femme avait pour lui, le désir caché de ses journées, le secret de son cœur), car entre Swann et celle qu'il aimait cette angoisse interposait un amas réfractaire de soupçons antérieurs, ayant leur cause en Odette, ou en telle autre peut-être qui avait précédé Odette, et qui ne permettaient plus à l'amant vieilli de connaître sa maîtresse d'aujourd'hui qu'à travers le fantôme ancien et collectif de la « femme qui excitait sa jalousie » dans lequel il avait arbitrairement incarné son nouvel amour. Souvent pourtant Swann l'accusait, cette jalousie, de le faire croire à des trahisons imaginaires; mais alors il se rappelait qu'il avait fait bénéficier Odette du même raisonnement, et à tort. Aussi tout ce que la jeune femme qu'il aimait faisait aux heures où il n'était pas avec elle, cessait de lui paraître innocent. Mais alors qu'autrefois, il avait fait le serment, si jamais il cessait d'aimer celle qu'il ne devinait pas devoir être un jour sa femme, de lui manifester implacablement son indifférence, enfin sincère, pour venger son orgueil longtemps humilié, ces représailles qu'il pouvait exercer maintenant sans risques (car que pouvait lui faire d'être pris au mot et privé de ces tête-à-tête avec Odette qui lui étaient jadis si nécessaires ?), ces représailles, il n'y tenait plus; avec l'amour avait disparu le désir de montrer qu'il n'avait plus d'amour. Et lui qui, quand il souffrait par Odette, eût tant désiré de lui laisser voir un jour qu'il était épris d'une autre, maintenant qu'il l'aurait pu, il prenait mille précautions pour que sa femme ne soupçonnât pas ce nouvel amour.

Ce ne fut pas seulement à ces goûters, à cause desquels j'avais eu autrefois la tristesse de voir Gilberte me quitter et rentrer plus tôt, que désormais je pris part, mais les sorties qu'elle faisait avec sa mère, soit pour aller en promenade ou à une matinée, et qui en l'empêchant de venir aux Champs-Élysées m'avaient privé d'elle, les jours où je restais seul le long de la pelouse ou devant les chevaux de bois, ces sorties maintenant M. et Mme Swann m'y admettaient, j'avais une place dans leur landau et même c'était à moi qu'on demandait si j'aimais mieux aller au théâtre, à une leçon de danse chez une camarade de Gilberte, à une réunion mondaine chez une amie de Mme Swann[1] (ce que celle-ci appelait « un petit meeting ») ou visiter les Tombeaux de Saint-Denis.

Ces jours où je devais sortir avec les Swann, je venais chez eux pour le déjeuner, que Mme Swann appelait le lunch; comme on n'était invité que pour midi et demi et qu'à cette époque mes parents déjeunaient à onze heures un quart, c'est après qu'ils étaient sortis de table que je m'acheminais vers ce quartier luxueux, assez solitaire à toute heure, mais particulièrement à celle-là où tout le monde était rentré. Même l'hiver et par la gelée s'il faisait beau, tout en resserrant de temps à autre le nœud d'une magnifique cravate de chez Charvet et en regardant si mes bottines vernies ne se salissaient pas, je me promenais de long en large dans les avenues en attendant midi vingt-sept. J'apercevais de loin dans le jardinet des Swann le soleil qui faisait étinceler comme du givre les arbres dénudés. Il est vrai que ce jardinet n'en possédait que deux. L'heure indue faisait nouveau le spectacle. À ces plaisirs de nature (qu'avivait la suppression de l'habitude, et même la faim), la perspective émotionnante du déjeuner chez Mme Swann se mêlait, elle ne les diminuait pas, mais, les dominant, les asservissait, en faisait des accessoires mondains; de sorte que si, à cette heure où d'ordinaire je ne les percevais pas, il me semblait découvrir le beau temps, le froid, la lumière hivernale, c'était comme une sorte de préface aux œufs à la crème, comme une patine, un rose et frais glacis ajoutés au revêtement de cette chapelle mystérieuse qu'était la demeure de Mme Swann et au cœur de laquelle il y avait au contraire tant de chaleur, de parfums et de fleurs.

À midi et demi, je me décidais enfin à entrer dans cette maison qui, comme un gros soulier de Noël, me semblait devoir m'apporter de surnaturels plaisirs. (Le nom de Noël était du reste inconnu à Mme Swann et à Gilberte qui l'avaient remplacé par celui de Christmas, et ne parlaient que du pudding de Christmas, de ce qu'on leur avait donné pour leur Christmas, de s'absenter — ce qui me rendait fou de douleur — pour Christmas. Même à la maison, je me serais cru déshonoré en parlant de Noël et je ne disais plus que Christmas, ce que mon père trouvait extrêmement ridicule.)

Je ne rencontrais d'abord qu'un valet de pied qui, après m'avoir fait traverser plusieurs grands salons, m'introduisait dans un tout petit, vide, que commençait déjà à faire rêver l'après-midi bleu de ses fenêtres; je restais seul en compagnie d'orchidées, de roses et de violettes qui — pareilles à des personnes qui attendent à côté de vous, mais ne vous connaissent pas — gardaient un silence que leur individualité de choses vivantes rendait plus impressionnant et recevaient frileusement la chaleur d'un feu incandescent de charbon, précieusement posé derrière une vitrine de cristal[1], dans une cuve de marbre blanc où il faisait écrouler de temps à autre ses dangereux rubis.

Je m'étais assis, mais me levais précipitamment en entendant ouvrir la porte; ce n'était qu'un second valet de pied, puis un troisième, et le mince résultat auquel aboutissaient leurs allées et venues inutilement émouvantes était de remettre un peu de charbon dans le feu ou d'eau dans les vases. Ils s'en allaient, je me retrouvais seul, une fois refermée la porte que Mme Swann finirait bien par ouvrir. Et, certes, j'eusse été moins troublé dans un antre magique que dans ce petit salon d'attente où le feu me semblait procéder à des transmutations, comme dans le laboratoire de Klingsor. Un nouveau bruit de pas retentissait, je ne me levais pas, ce devait être encore un valet de pied, c'était M. Swann. « Comment? vous êtes seul? Que voulez-vous, ma pauvre femme n'a jamais pu savoir ce que c'est que l'heure. Une heure moins dix. Tous les jours c'est plus tard. Et vous allez voir, elle arrivera sans se presser en croyant qu'elle est en avance. » Et comme il était resté neuro-arthritique et devenu un peu ridicule, avoir une femme si inexacte qui rentrait tellement tard du Bois, qui s'oubliait chez sa couturière, et n'était jamais à l'heure pour le déjeuner, cela inquiétait Swann pour son estomac, mais le flattait dans son amour-propre.

Il me montrait des acquisitions nouvelles qu'il avait faites et m'en expliquait l'intérêt, mais l'émotion, jointe au manque d'habitude d'être encore à jeun à cette heure-là, tout en agitant mon esprit y faisait le vide, de sorte que, capable de parler, je ne l'étais pas d'entendre. D'ailleurs aux œuvres que possédait Swann, il suffisait pour moi qu'elles fussent situées chez lui, y fissent partie de l'heure délicieuse qui précédait le déjeuner. *La Joconde* se serait trouvée là qu'elle ne m'eût pas fait plus de plaisir qu'une robe de chambre de Mme Swann, ou ses flacons de sels.

Je continuais à attendre, seul, ou avec Swann et souvent Gilberte, qui était venue nous tenir compagnie. L'arrivée de Mme Swann, préparée par tant de majestueuses entrées, me paraissait devoir être quelque chose d'immense. J'épiais chaque craquement. Mais on ne trouve jamais aussi hauts qu'on avait espéré[1] une cathédrale, une vague dans la tempête, le bond d'un danseur; après ces valets de pied en livrée, pareils aux figurants dont le cortège, au théâtre, prépare, et par là même diminue l'apparition finale de la reine, Mme Swann entrant furtivement en petit paletot de loutre, sa voilette baissée sur un nez rougi par le froid, ne tenait pas les promesses prodiguées dans l'attente à mon imagination.

Mais si elle était restée toute la matinée chez elle, quand elle arrivait dans le salon, c'était vêtue d'un peignoir en crêpe de Chine de couleur claire qui me semblait plus élégant que toutes les robes.

Quelquefois les Swann se décidaient à rester à la maison tout l'après-midi. Et alors, comme on avait déjeuné si tard, je voyais bien vite sur le mur du jardinet décliner le soleil de ce jour qui m'avait paru devoir être différent des autres, et les domestiques avaient beau apporter des lampes de toutes les grandeurs et de toutes les formes, brûlant chacune sur l'autel consacré d'une console, d'un guéridon, d'une « encoignure » ou d'une petite table, comme pour la célébration d'un culte inconnu, rien d'extraordinaire ne naissait de la conversation, et je m'en allais déçu, comme on l'est souvent dès l'enfance après la messe de minuit.

Mais ce désappointement-là n'était guère que spirituel. Je rayonnais de joie dans cette maison où Gilberte, quand elle n'était pas encore avec nous, allait entrer, et me donnerait dans un instant, pour des heures, sa parole, son regard attentif et souriant tel que je l'avais vu pour la première fois à Combray. Tout au plus étais-je un peu jaloux en la voyant souvent disparaître dans de grandes chambres auxquelles on accédait par un escalier intérieur.

Obligé de rester au salon, comme l'amoureux d'une actrice qui n'a que son fauteuil à l'orchestre et rêve avec inquiétude de ce qui se passe dans les coulisses, au foyer des artistes, je posai à Swann, au sujet de cette autre partie de la maison, des questions savamment voilées, mais sur un ton duquel je ne parvins pas à bannir quelque anxiété. Il m'expliqua que la pièce où allait Gilberte était la lingerie, s'offrit à me la montrer et me promit que chaque fois que Gilberte aurait à s'y rendre il la forcerait à m'y emmener. Par ces derniers mots et la détente qu'ils me procurèrent, Swann supprima brusquement pour moi une de ces affreuses distances intérieures au terme desquelles une femme que nous aimons nous apparaît si lointaine. À ce moment-là, j'éprouvai pour lui une tendresse que je crus plus profonde que ma tendresse pour Gilberte. Car, maître de sa fille, il me la donnait et elle, elle se refusait parfois; je n'avais pas directement sur elle ce même empire qu'indirectement par Swann. Enfin elle, je l'aimais et ne pouvais par conséquent la voir sans ce trouble, sans ce désir de quelque chose de plus, qui ôte, auprès de l'être qu'on aime, la sensation d'aimer.

Au reste, le plus souvent, nous ne restions pas à la maison, nous allions nous promener. Parfois, avant d'aller s'habiller, Mme Swann se mettait au piano. Ses belles mains, sortant des manches roses, ou blanches, souvent de couleurs très vives, de sa robe de chambre de crêpe de Chine, allongeaient leurs phalanges sur le piano avec cette même mélancolie qui était dans ses yeux et n'était pas dans son cœur. Ce fut un de ces jours-là qu'il lui arriva de me jouer la partie de la Sonate de Vinteuil où se trouve la petite phrase que Swann avait tant aimée. Mais souvent on n'entend rien, si c'est une musique un peu compliquée qu'on écoute pour la première fois. Et pourtant quand plus tard on m'eut joué deux ou trois fois cette Sonate, je me trouvai la connaître parfaitement. Aussi n'a-t-on pas tort de dire « entendre pour la première fois ». Si l'on n'avait vraiment, comme on l'a cru, rien distingué à la première audition, la deuxième, la troisième seraient autant de premières, et il n'y aurait pas de raison pour qu'on comprît quelque chose de plus à la dixième. Probablement ce qui fait défaut, la première fois, ce n'est pas la compréhension, mais la mémoire. Car la nôtre, relativement à la complexité des impressions auxquelles elle a à faire face pendant que nous écoutons, est infime, aussi brève que la mémoire d'un homme qui en dormant pense mille choses qu'il oublie aussitôt, ou d'un homme tombé à moitié en enfance qui ne se rappelle pas la minute d'après ce qu'on vient de lui dire. Ces impressions multiples, la mémoire n'est pas capable de nous en fournir immédiatement le souvenir. Mais celui-ci se forme en elle peu à peu et, à l'égard des œuvres qu'on a entendues deux ou trois fois, on est comme le collégien qui a relu à plusieurs reprises avant de s'endormir une leçon qu'il croyait ne pas savoir et qui la récite par cœur le lendemain matin. Seulement je n'avais encore jusqu'à ce jour rien entendu de cette Sonate, et là où Swann et sa femme voyaient une phrase distincte, celle-ci était aussi loin de ma perception claire qu'un nom qu'on cherche à se rappeler et à la place duquel on ne trouve que du néant, un néant d'où une heure plus tard, sans qu'on y pense, s'élanceront d'elles-mêmes, en un seul bond, les syllabes d'abord vainement sollicitées. Et non seulement on ne retient pas tout de suite les œuvres vraiment rares, mais même au sein de chacune de ces œuvres-là, et cela m'arriva pour la Sonate de Vinteuil, ce sont les parties les moins précieuses qu'on perçoit d'abord. De sorte que je ne me trompais pas seulement en pensant que l'œuvre ne me réservait plus rien (ce qui fit que je restai longtemps sans chercher à l'entendre) du moment que Mme Swann m'en avait joué la phrase la plus fameuse (j'étais aussi stupide en cela que ceux qui n'espèrent plus éprouver de surprise devant Saint-Marc de Venise parce que la photographie leur a appris la forme de ses dômes). Mais bien plus, même quand j'eus écouté la Sonate d'un bout à l'autre, elle me resta presque tout entière invisible, comme un monument dont la distance ou la brume ne laissent apercevoir que de faibles parties. De là, la mélancolie qui s'attache à la connaissance de tels ouvrages, comme de tout ce qui se réalise dans le temps. Quand ce qui est le plus caché dans la Sonate de Vinteuil se découvrit à moi, déjà, entraîné par l'habitude hors des prises de ma sensibilité, ce que j'avais distingué, préféré tout d'abord, commençait à m'échapper, à me fuir. Pour n'avoir pu aimer qu'en des temps successifs tout ce que m'apportait cette Sonate, je ne la possédai jamais tout entière : elle ressemblait à la vie. Mais, moins décevants que la vie, ces grands chefs-d'œuvre ne commencent pas par nous donner ce qu'ils ont de meilleur. Dans la Sonate de Vinteuil, les beautés qu'on découvre le plus tôt sont aussi celles dont on se fatigue le plus vite, et pour la même raison sans doute, qui est qu'elles diffèrent moins de ce qu'on connaissait déjà. Mais quand celles-là se sont éloignées, il nous reste à aimer telle phrase que son ordre, trop nouveau pour offrir à notre esprit rien que confusion, nous avait rendue indiscernable et gardée intacte; alors, elle devant qui nous passions tous les jours sans le savoir et qui s'était réservée, qui par le pouvoir de sa seule beauté était devenue invisible et restée inconnue, elle vient à nous la dernière. Mais nous la quitterons aussi en dernier. Et nous l'aimerons plus longtemps que les autres, parce que nous aurons mis plus longtemps à l'aimer. Ce temps du reste qu'il faut à un individu — comme il me le fallut à moi à l'égard de cette Sonate — pour pénétrer une œuvre un peu profonde, n'est que le raccourci et comme le symbole des années, des siècles parfois, qui s'écoulent avant que le public puisse aimer un chef-d'œuvre vraiment nouveau. Aussi l'homme de génie pour s'épargner les méconnaissances de la foule se dit peut-être que, les contemporains manquant du recul nécessaire, les œuvres écrites pour la postérité ne devraient être lues que par elle, comme certaines peintures qu'on juge mal de trop près. Mais en réalité toute lâche précaution pour éviter les faux jugements est inutile, ils ne sont pas évitables. Ce qui est cause qu'une œuvre de génie est difficilement admirée tout de suite, c'est que celui qui l'a écrite est extraordinaire, que peu de gens lui ressemblent. C'est son œuvre elle-même qui, en fécondant les rares esprits capables de le comprendre, les fera croître et multiplier. Ce sont les quatuors de Beethoven (les quatuors XII, XIII, XIV et XV) qui ont mis cinquante ans à faire naître, à grossir le public des quatuors de Beethoven, réalisant ainsi comme tous les chefs-d'œuvre un progrès sinon dans la valeur des artistes, du moins dans la société des esprits, largement composée aujourd'hui de ce qui était introuvable quand le chef-d'œuvre parut, c'est-à-dire d'êtres capables de l'aimer. Ce qu'on appelle la postérité, c'est la postérité de l'œuvre. Il faut que l'œuvre (en ne tenant pas compte, pour simplifier, des génies qui à la même époque peuvent parallèlement préparer pour l'avenir un public meilleur dont d'autres génies que lui bénéficieront) crée elle-même sa postérité. Si donc l'œuvre était tenue en réserve, n'était connue que de la postérité, celle-ci, pour cette œuvre, ne serait pas la postérité, mais une assemblée de contemporains ayant simplement vécu cinquante ans plus tard. Aussi faut-il que l'artiste — et c'est ce qu'avait fait Vinteuil — s'il veut que son œuvre puisse suivre sa route, la lance, là où il y a assez de profondeur, en plein et lointain avenir. Et pourtant ce temps à venir, vraie perspective des chefs-d'œuvre, si n'en pas tenir compte est l'erreur des mauvais juges, en tenir compte est parfois le dangereux scrupule des bons. Sans doute, il est aisé de s'imaginer, dans une illusion analogue à celle qui uniformise toutes choses à l'horizon, que toutes les révolutions qui ont eu lieu jusqu'ici dans la peinture ou la musique respectaient tout de même certaines règles et que ce qui est immédiatement devant nous, impressionnisme, recherche de la dissonance, emploi exclusif de la gamme chinoise, cubisme, futurisme, diffère outrageusement de ce qui a précédé. C'est que ce qui a précédé, on le considère sans tenir compte qu'une longue assimilation l'a converti pour nous en une matière variée sans doute, mais somme toute homogène, où Hugo voisine avec Molière. Songeons seulement aux choquants disparates que nous présenterait, si nous ne tenions pas compte du temps à venir et des changements qu'il amène, tel horoscope de notre propre âge mûr tiré devant nous durant notre adolescence. Seulement tous les horoscopes ne sont pas vrais, et être obligé pour une œuvre d'art de faire entrer dans le total de sa beauté le facteur du temps mêle à notre jugement quelque chose d'aussi hasardeux et par là d'aussi dénué d'intérêt véritable que toute prophétie dont la non-réalisation n'impliquera nullement la médiocrité d'esprit du prophète, car ce qui appelle à l'existence les possibles ou les en exclut n'est pas forcément de la compétence du génie; on peut en avoir eu et ne pas avoir cru à l'avenir des chemins de fer, ni des avions, ou, tout en étant grand psychologue, à la fausseté d'une maîtresse ou d'un ami, dont de plus médiocres eussent prévu les trahisons.

Si je ne compris pas la Sonate, je fus ravi d'entendre jouer Mme Swann. Son toucher me paraissait, comme son peignoir, comme le parfum de son escalier, comme ses manteaux, comme ses chrysanthèmes, faire partie d'un tout individuel et mystérieux, dans un monde infiniment supérieur à celui où la raison peut analyser le talent. « N'est-ce pas que c'est beau, cette Sonate de Vinteuil ? me dit Swann. Le moment où il fait nuit sous les arbres, où les arpèges du violon font tomber la fraîcheur. Avouez que c'est bien joli ; il y a là tout le côté statique du clair de lune, qui est le côté essentiel. Ce n'est pas extraordinaire qu'une cure de lumière comme celle que suit ma femme agisse sur les muscles, puisque le clair de lune empêche les feuilles de bouger. C'est cela qui est si bien peint dans cette petite phrase, c'est le Bois de Boulogne tombé en catalepsie. Au bord de la mer c'est encore plus frappant, parce qu'il y a les réponses faibles des vagues que naturellement on entend très bien puisque le reste ne peut pas remuer. À Paris c'est le contraire ; c'est tout au plus si on remarque ces lueurs insolites sur les monuments, ce ciel éclairé comme par un incendie sans couleurs et sans danger, cette espèce d'immense fait divers deviné. Mais dans la petite phrase de Vinteuil, et du reste dans toute la Sonate, ce n'est pas cela, cela se passe au Bois, dans le gruppetto on entend distinctement la voix de quelqu'un qui dit : « On pourrait presque lire son journal. » Ces paroles de Swann auraient pu fausser, pour plus tard, ma compréhension de la Sonate, la musique étant trop peu exclusive pour écarter absolument ce qu'on nous suggère d'y trouver. Mais je compris par d'autres propos de lui que ces feuillages nocturnes étaient tout simplement ceux sous l'épaisseur desquels, dans maint restaurant des environs de Paris, il avait entendu, bien des soirs, la petite phrase. Au lieu du sens profond qu'il lui avait si souvent demandé, ce qu'elle rapportait à Swann, c'était ces feuillages rangés, enroulés, peints autour d'elle (et qu'elle lui donnait le désir de revoir parce qu'elle lui semblait leur être intérieure comme une âme), c'était tout un printemps dont il n'avait pu jouir autrefois, n'ayant pas, fiévreux et chagrin comme il était alors, assez de bien-être pour cela, et que (comme on fait, pour un malade, des bonnes choses qu'il n'a pu manger) elle lui avait gardé. Les charmes que lui avaient fait éprouver certaines nuits dans le Bois et sur lesquels la Sonate de Vinteuil pouvait le renseigner, il n'aurait pu à leur sujet interroger Odette qui pourtant l'accompagnait[1] comme la petite phrase. Mais Odette était seulement à côté de lui alors (non en lui comme le motif de Vinteuil), ne voyant donc point — Odette eût-elle été mille fois plus compréhensive — ce qui, pour nul de nous (du moins j'ai cru longtemps que cette règle ne souffrait pas d'exceptions) ne peut s'extérioriser. « C'est au fond assez joli, n'est-ce pas, dit Swann, que le son puisse refléter, comme l'eau, comme une glace. Et remarquez que la phrase de Vinteuil ne me montre que tout ce à quoi je ne faisais pas attention à cette époque. De mes soucis, de mes amours de ce temps-là, elle ne me rappelle plus rien, elle a fait l'échange. — Charles, il me semble que ce n'est pas très aimable pour moi tout ce que vous me dites là. — Pas aimable ! Les femmes sont magnifiques ! Je voulais dire simplement à ce jeune homme que ce que la musique montre — du moins à moi — ce n'est pas du tout la « Volonté en soi » et la « Synthèse de l'infini », mais, par exemple, le père Verdurin en redingote dans le Palmarium du Jardin d'Acclimatation. Mille fois, sans sortir de ce salon, cette petite phrase m'a emmené dîner à Armenonville avec elle. Mon Dieu, c'est toujours moins ennuyeux que d'y aller avec Mme de Cambremer. » Mme Swann se mit à rire : « C'est une dame qui passe pour avoir été très éprise de Charles », m'expliqua-t-elle du même ton dont, un peu avant, en parlant de Ver Meer de Delft, que j'avais été étonné de voir qu'elle connaissait, elle m'avait répondu : « C'est que je vous dirai que Monsieur s'occupait beaucoup de ce peintre-là au moment où il me faisait la cour. N'est-ce pas, mon petit Charles ? — Ne parlez pas à tort et à travers de Mme de Cambremer, dit Swann, dans le fond très flatté. — Mais je ne fais que répéter ce qu'on m'a dit. D'ailleurs il paraît qu'elle est très intelligente, je ne la connais pas. Je la crois très « pushing », ce qui m'étonne d'une femme intelligente. Mais tout le monde dit qu'elle a été folle de vous, cela n'a rien de froissant. » Swann garda un mutisme de sourd, qui était une espèce de confirmation et une preuve de fatuité.

— Puisque ce que je joue vous rappelle le Jardin d'Acclimatation, reprit Mme Swann en faisant par plaisanterie semblant d'être piquée, nous pourrions le prendre tantôt comme but de promenade si ça amuse ce petit. Il fait très beau et vous retrouveriez vos chères impressions. À propos du Jardin d'Acclimatation, vous savez, ce jeune homme croyait que nous aimions beaucoup une personne que je « coupe » au contraire aussi souvent que je peux, Mme Blatin ! Je trouve très humiliant pour nous qu'elle passe pour notre amie. Pensez que le bon docteur Cottard qui ne dit jamais de mal de personne déclare lui-même qu'elle est infecte. — Quelle horreur ! Elle n'a pour elle que de ressembler tellement à Savonarole. C'est exactement le portrait de Savonarole par Fra Bartolomeo. » Cette manie qu'avait Swann de trouver ainsi des ressemblances dans la peinture était défendable, car même ce que nous appelons l'expression individuelle est — comme on s'en rend compte avec tant de tristesse quand on aime et qu'on voudrait croire à la réalité unique de l'individu — quelque chose de général, et a pu se rencontrer à différentes époques. Mais si on avait écouté Swann, les cortèges des rois mages, déjà si anachroniques quand Benozzo Gozzoli y introduisait[1] les Médicis, l'eussent été davantage encore puisqu'ils eussent contenu les portraits d'une foule d'hommes, contemporains non de Gozzoli, mais de Swann, c'est-à-dire postérieurs non plus seulement de quinze siècles à la Nativité, mais de quatre au peintre lui-même. Il n'y avait pas selon Swann, dans ces cortèges, un seul Parisien de marque qui manquât, comme dans cet acte d'une pièce de Sardou où, par amitié pour l'auteur et la principale interprète, par mode aussi, toutes les notabilités parisiennes, de célèbres médecins, des hommes politiques, des avocats, vinrent pour s'amuser, chacun un soir, figurer sur la scène. « Mais quel rapport a-t-elle avec le Jardin d'Acclimatation ? — Tous ! — Quoi, vous croyez qu'elle a un derrière bleu ciel comme les singes ? — Charles, vous êtes d'une inconvenance ! Non, je pensais au mot que lui a dit le Cynghalais. Racontez-le lui, c'est vraiment un « beau mot[2] ». — C'est idiot. Vous savez que Mme Blatin aime à interpeller tout le monde d'un air qu'elle croit aimable et qui est surtout protecteur. — Ce que nos bons voisins de la Tamise appellent *patronizing,* interrompit Odette. — Elle est allée dernièrement au Jardin d'Acclimatation où il y a des noirs, des Cynghalais, je crois, a dit ma femme, qui est beaucoup plus forte en ethnographie que moi. — Allons, Charles, ne vous moquez pas. — Mais je ne me moque nullement. Enfin, elle s'adresse à un de ces noirs : « Bonjour, négro ! » — C'est un rien[1] ! — En tous cas, ce qualificatif ne plut pas au noir : « Moi négro, dit-il avec colère à Mme Blatin, mais toi, chameau ! » — Je trouve cela très drôle ! J'adore cette histoire. N'est-ce pas que c'est « beau » ? On voit bien la mère Blatin : « Moi négro, mais toi chameau ! »

Je manifestai un extrême désir d'aller voir ces Cynghalais dont l'un avait appelé Mme Blatin : chameau. Ils ne m'intéressaient pas du tout. Mais je pensais que pour aller au Jardin d'Acclimatation et en revenir nous traverserions cette allée des Acacias où j'avais tant admiré Mme Swann, et que peut-être le mulâtre ami de Coquelin, à qui je n'avais jamais pu me montrer saluant Mme Swann, me verrait assis à côté d'elle au fond d'une victoria.

Pendant ces minutes où Gilberte, partie se préparer, n'était pas dans le salon avec nous, M. et Mme Swann se plaisaient à me découvrir les rares vertus de leur fille. Et tout ce que j'observais semblait prouver qu'ils disaient vrai ; je remarquais que, comme sa mère me l'avait raconté, elle avait non seulement pour ses amies, mais pour les domestiques, pour les pauvres, des attentions délicates, longuement méditées, un désir de faire plaisir, une peur de mécontenter, se traduisant par de petites choses qui souvent lui donnaient beaucoup de mal. Elle avait fait un ouvrage pour notre marchande des Champs-Élysées et sortit par la neige pour le lui remettre elle-même et sans un jour de retard. « Vous n'avez pas idée de ce qu'est son cœur, car elle le cache », disait son père. Si jeune, elle avait l'air bien plus raisonnable que ses parents. Quand Swann parlait des grandes relations de sa femme, Gilberte détournait la tête et se taisait, mais sans air de blâme, car son père ne lui paraissait pas pouvoir être l'objet de la plus légère critique. Un jour que je lui avais parlé de Mlle Vinteuil, elle me dit :

— Jamais je ne la connaîtrai, pour une raison, c'est qu'elle n'était pas gentille pour son père, à ce qu'on dit, elle lui faisait de la peine. Vous ne pouvez pas plus comprendre cela que moi, n'est-ce pas, vous qui ne pourriez sans doute pas plus survivre à votre papa que moi au mien, ce qui est du reste tout naturel. Comment oublier jamais quelqu'un qu'on aime depuis toujours ?

Et une fois qu'elle était plus particulièrement câline avec Swann, comme je le lui fis remarquer quand il fut loin :

— Oui, pauvre papa, c'est ces jours-ci l'anniversaire de la mort de son père. Vous pouvez comprendre ce qu'il doit éprouver, vous comprenez cela, vous, nous sentons de même sur ces choses-là. Alors, je tâche d'être moins méchante que d'habitude. — Mais il ne vous trouve pas méchante, il vous trouve parfaite. — Pauvre papa, c'est parce qu'il est trop bon.

Ses parents ne me firent pas seulement l'éloge des vertus de Gilberte — cette même Gilberte qui, même avant que je l'eusse jamais vue, m'apparaissait devant une église, dans un paysage de l'Ile-de-France, et qui ensuite, m'évoquant non plus mes rêves, mais mes souvenirs, était toujours devant la haie d'épines roses, dans le raidillon que je prenais pour aller du côté de Méséglise. Comme j'avais demandé à Mme Swann, en m'efforçant de prendre le ton indifférent d'un ami de la famille, curieux des préférences d'une enfant, quels étaient parmi les camarades de Gilberte ceux qu'elle aimait le mieux, Mme Swann me répondit :

— Mais vous devez être plus avancé que moi dans ses confidences, vous qui êtes le grand favori, le grand crack, comme disent les Anglais.

Sans doute dans ces coïncidences tellement parfaites, quand la réalité se replie et s'applique sur ce que nous avons si longtemps rêvé, elle nous le cache entièrement, se confond avec lui, comme deux figures égales et superposées qui n'en font plus qu'une, alors qu'au contraire, pour donner à notre joie toute sa signification, nous voudrions garder à tous ces points de notre désir, dans le moment même où nous y touchons — et pour être plus certain que ce soit bien eux — le prestige d'être intangibles. Et la pensée ne peut même pas reconstituer l'état ancien pour le confronter au nouveau, car elle n'a plus le champ libre : la connaissance que nous avons faite, le souvenir des premières minutes inespérées, les propos que nous avons entendus, sont là qui obstruent l'entrée de notre conscience et commandent beaucoup plus les issues de notre mémoire que celles de notre imagination, ils rétroagissent davantage sur notre passé que nous ne sommes plus maîtres de voir sans tenir compte d'eux, que sur la forme, restée libre, de notre avenir. J'avais pu croire pendant des années qu'aller chez Mme Swann était une vague chimère que je n'atteindrais jamais;

après avoir passé un quart d'heure chez elle, c'est le temps où je ne la connaissais pas qui était devenu chimérique et vague comme un possible que la réalisation d'un autre possible a anéanti. Comment aurais-je encore pu rêver de la salle à manger comme d'un lieu inconcevable, quand je ne pouvais pas faire un mouvement dans mon esprit sans y rencontrer les rayons infrangibles qu'émettait à l'infini derrière lui, jusque dans mon passé le plus ancien, le homard à l'américaine que je venais de manger? Et Swann avait dû voir, pour ce qui le concernait lui-même, se produire quelque chose d'analogue : car cet appartement où il me recevait pouvait être considéré comme le lieu où étaient venus se confondre, et coïncider, non pas seulement l'appartement idéal que mon imagination avait engendré, mais un autre encore, celui que l'amour jaloux de Swann, aussi inventif que mes rêves, lui avait si souvent décrit, cet appartement commun à Odette et à lui qui lui était apparu si inaccessible, tel soir où Odette l'avait ramené avec Forcheville prendre de l'orangeade chez elle; et ce qui était venu s'absorber, pour lui, dans le plan de la salle à manger où nous déjeunions, c'était ce paradis inespéré où jadis il ne pouvait sans trouble imaginer qu'il aurait dit à *leur* maître d'hôtel ces mêmes mots : « Madame est-elle prête? » que je lui entendais prononcer maintenant avec une légère impatience mêlée de quelque satisfaction d'amour-propre[1]. Pas plus que ne le pouvait sans doute Swann, je n'arrivais à connaître mon bonheur, et quand Gilberte elle-même s'écriait : « Qu'est-ce qui vous aurait dit que la petite fille que vous regardiez, sans lui parler, jouer aux barres, serait votre grande amie chez qui vous iriez tous les jours où cela vous plairait? », elle parlait d'un changement que j'étais bien obligé de constater du dehors, mais que je ne possédais pas intérieurement, car il se composait de deux états que je ne pouvais, sans qu'ils cessassent d'être distincts l'un de l'autre, réussir à penser à la fois.

Et pourtant cet appartement, parce qu'il avait été si passionnément désiré par la volonté de Swann, devait conserver pour lui quelque douceur, si j'en jugeais par moi pour qui il n'avait pas perdu tout mystère. Ce charme singulier dans lequel j'avais pendant si longtemps supposé que baignait la vie des Swann, je ne l'avais pas entièrement chassé de leur maison en y pénétrant; je l'avais fait reculer, dompté qu'il était par cet étranger, ce paria que j'avais été et à qui Mlle Swann avançait maintenant gracieusement pour qu'il y prît place, un fauteuil délicieux, hostile et scandalisé; mais tout autour de moi, ce charme, dans mon souvenir, je le perçois encore. Est-ce parce que, ces jours où M. et Mme Swann m'invitaient à déjeuner, pour sortir ensuite avec eux et Gilberte, j'imprimais avec mon regard — pendant que j'attendais seul — sur le tapis, sur les bergères, sur les consoles, sur les paravents, sur les tableaux, l'idée gravée en moi que Mme Swann, ou son mari, ou Gilberte allaient entrer? Est-ce parce que ces choses ont vécu depuis dans ma mémoire à côté des Swann et ont fini par prendre quelque chose d'eux? Est-ce que, sachant qu'ils passaient leur existence au milieu d'elles, je faisais de toutes comme les emblèmes de leur vie particulière, de leurs habitudes dont j'avais été trop longtemps exclu pour qu'elles ne continuassent pas à me sembler étrangères même quand on me fit la faveur de m'y mêler? Toujours est-il que chaque fois que je pense à ce salon que Swann (sans que cette critique impliquât de sa part l'intention de contrarier en rien les goûts de sa femme) trouvait si disparate — parce que, tout conçu qu'il était encore dans le goût moitié serre, moitié atelier qui était celui de l'appartement où il avait connu Odette, elle avait pourtant commencé à remplacer dans ce fouillis nombre des objets chinois qu'elle trouvait maintenant un peu « toc », bien « à côté », par une foule de petits meubles tendus de vieilles soies Louis XVI (sans compter les chefs-d'œuvre apportés par Swann de l'hôtel du quai d'Orléans) —, il a au contraire dans mon souvenir, ce salon composite, une cohésion, une unité, un charme individuel que n'ont jamais même les ensembles les plus intacts que le passé nous ait légués, ni les plus vivants où se marque l'empreinte d'une personne; car nous seuls pouvons, par la croyance qu'elles ont une existence à elles, donner à certaines choses que nous voyons une âme qu'elles gardent ensuite et qu'elles développent en nous. Toutes les idées que je m'étais faites des heures, différentes de celles qui existent pour les autres hommes, que passaient les Swann dans cet appartement qui était pour le temps quotidien de leur vie ce que le corps est pour l'âme, et qui devait en exprimer la singularité, toutes ces idées étaient réparties, amalgamées —

partout également troublantes et indéfinissables — dans la place des meubles, dans l'épaisseur des tapis, dans l'orientation des fenêtres, dans le service des domestiques. Quand, après le déjeuner, nous allions, au soleil, prendre le café dans la grande baie du salon, tandis que Mme Swann me demandait combien je voulais de morceaux de sucre dans mon café, ce n'était pas seulement le tabouret de soie qu'elle poussait vers moi qui dégageait, avec le charme douloureux que j'avais perçu autrefois — sous l'épine rose, puis à côté du massif de lauriers — dans le nom de Gilberte, l'hostilité que m'avaient témoignée ses parents et que ce petit meuble semblait avoir si bien sue et partagée que je ne me sentais pas digne et que je me trouvais un peu lâche d'imposer mes pieds à son capitonnage sans défense; une âme personnelle le reliait secrètement à la lumière de deux heures de l'après-midi, différente de ce qu'elle était partout ailleurs dans le golfe où elle faisait jouer à nos pieds ses flots d'or, parmi lesquels les canapés bleuâtres et les vaporeuses tapisseries émergeaient comme des îles enchantées; et il n'était pas jusqu'au tableau de Rubens accroché au-dessus de la cheminée qui ne possédât lui aussi le même genre et presque la même puissance de charme que les bottines à lacets de M. Swann et ce manteau à pèlerine dont j'avais tant désiré porter le pareil et que maintenant Odette demandait à son mari de remplacer par un autre, pour être plus élégant, quand je leur faisais l'honneur de sortir avec eux. Elle allait s'habiller elle aussi, bien que j'eusse protesté qu'aucune robe « de ville » ne vaudrait à beaucoup près la merveilleuse robe de chambre de crêpe de Chine ou de soie, vieux rose, cerise, rose Tiepolo, blanche, mauve, verte, rouge, jaune unie ou à dessins, dans laquelle Mme Swann avait déjeuné et qu'elle allait ôter. Quand je disais qu'elle aurait dû sortir ainsi, elle riait, par moquerie de mon ignorance ou plaisir de mon compliment. Elle s'excusait de posséder tant de peignoirs parce qu'elle prétendait qu'il n'y avait que là dedans qu'elle se sentait bien et elle nous quittait pour aller mettre une de ces toilettes souveraines qui s'imposaient à tous, et entre lesquelles pourtant j'étais parfois appelé à choisir celle que je préférais qu'elle revêtît.

Au Jardin d'Acclimatation, que j'étais fier, quand nous étions descendus de voiture, de m'avancer à côté de Mme Swann ! Tandis que dans sa démarche nonchalante elle laissait flotter son manteau, je jetais sur elle des regards d'admiration auxquels elle répondait coquettement par un long sourire. Maintenant si nous rencontrions l'un ou l'autre des camarades, fille ou garçon, de Gilberte, qui nous saluait de loin, j'étais à mon tour regardé par eux comme un de ces êtres que j'avais tant enviés, un de ces amis de Gilberte qui connaissaient sa famille et étaient mêlés à l'autre partie de sa vie, celle qui ne se passait pas aux Champs-Élysées.

Souvent dans les allées du Bois ou du Jardin d'Acclimatation nous croisions, nous étions salués par telle ou telle grande dame amie de Swann, qu'il lui arrivait de ne pas voir et que lui signalait sa femme. « Charles, vous ne voyez pas madame de Montmorency ? » Et Swann, avec le sourire amical dû à une longue familiarité, se découvrait pourtant largement avec une élégance qui n'était qu'à lui. Quelquefois la dame s'arrêtait, heureuse de faire à Mme Swann une politesse qui ne tirait pas à conséquence et de laquelle on savait qu'elle ne chercherait pas à profiter ensuite, tant Swann l'avait habituée à rester sur la réserve. Elle n'en avait pas moins pris toutes les manières du monde, et si élégante et noble de port que fût la dame, Mme Swann l'égalait toujours en cela ; arrêtée un moment auprès de l'amie que son mari venait de rencontrer, elle nous présentait avec tant d'aisance, Gilberte et moi, gardait tant de liberté et de calme dans son amabilité, qu'il eût été difficile de dire, de la femme de Swann ou de l'aristocratique passante, laquelle des deux était la grande dame. Le jour où nous étions allés voir les Cynghalais, comme nous revenions, nous aperçûmes, venant dans notre direction et suivie de deux autres qui semblaient l'escorter, une dame âgée, mais encore belle, enveloppée dans un manteau sombre et coiffée d'une petite capote attachée sous le cou par deux brides. « Ah ! voilà quelqu'un qui va vous intéresser », me dit Swann. La vieille dame, maintenant à trois pas, nous souriait avec une douceur caressante. Swann se découvrit, Mme Swann s'abaissa en une révérence et voulut baiser la main de la dame pareille à un portrait de Winterhalter, qui la releva et l'embrassa. « Voyons, voulez-vous mettre votre chapeau, vous », dit-elle à Swann, d'une grosse voix un peu maussade, en amie familière. « Je vais vous présenter à

Son Altesse Impériale », me dit Mme Swann. Swann m'attira un moment à l'écart pendant que Mme Swann causait du beau temps et des animaux nouvellement arrivés au Jardin d'Acclimatation, avec l'Altesse. « C'est la princesse Mathilde, me dit-il, vous savez, l'amie de Flaubert, de Sainte-Beuve, de Dumas. Songez, c'est la nièce de Napoléon Ier ! Elle a été demandée en mariage par Napoléon III et par l'empereur de Russie. Ce n'est pas intéressant ? Parlez-lui un peu. Mais je voudrais qu'elle ne nous fît pas rester une heure sur nos jambes. » « J'ai rencontré Taine qui m'a dit que la Princesse était brouillée avec lui, dit Swann. — Il s'est conduit comme un cauchon, dit-elle d'une voix rude et en prononçant le mot comme si ç'avait été le nom de l'évêque contemporain de Jeanne d'Arc. Après l'article qu'il a écrit sur l'Empereur, je lui ai laissé une carte avec P. P. C. » J'éprouvais la surprise qu'on a en ouvrant la correspondance de la duchesse d'Orléans, née princesse Palatine. Et, en effet, la princesse Mathilde, animée de sentiments si français, les éprouvait avec une honnête rudesse comme en avait l'Allemagne d'autrefois et qu'elle avait héritée[1] sans doute de sa mère wurtembergeoise. Sa franchise un peu fruste et presque masculine, elle l'adoucissait, dès qu'elle souriait, de langueur italienne. Et le tout était enveloppé dans une toilette tellement Second Empire que, bien que la princesse la portât seulement sans doute par attachement aux modes qu'elle avait aimées, elle semblait avoir eu l'intention de ne pas commettre une faute de couleur historique et de répondre à l'attente de ceux qui attendaient d'elle l'évocation d'une autre époque. Je soufflai à Swann de lui demander si elle avait connu Musset. « Très peu, Monsieur, répondit-elle d'un air qui faisait semblant d'être fâché, et, en effet, c'était par plaisanterie qu'elle disait Monsieur à Swann, étant fort intime avec lui. Je l'ai eu une fois à dîner. Je l'avais invité pour sept heures. À sept heures et demie, comme il n'était pas là, nous nous mîmes à table. Il arrive à huit heures, me salue[2], s'assied, ne desserre pas les dents, part après le dîner sans que j'aie entendu le son de sa voix. Il était ivre-mort. Cela ne m'a pas beaucoup encouragée à recommencer. » Nous étions un peu à l'écart, Swann et moi. « J'espère que cette petite séance ne va pas se prolonger, me dit-il, j'ai mal à la plante des pieds. Aussi je ne sais pas pourquoi ma femme alimente la conversation. Après cela, c'est elle qui se plaindra d'être fatiguée et moi je ne peux plus supporter ces stations debout. » Mme Swann, en effet, qui tenait le renseignement de Mme Bontemps, était en train de dire à la princesse que le gouvernement comprenant enfin sa goujaterie, avait décidé de lui envoyer une invitation pour assister dans les tribunes à la visite que le tsar Nicolas devait faire le surlendemain aux Invalides. Mais la princesse qui, malgré les apparences, malgré le genre de son entourage composé surtout d'artistes et d'hommes de lettres, était restée au fond, et chaque fois qu'elle avait à agir, nièce de Napoléon : « Oui, Madame, je l'ai reçue ce matin et je l'ai renvoyée au ministre qui doit l'avoir à l'heure qu'il est. Je lui ai dit que je n'avais pas besoin d'invitation pour aller aux Invalides. Si le gouvernement désire que j'y aille, ce ne sera pas dans une tribune, mais dans notre caveau, où est le tombeau de l'Empereur. Je n'ai pas besoin de cartes pour cela. J'ai mes clefs. J'entre comme je veux. Le gouvernement n'a qu'à me faire savoir s'il désire que je vienne ou non. Mais si j'y vais, ce sera là ou pas du tout. » À ce moment nous fûmes salués, Mme Swann et moi, par un jeune homme qui lui dit bonjour sans s'arrêter et que je ne savais pas qu'elle connût : Bloch. Sur une question que je lui posai, Mme Swann me dit qu'il lui avait été présenté par Mme Bontemps, qu'il était attaché au Cabinet du ministre, ce que j'ignorais. Du reste, elle ne devait pas l'avoir vu souvent — ou bien elle n'avait pas voulu citer le nom, trouvé peut-être par elle peu « chic », de Bloch — car elle dit qu'il s'appelait M. Moreul. Je lui assurai qu'elle confondait, qu'il s'appelait Bloch. La princesse redressa une traîne qui se déroulait derrière elle et que Mme Swann regardait avec admiration. « C'est justement une fourrure que l'empereur de Russie m'avait envoyée, dit la princesse, et comme j'ai été le voir tantôt, je l'ai mise pour lui montrer que cela avait pu s'arranger en manteau. — Il paraît que le prince Louis s'est engagé dans l'armée russe, la princesse va être désolée de ne plus l'avoir près d'elle, dit Mme Swann qui ne voyait pas les signes d'impatience de son mari. — Il avait bien besoin de cela ! Comme je lui ai dit : Ce n'est pas une raison parce que tu as eu un militaire dans ta famille », répondit la princesse, faisant, avec cette brusque simplicité, allusion à Napoléon Ier. Swann ne tenait plus en place. « Madame, c'est moi qui vais faire l'Altesse et vous demander la permission de prendre congé, mais ma femme a été très souffrante et je ne veux pas qu'elle reste davantage immobile. » Mme Swann refit la révérence et la princesse eut pour nous tous un divin sourire qu'elle sembla amener du passé, des grâces de sa jeunesse, des soirées de Compiègne et qui coula intact et doux sur le visage tout à l'heure grognon, puis elle s'éloigna suivie des deux dames d'honneur qui n'avaient fait, à la façon d'interprètes, de bonnes d'enfants, ou de gardes-malades, que ponctuer notre conversation de phrases insignifiantes et d'explications inutiles. « Vous devriez aller écrire votre nom chez elle, un jour de cette semaine, me dit Mme Swann ; on ne corne pas de bristol à toutes ces *royautés,* comme disent les Anglais, mais elle vous invitera si vous vous faites inscrire. »

Parfois dans ces derniers jours d'hiver, nous entrions, avant d'aller nous promener, dans quelqu'une des petites expositions qui s'ouvraient alors et où Swann, collectionneur de marque, était salué avec une particulière déférence par les marchands de tableaux chez qui elles avaient lieu. Et par ces temps encore froids, mes anciens désirs de partir pour le Midi et Venise étaient réveillés par ces salles où un printemps déjà avancé et un soleil ardent mettaient des reflets violacés sur les Alpilles roses et donnaient la transparence foncée de l'émeraude au Grand Canal. S'il faisait mauvais, nous allions au concert ou au théâtre et goûter ensuite dans un « Thé ». Dès que Mme Swann voulait me dire quelque chose qu'elle désirait que les personnes des tables voisines ou même les garçons qui servaient ne comprissent pas, elle me le disait en anglais comme si c'eût été un langage connu de nous deux seulement. Or tout le monde savait l'anglais, moi seul je ne l'avais pas encore appris et étais obligé de le dire à Mme Swann pour qu'elle cessât de faire sur les personnes qui buvaient le thé ou sur celles qui l'apportaient des réflexions que je devinais désobligeantes sans que j'en comprisse, ni que l'individu visé en perdît, un seul mot.

Une fois, à propos d'une matinée théâtrale, Gilberte me causa un étonnement profond. C'était justement le jour dont elle m'avait parlé d'avance et où tombait l'anniversaire de la mort de son grand-père. Nous devions, elle et moi, aller entendre avec son institutrice les fragments d'un opéra et Gilberte s'était habillée dans l'intention de se rendre à cette exécution musicale, gardant l'air d'indifférence qu'elle avait l'habitude de montrer pour la chose que nous devions faire, disant que ce pouvait être n'importe quoi pourvu que cela me plût et fût agréable à ses parents. Avant le déjeuner, sa mère nous prit à part pour lui dire que cela ennuyait son père de nous voir aller au concert ce jour-là. Je trouvai que c'était trop naturel. Gilberte resta impassible mais devint pâle d'une colère qu'elle ne put cacher, et[1] ne dit plus un mot. Quand M. Swann revint, sa femme l'emmena à l'autre bout du salon et lui parla à l'oreille. Il appela Gilberte et la prit à part dans la pièce à côté. On entendit des éclats de voix. Je ne pouvais cependant pas croire que Gilberte, si soumise, si tendre, si sage, résistât à la demande son père, un jour pareil et pour une cause si insignifiante. Enfin Swann sortit en lui disant :

— Tu sais ce que je t'ai dit. Maintenant, fais ce que tu voudras.

La figure de Gilberte resta contractée pendant tout le déjeuner, après lequel nous allâmes dans sa chambre. Puis tout d'un coup, sans une hésitation et comme si elle n'en avait eu à aucun moment : « Deux heures! s'écria-t-elle, mais vous savez que le concert commence à deux heures et demie. » Et elle dit à son institutrice de se dépêcher.

— Mais, lui dis-je, est-ce que cela n'ennuie pas votre père?

— Pas le moins du monde.

— Cependant, il avait peur que cela ne semble bizarre à cause de cet anniversaire.

— Qu'est-ce que cela peut me faire, ce que les autres pensent? Je trouve ça grotesque de s'occuper des autres dans les choses de sentiment. On sent pour soi, pas pour le public. Mademoiselle qui a peu de distractions se fait une fête d'aller à ce concert, je ne vais pas l'en priver pour faire plaisir au public.

Et elle prit son chapeau.

— Mais Gilberte, lui dis-je en lui prenant le bras, ce n'est pas pour faire plaisir au public, c'est pour faire plaisir à votre père.

— Vous n'allez pas me faire d'observations, j'espère, me cria-t-elle d'une voix dure, en se dégageant vivement.

Faveur plus précieuse encore que de m'emmener avec eux au Jardin d'Acclimatation ou au concert, les Swann ne m'excluaient même pas de leur amitié avec Bergotte, laquelle avait été à l'origine du charme que je leur avais trouvé quand, avant même de connaître Gilberte, je pensais que son intimité avec le divin vieillard eût fait d'elle pour moi la plus passionnante des amies, si le dédain que je devais lui inspirer ne m'eût pas interdit l'espoir qu'elle m'emmenât jamais avec lui visiter les villes qu'il aimait. Or, un jour, Mme Swann m'invita à un grand déjeuner. Je ne savais pas quels devaient être les convives. En arrivant, je fus, dans le vestibule, déconcerté par un incident qui m'intimida. Mme Swann manquait rarement d'adopter les usages qui passent pour élégants pendant une saison et, ne parvenant pas à se maintenir, sont bientôt abandonnés (comme beaucoup d'années auparavant elle avait eu son *hansom cab*[1], ou faisait imprimer sur une invitation à déjeuner que c'était *to meet* un personnage plus ou moins important). Souvent ces usages n'avaient rien de mystérieux et n'exigeaient pas d'initiation. C'est ainsi que, mince innovation de ces années-là et importée d'Angleterre, Odette avait fait faire à son mari des cartes où le nom de Charles Swann était précédé de « Mr ». Après la première visite que je lui avais faite, Mme Swann avait corné chez moi un de ces « cartons » comme elle disait. Jamais personne ne m'avait déposé de cartes; je ressentis tant de fierté, d'émotion, de reconnaissance, que, réunissant tout ce que je possédais d'argent, je commandai une superbe corbeille de camélias et l'envoyai à Mme Swann. Je suppliai mon père d'aller mettre une carte chez elle, mais de s'en faire vite graver d'abord où son nom fût précédé de « Mr ». Il n'obéit à aucune de mes deux prières, j'en fus désespéré pendant quelques jours, et me demandai ensuite s'il n'avait pas eu raison. Mais l'usage du « Mr », s'il était inutile, était clair. Il n'en était pas ainsi d'un autre qui, le jour de ce déjeuner, me fut révélé, mais non pourvu de sa signification. Au moment où j'allais passer de l'antichambre dans le salon, le maître d'hôtel me remit une enveloppe mince et longue sur laquelle mon nom était écrit. Dans ma surprise je le remerciai, cependant je regardais l'enveloppe. Je ne savais pas plus ce que j'en devais faire qu'un étranger, d'un de ces petits instruments que l'on donne aux convives dans les dîners chinois. Je vis qu'elle était fermée, je craignis d'être indiscret en l'ouvrant tout de suite et je la mis dans ma poche d'un air entendu. Mme Swann m'avait écrit quelques jours auparavant de venir déjeuner « en petit comité ». Il y avait pourtant seize personnes, parmi lesquelles j'ignorais absolument que se trouvât Bergotte. Mme Swann qui venait de me « nommer », comme elle disait, à plusieurs d'entre elles, tout à coup, à la suite de mon nom, de la même façon qu'elle venait de le dire (et comme si nous étions seulement deux invités du déjeuner qui devaient être chacun également contents de connaître l'autre), prononça le nom du doux Chantre aux cheveux blancs. Ce nom de Bergotte me fit tressauter comme le bruit d'un revolver qu'on aurait déchargé sur moi, mais instinctivement, pour faire bonne contenance, je saluai; devant moi, comme ces prestidigitateurs qu'on aperçoit intacts et en redingote dans la poussière d'un coup de feu d'où s'envole une colombe, mon salut m'était rendu par un homme jeune, rude, petit, râblé et myope, à nez rouge en forme de coquille de colimaçon et à barbiche noire. J'étais mortellement triste, car ce qui venait d'être réduit en poudre, ce n'était pas seulement le langoureux vieillard, dont il ne restait plus rien, c'était aussi la beauté d'une œuvre immense que j'avais pu loger dans l'organisme défaillant et sacré que j'avais, comme un temple, construit expressément pour elle, mais à laquelle aucune place n'était réservée dans le corps trapu, rempli de vaisseaux, d'os, de ganglions, du petit homme à nez camus et à barbiche noire qui était devant moi. Tout le Bergotte que j'avais lentement et délicatement élaboré moi-même, goutte à goutte, comme une stalactite, avec la transparente beauté de ses livres, ce Bergotte-là se trouvait d'un seul coup ne plus pouvoir être d'aucun usage, du moment qu'il fallait conserver le nez en colimaçon et utiliser la barbiche noire, — comme n'est plus bonne à rien la solution que nous avions trouvée pour un problème dont nous avions lu incomplètement la donnée et sans tenir compte que le total devait faire un certain chiffre. Le nez et la barbiche étaient des éléments aussi inéluctables, et d'autant plus gênants que, me forçant à réédifier entièrement le personnage de Bergotte, ils semblaient encore impliquer, produire, sécréter incessamment un certain genre d'esprit actif et satisfait de soi, ce qui n'était pas de jeu, car cet esprit-là n'avait rien à voir avec la sorte d'intelligence répandue dans ces livres, si bien connus de moi et que pénétrait une douce et divine sagesse. En partant d'eux, je ne serais jamais arrivé à ce nez en colimaçon; mais en partant de ce nez, qui n'avait pas l'air de s'en inquiéter, faisait cavalier seul et « fantaisie », j'allais dans une tout autre direction que l'œuvre de Bergotte, j'aboutirais, semblait-il, à quelque mentalité d'ingénieur pressé, de la sorte de ceux qui quand on les salue croient comme il faut de dire : « Merci et vous » avant qu'on leur ait demandé de leurs nouvelles et, si on leur déclare qu'on a été enchanté de faire leur connaissance, répondent par une abréviation qu'ils se figurent bien portée, intelligente et moderne en ce qu'elle évite de perdre en de vaines formules un temps précieux : « Également ». Sans doute, les noms sont des dessinateurs fantaisistes, nous donnant des gens et des pays des croquis si peu ressemblants que nous éprouvons souvent une sorte de stupeur quand nous avons devant nous, au lieu du monde imaginé, le monde visible (qui d'ailleurs n'est pas le monde vrai, nos sens ne possédant par beaucoup plus le don de la ressemblance que l'imagination, si bien que les dessins enfin approximatifs qu'on peut obtenir de la réalité sont au moins aussi différents du monde vu que celui-ci l'était du monde imaginé). Mais pour Bergotte la gêne du nom préalable n'était rien auprès de celle que me causait l'œuvre connue, à laquelle j'étais obligé d'attacher, comme après un ballon, l'homme à barbiche sans savoir si elle garderait la force de s'élever. Il semblait bien pourtant que ce fût lui qui eût écrit les livres que j'avais tant aimés, car Mme Swann ayant cru devoir lui dire mon goût pour l'un d'eux, il ne montra nul étonnement qu'elle en eût fait part à lui plutôt qu'à un autre convive, et ne sembla pas voir là l'effet d'une méprise; mais, emplissant la redingote qu'il avait mise en l'honneur de tous ces invités, d'un corps avide du déjeuner prochain, ayant son attention occupée d'autres réalités importantes, ce ne fut que comme à un épisode révolu de sa vie antérieure, et comme si on avait fait allusion à un costume du duc de Guise qu'il eût mis une certaine année à un bal costumé, qu'il sourit en se reportant à l'idée de ses livres, lesquels aussitôt déclinèrent pour moi (entraînant dans leur chute toute la valeur du Beau, de l'univers, de la vie) jusqu'à n'avoir été que quelque médiocre divertissement d'homme à barbiche. Je me disais qu'il avait dû s'y appliquer, mais que, s'il avait vécu dans une île entourée par des bancs d'huîtres perlières, il se fût, à la place, livré avec succès au commerce des perles. Son œuvre ne me semblait plus aussi inévitable. Et alors je me demandais si l'originalité prouve vraiment que les grands écrivains soient des dieux régnant chacun dans un royaume qui n'est qu'à lui, ou bien s'il n'y a pas dans tout cela un peu de feinte, si les différences entre les œuvres ne seraient pas le résultat du travail, plutôt que l'expression d'une différence radicale d'essence entre les diverses personnalités.

Cependant on était passé à table. À côté de mon assiette je trouvai un œillet dont la tige était enveloppée dans du papier d'argent. Il m'embarrassa moins que n'avait fait l'enveloppe remise dans l'antichambre et que j'avais complètement oubliée. L'usage, pourtant aussi nouveau pour moi, me parut plus intelligible quand je vis tous les convives masculins s'emparer d'un œillet semblable qui accompagnait leur couvert et l'introduire dans la boutonnière de leur redingote. Je fis comme eux avec cet air naturel d'un libre penseur dans une église, lequel ne connaît pas la messe, mais se lève quand tout le monde se lève et se met à genoux un peu après que tout le monde s'est mis à genoux. Un autre usage inconnu et moins éphémère me déplut davantage. De l'autre côté de mon assiette il y en avait une plus petite remplie d'une matière noirâtre que je ne savais pas être du caviar. J'étais ignorant de ce qu'il fallait en faire, mais résolu à n'en pas manger.

Bergotte n'était pas placé loin de moi, j'entendais parfaitement ses paroles. Je compris alors l'impression de M. de Norpois. Il avait en effet un organe bizarre; rien n'altère autant les qualités matérielles de la voix que de contenir de la pensée : la sonorité des diphtongues, l'énergie des labiales, en sont influencées. La diction l'est aussi. La sienne me semblait entièrement différente de sa manière d'écrire, et même les choses qu'il disait, de celles qui remplissent ses[1] ouvrages. Mais la voix sort d'un masque sous lequel elle ne suffit pas à nous faire reconnaître d'abord un visage que nous avons vu à découvert dans le style. Dans certains passages de la conversation où Bergotte avait l'habitude de se mettre à parler d'une façon qui ne paraissait pas affectée et déplaisante qu'à M. de Norpois, j'ai été long à découvrir une exacte correspondance avec les parties de ses livres où sa forme devenait si poétique et musicale. Alors il voyait dans ce qu'il disait une beauté plastique indépendante de la signification des phrases et, comme la parole humaine est en rapport avec l'âme, mais sans l'exprimer comme fait le style, Bergotte avait l'air de parler presque à contresens, psalmodiant certains mots et, s'il poursuivait au-dessous d'eux une seule image, les filant sans intervalle comme un même son, avec une fatigante monotonie. De sorte qu'un débit prétentieux, emphatique et monotone était le signe de la qualité esthétique de ses propos et l'effet, dans sa conversation, de ce même pouvoir qui produisait dans ses livres la suite des images et l'harmonie. J'avais eu d'autant plus de peine à m'en apercevoir d'abord que ce qu'il disait à ces moments-là, précisément parce que c'était vraiment de Bergotte, n'avait pas l'air d'être du Bergotte. C'était un foisonnement d'idées précises, non incluses dans ce « genre Bergotte » que beaucoup de chroniqueurs s'étaient approprié; et cette dissemblance était probablement — vu d'une façon trouble à travers la conversation, comme une image derrière un verre fumé — un autre aspect de ce fait que, quand on lisait une page de Bergotte, elle n'était jamais ce qu'aurait écrit n'importe lequel de ces plats imitateurs qui pourtant, dans le journal et dans le livre, ornaient leur prose de tant d'images et de pensées « à la Bergotte ». Cette différence dans le style venait de ce que « le Bergotte » était avant tout quelque élément précieux et vrai, caché au cœur de chaque chose, puis extrait d'elle par ce grand écrivain grâce à son génie, extraction qui était le but du doux Chantre, et non pas de faire du Bergotte. À vrai dire il en faisait malgré lui puisqu'il était Bergotte et qu'en ce sens chaque nouvelle beauté de son œuvre était la petite quantité de Bergotte enfouie dans une chose et qu'il en avait tirée. Mais si par là chacune de ces beautés était apparentée avec les autres et reconnaissable, elle restait cependant particulière, comme la découverte qui l'avait mise à jour; nouvelle, par conséquent différente de ce qu'on appelait le genre Bergotte qui était une vague synthèse des Bergotte déjà trouvés et rédigés par lui, lesquels ne permettaient nullement à des hommes sans génie d'augurer ce qu'il découvrirait ailleurs. Il en est ainsi pour tous les grands écrivains, la beauté de leurs phrases est imprévisible, comme est celle d'une femme qu'on ne connaît pas encore; elle est création puisqu'elle s'applique à un objet extérieur auquel ils pensent — et non à soi — et qu'ils n'ont pas encore exprimé. Un auteur de Mémoires d'aujourd'hui, voulant, sans trop en avoir l'air, faire du Saint-Simon, pourra à la rigueur écrire la première ligne du portrait de Villars : « C'était un assez grand homme brun... avec une physionomie vive, ouverte, sortante », mais quel déterminisme pourra lui faire trouver la seconde ligne qui commence par : « et véritablement un peu folle »? La vraie variété est dans cette plénitude d'éléments réels et inattendus, dans le rameau chargé de fleurs bleues qui s'élance, contre toute attente, de la haie printanière qui semblait déjà comble, tandis que l'imitation purement formelle de la variété (et on pourrait raisonner de même pour toutes les autres qualités du style) n'est que vide et uniformité, c'est-à-dire ce qui est le plus opposé à la variété, et ne peut chez les imitateurs en donner l'illusion et en rappeler le souvenir que pour celui qui ne l'a pas comprise chez les maîtres.

Aussi — de même que la diction de Bergotte eût sans doute charmé si lui-même n'avait été que quelque amateur récitant du prétendu Bergotte, au lieu qu'elle était liée à la pensée de Bergotte en travail et en action par des rapports vitaux que l'oreille ne dégageait pas immédiatement, — de même c'était parce que Bergotte appliquait cette pensée avec précision à la réalité qui lui plaisait que son langage avait quelque chose de positif, de trop nourrissant, qui décevait ceux qui s'attendaient à l'entendre parler seulement de « l'éternel torrent des apparences » et des « mystérieux frissons de la beauté ». Enfin la qualité toujours rare et neuve de ce qu'il écrivait se traduisait dans sa conversation par une façon si subtile d'aborder une question, en négligeant tous ses aspects déjà connus, qu'il avait l'air de la prendre par un petit côté, d'être dans le faux, de faire du paradoxe, et qu'ainsi ses idées semblaient le plus souvent confuses, chacun appelant idées claires celles qui sont au même degré de confusion que les siennes propres. D'ailleurs toute nouveauté ayant pour condition l'élimination préalable du poncif auquel nous étions habitués et qui nous semblait la réalité même, toute conversation neuve, aussi bien que toute peinture, toute musique originales, paraîtra toujours alambiquée et fatigante. Elle repose sur des figures auxquelles nous ne sommes pas accoutumés, le causeur nous paraît ne parler que par métaphores, ce qui lasse et donne l'impression d'un manque de vérité. (Au fond, les anciennes formes de langage avaient été autrefois, elles aussi[1], des images difficiles à suivre, quand l'auditeur ne connaissait pas encore l'univers qu'elles peignaient. Mais depuis longtemps on se figure que c'était l'univers réel, on se repose sur lui.) Aussi quand Bergotte, ce qui semble pourtant bien simple aujourd'hui, disait de Cottard que c'était un ludion qui cherchait son équilibre, et de Brichot que « plus encore qu'à Mme Swann le soin de sa coiffure lui donnait de la peine, parce que, doublement préoccupé de son profil et de sa réputation, il fallait à tout moment que l'ordonnance de sa chevelure lui donnât l'air à la fois d'un lion et d'un philosophe », on éprouvait vite de la fatigue et on eût voulu reprendre pied sur quelque chose de plus concret, disait-on, pour signifier de plus habituel. Les paroles méconnaissables sorties du masque que j'avais sous les yeux, c'était bien à l'écrivain que j'admirais qu'il fallait les rapporter, elles n'auraient pas su s'insérer dans ses livres à la façon d'un puzzle qui s'encadre entre d'autres, elles étaient dans un autre plan et nécessitaient une transposition moyennant laquelle, un jour que je me répétais des phrases que j'avais entendu dire à Bergotte, j'y retrouvai toute l'armature de son style écrit, dont je pus reconnaître et nommer les différentes pièces dans ce discours parlé qui m'avait paru si différent.

À un point de vue plus accessoire, la façon spéciale, un peu trop minutieuse et intense, qu'il avait de prononcer certains mots, certains adjectifs qui revenaient souvent dans sa conversation et qu'il ne disait pas sans une certaine emphase, faisant ressortir toutes leurs syllabes et chanter la dernière (comme pour le mot « visage » qu'il substituait toujours au mot « figure » et à qui il ajoutait un grand nombre de *v*, d'*s*, de *g*, qui semblaient tous exploser de sa main ouverte à ces moments), correspondait exactement à la belle place où dans sa prose il mettait ces mots aimés en lumière, précédés d'une sorte de marge et composés de telle façon dans le nombre total de la phrase, qu'on était obligé, sous peine de faire une faute de mesure, d'y faire compter toute leur « quantité ». Pourtant, on ne retrouvait pas dans le langage de Bergotte certain éclairage qui dans ses livres, comme dans ceux de quelques autres auteurs, modifie souvent dans la phrase écrite l'apparence des mots. C'est sans doute qu'il vient de grandes profondeurs et n'amène pas ses rayons jusqu'à nos paroles dans les heures où, ouverts aux autres par la conversation, nous sommes dans une certaine mesure fermés à nous-même. À cet égard, il y avait plus d'intonations, plus d'accent, dans ses livres que dans ses propos : accent indépendant de la beauté du style, que l'auteur lui-même n'a pas perçu sans doute, car il n'est pas séparable de sa personnalité la plus intime. C'est cet accent qui, aux moments où dans ses livres Bergotte était entièrement naturel, rythmait les mots souvent alors fort insignifiants qu'il écrivait. Cet accent n'est pas noté dans le texte, rien ne l'y indique et pourtant il s'ajoute de lui-même aux phrases, on ne peut pas les dire autrement, il est ce qu'il y avait de plus éphémère et pourtant de plus profond chez l'écrivain, et c'est cela qui portera témoignage sur sa nature, qui dira si, malgré toutes les duretés qu'il a exprimées, il était doux, malgré toutes les sensualités, sentimental.

Certaines particularités d'élocution qui existaient à l'état de faibles traces dans la conversation de Bergotte ne lui appartenaient pas en propre, car quand j'ai connu plus tard ses frères et ses sœurs, je les ai retrouvées chez eux bien plus accentuées. C'était quelque chose de brusque et de rauque dans les derniers mots d'une phrase gaie, quelque chose d'affaibli et d'expirant à la fin d'une phrase triste. Swann, qui avait connu le Maître quand il était enfant, m'a dit qu'alors on entendait chez lui, tout autant que chez ses frères et sœurs, ces inflexions en quelque sorte familiales, tour à tour cris de violente gaieté et[1] murmures d'une lente mélancolie, et que dans la salle où ils jouaient tous ensemble il faisait sa partie mieux qu'aucun, dans leurs concerts successivement assourdissants et languides. Si particulier qu'il soit, tout ce bruit qui s'échappe des êtres est fugitif et ne leur survit pas. Mais il n'en fut pas ainsi de la prononciation de la famille Bergotte. Car s'il est difficile de comprendre jamais, même dans *les Maîtres Chanteurs,* comment un artiste peut inventer la musique en écoutant gazouiller les oiseaux, pourtant Bergotte avait transposé et fixé dans sa prose cette façon de traîner sur des mots qui se répètent en clameurs de joie ou qui s'égouttent en tristes soupirs. Il y a dans ses livres telles terminaisons de phrases où l'accumulation des sonorités se prolonge[1], comme aux derniers accords d'une ouverture d'opéra qui ne peut pas finir et redit plusieurs fois sa suprême cadence avant que le chef d'orchestre pose son bâton, dans lesquelles je retrouvai plus tard un équivalent musical de ces cuivres phonétiques de la famille Bergotte. Mais pour lui, à partir du moment où il les transporta dans ses livres, il cessa inconsciemment d'en user dans son discours. Du jour où il avait commencé d'écrire et, à plus forte raison, plus tard, quand je le connus, sa voix s'en était désorchestrée pour toujours.

Ces jeunes Bergotte — le futur écrivain et ses frères et sœurs — n'étaient sans doute pas supérieurs, au contraire, à des jeunes gens plus fins, plus spirituels, qui trouvaient les Bergotte bien bruyants, voire un peu vulgaires, agaçants dans leurs plaisanteries qui caractérisaient le « genre » moitié prétentieux, moitié bêta, de la maison. Mais le génie, même le grand talent, vient moins d'éléments intellectuels et d'affinement social supérieurs à ceux d'autrui, que de la faculté de les transformer, de les transposer. Pour faire chauffer un liquide avec une lampe électrique, il ne s'agit pas d'avoir la plus forte lampe possible, mais une dont le courant puisse cesser d'éclairer, être dérivé et donner, au lieu de lumière, de la chaleur. Pour se promener dans les airs, il n'est pas nécessaire d'avoir l'automobile la plus puissante, mais une automobile qui, ne continuant pas[2] de courir à terre et coupant d'une verticale la ligne qu'elle suivait, soit capable de convertir en force ascensionnelle sa vitesse horizontale. De même ceux qui produisent des œuvres géniales ne sont pas ceux qui vivent dans le milieu le plus délicat, qui ont la conversation la plus brillante, la culture la plus étendue, mais ceux qui ont eu le pouvoir, cessant brusquement de vivre pour eux-mêmes, de rendre leur personnalité pareille à un miroir, de telle sorte que leur vie, si médiocre d'ailleurs qu'elle pouvait être mondainement et même, dans un certain sens, intellectuellement parlant, s'y reflète, le génie consistant dans le pouvoir réfléchissant et non dans la qualité intrinsèque du spectacle reflété. Le jour où le jeune Bergotte put montrer au monde de ses lecteurs le salon de mauvais goût où il avait passé son enfance et les causeries pas très drôles qu'il y tenait avec ses frères, ce jour-là il monta plus haut que les amis de sa famille, plus spirituels et plus distingués : ceux-ci dans leurs belles Rolls-Royce pourraient rentrer chez eux en témoignant un peu de mépris pour la vulgarité des Bergotte; mais lui, de son modeste appareil qui venait enfin de « décoller », il les survolait.

C'était, non plus avec des membres de sa famille, mais avec certains écrivains de son temps que d'autres traits de son élocution lui étaient communs. De plus jeunes qui commençaient à le renier et prétendaient n'avoir aucune parenté intellectuelle avec lui, la manifestaient sans le vouloir en employant les mêmes adverbes, les mêmes prépositions qu'il répétait sans cesse, en construisant les phrases de la même manière, en parlant sur le même ton amorti, ralenti, par réaction contre le langage éloquent et facile d'une génération précédente. Peut-être ces jeunes gens — on en verra qui étaient dans ce cas — n'avaient-ils pas connu Bergotte. Mais sa façon de penser, inoculée en eux, y avait développé ces altérations de la syntaxe et de l'accent qui sont[1] en relation nécessaire avec l'originalité intellectuelle. Relation qui demande à être interprétée d'ailleurs. Ainsi Bergotte, s'il ne devait rien à personne dans sa façon d'écrire, tenait sa façon de parler d'un de ses vieux camarades, merveilleux causeur dont il avait subi l'ascendant, qu'il imitait sans le vouloir dans la conversation, mais qui, lui, étant moins doué, n'avait jamais écrit de livres vraiment supérieurs. De sorte que, si l'on s'en était tenu à l'originalité du débit, Bergotte eût été étiqueté disciple, écrivain de seconde main, alors que, influencé par son ami dans le domaine de la causerie, il avait été original et créateur comme écrivain. Sans doute encore pour se séparer de la précédente génération, trop amie des abstractions, des grands lieux communs, quand

Bergotte voulait dire du bien d'un livre, ce qu'il faisait valoir, ce qu'il citait c'était toujours quelque scène faisant image, quelque tableau sans signification rationnelle. « Ah ! si ! disait-il, c'est bien ! il y a une petite fille en châle orange, ah ! c'est bien », ou encore : « Oh ! oui, il y a un passage où il y a un régiment qui traverse une ville, ah ! oui, c'est bien ! » Pour le style, il n'était pas tout à fait de son temps (et restait du reste fort exclusivement de son pays, il détestait Tolstoï, George Eliot, Ibsen et Dostoïevski), car le mot qui revenait toujours quand il voulait faire l'éloge d'un style, c'était le mot « doux ». « Si, j'aime tout de même mieux le Chateaubriand d'*Atala* que celui de *Rancé,* il me semble que c'est plus doux. » Il disait ce mot-là comme un médecin à qui un malade assure que le lait lui fait mal à l'estomac et qui répond : « C'est pourtant bien doux. » Et il est vrai qu'il y avait dans le style de Bergotte une sorte d'harmonie pareille à celle pour laquelle les anciens donnaient à certains de leurs orateurs des louanges dont nous concevons difficilement la nature, habitués que nous sommes à nos langues modernes où on ne cherche pas ce genre d'effets.

Il disait aussi, avec un sourire timide, de pages de lui pour lesquelles on lui déclarait son admiration : « Je crois que c'est assez vrai, c'est assez exact, cela peut être utile », mais simplement par modestie, comme une femme à qui on dit que sa robe, ou sa fille, est ravissante, répond, pour la première : « Elle est commode », pour la seconde : « Elle a un bon caractère. » Mais l'instinct du constructeur était trop profond chez Bergotte pour qu'il ignorât que la seule preuve qu'il avait bâti utilement et selon la vérité, résidait dans la joie que son œuvre lui avait donnée, à lui d'abord, et aux autres ensuite. Seulement, bien des années plus tard, quand il n'eut plus de talent, chaque fois qu'il écrivit quelque chose dont il n'était pas content, pour ne pas l'effacer comme il aurait dû, pour le publier, il se répéta, à soi-même cette fois : « Malgré tout, c'est assez exact, cela n'est pas inutile à mon pays. » De sorte que la phrase murmurée jadis devant ses admirateurs par une ruse de sa modestie, le fut, à la fin, dans le secret de son cœur, par les inquiétudes de son orgueil. Et les mêmes mots qui avaient servi à Bergotte d'excuse superflue pour la valeur de ses premières œuvres, lui devinrent comme une inefficace consolation de la médiocrité des dernières.

Une espèce de sévérité de goût qu'il avait, de volonté de n'écrire jamais que des choses dont il pût dire : « C'est doux », et qui l'avait fait passer tant d'années pour un artiste stérile, précieux, ciseleur de riens, était au contraire le secret de sa force, car l'habitude fait aussi bien le style de l'écrivain que le caractère de l'homme, et l'auteur qui s'est plusieurs fois contenté d'atteindre dans l'expression de sa pensée à un certain agrément, pose ainsi pour toujours les bornes de son talent, comme, en cédant souvent au plaisir, à la paresse, à la peur de souffrir, on dessine soi-même, sur un caractère où la retouche finit par n'être plus possible, la figure de ses vices et les limites de sa vertu.

Si, pourtant, malgré tant de correspondances que je perçus dans la suite entre l'écrivain et l'homme, je n'avais pas cru au premier moment, chez Mme Swann, que ce fût Bergotte, que ce fût l'auteur de tant de livres divins qui se trouvât devant moi, peut-être n'avais-je pas eu absolument tort, car lui-même (au vrai sens du mot) ne le « croyait » pas non plus. Il ne le croyait pas puisqu'il montrait un grand empressement envers des gens du monde (sans être d'ailleurs snob), envers des gens de lettres, des journalistes, qui lui étaient bien inférieurs. Certes, maintenant il avait appris par le suffrage des autres qu'il avait du génie, à côté de quoi la situation dans le monde et les positions officielles ne sont rien. Il avait appris qu'il avait du génie, mais il ne le croyait pas puisqu'il continuait à simuler la déférence envers des écrivains médiocres pour arriver à être prochainement académicien, alors que l'Académie ou le faubourg Saint-Germain n'ont pas plus à voir avec la part de l'Esprit éternel, laquelle est l'auteur des livres de Bergotte, qu'avec le principe de causalité ou l'idée de Dieu. Cela il le savait aussi, comme un kleptomane sait inutilement qu'il est mal de voler. Et l'homme à barbiche et à nez en colimaçon avait des ruses de gentleman voleur de fourchettes, pour se rapprocher du fauteuil académique espéré, de telle duchesse qui disposait de plusieurs voix dans les élections, mais de s'en rapprocher en tâchant qu'aucune personne qui eût estimé que c'était un vice de poursuivre un pareil but, pût voir son manège. Il n'y réussissait qu'à demi, on entendait alterner avec les propos du vrai Bergotte ceux du Bergotte égoïste, ambitieux et qui ne pensait qu'à parler de tels gens puissants, nobles ou riches, pour se faire valoir, lui qui dans ses livres, quand il était vraiment lui-même, avait si bien montré, pur comme celui d'une source, le charme des pauvres.

Quant à ces autres vices auxquels avait fait allusion M. de Norpois, à cet amour à demi incestueux qu'on disait même compliqué d'indélicatesse en matière d'argent, s'ils contredisaient d'une façon choquante la tendance de ses derniers romans, pleins d'un souci si scrupuleux, si douloureux, du bien, que les moindres joies de leurs héros en étaient empoisonnées et que pour le lecteur même il s'en dégageait un sentiment d'angoisse à travers lequel l'existence la plus douce semblait difficile à supporter, ces vices ne prouvaient pas cependant, à supposer qu'on les imputât justement à Bergotte, que sa littérature fût mensongère, et tant de sensibilité, de la comédie. De même qu'en pathologie certains états d'apparence semblable sont dus, les uns à un excès, d'autres à une insuffisance de tension, de sécrétion, etc., de même il peut y avoir vice par hypersensibilité comme il y a vice par manque de sensibilité. Peut-être n'est-ce que dans des vies réellement vicieuses que le problème moral peut se poser avec toute sa force d'anxiété. Et à ce problème l'artiste donne une solution non pas dans le plan de sa vie individuelle, mais de ce qui est pour lui sa vraie vie, une solution générale, littéraire. Comme les grands docteurs de l'Église commencèrent souvent, tout en étant bons, par connaître les péchés de tous les hommes, et en tirèrent leur sainteté personnelle, souvent les grands artistes, tout en étant mauvais, se servent de leurs vices pour arriver à concevoir la règle morale de tous. Ce sont les vices (ou seulement les faiblesses et les ridicules) du milieu où ils vivaient, les propos inconséquents, la vie frivole et choquante de leur fille, les trahisons de leur femme ou leurs propres fautes, que les écrivains ont le plus souvent flétris dans leurs diatribes sans changer pour cela le train de leur ménage ou le mauvais ton qui règne dans leur foyer. Mais ce contraste frappait moins autrefois qu'au temps de Bergotte, parce que d'une part, au fur et à mesure que se corrompait la société, les notions de moralité allaient s'épurant, et que d'autre part le public s'était mis au courant plus qu'il n'avait[1] encore fait jusque-là de la vie privée des écrivains ; et certains soirs au théâtre on se montrait l'auteur que j'avais tant admiré à Combray, assis au fond d'une loge dont la seule composition semblait un commentaire singulièrement risible ou poignant, un impudent démenti de la thèse qu'il venait de soutenir dans sa dernière œuvre. Ce n'est pas ce que les uns ou les autres purent me dire qui me renseigna beaucoup sur la bonté ou la méchanceté de Bergotte. Tel de ses proches fournissait des preuves de sa dureté, tel inconnu citait un trait (touchant, car il avait été évidemment destiné à rester caché) de sa sensibilité profonde. Il avait agi cruellement avec sa femme. Mais, dans une auberge de village où il était venu passer la nuit, il était resté pour veiller une pauvresse qui avait tenté de se jeter à l'eau, et quand il avait été obligé de partir il avait laissé beaucoup d'argent à l'aubergiste pour qu'il ne chassât pas cette malheureuse et pour qu'il eût des attentions envers elle. Peut-être, plus le grand écrivain se développa en Bergotte aux dépens de l'homme à barbiche, plus sa vie individuelle se noya dans le flot de toutes les vies qu'il imaginait et ne lui parut plus l'obliger à des devoirs effectifs, lesquels étaient remplacés pour lui par le devoir d'imaginer ces autres vies. Mais en même temps, parce qu'il imaginait les sentiments des autres aussi bien que s'ils avaient été les siens, quand l'occasion faisait qu'il avait à s'adresser à un malheureux, au moins d'une façon passagère, il le faisait en se plaçant non à son point de vue personnel, mais à celui même de l'être qui souffrait, point de vue d'où lui aurait fait horreur le langage de ceux qui continuent à penser à leurs petits intérêts devant la douleur d'autrui. De sorte qu'il a excité autour de lui des rancunes justifiées et des gratitudes ineffaçables.

C'était surtout un homme qui au fond n'aimait vraiment que certaines images et (comme une miniature au fond d'un coffret) que les composer et les peindre sous les mots. Pour un rien qu'on lui avait envoyé, si ce rien lui était l'occasion d'en entrelacer quelques-unes, il se montrait prodigue dans l'expression de sa reconnaissance, alors qu'il n'en témoignait aucune pour un riche présent. Et s'il avait eu à se défendre devant un tribunal, malgré lui il aurait choisi ses paroles, non selon l'effet qu'elles pouvaient produire sur le juge, mais en vue d'images que le juge n'aurait certainement pas aperçues.

Ce premier jour où je le vis chez les parents de Gilberte, je racontai à Bergotte que j'avais entendu récemment la Berma dans *Phèdre;* il me dit que dans la scène où elle reste le bras levé à la hauteur de l'épaule — précisément une des scènes où on avait tant applaudi — elle avait su évoquer avec un art très noble des chefs-d'œuvre qu'elle n'avait peut-être d'ailleurs jamais vus, une Hespéride qui fait ce geste sur une métope d'Olympie, et aussi les belles vierges de l'ancien Érechthéion.

— Ce peut être une divination, je me figure pourtant qu'elle va dans les musées. Ce serait intéressant à « repérer » (repérer était une de ces expressions habituelles à Bergotte et que tels jeunes gens qui ne l'avaient jamais rencontré lui avaient prises, parlant comme lui par une sorte de suggestion à distance).

— Vous pensez aux Cariatides? demanda Swann.

— Non, non, dit Bergotte, sauf dans la scène où elle avoue sa passion à Œnone et où elle fait avec la main le mouvement d'Hêgêso dans la stèle du Céramique, c'est un art bien plus ancien qu'elle ranime. Je parlais des Koraï de l'ancien Érechthéion, et je reconnais qu'il n'y a peut-être rien qui soit aussi loin de l'art de Racine, mais il y a déjà tant de choses dans *Phèdre*..., une de plus... Oh! et puis, si, elle est bien jolie la petite Phèdre du VIe siècle, la verticalité du bras, la boucle du cheveu qui « fait marbre », si, tout de même, c'est très fort d'avoir trouvé tout ça. Il y a là beaucoup plus d'antiquité que dans bien des livres qu'on appelle, cette année, « antiques ».

Comme Bergotte avait adressé dans un de ses livres une invocation célèbre à ces statues archaïques, les paroles qu'il prononçait en ce moment étaient fort claires pour moi et me donnaient une nouvelle raison de m'intéresser au jeu de la Berma. Je tâchais de la revoir dans mon souvenir, telle qu'elle avait été dans cette scène où je me rappelais qu'elle avait élevé le bras à hauteur de l'épaule. Et je me disais : « Voilà l'Hespéride d'Olympie; voilà la sœur d'une de ces admirables orantes de l'Acropole; voilà ce que c'est qu'un art noble. » Mais pour que ces pensées pussent m'embellir le geste de la Berma, il aurait fallu que Bergotte me les eût[1] fournies avant la représentation. Alors pendant que cette attitude de l'actrice existait effectivement devant moi, à ce moment où la chose qui a lieu a encore la plénitude de la réalité, j'aurais pu essayer d'en extraire l'idée de sculpture archaïque. Mais de la Berma dans cette scène, ce que je gardais c'était un souvenir qui n'était plus modifiable, mince comme une image dépourvue de ces dessous profonds du présent qui se laissent creuser et d'où l'on peut tirer véridiquement quelque chose de nouveau, une image à laquelle on ne peut imposer rétroactivement une interprétation qui ne serait plus susceptible de vérification, de sanction objective. Pour se mêler à la conversation, Mme Swann me demanda si Gilberte avait pensé à me donner ce que Bergotte avait écrit sur *Phèdre*. « J'ai une fille si étourdie », ajouta-t-elle. Bergotte eut un sourire de modestie et protesta que c'étaient des pages sans importance. « Mais si, c'est ravissant ce petit opuscule, ce petit *tract* », dit Mme Swann pour se montrer bonne maîtresse de maison, pour faire croire qu'elle avait lu la brochure, et aussi parce qu'elle n'aimait pas seulement complimenter Bergotte, mais faire un choix entre les choses qu'il écrivait, le diriger. Et à vrai dire elle l'inspira, d'une autre façon, du reste, qu'elle ne crut. Mais enfin il y a entre ce que fut l'élégance du salon de Mme Swann et tout un côté de l'œuvre de Bergotte des rapports tels que chacun des deux peut être alternativement, pour les vieillards d'aujourd'hui, un commentaire de l'autre.

Je me laissais aller à raconter mes impressions. Souvent Bergotte ne les trouvait pas justes, mais il me laissait parler. Je lui dis que j'avais aimé cet éclairage vert qu'il y a au moment où Phèdre lève le bras. « Ah ! vous feriez très plaisir au décorateur qui est un grand artiste, je le lui raconterai parce qu'il est très fier de cette lumière-là. Moi, je dois dire que je ne l'aime pas beaucoup, ça baigne tout dans une espèce de machine glauque, la petite Phèdre là dedans fait trop branche de corail au fond d'un aquarium. Vous direz que ça fait ressortir le côté cosmique du drame. Ça, c'est vrai. Tout de même ce serait mieux pour une pièce qui se passerait chez Neptune. Je sais bien qu'il y a là de la vengeance de Neptune. Mon Dieu, je ne demande pas qu'on ne pense qu'à Port-Royal, mais enfin, tout de même, ce que Racine a raconté ce ne sont pas les amours des oursins. Mais enfin, c'est ce que mon ami a voulu et c'est très fort tout de même et, au fond, c'est assez joli. Oui, enfin vous avez aimé ça, vous avez compris; n'est-ce pas, au fond nous pensons de même là-dessus, c'est un peu insensé ce qu'il a fait, n'est-ce pas, mais enfin c'est très intelligent. » Et quand l'avis de Bergotte était ainsi contraire au mien, il ne me réduisait nullement au silence, à l'impossibilité de rien répondre, comme eût fait celui de M. de Norpois. Cela ne prouve pas que les opinions de Bergotte fussent moins valables que celles de l'Ambassadeur, au contraire. Une idée forte communique un peu de sa force au contradicteur. Participant à la valeur universelle des esprits, elle s'insère, se greffe en l'esprit de celui qu'elle réfute, au milieu d'idées adjacentes, à l'aide desquelles, reprenant quelque avantage, il la complète, la rectifie; si bien que la sentence finale est en quelque sorte l'œuvre des deux personnes qui discutaient. C'est aux idées qui ne sont pas, à proprement parler, des idées, aux idées qui, ne tenant à rien, ne trouvent aucun point d'appui, aucun rameau fraternel dans l'esprit de l'adversaire, que celui-ci, aux prises avec le pur vide, ne trouve rien à répondre. Les arguments de M. de Norpois (en matière d'art) étaient sans réplique parce qu'ils étaient sans réalité.

Bergotte n'écartant pas mes objections, je lui avouai qu'elles avaient été méprisées par M. de Norpois. « Mais c'est un vieux serin, répondit-il; il vous a donné des coups de bec parce qu'il croit toujours avoir devant lui un échaudé ou une seiche. — Comment! vous connaissez Norpois? me dit Swann. — Oh ! il est ennuyeux comme la pluie, interrompit sa femme qui avait grande confiance dans le jugement de Bergotte et craignait sans doute que M. de Norpois ne nous eût dit du mal d'elle. J'ai voulu causer avec lui après le dîner, je ne sais pas si c'est l'âge ou la digestion, mais je l'ai trouvé d'un vaseux. Il semble qu'on aurait eu besoin de le doper! — Oui, n'est-ce pas, dit Bergotte, il est bien obligé de se taire assez souvent pour ne pas épuiser avant la fin de la soirée la provision de sottises qui empèsent le jabot de la chemise et maintiennent le gilet blanc. — Je trouve Bergotte et ma femme bien sévères, dit Swann qui avait pris chez lui « l'emploi » d'homme de bon sens. Je reconnais que Norpois ne peut pas vous intéresser beaucoup, mais à un autre point de vue (car Swann aimait à recueillir les beautés de la « vie »), il eſt quelqu'un d'assez curieux, d'assez curieux comme « amant ». Quand il était secrétaire à Rome, ajouta-t-il, après s'être assuré que Gilberte ne pouvait pas entendre, il avait à Paris une maîtresse dont il était éperdu et il trouvait le moyen de faire le voyage deux fois par semaine pour la voir deux heures. C'était du reſte une femme très intelligente et ravissante à ce moment-là, c'eſt une douairière maintenant. Et il en a eu beaucoup d'autres dans l'intervalle. Moi je serais devenu fou s'il avait fallu que la femme que j'aimais habitât Paris pendant que j'étais retenu à Rome. Pour les gens nerveux, il faudrait toujours qu'ils aimassent, comme disent les gens du peuple, « au-dessous d'eux » afin qu'une queſtion d'intérêt mît la femme qu'ils aiment à leur discrétion. » À ce moment Swann s'aperçut de l'application que je pouvais faire de cette maxime à lui et à Odette. Et comme, même chez les êtres supérieurs, au moment où ils semblent planer avec vous au-dessus de la vie, l'amour-propre reſte mesquin, il fut pris d'une grande mauvaise humeur contre moi. Mais cela ne se manifeſta que par l'inquiétude de son regard. Il ne me dit rien au moment même. Il ne faut pas trop s'en étonner. Quand Racine, selon un récit d'ailleurs controuvé, mais dont la matière se répète tous les jours dans la vie de Paris, fit allusion à Scarron devant Louis XIV, le plus puissant roi du monde ne dit rien le soir même au poète. Et c'eſt le lendemain que celui-ci tomba en disgrâce.

Mais comme une théorie désire d'être exprimée entièrement, Swann, après cette minute d'irritation et ayant essuyé le verre de son monocle, compléta sa pensée en ces mots qui devaient plus tard prendre dans mon souvenir la valeur d'un avertissement prophétique et duquel je ne sus pas tenir compte. « Cependant le danger de ce genre d'amours eſt que la sujétion de la femme calme un moment la jalousie de l'homme mais la rend aussi plus exigeante. Il arrive à faire vivre sa maîtresse comme ces prisonniers qui sont jour et nuit éclairés pour être mieux gardés. Et cela finit généralement par des drames. »

Je revins à M. de Norpois. « Ne vous y fiez pas, il eſt au contraire très mauvaise langue », dit Mme Swann avec un accent qui me parut d'autant plus signifier que M. de Norpois avait mal parlé d'elle, que Swann regarda sa femme d'un air de réprimande et comme pour l'empêcher d'en dire davantage.

Cependant Gilberte qu'on avait déjà priée deux fois d'aller se préparer pour sortir, restait à nous écouter, entre sa mère et son père, à l'épaule duquel elle était câlinement appuyée. Rien, au premier aspect, ne faisait plus contraste avec Mme Swann, qui était brune, que cette jeune fille à la chevelure rousse, à la peau dorée. Mais au bout d'un instant on reconnaissait en Gilberte bien des traits — par exemple le nez arrêté avec une brusque et infaillible décision par le sculpteur invisible qui travaille de son ciseau pour plusieurs générations —, l'expression, les mouvements de sa mère; pour prendre une comparaison dans un autre art, elle avait l'air d'un portrait peu ressemblant encore de Mme Swann que le peintre, par un caprice de coloriste, eût fait poser à demi déguisée, prête à se rendre à un dîner de « têtes », en Vénitienne. Et comme elle n'avait pas qu'une perruque blonde, mais que tout atome sombre avait été expulsé de sa chair, laquelle, dévêtue de ses voiles bruns, semblait plus nue, recouverte seulement des rayons dégagés par un soleil intérieur, le grimage n'était pas que superficiel, mais incarné; Gilberte avait l'air de figurer quelque animal fabuleux, ou de porter un travesti mythologique. Cette peau rousse, c'était celle de son père au point que la nature semblait avoir eu, quand Gilberte avait été créée, à résoudre le problème de refaire peu à peu Mme Swann, en n'ayant à sa disposition comme matière que la peau de M. Swann. Et la nature l'avait utilisée parfaitement, comme un maître huchier qui tient à laisser apparents le grain, les nœuds du bois. Dans la figure de Gilberte, au coin du nez d'Odette parfaitement reproduit, la peau se soulevait pour garder intacts les deux grains de beauté de M. Swann. C'était une nouvelle variété de Mme Swann qui était obtenue là, à côté d'elle, comme un lilas blanc près d'un lilas violet. Il ne faudrait pourtant pas se représenter la ligne de démarcation entre les deux ressemblances comme absolument nette. Par moments, quand Gilberte riait, on distinguait l'ovale de la joue de son père dans la figure de sa mère comme si on les avait mis ensemble pour voir ce que donnerait le mélange; cet ovale se précisait comme un embryon se forme : il s'allongeait obliquement, se gonflait, au bout d'un instant il avait disparu. Dans les yeux de Gilberte il y avait le bon regard franc de son père; c'est celui qu'elle avait eu quand elle m'avait donné la bille d'agate et m'avait dit : « Gardez-la en souvenir de notre amitié. » Mais, posait-on à Gilberte une question sur ce qu'elle avait fait, alors on voyait dans ces mêmes yeux l'embarras, l'incertitude, la dissimulation, la tristesse qu'avait autrefois Odette quand Swann lui demandait où elle était allée et qu'elle lui faisait une de ces réponses mensongères qui désespéraient l'amant et maintenant lui faisaient brusquement changer la conversation en mari incurieux et prudent. Souvent, aux Champs-Élysées, j'avais été inquiet en voyant ce regard chez Gilberte. Mais, la plupart du temps, c'était à tort. Car chez elle, survivance toute physique de sa mère, ce regard — celui-là du moins — ne correspondait plus à rien. C'est quand elle était allée à son cours, quand elle devait rentrer pour une leçon, que les pupilles de Gilberte exécutaient ce mouvement qui jadis en les yeux d'Odette était causé par la peur de révéler qu'elle avait reçu dans la journée un de ses amants ou qu'elle était pressée de se rendre à un rendez-vous. Telles on voyait ces deux natures de M. et de Mme Swann onduler, refluer, empiéter tour à tour l'une sur l'autre, dans le corps de cette Mélusine.

Sans doute on sait bien qu'un enfant tient de son père et de sa mère. Encore la distribution des qualités et des défauts dont il hérite se fait-elle si étrangement que, de deux qualités qui semblaient inséparables chez un[1] des parents, on ne trouve plus que l'une chez l'enfant, et alliée à celui des défauts de l'autre parent qui semblait inconciliable avec elle. Même l'incarnation d'une qualité morale dans un défaut physique incompatible est souvent une des lois de la ressemblance filiale. De deux sœurs, l'une aura, avec la fière stature de son père, l'esprit mesquin de sa mère; l'autre, toute remplie de l'intelligence paternelle, la présentera au monde sous l'aspect qu'a sa mère; de sa mère le gros nez, le ventre noueux, et jusqu'à la voix sont devenus les vêtements de dons qu'on connaissait sous une apparence superbe. De sorte que de chacune des deux sœurs on peut dire avec autant de raison que c'est elle qui tient le plus de tel de ses parents. Il est vrai que Gilberte était fille unique, mais il y avait au moins deux Gilberte. Les deux natures, de son père et de sa mère, ne faisaient pas que se mêler en elle; elles se la disputaient, et encore ce serait parler inexactement et donner[1] à supposer qu'une troisième Gilberte souffrait pendant ce temps-là d'être la proie des deux autres. Or, Gilberte était tour à tour l'une et puis l'autre, et à chaque moment rien de plus que l'une, c'est-à-dire incapable, quand elle était moins bonne, d'en souffrir, la meilleure Gilberte ne pouvant alors, du fait de son absence momentanée, constater cette déchéance. Aussi la moins bonne des deux était-elle libre de se réjouir de plaisirs peu nobles. Quand l'autre parlait avec le cœur de son père, elle avait des vues larges, on aurait voulu conduire avec elle une belle et bienfaisante entreprise, on le lui disait, mais au moment où l'on allait conclure, le cœur de sa mère avait déjà repris son tour; et c'est lui qui vous répondait; et on était déçu et irrité — presque intrigué comme devant une substitution de personne — par une réflexion mesquine, un ricanement fourbe, où Gilberte se complaisait, car ils sortaient de ce qu'elle-même était à ce moment-là. L'écart était même parfois tellement grand entre les deux Gilberte qu'on se demandait, vainement du reste, ce qu'on avait pu lui faire pour la retrouver si différente. Le rendez-vous qu'elle vous[2] avait proposé, non seulement elle n'y était pas venue et ne s'excusait pas ensuite, mais, quelle que fût l'influence qui eût pu faire changer sa détermination, elle se montrait si différente ensuite qu'on aurait cru que, victime d'une ressemblance comme celle qui fait le fond des *Ménechmes,* on n'était pas devant la personne qui vous avait si gentiment demandé à vous voir, si elle ne vous[3] eût témoigné une mauvaise humeur qui décelait qu'elle se sentait en faute et désirait éviter les explications.

— Allons, va, tu vas nous faire attendre, lui dit sa mère.

— Je suis si bien près de mon petit papa, je veux rester encore un moment, répondit Gilberte en cachant sa tête sous le bras de son père qui passa tendrement les doigts dans la chevelure blonde.

Swann était de ces hommes qui, ayant vécu longtemps dans les illusions de l'amour, ont vu le bien-être qu'ils ont donné à nombre de femmes accroître le bonheur de celles-ci sans créer de leur part aucune reconnaissance, aucune tendresse envers eux; mais dans leur enfant ils croient sentir une affection qui, incarnée dans leur nom même, les fera durer après leur mort. Quand il n'y aurait plus de Charles Swann, il y aurait encore une Mlle Swann, ou une Mme X., née Swann, qui continuerait à aimer le père disparu. Même à l'aimer trop peut-être, pensait sans doute Swann, car il répondit à Gilberte : « Tu es une bonne fille » de ce ton attendri par l'inquiétude que nous inspire pour l'avenir la tendresse trop passionnée d'un être destiné à nous survivre. Pour dissimuler son émotion, il se mêla à notre conversation sur la Berma. Il me fit remarquer, mais d'un ton détaché, ennuyé, comme s'il voulait rester en quelque sorte en dehors de ce qu'il disait, avec quelle intelligence, quelle justesse imprévue l'actrice disait à Œnone : « Tu le savais ! » Il avait raison : cette intonation-là, du moins, avait une valeur vraiment intelligible et aurait dû par là satisfaire à mon désir de trouver des raisons irréfutables d'admirer la Berma. Mais c'est à cause de sa clarté même qu'elle ne le contentait point. L'intonation était si ingénieuse, d'une intention, d'un sens si définis, qu'elle semblait exister en elle-même et que toute artiste intelligente eût pu l'acquérir. C'était une belle idée; mais quiconque la concevrait aussi pleinement, la posséderait de même. Il restait à la Berma qu'elle l'avait[1] trouvée, mais peut-on employer ce mot de « trouver », quand il s'agit de[2] quelque chose qui ne serait pas différent si on l'avait reçu, quelque chose qui ne tient pas essentiellement à votre être, puisqu'un autre peut ensuite le reproduire ?

« Mon Dieu, mais comme votre présence élève le *niveau de la conversation !* » me dit, comme pour s'excuser auprès de Bergotte, Swann qui avait pris dans le milieu Guermantes l'habitude de recevoir les grands artistes comme de bons amis à qui on cherche seulement à faire manger les plats qu'ils aiment, jouer aux jeux ou, à la campagne, se livrer aux sports qui leur plaisent. « Il me semble que nous parlons bien d'*art,* ajouta-t-il. — C'est très bien, j'aime beaucoup ça », dit Mme Swann en me jetant un regard reconnaissant, par bonté et aussi parce qu'elle avait gardé ses anciennes aspirations vers une conversation plus intellectuelle. Ce fut ensuite à d'autres personnes, à Gilberte en particulier, que parla Bergotte. J'avais dit à celui-ci tout ce que je ressentais avec une liberté qui m'avait étonné et qui tenait à ce qu'ayant pris avec lui, depuis des années (au cours de tant d'heures de solitude et de lecture, où il n'était pour moi que la meilleure partie de moi-même), l'habitude de la sincérité, de la franchise, de la confiance, il m'intimidait moins qu'une personne avec qui j'aurais causé pour la première fois. Et cependant pour la même raison j'étais fort inquiet de l'impression que j'avais dû produire sur lui, le mépris que j'avais supposé qu'il aurait pour mes idées ne datant pas d'aujourd'hui, mais des temps déjà anciens où j'avais commencé à lire ses livres, dans notre jardin de Combray. J'aurais peut-être dû me dire pourtant[1] que puisque c'était sincèrement, en m'abandonnant à ma pensée, que, d'une part, j'avais tant sympathisé avec l'œuvre de Bergotte et que, d'autre part, j'avais éprouvé au théâtre un désappointement dont je ne connaissais pas les raisons, ces deux mouvements instinctifs qui m'avaient entraîné ne devaient pas être si différents l'un de l'autre, mais obéir aux mêmes lois; et que cet esprit de Bergotte, que j'avais aimé dans ses livres, ne devait pas être quelque chose d'entièrement étranger et hostile à ma déception et à mon incapacité de l'exprimer. Car mon intelligence devait être une, et peut-être même n'en existe-t-il qu'une seule dont tout le monde est co-locataire, une intelligence sur laquelle chacun, du fond de son corps particulier, porte ses regards, comme au théâtre où, si chacun a sa place, en revanche, il n'y a qu'une seule scène. Sans doute, les idées que j'avais le goût de chercher à démêler n'étaient pas celles qu'approfondissait d'ordinaire Bergotte dans ses livres. Mais si c'était la même intelligence que nous avions, lui et moi, à notre disposition, il devait, en me les entendant exprimer, se les rappeler, les aimer, leur sourire, gardant probablement, malgré ce que je supposais, devant son œil intérieur, une tout[2] autre partie de l'intelligence que celle dont une découpure avait passé dans ses livres et d'après laquelle j'avais imaginé tout son univers mental. De même que les prêtres ayant la plus grande expérience du cœur, peuvent le mieux pardonner aux péchés qu'ils ne commettent pas, de même le génie ayant la plus grande expérience de l'intelligence, peut le mieux comprendre les idées qui sont le plus opposées à celles qui forment le fond de ses propres œuvres. J'aurais dû me dire tout cela, qui d'ailleurs n'a rien de très agréable, car la bienveillance des hauts esprits a pour corollaire l'incompréhension et l'hostilité des médiocres; or, on est beaucoup moins heureux de l'amabilité d'un grand écrivain, qu'on trouve à la rigueur dans ses livres, qu'on ne souffre de l'hostilité d'une femme qu'on n'a pas choisie pour son intelligence, mais qu'on ne peut s'empêcher d'aimer. J'aurais dû me dire tout cela, mais ne me le disais pas, j'étais persuadé que j'avais paru stupide à Bergotte, quand Gilberte me chuchota à l'oreille :

— Je nage dans la joie, parce que vous avez fait la conquête de mon grand ami Bergotte. Il a dit à maman qu'il vous avait trouvé extrêmement intelligent.

— Où allons-nous? demandai-je à Gilberte.

— Oh! où on voudra, moi, vous savez, aller ici ou là...

Mais depuis l'incident qui avait eu lieu le jour de l'anniversaire de la mort de son grand-père, je me demandais si le caractère de Gilberte n'était pas autre que ce que j'avais cru, si cette indifférence à ce qu'on ferait, cette sagesse, ce calme, cette douce soumission constante, ne cachaient pas au contraire des désirs très passionnés que par amour-propre elle ne voulait pas laisser voir et qu'elle ne révélait que par sa soudaine résistance quand ils étaient par hasard contrariés.

Comme Bergotte habitait dans le même quartier que mes parents, nous partîmes ensemble; en voiture il me parla de ma santé : « Nos amis m'ont dit que vous étiez souffrant. Je vous plains beaucoup. Et puis malgré cela je ne vous plains pas trop, parce que je vois bien que vous devez avoir les plaisirs de l'intelligence et c'est probablement ce qui compte surtout pour vous, comme pour tous ceux qui les connaissent. »

Hélas! ce qu'il disait là, combien je sentais que c'était peu vrai pour moi que tout raisonnement, si élevé qu'il fût, laissait froid, qui n'étais heureux que dans des moments de simple flânerie, quand j'éprouvais du bien-être; je sentais combien ce que je désirais dans la vie était purement matériel, et avec quelle facilité je me serais passé de l'intelligence. Comme je ne distinguais pas entre les plaisirs ceux qui me venaient de sources différentes, plus ou moins profondes et durables, je pensai, au moment de lui répondre, que j'aurais aimé une existence où j'aurais été lié avec la duchesse de Guermantes et où j'aurais souvent senti, comme dans l'ancien bureau d'octroi des Champs-Élysées, une fraîcheur qui m'eût rappelé Combray. Or, dans cet idéal de vie que je n'osais lui confier, les plaisirs de l'intelligence ne tenaient aucune place.

— Non, Monsieur, les plaisirs de l'intelligence sont bien peu de chose pour moi, ce n'est pas eux que je recherche, je ne sais même pas si je les ai jamais goûtés.

— Vous croyez vraiment? me répondit-il. Eh bien, écoutez, si, tout de même, cela doit être cela que vous aimez le mieux, moi, je me le figure, voilà ce que je crois.

Il ne me persuadait certes pas; pourtant je me sentais plus heureux, moins à l'étroit. À cause de ce que m'avait dit M. de Norpois, j'avais considéré mes moments de rêverie, d'enthousiasme, de confiance en moi, comme purement subjectifs et sans vérité. Or, selon Bergotte qui avait l'air de connaître mon cas, il semblait que le symptôme à négliger, c'était au contraire mes doutes, mon dégoût de moi-même. Surtout ce qu'il avait dit de M. de Norpois ôtait beaucoup de sa force à une condamnation que j'avais crue sans appel.

« Êtes-vous bien soigné? me demanda Bergotte. Qui est-ce qui s'occupe de votre santé? » Je lui dis que j'avais vu et reverrais sans doute Cottard. « Mais ce n'est pas ce qu'il vous faut! me répondit-il. Je ne le connais pas comme médecin. Mais je l'ai vu chez Mme Swann. C'est un imbécile. À supposer que cela n'empêche pas d'être un bon médecin, ce que j'ai peine à croire, cela empêche d'être un bon médecin pour artistes, pour gens intelligents. Les gens comme vous ont besoin de médecins appropriés, je dirais presque de régimes, de médicaments particuliers. Cottard vous ennuiera et rien que l'ennui empêchera son traitement d'être efficace. Et puis ce traitement ne peut pas être le même pour vous que pour un individu quelconque. Les trois quarts du mal des gens intelligents viennent[1] de leur intelligence. Il leur faut au moins un médecin qui connaisse ce mal-là. Comment voulez-vous que Cottard puisse vous soigner? Il a prévu la difficulté de digérer les sauces, l'embarras gastrique, mais il n'a pas prévu la lecture de Shakespeare... Aussi ses calculs ne sont plus justes avec vous, l'équilibre est rompu, c'est toujours le petit ludion qui remonte. Il vous trouvera une dilatation de l'estomac, il n'a pas besoin de vous examiner puisqu'il l'a d'avance dans son œil. Vous pouvez la voir, elle se reflète dans son lorgnon. »

Cette manière de parler me fatiguait beaucoup, je me disais avec la stupidité du bon sens : « Il n'y a pas plus de dilatation de l'estomac reflétée dans le lorgnon du professeur Cottard que de sottises cachées dans le gilet blanc de M. de Norpois. » « Je vous conseillerais plutôt, poursuivit Bergotte, le docteur du Boulbon, qui est tout à fait intelligent. — C'est un grand admirateur de vos œuvres », lui répondis-je. Je vis que Bergotte le savait et j'en conclus que les esprits fraternels se rejoignent vite, qu'on a peu de vrais « amis inconnus ». Ce que Bergotte me dit au sujet de Cottard me frappa, tout en étant contraire à tout ce que je croyais. Je ne m'inquiétais nullement de trouver mon médecin ennuyeux; j'attendais de lui que, grâce à un art dont les lois m'échappaient, il rendît au sujet de ma santé un indiscutable oracle en consultant mes entrailles. Et je ne tenais pas à ce que, à l'aide d'une intelligence où j'aurais pu le suppléer, il cherchât à comprendre la mienne que je ne me représentais que comme un moyen, indifférent en soi-même, de tâcher d'atteindre des vérités extérieures. Je doutais beaucoup que les gens intelligents eussent besoin d'une autre hygiène que les imbéciles et j'étais tout prêt à me soumettre à celle de ces derniers. « Quelqu'un qui aurait besoin d'un bon médecin, c'est notre ami Swann », dit Bergotte. Et comme je demandais s'il était malade : « Hé bien, c'est l'homme qui a épousé une fille, qui avale par jour cinquante couleuvres de femmes qui ne veulent pas recevoir la sienne, ou d'hommes qui ont couché avec elle. On les voit, elles lui tordent la bouche. Regardez un jour le sourcil circonflexe qu'il a quand il rentre, pour voir qui il y a chez lui. » La malveillance avec laquelle Bergotte parlait ainsi à un étranger d'amis chez qui il était reçu depuis si longtemps, était aussi nouvelle pour moi que le ton presque tendre que chez les Swann il prenait à tous moments avec eux. Certes, une personne comme ma grand'tante, par exemple, eût été incapable, avec aucun de nous, de ces gentillesses que j'avais entendu Bergotte prodiguer à Swann. Même aux gens qu'elle aimait, elle se plaisait à dire des choses désagréables. Mais, hors de leur présence, elle n'aurait pas prononcé une parole qu'ils n'eussent pu entendre. Rien, moins que notre société de Combray, ne ressemblait au monde. Celle des Swann était déjà un acheminement vers lui, vers ses flots versatiles. Ce n'était pas encore la grande mer, c'était déjà la lagune. « Tout ceci de vous à moi », me dit Bergotte en me quittant devant ma porte. Quelques années plus tard, je lui aurais répondu : « Je ne répète jamais rien. » C'est la phrase rituelle des gens du monde, par laquelle chaque fois le médisant est faussement rassuré. C'est celle que j'aurais déjà, ce jour-là, adressée à Bergotte, car on n'invente pas tout ce qu'on dit, surtout dans les moments où on agit comme personnage social. Mais je ne la connaissais pas encore. D'autre part, celle de ma grand'tante dans une occasion semblable eût été : « Si vous ne voulez pas que ce soit répété, pourquoi le dites-vous ? » C'est la réponse des gens insociables, des « mauvaises têtes[1] ». Je ne l'étais pas : je m'inclinai en silence.

Des gens de lettres qui étaient pour moi des personnages considérables intriguaient pendant des années avant d'arriver à nouer avec Bergotte des relations qui restaient toujours obscurément littéraires et ne sortaient pas de son cabinet de travail, alors que moi, je venais de m'installer parmi les amis du grand écrivain, d'emblée et tranquillement, comme quelqu'un qui, au lieu de faire la queue avec tout le monde pour avoir une mauvaise place, gagne les meilleures, ayant passé par un couloir fermé aux autres. Si Swann me l'avait ainsi ouvert, c'est sans doute parce que, comme un roi se trouve naturellement inviter les amis de ses enfants dans la loge royale, sur le yacht royal, de même les parents de Gilberte recevaient les amis de leur fille au milieu des choses précieuses qu'ils possédaient et des intimités plus précieuses encore qui y étaient encadrées. Mais à cette époque je pensai, et peut-être avec raison, que cette amabilité de Swann était indirectement à l'adresse de mes parents. J'avais cru entendre autrefois à Combray qu'il leur avait offert, voyant mon admiration pour Bergotte, de m'emmener dîner chez lui, et que mes parents avaient refusé, disant que j'étais trop jeune et trop nerveux pour « sortir ». Sans doute, mes parents représentaient-ils pour certaines personnes, justement celles qui me semblaient le plus merveilleuses, quelque chose de tout autre qu'à moi, de sorte que, comme au temps où la dame en rose avait adressé à mon père des éloges dont il s'était montré si peu digne, j'aurais souhaité que mes parents comprissent quel inestimable présent je venais de recevoir et témoignassent leur reconnaissance à ce Swann généreux et courtois qui me l'avait, ou le leur avait, offert, sans avoir plus l'air de s'apercevoir de sa valeur que ne fait dans la fresque de Luini le charmant roi mage, au nez busqué, aux cheveux blonds, et avec lequel on lui avait trouvé autrefois, paraît-il, une grande ressemblance.

Malheureusement, cette faveur que m'avait faite Swann et que, en rentrant, avant même d'ôter mon pardessus, j'annonçai à mes parents, avec l'espoir qu'elle éveillerait dans leur cœur un sentiment aussi ému que le mien et les déterminerait envers les Swann à quelque « politesse » énorme et décisive, cette faveur ne parut pas très appréciée par eux. « Swann t'a présenté à Bergotte? Excellente connaissance, charmante relation! s'écria ironiquement mon père. Il ne manquait plus que cela! » Hélas, quand j'eus ajouté qu'il ne goûtait pas du tout M. de Norpois :

— Naturellement! reprit-il. Cela prouve bien que c'est un esprit faux et malveillant. Mon pauvre fils, tu n'avais pas déjà beaucoup de sens commun, je suis désolé de te voir tombé dans un milieu qui va achever de te détraquer.

Déjà ma simple fréquentation chez les Swann avait été loin d'enchanter mes parents. La présentation à Bergotte leur apparut comme une conséquence néfaste, mais naturelle, d'une première faute, de la faiblesse qu'ils avaient eue et que mon grand-père eût appelée un « manque de circonspection ». Je sentis que je n'avais plus pour compléter leur mauvaise humeur qu'à dire que cet homme pervers et qui n'appréciait pas M. de Norpois, m'avait trouvé extrêmement intelligent. Quand mon père, en effet, trouvait qu'une personne, un de mes camarades par exemple, était dans une mauvaise voie — comme moi en ce moment — si celui-là avait alors l'approbation de quelqu'un que mon père n'estimait pas, il voyait dans ce suffrage la confirmation de son fâcheux diagnostic. Le mal ne lui en apparaissait que plus grand. Je l'entendais déjà qui allait s'écrier : « Nécessairement, c'est *tout un ensemble !* », mot qui m'épouvantait par l'imprécision et l'immensité des réformes dont il semblait annoncer l'imminente introduction dans ma si douce vie. Mais comme, n'eussé-je pas raconté ce que Bergotte avait dit de moi, rien ne pouvait plus quand même effacer l'impression qu'avaient éprouvée mes parents, qu'elle fût encore un peu plus mauvaise n'avait pas grande importance. D'ailleurs ils me semblaient si injustes, tellement dans l'erreur, que non seulement je n'avais pas l'espoir, mais presque pas le désir de les ramener à une vue plus équitable. Pourtant, sentant, au moment où les mots sortaient de ma bouche, comme ils allaient être effrayés de penser que j'avais plu à quelqu'un qui trouvait les hommes intelligents bêtes, était l'objet du mépris des honnêtes gens, et duquel la louange en me paraissant enviable m'encouragerait au mal, ce fut à voix basse et d'un air un peu honteux que, achevant mon récit, je jetai le bouquet : « Il a dit aux Swann qu'il m'avait trouvé extrêmement intelligent. » Comme un chien empoisonné qui, dans un champ, se jette sans le savoir sur l'herbe qui est précisément l'antidote de la toxine qu'il a absorbée, je venais, sans m'en douter, de dire la seule parole qui fût au monde capable de vaincre chez mes parents ce préjugé à l'égard de Bergotte, préjugé contre lequel tous les plus beaux raisonnements que j'aurais pu faire, tous les éloges que je lui aurais décernés, seraient demeurés vains. Au même instant la situation changea de face :

— Ah!... Il a dit qu'il te trouvait intelligent? dit ma mère. Cela me fait plaisir parce que c'est un homme de talent.

— Comment! il a dit cela? reprit mon père... Je ne nie en rien sa valeur littéraire devant laquelle tout le monde s'incline, seulement c'est ennuyeux qu'il ait cette existence peu honorable dont a parlé à mots couverts le père Norpois, ajouta-t-il sans s'apercevoir que, devant la vertu souveraine des mots magiques que je venais de prononcer, la dépravation des mœurs de Bergotte ne pouvait guère lutter plus longtemps que la fausseté de son jugement.

— Oh! mon ami, interrompit maman, rien ne prouve que ce soit vrai. On dit tant de choses. D'ailleurs, M. de Norpois est tout ce qu'il y a de plus gentil, mais il n'est pas toujours très bienveillant, surtout pour les gens qui ne sont pas de son bord.

— C'est vrai, je l'avais aussi remarqué, répondit mon père.

— Et puis enfin il sera beaucoup pardonné à Bergotte puisqu'il a trouvé mon petit enfant gentil, reprit maman tout en caressant avec ses doigts mes cheveux et en attachant sur moi un long regard rêveur.

Ma mère d'ailleurs n'avait pas attendu ce verdict de Bergotte pour me dire que je pouvais inviter Gilberte à goûter quand j'aurais des amis. Mais je n'osais pas le faire pour deux raisons. La première est que chez Gilberte on ne servait jamais que du thé. À la maison, au contraire, maman tenait à ce qu'à côté du thé il y eût du chocolat. J'avais peur que Gilberte ne trouvât cela commun et n'en conçût un grand mépris pour nous. L'autre raison fut une difficulté de protocole que je ne pus jamais réussir à lever. Quand j'arrivais chez Mme Swann, elle me demandait :

— Comment va Madame votre mère ?

J'avais fait quelques ouvertures à maman pour savoir si elle ferait de même quand viendrait Gilberte, point qui me semblait plus grave qu'à la cour de Louis XIV le « Monseigneur ». Mais maman ne voulut rien entendre.

— Mais non, puisque je ne connais pas Mme Swann.

— Mais elle ne te connaît pas davantage.

— Je ne te dis pas, mais nous ne sommes pas obligées de faire exactement de même en tout. Moi, je ferai d'autres amabilités à Gilberte, que Mme Swann n'aura pas pour toi.

Mais je ne fus pas convaincu et préférai ne pas inviter Gilberte.

Ayant quitté mes parents, j'allai changer de vêtements et en vidant mes poches je trouvai tout à coup l'enveloppe que m'avait remise le maître d'hôtel des Swann avant de m'introduire au salon. J'étais seul maintenant. Je l'ouvris, à l'intérieur était une carte sur laquelle on m'indiquait la dame à qui je devais offrir le bras pour aller à table.

Ce fut vers cette époque que Bloch bouleversa ma conception du monde, ouvrit pour moi des possibilités nouvelles de bonheur (qui devaient du reste se changer plus tard en possibilités de souffrance), en m'assurant que, contrairement à ce que je croyais au temps de mes promenades du côté de Méséglise, les femmes ne demandaient jamais mieux que de faire l'amour. Il compléta ce service en m'en rendant un second que je ne devais apprécier que beaucoup plus tard : ce fut lui qui me conduisit pour la première fois dans une maison de passe.

Il m'avait bien dit qu'il y avait beaucoup de jolies femmes qu'on peut posséder. Mais je leur attribuais une figure vague, que les maisons de passe devaient me permettre de remplacer par des visages particuliers. De sorte que si j'avais à Bloch — pour sa « bonne nouvelle » que le bonheur, la possession de la beauté, ne sont pas choses inaccessibles et que nous avons fait œuvre inutile en y renonçant à jamais — une obligation de même genre qu'à tel médecin ou tel philosophe optimiste qui nous fait espérer la longévité dans ce monde, et de ne pas être entièrement séparé de lui quand on aura passé dans un autre, les maisons de rendez-vous que je fréquentai quelques années plus tard — en me fournissant des échantillons du bonheur, en me permettant d'ajouter à la beauté des femmes cet élément que nous ne pouvons inventer, qui n'est pas que le résumé des beautés anciennes, le présent vraiment divin, le seul que nous ne puissions recevoir de nous-même, devant lequel expirent toutes les créations logiques de notre intelligence et que nous ne pouvons demander qu'à la réalité : un charme individuel — méritèrent d'être classées par moi à côté de ces autres bienfaiteurs d'origine plus récente mais d'utilité analogue (avant lesquels nous imaginions sans ardeur la séduction de Mantegna, de Wagner, de Sienne, d'après d'autres peintres, d'autres musiciens, d'autres villes) : les éditions d'histoire de la peinture illustrées, les concerts symphoniques et les études sur les « Villes d'art ». Mais la maison où Bloch me conduisit et où il n'allait plus d'ailleurs lui-même depuis longtemps, était d'un rang trop inférieur, le personnel était trop médiocre et trop peu renouvelé pour que j'y pusse satisfaire d'anciennes curiosités ou en[1] contracter de nouvelles. La patronne de cette maison ne connaissait aucune des femmes qu'on lui demandait et en proposait toujours dont on n'aurait pas voulu. Elle m'en vantait surtout une, une dont, avec un sourire plein de promesses (comme si ç'avait été une rareté et un régal), elle disait : « C'est une Juive ! Ça ne vous dit rien ? » (C'est sans doute à cause de cela qu'elle l'appelait Rachel.) Et avec une exaltation niaise et factice, qu'elle espérait être communicative et qui finissait sur un râle presque de jouissance : « Pensez donc, mon petit, une juive, il me semble que ça doit être affolant ! Rah ! » Cette Rachel, que j'aperçus sans qu'elle me vît, était brune, pas jolie, mais avait l'air intelligent, et, non sans passer un bout de langue sur ses lèvres, souriait d'un air plein d'impertinence aux michés qu'on lui présentait et que j'entendais entamer la conversation avec elle. Son mince et étroit visage était entouré de cheveux noirs et frisés, irréguliers comme s'ils avaient été indiqués par des hachures dans un lavis, à l'encre de Chine. Chaque fois je promettais à la patronne, qui me la proposait avec une insistance particulière en vantant sa grande intelligence et son instruction, que je ne manquerais pas un jour de venir tout exprès pour faire la connaissance de Rachel, surnommée par moi « Rachel quand du Seigneur ». Mais le premier soir j'avais entendu celle-ci, au moment où elle s'en allait, dire à la patronne :

— Alors, c'est entendu, demain je suis libre, si vous avez quelqu'un vous n'oublierez pas de me faire chercher.

Et ces mots m'avaient empêché de voir en elle une personne, parce qu'ils me l'avaient fait classer immédiatement dans une catégorie générale de femmes dont l'habitude commune à toutes était de venir là le soir voir s'il n'y avait pas un louis ou deux à gagner. Elle variait seulement la forme de sa phrase en disant : « si vous avez besoin de moi » ou « si vous avez besoin de quelqu'un ».

La patronne, qui ne connaissait pas l'opéra d'Halévy, ignorait pourquoi j'avais pris l'habitude de dire : « Rachel quand du Seigneur ». Mais ne pas la comprendre n'a jamais fait trouver une plaisanterie moins drôle, et c'est chaque fois en riant de tout son cœur qu'elle me disait :

— Alors, ce n'est pas encore pour ce soir que je vous unis à « Rachel quand du Seigneur » ? Comment dites-vous cela : « Rachel quand du Seigneur ! » Ah ! ça c'est très bien trouvé. Je vais vous fiancer. Vous verrez que vous ne le regretterez pas.

Une fois je faillis me décider, mais elle était « sous presse », une autre fois entre les mains du « coiffeur », un vieux monsieur qui ne faisait rien d'autre aux femmes que verser de l'huile sur leurs cheveux déroulés et les peigner ensuite. Et je me lassai d'attendre, bien que quelques habituées fort humbles, soi-disant ouvrières, mais toujours sans travail, fussent venues me faire de la tisane et tenir avec moi une longue conversation à laquelle — malgré le sérieux des sujets traités — la nudité partielle ou complète de mes interlocutrices donnait une savoureuse simplicité. Je cessai du reste d'aller dans cette maison parce que, désireux de témoigner mes bons sentiments à la femme qui la tenait et avait besoin de meubles, je lui en donnai quelques-uns — notamment un grand canapé — que j'avais hérités de ma tante Léonie. Je ne les voyais jamais, car le manque de place avait empêché mes parents de les laisser entrer chez nous, et ils étaient entassés dans un hangar. Mais dès que je les retrouvai dans la maison où ces femmes se servaient d'eux, toutes les vertus qu'on respirait dans la chambre de ma tante à Combray, m'apparurent, suppliciées par le contact cruel auquel je les avais livrées sans défense! J'aurais fait violer une morte que je n'aurais pas souffert davantage. Je ne retournai plus chez l'entremetteuse, car ils me semblaient vivre et me supplier, comme ces objets en apparence inanimés d'un conte persan, dans lesquels sont enfermées des âmes qui subissent un martyre et implorent leur délivrance. D'ailleurs, comme notre mémoire ne nous présente pas d'habitude nos souvenirs dans leur suite chronologique, mais comme un reflet où l'ordre des parties est renversé, je me rappelai seulement beaucoup plus tard que c'était sur ce même canapé que, bien des années auparavant, j'avais connu pour la première fois les plaisirs de l'amour avec une de mes petites cousines avec qui je ne savais où me mettre, et qui m'avait donné le conseil assez dangereux de profiter d'une heure où ma tante Léonie était levée.

Toute une autre partie des meubles, et surtout une magnifique argenterie ancienne de ma tante Léonie, je les vendis, malgré l'avis contraire de mes parents, pour pouvoir disposer de plus d'argent et envoyer plus de fleurs à Mme Swann qui me disait en recevant d'immenses corbeilles d'orchidées : « Si j'étais monsieur votre père, je vous ferais donner un conseil judiciaire. » Comment pouvais-je supposer qu'un jour je pourrais regretter tout particulièrement cette argenterie et placer certains plaisirs plus hauts que celui, qui deviendrait peut-être absolument nul, de faire des politesses aux parents de Gilberte? C'est de même en vue de Gilberte et pour ne pas la quitter que j'avais décidé de ne pas entrer dans les ambassades. Ce n'est jamais qu'à cause d'un état d'esprit qui n'est pas destiné à durer qu'on prend des résolutions définitives. J'imaginais à peine que cette substance étrange qui résidait en Gilberte et rayonnait en ses parents, en sa maison, me rendant indifférent à tout le reste, cette substance pourrait être libérée, émigrer dans un autre être. Vraiment la même substance et, pourtant, devant avoir sur moi de tout autres effets. Car la même maladie évolue; et un délicieux poison n'est plus toléré de même, quand, avec les années, a diminué la résistance du cœur.

Mes parents cependant auraient souhaité que l'intelligence que Bergotte m'avait reconnue se manifestât par quelque travail remarquable. Quand je ne connaissais pas les Swann je croyais que j'étais empêché de travailler par l'état d'agitation où me mettait l'impossibilité de voir librement Gilberte. Mais quand leur demeure me fut ouverte, à peine je m'étais assis à mon bureau de travail que je me levais et courais chez eux. Et une fois que je les avais quittés et que j'étais rentré à la maison, mon isolement n'était qu'apparent, ma pensée ne pouvait plus remonter le courant du flux de paroles par lequel je m'étais laissé machinalement entraîner pendant des heures. Seul, je continuais à fabriquer les propos qui eussent été capables de plaire aux Swann et, pour donner plus d'intérêt au jeu, je tenais la place de ces partenaires absents, je me posais à moi-même des questions fictives choisies de telle façon que mes traits brillants ne leur servissent que d'heureuse repartie. Silencieux, cet exercice était pourtant une conversation et non une méditation, ma solitude, une vie de salon mentale où c'était non ma propre personne, mais des interlocuteurs imaginaires qui gouvernaient mes paroles et où j'éprouvais à former, au lieu des pensées que je croyais vraies, celles qui me venaient sans peine, sans régression du dehors vers le dedans, ce genre de plaisir tout passif que trouve à rester tranquille quelqu'un qui est alourdi par une mauvaise digestion.

Si j'avais été moins décidé à me mettre définitivement au travail, j'aurais peut-être fait un effort pour commencer tout de suite. Mais puisque ma résolution était formelle et qu'avant vingt-quatre heures, dans les cadres vides de la journée du lendemain où tout se plaçait si bien parce que je n'y étais pas encore, mes bonnes dispositions se réaliseraient aisément, il valait mieux ne pas choisir un soir où j'étais mal disposé pour un début auquel les jours suivants, hélas! ne devaient pas se montrer plus propices. Mais j'étais raisonnable. De la part de qui avait attendu des années, il eût été puéril de ne pas supporter un retard de trois jours. Certain que le surlendemain j'aurais déjà écrit quelques pages, je ne disais plus un seul mot à mes parents de ma décision; j'aimais mieux patienter quelques heures, et apporter à ma grand'mère consolée et convaincue, de l'ouvrage en train. Malheureusement le lendemain n'était pas cette journée extérieure et vaste que j'avais attendue dans la fièvre. Quand il était fini, ma paresse et ma lutte pénible contre certains obstacles internes avaient simplement duré vingt-quatre heures de plus. Et au bout de quelques jours, mes plans n'ayant pas été réalisés, je n'avais plus le même espoir qu'ils le seraient immédiatement, partant, plus autant de courage pour subordonner tout à cette réalisation : je recommençais à veiller, n'ayant plus pour m'obliger à me coucher de bonne heure un soir, la vision certaine de voir l'œuvre commencée le lendemain matin. Il me fallait avant de reprendre mon élan quelques jours de détente, et la seule fois où ma grand'mère osa d'un ton doux et désenchanté formuler ce reproche : « Hé bien, ce travail, on n'en parle même plus? », je lui en voulus, persuadé que, n'ayant pas su voir que mon parti était irrévocablement pris, elle venait d'en ajourner encore, et pour longtemps peut-être, l'exécution, par l'énervement que son déni de justice me causait et sous l'empire duquel je ne voudrais pas commencer mon œuvre. Elle sentit que son scepticisme venait de heurter à l'aveugle une volonté. Elle s'en excusa, me dit en m'embrassant : « Pardon, je ne dirai plus rien. » Et pour que je ne me décourageasse pas, m'assura que du jour où je serais bien portant, le travail viendrait tout seul par surcroît.

D'ailleurs, me disais-je, en passant ma vie chez les Swann, ne fais-je pas comme Bergotte? À mes parents il semblait presque que, tout en étant paresseux, je menais, puisque c'était dans le même salon qu'un grand écrivain, la vie la plus favorable au talent. Et pourtant, que quelqu'un puisse être dispensé de faire ce talent soi-même, par le dedans, et le reçoive d'autrui, est aussi impossible que se faire une bonne santé (malgré qu'on manque à toutes les règles de l'hygiène et qu'on commette les pires excès) rien qu'en dînant souvent en ville avec un médecin. La personne du reste qui était le plus complètement dupe de l'illusion qui m'abusait ainsi que mes parents, c'était Mme Swann. Quand je lui disais que je ne pouvais pas venir, qu'il fallait que je restasse à travailler, elle avait l'air de trouver que je faisais bien des embarras, qu'il y avait un peu de sottise et de prétention dans mes paroles :

— Mais Bergotte vient bien, lui ? Est-ce que vous trouvez que ce qu'il écrit n'est pas bien ? Cela sera même mieux bientôt, ajoutait-elle, car il est plus aigu, plus concentré dans le journal que dans le livre où il délaie un peu. J'ai obtenu qu'il fasse désormais le *leader article* dans *le Figaro*. Ce sera tout à fait *the right man in the right place*.

Et elle ajoutait :

— Venez, il vous dira mieux que personne ce qu'il faut faire.

Et c'était, comme on invite un engagé volontaire avec son colonel, c'était dans l'intérêt de ma carrière, et comme si les chefs-d'œuvre se faisaient « par relations », qu'elle me disait de ne pas manquer de venir le lendemain dîner chez elle avec Bergotte.

Ainsi, pas plus du côté des Swann que du côté de mes parents, c'est-à-dire de ceux qui, à des moments différents, avaient semblé devoir y mettre obstacle, aucune opposition n'était plus faite à cette douce vie où je pouvais voir Gilberte comme je voulais, avec ravissement, sinon avec calme. Il ne peut pas y en avoir dans l'amour, puisque ce qu'on a obtenu n'est jamais qu'un nouveau point de départ pour désirer davantage. Tant que je n'avais pu aller chez elle, les yeux fixés vers cet inaccessible bonheur, je ne pouvais même pas imaginer les causes nouvelles de trouble qui m'y attendaient. Une fois la résistance de ses parents brisée, et le problème enfin résolu, il recommença à se poser, chaque fois dans d'autres termes. En ce sens c'était bien en effet chaque jour une nouvelle amitié qui commençait. Chaque soir, en rentrant, je me rendais compte que j'avais à dire à Gilberte des choses capitales, desquelles notre amitié dépendait, et ces choses n'étaient jamais les mêmes. Mais enfin j'étais heureux et aucune menace ne s'élevait plus contre mon bonheur. Il allait en venir, hélas, d'un côté où je n'avais jamais aperçu aucun péril, du côté de Gilberte et de moi-même. J'aurais pourtant dû être tourmenté par ce qui, au contraire, me rassurait, par ce que je croyais du bonheur. C'est, dans l'amour, un état anormal, capable de donner tout de suite à l'accident le plus simple en apparence et qui peut toujours survenir, une gravité que par lui-même cet accident ne comporterait pas. Ce qui rend si heureux, c'est la présence dans le cœur de quelque chose d'instable, qu'on s'arrange perpétuellement à maintenir et dont on ne s'aperçoit presque plus tant qu'il n'est pas déplacé. En réalité, dans l'amour il y a une souffrance permanente, que la joie neutralise, rend virtuelle, ajourne, mais qui peut à tout moment devenir ce qu'elle serait depuis longtemps si l'on n'avait pas obtenu ce qu'on souhaitait, atroce.

Plusieurs fois je sentis que Gilberte désirait éloigner mes visites. Il est vrai que quand je tenais trop à la voir je n'avais qu'à me faire inviter par ses parents qui étaient de plus en plus persuadés de mon excellente influence sur elle. Grâce à eux, pensais-je, mon amour ne court aucun risque; du moment que je les ai pour moi, je peux être tranquille puisqu'ils ont toute autorité sur Gilberte. Malheureusement, à certains signes d'impatience que celle-ci laissait échapper quand son père me faisait venir en quelque sorte malgré elle, je me demandai si ce que j'avais considéré comme une protection pour mon bonheur n'était pas au contraire la raison secrète pour laquelle il ne pourrait durer.

La dernière fois que je vins voir Gilberte, il pleuvait; elle était invitée à une leçon de danse chez des gens qu'elle connaissait trop peu pour pouvoir m'emmener avec elle. J'avais pris à cause de l'humidité plus de caféine que d'habitude. Peut-être à cause du mauvais temps, peut-être ayant quelque prévention contre la maison où cette matinée devait avoir lieu, Mme Swann, au moment où sa fille allait partir, la rappela avec une extrême vivacité : « Gilberte! » et me désigna pour signifier que j'étais venu pour la voir et qu'elle devait rester avec moi. Ce « Gilberte » avait été prononcé, crié plutôt, dans une bonne intention pour moi, mais au haussement d'épaules que fit Gilberte en ôtant ses affaires, je compris que sa mère avait involontairement accéléré l'évolution, peut-être jusque-là possible encore à arrêter, qui détachait peu à peu de moi mon amie. « On n'est pas obligé d'aller danser tous les jours », dit Odette à sa fille, avec une sagesse sans doute apprise autrefois de Swann. Puis, redevenant Odette, elle se mit à parler anglais à sa fille. Aussitôt ce fut comme si un mur m'avait caché une partie de la vie de Gilberte, comme si un génie malfaisant avait emmené loin de moi mon amie. Dans une langue que nous savons, nous avons substitué à l'opacité des sons la transparence des idées. Mais une langue que nous ne savons pas est un palais clos dans lequel celle que nous aimons peut nous tromper, sans que, restés au dehors et désespérément crispés dans notre impuissance, nous parvenions à rien voir, à rien empêcher. Telle, cette conversation en anglais dont je n'eusse que souri un mois auparavant et au milieu de laquelle quelques noms propres français ne laissaient pas d'accroître et d'orienter mes inquiétudes, avait, tenue à deux pas de moi par[1] deux personnes immobiles, la même cruauté, me faisait aussi délaissé et seul, qu'un enlèvement. Enfin Mme Swann nous quitta. Ce jour-là, peut-être par rancune contre moi, cause involontaire qu'elle n'allât pas s'amuser, peut-être aussi parce que, la devinant fâchée, j'étais préventivement plus froid que d'habitude, le visage de Gilberte, dépouillé de toute joie, nu, saccagé, sembla tout l'après-midi vouer un regret mélancolique au pas-de-quatre que ma présence l'empêchait d'aller danser, et défier toutes les créatures, à commencer par moi, de comprendre les raisons subtiles qui avaient déterminé chez elle une inclination sentimentale pour le boston. Elle se borna à échanger, par moments, avec moi, sur le temps qu'il faisait, la recrudescence de la pluie, l'avance de la pendule, une conversation ponctuée de silences et de monosyllabes où je m'entêtais moi-même, avec une sorte de rage désespérée, à détruire les instants que nous aurions pu donner à l'amitié et au bonheur. Et à tous nos propos une sorte de dureté suprême était conférée par le paroxysme de leur insignifiance paradoxale, lequel me consolait pourtant, car il empêchait Gilberte d'être dupe de la banalité de mes réflexions et de l'indifférence de mon accent. C'est en vain que je disais : « Il me semble que l'autre jour la pendule retardait plutôt », elle traduisait évidemment : « Comme vous êtes méchante ! » J'avais beau m'obstiner à prolonger, tout le long de ce jour pluvieux, ces paroles sans éclaircies, je savais que ma froideur n'était pas quelque chose d'aussi définitivement figé que je le feignais, et que Gilberte devait bien sentir que si, après le lui avoir déjà dit trois fois, je m'étais hasardé, une quatrième, à lui répéter que les jours diminuaient, j'aurais eu de la peine à me retenir de fondre en larmes. Quand elle était ainsi, quand un sourire ne remplissait pas ses yeux et ne découvrait pas son visage, on ne peut dire de quelle désolante monotonie étaient empreints ses yeux tristes et ses traits maussades. Sa figure, devenue presque laide[1], ressemblait alors à ces plages ennuyeuses où la mer, retirée très loin, vous fatigue d'un reflet toujours pareil que cerne un horizon immuable et borné. À la fin, ne voyant pas se produire de la part de Gilberte le changement heureux que j'attendais depuis plusieurs heures, je lui dis qu'elle n'était pas gentille : « C'est vous qui n'êtes pas gentil », me répondit-elle. « Mais si ! » Je me demandai ce que j'avais fait et, ne le trouvant pas, le lui demandai à elle-même. « Naturellement, vous vous trouvez gentil ! », me dit-elle en riant longuement. Alors je sentis ce qu'il y avait de douloureux pour moi à ne pouvoir atteindre cet autre plan, plus insaisissable, de sa pensée, que décrivait son rire. Ce rire avait l'air de signifier : « Non, non, je ne me laisse pas prendre à tout ce que vous me dites, je sais que vous êtes fou de moi, mais cela ne me fait ni chaud ni froid, car je me fiche de vous. » Mais je me disais qu'après tout le rire n'est pas un langage assez déterminé pour que je pusse être assuré de bien comprendre celui-là. Et les paroles de Gilberte étaient affectueuses. « Mais en quoi ne suis-je pas gentil ? lui demandai-je, dites-le moi, je ferai tout ce que vous voudrez. — Non, cela ne servirait à rien, je ne peux pas vous expliquer. » Un instant j'eus peur qu'elle crût que je ne l'aimasse pas, et ce fut pour moi une autre souffrance, non moins vive, mais qui réclamait une dialectique différente. « Si vous saviez le chagrin que vous me faites, vous me le diriez. » Mais ce chagrin qui, si elle avait douté de mon amour, eût dû la réjouir, l'irrita au contraire. Alors, comprenant mon erreur, décidé à ne plus tenir compte de ses paroles, la laissant, sans la croire, me dire : « Je vous aimais vraiment, vous verrez cela un jour » (ce jour où les coupables assurent que leur innocence sera reconnue et qui, pour des raisons mystérieuses, n'est jamais celui où on les interroge), j'eus le courage de prendre subitement la résolution de ne plus la voir, et sans le lui annoncer encore, parce qu'elle ne m'aurait pas cru.

Un chagrin causé par une personne qu'on aime peut être amer, même quand il est inséré au milieu de préoccupations, d'occupations, de joies qui n'ont pas cet être pour objet et desquelles notre attention ne se détourne que de temps en temps pour revenir à lui. Mais quand un tel chagrin naît — comme c'était le cas pour celui-ci — à un moment où le bonheur de voir cette personne nous remplit tout entiers, la brusque dépression qui se produit alors dans notre âme jusque-là ensoleillée, soutenue et calme, détermine en nous une tempête furieuse contre laquelle nous ne savons pas si nous serons capables de lutter jusqu'au bout. Celle qui soufflait sur mon cœur était si violente que je revins vers la maison, bousculé, meurtri, sentant que je ne pourrais retrouver la respiration qu'en rebroussant chemin, qu'en retournant sous un prétexte quelconque auprès de Gilberte. Mais elle se serait dit : « Encore lui ! Décidément je peux tout me permettre, il reviendra chaque fois, d'autant plus docile qu'il m'aura quittée plus malheureux. » Puis j'étais irrésistiblement ramené vers elle par ma pensée, et ces orientations alternatives, cet affolement de la boussole intérieure persistèrent quand je fus rentré, et se traduisirent par les brouillons des[1] lettres contradictoires que j'écrivis à Gilberte.

J'allais passer par une de ces conjonctures difficiles en face desquelles il arrive généralement qu'on se trouve à plusieurs reprises dans la vie et auxquelles, bien qu'on n'ait pas changé de caractère, de nature — notre nature qui crée elle-même nos amours, et presque les femmes que nous aimons, et jusqu'à leurs fautes — on ne fait pas face de la même manière à chaque fois, c'est-à-dire à tout âge. À ces moments-là notre vie est divisée, et comme distribuée dans une balance, en deux plateaux opposés où elle tient tout entière. Dans l'un, il y a notre désir de ne pas déplaire, de ne pas paraître trop humble à l'être que nous aimons sans parvenir à le comprendre, mais que nous trouvons plus habile de laisser un peu de côté pour qu'il n'ait pas ce sentiment de se croire indispensable, qui le détournerait[2] de nous ; de l'autre côté, il y a une souffrance — non pas une souffrance localisée et partielle — qui ne pourrait au contraire être apaisée que si, renonçant à plaire à cette femme et à lui faire croire que nous pouvons nous passer d'elle, nous allions la retrouver. Qu'on retire du plateau où est la fierté une petite quantité de volonté qu'on a eu la faiblesse de laisser s'user avec l'âge, qu'on ajoute dans le plateau où est le chagrin une souffrance physique acquise et à qui on a permis de s'aggraver, et au lieu de la solution courageuse qui l'aurait emporté à vingt ans, c'est l'autre, devenue trop lourde et sans assez de contre-poids, qui nous abaisse à cinquante. D'autant plus que les situations, tout en se répétant, changent, et qu'il y a chance pour qu'au milieu ou à la fin de la vie, on ait eu pour soi-même la funeste complaisance de compliquer l'amour d'une part d'habitude que l'adolescence, retenue par trop d'autres devoirs, moins libre de soi-même, ne connaît pas.

Je venais d'écrire à Gilberte une lettre où je laissais tonner ma fureur, non sans pourtant jeter la bouée de quelques mots placés comme au hasard, et où mon amie pourrait accrocher une réconciliation; un instant après, le vent ayant tourné, c'était des phrases tendres que je lui adressais pour la douceur de certaines expressions désolées, de tels « jamais plus » si attendrissants pour ceux qui les emploient, si fastidieux pour celle qui les lira, soit qu'elle les croie mensongers et traduise « jamais plus » par « ce soir-même, si vous voulez bien de moi » ou qu'elle les croie vrais et lui annonçant alors une de ces séparations définitives qui nous sont si parfaitement égales dans la vie quand il s'agit d'êtres dont nous ne sommes pas épris. Mais puisque nous sommes incapables, tandis que nous aimons, d'agir en dignes prédécesseurs de l'être prochain que nous serons et qui n'aimera plus, comment pourrions-nous tout à fait imaginer l'état d'esprit d'une femme à qui, même si nous savions que nous lui sommes indifférents, nous avons perpétuellement fait tenir dans nos rêveries, pour nous bercer d'un beau songe ou nous consoler d'un gros chagrin, les mêmes propos que si elle nous aimait ? Devant les pensées, les actions d'une femme que nous aimons, nous sommes aussi désorientés que le pouvaient être devant les phénomènes de la nature, les premiers physiciens (avant que la science fût constituée et eût mis un peu de lumière dans l'inconnu), ou pis encore, comme un être pour l'esprit de qui le principe de causalité existerait à peine, un être qui ne serait pas capable d'établir un lien entre un phénomène et un autre et devant qui le spectacle du monde serait incertain comme un rêve. Certes je m'efforçais de sortir de cette incohérence, de trouver des causes. Je tâchais même d'être « objectif » et pour cela de bien tenir compte de la disproportion qui existait entre l'importance qu'avait pour moi Gilberte et celle non seulement que j'avais pour elle, mais qu'elle-même avait pour les autres êtres que moi, disproportion qui, si je l'eusse omise, eût risqué de me faire prendre une simple amabilité de mon amie pour un aveu passionné, une démarche grotesque et avilissante de ma part, pour le simple et gracieux mouvement qui vous dirige vers de beaux yeux. Mais je craignais aussi de tomber dans l'excès contraire, où j'aurais vu dans l'arrivée inexacte de Gilberte à un rendez-vous, dans[1] un mouvement de mauvaise humeur, une hostilité irrémédiable. Je tâchais de trouver entre ces deux optiques également déformantes celle qui me donnerait la vision juste des choses; les calculs qu'il me fallait faire pour cela me distrayaient un peu de[2] ma souffrance; et soit par obéissance à la réponse des nombres, soit que je leur eusse fait dire ce que je désirais, je me décidai le lendemain à aller chez les Swann, heureux, mais de la même façon que ceux qui, s'étant tourmentés longtemps à cause d'un voyage qu'ils ne voulaient pas faire, ne vont pas plus loin que la gare, et rentrent chez eux défaire leur malle. Et, comme, pendant qu'on hésite, la seule idée d'une résolution possible (à moins d'avoir rendu cette idée inerte en décidant qu'on ne prendra pas la résolution) développe, comme une graine vivace, les linéaments, tout le détail des émotions qui naîtraient de l'acte exécuté, je me dis que j'avais été bien absurde de me faire, en projetant de ne plus voir Gilberte, autant de mal que si j'eusse dû réaliser ce projet et que, puisque au contraire c'était pour finir par retourner chez elle, j'aurais pu faire l'économie de tant de velléités et d'acceptations douloureuses.

Mais cette reprise des relations d'amitié ne dura que le temps d'aller jusque[3] chez les Swann : non pas parce que leur maître d'hôtel, lequel m'aimait beaucoup, me dit que Gilberte était sortie (je sus en effet, dès le soir même, que c'était vrai, par des gens qui l'avaient rencontrée), mais à cause de la façon dont il me le dit : « Monsieur, Mademoiselle est sortie, je peux affirmer à Monsieur que je ne mens pas. Si Monsieur veut se renseigner, je peux faire venir la femme de chambre. Monsieur pense bien que je ferais tout ce que je pourrais pour lui faire plaisir et que, si Mademoiselle était là, je mènerais tout de suite Monsieur auprès d'elle. » Ces paroles, de la sorte qui est la seule importante, involontaires, nous donnant la radiographie au moins sommaire de la réalité insoupçonnable que cacherait un discours étudié, prouvaient que dans l'entourage de Gilberte on avait l'impression que je-lui étais importun; aussi, à peine le maître d'hôtel les eut-il prononcées, qu'elles engendrèrent chez moi de la haine à laquelle je préférai donner comme objet, au lieu de Gilberte, le maître d'hôtel; il concentra sur lui tous les sentiments de colère que j'avais pu avoir pour mon amie; débarrassé d'eux grâce à ces paroles, mon amour subsista seul; mais elles m'avaient montré en même temps que je devais pendant quelque temps ne pas chercher à voir Gilberte. Elle allait certainement m'écrire pour s'excuser. Malgré cela, je ne retournerais pas tout de suite la voir, afin de lui prouver que je pouvais vivre sans elle. D'ailleurs, une fois que j'aurais reçu sa lettre, fréquenter Gilberte serait une chose dont je pourrais plus aisément me priver pendant quelque temps, parce que je serais sûr de la retrouver dès que je le voudrais. Ce qu'il me fallait pour supporter moins tristement l'absence volontaire, c'était sentir mon cœur débarrassé de la terrible incertitude si nous n'étions pas brouillés pour toujours, si elle n'était pas fiancée, partie, enlevée. Les jours qui suivirent ressemblèrent à ceux de cette ancienne semaine du jour de l'an que j'avais dû passer sans Gilberte. Mais cette semaine-là finie, jadis, d'une part mon amie reviendrait aux Champs-Élysées, je la reverrais comme auparavant, j'en étais sûr; et, d'autre part, je savais avec non moins de certitude que tant que dureraient les vacances du jour de l'an, ce n'était pas la peine d'aller aux Champs-Élysées. De sorte que, durant cette triste semaine déjà lointaine, j'avais supporté ma tristesse avec calme, parce qu'elle n'était mêlée ni de crainte ni d'espérance. Maintenant, au contraire, c'était ce dernier sentiment qui, presque autant que la crainte, rendait ma souffrance intolérable.

N'ayant pas eu de lettre de Gilberte le soir même, j'avais fait la part de sa négligence, de ses occupations, je ne doutais pas d'en trouver une d'elle dans le courrier du matin. Il fut attendu par moi, chaque jour, avec des palpitations de cœur auxquelles succédait un état d'abattement quand je n'y avais trouvé que des lettres de personnes qui n'étaient pas Gilberte, ou bien rien, ce qui n'était pas pire, les preuves d'amitié d'une autre me rendant plus cruelles celles de son indifférence. Je me remettais à espérer pour le courrier de l'après-midi. Même entre les heures des levées des lettres je n'osais pas sortir, car elle eût pu faire porter la sienne. Puis le moment finissait par arriver où, ni facteur ni valet de pied des Swann ne pouvant plus venir, il fallait remettre au lendemain matin l'espoir d'être rassuré, et ainsi, parce que je croyais que ma souffrance ne durerait pas, j'étais obligé pour ainsi dire de la renouveler sans cesse. Le chagrin était peut-être le même, mais au lieu de ne faire, comme autrefois, que prolonger uniformément une émotion initiale, recommençait plusieurs fois par jour en débutant par une émotion si fréquemment renouvelée qu'elle finissait — elle, état tout physique, si momentané — par se stabiliser, si bien que les troubles causés par l'attente ayant à peine le temps de se calmer avant qu'une nouvelle raison d'attendre survînt, il n'y avait plus une seule minute par jour où je ne fusse dans cette anxiété qu'il est pourtant si difficile de supporter pendant une heure. Ainsi ma souffrance était infiniment plus cruelle qu'au temps de cet ancien 1er janvier, parce que cette fois il y avait en moi, au lieu de l'acceptation pure et simple de cette souffrance, l'espoir, à chaque instant, de la voir cesser.

À cette acceptation, je finis pourtant par arriver : alors, je compris qu'elle devait être définitive et je renonçai pour toujours à Gilberte, dans l'intérêt même de mon amour, et parce que je souhaitais avant tout qu'elle ne conservât pas de moi un souvenir dédaigneux. Même, à partir de ce moment-là, et pour qu'elle ne pût former la supposition d'une sorte de dépit amoureux de ma part, quand dans la suite, elle me fixa des rendez-vous, je les acceptais souvent et, au dernier moment, je lui écrivais que je ne pouvais pas venir, mais en protestant que j'en étais désolé, comme j'aurais fait avec quelqu'un que je n'aurais pas désiré voir. Ces expressions de regret qu'on réserve d'ordinaire aux indifférents, persuaderaient mieux Gilberte de mon indifférence, me semblait-il, que ne ferait le ton d'indifférence qu'on affecte seulement envers celle qu'on aime. Quand, mieux qu'avec des paroles, par des actions indéfiniment répétées, je lui aurais prouvé que je n'avais pas de goût à la voir, peut-être en retrouverait-elle pour moi. Hélas! ce serait vain : chercher, en ne la voyant plus, à ranimer en elle ce goût de me voir, c'était la perdre pour toujours; d'abord, parce que quand il commencerait à renaître, si je voulais qu'il durât, il ne faudrait pas y céder tout de suite; d'ailleurs, les heures les plus cruelles seraient passées; c'était en ce moment qu'elle m'était indispensable et j'aurais voulu pouvoir l'avertir que bientôt elle ne calmerait, en me revoyant, qu'une douleur tellement diminuée qu'elle ne serait plus, comme elle l'eût été encore en ce moment même, et pour y mettre fin, un motif de capitulation, de se réconcilier et de se revoir. Et[1], plus tard, quand je pourrais enfin avouer sans péril à Gilberte, tant son goût pour moi aurait repris de force, le mien pour elle, celui-ci n'aurait pu résister à une si longue absence et n'existerait plus; Gilberte me serait devenue indifférente. Je le savais, mais je ne pouvais pas le lui dire; elle aurait cru que si je prétendais que je cesserais de l'aimer en restant trop longtemps sans la voir, c'était à seule fin qu'elle me dît de revenir vite auprès d'elle. En attendant, ce qui me rendait plus aisé de me condamner à cette séparation, c'est que (afin qu'elle se rendît bien compte que, malgré mes affirmations contraires, c'était ma volonté, et non un empêchement, non mon état de santé, qui me privaient de la voir) toutes les fois où je savais d'avance que Gilberte ne serait pas chez ses parents, devait sortir avec une amie et ne rentrerait pas dîner, j'allais voir Mme Swann (laquelle était redevenue pour moi ce qu'elle était au temps où je voyais si difficilement sa fille et où, les jours où celle-ci ne venait pas aux Champs-Élysées, j'allais me promener avenue des Acacias). De cette façon j'entendrais parler de Gilberte et j'étais sûr qu'elle entendrait ensuite parler de moi et d'une façon qui lui montrerait que je ne tenais pas à elle. Et je trouvais, comme tous ceux qui souffrent, que ma triste situation aurait pu être pire. Car, ayant libre entrée dans la demeure où habitait Gilberte, je me disais toujours, bien que décidé à ne pas user de cette faculté, que si jamais ma douleur était trop vive, je pourrais la faire cesser. Je n'étais malheureux qu'au jour le jour. Et c'est trop dire encore. Combien de fois par heure (mais maintenant sans l'anxieuse attente qui m'avait étreint les premières semaines après notre brouille, avant d'être retourné chez les Swann) ne me récitais-je pas la lettre que Gilberte m'enverrait bien un jour, m'apporterait peut-être elle-même! La constante vision de ce bonheur imaginaire m'aidait à supporter la destruction du bonheur réel. Pour les femmes qui ne nous aiment pas, comme pour les « disparus », savoir qu'on n'a plus rien à espérer n'empêche pas de continuer à attendre. On vit aux aguets, aux écoutes; des mères dont le fils est parti en mer pour une exploration dangereuse se figurent à toute minute, et alors que la certitude qu'il a péri est acquise depuis longtemps, qu'il va entrer, miraculeusement sauvé, et bien portant. Et cette attente, selon la force du souvenir et la résistance des organes, ou bien leur permet de[1] traverser les années au bout desquelles elles supporteront que leur fils ne soit plus, d'oublier peu à peu et de survivre — ou bien les fait mourir. D'autre part, mon chagrin était un peu consolé par l'idée qu'il profitait à mon amour. Chaque visite que je faisais à Mme Swann sans voir Gilberte, m'était cruelle, mais je sentais qu'elle améliorait d'autant l'idée que Gilberte avait de moi.

D'ailleurs si je m'arrangeais toujours, avant d'aller chez Mme Swann, à être certain de l'absence de sa fille, cela tenait peut-être autant qu'à ma résolution d'être brouillé avec elle, à cet espoir de réconciliation qui se superposait à ma volonté de renoncement (bien peu sont absolus, au moins d'une façon continue, dans cette âme humaine dont une des lois, fortifiée par les afflux inopinés de souvenirs différents, est l'intermittence) et me masquait ce qu'elle avait de trop cruel. Cet espoir, je savais bien ce qu'il avait de chimérique. J'étais comme un pauvre qui mêle moins de larmes à son pain sec s'il se dit que tout à l'heure peut-être un étranger va lui laisser toute sa fortune. Nous sommes tous obligés, pour rendre la réalité supportable, d'entretenir en nous quelques petites folies. Or mon espérance restait plus intacte — tout en même temps que la séparation s'effectuait mieux — si je ne rencontrais pas Gilberte. Si je m'étais trouvé face à face avec elle chez sa mère, nous aurions peut-être échangé des paroles irréparables qui eussent rendu définitive notre brouille, tué mon espérance et, d'autre part, en créant une anxiété nouvelle, réveillé mon amour et rendu plus difficile ma résignation.

Depuis bien longtemps et fort avant ma brouille avec sa fille, Mme Swann m'avait dit : « C'est très bien de venir voir Gilberte, mais j'aimerais aussi que vous veniez quelquefois pour *moi,* pas à mon Choufleury, où vous vous ennuieriez parce que j'ai trop de monde, mais les autres jours, où vous me trouverez toujours un peu tard. » J'avais donc l'air, en allant la voir, de n'obéir que longtemps après à un désir anciennement exprimé par elle. Et très tard, déjà dans la nuit, presque au moment où mes parents se mettaient à table, je partais faire à Mme Swann une visite pendant laquelle je savais que je ne verrais pas Gilberte et où pourtant je ne penserais qu'à elle. Dans ce quartier, considéré alors comme éloigné, d'un Paris plus sombre qu'aujourd'hui et qui, même dans le centre, n'avait pas d'électricité sur la voie publique et bien peu dans les maisons, les lampes d'un salon situé au rez-de-chaussée ou à un entresol très bas (tel qu'était celui de ses appartements où recevait habituellement Mme Swann) suffisaient à illuminer la rue et à faire lever les yeux au passant qui rattachait à leur clarté, comme à sa cause apparente et voilée, la présence devant la porte de quelques coupés bien attelés. Le passant croyait, et non sans un certain émoi, à une modification survenue dans cette cause mystérieuse, quand il voyait l'un de ces coupés se mettre en mouvement; mais c'était seulement un cocher qui, craignant que ses bêtes prissent froid, leur faisait faire de temps à autre des allées et venues d'autant plus impressionnantes que les roues caoutchoutées donnaient au pas des chevaux un fond de silence sur lequel il se détachait plus distinct et plus explicite.

Le « jardin d'hiver » que dans ces années-là le passant apercevait d'ordinaire, quelle que fût la rue, si l'appartement n'était pas à un niveau trop élevé au-dessus du trottoir, ne se voit plus que dans les héliogravures des livres d'étrennes de P.-J. Stahl où, en contraste avec les rares ornements floraux des salons Louis XVI d'aujourd'hui — une rose ou un iris du Japon dans un vase de cristal à long col qui ne pourrait pas contenir une fleur de plus —, il semble, à cause de la profusion des plantes d'appartement qu'on avait alors et du manque absolu de stylisation dans leur arrangement, avoir dû, chez les maîtresses de maison, répondre plutôt à quelque vivante et délicieuse passion pour la botanique qu'à un froid souci de morte décoration. Il faisait penser, en plus grand, dans les hôtels d'alors, à ces serres minuscules et portatives posées au matin du 1er janvier sous la lampe allumée — les enfants n'ayant pas eu la patience d'attendre qu'il fît jour — parmi les autres cadeaux du jour de l'an, mais le plus beau d'entre eux, consolant, avec les plantes qu'on va pouvoir cultiver, de la nudité de l'hiver; plus encore qu'à ces serres-là elles-mêmes, ces jardins d'hiver ressemblaient à celle qu'on voyait tout auprès d'elles, figurée dans un beau livre, autre cadeau du jour de l'an, et qui, bien qu'elle fût donnée non aux enfants, mais à Mlle Lili, l'héroïne de l'ouvrage, les enchantait à tel point que, devenus maintenant presque vieillards, ils se demandent si dans ces années fortunées l'hiver n'était pas la plus belle des saisons. Enfin, au fond de ce jardin d'hiver, à travers les arborescences d'espèces variées qui de la rue faisaient ressembler la fenêtre éclairée au vitrage de ces serres d'enfants, dessinées ou réelles, le passant, se hissant sur ses pointes, apercevait généralement un homme en redingote, un gardénia ou un œillet à la boutonnière, debout devant une femme assise, tous deux vagues, comme deux intailles dans une topaze, au fond de l'atmosphère du salon ambrée par le samovar — importation récente alors — de vapeurs qui s'en échappent peut-être encore aujourd'hui, mais qu'à cause de l'habitude personne ne voit plus. Mme Swann tenait beaucoup à ce « thé »; elle croyait montrer de l'originalité et dégager du charme en disant à un homme : « Vous me trouverez tous les jours un peu tard, venez prendre le thé », de sorte qu'elle accompagnait d'un sourire fin et doux ces mots prononcés par elle avec un accent anglais momentané et desquels son interlocuteur prenait bonne note en saluant d'un air grave, comme s'ils avaient été quelque chose d'important et de singulier qui commandât la déférence et exigeât de l'attention. Il y avait une autre raison que celles données plus haut et pour laquelle les fleurs n'avaient pas qu'un caractère d'ornement dans le salon de Mme Swann, et cette raison-là ne tenait pas à l'époque, mais en partie à l'existence qu'avait menée jadis Odette. Une grande cocotte, comme elle avait été, vit beaucoup pour ses amants, c'est-à-dire chez elle, ce qui peut la conduire à vivre pour elle. Les choses que chez une honnête femme on voit et qui certes peuvent lui paraître, à elle aussi, avoir de l'importance, sont celles, en tous cas, qui pour la cocotte en ont le plus. Le point culminant de sa journée est celui non pas où elle s'habille pour le monde, mais où elle se déshabille pour un homme. Il lui faut être aussi élégante en robe de chambre, en chemise de nuit, qu'en toilette de ville. D'autres femmes montrent leurs bijoux; elle, elle vit dans l'intimité de ses perles. Ce genre d'existence impose l'obligation, et finit par donner le goût, d'un luxe secret, c'est-à-dire bien près d'être désintéressé. Mme Swann l'étendait aux fleurs. Il y avait toujours près de son fauteuil une immense coupe de cristal remplie entièrement de violettes de Parme ou de marguerites effeuillées dans l'eau, et qui semblait témoigner aux yeux de l'arrivant de quelque occupation préférée et interrompue, comme eût été la tasse de thé que Mme Swann eût bue seule, pour son plaisir; d'une occupation plus intime même et plus mystérieuse, si bien qu'on avait envie de s'excuser en voyant les fleurs étalées là, comme on l'eût fait de regarder le titre du volume encore ouvert qui eût révélé la lecture récente, donc peut-être la pensée actuelle d'Odette. Et plus que le livre, les fleurs vivaient; on était gêné, si on entrait faire une visite à Mme Swann, de s'apercevoir qu'elle n'était pas seule, ou, si on rentrait avec elle, de ne pas trouver le salon vide, tant y tenaient une place énigmatique et se rapportant à des heures de la vie de la maîtresse de maison qu'on ne connaissait pas, ces fleurs qui n'avaient pas été préparées pour les visiteurs d'Odette, mais comme oubliées là par elle, avaient eu et auraient encore avec elle des entretiens particuliers qu'on avait peur de déranger et dont on essayait en vain de lire le secret, en fixant des yeux la couleur délavée, liquide, mauve et dissolue des violettes de Parme. Dès la fin d'octobre Odette rentrait le plus régulièrement qu'elle pouvait pour le thé, qu'on appelait encore dans ce temps-là le *five o'clock tea,* ayant entendu dire (et aimant à répéter) que si Mme Verdurin s'était fait un salon c'était parce qu'on était toujours sûr de pouvoir la rencontrer chez elle à la même heure. Elle s'imaginait elle-même en avoir un, du même genre, mais plus libre, *senza rigore,* aimait-elle à dire.

Elle se voyait ainsi comme une espèce de Lespinasse et croyait avoir fondé un salon rival en enlevant à la du Deffand du petit groupe ses hommes les plus agréables, en particulier Swann qui l'avait suivie dans sa sécession et sa retraite, selon une version qu'on comprend qu'elle eût réussi à accréditer auprès de nouveaux venus, ignorants du passé, mais non auprès d'elle-même. Mais certains rôles favoris sont par nous joués tant de fois devant le monde, et repassés en nous-mêmes, que nous nous référons plus aisément à leur témoignage fictif qu'à celui d'une réalité presque complètement oubliée. Les jours où Mme Swann n'était pas sortie du tout, on la trouvait dans une robe de chambre de crêpe de Chine, blanche comme une première neige, parfois aussi dans un de ces longs tuyautages de mousseline de soie, qui ne semblent qu'une jonchée de pétales roses ou blancs et qu'on trouverait aujourd'hui peu appropriés à l'hiver, et bien à tort. Car ces étoffes légères et ces couleurs tendres donnaient à la femme — dans la grande chaleur des salons d'alors, fermés de portières, et desquels ce que les romanciers mondains de l'époque trouvaient à dire de plus élégant, c'est qu'ils étaient « douillettement capitonnés » — le même air frileux qu'aux roses qui pouvaient y rester à côté d'elle, malgré l'hiver, dans l'incarnat de leur nudité, comme au printemps. À cause de cet étouffement des sons par les tapis et de sa retraite dans des enfoncements, la maîtresse de la maison, n'étant pas avertie de votre entrée comme aujourd'hui, continuait à lire pendant que vous étiez déjà presque devant elle, ce qui ajoutait encore à cette impression de romanesque, à ce charme d'une sorte de secret surpris, que nous retrouvons aujourd'hui dans le souvenir de ces robes déjà démodées alors, que Mme Swann était peut-être la seule à ne pas avoir encore abandonnées et qui nous donnent l'idée que la femme qui les portait devait être une héroïne de roman parce que nous, pour la plupart, ne les avons guère vues que dans certains romans d'Henry Gréville. Odette avait maintenant, dans son salon, au commencement de l'hiver, des chrysanthèmes énormes et d'une variété de couleurs comme Swann jadis n'eût pu en voir chez elle. Mon admiration pour eux — quand j'allais faire à Mme Swann une de ces tristes visites où, de par mon chagrin, je lui retrouvais[1] toute sa mystérieuse poésie de mère de cette Gilberte à qui elle dirait le lendemain : « Ton ami m'a fait une visite » — venait sans doute de ce que, rose-pâles comme la soie Louis XV de ses fauteuils, blancs de neige comme sa robe de chambre en crêpe de Chine, ou d'un rouge métallique comme son samovar, ils superposaient à celle du salon une décoration supplémentaire, d'un coloris aussi riche, aussi raffiné, mais vivante et qui ne durerait que quelques jours. Mais j'étais touché par ce que ces chrysanthèmes avaient moins d'éphémère que de relativement durable par rapport à ces tons, aussi roses ou aussi cuivrés, que le soleil couché exalte si somptueusement dans la brume des fins d'après-midi de novembre et qu'après les avoir aperçus avant que j'entrasse chez Mme Swann, s'éteignant dans le ciel, je retrouvais prolongés, transposés dans la palette enflammée des fleurs. Comme des feux arrachés par un grand coloriste à l'instabilité de l'atmosphère et du soleil, afin qu'ils vinssent orner une demeure humaine, ils m'invitaient, ces chrysanthèmes, et malgré toute ma tristesse, à goûter avidement pendant cette heure du thé les plaisirs si courts de novembre dont ils faisaient flamboyer près de moi la splendeur intime et mystérieuse. Hélas, ce n'était pas dans les conversations que j'entendais que je pouvais l'atteindre; elles lui ressemblaient bien peu. Même avec Mme Cottard, et quoique l'heure fût avancée, Mme Swann se faisait caressante pour dire : « Mais non, il n'est pas tard, ne regardez pas la pendule, ce n'est pas l'heure, elle ne va pas; qu'est-ce que vous pouvez avoir de si pressé à faire ? » et elle offrait une tartelette de plus à la femme du professeur qui gardait son porte-cartes à la main.

— On ne peut pas s'en aller de cette maison, disait Mme Bontemps à Mme Swann, tandis que Mme Cottard, dans sa surprise d'entendre exprimer sa propre impression, s'écriait : « C'est ce que je me dis toujours, avec ma petite jugeotte, dans mon for intérieur ! », approuvée par des messieurs du Jockey qui s'étaient confondus en saluts, et comme comblés par tant d'honneur, quand Mme Swann les avait présentés à cette petite bourgeoise peu aimable, qui restait devant les brillants amis d'Odette sur la réserve, sinon sur ce qu'elle appelait la « défensive », car elle employait toujours un langage noble pour les choses les plus simples. « On ne le dirait pas, voilà trois mercredis que vous me faites faux bond », disait

Mme Swann à Mme Cottard. « C'est vrai, Odette, il y a *des siècles, des éternités* que je ne vous ai vue. Vous voyez que je plaide coupable, mais il faut vous dire, ajoutait-elle d'un air pudibond et vague (car, quoique femme de médecin, elle n'aurait pas osé parler sans périphrases de rhumatisme ou de coliques néphrétiques), que j'ai eu bien des petites *misères*. Chacun a les siennes. Et puis j'ai eu une crise dans ma domesticité mâle. Sans être plus qu'une autre très imbue de mon autorité, j'ai dû, pour faire un exemple, renvoyer mon Vatel qui, je crois, cherchait d'ailleurs une place plus lucrative. Mais son départ a failli entraîner la démission de tout le ministère. Ma femme de chambre ne voulait pas rester non plus, il y a eu des scènes homériques. Malgré tout, j'ai tenu ferme le gouvernail, et c'est une véritable leçon de choses qui n'aura pas été perdue pour moi. Je vous ennuie avec ces histoires de serviteurs, mais vous savez comme moi quel tracas c'est d'être obligée de procéder à des remaniements dans son personnel. Et nous ne verrons pas votre délicieuse fille ? demandait-elle. — Non, ma délicieuse fille dîne chez une amie », répondait Mme Swann, et elle ajoutait en se tournant vers moi : « Je crois qu'elle vous a écrit pour que vous veniez la voir demain. Et vos babys ? » demandait-elle à la femme du Professeur. Je respirais largement. Ces mots de Mme Swann, qui me prouvaient que je pourrais voir Gilberte quand je voudrais, me faisaient justement le bien que j'étais venu chercher et qui me rendait à cette époque-là les visites à Mme Swann si nécessaires. « Non, je lui écrirai un mot ce soir[1]. Du reste, Gilberte et moi nous ne pouvons plus nous voir », ajoutais-je, ayant l'air d'attribuer notre séparation à une cause mystérieuse, ce qui me donnait encore une illusion d'amour, entretenue aussi par la manière tendre dont je parlais de Gilberte et dont elle parlait de moi. « Vous savez qu'elle vous aime infiniment, me disait Mme Swann. Vraiment vous ne voulez pas demain ? » Tout d'un coup une allégresse me soulevait, je venais de me dire : « Mais après tout pourquoi pas, puisque c'est sa mère elle-même qui me le propose ? » Mais aussitôt je retombais dans ma tristesse. Je craignais qu'en me voyant[2] Gilberte pensât que mon indifférence de ces derniers temps avait été simulée et j'aimais mieux prolonger la séparation. Pendant ces apartés, Mme Bontemps se plaignait de l'ennui que lui causaient les femmes des hommes politiques, car elle affectait de trouver tout le monde assommant et ridicule, et d'être désolée de la position de son mari :

— Alors vous pouvez comme ça recevoir cinquante femmes de médecins de suite, disait-elle à Mme Cottard qui, elle, au contraire, était pleine de bienveillance pour chacun et de respect pour toutes les obligations. Ah, vous avez de la vertu ! Moi, au ministère, n'est-ce pas, je suis obligée, naturellement. Hé bien ! c'est plus fort que moi, vous savez, ces femmes de fonctionnaires, je ne peux pas m'empêcher de leur tirer la langue. Et ma nièce Albertine est comme moi. Vous ne savez pas ce qu'elle est effrontée, cette petite. La semaine dernière, il y avait à mon jour la femme du sous-secrétaire d'État aux Finances qui disait qu'elle ne s'y connaissait pas en cuisine. « Mais, Madame, lui a répondu ma nièce avec son plus gracieux sourire, vous devriez pourtant savoir ce que c'est, puisque votre père était marmiton. »

— Oh ! j'aime beaucoup cette histoire, je trouve cela exquis, disait Mme Swann. Mais au moins pour les jours de consultation du docteur vous devriez avoir un petit home, avec vos fleurs, vos livres, les choses que vous aimez, conseillait-elle à Mme Cottard.

— Comme ça, v'lan dans la figure, v'lan, elle ne lui a pas envoyé dire. Et elle ne m'avait prévenue de rien, cette petite masque, elle est rusée comme un singe. Vous avez de la chance de pouvoir vous retenir ; j'envie les gens qui savent déguiser leur pensée.

— Mais je n'en ai pas besoin, Madame : je ne suis pas si difficile, répondait avec douceur Mme Cottard. D'abord, je n'y ai pas les mêmes droits que vous, ajoutait-elle d'une voix un peu plus forte, qu'elle prenait, afin de les souligner, chaque fois qu'elle glissait dans la conversation quelqu'une de ces amabilités délicates, de ces ingénieuses flatteries qui faisaient l'admiration et aidaient à la carrière de son mari. Et puis, je fais avec plaisir tout ce qui peut être utile au professeur.

— Mais, Madame, il faut pouvoir. Probablement vous n'êtes pas nerveuse. Moi, quand je vois la femme du ministre de la Guerre faire des grimaces, immédiatement je me mets à l'imiter. C'est terrible d'avoir un tempérament comme ça.

— Ah ! oui, dit Mme Cottard, j'ai entendu dire qu'elle avait des tics ; mon mari connaît aussi quelqu'un de très haut placé, et naturellement, quand ces messieurs causent entre eux...

— Mais tenez, Madame, c'est encore comme le chef du Protocole qui est bossu, c'est réglé, il n'est pas depuis cinq minutes chez moi que je vais toucher sa bosse. Mon mari dit que je le ferai révoquer. Eh bien ! zut pour le ministère ! Oui, zut pour le ministère ! je voulais faire mettre ça comme devise sur mon papier à lettres. Je suis sûre que je vous scandalise, parce que vous êtes bonne, moi j'avoue que rien ne m'amuse comme les petites méchancetés. Sans cela la vie serait bien monotone.

Et elle continuait à parler tout le temps du ministère comme si ç'avait été l'Olympe. Pour changer la conversation, Mme Swann se tournant vers Mme Cottard :

— Mais vous me semblez bien belle ? *Redfern fecit ?*

— Non, vous savez que je suis une fervente de Raudnitz. Du reste c'est un retapage.

— Eh bien ! cela a un chic !

— Combien croyez-vous ?... Non, changez le premier chiffre.

— Comment, mais c'est pour rien, c'est donné. On m'avait dit trois fois autant.

— Voilà comme on écrit l'Histoire, concluait la femme du docteur. Et, montrant à Mme Swann un tour de cou dont celle-ci lui avait fait présent :

— Regardez, Odette. Vous reconnaissez ?

Dans l'entre-bâillement d'une tenture une tête se montrait, cérémonieusement déférente, feignant par plaisanterie la peur de déranger : c'était Swann. « Odette, le prince d'Agrigente qui est avec moi dans mon cabinet demande s'il pourrait venir vous présenter ses hommages. Que dois-je aller lui répondre ? — Mais que je serai enchantée », disait Odette avec satisfaction, sans se départir d'un calme qui lui était d'autant plus facile qu'elle avait toujours, même comme cocotte, reçu des hommes élégants. Swann partait transmettre l'autorisation et, accompagné du prince, il revenait auprès de sa femme, à moins que dans l'intervalle ne fût entrée Mme Verdurin.

Quand il avait épousé Odette, il lui avait demandé de ne plus fréquenter le petit clan (il avait pour cela bien des raisons et, s'il n'en avait pas eu, l'eût fait tout de même par obéissance à une loi d'ingratitude qui ne souffre pas d'exception et qui fait ressortir l'imprévoyance de tous les entremetteurs ou leur désintéressement). Il avait seulement permis qu'Odette échangeât avec Mme Verdurin deux visites par an, ce qui semblait encore excessif à certains fidèles indignés de l'injure faite à la Patronne qui avait pendant tant d'années traité Odette et même Swann comme les enfants chéris de la maison. Car s'il contenait des faux frères qui lâchaient certains soirs pour se rendre sans le dire à une invitation d'Odette, prêts, dans le cas où ils seraient découverts, à s'excuser sur la curiosité de rencontrer Bergotte (quoique la Patronne prétendît qu'il ne fréquentait pas chez les Swann, était dépourvu de talent, et malgré cela elle cherchait, suivant une expression qui lui était chère, à l'attirer), le petit groupe avait aussi ses « ultras ». Et ceux-ci, ignorants des convenances particulières qui détournent souvent les gens de l'attitude extrême qu'on aimerait à leur voir prendre pour ennuyer quelqu'un, auraient souhaité et n'avaient pas obtenu que Mme Verdurin cessât toutes relations avec Odette et lui ôtât ainsi la satisfaction de dire en riant : « Nous allons très rarement chez la Patronne depuis le Schisme. C'était encore possible quand mon mari était garçon, mais pour un ménage ce n'est pas toujours[1] très facile... Monsieur Swann, pour vous dire la vérité, n'avale pas la mère Verdurin et il n'apprécierait pas beaucoup que j'en fasse ma fréquentation habituelle. Et moi, fidèle épouse... » Swann y accompagnait sa femme en soirée, mais évitait d'être là quand Mme Verdurin venait chez Odette en visite. Aussi, si la Patronne était dans le salon, le prince d'Agrigente entrait seul. Seul aussi d'ailleurs il était présenté par Odette, qui préférait que Mme Verdurin n'entendît pas de noms obscurs et, voyant plus d'un visage inconnu d'elle, pût se croire au milieu de notabilités aristocratiques, calcul qui réussissait si bien que, le soir, Mme Verdurin disait avec dégoût à son mari : « Charmant milieu ! Il y avait toute la fleur de la Réaction ! »

Odette vivait à l'égard de Mme Verdurin dans une illusion inverse. Non que ce salon eût même seulement commencé alors de devenir ce que nous le verrons être un jour. Mme Verdurin n'en était même pas encore à la période d'incubation où on suspend les grandes fêtes dans lesquelles les rares éléments brillants récemment acquis seraient noyés dans trop de tourbe et où on préfère attendre que le pouvoir générateur des dix justes qu'on a réussi à attirer en ait produit septante fois dix. Comme Odette n'allait pas tarder à le faire, Mme Verdurin se proposait bien le « monde » comme objectif, mais ses zones d'attaque étaient encore si limitées et d'ailleurs si éloignées de celles par où Odette avait quelque chance d'arriver à un résultat identique, à percer, que celle-ci vivait dans la plus complète ignorance des plans stratégiques qu'élaborait la Patronne. Et c'était de la meilleure foi du monde que, quand on parlait à Odette de Mme Verdurin comme d'une snob, Odette se mettait à rire et disait : « C'est tout le contraire. D'abord elle n'en a pas les éléments, elle ne connaît personne. Ensuite il faut lui rendre cette justice que cela lui plaît ainsi. Non, ce qu'elle aime ce sont ses mercredis, les causeurs agréables. » Et secrètement elle enviait à Mme Verdurin (bien qu'elle ne désespérât pas d'avoir elle-même à une si grande école fini par les apprendre) ces arts auxquels la Patronne attachait une telle[1] importance bien qu'ils ne fassent que nuancer l'inexistant, sculpter le vide, et soient à proprement parler les Arts du Néant : l'art (pour une maîtresse de maison) de savoir « réunir », de s'entendre à « grouper », de « mettre en valeur », de « s'effacer », de servir de « trait d'union ».

En tous cas les amies de Mme Swann étaient impressionnées de voir chez elle une femme qu'on ne se représentait habituellement que dans son propre salon, entourée d'un cadre inséparable d'invités, de tout un petit groupe qu'on s'émerveillait de voir ainsi, évoqué, résumé, resserré, dans un seul fauteuil, sous les espèces de la Patronne devenue visiteuse dans l'emmitouflement de son manteau fourré de grèbe, aussi duveteux que les blanches fourrures qui tapissaient ce salon au sein duquel Mme Verdurin était elle-même un salon. Les femmes les plus timides voulaient se retirer par discrétion et employant le pluriel, comme quand on veut faire comprendre aux autres qu'il est plus sage de ne pas trop fatiguer une convalescente qui se lève pour la première fois, disaient : « Odette, nous allons vous laisser. » On enviait Mme Cottard que la Patronne appelait par son prénom. « Est-ce que je vous enlève ? » lui disait Mme Verdurin qui ne pouvait supporter la pensée qu'une fidèle allait rester là au lieu de la suivre. « Mais Madame est assez aimable pour me ramener, répondait Mme Cottard, ne voulant pas avoir l'air d'oublier, en faveur d'une personne plus célèbre, qu'elle avait accepté l'offre que Mme Bontemps lui avait faite de la ramener dans sa voiture à cocarde. J'avoue que je suis particulièrement reconnaissante aux amies qui veulent bien me prendre avec elles dans leur véhicule. C'est une véritable aubaine pour moi qui n'ai pas d'automédon. — D'autant plus, répondait la Patronne (n'osant trop rien dire, car elle connaissait un peu Mme Bontemps et venait de l'inviter à ses mercredis), que chez Mme de Crécy vous n'êtes pas près de chez vous. Oh ! mon Dieu, je n'arriverai jamais à dire madame Swann. » C'était une plaisanterie dans le petit clan, pour des gens qui n'avaient pas beaucoup d'esprit, de faire semblant de ne pas pouvoir s'habituer à dire Mme Swann : « J'avais tellement l'habitude de dire madame de Crécy, j'ai encore failli de me tromper. » Seule, Mme Verdurin, quand elle parlait à Odette, ne faisait pas que faillir et se trompait exprès. « Cela ne vous fait pas peur, Odette, d'habiter ce quartier perdu ? Il me semble que je ne serais qu'à moitié tranquille le soir pour rentrer. Et puis c'est si humide. Ça ne doit rien valoir pour l'eczéma de votre mari. Vous n'avez pas de rats au moins ? — Mais non ! Quelle horreur ! — Tant mieux, on m'avait dit cela. Je suis bien aise de savoir que ce n'est pas vrai, parce que j'en ai une peur épouvantable et que je ne serais pas revenue chez vous. Au revoir, ma bonne chérie, à bientôt, vous savez comme je suis heureuse de vous voir. Vous ne savez pas arranger les chrysanthèmes, disait-elle en s'en allant, tandis que Mme Swann se levait pour la reconduire. Ce sont des fleurs japonaises, il faut les disposer comme font les Japonais. — Je ne suis pas de l'avis de madame Verdurin, bien qu'en toutes choses elle soit pour moi la Loi et les Prophètes. Il n'y a que vous, Odette, pour trouver des chrysanthèmes si belles, ou plutôt si beaux puisqu'il paraît que c'est ainsi qu'on dit maintenant, déclarait Mme Cottard, quand la Patronne avait refermé la porte. — Chère madame Verdurin n'est pas toujours très bienveillante pour les fleurs des autres, répondait doucement Mme Swann. — Qui cultivez-vous, Odette ? demandait Mme Cottard, pour ne pas laisser se prolonger les critiques à l'adresse de la Patronne... Lemaître? J'avoue que devant chez Lemaître, il y avait l'autre jour un grand arbuste rose qui m'a fait faire une folie. » Mais par pudeur elle se refusa à donner des renseignements plus précis sur le prix de l'arbuste et dit seulement que le professeur « qui n'avait pourtant pas la tête près du bonnet » avait tiré flamberge au vent et lui avait dit qu'elle ne savait pas la valeur de l'argent. « Non, non, je n'ai de fleuriste attitré que Debac. — Moi aussi, disait Mme Cottard, mais je confesse que je lui fais des infidélités avec Lachaume. — Ah ! vous le trompez avec Lachaume, je le lui dirai, répondait Odette qui s'efforçait d'avoir de l'esprit et de conduire la conversation chez elle, où elle se sentait plus à l'aise que dans le petit clan. Du reste Lachaume devient vraiment trop cher; ses prix sont excessifs, savez-vous, ses prix je les trouve inconvenants ! » ajoutait-elle en riant.

Cependant Mme Bontemps, qui avait dit cent fois qu'elle ne voulait pas aller chez les Verdurin, ravie d'être invitée aux mercredis, était en train de calculer comment elle pourrait s'y rendre le plus de fois possible. Elle ignorait que Mme Verdurin souhaitait qu'on n'en manquât aucun; d'autre part, elle était de ces personnes peu recherchées, qui quand elles sont conviées à des « séries » par une maîtresse de maison, ne vont pas chez elle, comme ceux qui savent faire toujours plaisir, quand ils ont un moment et le désir de sortir; elles, au contraire, se privent par exemple de la première soirée et de la troisième, s'imaginant que leur absence sera remarquée, et se réservent pour la deuxième et la quatrième; à moins que leurs informations ne leur ayant appris que la troisième sera particulièrement brillante, elles ne suivent un ordre inverse, alléguant que « malheureusement la dernière fois elles n'étaient pas libres ». Telle, Mme Bontemps supputait combien il pouvait y avoir encore de mercredis avant Pâques et de quelle façon elle arriverait à[1] en avoir un de plus, sans pourtant paraître s'imposer. Elle comptait sur Mme Cottard, avec laquelle elle allait revenir, pour lui donner quelques indications. « Oh ! madame Bontemps, je vois que vous vous levez, c'est très mal de donner ainsi le signal de la fuite. Vous me devez une compensation pour n'être pas venue jeudi dernier... Allons, rasseyez-vous un moment. Vous ne ferez tout de même plus d'autre visite avant le dîner. Vraiment, vous ne vous laissez pas tenter ? ajoutait Mme Swann et tout en tendant une assiette de gâteaux : Vous savez que ce n'est pas mauvais du tout, ces petites saletés-là. Ça ne paye pas de mine, mais goûtez-en, vous m'en direz des nouvelles. — Au contraire, ça a l'air délicieux, répondait Mme Cottard ; chez vous, Odette, on n'est jamais à court de victuailles. Je n'ai pas besoin de vous demander la marque de fabrique, je sais que vous faites tout venir de chez Rebattet. Je dois dire que je suis plus éclectique. Pour les petits fours, pour toutes les friandises, je m'adresse souvent à Bourbonneux. Mais je reconnais qu'ils ne savent pas ce que c'est qu'une glace. Rebattet, pour tout ce qui est glace, bavaroise ou sorbet, c'est le grand art. Comme dirait mon mari, c'est le *nec plus ultra*. — Mais ceci est tout simplement fait ici. Vraiment non ? — Je ne pourrai pas dîner, répondait Mme Bontemps, mais je me rassieds un instant ; vous savez, moi, j'adore causer avec une femme intelligente comme vous. — Vous allez me trouver indiscrète, Odette, mais j'aimerais savoir comment vous jugez le chapeau qu'avait Mme Trombert. Je sais bien que la mode est aux grands chapeaux. Tout de même n'y a-t-il pas un peu d'exagération ? Et à côté de celui avec lequel elle est venue l'autre jour chez moi, celui qu'elle portait tantôt était microscopique. — Mais non, je ne suis pas intelligente, disait Odette, pensant que cela faisait bien. Je suis au fond une gobeuse, qui croit tout ce qu'on lui dit, qui se fait du chagrin pour un rien. » Et elle insinuait qu'elle avait, au commencement, beaucoup souffert d'avoir épousé un homme comme Swann qui avait une vie de son côté et qui la trompait. Cependant le prince d'Agrigente, ayant entendu les mots « je ne suis pas intelligente », trouvait de son devoir de protester, mais il n'avait pas d'esprit de repartie. « Taratata, s'écriait Mme Bontemps, vous, pas intelligente ! — En effet je me disais : « Qu'est-ce que j'entends ? » disait le prince en saisissant cette perche. Il faut que mes oreilles m'aient trompé. — Mais non, je vous assure, disait Odette, je suis au fond une petite bourgeoise très choquable, pleine de préjugés, vivant dans son trou, surtout très ignorante. » Et pour demander des nouvelles du baron de Charlus : « Avez-vous vu cher baronet ? lui disait-elle. — Vous ignorante, s'écriait Mme Bontemps ! Hé bien alors, qu'est-ce que vous diriez du monde officiel, toutes ces femmes d'Excellences, qui ne savent parler que de chiffons !... Tenez, Madame, pas plus tard qu'il y a huit jours je mets sur *Lohengrin* la ministresse de l'Instruction publique. Elle me répond : « *Lohengrin ?* Ah ! oui, la dernière revue des Folies-Bergère, il paraît que c'est tordant. » Hé bien, Madame, qu'est-ce que vous voulez, quand on entend des choses comme ça, ça vous fait bouillir. J'avais envie de la gifler. Parce que j'ai mon petit caractère, vous savez. Voyons, Monsieur, disait-elle en se tournant vers moi, est-ce que je n'ai pas raison? — Écoutez, disait Mme Cottard, on est excusable de répondre un peu de travers quand on est interrogée ainsi de but en blanc, sans être prévenue. J'en sais quelque chose, car Mme Verdurin a l'habitude de nous mettre ainsi le couteau sur la gorge. — À propos de Mme Verdurin, demandait Mme Bontemps à Mme Cottard, savez-vous qui il y aura mercredi chez elle?... Ah ! je me rappelle maintenant que nous avons accepté une invitation pour mercredi prochain. Vous ne voulez pas dîner de mercredi en huit avec nous? Nous irions ensemble chez madame Verdurin. Cela m'intimide d'entrer seule, je ne sais pas pourquoi cette grande femme m'a toujours fait peur. — Je vais vous le dire, répondait Mme Cottard, ce qui vous effraye chez Mme Verdurin, c'est son organe. Que voulez-vous? tout le monde n'a pas un aussi joli organe que madame Swann. Mais le temps de prendre langue, comme dit la Patronne, et la glace sera bientôt rompue. Car dans le fond elle est très accueillante. Mais je comprends très bien votre sensation, ce n'est jamais agréable de se trouver la première fois en pays perdu. — Vous pourriez aussi dîner avec nous, disait Mme Bontemps à Mme Swann. Après dîner on irait tous ensemble en Verdurin, faire Verdurin; et, même si ce devait avoir pour effet que la Patronne me fasse les gros yeux et ne m'invite plus, une fois chez elle nous resterons toutes les trois à causer entre nous, je sens que c'est ce qui m'amusera le plus. » Mais cette affirmation ne devait pas être très véridique, car Mme Bontemps demandait : « Qui pensez-vous qu'il y aura de mercredi en huit? Qu'est-ce qui se passera? Il n'y aura pas trop de monde, au moins? — Moi, je n'irai certainement pas, disait Odette. Nous ne ferons qu'une petite apparition au mercredi final. Si cela vous est égal d'attendre jusque-là... » Mais Mme Bontemps ne semblait pas séduite par cette proposition d'ajournement.

Bien que les mérites spirituels d'un salon et son élégance soient généralement en rapports inverses plutôt que directs, il faut croire, puisque Swann trouvait Mme Bontemps agréable, que toute déchéance acceptée a pour conséquence de rendre les gens moins difficiles sur ceux avec qui ils sont résignés à se plaire, moins difficiles sur leur esprit comme sur le reste. Et si cela est vrai, les hommes doivent, comme les peuples, voir leur culture et même leur langage disparaître avec leur indépendance. Un des effets de cette indulgence est d'aggraver la tendance qu'à partir d'un certain âge on a à trouver agréables les paroles qui sont un hommage à notre propre tour d'esprit, à nos penchants, un encouragement à nous y livrer; cet âge-là est celui où un grand artiste préfère à la société de génies originaux celle d'élèves qui n'ont en commun avec lui que la lettre de sa doctrine et par qui il est encensé, écouté; où un homme ou une femme remarquables qui vivent pour un amour trouveront la plus intelligente dans une réunion la personne peut-être inférieure, mais dont une phrase aura montré qu'elle sait comprendre et approuver ce qu'est une existence vouée à la galanterie, et aura ainsi chatouillé agréablement la tendance voluptueuse de l'amant ou de la maîtresse; c'était l'âge aussi où Swann, en tant qu'il était devenu le mari d'Odette, se plaisait à entendre dire à Mme Bontemps que c'est ridicule de ne recevoir que des duchesses (concluant de là, au contraire de ce qu'il eût fait jadis chez les Verdurin, que c'était une bonne femme, très spirituelle et qui n'était pas snob) et à lui raconter des histoires qui la faisaient « tordre », parce qu'elle ne les connaissait pas et que d'ailleurs elle « saisissait » vite, aimant[1] à flatter et à s'amuser.

— Alors le docteur ne raffole pas, comme vous, des fleurs? demandait Mme Swann à Mme Cottard. — Oh! vous savez que mon mari est un sage; il est modéré en toutes choses. Si, pourtant, il a une passion. » L'œil brillant de malveillance, de joie et de curiosité : « Laquelle, Madame? » demandait Mme Bontemps. Avec simplicité, Mme Cottard répondait : « La lecture. — Oh! c'est une passion de tout repos chez un mari! s'écriait Mme Bontemps, en étouffant un rire satanique. — Quand le docteur est dans un livre, vous savez ! — Hé bien, Madame, cela ne doit pas vous effrayer beaucoup... — Mais si !... pour sa vue. Je vais aller le retrouver, Odette, et je reviendrai au premier jour frapper à votre porte. À propos de vue, vous a-t-on dit que l'hôtel particulier que vient d'acheter madame Verdurin sera éclairé à l'électricité? Je ne le tiens pas de ma petite police particulière, mais d'une autre source : c'est l'électricien lui-même, Mildé, qui me l'a dit. Vous voyez que je cite mes auteurs ! Jusqu'aux chambres qui auront leurs lampes électriques avec un abat-jour qui tamisera la lumière. C'est évidemment un luxe charmant. D'ailleurs nos contemporaines veulent absolument du nouveau, n'en fût-il plus[1] au monde. Il y a la belle-sœur d'une de mes amies qui a le téléphone posé chez elle ! Elle peut faire une commande à un fournisseur sans sortir de son appartement ! J'avoue que j'ai platement intrigué pour avoir la permission de venir un jour parler[2] devant l'appareil. Cela me tente beaucoup, mais plutôt chez une amie que chez moi. Il me semble que je n'aimerais pas avoir le téléphone à domicile. Le premier amusement passé, cela doit être un vrai casse-tête. Allons, Odette, je me sauve, ne retenez plus madame Bontemps puisqu'elle se charge de moi, il faut absolument que je m'arrache, vous me faites faire du joli, je vais être rentrée après mon mari ! »

Et moi aussi, il fallait que je rentrasse, avant d'avoir goûté à ces plaisirs de l'hiver, desquels les chrysanthèmes m'avaient semblé être l'enveloppe éclatante. Ces plaisirs n'étaient pas venus et cependant Mme Swann n'avait pas l'air d'attendre encore quelque chose. Elle laissait les domestiques emporter le thé comme elle aurait annoncé : « On ferme ! » Et elle finissait par me dire : « Alors, vraiment, vous partez? Hé bien, *good bye !* » Je sentais que j'aurais pu rester sans rencontrer ces plaisirs inconnus, et que ma tristesse n'était pas seule à m'avoir privé d'eux. Ne se trouvaient-ils donc pas situés sur cette route battue des heures qui mènent[3] toujours si vite à l'instant du départ, mais plutôt sur quelque chemin de traverse inconnu de moi et par où il eût fallu bifurquer? Du moins le but de ma visite était atteint, Gilberte saurait que j'étais venu chez ses parents quand elle n'était pas là, et que j'y avais, comme n'avait cessé de le répéter Mme Cottard, « fait d'emblée, de prime abord, la conquête de Mme Verdurin ». (« Il faut, ajoutait[1] la femme du docteur, qui ne l'avait jamais vue faire « autant de frais », que vous ayez ensemble des atomes crochus. ») Elle saurait que j'avais parlé d'elle comme je devais le faire, avec tendresse, mais que je n'avais pas cette incapacité de vivre sans que nous nous vissions que je croyais à la base de l'ennui qu'elle avait éprouvé ces derniers temps auprès de moi. J'avais dit à Mme Swann que je ne pouvais plus me trouver avec Gilberte. Je l'avais dit, comme si j'avais décidé pour toujours de ne plus la voir. Et la lettre que j'allais envoyer à Gilberte serait conçue dans le même sens. Seulement, à moi-même, pour me donner courage, je ne me proposais qu'un suprême et court effort de peu de jours. Je me disais : « C'est le dernier rendez-vous d'elle que je refuse, j'accepterai le prochain. » Pour me rendre la séparation moins difficile à réaliser, je ne me la présentais pas comme définitive. Mais je sentais bien qu'elle le serait.

Le 1er janvier me fut particulièrement douloureux cette année-là. Tout l'est sans doute, qui fait date et anniversaire, quand on est malheureux. Mais si c'est par exemple d'avoir perdu un être cher, la souffrance consiste seulement dans une comparaison plus vive avec le passé. Il s'y ajoutait dans mon cas l'espoir informulé que Gilberte, ayant voulu me laisser l'initiative des premiers pas et constatant que je ne les avais pas faits, n'avait attendu que le prétexte du 1er janvier pour m'écrire : « Enfin, qu'y a-t-il ? je suis folle de vous, venez que nous nous expliquions franchement, je ne peux pas vivre sans vous voir. » Dès les derniers jours de l'année cette lettre me parut probable. Elle ne l'était peut-être pas, mais, pour que nous la croyions telle, le désir, le besoin que nous en avons suffit. Le soldat est persuadé qu'un certain délai indéfiniment prolongeable lui sera accordé avant qu'il soit tué, le voleur, avant qu'il soit pris, les hommes en général, avant qu'ils aient à mourir. C'est là l'amulette qui préserve les individus — et parfois les peuples — non du danger, mais de la peur du danger, en réalité de la croyance au danger, ce qui dans certains cas permet de les braver sans qu'il soit besoin d'être brave. Une confiance de ce genre, et aussi peu fondée, soutient l'amoureux qui compte sur une réconciliation, sur une lettre. Pour que je n'eusse pas attendu celle-là, il eût suffi que j'eusse cessé de la souhaiter. Si indifférent qu'on sache que l'on est à celle qu'on aime encore, on lui prête une série de pensées — fussent-elles d'indifférence —, une intention de les manifester, une complication de vie intérieure, où l'on est l'objet peut-être d'une antipathie, mais aussi d'une attention permanentes. Pour imaginer, au contraire, ce qui se passait en Gilberte, il eût fallu que je pusse tout simplement anticiper, dès ce 1er janvier-là, ce que j'eusse ressenti celui d'une[1] des années suivantes, et où l'attention, ou le silence, ou la tendresse, ou la froideur de Gilberte eussent passé à peu près inaperçus à mes yeux et où je n'eusse pas songé, pas même pu songer à chercher la solution de problèmes qui auraient cessé de se poser pour moi. Quand on aime, l'amour est trop grand pour pouvoir être contenu tout entier en nous; il irradie vers la personne aimée, rencontre en elle une surface qui l'arrête, le force à revenir vers son point de départ, et c'est ce choc en retour de notre propre tendresse que nous appelons les sentiments de l'autre et qui nous charme plus qu'à l'aller, parce que nous ne reconnaissons pas qu'elle vient de nous.

Le 1er janvier sonna toutes ses heures sans qu'arrivât cette lettre de Gilberte. Et comme j'en reçus quelques-unes de vœux tardifs ou retardés par l'encombrement des courriers à ces dates-là, le 3 et le 4 janvier, j'espérais encore, de moins en moins pourtant. Les jours qui suivirent, je pleurai beaucoup. Certes, cela tenait à ce qu'ayant été moins sincère que je ne l'avais cru quand j'avais renoncé à Gilberte, j'avais gardé cet espoir d'une lettre d'elle pour la nouvelle année. Et, le voyant épuisé avant que j'eusse eu le temps de me précautionner d'un autre, je souffrais comme un malade qui a vidé sa fiole de morphine sans en avoir sous la main une seconde. Mais peut-être en moi — et ces deux explications ne s'excluent pas, car un seul sentiment est quelquefois fait de contraires — l'espérance que j'avais de recevoir enfin une lettre avait-elle rapproché de moi l'image de Gilberte, recréé les émotions que l'attente de me trouver près d'elle, sa vue, sa manière d'être avec moi, me causaient autrefois. La possibilité immédiate d'une réconciliation avait supprimé cette chose de l'énormité de laquelle nous ne nous rendons pas compte : la résignation. Les neurasthéniques ne peuvent croire les gens qui leur assurent qu'ils seront peu à peu calmés en restant au lit sans recevoir de lettres, sans lire de journaux. Ils se figurent que ce régime ne fera qu'exaspérer leur nervosité. De même, les amoureux, le considérant du sein d'un état contraire, n'ayant pas commencé de l'expérimenter, ne peuvent croire à la puissance bienfaisante du renoncement.

À cause de la violence de mes battements de cœur on me fit diminuer la caféine, ils cessèrent. Alors je me demandai si ce n'était pas un peu à elle qu'était due cette angoisse que j'avais éprouvée quand je m'étais à peu près brouillé avec Gilberte, et que j'avais attribuée, chaque fois qu'elle se renouvelait, à la souffrance de ne plus voir mon amie ou de risquer de ne la voir qu'en proie à la même mauvaise humeur. Mais, si ce médicament avait été à l'origine des souffrances que mon imagination eût alors faussement interprétées (ce qui n'aurait rien d'extraordinaire, les plus cruelles peines morales ayant souvent pour cause[1] chez les amants l'habitude physique de la femme avec qui ils vivent), c'était à la façon du philtre qui, longtemps après avoir été absorbé, continue à lier Tristan à Yseult. Car l'amélioration physique que la diminution de la caféine amena presque immédiatement chez moi n'arrêta pas l'évolution du[2] chagrin que l'absorption du toxique avait peut-être sinon créé, du moins su rendre plus aigu.

Seulement, quand le milieu du mois de janvier approcha, une fois déçues mes espérances d'une lettre pour le jour de l'an, et la douleur supplémentaire qui avait accompagné leur déception une fois calmée, ce fut mon chagrin d'avant « les Fêtes » qui recommença. Ce qu'il y avait peut-être encore en lui de plus cruel, c'est que j'en fusse moi-même l'artisan conscient, volontaire, impitoyable et patient. La seule chose à laquelle je tinsse, mes relations avec Gilberte, c'est moi qui travaillais à les rendre impossibles en créant peu à peu, par la séparation prolongée d'avec mon amie, non pas son indifférence, mais, ce qui reviendrait finalement au même, la mienne. C'était à un long et cruel suicide du moi qui en moi-même aimait Gilberte, que je m'acharnais avec continuité, avec la clairvoyance non seulement de ce que je faisais dans le présent, mais de ce qui en résulterait pour l'avenir : je savais non pas seulement que dans un certain temps je n'aimerais plus Gilberte, mais encore qu'elle-même le regretterait, et que les tentatives qu'elle ferait alors pour me voir seraient aussi vaines que celles d'aujourd'hui, non plus parce que je l'aimerais trop, mais parce que j'aimerais certainement une autre femme que je resterais à désirer, à attendre, pendant des heures dont je n'oserais pas distraire une parcelle pour Gilberte qui ne me serait plus rien. Et sans doute, en ce moment même où (puisque j'étais résolu à ne plus la voir, à moins d'une demande formelle d'explications, d'une complète déclaration d'amour de sa part, lesquelles n'avaient plus aucune chance de venir) j'avais déjà perdu Gilberte et l'aimais davantage (je sentais tout ce qu'elle était pour moi mieux que l'année précédente, quand, passant tous mes après-midi avec elle, selon que je voulais, je croyais que rien ne menaçait notre amitié), sans doute, en ce moment, l'idée que j'éprouverais un jour les mêmes sentiments pour une autre m'était odieuse, car cette idée m'enlevait, outre Gilberte, mon amour et ma souffrance : mon amour, ma souffrance, où en pleurant j'essayais de saisir justement ce qu'était Gilberte, et desquels il me fallait reconnaître qu'ils ne lui appartenaient pas spécialement et seraient, tôt ou tard, le lot de telle ou telle femme. De sorte — c'était du moins alors ma manière de penser — qu'on est toujours détaché des êtres : quand on aime, on sent que cet amour ne porte pas leur nom, pourra dans l'avenir renaître, aurait même pu, dans le passé, naître, pour une autre et non pour celle-là; et dans le temps où l'on n'aime pas, si l'on prend philosophiquement son parti de ce qu'il y a de contradictoire dans l'amour, c'est que cet amour dont on parle à son aise, on ne l'éprouve[1] pas alors, donc on ne le connaît pas, la connaissance en ces matières étant intermittente et ne survivant pas à la présence effective du sentiment. Cet avenir où je n'aimerais plus Gilberte et que ma souffrance m'aidait à deviner sans que mon imagination pût encore se le représenter clairement, certes il eût été temps encore d'avertir Gilberte qu'il se formerait peu à peu, que sa venue était, sinon imminente, du moins inéluctable, si elle-même, Gilberte, ne venait pas à mon aide et ne détruisait pas dans son germe ma future indifférence. Combien de fois ne fus-je pas sur le point d'écrire, ou d'aller dire à Gilberte : « Prenez garde, j'en ai pris la résolution, la démarche que je fais est une démarche suprême. Je vous vois pour la dernière fois. Bientôt je ne vous aimerai plus! » À quoi bon? De quel droit eussé-je reproché à Gilberte une indifférence que, sans me croire coupable pour cela, je manifestais à tout ce qui n'était pas elle? La dernière fois! À moi, cela me paraissait quelque chose d'immense, parce que j'aimais Gilberte. À elle, cela lui eût fait sans doute autant d'impression que ces lettres où des amis demandent à nous faire une visite avant de s'expatrier, visite que, comme aux ennuyeuses femmes qui nous aiment, nous leur refusons parce que nous avons des plaisirs devant nous. Le temps dont nous disposons chaque jour est élastique; les passions que nous ressentons le dilatent, celles que nous inspirons le rétrécissent, et l'habitude le remplit.

D'ailleurs, j'aurais eu beau parler à Gilberte, elle ne m'aurait pas entendu. Nous nous imaginons toujours, quand nous parlons, que ce sont nos oreilles, notre esprit qui écoutent. Mes paroles ne seraient parvenues à Gilberte que déviées, comme si elles avaient eu à traverser le rideau mouvant d'une cataracte avant d'arriver à mon amie, méconnaissables, rendant un son ridicule, n'ayant plus aucune espèce de sens. La vérité qu'on met dans les mots ne se fraye pas son chemin directement, n'est pas douée d'une évidence irrésistible. Il faut qu'assez de temps passe pour qu'une vérité de même ordre ait pu se former en eux. Alors, l'adversaire politique qui, malgré tous les raisonnements et toutes les preuves, tenait le sectateur de la doctrine opposée pour un traître, partage lui-même la conviction détestée, à laquelle celui qui cherchait inutilement à la répandre ne tient plus. Alors, le chef-d'œuvre qui pour les admirateurs qui le lisaient haut semblait montrer en soi les preuves de son excellence et n'offrait à ceux qui écoutaient qu'une image insane ou médiocre, sera par eux proclamé chef-d'œuvre, trop tard pour que l'auteur puisse l'apprendre. Pareillement, en amour, les barrières, quoi qu'on fasse, ne peuvent être brisées du dehors par celui qu'elles désespèrent; et c'est quand il ne se souciera plus d'elles que, tout à coup, par l'effet du travail venu d'un autre côté, accompli à l'intérieur de celle qui n'aimait pas, ces barrières, attaquées jadis sans succès, tomberont sans utilité. Si j'étais venu annoncer à Gilberte mon indifférence future et le moyen de la prévenir, elle aurait induit de cette démarche que mon amour pour elle, le besoin que j'avais d'elle, étaient encore plus grands qu'elle n'avait cru, et son ennui de me voir en eût été augmenté. Et il est bien vrai, du reste, que c'est cet amour qui m'aidait, par les états d'esprit disparates qu'il faisait se succéder en moi, à prévoir, mieux qu'elle, la fin de cet amour. Pourtant, un tel avertissement, je l'eusse peut-être adressé, par lettre ou de vive voix, à Gilberte, quand assez de temps eût passé, me la rendant ainsi, il est vrai, moins indispensable, mais aussi ayant pu lui prouver qu'elle ne me l'était pas. Malheureusement, certaines personnes, bien ou mal intentionnées, lui parlèrent de moi d'une façon qui dut lui laisser croire qu'elles le faisaient à ma prière. Chaque fois que j'appris ainsi que Cottard, ma mère elle-même, et jusqu'à M. de Norpois avaient, par de maladroites paroles, rendu inutile tout le sacrifice que je venais d'accomplir, gâché tout le résultat de ma réserve, en me donnant faussement l'air d'en être sorti, j'avais un double ennui. D'abord je ne pouvais plus faire dater que de ce jour-là ma pénible et fructueuse abstention que les fâcheux avaient à mon insu interrompue et, par conséquent, annihilée. Mais, de plus, j'eusse eu moins de plaisir à voir Gilberte qui me croyait maintenant non plus dignement résigné, mais manœuvrant dans l'ombre pour une entrevue qu'elle avait dédaigné d'accorder. Je maudissais ces vains bavardages de gens qui souvent, sans même l'intention de nuire ou de rendre service, pour rien, pour parler, quelquefois parce que nous n'avons pas pu nous empêcher de le faire devant eux et qu'ils sont indiscrets (comme nous), nous causent, à point nommé, tant de mal. Il est vrai que dans la funeste besogne accomplie pour la destruction de notre amour, ils sont loin de jouer un rôle égal à deux personnes qui ont pour habitude, l'une par excès de bonté et l'autre de méchanceté, de tout défaire au moment que tout allait s'arranger. Mais ces deux personnes-là, nous ne leur en voulons pas comme aux inopportuns Cottard, car la dernière, c'est la personne que nous aimons, et la première, c'est nous-même.

Cependant, comme, presque chaque fois que j'allais la voir, Mme Swann m'invitait à venir goûter avec sa fille et me disait de répondre directement à celle-ci, j'écrivais souvent à Gilberte, et dans cette correspondance je ne choisissais pas les phrases qui eussent pu, me semblait-il, la persuader, je cherchais seulement à frayer le lit le plus doux au ruissellement de mes pleurs. Car le regret comme le désir ne cherche pas à s'analyser, mais à se satisfaire; quand on commence d'aimer, on passe le temps non à savoir ce qu'est son amour, mais à préparer les possibilités des rendez-vous du lendemain. Quand on renonce, on cherche non à connaître son chagrin, mais à offrir de lui à celle qui le cause l'expression qui nous paraît la plus tendre. On dit les choses qu'on éprouve le besoin de dire et que l'autre ne comprendra pas, on ne parle que pour soi-même. J'écrivais : « J'avais cru que ce ne serait pas possible. Hélas, je vois que ce n'est pas si difficile. » Je disais aussi : « Je ne vous verrai probablement plus », je le disais en continuant à me garder d'une froideur qu'elle eût pu croire affectée, et ces mots, en les écrivant, me faisaient pleurer, parce que je sentais qu'ils exprimaient non ce que j'aurais voulu croire, mais ce qui arriverait en réalité. Car à la prochaine demande de rendez-vous qu'elle me ferait adresser, j'aurais encore, comme cette fois, le courage de ne pas céder et, de refus en refus, j'arriverais peu à peu au moment où, à force de ne plus l'avoir vue, je ne désirerais pas la voir. Je pleurais mais je trouvais le courage, je connaissais la douceur, de sacrifier le bonheur d'être auprès d'elle à la possibilité de lui paraître agréable un jour, un jour où, hélas! lui paraître agréable me serait indifférent. L'hypothèse même, pourtant si peu vraisemblable, qu'en ce moment, comme elle l'avait prétendu pendant la dernière visite que je lui avais faite, elle m'aimât, que ce que je prenais pour l'ennui qu'on éprouve auprès de quelqu'un dont on est las, ne fût dû qu'à une susceptibilité jalouse, à une feinte d'indifférence analogue à la mienne, ne faisait que rendre ma résolution moins cruelle. Il me semblait alors que, dans quelques années, après que nous nous serions oubliés l'un l'autre, quand je pourrais rétrospectivement lui dire que cette lettre qu'en ce moment j'étais en train de lui écrire n'avait été nullement sincère, elle me répondrait : « Comment, vous, vous m'aimiez? Si vous saviez comme je l'attendais, cette lettre, comme j'espérais un rendez-vous, comme elle me fit pleurer! » La pensée, pendant que je lui écrivais, aussitôt rentré de chez sa mère, que j'étais peut-être en train de consommer précisément ce malentendu-là, cette pensée, par sa tristesse même, par le plaisir d'imaginer que j'étais aimé de Gilberte, me poussait à continuer ma lettre.

Si, au moment de quitter Mme Swann quand son « thé » finissait, je pensais à ce que j'allais écrire à sa fille, Mme Cottard, elle, en s'en allant, avait eu des pensées d'un caractère tout différent. Faisant sa « petite inspection », elle n'avait pas manqué de féliciter Mme Swann sur les meubles nouveaux, les récentes « acquisitions » remarquées dans le salon. Elle pouvait d'ailleurs y retrouver, quoique en bien petit nombre, quelques-uns des objets qu'Odette avait autrefois dans l'hôtel de la rue Lapérouse, notamment ses animaux en matières précieuses, ses fétiches.

Mais Mme Swann, ayant appris d'un ami qu'elle vénérait le mot « tocard » — lequel lui avait ouvert de nouveaux horizons, parce qu'il désignait précisément les choses que quelques années auparavant elle avait trouvées « chic » — toutes ces choses-là, successivement, avaient suivi dans leur retraite le treillage doré qui servait d'appui aux chrysanthèmes, mainte bonbonnière de chez Giroux et le papier à lettres à couronne (pour ne pas parler des louis en carton semés sur les cheminées et que, bien avant qu'elle connût Swann, un homme de goût lui avait conseillé de sacrifier). D'ailleurs dans le désordre artiste, dans le pêle-mêle d'atelier, des pièces aux murs encore peints de couleurs sombres qui les faisaient aussi différentes que possible des salons blancs que Mme Swann eut un peu plus tard, l'Extrême-Orient reculait de plus en plus devant l'invasion du XVIIIe siècle; et les coussins que, afin que je fusse plus « confortable », Mme Swann entassait et pétrissait derrière mon dos étaient semés de bouquets Louis XV, et non plus comme autrefois de dragons chinois. Dans la chambre où on la trouvait le plus souvent et dont elle disait : « Oui, je l'aime assez, je m'y tiens beaucoup; je ne pourrais pas vivre au milieu de choses hostiles et pompier; c'est ici que je travaille » (sans d'ailleurs préciser si c'était à un tableau, peut-être à un livre, le goût d'en écrire commençait à venir aux femmes qui aiment à faire quelque chose et à ne pas être inutiles), elle était entourée de Saxe (aimant cette dernière sorte de porcelaine, dont elle prononçait le nom avec un accent anglais, jusqu'à dire à propos de tout : C'est joli, cela ressemble à des fleurs de Saxe); elle redoutait pour eux, plus encore que jadis pour ses magots et ses potiches, le toucher ignorant des domestiques auxquels elle faisait expier les transes qu'ils lui avaient données par des emportements auxquels Swann, maître si poli et doux, assistait sans en être choqué. La vue lucide de certaines infériorités n'ôte d'ailleurs rien à la tendresse; celle-ci les fait au contraire trouver charmantes. Maintenant c'était plus rarement dans des robes de chambre japonaises qu'Odette recevait ses intimes, mais plutôt dans les soies claires et mousseuses de peignoirs Watteau desquelles elle faisait le geste de caresser sur ses seins l'écume fleurie, et dans lesquelles elle se baignait, se prélassait, s'ébattait, avec un tel air de bien-être, de rafraîchissement de la peau, et des respirations si profondes, qu'elle semblait les considérer non pas comme décoratives à la façon d'un cadre, mais comme nécessaires de la même manière que le « tub » et le « footing », pour contenter les exigences de sa physionomie et les raffinements de son hygiène. Elle avait l'habitude de dire qu'elle se passerait plus aisément de pain que d'art et de propreté, et qu'elle eût été plus triste de voir brûler *la Joconde* que des « foultitudes » de personnes qu'elle connaissait. Théories qui semblaient paradoxales à ses amies, mais la faisaient passer pour une femme supérieure auprès d'elles et lui valaient une fois par semaine la visite du ministre de Belgique, de sorte que dans le petit monde dont elle était le soleil, chacun eût été bien étonné si l'on avait appris qu'ailleurs, chez les Verdurin par exemple, elle passât pour bête. À cause de cette vivacité d'esprit, Mme Swann préférait la société des hommes à celle des femmes. Mais quand elle critiquait celles-ci, c'était toujours en cocotte, signalant en elles les défauts qui pouvaient leur nuire auprès des hommes, de grosses attaches, un vilain teint, pas d'orthographe, des poils aux jambes, une odeur pestilentielle, de faux sourcils. Pour telle au contraire qui lui avait jadis montré de l'indulgence et de l'amabilité, elle était plus tendre, surtout si celle-là était malheureuse. Elle la défendait avec adresse et disait : « On est injuste pour elle, car c'est une gentille femme, je vous assure. »

Ce n'était pas seulement l'ameublement du salon d'Odette, c'était Odette elle-même que Mme Cottard et tous ceux qui avaient fréquenté Mme de Crécy auraient eu peine, s'ils ne l'avaient pas vue depuis longtemps, à reconnaître. Elle semblait avoir tant d'années de moins qu'autrefois ! Sans doute, cela tenait en partie à ce qu'elle avait engraissé, et, devenue mieux portante, avait l'air plus calme, plus[1] frais, plus reposé, et d'autre part à ce que les coiffures nouvelles, aux cheveux lissés, donnaient plus d'extension à son visage qu'une poudre rose animait, et où ses yeux et son profil, jadis trop saillants, semblaient maintenant résorbés. Mais une autre raison de ce changement consistait en ceci que, arrivée au milieu de la vie, Odette s'était enfin découvert, ou inventé, une physionomie personnelle, un « caractère » immuable, un « genre de beauté », et sur ses traits décousus — qui pendant si longtemps, livrés aux caprices hasardeux et impuissants de la chair, prenant à la moindre fatigue pour un instant des années, une sorte de vieillesse passagère, lui avaient composé tant bien que mal, selon son humeur et selon sa mine, un visage épars, journalier, informe et charmant — avait appliqué ce type fixe, comme une jeunesse immortelle.

Swann avait dans sa chambre, au lieu des belles photographies qu'on faisait maintenant de sa femme, et où la même expression énigmatique et victorieuse laissait reconnaître, quels que fussent la robe et le chapeau, sa silhouette et son visage triomphants, un petit daguerréotype ancien tout simple, antérieur à ce type, et duquel la jeunesse et la beauté d'Odette, non encore trouvées par elle, semblaient absentes. Mais sans doute Swann, fidèle ou revenu à une conception différente, goûtait-il dans la jeune femme grêle aux yeux pensifs, aux traits las, à l'attitude suspendue entre la marche et l'immobilité, une grâce plus botticellienne. Il aimait encore, en effet, à voir en sa femme un Botticelli. Odette qui au contraire cherchait non à faire ressortir, mais à compenser, à dissimuler ce qui, en elle-même, ne lui plaisait pas, ce qui était peut-être, pour un artiste, son « caractère », mais que, comme femme, elle trouvait des défauts, ne voulait pas entendre parler de ce peintre. Swann possédait une merveilleuse écharpe orientale, bleue et rose, qu'il avait achetée parce que c'était exactement celle de la Vierge du *Magnificat*. Mais Mme Swann ne voulait pas la porter. Une fois seulement elle laissa son mari lui commander une toilette toute criblée de pâquerettes, de bluets, de myosotis et de campanules d'après la Primavera du *Printemps*. Parfois, le soir, quand elle était fatiguée, il me faisait remarquer tout bas comme elle donnait, sans s'en rendre compte, à ses mains pensives le mouvement délié, un peu tourmenté de la Vierge qui trempe sa plume dans l'encrier que lui tend l'ange, avant d'écrire sur le livre saint où est déjà tracé le mot « Magnificat ». Mais il ajoutait : « Surtout ne le lui dites pas, il suffirait qu'elle le sût pour qu'elle fît autrement. »

Sauf à ces moments d'involontaire fléchissement où Swann essayait de retrouver la mélancolique cadence botticellienne, le corps d'Odette était maintenant découpé en une seule silhouette, cernée tout entière par une « ligne» qui, pour suivre le contour de la femme, avait abandonné les chemins accidentés, les rentrants et les sortants factices, les lacis, l'éparpillement composite des modes d'autrefois, mais qui aussi, là où c'était l'anatomie qui se trompait en faisant des détours inutiles en deçà ou au delà du tracé idéal, savait rectifier d'un trait hardi les écarts de la nature, suppléer, pour toute une partie du parcours, aux défaillances aussi bien de la chair que des étoffes. Les coussins, le « strapontin » de l'affreuse « tournure » avaient disparu, ainsi que ces corsages à basques qui, dépassant la jupe et raidis par des baleines, avaient ajouté si longtemps à Odette un ventre postiche et lui avaient donné l'air d'être composée de pièces disparates qu'aucune individualité ne reliait. La verticale des « effilés » et la courbe des ruches avaient cédé la place à l'inflexion d'un corps qui faisait palpiter la soie comme la sirène bat l'onde et donnait à la percaline une expression humaine, maintenant qu'il s'était dégagé, comme une forme organisée et vivante, du long chaos et de l'enveloppement nébuleux des modes détrônées. Mais Mme Swann cependant avait voulu, avait su garder un vestige de certaines d'entre elles, au milieu même de celles qui les avaient remplacées. Quand, le soir, ne pouvant travailler et étant assuré que Gilberte était au théâtre avec des amies, j'allais à l'improviste chez ses parents, je trouvais souvent Mme Swann dans quelque élégant déshabillé dont la jupe, d'un de ces beaux tons sombres, rouge foncé ou orange, qui avaient l'air d'avoir une signification particulière parce qu'ils n'étaient plus à la mode, était obliquement traversée d'une rampe ajourée et large de dentelle noire qui faisait penser aux volants d'autrefois. Quand, par un jour encore froid de printemps, elle m'avait, avant ma brouille avec sa fille, emmené au Jardin d'Acclimatation, sous sa veste qu'elle entr'ouvrait plus ou moins selon qu'elle se réchauffait en marchant, le « dépassant » en dents de scie de sa chemisette avait l'air du revers entrevu de quelque gilet absent, pareil à l'un de ceux qu'elle avait portés quelques années plus tôt et dont elle aimait que les bords eussent ce léger déchiquetage; et sa cravate — de cet « écossais » auquel elle était restée fidèle, mais en adoucissant tellement les tons (le rouge devenu rose et le bleu, lilas) que l'on aurait presque cru à un de ces taffetas gorge de pigeon qui étaient la dernière nouveauté — était nouée de telle façon sous son menton, sans qu'on pût voir où elle était attachée, qu'on pensait invinciblement à ces « brides » de chapeaux qui ne se portaient plus. Pour peu qu'elle sût « durer » encore quelque temps ainsi, les jeunes gens, essayant de comprendre ses toilettes, diraient : « Madame Swann, n'est-ce pas, c'est toute une époque? » Comme dans un beau style qui superpose des formes différentes et que fortifie une tradition cachée, dans la toilette de Mme Swann, ces souvenirs incertains de gilets, ou de boucles, parfois une tendance aussitôt réprimée au « saute en barque » et jusqu'à une allusion lointaine et vague au « suivez-moi jeune homme », faisaient circuler sous la forme concrète la ressemblance inachevée d'autres plus anciennes qu'on n'aurait pu y trouver effectivement réalisées par la couturière ou la modiste, mais auxquelles on pensait sans cesse, et enveloppaient Mme Swann de quelque chose de noble — peut-être parce que l'inutilité même de ces atours faisait qu'ils semblaient répondre à un but plus qu'utilitaire, peut-être à cause du vestige conservé des années passées, ou encore d'une sorte d'individualité vestimentaire, particulière à cette femme, et qui donnait à ses mises les plus différentes un même air de famille. On sentait qu'elle ne s'habillait pas seulement pour la commodité ou la parure de son corps; elle était entourée de sa toilette comme de l'appareil délicat et spiritualisé d'une civilisation.

Quand Gilberte, qui d'habitude donnait ses goûters le jour où recevait sa mère, devait au contraire être absente et qu'à cause de cela je pouvais aller au « Choufleury » de Mme Swann, je la trouvais vêtue de quelque belle robe, certaines en taffetas, d'autres en faille, ou en velours, ou en crêpe de Chine, ou en satin, ou en soie, et qui, non point lâches comme les déshabillés qu'elle revêtait ordinairement à la maison, mais combinées comme pour la sortie au dehors, donnaient, cet après-midi-là, à son oisiveté chez elle quelque chose d'alerte et d'agissant. Et sans doute la simplicité hardie de leur coupe était bien appropriée à sa taille et à ses mouvements dont les manches avaient l'air d'être la couleur, changeante selon les jours; on aurait dit qu'il y avait soudain de la décision dans le velours bleu, une humeur facile dans le taffetas blanc, et qu'une sorte de réserve suprême et pleine de distinction dans la façon d'avancer le bras avait, pour devenir visible, revêtu l'apparence, brillante du sourire des grands sacrifices, du crêpe de Chine noir. Mais, en même temps, à ces robes si vives la complication des « garnitures » sans utilité pratique, sans raison d'être visible, ajoutait quelque chose de désintéressé, de pensif, de secret, qui s'accordait à la mélancolie que Mme Swann gardait toujours, au moins dans la cernure de ses yeux et les phalanges de ses mains. Sous la profusion des porte-bonheur en saphir, des trèfles à quatre feuilles d'émail, des médailles d'argent, des médaillons d'or, des amulettes de turquoise, des chaînettes de rubis, des châtaignes de topaze, il y avait dans la robe elle-même tel dessin colorié poursuivant sur un empiècement rapporté son existence antérieure, telle rangée de petits boutons de satin qui ne boutonnaient rien et ne pouvaient pas se déboutonner, une soutache cherchant à faire plaisir avec la minutie, la discrétion d'un rappel délicat, lesquels, tout autant que les bijoux, avaient l'air — n'ayant sans cela aucune justification possible — de déceler une intention, d'être un gage de tendresse, de retenir une confidence, de répondre à une superstition, de garder le souvenir d'une guérison, d'un vœu, d'un amour ou d'une philippine. Et parfois, dans le velours bleu du corsage un soupçon de crevé Henri II, dans la robe de satin noir un léger renflement qui, soit aux manches, près des épaules, faisait[1] penser aux « gigots » 1830, soit au contraire sous la jupe, aux « paniers » Louis XV, donnaient à la robe un air imperceptible d'être un costume et, en insinuant sous la vie présente comme une réminiscence indiscernable du passé, mêlaient à la personne de Mme Swann le charme de certaines héroïnes historiques ou romanesques. Et si je le lui faisais remarquer : « Je ne joue pas au golf comme plusieurs de mes amies, disait-elle. Je n'aurais aucune excuse à être, comme elles, vêtue de sweaters. »

Dans la confusion du salon, revenant de reconduire une visite, ou prenant une assiette de gâteaux pour les offrir à une autre, Mme Swann, en passant près de moi, me prenait une seconde à part : « Je suis spécialement chargée par Gilberte de vous inviter à déjeuner pour après-demain. Comme je n'étais pas certaine de vous voir, j'allais vous écrire si vous n'étiez pas venu. » Je continuais à résister. Et cette résistance me coûtait de moins en moins, parce qu'on a beau aimer le poison qui vous fait du mal, quand on en est privé par quelque nécessité depuis déjà un certain temps, on ne peut pas ne pas attacher quelque prix au repos qu'on ne connaissait plus, à l'absence d'émotions et de souffrances. Si l'on n'est pas tout à fait sincère en se disant qu'on ne voudra jamais revoir celle qu'on aime, on ne le serait pas non plus en disant qu'on veut la revoir. Car, sans doute, on ne peut supporter son absence qu'en se la promettant courte, en pensant au jour où on se retrouvera, mais d'autre part on sent à quel point ces rêves quotidiens d'une réunion prochaine et sans cesse ajournée sont moins douloureux que ne serait une entrevue qui pourrait être suivie de jalousie, de sorte que la nouvelle qu'on va revoir celle qu'on aime donnerait une commotion peu agréable. Ce qu'on recule maintenant de jour en jour, ce n'est plus la fin de l'intolérable anxiété causée par la séparation, c'est le recommencement redouté d'émotions sans issue. Comme à une telle entrevue on préfère le souvenir docile, qu'on complète à son gré de rêveries où celle qui dans la réalité ne vous aime pas, vous fait, au contraire, des déclarations, quand vous êtes tout seul ! Ce souvenir qu'on peut arriver, en y mêlant peu à peu beaucoup de ce qu'on désire, à rendre aussi doux qu'on veut, comme on le préfère à l'entretien ajourné où on aurait affaire à un être à qui on ne dicterait plus à son gré les paroles qu'on désire, mais dont on subirait les nouvelles froideurs, les violences inattendues! Nous savons tous, quand nous n'aimons plus, que l'oubli, même le souvenir vague ne causent pas tant de souffrances que l'amour malheureux. C'est d'un tel oubli anticipé que je préférais, sans me l'avouer, la reposante douceur.

D'ailleurs, ce qu'une telle cure de détachement psychique et d'isolement peut avoir de pénible, le devient de moins en moins pour une autre raison, c'est qu'elle affaiblit, en attendant de la guérir, cette idée fixe qu'est un amour. Le mien était encore assez fort pour que je tinsse à reconquérir tout mon prestige aux yeux de Gilberte, lequel, par ma séparation volontaire, devait, me semblait-il, grandir progressivement, de sorte que chacune de ces calmes et tristes journées où je ne la voyais pas, venant chacune après l'autre, sans interruption, sans prescription (quand un fâcheux ne se mêlait pas de mes affaires), était une journée non pas perdue, mais gagnée. Inutilement gagnée peut-être, car bientôt on pourrait me déclarer guéri. La résignation, modalité de l'habitude, permet à certaines forces de s'accroître indéfiniment[1]. Celles, si infimes, que j'avais pour supporter mon chagrin, le premier soir de ma brouille avec Gilberte, avaient été portées depuis lors à une puissance incalculable. Seulement la tendance de tout ce qui existe à se prolonger est parfois coupée de brusques impulsions auxquelles nous nous concédons avec d'autant moins de scrupules[2] de nous laisser aller que nous savons pendant combien de jours, de mois, nous avons pu, nous pourrions encore, nous priver. Et souvent, c'est quand la bourse où l'on épargne va être pleine qu'on la vide tout d'un coup, c'est sans attendre le résultat du traitement et quand déjà on s'est habitué à lui, qu'on le cesse. Et un jour où Mme Swann me redisait ses habituelles paroles sur le plaisir que Gilberte aurait à me voir, mettant ainsi le bonheur dont je me privais déjà depuis si longtemps comme à la portée de ma main, je fus bouleversé en comprenant qu'il était encore possible de le goûter; et j'eus peine à attendre le lendemain; je venais de me résoudre à aller surprendre Gilberte avant son dîner.

Ce qui m'aida à patienter tout l'espace d'une journée

fut un projet que je fis. Du moment que tout était oublié, que j'étais réconcilié avec Gilberte, je ne voulais plus la voir qu'en amoureux. Tous les jours, elle recevrait de moi les plus belles fleurs qui fussent. Et si Mme Swann, bien qu'elle n'eût pas le droit d'être une mère trop sévère, ne me permettait pas des envois de fleurs quotidiens, je trouverais des cadeaux plus précieux et moins fréquents. Mes parents ne me donnaient pas assez d'argent pour acheter des choses chères. Je songeai à une grande potiche de vieux Chine qui me venait de ma tante Léonie et dont maman prédisait chaque jour que Françoise allait venir en lui disant : « A s'est décollée » et qu'il n'en resterait rien. Dans ces conditions, n'était-il pas plus sage de la vendre, de la vendre pour pouvoir faire tout le plaisir que je voudrais à Gilberte ? Il me semblait que je pourrais bien en tirer mille francs. Je la fis envelopper; l'habitude m'avait empêché de jamais la voir : m'en séparer eut au moins un avantage, qui fut de me faire faire sa connaissance. Je l'emportai avec moi avant d'aller chez les Swann et, en donnant leur adresse au cocher, je lui dis de prendre par les Champs-Élysées, au coin desquels était le magasin d'un grand marchand de chinoiseries que connaissait mon père. À ma grande surprise, il m'offrit séance tenante de la potiche non pas mille, mais dix mille francs. Je pris ces billets avec ravissement; pendant toute une année, je pourrais combler chaque jour Gilberte de roses et de lilas. Quand je fus remonté dans la voiture en quittant le marchand, le cocher, tout naturellement, comme les Swann demeuraient près du Bois, se trouva, au lieu du chemin habituel, descendre l'avenue des Champs-Élysées. Il avait déjà dépassé le coin de la rue de Berri, quand, dans le crépuscule, je crus reconnaître, très près de la maison des Swann, mais allant dans la direction inverse et s'en éloignant, Gilberte qui marchait lentement, quoique d'un pas délibéré, à côté d'un jeune homme avec qui elle causait et duquel je ne pus distinguer le visage. Je me soulevai dans la voiture, voulant faire arrêter, puis j'hésitai. Les deux promeneurs étaient déjà un peu loin, et les deux lignes douces et parallèles que traçait leur lente promenade allaient s'estompant dans l'ombre élyséenne. Bientôt j'arrivai devant la maison de Gilberte. Je fus reçu par Mme Swann : « Oh ! elle va être désolée, me dit-elle, je ne sais pas comment elle n'est pas là. Elle a eu très chaud tantôt à un cours, elle m'a dit qu'elle voulait aller prendre un peu l'air avec une de ses amies. — Je crois que je l'ai aperçue avenue des Champs-Élysées. — Je ne pense pas que ce fût elle. En tous cas, ne le dites pas à son père, il n'aime pas qu'elle sorte à ces heures-là. *Good evening.* » Je partis, dis au cocher de reprendre le même chemin, mais ne retrouvai pas les deux promeneurs. Où avaient-ils été ? Que se disaient-ils dans le soir, de cet air confidentiel ?

Je rentrai, tenant avec désespoir les dix mille francs inespérés qui avaient dû me permettre de faire tant de petits plaisirs à cette Gilberte que, maintenant, j'étais décidé à ne plus revoir. Sans doute, cet arrêt chez le marchand de chinoiseries m'avait réjoui en me faisant espérer que je ne verrais plus jamais mon amie que contente de moi et reconnaissante. Mais si je n'avais pas fait cet arrêt, si la voiture n'avait pas pris par l'avenue des Champs-Élysées, je n'eusse pas rencontré Gilberte et ce jeune homme. Ainsi un même fait porte des rameaux opposites et le malheur qu'il engendre annule le bonheur qu'il avait causé. Il m'était arrivé le contraire de ce qui se produit si fréquemment. On désire une joie, et le moyen matériel de l'atteindre fait défaut. « Il est triste, a dit La Bruyère, d'aimer sans une grande fortune. » Il ne reste plus qu'à essayer d'anéantir peu à peu le désir de cette joie. Pour moi, au contraire, le moyen matériel avait été obtenu, mais, au même moment, sinon par un effet logique, du moins par une conséquence fortuite de cette réussite première, la joie avait été dérobée. Il semble, d'ailleurs, qu'elle doive nous l'être toujours. D'ordinaire, il est vrai, pas dans la même soirée où nous avons acquis ce qui la rend possible. Le plus souvent, nous continuons de nous évertuer et d'espérer quelque temps. Mais le bonheur ne peut jamais avoir lieu. Si les circonstances arrivent à être surmontées, la nature transporte la lutte du dehors au dedans et fait peu à peu changer assez notre cœur pour qu'il désire autre chose que ce qu'il va posséder. Et si la péripétie a été si rapide que notre cœur n'a pas eu le temps de changer, la nature ne désespère pas pour cela de nous vaincre, d'une manière plus tardive il est vrai, plus subtile, mais aussi efficace. C'est alors à la dernière seconde que la possession du bonheur nous est enlevée, ou plutôt c'est cette possession même que par une ruse diabolique la nature charge de détruire le bonheur. Ayant échoué dans tout ce qui était du domaine des faits et de la vie, c'est une impossibilité dernière, l'impossibilité psychologique du bonheur, que la nature crée. Le phénomène du bonheur ne se produit pas ou donne lieu aux réactions les plus amères.

Je serrai les dix mille francs. Mais ils ne me servaient plus à rien. Je les dépensai du reste encore plus vite que si j'eusse envoyé tous les jours des fleurs à Gilberte, car, quand le soir venait, j'étais si malheureux que je ne pouvais rester chez moi et allais pleurer dans les bras de femmes que je n'aimais pas. Quant à chercher à faire un plaisir quelconque à Gilberte, je ne le souhaitais plus; maintenant retourner dans la maison de Gilberte n'eût pu que me faire souffrir. Même revoir Gilberte, qui m'eût été si délicieux la veille, ne m'eût plus suffi. Car j'aurais été inquiet tout le temps où je n'aurais pas été près d'elle. C'est ce qui fait qu'une femme, par toute nouvelle souffrance qu'elle nous inflige, souvent sans le savoir, augmente son pouvoir sur nous, mais aussi nos exigences envers elle. Par ce mal qu'elle nous a fait, la femme nous cerne de plus en plus, redouble nos chaînes, mais aussi celles dont il nous aurait jusque-là semblé suffisant de la garrotter pour que nous nous sentions tranquilles. La veille encore, si je n'avais pas cru ennuyer Gilberte, je me serais contenté de réclamer de rares entrevues, lesquelles maintenant ne m'eussent plus contenté et que j'eusse remplacées par bien d'autres conditions. Car en amour, au contraire de ce qui se passe après les combats, on les fait plus dures, on ne cesse de les aggraver, plus on est vaincu, si toutefois on est en situation de les imposer. Ce n'était pas mon cas à l'égard de Gilberte. Aussi je préférai d'abord ne pas retourner chez sa mère. Je continuais bien à me dire que Gilberte ne m'aimait pas, que je le savais depuis assez longtemps, que je pouvais la revoir si je voulais, et, si je ne le voulais pas, l'oublier à la longue. Mais ces idées, comme un remède qui n'agit pas contre certaines affections, étaient sans aucune espèce de pouvoir efficace contre ces deux lignes parallèles, que je revoyais de temps à autre, de Gilberte et du jeune homme s'enfonçant à petits pas dans l'avenue des Champs-Élysées. C'était un mal nouveau, qui lui aussi finirait par s'user, c'était une image qui, un jour, se présenterait à mon esprit entièrement décantée de tout ce qu'elle contenait de nocif, comme ces poisons mortels qu'on manie sans danger, comme un peu de dynamite à quoi on peut allumer sa cigarette sans crainte d'explosion. En attendant, il y avait en moi une autre force qui luttait de toute sa puissance contre cette force malsaine qui me représentait sans changement la promenade de Gilberte dans le crépuscule : pour briser les assauts renouvelés de ma mémoire, travaillait utilement en sens inverse mon imagination. La première de ces deux forces, certes, continuait à me montrer ces deux promeneurs de l'avenue des Champs-Élysées, et m'offrait d'autres images désagréables, tirées du passé, par exemple Gilberte haussant les épaules quand sa mère lui demandait de rester avec moi. Mais la seconde force, travaillant sur le canevas de mes espérances, dessinait un avenir bien plus complaisamment développé que ce pauvre passé en somme si restreint. Pour une minute où je revoyais Gilberte maussade, combien n'y en avait-il pas où je combinais une démarche qu'elle ferait faire pour notre réconciliation, pour nos fiançailles peut-être ! Il est vrai que cette force que l'imagination dirigeait vers l'avenir, elle la puisait malgré tout dans le passé. Au fur et à mesure que s'effacerait mon ennui que Gilberte eût haussé les épaules, diminuerait aussi le souvenir de son charme, souvenir qui me faisait souhaiter qu'elle revînt vers moi. Mais j'étais encore bien loin de cette mort du passé. J'aimais toujours celle qu'il est vrai que je croyais détester. Chaque fois[1] qu'on me trouvait bien coiffé, ayant bonne mine, j'aurais voulu qu'elle fût là. J'étais irrité du désir que beaucoup de gens manifestèrent à cette époque de me recevoir et chez lesquels je refusai d'aller. Il y eut une scène à la maison parce que je n'accompagnai pas mon père à un dîner officiel où il devait y avoir les Bontemps avec leur nièce Albertine, petite jeune fille presque encore enfant. Les différentes périodes de notre vie se chevauchent ainsi l'une l'autre. On refuse dédaigneusement, à cause de ce qu'on aime et qui vous sera un jour si égal, de voir ce qui vous est égal aujourd'hui, qu'on aimera demain, qu'on aurait peut-être pu, si on avait consenti à le voir, aimer plus tôt, et qui eût ainsi abrégé vos souffrances actuelles, pour les remplacer, il est vrai, par d'autres. Les miennes allaient se modifiant. J'avais l'étonnement d'apercevoir au fond de moi-même, un jour un sentiment, le jour suivant un autre, généralement inspirés par telle espérance ou telle crainte relatives à Gilberte. À la Gilberte que je portais en moi. J'aurais dû me dire que l'autre, la réelle, était peut-être entièrement différente de celle-là, ignorait tous les regrets que je lui prêtais, pensait probablement beaucoup moins à moi non seulement que moi à elle, mais que je ne la faisais elle-même penser à moi quand j'étais seul en tête à tête avec ma Gilberte fictive, cherchais quelles pouvaient être ses vraies intentions à mon égard, et l'imaginais ainsi, son attention toujours tournée vers moi.

Pendant ces périodes où, tout en s'affaiblissant, persiste le chagrin, il faut distinguer entre celui que nous cause la pensée constante de la personne elle-même, et celui que raniment certains souvenirs, telle phrase méchante dite, tel verbe employé dans une lettre qu'on a reçue. En réservant de décrire, à l'occasion d'un amour ultérieur, les formes diverses du chagrin, disons que, de ces deux-là, la première est infiniment moins cruelle que la seconde. Cela tient à ce que notre notion de la personne, vivant toujours en nous, y est embellie de l'auréole que nous ne tardons pas à lui rendre, et s'empreint sinon des douceurs fréquentes de l'espoir, tout au moins du calme d'une tristesse permanente. (D'ailleurs, il est à remarquer que l'image d'une personne qui nous fait souffrir tient peu de place dans ces complications qui aggravent un chagrin d'amour, le prolongent et l'empêchent de guérir, comme dans certaines maladies la cause est hors de proportions avec la fièvre consécutive et la lenteur à entrer en convalescence.) Mais si l'idée de la personne que nous aimons reçoit le reflet d'une intelligence généralement optimiste, il n'en est pas de même de ces souvenirs particuliers, de ces propos méchants, de cette lettre hostile (je n'en reçus qu'une seule qui le fût, de Gilberte), on dirait que la personne elle-même réside dans ces fragments pourtant si restreints, et portée à une puissance qu'elle est bien loin d'avoir dans l'idée habituelle que nous nous[1] formons d'elle tout entière. C'est que la lettre, nous ne l'avons pas, comme l'image de l'être aimé, contemplée dans le calme mélancolique du regret; nous l'avons lue, dévorée, dans l'angoisse affreuse dont nous étreignait un malheur inattendu. La formation de cette sorte de chagrins est autre; ils nous viennent du dehors, et c'est par le chemin de la plus cruelle souffrance qu'ils sont allés jusqu'à notre cœur. L'image de notre amie, que nous croyons ancienne, authentique, a été en réalité refaite par nous bien des fois. Le souvenir cruel, lui, n'est pas contemporain de cette image restaurée, il est d'un autre âge, il est un des rares témoins d'un monstrueux passé. Mais comme ce passé continue à exister, sauf en nous à qui il a plu de lui substituer un merveilleux âge d'or, un paradis où tout le monde sera réconcilié, ces souvenirs, ces lettres sont un rappel à la réalité et devraient nous faire sentir, par le brusque mal qu'ils nous font, combien nous nous sommes éloignés d'elle dans les folles espérances de notre attente quotidienne. Ce n'est pas que cette réalité doive toujours rester la même, bien que cela arrive parfois. Il y a dans notre vie bien des femmes que nous n'avons jamais cherché à revoir et qui ont tout naturellement répondu à notre silence nullement voulu par un silence pareil. Seulement celles-là, comme nous ne les aimions pas, nous n'avons pas compté les années passées loin d'elles, et cet exemple, qui l'infirmerait, est négligé par nous quand nous raisonnons sur l'efficacité de l'isolement, comme le sont, par ceux qui croient aux pressentiments, tous les cas où les leurs ne furent pas vérifiés.

Mais enfin l'éloignement peut être efficace. Le désir, l'appétit de nous revoir finissent par renaître dans le cœur qui actuellement nous méconnaît. Seulement il y faut du temps. Or, nos exigences en ce qui concerne le temps ne sont pas moins exorbitantes que celles réclamées par le cœur pour changer. D'abord, du temps, c'est précisément ce que nous accordons le moins aisément, car notre souffrance est cruelle et nous sommes pressés de la voir finir. Ensuite, ce temps dont l'autre cœur aura besoin pour changer, le nôtre s'en servira pour changer lui aussi, de sorte que quand le but que nous nous proposions deviendra accessible, il aura cessé d'être un but pour nous. D'ailleurs, l'idée même qu'il sera accessible, qu'il n'est pas de bonheur que, lorsqu'il ne sera plus un bonheur pour nous, nous ne finissions par atteindre, cette idée comporte une part, mais une part seulement, de vérité. Il nous échoit quand nous y sommes devenus indifférents. Mais précisément cette indifférence nous a rendus moins exigeants et nous permet de croire rétrospectivement qu'il nous eût ravis à une époque où il nous eût peut-être semblé fort incomplet. On n'est pas très difficile, ni très bon juge, sur ce dont on ne se soucie point. L'amabilité d'un être que nous n'aimons plus et qui semble encore excessive à notre indifférence, eût peut-être été bien loin de suffire à notre amour. Ces tendres paroles, cette offre d'un rendez-vous, nous pensons au plaisir qu'elles nous auraient causé, non à toutes celles dont nous les aurions voulu voir immédiatement suivies et que, par cette avidité, nous aurions peut-être empêché de se produire. De sorte qu'il n'est pas certain que le bonheur survenu trop tard, quand on ne peut plus en jouir, quand on n'aime plus, soit tout à fait ce même bonheur dont le manque nous rendit jadis si malheureux. Une seule personne pourrait en décider, notre moi d'alors; il n'est plus là; et sans doute suffirait-il qu'il revînt pour que, identique ou non, le bonheur s'évanouît.

En attendant ces réalisations après coup d'un rêve auquel je ne tiendrais plus, à force d'inventer, comme au temps où je connaissais à peine Gilberte, des paroles, des lettres où elle implorait mon pardon, avouait n'avoir jamais aimé que moi et demandait à m'épouser, une série de douces images incessamment recréées finirent par prendre plus de place dans mon esprit que la vision de Gilberte et du jeune homme, laquelle n'était plus alimentée par rien. Je serais peut-être dès lors retourné chez Mme Swann, sans un rêve que je fis et où un de mes amis, lequel n'était pourtant pas de ceux que je me connaissais, agissait envers moi avec la plus grande fausseté et croyait à la mienne. Brusquement réveillé par la souffrance que venait de me causer ce rêve et voyant qu'elle persistait, je repensai à lui, cherchai à me rappeler quel était l'ami que j'avais vu en dormant et dont le nom espagnol n'était déjà plus distinct. À la fois Joseph et Pharaon, je me mis à interpréter mon rêve. Je savais que dans beaucoup d'entre eux il ne faut tenir compte ni de l'apparence des personnes, lesquelles peuvent être déguisées et avoir interchangé leurs visages, comme ces saints mutilés des cathédrales que des archéologues ignorants ont refaits, en mettant sur le corps de l'un la tête de l'autre, et en mêlant les attributs et les noms. Ceux que les êtres portent dans un rêve peuvent nous abuser. La personne que nous aimons doit y être reconnue seulement à la force de la douleur éprouvée. La mienne m'apprit que, devenue pendant mon sommeil un jeune homme, la personne dont la fausseté récente me faisait encore mal était Gilberte. Je me rappelai alors que, la dernière fois que je l'avais vue, le jour où sa mère l'avait empêchée d'aller à une matinée de danse, elle avait, soit sincèrement, soit en le feignant, refusé, tout en riant d'une façon étrange, de croire à mes bonnes intentions pour elle. Par association, ce souvenir en ramena un autre dans ma mémoire. Longtemps auparavant, ç'avait été Swann qui n'avait pas voulu croire à ma sincérité, ni que je fusse un bon ami pour Gilberte. Inutilement je lui avais écrit, Gilberte m'avait rapporté ma lettre et me l'avait rendue avec le même rire incompréhensible. Elle ne me l'avait pas rendue tout de suite, je me rappelai toute la scène derrière le massif de lauriers. On devient moral dès qu'on est malheureux. L'antipathie actuelle de Gilberte pour moi me sembla comme un châtiment infligé par la vie à cause de la conduite que j'avais eue ce jour-là. Les châtiments, on croit les éviter, parce qu'on fait attention aux voitures en traversant, qu'on évite les dangers. Mais il en est d'internes. L'accident vient du côté auquel on ne songeait pas, du dedans, du cœur. Les mots de Gilberte : « Si vous voulez, continuons à lutter » me firent horreur. Je l'imaginai telle, chez elle peut-être, dans la lingerie, avec le jeune homme que j'avais vu l'accompagnant dans l'avenue des Champs-Élysées. Ainsi, autant que (il y avait quelque temps) de croire que j'étais tranquillement installé dans le bonheur, j'avais été insensé, maintenant que j'avais renoncé à être heureux, de tenir pour assuré que, du moins, j'étais devenu, je pourrais rester calme. Car, tant que notre cœur enferme d'une façon permanente l'image d'un autre être, ce n'est pas seulement notre bonheur qui peut à tout moment être détruit; quand ce bonheur est évanoui, quand nous avons souffert, puis, que nous avons réussi à endormir notre souffrance, ce qui est aussi trompeur et précaire qu'avait été le bonheur même, c'est le calme. Le mien finit par revenir, car ce qui, modifiant notre état moral, nos désirs, est entré, à la faveur d'un rêve, dans notre esprit, cela aussi peu à peu se dissipe : la permanence et la durée ne sont promises à rien, pas même à la douleur. D'ailleurs, ceux qui souffrent par l'amour sont, comme on dit de certains malades, leur propre médecin. Comme il ne peut leur venir de consolation que de l'être qui cause leur douleur et que cette douleur est une émanation de lui, c'est en elle qu'ils finissent par trouver un remède. Elle le leur découvre elle-même à un moment donné, car au fur et à mesure qu'ils la retournent en eux, cette douleur leur montre un autre aspect de la personne regrettée, tantôt si haïssable qu'on n'a même plus le désir de la revoir parce qu'avant de se plaire avec elle il faudrait la faire souffrir, tantôt si douce que la douceur qu'on lui prête, on lui en fait un mérite et on en tire une raison d'espérer. Mais la souffrance qui s'était renouvelée en moi eut beau finir par s'apaiser, je ne voulus plus retourner que rarement chez Mme Swann. C'est d'abord que chez ceux qui aiment et sont abandonnés, le sentiment d'attente — même d'attente inavouée — dans lequel ils vivent se transforme de lui-même et, bien qu'en apparence identique, fait succéder à un premier état, un second exactement contraire. Le premier était la suite, le reflet des incidents douloureux qui nous avaient bouleversés. L'attente de ce qui pourrait se produire est mêlée d'effroi, d'autant plus que nous désirons à ce moment-là, si rien de nouveau ne nous vient du côté de celle que nous aimons, agir nous-mêmes, et nous ne savons trop quel sera le succès d'une démarche après laquelle il ne sera peut-être plus possible d'en entamer d'autre. Mais bientôt, sans que nous nous en rendions compte, notre attente qui continue est déterminée, nous l'avons vu, non plus par le souvenir du passé que nous avons subi, mais par l'espérance d'un avenir imaginaire. Dès lors, elle est presque agréable. Puis la première, en durant un peu, nous a habitués à vivre dans l'expectative. La souffrance que nous avons éprouvée durant nos derniers rendez-vous, survit encore en nous, mais déjà ensommeillée. Nous ne sommes pas trop pressés de la renouveler, d'autant plus que nous ne voyons pas bien ce que nous demanderions maintenant. La possession d'un peu plus de la femme que nous aimons ne ferait que nous rendre plus nécessaire ce que nous ne possédons pas, et qui resterait, malgré tout, nos besoins naissant de nos satisfactions, quelque chose d'irréductible.

Enfin une dernière raison s'ajouta plus tard à celle-ci pour me faire cesser complètement mes visites à Mme Swann. Cette raison, plus tardive, n'était pas que j'eusse encore oublié Gilberte, mais de tâcher de l'oublier plus vite. Sans doute, depuis que ma grande souffrance était finie, mes visites chez Mme Swann étaient redevenues, pour ce qui me restait de tristesse, le calmant et la distraction qui m'avaient été si précieux au début. Mais la raison de l'efficacité du premier faisait aussi l'inconvénient de la seconde, à savoir qu'à ces visites le souvenir de Gilberte était intimement mêlé. La distraction ne m'eût été utile que si elle eût mis en lutte avec un sentiment que la présence de Gilberte n'alimentait plus, des pensées, des intérêts, des passions où Gilberte ne fût entrée pour rien. Ces états de conscience auxquels l'être qu'on aime reste étranger occupent alors une place qui, si petite qu'elle soit d'abord, est autant de retranché à l'amour qui occupait l'âme tout entière. Il faut chercher à nourrir, à faire croître ces pensées, cependant que décline le sentiment qui n'est plus qu'un souvenir, de façon que les éléments nouveaux introduits dans l'esprit lui disputent, lui arrachent une part de plus en plus grande de l'âme, et finalement la lui dérobent toute. Je me rendais compte que c'était la seule manière de tuer un amour, et j'étais encore assez jeune, assez courageux pour entreprendre de le faire, pour assumer la plus cruelle des douleurs, qui naît de la certitude que, quelque temps qu'on doive y mettre, on réussira. La raison que je donnais maintenant dans mes lettres à Gilberte, de mon refus de la voir, c'était une allusion à quelque mystérieux malentendu, parfaitement fictif, qu'il y aurait eu entre elle et moi et sur lequel j'avais espéré d'abord que Gilberte me demanderait des explications. Mais, en fait, même dans les relations les plus insignifiantes de la vie, un éclaircissement n'est sollicité par un correspondant qui sait qu'une phrase obscure, mensongère, incriminatrice, est mise à dessein pour qu'il proteste, et qui est trop heureux de sentir par là qu'il possède — et de garder — la maîtrise et l'initiative des opérations. À plus forte raison en est-il de même dans des relations plus tendres, où l'amour a tant d'éloquence, l'indifférence si peu de curiosité. Gilberte n'ayant pas mis en doute ni cherché à connaître ce malentendu, il devint pour moi quelque chose de réel auquel je me référais dans chaque lettre. Et il y a dans ces situations prises à faux, dans l'affectation de la froideur, un sortilège qui vous y fait persévérer. À force d'écrire : « Depuis que nos cœurs sont désunis », pour que Gilberte me répondît : « Mais ils ne le sont pas, expliquons-nous », j'avais fini par me persuader qu'ils l'étaient. En répétant toujours : « La vie a pu changer pour nous, elle n'effacera pas le sentiment que nous eûmes », par désir de m'entendre dire enfin : « Mais il n'y a rien de changé, ce sentiment est plus fort que jamais », je vivais avec l'idée que la vie avait changé en effet, que nous garderions le souvenir du sentiment qui n'était plus, comme certains nerveux, pour avoir simulé une maladie, finissent par rester toujours malades. Maintenant chaque fois que j'avais à écrire à Gilberte, je me reportais à ce changement imaginé et dont l'existence, désormais tacitement reconnue par le silence qu'elle gardait à ce sujet dans ses réponses, subsisterait entre nous. Puis Gilberte cessa de s'en tenir à la prétérition. Elle-même adopta mon point de vue; et, comme dans les toasts officiels où le chef d'État qui est reçu reprend à peu près les mêmes expressions dont vient d'user le chef d'État qui le reçoit, chaque fois que j'écrivais à Gilberte : « La vie a pu nous séparer, le souvenir du temps où nous nous connûmes durera », elle ne manqua pas de répondre : « La vie a pu nous séparer, elle ne pourra nous faire oublier les bonnes heures qui nous seront toujours chères » (nous aurions été bien embarrassés de dire pourquoi « la vie » nous avait séparés, quel changement s'était produit). Je ne souffrais plus trop. Pourtant un jour où je lui disais dans une lettre que j'avais appris la mort de notre vieille marchande de sucre d'orge des Champs-Élysées, comme je venais d'écrire ces mots : « J'ai pensé que cela vous a fait de la peine, en moi cela a remué bien des souvenirs », je ne pus m'empêcher de fondre en larmes en voyant que je parlais au passé, et comme s'il s'agissait d'un mort déjà presque oublié, de cet amour auquel malgré moi je n'avais jamais cessé de penser comme étant vivant, pouvant du moins renaître. Rien de plus tendre que cette correspondance entre amis qui ne voulaient plus se voir. Les lettres de Gilberte avaient la délicatesse de celles que j'écrivais aux indifférents, et me donnaient les mêmes marques apparentes d'affection si douces pour moi à recevoir d'elle.

D'ailleurs, peu à peu, chaque refus de la voir me fit moins de peine. Et, comme elle me devenait moins chère, mes souvenirs douloureux n'avaient plus assez de force pour détruire dans leur retour incessant la formation du plaisir que j'avais à penser à Florence, à Venise. Je regrettais, à ces moments-là, d'avoir renoncé à entrer dans la diplomatie et de m'être fait une existence sédentaire pour ne pas m'éloigner d'une jeune fille que je ne verrais plus et que j'avais déjà presque oubliée. On construit sa vie pour une personne et, quand enfin on peut l'y recevoir, cette personne ne vient pas, puis meurt pour nous et on vit prisonnier dans ce qui n'était destiné qu'à elle. Si Venise semblait à mes parents bien lointain et bien fiévreux pour moi, il était du moins facile d'aller sans fatigue s'installer à Balbec. Mais pour cela il eût fallu quitter Paris, renoncer à ces visites, grâce auxquelles, si rares qu'elles fussent, j'entendais quelquefois Mme Swann me parler de sa fille. Je commençais du reste à y trouver tel ou tel plaisir où Gilberte n'était pour rien.

Quand le printemps approcha, ramenant le froid, au temps des Saints de glace et des giboulées de la Semaine Sainte, comme Mme Swann trouvait qu'on gelait chez elle, il m'arrivait souvent de la voir recevant dans des fourrures, ses mains et ses épaules frileuses disparaissant sous le blanc et brillant tapis d'un immense manchon plat et d'un collet, tous deux d'hermine, qu'elle n'avait pas quittés en rentrant et qui avaient l'air des derniers carrés des neiges de l'hiver plus persistants que les autres, et que la chaleur du feu ni le progrès de la saison n'avaient réussi à fondre. Et la vérité totale de ces semaines glaciales mais déjà fleurissantes, était suggérée pour moi dans ce salon, où bientôt je n'irais plus, par d'autres blancheurs plus enivrantes, celles, par exemple, des « boules de neige » assemblant au sommet de leurs hautes tiges nues, comme les arbustes linéaires des préraphaélites, leurs globes parcellés mais unis, blancs comme des anges annonciateurs et qu'entourait une odeur de citron. Car la châtelaine de Tansonville savait qu'avril, même glacé, n'est pas dépourvu de fleurs, que l'hiver, le printemps, l'été, ne sont pas séparés par des cloisons aussi hermétiques que tend à le croire le boulevardier qui jusqu'aux premières chaleurs s'imagine le monde comme renfermant seulement des maisons nues sous la pluie. Que Mme Swann se contentât des envois que lui faisait son jardinier de Combray et que, par l'intermédiaire de sa fleuriste « attitrée », elle ne comblât pas les lacunes d'une insuffisante évocation à l'aide d'emprunts faits à la précocité méditerranéenne, je suis loin de le prétendre et je ne m'en souciais pas. Il me suffisait, pour avoir la nostalgie de la campagne, qu'à côté des névés du manchon que tenait Mme Swann, les boules de neige (qui n'avaient peut-être dans la pensée de la maîtresse de la maison d'autre but que de faire, sur les conseils de Bergotte, « symphonie en blanc majeur » avec son ameublement et sa toilette) me rappelassent que l'Enchantement du Vendredi Saint figure un miracle naturel auquel on pourrait assister tous les ans si l'on était plus sage, et, aidées du parfum acide et capiteux de corolles d'autres espèces dont j'ignorais les noms et qui m'avait fait rester tant de fois en arrêt dans mes promenades de Combray, rendissent le salon de Mme Swann aussi virginal, aussi candidement fleuri sans aucune feuille, aussi surchargé d'odeurs authentiques, que le petit raidillon de Tansonville.

Mais c'était encore trop que celui-ci me fût rappelé. Son souvenir risquait d'entretenir le peu qui subsistait de mon amour pour Gilberte. Aussi, bien que je ne souffrisse plus du tout durant ces visites à Mme Swann, je les espaçai encore et cherchai à la voir le moins possible. Tout au plus, comme je continuais à ne pas quitter Paris, me concédai-je certaines promenades avec elle. Les beaux jours étaient enfin revenus, et la chaleur. Comme je savais qu'avant le déjeuner Mme Swann sortait pendant une heure et allait faire quelques pas avenue du Bois, près de l'Étoile et de l'endroit qu'on appelait alors, à cause des gens qui venaient regarder les riches qu'ils ne connaissaient que de nom, le « Club des Pannés », j'obtins de mes parents que le dimanche — car je n'étais pas libre en semaine à cette heure-là — je pourrais ne déjeuner que bien après eux, à une heure un quart, et aller faire un tour auparavant. Je n'y manquai jamais pendant ce mois de mai, Gilberte étant allée à la campagne chez des amies. J'arrivais à l'Arc de Triomphe vers midi. Je faisais le guet à l'entrée de l'avenue, ne perdant pas des yeux le coin de la petite rue par où Mme Swann, qui n'avait que quelques mètres à franchir, venait de chez elle. Comme c'était déjà l'heure où beaucoup de promeneurs rentraient déjeuner, ceux qui restaient étaient peu nombreux et, pour la plus grande part, des gens élégants. Tout d'un coup, sur le sable de l'allée, tardive, alentie et luxuriante comme la plus belle fleur et qui ne s'ouvrirait qu'à midi, Mme Swann apparaissait, épanouissant autour d'elle une toilette toujours différente mais que je me rappelle surtout mauve; puis elle hissait et déployait sur un long pédoncule, au moment de sa plus complète irradiation, le pavillon de soie d'une large ombrelle de la même nuance que l'effeuillaison des pétales de sa robe. Toute une suite l'environnait; Swann, quatre ou cinq hommes de club qui étaient venus la voir le matin chez elle ou qu'elle avait rencontrés : et leur noire ou grise agglomération obéissante, exécutant les mouvements presque mécaniques d'un cadre inerte autour d'Odette, donnait l'air à cette femme qui seule avait de l'intensité dans les yeux, de regarder devant elle, d'entre tous ces hommes, comme d'une fenêtre dont elle se fût approchée, et la faisait surgir, frêle, sans crainte, dans la nudité de ses tendres couleurs, comme l'apparition d'un être d'une espèce différente, d'une race inconnue, et d'une puissance presque guerrière, grâce à quoi elle compensait à elle seule sa multiple escorte. Souriante, heureuse du beau temps, du soleil qui n'incommodait pas encore, ayant l'air d'assurance et de calme du créateur qui a accompli son œuvre et ne se soucie plus du reste, certaine que sa toilette — dussent des passants vulgaires ne pas l'apprécier — était la plus élégante de toutes, elle la portait pour soi-même et pour ses amis, naturellement, sans attention exagérée, mais aussi sans détachement complet, n'empêchant pas les petits nœuds de son corsage et de sa jupe de flotter légèrement devant elle comme des créatures dont elle n'ignorait pas la présence et à qui elle permettait avec indulgence de se livrer à leurs jeux, selon leur rythme propre, pourvu qu'ils suivissent sa marche, et même, sur son ombrelle mauve que souvent elle tenait encore fermée quand elle arrivait, elle laissait tomber par moment, comme sur un bouquet de violettes de Parme, son regard heureux et si doux que, quand il ne s'attachait plus à ses amis mais à un objet inanimé, il avait l'air de sourire encore. Elle réservait ainsi, elle faisait occuper à sa toilette cet intervalle d'élégance dont les hommes à qui Mme Swann parlait le plus en camarade respectaient l'espace et la nécessité, non sans une certaine déférence de profanes, un aveu de leur propre ignorance, et sur lequel ils reconnaissaient à leur amie, comme à un malade sur les soins spéciaux qu'il doit prendre, ou comme à une mère sur l'éducation de ses enfants, compétence et juridiction. Non moins que par la cour qui l'entourait et ne semblait pas voir les passants, Mme Swann, à cause de l'heure tardive de son apparition, évoquait cet appartement où elle avait passé une matinée si longue et où il faudrait qu'elle rentrât bientôt déjeuner; elle semblait en indiquer la proximité par la tranquillité flâneuse de sa promenade, pareille à celle qu'on fait à petits pas dans son jardin; de cet appartement on aurait dit qu'elle portait encore autour d'elle l'ombre intérieure et fraîche. Mais, par tout cela même, sa vue ne me donnait que davantage la sensation du plein air et de la chaleur. D'autant plus que, déjà persuadé qu'en vertu de la liturgie et des rites dans lesquels Mme Swann était profondément versée, sa toilette était unie à la saison et à l'heure par un lien nécessaire, unique, les fleurs de son flexible chapeau de paille, les petits rubans de sa robe me semblaient naître du mois de mai plus naturellement encore que les fleurs des jardins et des bois; et pour connaître le trouble nouveau de la saison, je ne levais pas les yeux plus haut que son ombrelle, ouverte et tendue comme un autre ciel plus proche, rond, clément, mobile et bleu. Car ces rites, s'ils étaient souverains, mettaient leur gloire, et par conséquent Mme Swann mettait la sienne, à obéir avec condescendance au matin, au printemps, au soleil, lesquels ne me semblaient pas assez flattés qu'une femme si élégante voulût bien ne pas les ignorer et eût choisi à cause d'eux une robe d'une étoffe plus claire, plus légère, faisant penser, par son évasement au col et aux manches, à la moiteur du cou et des poignets, fît enfin pour eux tous les frais d'une grande dame qui, s'étant gaîment abaissée à aller voir à la campagne des gens communs et que tout le monde, même le vulgaire, connaît, n'en a pas moins tenu à revêtir spécialement pour ce jour-là une toilette champêtre. Dès son arrivée, je saluais Mme Swann, elle m'arrêtait et me disait : « *Good morning* » en souriant. Nous faisions quelques pas. Et je comprenais que ces canons selon lesquels elle s'habillait, c'était pour elle-même qu'elle y obéissait, comme à une sagesse supérieure dont elle eût été la grande prêtresse : car s'il lui arrivait qu'ayant trop chaud, elle entr'ouvrît, ou même ôtât tout à fait et me donnât à porter sa jaquette qu'elle avait cru garder fermée, je découvrais dans la chemisette mille détails d'exécution qui avaient eu grande chance de rester inaperçus, comme ces parties d'orchestre auxquelles le compositeur a donné tous ses soins, bien qu'elles ne doivent jamais arriver aux oreilles du public; ou, dans les manches de la jaquette pliée sur mon bras, je voyais, je regardais longuement, par plaisir ou par amabilité, quelque détail exquis, une bande d'une teinte délicieuse, une satinette mauve habituellement cachée aux yeux de tous, mais aussi délicatement travaillées que les parties extérieures, comme ces sculptures gothiques d'une cathédrale dissimulées au revers d'une balustrade à quatre-vingts pieds de hauteur, aussi parfaites que les bas-reliefs du grand porche, mais que personne n'avait jamais vues avant qu'au hasard d'un voyage, un artiste n'eût obtenu de monter se promener en plein ciel, pour dominer toute la ville, entre les deux tours.

Ce qui augmentait cette impression que Mme Swann se promenait dans l'avenue du Bois comme dans l'allée d'un jardin à elle, c'était — pour ces gens qui ignoraient ses habitudes de « footing » — qu'elle fût venue à pied, sans voiture qui suivît, elle que, dès le mois de mai, on avait l'habitude de voir passer avec l'attelage le plus soigné, la livrée la mieux tenue de Paris, mollement et majestueusement assise comme une déesse, dans le tiède plein air d'une immense victoria à huit ressorts. À pied, Mme Swann avait l'air, surtout avec sa démarche que ralentissait la chaleur, d'avoir cédé à une curiosité, de commettre une élégante infraction aux règles du protocole, comme ces souverains qui sans consulter personne, accompagnés par l'admiration un peu scandalisée d'une suite qui n'ose formuler une critique, sortent de leur loge pendant un gala et visitent le foyer en se mêlant pendant quelques instants aux autres spectateurs. Ainsi, entre Mme Swann et la foule, celle-ci sentait ces barrières d'une certaine sorte de richesse, lesquelles lui semblent les plus infranchissables de toutes. Le faubourg Saint-Germain a bien aussi les siennes, mais moins parlantes aux yeux et à l'imagination des « pannés ». Ceux-ci, auprès d'une grande dame plus simple, plus facile à confondre avec une petite bourgeoise, moins éloignée du peuple, n'éprouveront pas ce sentiment de leur inégalité, presque de leur indignité, qu'ils ont devant une Mme Swann. Sans doute, ces sortes de femmes ne sont pas elles-mêmes frappées comme eux du brillant appareil dont elles sont entourées, elles n'y font plus attention, mais c'est à force d'y être habituées, c'est-à-dire d'avoir fini par le trouver d'autant plus naturel, d'autant plus nécessaire, par juger les autres êtres selon qu'ils sont plus ou moins initiés à ces habitudes du luxe : de sorte que (la grandeur qu'elles laissent éclater en elles, qu'elles découvrent chez les autres, étant toute matérielle, facile à constater, longue à acquérir, difficile à compenser), si ces femmes mettent un passant au rang le plus bas, c'est de la même manière qu'elles lui sont apparues au plus haut, à savoir immédiatement, à première vue, sans appel. Peut-être cette classe sociale particulière qui comptait alors des femmes comme lady Israels, mêlée à celles de l'aristocratie, et Mme Swann, qui devait les fréquenter un jour, cette classe intermédiaire, inférieure au faubourg Saint-Germain, puisqu'elle le courtisait, mais supérieure à ce qui n'est pas du faubourg Saint-Germain, et qui avait ceci de particulier que, déjà dégagée du monde des riches, elle était la richesse encore, mais la richesse devenue ductile, obéissant à une destination, à une pensée artistiques, l'argent malléable, poétiquement ciselé et qui sait sourire, peut-être cette classe, du moins avec le même caractère et le même charme, n'existe-t-elle plus. D'ailleurs, les femmes qui en faisaient partie n'auraient plus aujourd'hui ce qui était la première condition de leur règne, puisque avec l'âge elles ont, presque toutes, perdu leur beauté. Or, autant que du faîte de sa noble richesse, c'était du comble glorieux de son été mûr et si savoureux encore, que Mme Swann, majestueuse, souriante et bonne, s'avançant dans l'Avenue du Bois, voyait comme Hypatie, sous la lente marche de ses pieds, rouler les mondes. Des jeunes gens qui passaient la regardaient anxieusement, incertains si leurs vagues relations avec elle (d'autant plus qu'ayant à peine été présentés une fois à Swann, ils craignaient qu'il ne les reconnût pas) étaient suffisantes pour qu'ils se permissent de la saluer. Et ce n'était qu'en tremblant devant les conséquences, qu'ils s'y décidaient, se demandant si leur geste audacieusement provocateur et sacrilège, attentant à l'inviolable suprématie d'une caste, n'allait pas déchaîner des catastrophes ou faire descendre le châtiment d'un dieu. Il déclenchait seulement, comme un mouvement d'horlogerie, la gesticulation de petits personnages salueurs qui n'étaient autres que l'entourage d'Odette, à commencer par Swann, lequel soulevait son tube doublé de cuir vert, avec une grâce souriante, apprise dans le faubourg Saint-Germain, mais à laquelle ne s'alliait plus l'indifférence qu'il aurait eue autrefois. Elle était remplacée (comme il s'était dans une certaine mesure pénétré des préjugés d'Odette) à la fois par l'ennui d'avoir à répondre à quelqu'un d'assez mal habillé et par la satisfaction que sa femme connût tant de monde, sentiment mixte qu'il traduisait en disant aux amis élégants qui l'accompagnaient : « Encore un ! Ma parole, je me demande où Odette va chercher tous ces gens-là ! » Cependant, ayant répondu par un signe de tête au passant alarmé déjà hors de vue, mais dont le cœur battait encore, Mme Swann se tournait vers moi : « Alors, me disait-elle, c'est fini ? Vous ne viendrez plus jamais voir Gilberte ? Je suis contente d'être exceptée et que vous ne me « dropiez » pas tout à fait. J'aime vous voir, mais j'aimais aussi l'influence que vous aviez sur ma fille. Je crois qu'elle le[1] regrette beaucoup aussi. Enfin, je ne veux pas vous tyranniser, parce que vous n'auriez qu'à ne plus vouloir me voir non plus ! — Odette, Sagan qui vous dit bonjour », faisait remarquer Swann à sa femme. Et, en effet, le prince, faisant comme dans une apothéose de théâtre, de cirque, ou dans un tableau ancien, faire front à son cheval[2], adressait à Odette un grand salut théâtral et comme allégorique, où s'amplifiait toute la chevaleresque courtoisie du grand seigneur inclinant son respect devant la Femme, fût-elle incarnée en une femme que sa mère ou sa sœur ne pourraient pas fréquenter. D'ailleurs, à tout moment, reconnue au fond de la transparence liquide et du vernis lumineux de l'ombre que versait sur elle son ombrelle, Mme Swann était saluée par les derniers cavaliers attardés, comme cinématographiés au galop sur l'ensoleillement blanc de l'avenue, hommes de cercle dont les noms, célèbres pour le public — Antoine de Castellane, Adalbert de Montmorency et tant d'autres — étaient pour

Mme Swann des noms familiers d'amis. Et, comme la durée moyenne de la vie — la longévité relative — est beaucoup plus grande pour les souvenirs des sensations poétiques que pour ceux des souffrances du cœur, depuis si longtemps que se sont évanouis les chagrins que j'avais alors à cause de Gilberte, il leur a survécu, le plaisir que j'éprouve, chaque fois que je veux lire, en une sorte de cadran solaire, les minutes qu'il y a entre midi un quart et une heure, au mois de mai, à me revoir causant ainsi avec Mme Swann, sous son ombrelle, comme sous le reflet d'un berceau de glycines.

DEUXIÈME PARTIE[1]

NOMS DE PAYS :

LE PAYS

(Premier séjour à Balbec, jeunes filles au bord de la mer.)

Premiers crayons de M. de Charlus et de Robert de Saint-Loup. — Dîner chez Bloch. — Les dîners à Rivebelle. — Albertine apparaît.

J'ÉTAIS arrivé à une presque complète indifférence à l'égard de Gilberte, quand deux ans plus tard je partis avec ma grand'mère pour Balbec. Quand je subissais le charme d'un visage nouveau, quand c'était à l'aide d'une autre jeune fille que j'espérais connaître les cathédrales gothiques, les palais et les jardins de l'Italie, je me disais tristement que notre amour, en tant qu'il est l'amour d'une certaine créature, n'est peut-être pas quelque chose de bien réel, puisque, si des associations de rêveries agréables ou douloureuses peuvent le lier pendant quelque temps à une femme jusqu'à nous faire penser qu'il a été inspiré par elle d'une façon nécessaire, en revanche si nous nous dégageons volontairement ou à notre insu de ces associations, cet amour, comme s'il était au contraire spontané et venait de nous seuls, renaît pour se donner à une autre femme. Pourtant, au moment de ce départ pour Balbec et pendant les premiers temps de mon séjour, mon indifférence n'était encore qu'intermittente. Souvent (notre vie étant si peu chronologique, interférant tant d'anachronismes dans la suite des jours), je vivais dans ceux, plus anciens que la veille ou l'avant-veille, où j'aimais Gilberte. Alors ne plus la voir m'était soudain douloureux, comme c'eût été dans ce temps-là. Le moi qui l'avait aimée, remplacé déjà presque entièrement par un autre, resurgissait, et il m'était rendu beaucoup plus fréquemment par une chose futile que par une chose importante. Par exemple, pour anticiper sur mon séjour en Normandie, j'entendis à Balbec un inconnu que je croisai sur la digue, dire : « La famille du directeur du ministère des Postes. » Or (comme je ne savais pas alors l'influence que cette famille devait avoir sur ma vie), ce propos aurait dû me paraître oiseux, mais il me causa une vive souffrance, celle qu'éprouvait un moi, aboli pour une grande part depuis longtemps, à être séparé de Gilberte. C'est que jamais je n'avais repensé à une conversation que Gilberte avait eue devant moi avec son père, relativement à la famille du « directeur du ministère des Postes ». Or, les souvenirs d'amour ne font pas exception aux lois générales de la mémoire, elles-mêmes régies par les lois plus générales de l'habitude. Comme celle-ci affaiblit tout, ce qui nous rappelle le mieux un être, c'est justement ce que nous avions oublié (parce que c'était insignifiant, et que nous lui avons[1] ainsi laissé toute sa force). C'est pourquoi la meilleure part de notre mémoire est hors de nous, dans un souffle pluvieux, dans l'odeur de renfermé d'une chambre ou dans l'odeur d'une première flambée, partout où nous retrouvons de nous-même ce que notre intelligence, n'en ayant pas l'emploi, avait dédaigné, la dernière réserve du passé, la meilleure, celle qui, quand toutes nos larmes semblent taries, sait nous faire pleurer encore. Hors de nous ? En nous pour mieux dire, mais dérobée à nos propres regards, dans un oubli plus ou moins prolongé. C'est grâce à cet oubli seul que nous pouvons de temps à autre retrouver l'être que nous fûmes, nous placer vis-à-vis des choses comme cet être l'était, souffrir à nouveau, parce que nous ne sommes plus nous, mais lui, et qu'il aimait ce qui nous est maintenant indifférent. Au grand jour de la mémoire habituelle, les images du passé pâlissent peu à peu, s'effacent, il ne reste plus rien d'elles, nous ne le retrouverons plus. Ou plutôt nous ne le retrouverions plus, si quelques mots (comme « directeur au ministère des Postes ») n'avaient été soigneusement enfermés dans l'oubli, de même qu'on dépose à la Bibliothèque Nationale un exemplaire d'un livre qui sans cela risquerait de devenir introuvable.

Mais cette souffrance et ce regain d'amour pour Gilberte ne furent pas plus longs que ceux qu'on a en rêve, et cette fois, au contraire, parce qu'à Balbec l'Habitude ancienne n'était plus là pour les faire durer. Et si ces effets de l'Habitude semblent contradictoires, c'est qu'elle obéit à des lois multiples. À Paris j'étais devenu de plus en plus indifférent à Gilberte, grâce à l'Habitude. Le changement d'habitude, c'est-à-dire la cessation momentanée de l'Habitude, paracheva l'œuvre de l'Habitude quand je partis pour Balbec. Elle affaiblit mais stabilise, elle amène la désagrégation mais la fait durer indéfiniment. Chaque jour depuis des années je calquais tant bien que mal mon état d'âme sur celui de la veille. À Balbec un lit nouveau, à côté duquel on m'apportait le matin un petit déjeuner différent de celui de Paris, ne devait plus soutenir les pensées dont s'était nourri mon amour pour Gilberte : il y a des cas (assez rares, il est vrai) où, la sédentarité immobilisant les jours, le meilleur moyen de gagner du temps, c'est de changer de place. Mon voyage à Balbec fut comme la première sortie d'un convalescent qui n'attendait plus qu'elle pour s'apercevoir qu'il est guéri.

Ce voyage, on le ferait sans doute aujourd'hui en automobile, croyant le rendre ainsi plus agréable. On verra qu'accompli de cette façon, il serait même, en un sens, plus vrai puisqu'on y suivrait de plus près, dans une intimité plus étroite, les diverses gradations selon[1] lesquelles change la face de la terre. Mais enfin le plaisir spécifique du voyage n'est pas de pouvoir descendre en route et s'arrêter quand on est fatigué, c'est de rendre la différence entre le départ et l'arrivée non pas aussi insensible, mais aussi profonde qu'on peut, de la ressentir dans sa totalité, intacte, telle qu'elle était en nous[2] quand notre imagination nous portait du lieu où nous vivions jusqu'au cœur d'un lieu désiré, en un bond qui nous semblait moins miraculeux parce qu'il franchissait une distance que parce qu'il unissait deux individualités distinctes de la terre, qu'il nous menait d'un nom à un autre nom, et que schématise (mieux qu'une promenade où, comme on débarque où l'on veut, il n'y a guère plus d'arrivée) l'opération mystérieuse qui s'accomplissait dans ces lieux spéciaux, les gares, lesquels ne font presque[3] pas partie de la ville mais contiennent l'essence de sa personnalité de même que sur un écriteau signalétique elles portent son nom.

Mais en tout genre, notre temps a la manie de vouloir

ne montrer les choses qu'avec ce qui les entoure dans la réalité, et par là de supprimer l'essentiel, l'acte de l'esprit qui les isola d'elle. On « présente » un tableau au milieu de meubles, de bibelots, de tentures de la même époque, fade décor qu'excelle à composer dans les hôtels d'aujourd'hui la maîtresse de maison la plus ignorante la veille, passant maintenant ses journées dans les archives et les bibliothèques et au milieu duquel le chef-d'œuvre qu'on regarde tout en dînant ne nous donne pas la même enivrante joie qu'on ne doit lui demander que dans une salle de musée, laquelle symbolise bien mieux, par sa nudité et son dépouillement de toutes particularités, les espaces intérieurs où l'artiste s'est abstrait pour créer.

Malheureusement ces lieux merveilleux que sont les gares, d'où l'on part pour une destination éloignée, sont aussi des lieux tragiques, car si le miracle s'y accomplit grâce auquel les pays qui n'avaient encore d'existence que dans notre pensée vont être ceux au milieu desquels nous vivrons, pour cette raison même il faut renoncer, au sortir de la salle d'attente, à retrouver tout à l'heure la chambre familière où l'on était il y a un instant encore. Il faut laisser toute espérance de rentrer coucher chez soi, une fois qu'on s'est décidé à pénétrer dans l'antre empesté par où l'on accède au mystère, dans un de ces grands ateliers vitrés, comme celui de Saint-Lazare où j'allai chercher le train de Balbec, et qui déployait au-dessus de la ville éventrée un de ces immenses ciels crus et gros de menaces amoncelées de drame, pareils à certains ciels, d'une modernité presque parisienne, de Mantegna ou de Véronèse, et sous lequel ne pouvait s'accomplir que quelque acte terrible et solennel comme un départ en chemin de fer ou l'érection de la Croix.

Tant que je m'étais contenté d'apercevoir du fond de mon lit de Paris l'église persane de Balbec au milieu des flocons de la tempête, aucune objection à ce voyage n'avait été faite par mon corps. Elles avaient commencé seulement quand il avait compris qu'il serait de la partie et que le soir de l'arrivée on me conduirait à « ma » chambre qui lui serait inconnue. Sa révolte était d'autant plus profonde que la veille même du départ j'avais appris que ma mère ne nous accompagnerait pas, mon père, retenu au ministère jusqu'au moment où il partirait pour l'Espagne avec M. de Norpois, ayant préféré louer une maison dans les environs de Paris. D'ailleurs, la contemplation de Balbec ne me semblait pas moins désirable parce qu'il fallait l'acheter au prix d'un mal qui au contraire me semblait figurer et garantir la réalité de l'impression que j'allais chercher, impression que n'aurait remplacée aucun spectacle prétendu équivalent, aucun « panorama » que j'eusse pu aller voir sans être empêché par cela même de rentrer dormir dans mon lit. Ce n'était pas la première fois que je sentais que ceux qui aiment et ceux qui ont du plaisir ne sont pas les mêmes. Je croyais désirer aussi profondément Balbec que le docteur qui me soignait et qui me dit, s'étonnant, le matin du départ, de mon air malheureux : « Je vous réponds que si je pouvais seulement trouver huit jours pour aller prendre le frais au bord de la mer, je ne me ferais pas prier. Vous allez avoir les courses, les régates, ce sera exquis. » Pour moi, j'avais déjà appris, et même bien avant d'aller entendre la Berma, que, quelle que fût la chose que j'aimerais, elle ne serait jamais placée qu'au terme d'une poursuite douloureuse, au cours de laquelle il me faudrait d'abord sacrifier mon plaisir à ce bien suprême, au lieu de l'y chercher.

Ma grand'mère concevait naturellement notre départ d'une façon un peu différente et, toujours aussi désireuse qu'autrefois de donner aux présents qu'on me faisait un caractère artistique, avait voulu, pour m'offrir de ce voyage une « épreuve » en partie ancienne, que nous refissions moitié en chemin de fer, moitié en voiture le trajet qu'avait suivi Mme de Sévigné quand elle était allé de Paris à « L'Orient » en passant par Chaulnes et par « le Pont-Audemer ». Mais ma grand'mère avait été obligée de renoncer à ce projet, sur la défense de mon père, qui savait, quand elle organisait un déplacement en vue de lui faire rendre tout le profit intellectuel qu'il pouvait comporter, combien on pouvait pronostiquer de trains manqués, de bagages perdus, de maux de gorge et de contraventions. Elle se réjouissait du moins à la pensée que jamais, au moment d'aller sur la plage, nous ne serions exposés à en être empêchés par la survenue de[1] ce que sa chère Sévigné appelle une chienne de carrossée, puisque nous ne connaîtrions personne à Balbec, Legrandin ne nous ayant pas offert de lettre d'introduction pour sa sœur. (Abstention qui n'avait pas été appréciée de même par mes tantes Céline et Victoire, lesquelles, ayant connu jeune fille celle qu'elles n'avaient appelée jusqu'ici, pour marquer cette intimité d'autrefois, que « Renée de Cambremer », et possédant encore d'elle de ces cadeaux qui meublent une chambre et la conversation, mais auxquels la réalité actuelle ne correspond pas, croyaient venger notre affront en ne prononçant plus jamais, chez Mme Legrandin mère, le nom de sa fille, et se bornant à se congratuler une fois sorties par des phrases comme : « Je n'ai pas fait allusion à qui tu sais, je crois qu'*on* aura compris. »)

Donc nous partirions simplement de Paris par ce train de une heure vingt-deux que je m'étais plu trop longtemps à chercher dans l'indicateur des chemins de fer, où il me donnait chaque fois l'émotion, presque la bienheureuse illusion du départ, pour ne pas me figurer que je le connaissais. Comme la détermination dans notre imagination des traits d'un bonheur tient plutôt à l'identité des désirs qu'il nous inspire qu'à la précision des renseignements que nous avons sur lui, je croyais connaître celui-là dans ses détails, et je ne doutais pas que j'éprouverais dans le wagon un plaisir spécial quand la journée commencerait à fraîchir, que je contemplerais tel effet à l'approche d'une certaine station; si bien que ce train, réveillant toujours en moi les images des mêmes villes que j'enveloppais dans la lumière de ces heures de l'après-midi qu'il traverse, me semblait différent de tous les autres trains; et j'avais fini, comme on fait souvent pour un être qu'on n'a jamais vu mais dont on se plaît à s'imaginer qu'on a conquis l'amitié, par donner une physionomie particulière et immuable à ce voyageur artiste et blond qui m'aurait emmené sur sa route, et à qui j'aurais dit adieu au pied de la cathédrale de Saint-Lô, avant qu'il se fût éloigné vers le couchant.

Comme ma grand'mère ne pouvait se résoudre à aller « tout bêtement » à Balbec, elle s'arrêterait vingt-quatre heures chez une de ses amies, de chez laquelle je repartirais le soir même pour ne pas déranger, et aussi de façon à voir dans la journée du lendemain l'église de Balbec, qui, avions-nous appris, était assez éloignée de Balbec-Plage, et où je ne pourrais peut-être pas aller ensuite au début de mon traitement de bains. Et peut-être était-il moins pénible pour moi de sentir l'objet admirable de mon voyage placé avant la cruelle première nuit où j'entrerais dans une demeure nouvelle et accepterais d'y vivre. Mais il avait fallu d'abord quitter l'ancienne; ma mère avait arrangé de s'installer ce jour-là même à Saint-Cloud, et elle avait pris, ou feint de prendre, toutes ses dispositions pour y aller directement après nous avoir conduits à la gare, sans avoir à repasser par la maison où elle craignait que je ne voulusse, au lieu de partir pour Balbec, rentrer avec elle. Et même, sous le prétexte d'avoir beaucoup à faire dans la maison qu'elle venait de louer et d'être à court de temps, en réalité pour m'éviter la cruauté de ce genre d'adieux, elle avait décidé de ne pas rester avec nous jusqu'à ce départ du train où, dissimulée auparavant dans des allées et venues et des préparatifs qui n'engagent pas définitivement, une séparation apparaît brusquement impossible à souffrir, alors qu'elle n'est déjà plus possible à éviter, concentrée tout entière dans un instant immense de lucidité impuissante et suprême.

Pour la première fois je sentais qu'il était possible que ma mère vécût sans moi, autrement que pour moi, d'une autre vie. Elle allait habiter de son côté avec mon père à qui peut-être elle trouvait que ma mauvaise santé, ma nervosité, rendaient l'existence un peu compliquée et triste. Cette séparation me désolait davantage parce que je me disais qu'elle était probablement pour ma mère le terme des déceptions successives que je lui avais causées, qu'elle m'avait tues et après lesquelles elle avait compris la difficulté de vacances communes; et peut-être aussi le premier essai d'une existence à laquelle elle commençait à se résigner pour l'avenir, au fur et à mesure que les années viendraient pour mon père et pour elle, d'une existence où je la verrais moins, où, ce qui même dans mes cauchemars ne m'était jamais apparu, elle serait déjà pour moi un peu étrangère, une dame qu'on verrait rentrer seule dans une maison où je ne serais pas, demandant au concierge s'il n'y avait pas de lettres de moi.

Je pus à peine répondre à l'employé qui voulut me prendre ma valise. Ma mère essayait, pour me consoler, des moyens qui lui paraissaient les plus efficaces. Elle croyait inutile d'avoir l'air de ne pas voir mon chagrin, elle le plaisantait doucement :

— Eh bien, qu'est-ce que dirait l'église de Balbec si

elle savait que c'est avec cet air malheureux qu'on s'apprête à aller la voir ? Est-ce cela, le voyageur ravi dont parle Ruskin ? D'ailleurs, je saurai si tu as été à la hauteur des circonstances, même loin je serai encore avec mon petit loup. Tu auras demain une lettre de ta maman.

— Ma fille, dit ma grand'mère, je te vois comme madame de Sévigné, une carte devant les yeux et ne nous quittant pas un instant.

Puis maman cherchait à me distraire, elle me demandait ce que je commanderais pour dîner, elle admirait Françoise, lui faisait compliment d'un chapeau et d'un manteau qu'elle ne reconnaissait pas, bien qu'ils eussent jadis excité son horreur quand elle les avait vus neufs sur ma grand'tante, l'un avec l'immense oiseau qui le surmontait, l'autre surchargé de dessins affreux et de jais. Mais le manteau étant hors d'usage, Françoise l'avait fait retourner et exhibait un envers de drap uni d'un beau ton. Quant à l'oiseau, il y avait longtemps que, cassé, il avait été mis au rancart. Et, de même qu'il est quelquefois troublant de rencontrer les raffinements vers lesquels les artistes les plus conscients s'efforcent, dans une chanson populaire, à la façade de quelque maison de paysan qui fait épanouir au-dessus de la porte une rose blanche ou soufrée juste à la place qu'il fallait — de même le nœud de velours, la coque de ruban qui eussent ravi dans un portrait de Chardin ou de Whistler, Françoise les avait placés avec un goût infaillible et naïf sur le chapeau devenu charmant.

Pour remonter à un temps plus ancien, la modestie et l'honnêteté qui donnaient souvent de la noblesse au visage de notre vieille servante ayant gagné les vêtements que, en femme réservée mais sans bassesse, qui sait « tenir son rang et garder sa place », elle avait revêtus pour le voyage afin d'être digne d'être vue avec nous sans avoir l'air de chercher à se faire voir, Françoise, dans le drap cerise mais passé de son manteau et les poils sans rudesse de son collet de fourrure, faisait penser à quelqu'une de ces images d'Anne de Bretagne peintes dans des livres d'Heures par un vieux maître, et dans lesquelles tout est si bien en place, le sentiment de l'ensemble s'est si également répandu dans toutes les parties que la riche et désuète singularité du costume exprime la même gravité pieuse que les yeux, les lèvres et les mains.

On n'aurait pu parler de pensée à propos de Françoise. Elle ne savait rien, dans ce sens total où ne rien savoir équivaut à ne rien comprendre, sauf les rares vérités que le cœur est capable d'atteindre directement. Le monde immense des idées n'existait pas pour elle. Mais devant la clarté de son regard, devant les lignes délicates de ce nez, de ces lèvres, devant tous ces témoignages, absents de tant d'êtres cultivés chez qui ils eussent signifié la distinction suprême, le noble détachement d'un esprit d'élite, on était troublé comme devant le regard intelligent et bon d'un chien à qui on sait pourtant que sont étrangères toutes les conceptions des hommes, et on pouvait se demander s'il n'y a pas parmi ces autres humbles frères, les paysans, des êtres qui sont comme les hommes supérieurs du monde des simples d'esprit, ou plutôt qui, condamnés par une injuste destinée à vivre parmi les simples d'esprit, privés de lumière, mais pourtant, plus naturellement, plus essentiellement apparentés aux natures d'élite que ne le sont la plupart des gens instruits, sont comme des membres dispersés, égarés, privés de raison, de la famille sainte, des parents, restés en enfance, des plus hautes intelligences, et auxquels — comme il apparaît dans la lueur impossible à méconnaître de leurs yeux où pourtant elle ne s'applique à rien — il n'a manqué, pour avoir du talent, que du savoir.

Ma mère, voyant que j'avais peine à contenir mes larmes, me disait : « Régulus avait coutume dans les grandes circonstances... Et puis ce n'est pas gentil pour ta maman. Citons madame de Sévigné, comme ta grand'-mère : « Je vais être obligée de me servir de tout le » courage que tu n'as pas. » Et se rappelant que l'affection pour autrui détourne des douleurs égoïstes, elle tâchait de me faire plaisir en me disant qu'elle croyait que son trajet de Saint-Cloud s'effectuerait bien, qu'elle était contente du fiacre qu'elle avait gardé, que le cocher était poli et la voiture confortable. Je m'efforçais de sourire à ces détails et j'inclinais la tête d'un air d'acquiescement et de satisfaction. Mais ils ne m'aidaient qu'à me représenter avec plus de vérité le départ de maman et c'est le cœur serré que je la regardais comme si elle était déjà séparée de moi, sous ce chapeau de paille rond qu'elle avait acheté pour la campagne, dans une robe légère qu'elle avait mise à cause de cette longue course par la pleine chaleur, et qui la faisaient autre, appartenant déjà à la villa de « Montretout » où je ne la verrais pas.

Pour éviter les crises de suffocation que me donnerait le voyage, le médecin m'avait conseillé de prendre au moment du départ un peu trop de bière ou de cognac, afin d'être dans cet état qu'il appelait « euphorie », où le système nerveux est momentanément moins vulnérable. J'étais encore incertain si je le ferais, mais je voulais au moins que ma grand'mère reconnût qu'au cas où je m'y déciderais, j'aurais pour moi le droit et la sagesse. Aussi j'en parlais comme si mon hésitation ne portait que sur l'endroit où je boirais de l'alcool, buffet ou wagon-bar. Mais aussitôt, à l'air de blâme que prit le visage de ma grand'mère et de ne pas même vouloir s'arrêter à cette idée : « Comment, m'écriai-je, me résolvant soudain à cette action d'aller boire, dont l'exécution devenait nécessaire à prouver ma liberté puisque son annonce verbale n'avait pu passer sans protestation, comment, tu sais combien je suis malade, tu sais ce que le médecin m'a dit, et voilà le conseil que tu me donnes ! »

Quand j'eus expliqué mon malaise à ma grand'mère, elle eut un air si désolé, si bon, en répondant : « Mais alors, va vite chercher de la bière ou une liqueur, si cela doit te faire du bien » que je me jetai sur elle et la couvris de baisers. Et si j'allai cependant boire beaucoup trop dans le bar du train, ce fut parce que je sentais que sans cela j'aurais un accès trop violent et que c'est encore ce qui la peinerait le plus. Quand, à la première station, je remontai dans notre wagon, je dis à ma grand'mère combien j'étais heureux d'aller à Balbec, que je sentais que tout s'arrangerait bien, qu'au fond je m'habituerais vite à être loin de maman, que ce train était agréable, l'homme du bar et les employés si charmants que j'aurais voulu refaire souvent ce trajet pour avoir la possibilité de les revoir. Ma grand'mère cependant ne paraissait pas éprouver la même joie que moi de toutes ces bonnes nouvelles. Elle me répondit en évitant de me regarder : « Tu devrais peut-être essayer de dormir un peu », et tourna les yeux vers la fenêtre dont nous avions abaissé le rideau qui ne remplissait pas tout le cadre de la vitre, de sorte que le soleil pouvait glisser sur le chêne ciré de la portière et le drap de la banquette (comme une réclame beaucoup plus persuasive pour une vie mêlée à la nature que celles accrochées trop haut dans le wagon, par les soins de la Compagnie, et représentant des paysages dont je ne pouvais pas lire les noms) la même clarté tiède et dormante qui faisait la sieste dans les clairières.

Mais quand ma grand'mère croyait que j'avais les yeux fermés, je la voyais par moments sous son voile à gros pois jeter un regard sur moi, puis le retirer, puis recommencer, comme quelqu'un qui cherche à s'efforcer, pour s'y habituer, à un exercice qui lui est pénible.

Alors je lui parlais, mais cela ne semblait pas lui être agréable. Et à moi pourtant ma propre voix me donnait du plaisir, et de même les mouvements les plus insensibles, les plus intérieurs de mon corps. Aussi je tâchais de les faire durer, je laissais chacune de mes inflexions s'attarder longtemps aux mots, je sentais chacun de mes regards se trouver bien là où il s'était posé et y rester au delà du temps habituel. « Allons, repose-toi, me dit ma grand'mère. Si tu ne peux pas dormir, lis quelque chose. » Et elle me passa un volume de Mme de Sévigné que j'ouvris, pendant qu'elle-même s'absorbait dans les *Mémoires de Madame de Beausergent*. Elle ne voyageait jamais sans un tome de l'une et de l'autre. C'était ses deux auteurs de prédilection. Ne bougeant pas volontiers ma tête en ce moment et éprouvant un grand plaisir à garder une position une fois que je l'avais prise, je restai à tenir le volume de Mme de Sévigné sans l'ouvrir, et je n'abaissai pas sur lui mon regard qui n'avait devant lui que le store bleu de la fenêtre. Mais contempler ce store me paraissait admirable et je n'eusse[1] pas pris la peine de répondre à qui eût voulu me détourner de ma contemplation. La couleur bleue du store me semblait, non peut-être par sa beauté, mais par sa vivacité intense, effacer à tel point toutes les couleurs qui avaient été devant mes yeux depuis le jour de ma naissance jusqu'au moment où j'avais fini d'avaler ma boisson et où elle avait commencé de faire son effet, qu'à côté de ce bleu du store, elles étaient pour moi aussi ternes, aussi nulles, que peut l'être rétrospectivement l'obscurité où ils ont vécu pour les aveugles-nés qu'on opère sur le tard et qui voient enfin les couleurs. Un vieil employé vint nous demander nos billets. Les reflets argentés qu'avaient les boutons en métal de sa tunique ne laissèrent pas de me charmer. Je voulus lui demander de s'asseoir à côté de nous. Mais il passa dans un autre wagon, et je songeai avec nostalgie à la vie des cheminots, lesquels, passant tout leur temps en chemin de fer, ne devaient guère manquer un seul jour de voir ce vieil employé. Le plaisir que j'éprouvais à regarder le store bleu et à sentir que ma bouche était à demi ouverte commença enfin à diminuer. Je devins plus mobile; je remuai un peu; j'ouvris le volume que ma grand'mère m'avait tendu et je pus fixer mon attention sur les pages que je choisis çà et là. Tout en lisant je sentais grandir mon admiration pour Mme de Sévigné.

Il ne faut pas se laisser tromper par des particularités purement formelles qui tiennent à l'époque, à la vie de salon et qui font que certaines personnes croient qu'elles ont fait leur Sévigné quand elles ont dit : « Mandez-moi, ma bonne » ou « Ce comte me parut avoir bien de l'esprit », ou « Faner est la plus jolie chose du monde ». Déjà Mme de Simiane s'imagine ressembler à sa grand'-mère, parce qu'elle écrit : « M. de la Boulie se porte à merveille, Monsieur, et il est fort en état d'entendre des nouvelles de sa mort », ou « Oh! mon cher marquis, que votre lettre me plaît! Le moyen de ne pas y répondre », ou encore : « Il me semble, Monsieur, que vous me devez une réponse, et moi des tabatières de bergamote. Je m'en acquitte pour huit, il en viendra d'autres...; jamais la terre n'en avait tant porté. C'est apparemment pour vous plaire. » Et elle écrit dans ce même genre la lettre sur la saignée, sur les citrons, etc., qu'elle se figure être des lettres de Mme de Sévigné. Mais ma grand'mère, qui était venue à celle-ci par le dedans, par l'amour pour les siens, pour la nature, m'avait appris à en aimer les vraies beautés, qui sont tout autres. Elles devaient bientôt me frapper d'autant plus que Mme de Sévigné est une grande artiste de la même famille qu'un peintre que j'allais rencontrer à Balbec et qui eut une influence si profonde sur ma vision des choses, Elstir. Je me rendis compte à Balbec que c'est de la même façon que lui qu'elle nous présente les choses, dans l'ordre de nos perceptions, au lieu de les expliquer d'abord par leur cause. Mais déjà cet après-midi-là, dans ce wagon, en relisant la lettre où apparaît le clair de lune : « Je ne pus résister à la tentation, je mets toutes mes coiffes et casaques qui n'étaient pas nécessaires, je vais dans ce mail dont l'air est bon comme celui de ma chambre; je trouve mille coquecigrues, *des moines blancs et noirs, plusieurs religieuses grises et blanches, du linge jeté par-ci par-là, des hommes ensevelis tout droits contre des arbres,* etc. », je fus ravi par ce que j'eusse appelé un peu plus tard (ne peint-elle pas les paysages de la même façon que lui, les caractères ?) le côté Dostoïevski des *Lettres de Madame de Sévigné.*

Quand le soir, après avoir conduit ma grand'mère et être resté quelques heures chez son amie, j'eus repris seul le train, du moins je ne trouvai pas pénible la nuit qui vint; c'est que je n'avais pas à la passer dans la prison d'une chambre dont l'ensommeillement me tiendrait éveillé; j'étais entouré par la calmante activité de tous ces mouvements du train qui me tenaient compagnie, s'offraient à causer avec moi si je ne trouvais pas le sommeil, me berçaient de leurs bruits que j'accouplais comme le son des cloches à Combray, tantôt sur un rythme, tantôt sur un autre (entendant selon ma fantaisie d'abord quatre doubles croches égales, puis une double croche furieusement précipitée contre une noire); ils neutralisaient la force centrifuge de mon insomnie en exerçant sur elle des pressions contraires qui me maintenaient en équilibre et sur lesquelles mon immobilité et bientôt mon sommeil se sentirent portés avec la même impression rafraîchissante que m'aurait donnée un repos dû à la vigilance de forces puissantes au sein de la nature et de la vie, si j'avais pu pour un moment m'incarner en quelque poisson qui dort dans la mer, promené dans son assoupissement par les courants et la vague, ou en quelque aigle étendu sur le seul appui de la tempête.

Les levers de soleil sont un accompagnement des longs voyages en chemin de fer, comme les œufs durs, les journaux illustrés, les jeux de cartes, les rivières où des barques s'évertuent sans avancer. À un moment où je dénombrais les pensées qui avaient rempli mon esprit pendant les minutes précédentes, pour me rendre compte si je venais ou non de dormir (et où l'incertitude même qui me faisait me poser la question était en train de me fournir une réponse affirmative), dans le carreau de la fenêtre, au-dessus d'un petit bois noir, je vis des nuages échancrés dont le doux duvet était d'un rose fixé, mort, qui ne changera plus, comme celui qui teint les plumes de l'aile qui l'a assimilé ou le pastel sur lequel l'a déposé la fantaisie du peintre. Mais je sentais qu'au contraire cette couleur n'était ni inertie, ni caprice, mais nécessité et vie. Bientôt s'amoncelèrent derrière elle des réserves de lumière. Elle s'aviva, le ciel devint d'un incarnat que je tâchais, en collant mes yeux à la vitre, de mieux voir, car je le sentais en rapport avec l'existence profonde de la nature, mais la ligne du chemin de fer ayant changé de direction, le train tourna, la scène matinale fut remplacée dans le cadre de la fenêtre par un village nocturne aux toits bleus de clair de lune, avec un lavoir encrassé de la nacre opaline de la nuit, sous un ciel encore semé de toutes ses étoiles, et je me désolais d'avoir perdu ma bande de ciel rose quand je l'aperçus de nouveau, mais rouge cette fois, dans la fenêtre d'en face qu'elle abandonna à un deuxième coude de la voie ferrée; si bien que je passais mon temps à courir d'une fenêtre à l'autre pour rapprocher, pour rentoiler les fragments intermittents et opposites de mon beau matin écarlate et versatile et en avoir une vue totale et un tableau continu.

Le paysage devint accidenté, abrupt, le train s'arrêta à une petite gare entre deux montagnes. On ne voyait au fond de la gorge, au bord du torrent, qu'une maison de garde enfoncée dans l'eau qui coulait au ras des fenêtres. Si un être peut être le produit d'un sol dont on goûte en lui le charme particulier, plus encore que la paysanne que j'avais tant désiré voir apparaître quand j'errais seul du côté de Méséglise, dans les bois de Roussainville, ce devait être la grande fille que je vis sortir de cette maison et, sur le sentier qu'illuminait obliquement le soleil levant, venir vers la gare en portant une jarre de lait. Dans la vallée à qui ces hauteurs cachaient le reste du monde, elle ne devait jamais voir personne que dans ces trains qui ne s'arrêtaient qu'un instant. Elle longea les wagons, offrant du café au lait à quelques voyageurs réveillés. Empourpré des reflets du matin, son visage était plus rose que le ciel. Je ressentis devant elle ce désir de vivre qui renaît en nous chaque fois que nous prenons de nouveau conscience de la beauté et du bonheur. Nous oublions toujours qu'ils sont individuels et, leur substituant dans notre esprit un type de convention que nous formons en faisant une sorte de moyenne entre les différents visages qui nous ont plu, entre les plaisirs que nous avons connus, nous n'avons que des images abstraites qui sont languissantes et fades parce qu'il leur manque précisément ce caractère d'une chose nouvelle, différente de ce que nous avons connu, ce caractère qui est propre à la beauté et au bonheur. Et nous portons sur la vie un jugement pessimiste et que nous supposons juste, car nous avons cru y faire entrer en ligne de compte le bonheur et la beauté, quand nous les avons omis et remplacés par des synthèses où d'eux il n'y a pas un seul atome. C'est ainsi que bâille d'avance d'ennui un lettré à qui on parle d'un nouveau « beau livre », parce qu'il imagine une sorte de composé de tous les beaux livres qu'il a lus, tandis qu'un beau livre est particulier, imprévisible, et n'est pas fait de la somme de tous les chefs-d'œuvre précédents, mais de quelque chose que s'être parfaitement assimilé cette somme ne suffit nullement à faire trouver, car c'est justement en dehors d'elle. Dès qu'il a eu connaissance de cette nouvelle œuvre, le lettré, tout à l'heure blasé, se sent de l'intérêt pour la réalité qu'elle dépeint. Telle, étrangère aux modèles de beauté que dessinait ma pensée quand je me trouvais seul, la belle fille me donna aussitôt le goût d'un certain bonheur (seule forme, toujours particulière, sous laquelle nous puissions connaître le goût du bonheur), d'un bonheur qui se réaliserait en vivant auprès d'elle. Mais ici encore la cessation momentanée de l'Habitude agissait pour une grande part. Je faisais bénéficier la marchande de lait de ce que c'était mon être au complet, apte à goûter de vives jouissances, qui était en face d'elle. C'est d'ordinaire avec notre être réduit au minimum que nous vivons; la plupart de nos facultés restent endormies, parce qu'elles se reposent sur l'habitude qui sait ce qu'il y a à faire et n'a pas besoin d'elles. Mais par ce matin de voyage, l'interruption de la routine de mon existence, le changement de lieu et d'heure avaient rendu leur présence indispensable. Mon habitude, qui était sédentaire et n'était pas matinale, faisait défaut, et toutes mes facultés étaient accourues pour la remplacer, rivalisant entre elles de zèle — s'élevant toutes, comme des vagues, à un même niveau inaccoutumé — de la plus basse à la plus noble, de la respiration, de l'appétit, et de la circulation sanguine à la sensibilité et à l'imagination. Je ne sais si, en me faisant croire que cette fille n'était pas pareille aux autres femmes, le charme sauvage de ces lieux ajoutait au sien, mais elle le leur rendait. La vie m'aurait paru délicieuse si seulement j'avais pu, heure par heure, la passer avec elle, l'accompagner jusqu'au torrent, jusqu'à la vache, jusqu'au train, être toujours à ses côtés, me sentir connu d'elle, ayant ma place dans sa pensée. Elle m'aurait initié aux charmes de la vie rustique et des premières heures du jour. Je lui fis signe qu'elle vînt me donner du café au lait. J'avais besoin d'être remarqué d'elle. Elle ne me vit pas, je l'appelai. Au-dessus de son corps très grand, le teint de sa figure était si doré et si rose qu'elle avait l'air d'être vue à travers un vitrail illuminé. Elle revint sur ses pas, je ne pouvais détacher mes yeux de son visage de plus en plus large, pareil à un soleil qu'on pourrait fixer et qui s'approcherait jusqu'à venir tout près de vous, se laissant regarder de près, vous éblouissant d'or et de rouge. Elle posa sur moi son regard perçant, mais comme les employés fermaient les portières, le train se mit en marche; je la vis quitter la gare et reprendre le sentier, il faisait grand jour maintenant : je m'éloignais de l'aurore. Que mon exaltation eût été produite par cette fille, ou au contraire eût causé la plus grande partie du plaisir que j'avais eu à me trouver près d'elle, en tous cas elle était si mêlée à lui que mon désir de la revoir était avant tout le désir moral de ne pas laisser cet état d'excitation périr entièrement, de ne pas être séparé à jamais de l'être qui y avait, même à son insu, participé. Ce n'est pas seulement que cet état fût agréable. C'est surtout que (comme la tension plus grande d'une corde ou la vibration plus rapide d'un nerf produit une sonorité ou une couleur différente) il donnait une autre tonalité à ce que je voyais, il m'introduisait comme acteur dans un univers inconnu et infiniment plus intéressant; cette belle fille que j'apercevais encore, tandis que le train accélérait sa marche, c'était comme une partie d'une vie autre que celle que je connaissais, séparée d'elle par un liséré, et où les sensations qu'éveillaient les objets n'étaient plus les mêmes, et d'où sortir maintenant eût été comme mourir à moi-même. Pour avoir la douceur de me sentir du moins rattaché à cette vie, il eût suffi que j'habitasse assez près de la petite station pour pouvoir venir tous les matins demander du café au lait à cette paysanne. Mais, hélas! elle serait toujours absente de l'autre vie vers laquelle je m'en allais de plus en plus vite et que je ne me résignais à accepter qu'en combinant des plans qui me permettraient un jour de reprendre ce même train et de m'arrêter à cette même gare, projet qui avait aussi l'avantage de fournir un aliment à la disposition intéressée, active, pratique, machinale, paresseuse, centrifuge qui est celle de notre esprit, car il se détourne volontiers de l'effort qu'il faut pour approfondir en soi-même, d'une façon générale et désintéressée, une impression agréable que nous avons eue. Et comme d'autre part nous voulons continuer à penser à elle, il préfère l'imaginer dans l'avenir, préparer habilement les circonstances qui pourront la faire renaître, ce qui ne nous apprend rien sur son essence, mais nous évite la fatigue de la recréer en nous-même et nous permet d'espérer la recevoir de nouveau du dehors.

Certains noms de villes, Vézelay ou Chartres, Bourges ou Beauvais, servent à désigner, par abréviation, leur église principale. Cette acception partielle où nous le prenons si souvent, finit — s'il s'agit de lieux que nous ne connaissons pas encore — par sculpter le nom tout entier qui dès lors, quand nous voudrons y faire entrer l'idée de la ville — de la ville que nous n'avons jamais vue, — lui imposera — comme un moule — les mêmes ciselures, et du même style, en fera une sorte de grande cathédrale. Ce fut pourtant à une station de chemin de fer, au-dessus d'un buffet, en lettres blanches sur un avertisseur bleu, que je lus le nom, presque de style persan, de Balbec. Je traversai vivement la gare et le boulevard qui y aboutissait, je demandai la grève pour ne voir que l'église et la mer; on n'avait pas l'air de comprendre ce que je voulais dire. Balbec-le-vieux, Balbec-en-terre, où je me trouvais, n'était ni une plage ni un port. Certes, c'était bien dans la mer que les pêcheurs avaient trouvé, selon la légende, le Christ miraculeux dont un vitrail de cette église qui était à quelques mètres de moi racontait la découverte; c'était bien de falaises battues par les flots qu'avait été tirée la pierre de la nef et des tours. Mais cette mer, qu'à cause de cela j'avais imaginée venant mourir au pied du vitrail, était à plus de cinq lieues de distance, à Balbec-plage, et, à côté de sa[1] coupole, ce clocher que, parce que j'avais lu qu'il était lui-même une âpre falaise normande où s'amassaient les grains, où tournoyaient les oiseaux, je m'étais toujours représenté comme recevant à sa base la dernière écume des vagues soulevées, il se dressait sur une place où était l'embranchement de deux lignes de tramways, en face d'un Café qui portait, écrit en lettres d'or, le mot « Billard »; il se détachait sur un fond de maisons aux toits desquelles ne se mêlait aucun mât. Et l'église — entrant dans mon attention avec le Café, avec le passant à qui il avait fallu demander mon chemin, avec la gare où j'allais retourner — faisait un avec tout le reste, semblait un accident, un produit de cette fin d'après-midi, dans laquelle la[1] coupole moelleuse et gonflée sur le ciel était comme un fruit dont la même lumière qui baignait les cheminées des maisons, mûrissait la peau rose, dorée et fondante. Mais je ne voulus plus penser qu'à la signification éternelle des sculptures, quand je reconnus[2] les Apôtres dont j'avais vu les statues moulées au musée du Trocadéro et qui, des deux côtés de la Vierge, devant la baie profonde du porche, m'attendaient comme pour me faire honneur. La figure bienveillante, camuse et douce, le dos voûté, ils semblaient s'avancer d'un air de bienvenue en chantant l'*Alleluia* d'un beau jour. Mais on s'apercevait que leur expression était immuable comme celle d'un mort et ne se modifiait que si on tournait autour d'eux. Je me disais : C'est ici, c'est l'église de Balbec. Cette place qui a l'air de savoir sa gloire, est le seul lieu du monde qui possède l'église de Balbec. Ce que j'ai vu jusqu'ici, c'était des photographies de cette église, et, de ces Apôtres, de cette Vierge du porche si célèbres, les moulages seulement. Maintenant c'est l'église elle-même, c'est la statue elle-même, elles, les uniques : c'est bien plus[3].

C'était moins aussi peut-être. Comme un jeune homme, un jour d'examen ou de duel, trouve le fait sur lequel on l'a interrogé, la balle qu'il a tirée, bien peu de chose quand il pense aux réserves de science et de courage dont[4] il aurait voulu faire preuve, de même mon esprit qui avait dressé la Vierge du Porche hors des reproductions que j'en avais eues sous les yeux, inaccessible aux vicissitudes qui pouvaient menacer celles-ci, intacte si on les détruisait, idéale, ayant une valeur universelle, s'étonnait de voir la statue qu'il avait mille fois sculptée, réduite maintenant à sa propre apparence de pierre, occupant par rapport à la portée de mon bras une place où elle avait pour rivales une affiche électorale et la pointe de ma canne, enchaînée à la Place, inséparable du débouché de la grand'rue, ne pouvant fuir les regards du Café et du bureau d'omnibus, recevant sur son visage la moitié du rayon de soleil couchant — et bientôt, dans quelques heures, de la clarté du réverbère — dont le bureau du Comptoir d'Escompte recevait l'autre moitié, gagnée, en même temps que cette Succursale d'un Établissement de crédit, par le relent des cuisines du pâtissier, soumise à la tyrannie du Particulier au point que, si j'avais voulu tracer ma signature sur cette pierre, c'est elle, la Vierge illustre que jusque-là j'avais douée d'une existence générale et d'une intangible beauté, la Vierge de Balbec, l'unique (ce qui, hélas! voulait dire la seule), qui, sur son corps encrassé de la même suie que les maisons voisines, aurait, sans pouvoir s'en défaire, montré à tous les admirateurs venus là pour la contempler, la trace de mon morceau de craie et les lettres de mon nom, et c'était elle enfin, l'œuvre d'art immortelle et si longtemps désirée, que je trouvais métamorphosée, ainsi que l'église elle-même, en une petite vieille de pierre dont je pouvais mesurer la hauteur et compter les rides. L'heure passait, il fallait retourner à la gare où je devais attendre ma grand'mère et Françoise pour gagner ensemble Balbec-Plage. Je me rappelais ce que j'avais lu sur Balbec, les paroles de Swann : « C'est délicieux, c'est aussi beau que Sienne. » Et n'accusant de ma déception que des contingences, la mauvaise disposition où j'étais, ma fatigue, mon incapacité de savoir regarder, j'essayais de me consoler en pensant qu'il restait d'autres villes encore intactes pour moi, que je pourrais prochainement peut-être pénétrer, comme au milieu d'une pluie de perles, dans le frais gazouillis des égouttements de Quimperlé, traverser le reflet verdissant et rose qui baignait Pont-Aven; mais pour Balbec, dès que j'y étais entré, ç'avait été comme si j'avais entr'ouvert un nom qu'il eût fallu tenir hermétiquement clos et où, profitant de l'issue que je leur avais imprudemment offerte, en chassant[1] toutes les images qui y vivaient jusque-là, un tramway, un café, les gens qui passaient sur la place, la succursale du Comptoir d'Escompte, irrésistiblement poussés[2] par une pression externe et une force pneumatique, s'étaient engouffrés à l'intérieur des syllabes qui, refermées sur eux, les laissaient maintenant encadrer le porche de l'église persane et ne cesseraient plus de les contenir.

Dans le petit chemin de fer d'intérêt local qui devait nous conduire à Balbec-Plage, je retrouvai ma grand'-mère, mais l'y retrouvai seule — car elle avait imaginé de faire partir avant elle, pour que tout fût préparé d'avance (mais, lui ayant donné un renseignement faux, n'avait réussi qu'à faire partir dans une mauvaise direction) Françoise qui en ce moment, sans s'en douter, filait à toute vitesse sur Nantes et se réveillerait peut-être à Bordeaux. À peine fus-je assis dans le wagon rempli par la lumière fugitive du couchant et par la chaleur persistante de l'après-midi (la première, hélas ! me permettant de voir en plein sur le visage de ma grand'mère combien la seconde l'avait fatiguée), elle me demanda : « Hé bien, Balbec ? » avec un sourire si ardemment éclairé par l'espérance du grand plaisir qu'elle pensait que j'avais éprouvé, que je n'osai pas lui avouer tout d'un coup ma déception. D'ailleurs, l'impression que mon esprit avait recherchée m'occupait moins au fur et à mesure que se rapprochait le lieu auquel mon corps allait avoir[1] à s'accoutumer. Au terme, encore éloigné de plus d'une heure, de ce trajet, je cherchais à imaginer le directeur de l'hôtel de Balbec pour qui j'étais, en ce moment, inexistant, et j'aurais voulu me présenter à lui dans une compagnie plus prestigieuse que celle de ma grand'mère qui allait certainement lui demander des rabais. Il m'apparaissait empreint d'une morgue certaine, mais très vague de contours.

À tout moment le petit chemin de fer nous arrêtait à l'une des stations qui précédaient Balbec-Plage et dont les noms mêmes (Incarville, Marcouville, Doville, Pont-à-Couleuvre, Arambouville, Saint-Mars-le-Vieux, Hermonville, Maineville) me semblaient étranges, alors que, lus dans un livre, ils auraient eu quelque rapport avec les noms de certaines localités qui étaient voisines de Combray. Mais à l'oreille d'un musicien deux motifs, matériellement composés de plusieurs des mêmes notes, peuvent ne présenter aucune ressemblance, s'ils diffèrent par la couleur de l'harmonie et de l'orchestration. De même, rien moins que ces tristes noms faits de sable, d'espace trop aéré et vide, et de sel, au-dessus desquels le mot ville s'échappait comme vole dans Pigeon-vole, ne me faisait penser à ces autres noms de Roussainville ou de Martinville qui, parce que je les avais entendu prononcer si souvent par ma grand'tante à table, dans la « salle », avaient acquis un certain charme sombre où s'étaient peut-être mélangés des extraits du goût des confitures, de l'odeur du feu de bois et du papier d'un livre de Bergotte, de la couleur de grès de la maison d'en face, et qui, aujourd'hui encore, quand ils remontent, comme une bulle gazeuse, du fond de ma mémoire, conservent leur vertu spécifique à travers les couches superposées de milieux différents qu'ils ont à franchir avant d'atteindre jusqu'à la surface.

C'étaient[1], dominant la mer lointaine du haut de leur dune ou s'accommodant déjà pour la nuit au pied de collines d'un vert cru et d'une forme désobligeante, comme celle du canapé d'une chambre d'hôtel où l'on vient d'arriver, composées de quelques villas que prolongeait un terrain de tennis et quelquefois un casino dont le drapeau claquait au vent fraîchissant, évidé et anxieux, de petites stations qui me montraient pour la première fois leurs hôtes[2], mais me les montraient par leur dehors habituel — des joueurs de tennis en casquette blanche[3], le chef de gare vivant là, près de ses tamaris et de ses roses, une dame coiffée d'un « canotier », qui, décrivant le tracé quotidien d'une vie que je ne connaîtrais jamais, rappelait son lévrier qui s'attardait, et rentrait dans son chalet où la lampe était déjà allumée — et qui blessaient cruellement de ces images étrangement usuelles et dédaigneusement familières mes regards inconnus et mon cœur dépaysé. Mais combien ma souffrance s'aggrava quand nous eûmes débarqué dans le hall du Grand-Hôtel de Balbec, en face de l'escalier monumental qui imitait le marbre, et pendant que ma grand'mère, sans souci d'accroître l'hostilité et le mépris des étrangers au milieu desquels nous allions vivre, discutait les « conditions » avec le directeur, sorte de poussah à la figure et à la voix pleines de cicatrices (qu'avait laissées l'extirpation sur l'une, de nombreux boutons, sur l'autre, des divers accents dus à des origines lointaines et à une enfance cosmopolite), au smoking de mondain, au regard de psychologue prenant généralement, à l'arrivée de l'« omnibus », les grands seigneurs pour des râleux et les rats d'hôtels pour des grands seigneurs !

Oubliant sans doute que lui-même ne touchait pas cinq cents francs d'appointements mensuels, il méprisait profondément les personnes pour qui cinq cents francs ou plutôt, comme il disait, « vingt-cinq louis » est « une somme » et les considérait comme faisant partie d'une race de parias à qui n'était pas destiné le Grand-Hôtel. Il est vrai que, dans ce Palace même, il y avait des gens qui ne payaient pas très cher tout en étant estimés du directeur, à condition que celui-ci fût certain qu'ils regardaient à dépenser non pas par pauvreté mais par avarice. Elle ne saurait en effet rien ôter au prestige, puisqu'elle est un vice et peut par conséquent se rencontrer dans toutes les situations sociales. La situation sociale était la seule chose à laquelle le directeur fît attention, la situation sociale, ou plutôt les signes qui lui paraissaient impliquer qu'elle était élevée, comme de ne pas se découvrir en entrant dans le hall, de porter des knickerbockers, un paletot à taille, et de sortir un cigare ceint de pourpre et d'or d'un étui en maroquin écrasé (tous avantages, hélas! qui me faisaient défaut). Il émaillait ses propos commerciaux d'expressions choisies, mais à contresens.

Tandis que j'entendais ma grand'mère, sans se froisser qu'il l'écoutât son chapeau sur la tête et tout en sifflotant, lui demander sur une intonation artificielle : « Et quels sont... vos prix?... Oh! beaucoup trop élevés pour mon petit budget », attendant sur une banquette, je me réfugiais au plus profond de moi-même, je m'efforçais d'émigrer dans des pensées éternelles, de ne laisser rien de moi, rien de vivant, à la surface de mon corps — insensibilisée comme l'est celle des animaux qui par inhibition font les morts quand on les blesse —, afin de ne pas trop souffrir dans ce lieu où mon manque total d'habitude m'était rendu plus sensible encore par la vue de celle que semblaient en avoir au même moment une dame élégante à qui le directeur témoignait son respect en prenant des familiarités avec le petit chien dont elle était suivie, le jeune gandin qui, la plume au chapeau, rentrait en demandant « s'il avait des lettres », tous ces gens pour qui c'était regagner leur home que de gravir les degrés en faux marbre. Et en même temps le regard de Minos, Éaque et Rhadamante (regard dans lequel je plongeai mon âme dépouillée, comme dans un inconnu où plus rien ne la protégeait) me fut jeté sévèrement par des messieurs qui, peu versés peut-être dans l'art de « recevoir », portaient le titre de « chefs de réception »; plus loin, derrière un vitrage clos, des gens étaient assis dans un salon de lecture pour la description duquel il m'aurait fallu choisir dans le Dante tour à tour les couleurs qu'il prête au Paradis et à l'Enfer, selon que je pensais au bonheur des élus qui avaient le droit d'y lire en toute tranquillité, ou à la terreur que m'eût causée ma grand'mère si, dans son insouci de ce genre d'impressions, elle m'eût ordonné d'y pénétrer.

Mon impression de solitude s'accrut encore un moment après. Comme j'avais avoué à ma grand'mère que je n'étais pas bien, que je croyais que nous allions être obligés de revenir à Paris, sans protester elle avait dit qu'elle sortait pour quelques emplettes, utiles aussi bien si nous partions que si nous restions (et que je sus ensuite m'être toutes destinées, Françoise ayant avec elle des affaires qui m'eussent manqué); en l'attendant j'étais allé faire les cent pas dans les rues encombrées d'une foule qui y maintenait une chaleur d'appartement et où étaient encore ouverts la boutique du coiffeur et le salon d'un pâtissier chez lequel des habitués prenaient des glaces, devant la statue de Duguay-Trouin. Elle me causa à peu près autant de plaisir que son image au milieu d'un « illustré » peut en procurer au malade qui le feuillette dans le cabinet d'attente d'un chirurgien. Je m'étonnais qu'il y eût des gens assez différents de moi pour que, cette promenade dans la ville, le directeur eût pu me la conseiller comme une distraction, et aussi pour que le lieu de supplice qu'est une demeure nouvelle pût paraître à certains « un séjour de délices » comme disait le prospectus de l'hôtel, qui pouvait exagérer mais pourtant s'adressait à toute une clientèle dont il flattait les goûts. Il est vrai qu'il invoquait, pour la faire venir au Grand-Hôtel de Balbec, non seulement « la chère exquise » et le « coup d'œil féerique des jardins du Casino », mais encore les « arrêts de Sa Majesté la Mode, qu'on ne peut violer impunément sans passer pour un béotien, ce à quoi aucun homme bien élevé ne voudrait s'exposer ».

Le besoin que j'avais de ma grand'mère était grandi par ma crainte de lui avoir causé une désillusion. Elle devait être découragée, sentir que si je ne supportais pas cette fatigue c'était à désespérer qu'aucun voyage pût me faire du bien. Je me décidai à rentrer l'attendre; le directeur vint lui-même pousser un bouton : et un personnage encore inconnu de moi, qu'on appelait « lift » (et qui, au[1] point le plus haut de l'hôtel, là où serait le lanternon d'une église normande, était installé comme un photographe derrière son vitrage ou comme un organiste dans sa chambre), se mit à descendre vers moi avec l'agilité d'un écureuil domestique, industrieux et captif. Puis en glissant de nouveau le long d'un pilier il m'entraîna à sa suite vers le dôme de la nef commerciale. À chaque étage, des deux côtés de petits escaliers de communication, se dépliaient en éventails de sombres galeries, dans lesquelles, portant un traversin, passait une femme de chambre. J'appliquais à son visage, rendu indécis par le crépuscule, le masque de mes rêves les plus passionnés, mais lisais dans son regard tourné vers moi l'horreur de mon néant. Cependant pour dissiper, au cours de l'interminable ascension, l'angoisse mortelle que j'éprouvais à traverser en silence le mystère de ce clair-obscur sans poésie, éclairé d'une seule rangée verticale de verrières que faisait l'unique water-closet de chaque étage, j'adressai la parole au jeune organiste, artisan de mon voyage et compagnon de ma captivité, lequel continuait à tirer les registres de son instrument et à pousser les tuyaux. Je m'excusai de tenir autant de place, de lui donner tellement de peine, et lui demandai si je ne le gênais pas dans l'exercice d'un art à l'endroit duquel, pour flatter le virtuose, je fis plus que manifester de la curiosité, je confessai ma prédilection. Mais il ne me répondit pas, soit étonnement de mes paroles, attention à son travail, souci de l'étiquette, dureté de son ouïe, respect du lieu, crainte du danger, paresse d'intelligence ou consigne du directeur.

Il n'est peut-être rien qui donne plus l'impression de la réalité de ce qui nous est extérieur, que le changement de la position, par rapport à nous, d'une personne même insignifiante, avant que nous l'ayons connue, et après. J'étais le même homme qui avait pris à la fin de l'après-midi le petit chemin de fer de Balbec, je portais en moi la même âme. Mais dans cette âme, à l'endroit où, à six heures, il y avait, avec l'impossibilité d'imaginer le directeur, le Palace, son personnel, une attente vague et craintive du moment où j'arriverais, se trouvaient maintenant les boutons extirpés dans la figure du directeur cosmopolite (en réalité naturalisé Monégasque, bien qu'il fût — comme il disait, parce qu'il employait toujours des expressions qu'il croyait distinguées, sans s'apercevoir qu'elles étaient vicieuses — « d'originalité roumaine »), son geste pour sonner le lift, le lift lui-même, toute une frise de personnages de guignol sortis de cette boîte de Pandore qu'était le Grand-Hôtel, indéniables, inamovibles et, comme tout ce qui est réalisé, stérilisants. Mais du moins ce changement dans lequel je n'étais pas intervenu me prouvait qu'il s'était passé quelque chose d'extérieur à moi — si dénuée d'intérêt que cette chose fût en soi — et j'étais comme le voyageur qui, ayant eu le soleil devant lui en commençant une course, constate que les heures ont passé[1], quand il le voit derrière lui. J'étais brisé par la fatigue, j'avais la fièvre, je me serais bien couché, mais je n'avais rien de ce qu'il eût fallu pour cela. J'aurais voulu au moins m'étendre un instant sur le lit, mais à quoi bon puisque je n'aurais pu y faire trouver de repos à cet ensemble de sensations qui est pour chacun de nous son corps conscient, sinon son corps matériel, et puisque les objets inconnus qui l'encerclaient, en le forçant à mettre ses perceptions sur le pied permanent d'une défensive vigilante, auraient maintenu mes regards, mon ouïe, tous mes sens, dans une position aussi réduite et incommode (même si j'avais allongé mes jambes) que celle du cardinal La Balue dans la cage où il ne pouvait ni se tenir debout ni s'asseoir. C'est notre attention qui met des objets dans une chambre, et l'habitude qui les en retire et nous y fait de la place. De la place, il n'y en avait pas pour moi dans ma chambre de Balbec (mienne de nom seulement), elle était pleine de choses qui ne me connaissaient pas, me rendirent le coup d'œil méfiant que je leur jetai et, sans tenir aucun compte de mon existence, témoignèrent que je dérangeais le train-train de la leur. La pendule — alors qu'à la maison je n'entendais la mienne que quelques secondes par semaine, seulement quand je sortais d'une profonde méditation — continua sans s'interrompre un instant à tenir dans une langue inconnue des propos qui devaient être désobligeants pour moi, car les grands rideaux violets l'écoutaient sans répondre, mais dans une attitude analogue à celle des gens qui haussent les épaules pour montrer que la vue d'un tiers les irrite. Ils donnaient à cette chambre si haute un caractère quasi historique qui eût pu la rendre appropriée à l'assassinat du duc de Guise, et plus tard à une visite de touristes conduits par un guide de l'agence Cook, — mais nullement à mon sommeil. J'étais tourmenté par la présence de petites bibliothèques à vitrines, qui couraient le long des murs, mais surtout par une grande glace à pieds, arrêtée en travers de la pièce et avant le départ de laquelle je sentais qu'il n'y aurait pas pour moi de détente possible. Je levais à tout moment mes regards — que les objets de ma chambre de Paris ne gênaient pas plus que ne faisaient mes propres prunelles, car ils n'étaient plus que des annexes de mes organes, un agrandissement de moi-même — vers le plafond surélevé de ce belvédère situé au sommet de l'hôtel et que ma grand'mère avait choisi pour moi; et, jusque dans cette région plus intime que celle où nous voyons et où nous entendons, dans cette région où nous éprouvons la qualité des odeurs, c'était presque à l'intérieur de mon moi que celle du vétiver venait pousser dans mes derniers retranchements son offensive, à laquelle j'opposais non sans fatigue la riposte inutile et incessante d'un reniflement alarmé. N'ayant plus d'univers, plus de chambre, plus de corps que menacé par les ennemis qui m'entouraient, qu'envahi jusque dans les os par la fièvre, j'étais seul, j'avais envie de mourir. Alors ma grand'mère entra; et à l'expansion de mon cœur refoulé s'ouvrirent aussitôt des espaces infinis.

Elle portait une robe de chambre de percale qu'elle revêtait à la maison chaque fois que l'un de nous était malade (parce qu'elle s'y sentait plus à l'aise, disait-elle, attribuant toujours à ce qu'elle faisait des mobiles égoïstes), et qui était pour nous soigner, pour nous veiller, sa blouse de servante et de garde, son habit de religieuse. Mais tandis que les soins de celles-là, la bonté qu'elles ont, le mérite qu'on leur trouve et la reconnaissance qu'on leur doit, augmentent encore l'impression qu'on a d'être, pour elles, un autre, de se sentir seul, gardant pour soi la charge de ses pensées, de son propre désir de vivre, je savais, quand j'étais avec ma grand'mère, si grand chagrin qu'il y eût en moi, qu'il serait reçu dans une pitié plus vaste encore; que tout ce qui était mien, mes soucis, mon vouloir, serait, en ma grand'mère, étayé sur un désir de conservation et d'accroissement de ma propre vie autrement fort que celui que j'avais moi-même; et mes pensées se prolongeaient en elle sans subir de déviation parce qu'elles passaient de mon esprit dans le sien sans changer de milieu, de personne. Et — comme quelqu'un qui veut nouer sa cravate devant une glace sans comprendre que le bout qu'il voit n'est pas placé par rapport à lui du côté où il dirige sa main, ou comme un chien qui poursuit à terre l'ombre dansante d'un insecte — trompé par l'apparence du corps comme on l'est dans ce monde où nous ne percevons pas directement les âmes, je me jetai dans les bras de ma grand'mère et je suspendis mes lèvres à sa figure comme si j'accédais ainsi à ce cœur immense qu'elle m'ouvrait. Quand j'avais ainsi ma bouche collée à ses joues, à son front, j'y puisais quelque chose de si bienfaisant, de si nourricier, que je gardais l'immobilité, le sérieux, la tranquille avidité d'un enfant qui tète.

Je regardais ensuite sans me lasser son grand visage découpé comme un beau nuage ardent et calme, derrière lequel on sentait rayonner la tendresse. Et tout ce qui recevait encore, si faiblement que ce fût, un peu de ses sensations, tout ce qui pouvait ainsi être dit encore à elle, en était aussitôt si spiritualisé, si sanctifié que de mes paumes je lissais ses beaux cheveux à peine gris avec autant de respect, de précaution et de douceur que si j'y avais caressé sa bonté. Elle trouvait un tel plaisir dans toute peine qui m'en épargnait une, et, dans un moment d'immobilité et de calme pour mes membres fatigués, quelque chose de si délicieux, que quand, ayant vu qu'elle voulait m'aider à me coucher et me déchausser, je fis le geste de l'en empêcher et de commencer à me déshabiller moi-même, elle arrêta d'un regard suppliant mes mains qui touchaient aux premiers boutons de ma veste et de mes bottines.

— Oh, je t'en prie, me dit-elle. C'est une telle joie pour ta grand'mère. Et surtout ne manque pas de frapper au mur si tu as besoin de quelque chose cette nuit, mon lit est adossé au tien, la cloison est très mince. D'ici un moment quand tu seras couché, fais-le, pour voir si nous nous comprenons bien.

Et, en effet, ce soir-là, je frappai trois coups — que,

une semaine plus tard, quand je fus souffrant, je renouvelai pendant quelques jours tous les matins parce que ma grand'mère voulait me donner du lait de bonne heure. Alors quand je croyais entendre qu'elle était réveillée — pour qu'elle n'attendît pas et pût, tout de suite après, se rendormir — je risquais trois petits coups, timidement, faiblement, distinctement malgré tout, car si je craignais d'interrompre son sommeil dans le cas où je me serais trompé et où elle eût dormi, je n'aurais pas voulu non plus qu'elle continuât d'épier un appel qu'elle n'aurait pas distingué d'abord et que je n'oserais pas renouveler. Et à peine j'avais frappé mes coups que j'en entendais trois autres, d'une intonation différente ceux-là, empreints d'une calme autorité, répétés à deux reprises pour plus de clarté et qui disaient : « Ne t'agite pas, j'ai entendu; dans quelques instants je serai là »; et bientôt après ma grand'mère arrivait. Je lui disais que j'avais eu peur qu'elle ne m'entendît pas ou crût que c'était un voisin qui avait frappé; elle riait :

— Confondre les coups de mon pauvre loup[1] avec d'autres, mais entre mille sa grand'mère les reconnaîtrait ! Crois-tu donc qu'il y en ait d'autres au monde qui soient aussi bêtas, aussi fébriles, aussi partagés entre la crainte de me réveiller et de ne pas être compris ? Mais quand même elle se contenterait d'un grattement on reconnaîtrait tout de suite sa petite souris, surtout quand elle est aussi unique et à plaindre que la mienne. Je l'entendais déjà depuis un moment qui hésitait, qui se remuait dans le lit, qui faisait tous ses manèges.

Elle entr'ouvrait les persiennes; à l'annexe en saillie de l'hôtel, le soleil était déjà installé sur les toits comme un couvreur matinal qui commence tôt son ouvrage et l'accomplit en silence pour ne pas réveiller la ville qui dort encore et de laquelle l'immobilité le fait paraître plus agile. Elle me disait l'heure, le temps qu'il ferait, que ce n'était pas la peine que j'allasse jusqu'à la fenêtre, qu'il y avait de la brume sur la mer, si la boulangerie était déjà ouverte, quelle était cette voiture qu'on entendait : tout cet insignifiant lever de rideau, ce négligeable *introït* du jour auquel personne n'assiste, petit morceau de vie qui n'était qu'à nous deux, que j'évoquerais volontiers dans la journée devant Françoise ou des étrangers en parlant du brouillard à couper au couteau qu'il y avait eu le matin à six heures, avec l'ostentation non d'un savoir acquis, mais d'une marque d'affection reçue par moi seul; doux instant matinal qui s'ouvrait comme une symphonie par le dialogue rythmé de mes trois coups auquel la cloison, pénétrée de tendresse et de joie, devenue harmonieuse, immatérielle, chantant comme les anges, répondait par trois autres coups, ardemment attendus, deux fois répétés, et où elle savait transporter l'âme de ma grand'mère tout entière et la promesse de sa venue, avec une allégresse d'annonciation et une fidélité musicale. Mais cette première nuit d'arrivée, quand ma grand'mère m'eut quitté, je recommençai à souffrir, comme j'avais déjà souffert à Paris au moment de quitter la maison. Peut-être cet effroi que j'avais — qu'ont tant d'autres — de coucher dans une chambre inconnue, peut-être cet effroi n'est-il que la forme la plus humble, obscure, organique, presque inconsciente, de ce grand refus désespéré qu'opposent les choses qui constituent le meilleur de notre vie présente à ce que nous revêtions mentalement de notre acceptation la formule d'un avenir où elles ne figurent pas; refus qui était au fond de l'horreur que m'avait fait si souvent éprouver la pensée que mes parents mourraient un jour, que les nécessités de la vie pourraient m'obliger à vivre loin de Gilberte, ou simplement à me fixer définitivement dans un pays où je ne verrais plus jamais mes amis; refus qui était encore au fond de la difficulté que j'avais à penser à ma propre mort ou à une survie comme celle que Bergotte promettait aux hommes dans ses livres, dans laquelle je ne pourrais emporter mes souvenirs, mes défauts, mon caractère, qui ne se résignaient pas à l'idée de ne plus être et ne voulaient pour moi ni du néant, ni d'une éternité où ils ne seraient plus.

Quand Swann m'avait dit à Paris, un jour que j'étais particulièrement souffrant : « Vous devriez partir pour ces délicieuses îles de l'Océanie, vous verrez que vous n'en reviendrez plus », j'aurais voulu lui répondre : « Mais alors je ne verrai plus votre fille, je vivrai au milieu de choses et de gens qu'elle n'a jamais vus. » Et pourtant ma raison me disait : « Qu'est-ce que cela peut faire, puisque tu n'en seras pas affligé ? Quand M. Swann te dit que tu ne reviendras pas, il entend par là que tu ne voudras pas revenir, et puisque tu ne le voudras pas, c'est que, là-bas, tu seras heureux. » Car ma raison savait que l'habitude — l'habitude qui allait assumer maintenant l'entreprise de me faire aimer ce logis inconnu, de changer la place de la glace[1], la nuance des rideaux, d'arrêter la pendule — se charge aussi bien de nous rendre chers les compagnons qui nous avaient déplu d'abord, de donner une autre forme aux visages, de rendre sympathique le son d'une voix, de modifier l'inclination des cœurs. Certes ces amitiés nouvelles pour des lieux et des gens ont pour trame l'oubli des anciennes; mais justement ma raison pensait que je pouvais envisager sans terreur la perspective d'une vie où je serais à jamais séparé d'êtres dont je perdrais le souvenir, et c'est comme une consolation qu'elle offrait à mon cœur une promesse d'oubli qui ne faisait au contraire qu'affoler son désespoir. Ce n'est pas que notre cœur ne doive éprouver, lui aussi, quand la séparation sera consommée, les effets analgésiques de l'habitude; mais jusque-là il continuera de souffrir. Et la crainte d'un avenir où nous seront enlevés la vue et l'entretien de ceux que nous aimons et d'où nous tirons aujourd'hui notre plus chère joie, cette crainte, loin de se dissiper, s'accroît, si à la douleur d'une telle privation nous pensons que s'ajoutera ce qui pour nous semble actuellement plus cruel encore : ne pas la ressentir comme une douleur, y rester indifférent; car alors notre moi serait changé : ce ne serait plus seulement le charme de nos parents, de notre maîtresse, de nos amis, qui ne serait plus autour de nous[2]; notre affection pour eux aurait été si parfaitement arrachée de notre cœur dont elle est aujourd'hui une notable part, que nous pourrions nous plaire à cette vie séparée d'eux dont la pensée nous fait horreur aujourd'hui; ce serait donc une vraie mort de nous-même, mort suivie, il est vrai, de résurrection, mais en un moi différent et jusqu'à l'amour duquel ne peuvent s'élever les parties de l'ancien moi condamnées à mourir. Ce sont elles — même les plus chétives, comme les obscurs attachements aux dimensions, à l'atmosphère d'une chambre — qui s'effarent et refusent, en des rébellions où il faut voir un mode secret, partiel, tangible et vrai de la résistance à la mort, de la longue résistance désespérée et quotidienne à la mort fragmentaire et successive telle qu'elle s'insère dans toute la durée de notre vie, détachant de nous à chaque moment des lambeaux de nous-mêmes sur la mortification desquels des cellules nouvelles multiplieront. Et pour une nature nerveuse comme était la mienne (c'est-à-dire chez qui les intermédiaires, les nerfs, remplissent mal leurs fonctions, n'arrêtent pas dans sa route vers la conscience, mais y laissent au contraire parvenir, distincte, épuisante, innombrable et douloureuse, la plainte des plus humbles éléments du moi qui vont disparaître), l'anxieuse alarme que j'éprouvais sous ce plafond inconnu et trop haut n'était que la protestation d'une amitié qui survivait en moi pour un plafond familier et bas. Sans doute cette amitié disparaîtrait, une autre ayant pris sa place (alors la mort, puis une nouvelle vie auraient, sous le nom d'Habitude, accompli leur œuvre double); mais, jusqu'à son anéantissement, chaque soir elle souffrirait, et, ce premier soir-là surtout, mise en présence d'un avenir déjà réalisé où il n'y avait plus de place pour elle, elle se révoltait, elle me torturait du cri de ses lamentations chaque fois que mes regards, ne pouvant se détourner de ce qui les blessait, essayaient de se poser au plafond inaccessible.

Mais le lendemain matin! — après qu'un domestique fut venu m'éveiller et m'apporter de l'eau chaude, et pendant que je faisais ma toilette et essayais vainement de trouver les affaires dont j'avais besoin dans ma malle d'où je ne tirais, pêle-mêle, que celles qui ne pouvaient me servir à rien, quelle joie, pensant déjà au plaisir du déjeuner et de la promenade, de voir dans la fenêtre et dans toutes les vitrines des bibliothèques, comme dans les hublots d'une cabine de navire, la mer nue, sans ombrages, et pourtant à l'ombre sur une moitié de son étendue que délimitait une ligne mince et mobile, et de suivre des yeux les flots qui s'élançaient l'un après l'autre comme des sauteurs sur un tremplin! À tous moments, tenant à la main la serviette raide et empesée où était écrit le nom de l'Hôtel et avec laquelle je faisais d'inutiles efforts pour me sécher, je retournais près de la fenêtre jeter encore un regard sur ce vaste cirque éblouissant et montagneux et sur les sommets neigeux de ses vagues en pierre d'émeraude çà et là polie et translucide, lesquelles avec une placide violence et un froncement léonin laissaient s'accomplir et dévaler l'écroulement de leurs pentes auxquelles le soleil ajoutait un sourire sans visage.

Fenêtre à laquelle je devais ensuite me mettre chaque matin comme au carreau d'une diligence dans laquelle on a dormi, pour voir si pendant la nuit s'est rapprochée ou éloignée une chaîne désirée — ici ces collines de la mer qui, avant de revenir vers nous en dansant, peuvent reculer si loin que souvent ce n'était qu'après une longue plaine sablonneuse que j'apercevais à une grande distance leurs premières ondulations, dans un lointain transparent, vaporeux et bleuâtre comme ces glaciers qu'on voit au fond des tableaux des primitifs toscans. D'autres fois, c'était tout près de moi que le soleil riait sur ces flots d'un vert aussi tendre que celui que conserve aux prairies alpestres (dans les montagnes où le soleil s'étale çà et là comme un géant qui en descendrait gaîment, par bonds inégaux, les pentes) moins l'humidité du sol que la liquide mobilité de la lumière. Au reste, dans cette brèche que la plage et les flots pratiquent au milieu du reste du monde pour y faire passer, pour y accumuler la lumière, c'est elle surtout, selon la direction d'où elle vient et que suit notre œil, c'est elle qui déplace et situe les vallonnements de la mer. La diversité de l'éclairage ne modifie pas moins l'orientation d'un lieu, ne dresse pas moins devant nous de nouveaux buts qu'il nous donne le désir d'atteindre, que ne ferait un trajet longuement et effectivement parcouru en voyage. Quand, le matin, le soleil venait de derrière l'hôtel, découvrant devant moi les grèves illuminées jusqu'aux premiers contreforts de la mer, il semblait m'en montrer un autre versant et m'engager à poursuivre, sur la route tournante de ses rayons, un voyage immobile et varié à travers les plus beaux sites du paysage accidenté des heures. Et dès ce premier matin, le soleil me désignait au loin, d'un doigt souriant, ces cimes bleues de la mer qui n'ont de nom sur aucune carte géographique, jusqu'à ce qu'étourdi de sa sublime promenade à la surface retentissante et chaotique de leurs crêtes et de leurs avalanches, il vînt se mettre à l'abri du vent dans ma chambre, se prélassant sur le lit défait et égrenant ses richesses sur le lavabo mouillé, dans la malle ouverte, où, par sa splendeur même et son luxe déplacé, il ajoutait encore à l'impression du désordre. Hélas, le[1] vent de mer, une heure plus tard, dans la grande salle à manger — tandis que nous déjeunions et que, de la gourde de cuir d'un citron, nous répandions quelques gouttes d'or sur deux soles qui bientôt laissèrent dans nos assiettes le panache de leurs arêtes, frisé comme une plume et sonore comme une cithare — il parut cruel à ma grand'mère de n'en pas sentir le souffle vivifiant à cause du châssis transparent mais clos qui, comme une vitrine, nous séparait de la plage tout en nous la laissant entièrement voir et dans lequel le ciel entrait si complètement que son azur avait l'air d'être la couleur des fenêtres et ses nuages blancs, un défaut du verre. Me persuadant que j'étais « assis sur le môle » ou au fond du « boudoir » dont parle Baudelaire, je me demandais si son « soleil rayonnant sur la mer », ce n'était pas — bien différent du rayon du soir, simple et superficiel comme un trait doré et tremblant — celui qui en ce moment brûlait la mer comme une topaze, la faisait fermenter, devenir blonde et laiteuse comme de la bière, écumante comme du lait, tandis que par moments s'y promenaient çà et là de grandes ombres bleues que quelque dieu semblait s'amuser à déplacer en bougeant un miroir dans le ciel. Malheureusement ce n'était pas seulement par son aspect que différait de la « salle » de Combray donnant sur les maisons d'en face, cette salle à manger de Balbec, nue, emplie de soleil vert comme l'eau d'une piscine, et à quelques mètres de laquelle la marée pleine et le grand jour élevaient, comme devant la cité céleste, un rempart indestructible et mobile d'émeraude et d'or. À Combray, comme nous étions connus de tout le monde, je ne me souciais de personne. Dans la vie de bains de mer on ne connaît pas ses voisins. Je n'étais pas encore assez âgé et j'étais resté trop sensible pour avoir renoncé au désir de plaire aux êtres et de les posséder. Je n'avais pas l'indifférence plus noble qu'aurait éprouvée un homme du monde à l'égard des personnes qui déjeunaient dans la salle à manger, ni des jeunes gens et des jeunes filles passant sur la digue, avec lesquels je souffrais de penser que je ne pourrais pas faire d'excursions, moins pourtant que si ma grand'mère, dédaigneuse des formes mondaines et ne s'occupant que de ma santé, leur avait adressé la demande, humiliante pour moi, de m'agréer comme compagnon de promenade. Soit qu'ils rentrassent vers quelque chalet inconnu, soit qu'ils en sortissent pour se rendre raquette en main à un terrain de tennis, ou montassent sur des chevaux dont les sabots me piétinaient le cœur, je les regardais avec une curiosité passionnée, dans cet éclairage aveuglant de la plage où les proportions sociales sont changées, je suivais tous leurs mouvements à travers la transparence de cette grande baie vitrée qui laissait passer tant de lumière. Mais elle interceptait le vent et c'était un défaut à l'avis de ma grand'mère qui, ne pouvant supporter l'idée que je perdisse le bénéfice d'une heure d'air, ouvrit subrepticement un carreau et fit envoler du même coup, avec les menus, les journaux, voiles et casquettes de toutes les personnes qui étaient en train de déjeuner; elle-même, soutenue par le souffle céleste, restait calme et souriante comme sainte Blandine, au milieu des invectives qui, augmentant mon impression d'isolement et de tristesse, réunissaient contre nous les touristes méprisants, dépeignés et furieux.

Pour une certaine partie — ce qui, à Balbec, donnait à la population, d'ordinaire banalement riche et cosmopolite, de ces sortes d'hôtels de grand luxe, un caractère régional assez accentué — ils se composaient de personnalités éminentes des principaux départements de cette partie de la France, d'un premier président de Caen, d'un bâtonnier de Cherbourg, d'un grand notaire du Mans qui, à l'époque des vacances, partant des points sur lesquels toute l'année ils étaient disséminés en tirailleurs ou comme des pions au jeu de dames, venaient se concentrer dans cet hôtel. Ils y conservaient toujours les mêmes chambres, et, avec leurs femmes qui avaient des prétentions à l'aristocratie, formaient un petit groupe auquel s'étaient adjoints un grand avocat et un grand médecin de Paris qui le jour du départ leur disaient :

— Ah! c'est vrai, vous ne prenez pas le même train que nous, vous êtes privilégiés, vous serez rendus pour le déjeuner.

— Comment, privilégiés ? Vous qui habitez la capitale, Paris, la grand'ville, tandis que j'habite un pauvre chef-lieu de cent mille âmes, il est vrai cent deux mille au dernier recensement; mais qu'est-ce à côté de vous qui en comptez deux millions cinq cent mille, et qui allez retrouver l'asphalte et tout l'éclat du monde parisien ?

Ils le disaient avec un roulement d'r paysan, sans y mettre d'aigreur, car c'étaient des lumières de leur province qui auraient pu comme d'autres venir à Paris — on avait plusieurs fois offert au premier président de Caen un siège à la Cour de cassation — mais avaient préféré rester sur place, par amour de leur ville, ou de l'obscurité, ou de la gloire, ou parce qu'ils étaient réactionnaires, et pour l'agrément des relations de voisinage avec les châteaux. Plusieurs d'ailleurs ne regagnaient pas tout de suite leur chef-lieu.

Car — comme la baie de Balbec était un petit univers à part au milieu du grand, une corbeille des saisons où étaient rassemblés en cercle les jours variés et les mois successifs, si bien que, non seulement les jours où on apercevait Rivebelle, ce qui était signe d'orage, on y distinguait du soleil sur les maisons pendant qu'il faisait noir à Balbec, mais encore que, quand les froids avaient gagné Balbec, on était certain de trouver sur cette autre rive deux ou trois mois supplémentaires de chaleur — ceux de ces habitués du Grand-Hôtel dont les vacances commençaient tard ou duraient longtemps, faisaient, quand arrivaient les pluies et les brumes, à l'approche de l'automne, charger leurs malles sur une barque, et traversaient rejoindre l'été à Rivebelle ou à Costedor. Ce petit groupe de l'hôtel de Balbec regardait d'un air méfiant chaque nouveau venu, et, en ayant l'air de ne pas s'intéresser à lui, tous interrogeaient sur son compte leur ami le maître d'hôtel. Car c'était le même — Aimé — qui revenait tous les ans faire la saison et leur gardait leurs tables; et mesdames leurs épouses, sachant que sa femme attendait un bébé, travaillaient après les repas chacune à une pièce de la layette, tout en nous toisant avec leur face-à-main, ma grand'mère et moi, parce que nous mangions des œufs durs dans la salade, ce qui était réputé commun et ne se faisait pas dans la bonne société d'Alençon. Ils affectaient une attitude de méprisante ironie à l'égard d'un Français qu'on appelait Majesté et qui s'était, en effet, proclamé lui-même roi d'un petit îlot de l'Océanie peuplé seulement[1] par quelques sauvages. Il habitait l'hôtel avec sa jolie maîtresse, sur le passage de qui, quand elle allait se baigner, les gamins criaient : « Vive la reine! » parce qu'elle faisait pleuvoir sur eux des pièces de cinquante centimes. Le premier président et le bâtonnier ne voulaient même pas avoir l'air de la voir, et si quelqu'un de leurs amis la regardait, ils croyaient devoir le prévenir que c'était une petite ouvrière.

— Mais on m'avait assuré qu'à Ostende ils usaient de la cabine royale.

— Naturellement! On la loue pour vingt francs. Vous pouvez la prendre si cela vous fait plaisir. Et je sais pertinemment que, lui, avait fait demander une audience au roi qui lui a fait savoir qu'il n'avait pas à connaître ce souverain de Guignol.

— Ah, vraiment, c'est intéressant! il y a tout de même des gens!...

Et sans doute tout cela était vrai, mais c'était aussi par ennui de sentir que pour une bonne partie de la foule ils n'étaient, eux, que de bons bourgeois qui ne connaissaient pas ce roi et cette reine prodigues de leur monnaie, que le notaire, le président, le bâtonnier, au passage de ce qu'ils appelaient un carnaval, éprouvaient tant de mauvaise humeur et manifestaient tout haut une indignation au courant de laquelle était leur ami le maître d'hôtel, qui, obligé de faire bon visage aux souverains plus généreux qu'authentiques, cependant tout en prenant leur commande, adressait de loin à ses vieux clients un clignement d'œil significatif. Peut-être y avait-il aussi un peu de ce même ennui d'être par erreur crus moins « chic » et de ne pouvoir expliquer qu'ils l'étaient davantage, au fond du « Joli Monsieur! » dont ils qualifiaient un jeune gommeux, fils poitrinaire et fêtard d'un grand industriel et qui, tous les jours, dans un veston nouveau, une orchidée à la boutonnière, déjeunait au champagne, et allait, pâle, impassible, un sourire d'indifférence aux lèvres, jeter au Casino sur la table de baccara des sommes énormes « qu'il n'a pas les moyens de perdre », disait d'un air renseigné le notaire au premier président duquel la femme « tenait de bonne source » que ce jeune homme « fin de siècle » faisait mourir de chagrin ses parents.

D'autre part, le bâtonnier et ses amis ne tarissaient pas de sarcasmes au sujet d'une vieille dame riche et titrée, parce qu'elle ne se déplaçait qu'avec tout son train de maison. Chaque fois que la femme du notaire et la femme du premier président la voyaient dans la salle à manger au moment des repas, elles l'inspectaient insolemment avec leur face-à-main du même air minutieux et défiant que si elle avait été quelque plat au nom pompeux mais à l'apparence suspecte qu'après le résultat défavorable d'une observation méthodique on fait éloigner, avec un geste distant et une grimace de dégoût.

Sans doute par là voulaient-elles seulement montrer que, s'il y avait certaines choses dont elles manquaient — dans l'espèce certaines prérogatives de la vieille dame, et être en relations avec elle —, c'était non pas parce qu'elles ne pouvaient, mais ne voulaient pas les posséder. Mais elles avaient fini par s'en convaincre elles-mêmes; et c'est la suppression de tout désir, de la curiosité pour les formes de la vie qu'on ne connaît pas, de l'espoir de plaire à de nouveaux êtres, remplacés chez ces femmes par un dédain simulé, par une allégresse factice, qui avait l'inconvénient de leur faire mettre du déplaisir sous l'étiquette de contentement et se mentir perpétuellement à elles-mêmes, deux conditions pour qu'elles fussent malheureuses. Mais tout le monde dans cet hôtel agissait sans doute de la même manière qu'elles, bien que sous d'autres formes, et sacrifiait, sinon à l'amour-propre, du moins à certains principes d'éducation ou à des habitudes intellectuelles, le trouble délicieux de se mêler à une vie inconnue. Sans doute le microcosme dans lequel s'isolait la vieille dame n'était pas empoisonné de virulentes aigreurs comme le groupe où ricanaient de rage la femme du notaire et du premier président. Il était, au contraire, embaumé d'un parfum fin et vieillot mais qui n'était pas moins factice. Car, au fond, la vieille dame eût probablement trouvé, à séduire, à s'attacher (en se renouvelant pour cela elle-même) la sympathie mystérieuse d'êtres nouveaux, un charme dont est dénué le plaisir qu'il y a à ne fréquenter que des gens de son monde et à se rappeler que, ce monde étant le meilleur qui soit, le dédain mal informé d'autrui est négligeable. Peut-être sentait-elle que, si elle était arrivée inconnue au Grand-Hôtel de Balbec, elle eût, avec sa robe de laine noire et son bonnet démodé, fait sourire quelque noceur qui de son « rocking » eût murmuré « quelle purée! » ou surtout quelque homme de valeur ayant gardé, comme le premier président, entre ses favoris poivre et sel, un visage frais et des yeux spirituels comme elle les aimait, et qui eût aussitôt désigné à la lentille rapprochante du face-à-main conjugal l'apparition de ce phénomène insolite; et peut-être était-ce par inconsciente appréhension de cette première minute qu'on sait courte mais qui n'est pas moins redoutée — comme la première tête qu'on pique dans l'eau — que cette dame envoyait d'avance un domestique mettre l'hôtel au courant de sa personnalité et de ses habitudes et, coupant court aux salutations du directeur, gagnait, avec une brièveté où il y avait plus de timidité que d'orgueil, sa chambre où des rideaux personnels, remplaçant ceux qui pendaient aux fenêtres, des paravents, des photographies, mettaient si bien, entre elle et le monde extérieur auquel il eût fallu s'adapter, la cloison de ses habitudes, que c'était son chez elle, au sein duquel elle était restée, qui voyageait plutôt qu'elle-même.

Dès lors, ayant placé entre elle d'une part, le personnel de l'hôtel et les fournisseurs de l'autre, ses domestiques qui recevaient à sa place le contact de cette humanité nouvelle et entretenaient autour de leur maîtresse l'atmosphère accoutumée, ayant mis ses préjugés entre elle et les baigneurs, insoucieuse de déplaire à des gens que ses amies n'auraient pas reçus, c'est dans son monde qu'elle continuait à vivre par la correspondance avec ses amies, par le souvenir, par la conscience intime qu'elle avait de sa situation, de la qualité de ses manières, de la compétence de sa politesse. Et tous les jours, quand elle descendait pour aller dans sa calèche faire une promenade, sa femme de chambre qui portait ses affaires derrière elle, son valet de pied qui la devançait semblaient comme ces sentinelles qui, aux portes d'une ambassade pavoisée aux couleurs du pays dont elle dépend, garantissent pour elle, au milieu d'un sol étranger, le privilège de son exterritorialité. Elle ne quitta pas sa chambre avant le milieu de l'après-midi, le jour de notre arrivée, et nous ne l'aperçûmes pas dans la salle à manger où le directeur, comme nous étions nouveaux venus, nous conduisit, sous sa protection, à l'heure du déjeuner, comme un gradé qui mène des bleus chez le caporal tailleur pour les faire habiller; mais nous y vîmes, en revanche, au bout d'un instant un hobereau et sa fille, d'une obscure mais très ancienne famille de Bretagne, M. et Mlle de Stermaria, dont on nous avait fait donner la table, croyant qu'ils ne rentreraient que le soir. Venus seulement à Balbec pour retrouver des châtelains qu'ils connaissaient dans le voisinage, ils ne passaient dans la salle à manger de l'hôtel, entre les invitations acceptées au dehors et les visites rendues, que le temps strictement nécessaire. C'était leur morgue qui les préservait de toute sympathie humaine, de tout intérêt pour les inconnus assis autour d'eux, et au milieu desquels M. de Stermaria gardait l'air glacial, pressé, distant, rude, pointilleux et malintentionné qu'on a dans un buffet de chemin de fer au milieu de voyageurs qu'on n'a jamais vus, qu'on ne reverra pas, et avec qui on ne conçoit d'autres rapports que de défendre contre eux son poulet froid et son coin dans le wagon. À peine commencions-nous à déjeuner qu'on vint nous faire lever sur l'ordre de M. de Stermaria, lequel venait d'arriver et, sans le moindre geste d'excuse à notre adresse, pria à haute voix le maître d'hôtel de veiller à ce qu'une pareille erreur ne se renouvelât pas, car il lui était désagréable que « des gens qu'il ne connaissait pas » eussent pris sa table.

Et certes dans le sentiment qui poussait une certaine actrice (plus connue d'ailleurs à cause de son élégance, de son esprit, de ses belles collections de porcelaine allemande que pour quelques rôles joués à l'Odéon), son amant, jeune homme très riche pour lequel elle s'était cultivée, et deux hommes très en vue de l'aristocratie, à faire dans la vie bande à part, à ne voyager qu'ensemble, à prendre à Balbec leur déjeuner, très tard, quand tout le monde avait fini, à passer la journée dans leur salon à jouer aux cartes, il n'entrait aucune malveillance, mais seulement les exigences du goût qu'ils avaient pour certaines formes spirituelles de conversation, pour certains raffinements de bonne chère, lequel leur faisait trouver plaisir à ne vivre, à ne prendre leurs repas qu'ensemble, et leur eût rendu insupportable la vie en commun avec des gens qui n'y avaient pas été initiés. Même devant une table servie ou devant une table à jeu, chacun d'eux avait besoin de savoir que dans le convive ou le partenaire qui était assis en face de lui, reposaient en suspens et inutilisés un certain savoir qui permet de reconnaître la camelote dont tant de demeures parisiennes se parent comme d'un « Moyen Âge » ou d'une « Renaissance » authentiques et, en toutes choses, des critériums communs à eux pour distinguer le bon et le mauvais. Sans doute ce n'était plus, dans ces moments-là, que par quelque rare et drôle interjection jetée au milieu du silence du repas ou de la partie, ou par la robe charmante et nouvelle que la jeune actrice avait revêtue pour déjeuner ou faire un poker, que se manifestait l'existence spéciale dans laquelle ces amis voulaient partout rester plongés. Mais en les enveloppant ainsi d'habitudes qu'ils connaissaient à fond, elle suffisait à les protéger contre le mystère de la vie ambiante. Pendant les longs après-midi, la mer n'était suspendue en face d'eux que comme une toile d'une couleur agréable accrochée dans le boudoir d'un riche célibataire, et ce n'était que dans l'intervalle des coups qu'un des joueurs, n'ayant rien de mieux à faire, levait les yeux vers elle pour en tirer une indication sur le beau temps ou sur l'heure, et rappeler aux autres que le goûter attendait. Et le soir ils ne dînaient pas à l'hôtel où, les sources électriques faisant sourdre à flots la lumière dans la grande salle à manger, celle-ci devenait comme un immense et merveilleux aquarium devant la paroi de verre duquel la population ouvrière de Balbec, les pêcheurs et aussi les familles de petits bourgeois, invisibles dans l'ombre, s'écrasaient au vitrage pour apercevoir, lentement balancée dans des remous d'or, la vie luxueuse de ces gens, aussi extraordinaire pour les pauvres que celle de poissons et de mollusques étranges (une grande question sociale, de savoir si la paroi de verre protégera toujours le festin des bêtes merveilleuses et si les gens obscurs qui regardent avidement dans la nuit ne viendront pas les cueillir dans leur aquarium et les manger). En attendant, peut-être parmi la foule arrêtée et confondue dans la nuit y avait-il quelque écrivain, quelque amateur d'ichtyologie humaine, qui, regardant les mâchoires de vieux monstres féminins se refermer sur un morceau de nourriture engloutie, se complaisait à classer ceux-ci par race, par caractères innés et aussi par ces caractères acquis qui font qu'une vieille dame serbe dont l'appendice buccal est d'un grand poisson de mer, parce que depuis son enfance elle vit dans les eaux douces du faubourg Saint-Germain, mange la salade comme une La Rochefoucauld.

À cette heure-là on apercevait les trois hommes en smoking attendant la femme en retard, laquelle bientôt, en une robe presque chaque fois nouvelle et des écharpes choisies selon un goût particulier à son amant, après avoir, de son étage, sonné le lift, sortait de l'ascenseur comme d'une boîte de joujoux. Et tous les quatre qui trouvaient que le phénomène international du Palace, implanté à Balbec, y avait fait fleurir le luxe plus que la bonne cuisine, s'engouffrant[1] dans une voiture, allaient dîner à une demi-lieue de là dans un petit restaurant réputé où ils avaient avec le cuisinier d'interminables conférences sur la composition du menu et la confection des plats. Pendant ce trajet la route bordée de pommiers qui part de Balbec n'était pour eux que la distance qu'il fallait franchir — peu distincte dans la nuit noire de celle qui séparait leurs domiciles parisiens du Café Anglais ou de la Tour d'Argent — avant d'arriver au petit restaurant élégant où, tandis que les amis du jeune homme riche l'enviaient d'avoir une maîtresse si bien habillée, les écharpes de celle-ci tendaient devant la petite société comme un voile parfumé et souple, mais qui la séparait du monde.

Malheureusement pour ma tranquillité, j'étais bien loin d'être comme tous ces gens. De beaucoup d'entre eux je me souciais; j'aurais voulu ne pas être ignoré d'un homme au front déprimé, au regard fuyant entre les œillères de ses préjugés et de son éducation, le grand seigneur de la contrée, lequel n'était autre que le beau-frère de Legrandin : il venait[2] quelquefois en visite à Balbec et, le dimanche, par la garden-party hebdomadaire que sa femme et lui donnaient, dépeuplait l'hôtel d'une partie de ses habitants, parce qu'un ou deux d'entre eux étaient invités à ces fêtes et parce que les autres, pour ne pas avoir l'air de ne pas l'être, choisissaient ce jour-là pour faire une excursion éloignée. Il avait, d'ailleurs, été le premier jour fort mal reçu à l'hôtel quand le personnel, frais débarqué de la Côte d'Azur, ne savait pas encore qui il était. Non seulement il n'était pas habillé en flanelle blanche, mais, par vieille manière française et ignorance de la vie des Palaces, entrant dans un hall où il y avait des femmes, il avait ôté son chapeau dès la porte, ce qui avait fait que le directeur n'avait même pas touché le sien pour lui répondre, estimant que ce devait être quelqu'un de la plus humble extraction, ce qu'il appelait un homme « sortant de l'ordinaire ». Seule la femme du notaire s'était sentie attirée vers le nouveau venu qui fleurait toute la vulgarité gourmée des gens comme il faut, et elle avait déclaré, avec le fond de discernement infaillible et d'autorité sans réplique d'une personne pour qui la première société du Mans n'a pas de secrets, qu'on se sentait devant lui en présence d'un homme d'une haute distinction, parfaitement bien élevé et qui tranchait sur tout ce qu'on rencontrait à Balbec et qu'elle jugeait infréquentable tant qu'elle ne le fréquentait pas. Ce jugement favorable qu'elle avait porté sur le beau-frère de Legrandin tenait peut-être au terne aspect de quelqu'un qui n'avait rien d'intimidant, peut-être à ce qu'elle avait reconnu dans ce gentilhomme-fermier à allure de sacristain les signes maçonniques de son propre cléricalisme.

J'avais beau avoir appris que les jeunes gens qui montaient tous les jours à cheval devant l'hôtel étaient les fils du propriétaire véreux d'un magasin de nouveautés et que mon père n'eût jamais consenti à connaître, la « vie de bains de mer » les dressait, à mes yeux, en statues équestres de demi-dieux, et le mieux que je pouvais espérer était qu'ils ne laissassent jamais tomber leurs regards sur le pauvre garçon que j'étais, qui ne quittait la salle à manger de l'hôtel que pour aller s'asseoir sur le sable. J'aurais voulu inspirer de la sympathie même à l'aventurier qui avait été roi d'une île déserte en Océanie, même au jeune tuberculeux dont j'aimais à supposer qu'il cachait sous ses dehors insolents une âme craintive et tendre qui eût peut-être prodigué pour moi seul des trésors d'affection. D'ailleurs (au contraire de ce qu'on dit d'habitude des relations de voyage), comme être vu avec certaines personnes peut vous ajouter, sur une plage où l'on retourne quelquefois, un coefficient sans équivalent dans la vraie vie mondaine, il n'y a rien, non pas qu'on tienne aussi à distance, mais qu'on cultive si soigneusement dans la vie de Paris, que les amitiés de bains de mer. Je me souciais de l'opinion que pouvaient avoir de moi toutes ces notabilités momentanées ou locales que ma disposition à me mettre à la place des gens et à recréer leur état d'esprit me faisait situer non à leur rang réel, à celui qu'ils auraient occupé à Paris par exemple et qui eût été fort bas, mais à celui qu'ils devaient croire le leur, et qui l'était à vrai dire à Balbec où l'absence de commune mesure leur donnait une sorte de supériorité relative et d'intérêt singulier. Hélas, d'aucune de ces personnes le mépris ne m'était aussi pénible que celui de M. de Stermaria.

Car j'avais remarqué sa fille dès son entrée, son joli visage pâle et presque bleuté, ce qu'il y avait de particulier dans le port de sa haute taille, dans sa démarche, et qui m'évoquait avec raison son hérédité, son éducation aristocratique, et d'autant plus clairement que je savais son nom, — comme ces thèmes expressifs inventés par des musiciens de génie et qui peignent splendidement le scintillement de la flamme, le bruissement du fleuve et la paix de la campagne, pour les auditeurs qui, en parcourant préalablement le livret, ont aiguillé leur imagination dans la bonne voie. La « race », en ajoutant aux charmes de Mlle de Stermaria l'idée de leur cause, les rendait plus intelligibles, plus complets. Elle les faisait aussi plus désirables, annonçant qu'ils étaient peu accessibles, comme un prix élevé ajoute à la valeur d'un objet qui nous a plu. Et la tige héréditaire donnait à ce teint composé de sucs choisis la saveur d'un fruit exotique ou d'un cru célèbre.

Or, un hasard mit tout d'un coup entre nos mains le moyen de nous donner, à ma grand'mère et à moi, pour tous les habitants de l'hôtel un prestige immédiat. En effet, dès ce premier jour, au moment où la vieille dame descendait de chez elle, exerçant, grâce au valet de pied qui la précédait, à la femme de chambre qui courait derrière avec un livre et une couverture oubliés, une action sur les âmes, et excitant chez tous une curiosité et un respect auxquels il fut visible qu'échappait moins que personne M. de Stermaria, le directeur se pencha vers ma grand'mère, et par amabilité (comme on montre le Shah de Perse ou la Reine Ranavalo à un spectateur obscur qui ne peut évidemment avoir aucune relation avec le puissant souverain, mais peut trouver intéressant de l'avoir vu à quelques pas) il lui coula dans l'oreille : « La marquise de Villeparisis », cependant qu'au même moment cette dame apercevant ma grand'mère ne pouvait retenir un regard de joyeuse surprise.

On peut penser que l'apparition soudaine, sous les traits d'une petite vieille, de la plus puissante des fées ne m'aurait pas causé plus de plaisir, dénué comme j'étais de tout recours pour m'approcher de Mlle de Stermaria, dans un pays où je ne connaissais personne. J'entends personne au point de vue pratique. Esthétiquement, le nombre des types humains est trop restreint pour qu'on n'ait pas bien souvent, dans quelque endroit qu'on aille, la joie de revoir des gens de connaissance, même sans les chercher dans les tableaux des vieux maîtres, comme faisait Swann. C'est ainsi que dès les premiers jours de notre séjour à Balbec, il m'était arrivé de rencontrer Legrandin, le concierge de Swann, et Mme Swann elle-même, devenus, le premier, un garçon de café, le second, un étranger de passage que je ne revis pas, et la dernière, un maître baigneur. Et une sorte d'aimantation attire et retient si inséparablement les uns auprès des autres certains caractères de physionomie et de mentalité que quand la nature introduit ainsi une personne dans un nouveau corps, elle ne la mutile pas trop. Legrandin changé en garçon de café gardait intacts sa stature, le profil de son nez et une partie du menton; Mme Swann, dans le sexe masculin et la condition de maître baigneur, avait été suivie non seulement par sa physionomie habituelle, mais même par une certaine manière de parler. Seulement elle ne pouvait pas m'être de plus d'utilité, entourée de sa ceinture rouge et hissant, à la moindre houle, le drapeau qui interdit les bains (car les maîtres baigneurs sont prudents, sachant rarement nager), qu'elle ne l'eût pu dans la fresque de la *Vie de Moïse* où Swann l'avait reconnue jadis sous les traits de la fille de Jethro. Tandis que cette Mme de Villeparisis était bien la véritable, elle n'avait pas été victime d'un enchantement qui l'eût dépouillée de sa puissance, mais était capable, au contraire, d'en mettre un à la disposition de la mienne qu'il centuplerait, et grâce auquel, comme si j'avais été porté par les ailes d'un oiseau fabuleux, j'allais franchir en quelques instants les distances sociales infinies — au moins à Balbec — qui me séparaient de Mlle de Stermaria.

Malheureusement, s'il y avait quelqu'un qui, plus que quiconque, vécût enfermé dans son univers particulier, c'était ma grand'mère. Elle ne m'aurait même pas méprisé, elle ne m'aurait pas compris, si elle avait su que j'attachais de l'importance à l'opinion, que j'éprouvais de l'intérêt pour la personne, de gens dont elle ne remarquait seulement pas l'existence et dont elle devait quitter Balbec sans avoir retenu le nom; je n'osais pas lui avouer que si ces mêmes gens l'avaient vue causer avec Mme de Villeparisis, j'en aurais eu un grand plaisir, parce que je sentais que la marquise avait du prestige dans l'hôtel et que son amitié nous eût posés aux yeux de M. de Stermaria. Non d'ailleurs que l'amie de ma grand'mère me représentât le moins du monde une personne de l'aristocratie : j'étais trop habitué à son nom devenu familier à mes oreilles avant que mon esprit s'arrêtât sur lui, quand, tout enfant, je l'entendais prononcer à la maison; et son titre n'y ajoutait qu'une particularité bizarre comme aurait fait un prénom peu usité, ainsi qu'il arrive dans les noms de rue où on n'aperçoit rien de plus noble dans la rue Lord-Byron, dans la si populaire et vulgaire rue Rochechouart, ou dans la rue de Gramont que dans la rue Léonce-Reynaud ou la rue Hippolyte-Lebas. Mme de Villeparisis ne me faisait pas plus penser à une personne d'un monde spécial que son cousin Mac-Mahon, que je ne différenciais pas de M. Carnot, président de la République comme lui, et de Raspail dont Françoise avait acheté la photographie avec celle de Pie XI. Ma grand'mère avait pour principe qu'en voyage on ne doit plus avoir de relations, qu'on ne va pas au bord de la mer pour voir des gens, qu'on a tout le temps pour cela à Paris, qu'ils vous feraient perdre en politesses, en banalités, le temps précieux qu'il faut passer tout entier au grand air, devant les vagues; et trouvant plus commode de supposer que cette opinion était partagée par tout le monde et qu'elle autorisait entre de vieux amis que le hasard mettait en présence dans le même hôtel la fiction d'un incognito réciproque, au nom que lui cita le directeur, elle se contenta de détourner les yeux et eut l'air de ne pas voir Mme de Villeparisis qui, comprenant que ma grand'mère ne tenait pas à faire de reconnaissances, regarda à son tour dans le vague. Elle s'éloigna, et je restai dans mon isolement comme un naufragé de qui a paru s'approcher un vaisseau, lequel a disparu ensuite sans s'être arrêté.

Elle prenait aussi ses repas dans la salle à manger, mais à l'autre bout. Elle ne connaissait aucune des personnes qui habitaient l'hôtel ou y venaient en visite, pas même M. de Cambremer; en effet, je vis qu'il ne la saluait pas, un jour où il avait accepté avec sa femme une invitation à déjeuner du bâtonnier, lequel, ivre de l'honneur d'avoir le gentilhomme à sa table, évitait ses amis des autres jours et se contentait de leur adresser de loin un clignement d'œil pour faire à cet événement historique une allusion toutefois assez discrète pour qu'elle ne pût être interprétée comme une invite à s'approcher.

— Eh bien, j'espère que vous vous mettez bien, que vous êtes un homme chic, lui dit le soir la femme du premier président.

— Chic? pourquoi? demanda le bâtonnier, dissimulant sa joie sous un étonnement exagéré; à cause de mes invités? dit-il en sentant qu'il était incapable de feindre plus longtemps; mais qu'est-ce que ça a de chic d'avoir des amis à déjeuner? Faut bien qu'ils déjeunent quelque part!

— Mais si, c'est chic! C'était bien les *de* Cambremer, n'est-ce pas? Je les ai bien reconnus. C'est une marquise. Et authentique. Pas par les femmes.

— Oh! c'est une femme bien simple, elle est charmante, on ne fait pas moins de façons. Je pensais que vous alliez venir, je vous faisais des signes... je vous aurais présenté! dit-il en corrigeant par une légère ironie l'énormité de cette proposition, comme Assuérus quand il dit à Esther : « Faut-il de mes États vous donner la moitié? »

— Non, non, non, non, nous restons cachés, comme l'humble violette.

— Mais vous avez eu tort, je vous le répète, répondit le bâtonnier, enhardi maintenant que le danger était passé. Ils ne vous auraient pas mangés. Allons-nous faire notre petit bésigue?

— Mais volontiers, nous n'osions pas vous le proposer, maintenant que vous traitez des marquises!

— Oh! allez, elles n'ont rien de si extraordinaire. Tenez, j'y dîne demain soir. Voulez-vous y aller à ma place? C'est de grand cœur. Franchement, j'aime autant rester ici.

— Non, non!... on me révoquerait comme réactionnaire, s'écria le président, riant aux larmes de sa plaisanterie. Mais vous aussi, vous êtes reçu à Féterne, ajouta-t-il en se tournant vers le notaire.

— Oh! je vais là les dimanches, on entre par une porte, on sort par l'autre. Mais ils ne déjeunent pas chez moi comme chez le bâtonnier.

M. de Stermaria n'était pas ce jour-là à Balbec, au

grand regret du bâtonnier. Mais insidieusement il dit au maître d'hôtel :

— Aimé, vous pourrez dire à M. de Stermaria qu'il n'est pas le seul noble qu'il y ait eu dans cette salle à manger. Vous avez bien vu ce monsieur qui a déjeuné avec moi ce matin? Hein? petites moustaches, air militaire? Eh bien, c'est le marquis de Cambremer.

— Ah, vraiment? cela ne m'étonne pas!

— Ça lui montrera qu'il n'est pas le seul homme titré. Et attrape donc! Il n'est pas mal de leur rabattre leur caquet à ces nobles. Vous savez, Aimé, ne lui dites rien si vous voulez, moi, ce que j'en dis, ce n'est pas pour moi; du reste, il le connaît bien.

Et le lendemain, M. de Stermaria, qui savait que le bâtonnier avait plaidé pour un de ses amis, alla se présenter lui-même.

— Nos amis communs, les de Cambremer, voulaient justement nous réunir, nos jours n'ont pas coïncidé, enfin je ne sais plus, dit le bâtonnier, qui comme beaucoup de menteurs s'imaginent[1] qu'on ne cherchera pas à élucider un détail insignifiant qui suffit pourtant (si le hasard vous met en possession de l'humble réalité qui est en contradiction avec lui) pour dénoncer un caractère et inspirer à jamais la méfiance.

Comme toujours, mais plus facilement pendant que son père s'était éloigné pour causer avec le bâtonnier, je regardais Mlle de Stermaria. Autant que la singularité hardie et toujours belle de ses attitudes, comme quand, les deux coudes posés sur la table, elle élevait son verre au-dessus de ses deux avant-bras, la sécheresse d'un regard vite épuisé, la dureté foncière, familiale, qu'on sentait, mal recouverte sous ses inflexions personnelles, au fond de sa voix, et qui avait choqué ma grand'mère, une sorte de cran d'arrêt atavique auquel elle revenait dès que dans un coup d'œil ou une intonation elle avait achevé de donner sa pensée propre; tout cela ramenait la pensée de celui qui la regardait vers la lignée qui lui avait légué cette insuffisance de sympathie humaine, des lacunes de sensibilité, un manque d'ampleur dans l'étoffe qui à tout moment faisait faute. Mais à certains regards qui passaient un instant sur le fond si vite à sec de sa prunelle et dans lesquels on sentait cette douceur presque humble que le goût prédominant des plaisirs des sens donne à la plus fière, laquelle bientôt ne reconnaît plus qu'un prestige, celui qu'a pour elle tout être qui peut les lui faire éprouver, fût-ce un comédien ou un saltimbanque pour lequel elle quittera peut-être un jour son mari; à certaine teinte d'un rose sensuel et vif qui s'épanouissait dans ses joues pâles, pareille à celle qui mettait son incarnat au cœur des nymphéas blancs de la Vivonne, je croyais sentir qu'elle eût facilement permis que je vinsse chercher sur elle le goût de cette vie si poétique qu'elle menait en Bretagne, vie à laquelle, soit par trop d'habitude, soit par distinction innée, soit par dégoût de la pauvreté ou de l'avarice des siens, elle ne semblait pas trouver grand prix, mais que pourtant elle contenait enclose en son corps. Dans la chétive réserve de volonté qui lui avait été transmise et qui donnait à son expression quelque chose de lâche, peut-être n'eût-elle pas trouvé les ressources d'une résistance. Et, surmonté d'une plume un peu démodée et prétentieuse, le feutre gris qu'elle portait invariablement à chaque repas me la rendait plus douce, non parce qu'il s'harmonisait avec son teint d'argent et de rose, mais parce qu'en me la faisant supposer pauvre, il la rapprochait de moi. Obligée à une attitude de convention par la présence de son père, mais apportant déjà à la perception et au classement des êtres qui étaient devant elle des principes autres que lui, peut-être voyait-elle en moi non le rang insignifiant, mais le sexe et l'âge. Si un jour M. de Stermaria était sorti sans elle, surtout si Mme de Villeparisis en venant s'asseoir à notre table lui avait donné de nous une opinion qui m'eût enhardi à m'approcher d'elle, peut-être aurions-nous pu échanger quelques paroles, prendre un rendez-vous, nous lier davantage. Et, un mois où elle serait restée seule sans ses parents dans son château romanesque, peut-être aurions-nous pu nous promener seuls le soir tous deux dans le crépuscule où luiraient plus doucement au-dessus de l'eau assombrie les fleurs roses des bruyères, sous les chênes battus par le clapotement des vagues. Ensemble nous aurions parcouru cette île empreinte pour moi de tant de charme parce qu'elle avait enfermé la vie habituelle de Mlle de Stermaria et qu'elle reposait dans la mémoire de ses yeux. Car il me semblait que je ne l'aurais vraiment possédée que là, quand j'aurais traversé ces lieux qui l'enveloppaient de tant de souvenirs

— voile que mon désir voulait arracher, et de ceux que la nature interpose entre la femme et quelques êtres (dans la même intention qui lui fait, pour tous, mettre l'acte de la reproduction entre eux et le plus vif plaisir, et pour les insectes, placer devant le nectar le pollen qu'ils doivent emporter) afin que, trompés par l'illusion de la posséder ainsi plus entière, ils soient forcés de s'emparer d'abord des paysages au milieu desquels elle vit et qui, plus utiles pour leur imagination que le plaisir sensuel, n'eussent pas suffi pourtant, sans lui, à les attirer.

Mais je dus détourner mes regards de Mlle de Stermaria, car déjà, considérant sans doute que faire la connaissance d'une personnalité importante était un acte curieux et bref qui se suffisait à lui-même et qui, pour développer tout l'intérêt qu'il comportait, n'exigeait qu'une poignée de main et un coup d'œil pénétrant sans conversation immédiate ni relations ultérieures, son père avait pris congé du bâtonnier et retournait s'asseoir en face d'elle, en se frottant les mains comme un homme qui vient de faire une précieuse acquisition. Quant au bâtonnier, la première émotion de cette entrevue une fois passée, comme les autres jours on l'entendait par moments, s'adressant au maître d'hôtel :

— Mais moi je ne suis pas roi, Aimé; allez donc près du roi... Dites, Premier, cela a l'air très bon, ces petites truites-là, nous allons en demander à Aimé. Aimé, cela me semble tout à fait recommandable, ce petit poisson que vous avez là-bas : vous allez nous apporter de cela, Aimé, et à discrétion.

Il répétait tout le temps le nom d'Aimé, ce qui faisait que quand il avait quelqu'un à dîner, son invité lui disait : « Je vois que vous êtes tout à fait bien dans la maison » et croyait devoir aussi prononcer constamment « Aimé » par cette disposition, où il entre à la fois de la timidité, de la vulgarité et de la sottise, qu'ont certaines personnes à croire qu'il est spirituel et élégant d'imiter à la lettre les gens avec qui elles se trouvent. Il le répétait sans cesse, mais avec un sourire, car il tenait à étaler à la fois ses bonnes relations avec le maître d'hôtel et sa supériorité sur lui. Et le maître d'hôtel lui aussi, chaque fois que revenait son nom, souriait d'un air attendri et fier, montrant qu'il ressentait l'honneur et comprenait la plaisanterie.

Si intimidants que fussent toujours pour moi les repas, dans ce vaste restaurant, habituellement comble, du Grand-Hôtel, ils le devenaient davantage encore quand arrivait pour quelques jours le propriétaire (ou directeur général élu par une société de commanditaires, je ne sais) non seulement de ce palace, mais de sept ou huit autres situés aux quatre coins de la France et dans chacun desquels, faisant entre eux la navette, il venait passer, de temps en temps, une semaine. Alors, presque au commencement du dîner, apparaissait chaque soir, à l'entrée de la salle à manger, cet homme petit, à cheveux blancs, à nez rouge, d'une impassibilité et d'une correction extraordinaires, et qui était connu, paraît-il, à Londres aussi bien qu'à Monte-Carlo, pour un des premiers hôteliers de l'Europe. Une fois que j'étais sorti un instant au commencement du dîner, comme en rentrant je passai devant lui, il me salua, sans doute pour montrer que j'étais chez lui, mais avec une froideur dont je ne pus démêler si la cause était la réserve de quelqu'un qui n'oublie pas ce qu'il est, ou le dédain pour un client sans importance. Devant ceux qui en avaient au contraire une très grande, le Directeur général s'inclinait avec autant de froideur mais plus profondément, les paupières abaissées par une sorte de respect pudique, comme s'il eût eu devant lui, à un enterrement, le père de la défunte ou le Saint Sacrement. Sauf pour ces saluts glacés et rares, il ne faisait pas un mouvement, comme pour montrer que ses yeux étincelants qui semblaient lui sortir de la figure, voyaient tout, réglaient tout, assuraient dans « le Dîner au Grand-Hôtel » aussi bien le fini des détails que l'harmonie de l'ensemble. Il se sentait évidemment plus que metteur en scène, que chef d'orchestre, véritable généralissime. Jugeant qu'une contemplation portée à son maximum d'intensité lui suffisait pour s'assurer que tout était prêt, qu'aucune faute commise ne pouvait entraîner la déroute, et pour prendre enfin ses responsabilités, il s'abstenait non seulement de tout geste, même de bouger ses yeux pétrifiés par l'attention qui embrassaient et dirigeaient la totalité des opérations. Je sentais que les mouvements de ma cuiller eux-mêmes ne lui échappaient pas, et, s'éclipsât-il dès après le potage, pour tout le dîner la revue qu'il venait de passer m'avait coupé l'appétit. Le sien était fort bon, comme on pouvait le voir au déjeuner qu'il prenait comme un simple particulier, à la même heure que tout le monde, dans la salle à manger. Sa table n'avait qu'une particularité, c'est qu'à côté, pendant qu'il mangeait, l'autre directeur, l'habituel, restait debout tout le temps à faire la conversation. Car étant le subordonné du Directeur général, il cherchait à le flatter et avait de lui une grande peur. La mienne était moindre pendant ces déjeuners, car, perdu alors au milieu des clients, il mettait la discrétion d'un général assis dans un restaurant où se trouvent aussi des soldats, à ne pas avoir l'air de s'occuper d'eux. Néanmoins quand le concierge, entouré de ses « chasseurs », m'annonçait : « Il repart demain matin pour Dinard. De là il va à Biarritz et après, à Cannes », je respirais plus librement.

Ma vie dans l'hôtel était rendue non seulement triste parce que je n'y avais pas de relations, mais incommode parce que Françoise en avait noué de nombreuses. Il peut sembler qu'elles auraient dû nous faciliter bien des choses. C'était tout le contraire. Les prolétaires, s'ils avaient quelque peine à être traités en personnes de connaissance par Françoise et ne le pouvaient qu'à de certaines conditions de grande politesse envers elle, en revanche, une fois qu'ils y étaient arrivés, étaient les seules gens qui comptassent pour elle. Son vieux code lui enseignait qu'elle n'était tenue à rien envers les amis de ses maîtres, qu'elle pouvait si elle était pressée envoyer promener une dame venue pour voir ma grand'mère. Mais envers ses relations à elle, c'est-à-dire avec les rares gens du peuple admis à sa difficile amitié, le protocole le plus subtil et le plus absolu réglait ses actions. Ainsi Françoise ayant fait la connaissance du cafetier et d'une petite femme de chambre qui faisait des robes pour une dame belge, ne remontait plus préparer les affaires de ma grand'mère tout de suite après déjeuner, mais seulement une heure plus tard parce que le cafetier voulait lui faire du café ou une tisane à la cafeterie, que la femme de chambre lui demandait de venir la regarder coudre et que leur refuser eût été impossible et de ces choses qui ne se font pas. D'ailleurs des égards particuliers étaient dus à la petite femme de chambre qui était orpheline et avait été élevée chez des étrangers auprès desquels elle allait passer parfois quelques jours. Cette situation excitait la pitié de Françoise et aussi son dédain bienveillant.

Elle qui avait de la famille, une petite maison qui lui venait de ses parents et où son frère élevait quelques vaches, elle ne pouvait pas considérer comme son égale une déracinée. Et comme cette petite espérait pour le 15 août aller voir ses bienfaiteurs, Françoise ne pouvait se tenir de répéter : « Elle me fait rire. Elle dit : j'espère d'aller chez moi pour le 15 août. Chez moi, qu'elle dit! C'est seulement pas son pays, c'est des gens qui l'ont recueillie, et ça dit chez moi comme si c'était vraiment chez elle. Pauvre petite! quelle misère qu'elle peut bien avoir pour qu'elle ne connaisse pas ce que c'est que d'avoir un chez soi. » Mais si encore Françoise ne s'était liée qu'avec des femmes de chambre amenées par des clients, lesquelles dînaient avec elle aux « courriers » et, devant son beau bonnet de dentelles et son fin profil, la prenaient pour quelque dame, noble peut-être, réduite par les circonstances ou poussée par l'attachement à servir de dame de compagnie à ma grand'mère, si en un mot Françoise n'eût connu que des gens qui n'étaient pas de l'hôtel, le mal n'eût pas été grand, parce qu'elle n'eût pu les empêcher de nous servir à quelque chose, pour la raison qu'en aucun cas, et même inconnus d'elle, ils n'auraient pu nous servir à rien. Mais elle s'était liée aussi avec un sommelier, avec un homme de la cuisine, avec une gouvernante d'étage. Et il en résultait en ce qui concernait notre vie de tous les jours que Françoise qui, le jour de son arrivée, quand elle ne connaissait encore personne, sonnait à tort et à travers pour la moindre chose, à des heures où ma grand'mère et moi nous n'aurions pas osé le faire, et, si nous lui en faisions une légère observation, répondait : « Mais on paye assez cher pour ça », comme si elle avait payé elle-même, maintenant, depuis qu'elle était amie d'une personnalité de la cuisine, ce qui nous avait paru de bon augure pour notre commodité, si ma grand'mère ou moi nous avions froid aux pieds, Françoise, fût-il une heure tout à fait normale, n'osait pas sonner; elle assurait que ce serait mal vu parce que cela obligerait à rallumer les fourneaux ou gênerait le dîner des domestiques qui seraient mécontents. Et elle finissait par une locution qui, malgré la façon incertaine dont elle la prononçait, n'en était pas moins claire et nous donnait nettement tort : « Le fait est... » Nous n'insistions pas, de peur de nous en faire infliger une, bien plus grave : « C'est quelque chose!... » De sorte qu'en somme nous ne pouvions plus avoir d'eau chaude parce que Françoise était devenue l'amie de celui qui la faisait chauffer.

À la fin, nous aussi, nous fîmes une relation, malgré mais par ma grand'mère, car elle et Mme de Villeparisis tombèrent un matin l'une sur l'autre dans une porte et furent obligées de s'aborder non sans échanger au préalable des gestes de surprise, d'hésitation, exécuter des mouvements de recul, de doute et enfin des protestations de politesse et de joie comme dans certaines scènes de Molière où deux acteurs monologuant depuis longtemps chacun de son côté à quelques pas l'un de l'autre, sont censés ne pas s'être vus encore, et tout à coup s'aperçoivent, n'en peuvent croire leurs yeux, entrecoupent leurs propos, finalement parlent ensemble, le chœur ayant suivi le dialogue, et se jettent dans les bras l'un de l'autre. Mme de Villeparisis, par discrétion, voulut au bout d'un instant quitter ma grand'mère qui, au contraire, préféra la retenir jusqu'au déjeuner, désirant apprendre comment elle faisait pour avoir son courrier plus tôt que nous et de bonnes grillades (car Mme de Villeparisis, très gourmande, goûtait fort peu la cuisine de l'hôtel où l'on nous servait des repas que ma grand'mère, citant toujours Mme de Sévigné, prétendait être « d'une magnificence à mourir de faim »). Et la marquise prit l'habitude de venir tous les jours, en attendant qu'on la servît, s'asseoir un moment près de nous dans la salle à manger, sans permettre que nous nous levions, que nous nous dérangions en rien. Tout au plus nous attardions-nous souvent à causer avec elle, notre déjeuner fini, à ce moment sordide où les couteaux traînent sur la nappe à côté des serviettes défaites. Pour ma part, afin de garder, pour pouvoir aimer Balbec, l'idée que j'étais sur la pointe extrême de la terre, je m'efforçais de regarder plus loin, de ne voir que la mer, d'y chercher des effets décrits par Baudelaire et de ne laisser tomber mes regards sur notre table que les jours où y était servi quelque vaste poisson, monstre marin qui, au contraire des couteaux et des fourchettes, était contemporain des époques primitives où la vie commençait à affluer dans l'Océan, au temps des Cimmériens, et duquel le corps aux innombrables vertèbres, aux nerfs bleus et roses, avait été construit par la nature, mais selon un plan architectural, comme une polychrome cathédrale de la mer.

Comme un coiffeur, voyant un officier qu'il sert avec une considération particulière reconnaître un client qui vient d'entrer et entamer un bout de causette avec lui, se réjouit en comprenant qu'ils sont du même monde et ne peut s'empêcher de sourire en allant chercher le bol de savon, car il sait que dans son établissement, aux besognes vulgaires du simple salon de coiffure s'ajoutent des plaisirs sociaux, voire aristocratiques, tel Aimé, voyant que Mme de Villeparisis avait retrouvé en nous d'anciennes relations, s'en allait chercher nos rince-bouches avec le même[1] sourire orgueilleusement modeste et savamment discret de maîtresse de maison qui sait se retirer à propos. On eût dit aussi un père heureux et attendri qui veille sans le troubler sur le bonheur de fiançailles qui se sont nouées à sa table. Du reste, il suffisait qu'on prononçât le nom d'une personne titrée pour qu'Aimé parût heureux, au contraire de Françoise devant qui on ne pouvait dire « le comte Un tel » sans que son visage s'assombrît et que sa parole devînt sèche et brève, ce qui signifiait qu'elle chérissait la noblesse, non pas moins que ne faisait Aimé, mais davantage. Puis Françoise avait la qualité qu'elle trouvait chez les autres le plus grand des défauts, elle était fière. Elle n'était pas de la race agréable et pleine de bonhomie dont Aimé faisait partie. Ils éprouvent, ils manifestent un vif plaisir quand on leur raconte un fait plus ou moins piquant, mais inédit, qui n'est pas dans le journal. Françoise ne voulait pas avoir l'air étonné. On aurait dit devant elle que l'archiduc Rodolphe, dont elle n'avait jamais soupçonné l'existence, était non pas mort comme cela passait pour assuré, mais vivant, qu'elle eût répondu « Oui », comme si elle le savait depuis longtemps. Il est, d'ailleurs, à croire que, pour que même de notre bouche à nous, qu'elle appelait si humblement ses maîtres et qui l'avions presque si entièrement domptée, elle ne pût entendre, sans avoir à réprimer un mouvement de colère, le nom d'un noble, il fallait que la famille dont elle était sortie occupât dans son village une situation aisée, indépendante, et qui ne devait être troublée dans la considération dont elle jouissait que par ces mêmes nobles chez lesquels au contraire, dès l'enfance, un Aimé a servi comme domestique, s'il n'y a pas été élevé par charité. Pour Françoise, Mme de Villeparisis avait donc à se faire pardonner d'être noble. Mais, en France du moins, c'est justement le talent, comme la seule occupation, des grands seigneurs et des grandes dames. Françoise, obéissant à la tendance des domestiques qui recueillent sans cesse sur les rapports de leurs maîtres avec les autres personnes des observations fragmentaires dont ils tirent parfois des inductions erronées — comme font les humains sur la vie des animaux —, trouvait à tout moment qu'on nous avait « manqué », conclusion à laquelle l'amenait facilement, d'ailleurs, autant que son amour excessif pour nous, le plaisir qu'elle avait à nous être désagréable. Mais, ayant constaté, sans erreur possible, les mille prévenances dont nous entourait et dont l'entourait elle-même Mme de Villeparisis, Françoise l'excusa d'être marquise et, comme elle n'avait jamais cessé de lui savoir gré de l'être, elle la préféra à toutes les personnes que nous connaissions. C'est qu'aussi aucune ne s'efforçait d'être aussi continuellement aimable. Chaque fois que ma grand'mère remarquait un livre que Mme de Villeparisis lisait, ou disait avoir trouvé beaux des fruits que celle-ci avait reçus d'une amie, une heure après un valet de chambre montait nous remettre livre ou fruits. Et quand nous la voyions ensuite, pour répondre à nos remerciements elle se contentait de dire, ayant l'air de chercher une excuse à son présent dans quelque utilité spéciale : « Ce n'est pas un chef-d'œuvre, mais les journaux arrivent si tard, il faut bien avoir quelque chose à lire » ou : « C'est toujours plus prudent d'avoir du fruit dont on est sûr au bord de la mer. »

— Mais il me semble que vous ne mangez jamais d'huîtres, nous dit Mme de Villeparisis (augmentant l'impression de dégoût que j'avais à cette heure-là, car la chair vivante des huîtres me répugnait encore plus que la viscosité des méduses ne me ternissait la plage de Balbec); elles sont exquises sur cette côte! Ah! je dirai à ma femme de chambre d'aller prendre vos lettres en même temps que les miennes. Comment, votre fille vous écrit *tous les jours?* Mais qu'est-ce que vous pouvez trouver à vous dire!

Ma grand'mère se tut, mais on peut croire que ce fut par dédain, elle qui répétait pour maman les mots de

Mme de Sévigné : « Dès que j'ai reçu une lettre, j'en voudrais tout à l'heure une autre, je ne respire que d'en recevoir. Peu de gens sont dignes de comprendre ce que je sens. » Et je craignais qu'elle n'appliquât à Mme de Villeparisis la conclusion : « Je cherche ceux qui sont de ce petit nombre, et j'évite les autres. » Elle se rabattit sur l'éloge des fruits que Mme de Villeparisis nous avait fait porter la veille. Et ils étaient, en effet, si beaux que le directeur, malgré la jalousie de ses compotiers dédaignés, m'avait dit : « Je suis comme vous, je suis plus frivole de fruit que de tout autre dessert. » Ma grand'-mère dit à son amie qu'elle les avait d'autant plus appréciés que ceux qu'on servait à l'hôtel étaient généralement détestables. « Je ne peux pas, ajouta-t-elle, dire comme Mme de Sévigné que si nous voulions par fantaisie trouver un mauvais fruit, nous serions obligés de le faire venir de Paris. — Ah, oui, vous lisez Mme de Sévigné. Je vous vois depuis le premier jour avec ses *Lettres* (elle oubliait qu'elle n'avait jamais aperçu ma grand'mère dans l'hôtel avant de la rencontrer dans cette porte). Est-ce que vous ne trouvez pas que c'est un peu exagéré ce souci constant de sa fille, elle en parle trop pour que ce soit bien sincère. Elle manque de naturel. » Ma grand'mère trouva la discussion inutile et, pour éviter d'avoir à parler des choses qu'elle aimait devant quelqu'un qui ne pouvait les comprendre, elle cacha, en posant son sac sur eux, les *Mémoires de Madame de Beausergent*.

Quand Mme de Villeparisis rencontrait Françoise au moment (que celle-ci appelait « le midi ») où, coiffée d'un beau bonnet et entourée de la considération générale, elle descendait « manger aux courriers », Mme de Villeparisis l'arrêtait pour lui demander de nos nouvelles. Et Françoise, nous transmettant les commissions de la marquise : « Elle a dit : Vous leur donnerez bien le bonjour », contrefaisant la voix de Mme de Villeparisis de laquelle elle croyait citer textuellement les paroles, tout en ne les déformant pas moins que Platon celles de Socrate ou saint Jean celles de Jésus. Françoise était naturellement très touchée de ces attentions. Tout au plus ne croyait-elle pas ma grand'mère et pensait-elle que celle-ci mentait dans un intérêt de classe, les gens riches se soutenant les uns les autres, quand elle assurait que Mme de Villeparisis avait été autrefois ravissante.

Il eſt vrai qu'il n'en subsiſtait que de bien faibles reſtes dont on n'eût pu, à moins d'être plus artiſte que Françoise, reſtituer la beauté détruite. Car, pour comprendre combien une vieille femme a pu être jolie, il ne faut pas seulement regarder, mais traduire chaque trait.

— Il faudra que je pense une fois à lui demander si je me trompe et si elle n'a pas quelque parenté avec des Guermantes, me dit ma grand'mère qui excita par là mon indignation. Comment aurais-je pu croire à une communauté d'origine entre deux noms qui étaient entrés en moi, l'un par la porte basse et honteuse de l'expérience, l'autre par la porte d'or de l'imagination?

On voyait souvent passer depuis quelques jours, en pompeux équipage, grande, rousse, belle, avec un nez un peu fort, la princesse de Luxembourg, qui était en villégiature pour quelques semaines dans le pays. Sa calèche s'était arrêtée devant l'hôtel, un valet de pied était venu parler au directeur, était retourné à la voiture et avait rapporté des fruits merveilleux (qui unissaient dans une seule corbeille, comme la baie elle-même, diverses saisons), avec une carte : « La princesse de Luxembourg », où étaient écrits quelques mots au crayon. À quel voyageur princier demeurant ici incognito, pouvaient être deſtinés ces fruits[1], des prunes glauques, lumineuses et sphériques comme était à ce moment-là la rotondité de la mer, des raisins transparents suspendus au bois desséché comme une claire journée d'automne, des poires d'un outremer céleſte? Car ce ne pouvait être à l'amie de ma grand'mère que la princesse avait voulu faire visite. Pourtant le lendemain soir Mme de Villeparisis nous envoya la grappe de raisins fraîche et dorée et des prunes et des poires que nous reconnûmes aussi, quoique les prunes eussent passé, comme la mer à l'heure de notre dîner, au mauve et que dans l'outremer des poires flottassent quelques formes de nuages roses. Quelques jours après nous rencontrâmes Mme de Villeparisis en sortant du concert symphonique qui se donnait le matin sur la plage. Persuadé que les œuvres que j'y entendais (le prélude de *Lohengrin,* l'ouverture de *Tannhäuser,* etc.) exprimaient les vérités les plus hautes, je tâchais de m'élever autant que je pouvais pour atteindre jusqu'à elles, je tirais de moi, pour les comprendre, je leur remettais tout ce que je recélais alors de meilleur, de plus profond.

Or, en sortant du concert, comme, en reprenant le chemin qui va vers l'hôtel, nous nous étions arrêtés un instant sur la digue, ma grand'mère et moi, pour échanger quelques mots avec Mme de Villeparisis qui nous annonçait qu'elle avait commandé pour nous à l'hôtel des « croque-monsieur » et des œufs à la crème, je vis de loin venir dans notre direction la princesse de Luxembourg, à demi appuyée sur une ombrelle de façon à imprimer à son grand et merveilleux corps cette légère inclinaison, à lui faire dessiner cette arabesque si chère aux femmes qui avaient été belles sous l'Empire et qui savaient, les épaules tombantes, le dos remonté, la hanche creuse, la jambe tendue, faire flotter mollement leur corps comme un foulard, autour de l'armature d'une invisible tige inflexible et oblique qui l'aurait traversé. Elle sortait tous les matins faire son tour de plage presque à l'heure où tout le monde, après le bain, remontait pour le déjeuner, et comme le sien était seulement à une heure et demie, elle ne rentrait à sa villa que longtemps après que les baigneurs avaient abandonné la digue déserte et brûlante. Mme de Villeparisis présenta ma grand'mère, voulut me présenter, mais dut me demander mon nom, car elle ne se le rappelait pas. Elle ne l'avait peut-être jamais su ou, en tous cas, avait oublié depuis bien des années à qui ma grand'mère avait marié sa fille. Ce nom parut faire une vive impression sur Mme de Villeparisis. Cependant la princesse de Luxembourg nous avait tendu la main et, de temps en temps, tout en causant avec la marquise, elle se détournait pour poser de doux regards sur ma grand'mère et sur moi, avec cet embryon de baiser qu'on ajoute au sourire quand celui-ci s'adresse à un bébé avec sa nounou. Même, dans son désir de ne pas avoir l'air de siéger dans une sphère supérieure à la nôtre, elle avait sans doute mal calculé la distance, car, par une erreur de réglage, ses regards s'imprégnèrent d'une telle bonté que je vis approcher le moment où elle nous flatterait de la main comme deux bêtes sympathiques qui eussent passé la tête vers elle, à travers un grillage, au Jardin d'Acclimatation. Aussitôt du reste cette idée d'animaux et de Bois de Boulogne prit plus de consistance pour moi. C'était l'heure où la digue est parcourue par des marchands ambulants et criards qui vendent des gâteaux, des bonbons, des petits pains. Ne sachant que faire pour nous témoigner sa bienveillance, la princesse arrêta le premier qui passa; il n'avait plus qu'un pain de seigle, du genre de ceux qu'on jette aux canards. La princesse le prit et me dit : « C'est pour votre grand'-mère. » Pourtant, ce fut à moi qu'elle le tendit, en me disant avec un fin sourire : « Vous le lui donnerez vous-même », pensant qu'ainsi mon plaisir serait plus complet s'il n'y avait pas d'intermédiaires entre moi et les animaux. D'autres marchands s'approchèrent, elle remplit mes poches de tout ce qu'ils avaient, de paquets tout ficelés, de plaisirs, de babas et de sucres d'orge. Elle me dit : « Vous en mangerez et vous en ferez manger aussi à votre grand'mère » et elle fit payer les marchands par le petit nègre habillé en[1] satin rouge qui la suivait partout et qui faisait l'émerveillement de la plage. Puis elle dit adieu à Mme de Villeparisis et nous tendit la main avec l'intention de nous traiter de la même manière que son amie, en intimes, et de se mettre à notre portée. Mais cette fois, elle plaça sans doute notre niveau un peu moins bas dans l'échelle des êtres, car son égalité avec nous fut signifiée par la princesse à ma grand'mère au moyen de ce tendre et maternel sourire qu'on adresse à un gamin quand on lui dit au revoir comme à une grande personne. Par un merveilleux progrès de l'évolution, ma grand'mère n'était plus un canard ou une antilope, mais déjà ce que Mme Swann eût appelé un « baby ». Enfin, nous ayant quittés tous trois, la princesse reprit sa promenade sur la digue ensoleillée en incurvant sa taille magnifique qui comme un serpent autour d'une baguette s'enlaçait à l'ombrelle blanche imprimée de bleu que Mme de Luxembourg tenait fermée à la main. C'était ma première altesse, je dis la première, car la princesse Mathilde n'était pas altesse du tout de façons. La seconde, on le verra plus tard, ne devait pas moins m'étonner par sa bonne grâce. Une forme de l'amabilité des grands seigneurs, intermédiaires bénévoles entre les souverains et les bourgeois, me fut apprise le lendemain quand Mme de Villeparisis nous dit : « Elle vous a trouvés charmants. C'est une femme d'un grand jugement, de beaucoup de cœur. Elle n'est pas comme tant de souveraines ou d'altesses. Elle a une vraie valeur. » Et Mme de Villeparisis ajouta d'un air convaincu, et toute ravie de pouvoir nous le dire : « Je crois qu'elle serait enchantée de vous revoir. »

Mais ce matin-là même, en quittant la princesse de Luxembourg, Mme de Villeparisis me dit une chose qui me frappa davantage et qui n'était pas du domaine de l'amabilité.

— Est-ce que vous êtes le fils du directeur au Ministère ? me demanda-t-elle. Ah ! il paraît que votre père est un homme charmant. Il fait un bien beau voyage en ce moment.

Quelques jours auparavant nous avions appris par une lettre de maman que mon père et son compagnon M. de Norpois avaient perdu leurs bagages.

— Ils sont retrouvés, ou plutôt ils n'ont jamais été perdus, voici ce qui était arrivé, nous dit Mme de Villeparisis, qui, sans que nous sussions comment, avait l'air beaucoup plus renseigné que nous sur les détails du voyage. Je crois que votre père avancera son retour à la semaine prochaine, car il renoncera probablement à aller à Algésiras. Mais il a envie de consacrer un jour de plus à Tolède, car il est admirateur d'un élève de Titien dont je ne me rappelle pas le nom et qu'on ne voit bien que là.

Et je me demandais par quel hasard, dans la lunette indifférente à travers laquelle Mme de Villeparisis considérait d'assez loin l'agitation sommaire, minuscule et vague de la foule des gens qu'elle connaissait, se trouvait intercalé à l'endroit où elle considérait mon père un morceau de verre prodigieusement grossissant qui lui faisait voir avec tant de relief et dans le plus grand détail tout ce qu'il avait d'agréable, les contingences qui le forçaient à revenir, ses ennuis de douane, son goût pour le Greco, et, changeant pour elle l'échelle de sa vision, lui montrait ce seul homme si grand au milieu des autres, tout petits, comme ce Jupiter à qui Gustave Moreau a donné, quand il l'a peint à côté d'une faible mortelle, une stature plus qu'humaine.

Ma grand'mère prit congé de Mme de Villeparisis pour que nous pussions rester à respirer l'air un instant de plus devant l'hôtel, en attendant qu'on nous fît signe à travers le vitrage que notre déjeuner était servi. On entendit un tumulte. C'était la jeune maîtresse du roi des sauvages, qui venait de prendre son bain et rentrait déjeuner.

— Vraiment c'est un fléau, c'est à quitter la France !

s'écria rageusement le bâtonnier qui passait à ce moment.

Cependant la femme du notaire attachait des yeux écarquillés sur la fausse souveraine.

— Je ne peux pas vous dire comme Mme Blandais m'agace en regardant ces gens-là comme cela, dit le bâtonnier au président. Je voudrais pouvoir lui donner une gifle. C'est comme cela qu'on donne de l'importance à cette canaille qui naturellement ne demande qu'à ce que l'on s'occupe d'elle. Dites donc à son mari de l'avertir que c'est ridicule; moi, je ne sors plus avec eux s'ils ont l'air de faire attention aux déguisés.

Quant à la venue de la princesse de Luxembourg, dont l'équipage, le jour où elle avait apporté des fruits, s'était arrêté devant l'hôtel, elle n'avait pas échappé au groupe de la femme du notaire, du bâtonnier et du premier président, déjà depuis quelque temps fort agitées de savoir si c'était une marquise authentique et non une aventurière que cette Mme de Villeparisis qu'on traitait avec tant d'égards, desquels toutes ces dames brûlaient d'apprendre qu'elle était indigne. Quand Mme de Villeparisis traversait le hall, la femme du premier président, qui flairait partout des irrégulières, levait son nez de sur son ouvrage et la regardait d'une façon qui faisait mourir de rire ses amies.

— Oh ! moi, vous savez, disait-elle avec orgueil, je commence toujours par croire le mal. Je ne consens à admettre qu'une femme est vraiment mariée que quand on m'a sorti les extraits de naissance et les actes notariés. Du reste, n'ayez crainte, je vais procéder à ma petite enquête.

Et chaque jour toutes ces dames accouraient en riant.

— Nous venons aux nouvelles.

Mais le soir de la visite de la princesse de Luxembourg, la femme du Premier mit un doigt sur sa bouche.

— Il y a du nouveau.

— Oh ! elle est extraordinaire, Mme Poncin ! je n'ai jamais vu... mais dites, qu'y a-t-il ?

— Hé bien, il y a qu'une femme aux cheveux jaunes, avec un pied de rouge sur la figure, une voiture qui sentait l'horizontale d'une lieue, et comme n'en ont que ces demoiselles, est venue tantôt pour voir la prétendue marquise.

— Ouil you uouil ! patatras ! Voyez-vous ça ! mais

c'est cette dame que nous avons vue, vous vous rappelez, bâtonnier, nous avons bien trouvé qu'elle marquait très mal, mais nous ne savions pas qu'elle était venue pour la marquise. Une femme avec un nègre, n'est-ce pas ?

— C'est cela même.

— Ah ! vous m'en direz tant. Vous ne savez pas son nom ?

— Si, j'ai fait semblant de me tromper, j'ai pris la carte, elle a comme nom de guerre la princesse de Luxembourg ! Avais-je raison de me méfier ! C'est agréable d'avoir ici une promiscuité avec cette espèce de Baronne d'Ange.

Le bâtonnier cita Mathurin Régnier et *Macette* au premier Président.

Il ne faut, d'ailleurs, pas croire que ce malentendu fut momentané comme ceux qui se forment au deuxième acte d'un vaudeville pour se dissiper au dernier. Mme de Luxembourg, nièce du roi d'Angleterre et de l'empereur d'Autriche, et Mme de Villeparisis parurent toujours, quand la première venait chercher la seconde pour se promener en voiture, deux drôlesses de l'espèce de celles dont on se gare difficilement dans les villes d'eaux. Les trois quarts des hommes du faubourg Saint-Germain passent aux yeux d'une bonne partie de la bourgeoisie pour des décavés crapuleux (qu'ils sont d'ailleurs quelquefois individuellement) et que, par conséquent, personne ne reçoit. La bourgeoisie est trop honnête en cela, car leurs tares ne les empêcheraient nullement d'être reçus avec la plus grande faveur là où elle ne le sera jamais. Et eux s'imaginent tellement que la bourgeoisie le sait qu'ils affectent une simplicité en ce qui les concerne, un dénigrement pour leurs amis particulièrement « à la côte », qui achève le malentendu. Si par hasard un homme du grand monde est en rapports avec la petite bourgeoisie parce qu'il se trouve, étant extrêmement riche, avoir la présidence des plus importantes sociétés financières, la bourgeoisie qui voit enfin un noble digne d'être grand bourgeois, jurerait qu'il ne fraye pas avec le marquis joueur et ruiné qu'elle croit d'autant plus dénué de relations qu'il est plus aimable. Et elle n'en revient pas quand le duc, président du conseil d'administration de la colossale Affaire, donne pour femme à son fils la fille du marquis joueur, mais dont le nom est le plus ancien de France, de même qu'un souverain fera plutôt épouser à son fils la fille d'un roi détrôné que d'un président de la république en fonctions. C'est dire que les deux mondes ont l'un de l'autre une vue aussi chimérique que les habitants d'une plage située à une des extrémités de la baie de Balbec, ont de la plage située à l'autre extrémité : de Rivebelle on voit un peu Marcouville l'Orgueilleuse; mais cela même trompe, car on croit qu'on est vu de Marcouville, d'où au contraire les splendeurs de Rivebelle sont en grande partie invisibles.

Le médecin de Balbec appelé pour un accès de fièvre que j'avais eu, ayant estimé que je ne devrais pas rester toute la journée au bord de la mer, en plein soleil, par les grandes chaleurs, et rédigé à mon usage quelques ordonnances pharmaceutiques, ma grand'mère prit les ordonnances avec un respect apparent où je reconnus tout de suite sa ferme décision de n'en faire exécuter aucune, mais tint compte du conseil en matière d'hygiène et accepta l'offre de Mme de Villeparisis de nous faire faire quelques promenades en voiture. J'allais et je venais, jusqu'à l'heure du déjeuner, de ma chambre à celle de ma grand'mère. Elle ne donnait pas directement sur la mer comme la mienne mais prenait jour de trois côtés différents : sur un coin de la digue, sur une cour et sur la campagne, et était meublée autrement, avec des fauteuils brodés de filigranes métalliques et de fleurs roses d'où semblait émaner l'agréable et fraîche odeur qu'on trouvait en entrant. Et à cette heure où des rayons venus d'expositions[1] et comme d'heures différentes, brisaient les angles du mur, à côté d'un reflet de la plage mettaient sur la commode un reposoir diapré comme les fleurs du sentier, suspendaient à la paroi les ailes repliées, tremblantes et tièdes d'une clarté prête à reprendre son vol, chauffaient comme un bain un carré de tapis provincial devant la fenêtre de la courette que le soleil festonnait comme une vigne, ajoutaient au charme et à la complexité de la décoration mobilière en semblant exfolier la soie fleurie des fauteuils et détacher leur passementerie, cette chambre, que je traversais un moment avant de m'habiller pour la promenade, avait l'air d'un prisme où se décomposaient les couleurs de la lumière du dehors, d'une ruche où les sucs de la journée que j'allais goûter étaient dissociés, épars, enivrants et visibles, d'un jardin de l'espérance qui se dissolvait en une palpitation de rayons d'argent et de pétales de rose. Mais avant tout j'avais ouvert mes rideaux dans l'impatience de savoir quelle était la Mer qui jouait ce matin-là au bord du rivage, comme une Néréide. Car chacune de ces Mers ne restait jamais plus d'un jour. Le lendemain il y en avait une autre qui parfois lui ressemblait. Mais je ne vis jamais deux fois la même.

Il y en avait qui étaient d'une beauté si rare qu'en les apercevant mon plaisir était encore accru par la surprise. Par quel privilège, un matin plutôt qu'un autre, la fenêtre en s'entr'ouvrant découvrit-elle à mes yeux émerveillés la nymphe Glaukonomè[1], dont la beauté paresseuse et qui respirait mollement, avait la transparence d'une vaporeuse émeraude à travers laquelle je voyais affluer les éléments pondérables qui la coloraient? Elle faisait jouer le soleil avec un sourire alangui par une brume invisible qui n'était qu'un espace vide réservé autour de sa surface translucide rendue ainsi plus abrégée et plus saisissante, comme ces déesses que le sculpteur détache sur le reste du bloc qu'il ne daigne pas dégrossir. Telle, dans sa couleur unique, elle nous invitait à la promenade sur ces routes grossières et terriennes, d'où, installés dans la calèche de Mme de Villeparisis, nous apercevrions[2] tout le jour, et sans jamais l'atteindre, la fraîcheur de sa molle palpitation.

Mme de Villeparisis faisait atteler de bonne heure, pour que nous eussions le temps d'aller soit jusqu'à Saint-Mars-le-Vêtu, soit jusqu'aux rochers de Quetteholme ou à quelque autre but d'excursion qui, pour une voiture assez lente, était fort lointain et demandait toute la journée. Dans ma joie de la longue promenade que nous allions entreprendre, je fredonnais quelque air récemment écouté, et je faisais les cent pas en attendant que Mme de Villeparisis fût prête. Si c'était dimanche, sa voiture n'était pas seule devant l'hôtel; plusieurs fiacres loués attendaient non seulement les personnes qui étaient invitées au château de Féterne chez Mme de Cambremer, mais celles qui, plutôt que de rester là comme des enfants punis, déclaraient que le dimanche était un jour assommant à Balbec et partaient dès après déjeuner se cacher dans une plage voisine ou visiter quelque site. Et même souvent, quand on demandait à Mme Blandais si elle avait été chez les Cambremer, elle répondait péremptoirement : « Non, nous étions aux cascades du Bec », comme si c'était là la seule raison pour laquelle elle n'avait pas passé la journée à Féterne. Et le bâtonnier disait charitablement :

— Je vous envie, j'aurais bien changé avec vous, c'est autrement intéressant.

À côté des voitures, devant le porche où j'attendais, était planté[1] comme un arbrisseau d'une espèce rare un jeune chasseur qui ne frappait pas moins les yeux par l'harmonie singulière de ses cheveux colorés que par son épiderme de plante. À l'intérieur dans le hall qui correspondait au narthex, ou église des catéchumènes, des églises romanes, et où les personnes qui n'habitaient pas l'hôtel avaient le droit de passer, les camarades du groom « extérieur » ne travaillaient pas beaucoup plus que lui mais exécutaient du moins quelques mouvements. Il est probable que le matin ils aidaient au nettoyage. Mais l'après-midi ils restaient là seulement comme des choristes qui, même quand ils ne servent à rien, demeurent en scène pour ajouter à la figuration. Le Directeur général, celui qui me faisait si peur, comptait augmenter considérablement leur nombre l'année suivante, car il « voyait grand ». Et sa décision affligeait beaucoup le Directeur de l'hôtel, lequel trouvait que tous ces enfants n'étaient que des « faiseurs d'embarras », entendant par là qu'ils embarrassaient le passage et ne servaient à rien. Du moins, entre le déjeuner et le dîner, entre les sorties et les rentrées des clients, remplissaient-ils le vide de l'action, comme ces élèves de Mme de Maintenon qui, sous le costume de jeunes Israélites, font intermède chaque fois qu'Esther ou Joad s'en vont. Mais le chasseur du dehors, aux nuances précieuses, à la taille élancée et frêle, non loin duquel j'attendais que la marquise descendît, gardait une immobilité à laquelle s'ajoutait de la mélancolie, car ses frères aînés avaient quitté l'hôtel pour des destinées plus brillantes et il se sentait isolé sur cette terre étrangère. Enfin Mme de Villeparisis arrivait. S'occuper de sa voiture et l'y faire monter eût peut-être dû faire partie des fonctions du chasseur. Mais il savait[2] qu'une personne qui amène ses gens avec soi se fait servir par eux et d'habitude donne peu de pourboires dans un hôtel, que les nobles de l'ancien faubourg Saint-Germain agissent de même. Mme de Villeparisis appartenait à la fois à ces deux[1] catégories. Le chasseur arborescent en concluait qu'il n'avait rien à attendre de la marquise et, laissant le maître d'hôtel et la femme de chambre de celle-ci l'installer avec ses affaires, il rêvait tristement au sort envié de ses frères et conservait son immobilité végétale.

Nous partions; quelque temps après avoir contourné la station du chemin de fer, nous entrions dans une route campagnarde qui me devint bientôt aussi familière que celles de Combray, depuis le coude où elle s'amorçait entre des clos charmants jusqu'au tournant où nous la quittions et qui avait de chaque côté des terres labourées. Au milieu d'elles, on voyait çà et là un pommier, privé il est vrai de ses fleurs et ne portant plus qu'un bouquet de pistils, mais qui suffisait à m'enchanter parce que je reconnaissais ces feuilles inimitables dont la large étendue, comme le tapis d'estrade d'une fête nuptiale maintenant terminée, avait été tout récemment foulée par la traîne de satin blanc des fleurs rougissantes.

Combien de fois à Paris, dans le mois de mai de l'année suivante, il m'arriva d'acheter une branche de pommier chez le fleuriste et de passer ensuite la nuit devant ses fleurs où s'épanouissait la même essence crémeuse qui poudrait encore de son écume les bourgeons de feuilles et entre les blanches corolles desquelles il semblait que ce fût le marchand qui, par générosité envers moi, par goût inventif aussi et contraste ingénieux, eût ajouté de chaque côté, en surplus, un seyant bouton rose; je les regardais, je les faisais poser sous ma lampe — si longtemps que j'étais souvent encore là quand l'aurore leur apportait la même rougeur qu'elle devait faire en même temps à Balbec — et je cherchais à les reporter sur cette route par l'imagination, à les multiplier, à les étendre dans le cadre préparé, sur la toile toute prête, de ces clos dont je savais le dessin par cœur et que j'aurais tant voulu, qu'un jour je devais, revoir, au moment où, avec la verve ravissante du génie, le printemps couvre leur canevas de ses couleurs.

Avant de monter en voiture, j'avais composé le tableau de mer que j'allais chercher, que j'espérais voir avec le « soleil rayonnant », et qu'à Balbec je n'apercevais que trop morcelé entre tant d'enclaves vulgaires et que mon rêve n'admettait pas, de baigneurs, de cabines, de yachts de plaisance. Mais quand, la voiture de Mme de Villeparisis étant parvenue en haut d'une côte, j'apercevais la mer entre les feuillages des arbres, alors sans doute de si loin disparaissaient ces détails contemporains qui l'avaient mise comme en dehors de la nature et de l'histoire, et je pouvais en regardant les flots m'efforcer de penser que c'était les mêmes que Leconte de Lisle nous peint dans *l'Orestie* quand « tel qu'un vol d'oiseaux carnassiers dans l'aurore », les guerriers chevelus de l'héroïque Hellas « de cent mille avirons battaient le flot sonore ». Mais, en revanche, je n'étais plus assez près de la mer qui ne me semblait pas vivante, mais figée, je ne sentais plus de puissance sous ses couleurs étendues comme celles d'une peinture entre les feuilles où elle apparaissait aussi inconsistante que le ciel, et seulement plus foncée que lui.

Mme de Villeparisis voyant que j'aimais les églises me promettait que nous irions voir une fois l'une, une fois l'autre, et surtout celle de Carqueville « toute cachée sous son vieux lierre », dit-elle avec un mouvement de la main qui semblait envelopper avec goût la façade absente dans un feuillage invisible et délicat. Mme de Villeparisis avait souvent, avec ce petit geste descriptif, un mot juste pour définir le charme et la particularité d'un monument, évitant toujours les termes techniques, mais ne pouvant dissimuler qu'elle savait très bien les choses dont elle parlait. Elle semblait chercher à s'en excuser sur ce qu'un des châteaux de son père, et où elle avait été élevée, étant situé dans une région où il y avait des églises du même style qu'autour de Balbec, il eût été honteux qu'elle n'eût pas pris le goût de l'architecture, ce château étant d'ailleurs le plus bel exemplaire de celle de la Renaissance. Mais comme il était aussi un vrai musée, comme d'autre part Chopin et Liszt y avaient joué, Lamartine récité des vers, tous les artistes connus de tout un siècle écrit des pensées, des mélodies, fait des croquis sur l'album familial, Mme de Villeparisis ne donnait, par grâce, bonne éducation, modestie réelle, ou manque d'esprit philosophique, que cette origine purement matérielle à sa connaissance de tous les arts, et finissait par avoir l'air de considérer la peinture, la musique, la littérature et la philosophie comme l'apanage d'une jeune fille élevée de la façon la plus aristocratique dans un monument classé et illustre. On aurait dit qu'il n'y avait pas pour elle d'autres tableaux que ceux dont on a hérité. Elle fut contente que ma grand'mère aimât un collier qu'elle portait et qui dépassait de sa robe. Il était dans le portrait d'une bisaïeule à elle, par Titien, et qui n'était jamais sorti de la famille. Comme cela on était sûr que c'était un vrai. Elle ne voulait pas entendre parler des tableaux achetés on ne sait comment par un Crésus, elle était d'avance persuadée qu'ils étaient faux et n'avait aucun désir de les voir. Nous savions qu'elle-même faisait des aquarelles de fleurs, et ma grand'mère qui les avait entendu vanter lui en parla. Mme de Villeparisis changea de conversation par modestie, mais sans montrer plus d'étonnement ni de plaisir qu'une artiste suffisamment connue à qui les compliments n'apprennent rien. Elle se contenta de dire que c'était un passe-temps charmant parce que si les fleurs nées du pinceau n'étaient pas fameuses, du moins les peindre vous faisait vivre dans la société des fleurs naturelles, de la beauté desquelles, surtout quand on était obligé de les regarder de plus près pour les imiter, on ne se lassait pas. Mais à Balbec Mme de Villeparisis se donnait congé pour laisser reposer ses yeux.

Nous fûmes étonnés, ma grand'mère et moi, de voir combien elle était plus « libérale » que même la plus grande partie de la bourgeoisie. Elle s'étonnait qu'on fût scandalisé des expulsions des jésuites, disant que cela s'était toujours fait, même sous la monarchie, même en Espagne. Elle défendait la République à laquelle elle ne reprochait son anticléricalisme que dans cette mesure : « Je trouverais tout aussi mauvais qu'on m'empêchât d'aller à la messe, si j'en ai envie, que d'être forcée d'y aller, si je ne le veux pas », lançant même certains mots comme : « Oh ! la noblesse aujourd'hui, qu'est-ce que c'est ! » « Pour moi, un homme qui ne travaille pas, ce n'est rien », peut-être seulement parce qu'elle sentait ce qu'ils prenaient de piquant, de savoureux, de mémorable dans sa bouche.

En entendant souvent exprimer avec franchise des opinions avancées — pas jusqu'au socialisme cependant, qui était la bête noire de Mme de Villeparisis — précisément par une de ces personnes en considération de l'esprit desquelles notre scrupuleuse et timide impartialité se refuse à condamner les idées des conservateurs, nous n'étions pas loin, ma grand'mère et moi, de croire qu'en notre agréable compagne se trouvaient la mesure et le modèle de la vérité en toutes choses. Nous la croyions sur parole tandis qu'elle jugeait ses Titiens, la colonnade de son château, l'esprit de conversation de Louis-Philippe. Mais — comme ces érudits qui émerveillent quand on les met sur la peinture égyptienne et les inscriptions étrusques et qui parlent[1] d'une façon si banale des œuvres modernes que nous nous demandons si nous n'avons pas surfait l'intérêt des sciences où ils sont versés, puisque n'y apparaît pas cette même médiocrité qu'ils ont pourtant dû y apporter aussi bien que dans leurs niaises études sur Baudelaire — Mme de Villeparisis, interrogée par moi sur Chateaubriand, sur Balzac, sur Victor Hugo, tous reçus jadis par ses parents et entrevus par elle-même, riait de mon admiration, racontait sur eux des traits piquants comme elle venait de faire sur des grands seigneurs ou des hommes politiques, et jugeait sévèrement ces écrivains, précisément parce qu'ils avaient manqué de cette modestie, de cet effacement de soi, de cet art sobre qui se contente d'un seul trait juste et n'appuie pas, qui fuit plus que tout le ridicule de la grandiloquence, de cet à-propos, de ces qualités de modération de jugement et de simplicité, auxquelles on lui avait appris qu'atteint la vraie valeur; on voyait qu'elle n'hésitait pas à leur préférer des hommes qui, peut-être, en effet, avaient eu, à cause d'elles, l'avantage sur un Balzac, un Hugo, un Vigny, dans un salon, une académie, un conseil des ministres, Molé, Fontanes, Vitrolles, Bersot, Pasquier, Lebrun, Salvandy ou Daru.

— C'est comme les romans de Stendhal pour qui vous aviez l'air d'avoir de l'admiration. Vous l'auriez beaucoup étonné en lui parlant sur ce ton. Mon père qui le voyait chez M. Mérimée — un homme de talent, au moins, celui-là — m'a souvent dit que Beyle (c'était son nom) était d'une vulgarité affreuse, mais spirituel dans un dîner, et ne s'en faisant pas accroire pour ses livres. Du reste, vous avez pu voir vous-même par quel haussement d'épaules il a répondu aux éloges outrés de M. de Balzac. En cela, du moins, il était homme de bonne compagnie.

Elle avait de tous ces grands hommes des autographes,

et semblait, se prévalant des relations particulières que sa famille avait eues avec eux, penser que son jugement à leur égard était plus juste que celui de jeunes gens qui, comme moi, n'avaient pas pu les fréquenter.

— Je crois que je peux en parler, car ils venaient chez mon père; et, comme disait M. Sainte-Beuve qui avait bien de l'esprit, il faut croire sur eux ceux qui les ont vus de près et ont pu juger plus exactement de ce qu'ils valaient.

Parfois, comme la voiture gravissait une route montante entre des terres labourées, rendant les champs plus réels, leur ajoutant une marque d'authenticité, comme la précieuse fleurette dont certains maîtres anciens signaient leurs tableaux, quelques bleuets hésitants, pareils à ceux de Combray, suivaient notre voiture. Bientôt nos chevaux les distançaient, mais, après quelques pas, nous en apercevions un autre qui en nous attendant avait piqué devant nous dans l'herbe son étoile bleue; plusieurs s'enhardissaient jusqu'à venir se poser au bord de la route et c'était toute une nébuleuse qui se formait avec mes souvenirs lointains et les fleurs apprivoisées.

Nous redescendions la côte; alors nous croisions, la montant à pied, à bicyclette, en carriole ou en voiture, quelqu'une de ces créatures — fleurs de la belle journée, mais qui ne sont pas comme les fleurs des champs, car chacune recèle quelque chose qui n'est pas dans une autre et qui empêchera que nous puissions contenter avec ses pareilles le désir qu'elle a fait naître en nous —, quelque fille de ferme poussant sa vache ou à demi couchée sur une charrette, quelque fille de boutiquier en promenade, quelque élégante demoiselle assise sur le strapontin d'un landau, en face de ses parents. Certes Bloch m'avait ouvert une ère nouvelle et avait changé pour moi la valeur de la vie, le jour où il m'avait appris que les rêves que j'avais promenés solitairement du côté de Méséglise quand je souhaitais que passât une paysanne que je prendrais dans mes bras, n'étaient pas une chimère qui ne correspondait à rien d'extérieur à moi, mais que toutes les filles qu'on rencontrait, villageoises ou demoiselles, étaient toutes prêtes à en exaucer de pareils. Et dussé-je, maintenant que j'étais souffrant et ne sortais pas seul, ne jamais pouvoir faire l'amour avec elles, j'étais tout de même heureux comme un enfant né dans une prison ou dans un hôpital et qui, ayant cru longtemps que l'organisme humain ne peut digérer que du pain sec et des médicaments, a appris tout d'un coup que les pêches, les abricots, le raisin, ne sont pas une simple parure de la campagne, mais des aliments délicieux et assimilables. Même si son geôlier ou son garde-malade ne lui permettent pas de cueillir ces beaux fruits, le monde cependant lui paraît meilleur et l'existence plus clémente. Car un désir nous semble plus beau, nous nous appuyons à lui avec plus de confiance quand nous savons qu'en dehors de nous la réalité s'y conforme, même si pour nous il n'est pas réalisable. Et nous pensons avec plus de joie à une vie où — à condition que nous écartions pour un instant de notre pensée le petit obstacle accidentel et particulier qui nous empêche personnellement de le faire, — nous pouvons nous imaginer l'assouvissant. Pour les belles filles qui passaient, du jour où j'avais su que leurs joues pouvaient être embrassées, j'étais devenu curieux de leur âme. Et l'univers m'avait paru plus intéressant.

La voiture de Mme de Villeparisis allait vite. À peine avais-je le temps de voir la fillette qui venait dans notre direction; et pourtant — comme la beauté des êtres n'est pas comme celle des choses, et que nous sentons qu'elle est celle d'une créature unique, consciente et volontaire — dès que son individualité, âme vague, volonté inconnue de moi, se peignait en une petite image prodigieusement réduite, mais complète, au fond de son[1] regard distrait, aussitôt, mystérieuse réplique des pollens tout préparés pour les pistils, je sentais saillir en moi l'embryon aussi vague, aussi minuscule, du désir de ne pas laisser passer cette fille sans que sa pensée prît conscience de ma personne, sans que j'empêchasse ses désirs d'aller à quelqu'un d'autre, sans que je vinsse me fixer dans sa rêverie et saisir son cœur. Cependant notre voiture s'éloignait, la belle fille était déjà derrière nous et, comme elle ne possédait de moi aucune des notions qui constituent une personne, ses yeux, qui m'avaient à peine vu, m'avaient déjà oublié. Était-ce parce que je ne l'avais qu'entr'aperçue que je l'avais trouvée si belle? Peut-être. D'abord, l'impossibilité de s'arrêter auprès d'une femme, le risque de ne pas la retrouver un autre jour lui donnent brusquement le même charme qu'à un pays la maladie ou la pauvreté qui nous empêchent de le visiter, ou qu'aux jours si ternes qui nous restaient à vivre, le combat où nous succomberons sans doute. De sorte que, s'il n'y avait pas l'habitude, la vie devrait paraître délicieuse à des êtres qui seraient à chaque heure menacés de mourir, — c'est-à-dire à tous les hommes. Puis, si l'imagination est entraînée par le désir de ce que nous ne pouvons posséder, son essor n'est pas limité par une réalité complètement perçue dans ces rencontres où les charmes de la passante sont généralement en relation directe avec la rapidité du passage. Pour peu que la nuit tombe et que la voiture aille vite, à la campagne, dans une ville, il n'y a pas un torse féminin, mutilé comme un marbre antique par la vitesse qui nous entraîne et le crépuscule qui le noie, qui ne tire sur notre cœur, à chaque coin de route, du fond de chaque boutique, les flèches de la Beauté, de la Beauté dont on serait parfois tenté de se demander si elle est en ce monde autre chose que la partie de complément qu'ajoute à une passante fragmentaire et fugitive notre imagination surexcitée par le regret.

Si j'avais pu descendre, parler[1] à la fille que nous croisions, peut-être eussé-je été désillusionné par quelque défaut de sa peau que de la voiture je n'avais pas distingué. (Et alors, tout effort pour pénétrer dans sa vie m'eût semblé soudain impossible. Car la beauté est une suite d'hypothèses que rétrécit la laideur en barrant la route que nous voyions déjà s'ouvrir sur l'inconnu.) Peut-être un seul mot qu'elle eût dit, un sourire, m'eussent fourni une clef, un chiffre inattendus, pour lire l'expression de sa figure et de sa démarche, qui seraient aussitôt devenues banales. C'est possible, car je n'ai jamais rencontré dans la vie de filles aussi désirables que les jours où j'étais avec quelque grave personne que, malgré les mille prétextes que j'inventais, je ne pouvais quitter : quelques années après celle où j'allai pour la première fois à Balbec, faisant à Paris une course en voiture avec un ami de mon père et ayant aperçu une femme qui marchait vite dans la nuit, je pensai qu'il était déraisonnable de perdre pour une raison de convenances ma part de bonheur dans la seule vie qu'il y ait sans doute[2], et sautant à terre sans m'excuser, je me mis à la recherche de l'inconnue, la perdis au carrefour de deux rues, la retrouvai dans une troisième, et me trouvai enfin, tout essoufflé, sous un réverbère, en face de la vieille Mme Verdurin que j'évitais partout et qui, heureuse et surprise, s'écria : « Oh ! comme c'est aimable d'avoir couru pour me dire bonjour ! »

Cette année-là, à Balbec, au moment de ces rencontres, j'assurais à ma grand'mère, à Mme de Villeparisis qu'à cause d'un grand mal de tête, il valait mieux que je rentrasse seul à pied. Elles refusaient de me laisser descendre. Et j'ajoutais la belle fille (bien plus difficile à retrouver que ne l'est un monument, car elle était anonyme et mobile) à la collection de toutes celles que je me promettais de voir de près. Une pourtant se trouva repasser sous mes yeux, dans des conditions telles que je crus que je pourrais la connaître comme je voudrais. C'était une laitière qui vint d'une ferme apporter un supplément de crème à l'hôtel. Je pensai qu'elle m'avait aussi reconnu et elle me regardait, en effet, avec une attention qui n'était peut-être causée que par l'étonnement que lui causait la mienne. Or le lendemain, jour où je m'étais reposé toute la matinée, quand Françoise vint ouvrir les rideaux vers midi, elle me remit une lettre qui avait été déposée pour moi à l'hôtel. Je ne connaissais personne à Balbec. Je ne doutai pas que la lettre ne fût de la laitière. Hélas, elle n'était que de Bergotte qui, de passage, avait essayé de me voir, mais, ayant su que je dormais, m'avait laissé un mot charmant pour lequel le liftman avait fait une enveloppe que j'avais crue écrite par la laitière. J'étais affreusement déçu, et l'idée qu'il était plus difficile et plus flatteur d'avoir une lettre de Bergotte, ne me consolait en rien qu'elle ne fût pas de la laitière. Cette fille-là même, je ne la retrouvai pas plus que celles que j'apercevais seulement de la voiture de Mme de Villeparisis. La vue et la perte de toutes accroissaient l'état d'agitation où je vivais, et je trouvais quelque sagesse aux philosophes qui nous recommandent de borner nos désirs (si toutefois ils veulent parler du désir des êtres, car c'est le seul qui puisse laisser de l'anxiété, s'appliquant à de l'inconnu conscient. Supposer que la philosophie veut parler du désir des richesses serait trop absurde). Pourtant j'étais disposé à juger cette sagesse incomplète, car je me disais que ces rencontres me faisaient trouver encore plus beau un monde qui fait ainsi croître sur toutes les routes campagnardes des fleurs à la fois singulières et communes, trésors fugitifs de la journée, aubaines de la promenade, dont des circonstances contingentes qui ne se reproduiraient peut-être pas toujours m'avaient seules empêché de profiter, et qui donnent un goût nouveau à la vie.

Mais peut-être, en espérant qu'un jour, plus libre, je pourrais trouver sur d'autres routes de semblables filles, je commençais déjà à fausser ce qu'a d'exclusivement individuel le désir de vivre auprès d'une femme qu'on a trouvée jolie et, du seul fait que j'admettais la possibilité de le faire naître artificiellement, j'en avais implicitement reconnu l'illusion.

Le jour que Mme de Villeparisis nous mena à Carqueville où était cette église couverte de lierre dont elle nous[1] avait parlé et qui, bâtie sur un tertre, domine le village, la rivière qui le traverse et qui a conservé son petit pont du moyen âge, ma grand'mère, pensant que je serais content d'être seul pour regarder le monument, proposa à son amie d'aller goûter chez le pâtissier, sur la place qu'on apercevait distinctement et qui sous sa patine dorée était comme une autre partie d'un objet tout entier ancien. Il fut convenu que j'irais les y retrouver. Dans le bloc de verdure devant lequel on me laissa, il fallait pour reconnaître une église faire un effort qui me fît serrer de plus près l'idée d'église; en effet, comme il arrive aux élèves qui saisissent plus complètement le sens d'une phrase quand on les oblige par la version ou par le thème à la dévêtir des formes auxquelles ils sont accoutumés, cette idée d'église dont je n'avais guère besoin d'habitude devant des clochers qui se faisaient reconnaître d'eux-mêmes, j'étais obligé d'y faire perpétuellement appel pour ne pas oublier, ici que le cintre de cette touffe de lierre était celui d'une verrière ogivale, là, que la saillie des feuilles était due au relief d'un chapiteau. Mais alors un peu de vent soufflait, faisait frémir le porche mobile que parcouraient des remous propagés et tremblants comme une clarté; les feuilles déferlaient les unes contre les autres; et, frissonnante, la façade végétale entraînait avec elle les piliers onduleux, caressés et fuyants.

Comme je quittais l'église, je vis devant le vieux pont des filles du village qui, sans doute parce que c'était un dimanche, se tenaient attifées, interpellant les garçons qui passaient. Moins bien vêtue que les autres, mais semblant les dominer par quelque ascendant — car elle répondait à peine à ce qu'elles lui disaient —, l'air plus grave et plus volontaire, il y en avait une grande qui, assise à demi sur le rebord du pont, laissant pendre ses jambes, avait devant elle un petit pot plein de poissons qu'elle venait probablement de pêcher. Elle avait un teint bruni, des yeux doux, mais un regard dédaigneux de ce qui l'entourait, un nez petit, d'une forme fine et charmante. Mes regards se posaient sur sa peau, et mes lèvres à la rigueur pouvaient croire qu'elles avaient suivi mes regards. Mais ce n'est pas seulement son corps que j'aurais voulu atteindre, c'était aussi la personne qui vivait en lui et avec laquelle il n'est qu'une sorte d'attouchement, qui est d'attirer son attention, qu'une sorte de pénétration, y éveiller une idée.

Et cet être intérieur de la belle pêcheuse semblait m'être clos encore, je doutais si j'y étais entré, même après que j'eus aperçu ma propre image se refléter furtivement dans le miroir de son regard, suivant un indice de réfraction qui m'était aussi inconnu que si je me fusse placé dans le champ visuel d'une biche. Mais de même qu'il ne m'eût pas suffi que mes lèvres prissent du plaisir sur les siennes mais leur en donnassent, de même j'aurais voulu que l'idée de moi qui entrerait en cet être, qui s'y accrocherait, n'amenât pas à moi seulement son attention, mais son admiration, son désir, et le forçât à garder mon souvenir jusqu'au jour où je pourrais le[1] retrouver. Cependant, j'apercevais à quelques pas la place où devait m'attendre la voiture de Mme de Villeparisis. Je n'avais qu'un instant; et déjà je sentais que les filles commençaient à rire de me voir ainsi arrêté. J'avais cinq francs dans ma poche. Je les en sortis, et avant d'expliquer à la belle fille la commission dont je la chargeais, pour avoir plus de chance qu'elle m'écoutât je tins un instant la pièce devant ses yeux :

— Puisque vous avez l'air d'être du pays, dis-je à la pêcheuse, est-ce que vous auriez la bonté de faire une petite course pour moi ? Il faudrait aller devant un pâtissier qui est, paraît-il, sur une place, mais je ne sais pas où c'est, et où une voiture m'attend. Attendez !... pour ne pas confondre vous demanderez si c'est la voiture de la marquise de Villeparisis. Du reste vous verrez bien, elle a deux chevaux.

C'était cela que je voulais qu'elle sût pour prendre une grande idée de moi. Mais quand j'eus prononcé les mots « marquise » et « deux chevaux », soudain j'éprouvai un grand apaisement. Je sentis que la pêcheuse se souviendrait de moi et se dissiper[1], avec mon effroi de ne pouvoir la retrouver, une partie de mon désir de la retrouver. Il me semblait que je venais de toucher sa personne avec des lèvres invisibles et que je lui avais plu. Et cette prise de force de son esprit, cette possession immatérielle, lui avait ôté de son mystère autant que fait la possession physique[2]...

Nous descendîmes sur Hudimesnil; tout d'un coup je fus rempli de ce bonheur profond que je n'avais pas souvent ressenti depuis Combray, un bonheur analogue à celui que m'avaient donné, entre autres, les clochers de Martinville. Mais, cette fois, il resta incomplet. Je venais d'apercevoir, en retrait de la route en dos d'âne que nous suivions, trois arbres qui devaient servir d'entrée à une allée couverte et formaient un dessin que je ne voyais pas pour la première fois, je ne pouvais arriver à reconnaître le lieu dont ils étaient comme détachés, mais je sentais qu'il m'avait été familier autrefois; de sorte que, mon esprit ayant trébuché entre quelque année lointaine et le moment présent, les environs de Balbec vacillèrent et je me demandai si toute cette promenade n'était pas une fiction, Balbec, un endroit où je n'étais jamais allé que par l'imagination, Mme de Villeparisis, un personnage de roman et les trois vieux arbres, la réalité qu'on retrouve en levant les yeux de dessus le livre qu'on était en train de lire et qui vous décrivait un milieu dans lequel on avait fini par se croire effectivement transporté.

Je regardais les trois arbres, je les voyais bien, mais mon esprit sentait qu'ils recouvraient quelque chose sur quoi il n'avait pas prise, comme sur ces objets placés trop loin dont nos doigts, allongés au bout de notre bras tendu, effleurent seulement par instant l'enveloppe sans arriver à rien saisir. Alors on se repose un moment pour jeter le bras en avant d'un élan plus fort et tâcher d'atteindre plus loin. Mais pour que mon esprit pût ainsi se rassembler, prendre son élan, il m'eût fallu être seul. Que j'aurais voulu pouvoir m'écarter comme je faisais dans les promenades du côté de Guermantes quand je m'isolais de mes parents ! Il me semblait même que j'aurais dû le faire. Je reconnaissais ce genre de plaisir qui requiert, il est vrai, un certain travail de la pensée sur elle-même, mais à côté duquel les agréments de la nonchalance qui vous fait renoncer à lui, semblent bien médiocres. Ce plaisir, dont l'objet n'était que pressenti, que j'avais à créer moi-même, je ne l'éprouvais que de rares fois, mais à chacune d'elles il me semblait que les choses qui s'étaient passées dans l'intervalle n'avaient guère d'importance et qu'en m'attachant à sa seule réalité je pourrais commencer enfin une vraie vie. Je mis un instant ma main devant mes yeux pour pouvoir les fermer sans que Mme de Villeparisis s'en aperçût. Je restai sans penser à rien, puis de ma pensée ramassée, ressaisie avec plus de force, je bondis plus avant dans la direction des arbres, ou plutôt dans cette direction intérieure au bout de laquelle je les voyais en moi-même. Je sentis de nouveau derrière eux le même objet connu mais vague et que je ne pus ramener à moi. Cependant tous trois, au fur et à mesure que la voiture avançait, je les voyais s'approcher. Où les avais-je déjà regardés ? Il n'y avait aucun lieu autour de Combray où une allée s'ouvrît ainsi. Le site qu'ils me rappelaient, il n'y avait pas de place pour lui davantage dans la campagne allemande où j'étais allé, une année, avec ma grand'mère prendre les eaux. Fallait-il croire qu'ils venaient d'années déjà si lointaines de ma vie que le paysage qui les entourait avait été entièrement aboli dans ma mémoire et que, comme ces pages qu'on est tout d'un coup ému de retrouver dans un ouvrage qu'on s'imaginait n'avoir jamais lu, ils surnageaient seuls du livre oublié de ma première enfance ? N'appartenaient-ils au contraire qu'à ces paysages du rêve, toujours les mêmes, du moins pour moi en[1] qui leur aspect étrange n'était que l'objectivation dans mon sommeil de l'effort que je faisais pendant la veille, soit pour atteindre le mystère dans un lieu derrière l'apparence duquel je le pressentais, comme cela m'était arrivé si souvent du côté de Guermantes, soit pour essayer de le réintroduire dans un lieu que j'avais désiré connaître et qui, du jour où je l'avais connu, m'avait paru tout superficiel, comme Balbec ? N'étaient-ils qu'une image toute nouvelle détachée d'un rêve de la nuit précédente, mais déjà si effacée qu'elle me semblait venir de beaucoup plus loin ?

Ou bien ne les avais-je jamais vus et cachaient-ils derrière eux, comme tels arbres, telle touffe d'herbe que j'avais vus du côté de Guermantes, un sens aussi obscur, aussi difficile à saisir qu'un passé lointain, de sorte que, sollicité par eux d'approfondir une pensée, je croyais avoir à reconnaître un souvenir? Ou encore ne cachaient-ils même pas de pensée et était-ce une fatigue de ma vision qui me les faisait voir doubles dans le temps comme on voit quelquefois double dans l'espace? Je ne savais. Cependant ils venaient vers moi; peut-être apparition mythique, ronde de sorcières ou de nornes qui me proposait ses oracles. Je crus plutôt que c'étaient des fantômes du passé, de chers compagnons de mon enfance, des amis disparus qui invoquaient nos communs souvenirs. Comme des ombres ils semblaient me demander de les emmener avec moi, de les rendre à la vie. Dans leur gesticulation naïve et passionnée, je reconnaissais le regret impuissant d'un être aimé qui a perdu l'usage de la parole, sent qu'il ne pourra nous dire ce qu'il veut et que nous ne savons pas deviner. Bientôt, à un croisement de route, la voiture les abandonna. Elle m'entraînait loin de ce que je croyais seul vrai, de ce qui m'eût rendu vraiment heureux, elle ressemblait à ma vie.

Je vis les arbres s'éloigner en agitant leurs bras désespérés, semblant me dire : Ce que tu n'apprends pas de nous aujourd'hui, tu ne le sauras jamais. Si tu nous laisses retomber au fond de ce chemin d'où nous cherchions à nous hisser jusqu'à toi, toute une partie de toi-même que nous t'apportions tombera pour jamais au néant. En effet, si dans la suite je retrouvai le genre de plaisir et d'inquiétude que je venais de sentir encore une fois, et si un soir — trop tard, mais pour toujours — je m'attachai à lui, de ces arbres eux-mêmes, en revanche, je ne sus jamais ce qu'ils avaient voulu m'apporter ni où je les avais vus. Et quand, la voiture ayant bifurqué, je leur tournai le dos et cessai de les voir, tandis que Mme de Villeparisis me demandait[1] pourquoi j'avais l'air rêveur, j'étais triste comme si je venais de perdre un ami, de mourir à moi-même, de renier un mort ou de méconnaître un dieu.

Il fallait songer au retour. Mme de Villeparisis qui avait un certain sens de la nature, plus froid que celui de ma grand'mère, mais qui savait[2] reconnaître, même en dehors des musées et des demeures aristocratiques, la beauté simple et majestueuse de certaines choses anciennes, disait au cocher de prendre la vieille route de Balbec, peu fréquentée, mais plantée de vieux ormes qui nous semblaient admirables.

Une fois que nous connûmes cette vieille route, pour changer, nous revînmes, à moins que nous ne l'eussions prise à l'aller, par une autre qui traversait les bois de Chantereine et de Canteloup. L'invisibilité[1] des innombrables oiseaux qui s'y répondaient tout à côté de nous dans les arbres donnait la même impression de repos qu'on a les yeux fermés. Enchaîné à mon strapontin comme Prométhée sur son rocher, j'écoutais mes Océanides. Et quand, par hasard, j'apercevais l'un de ces oiseaux qui passait d'une feuille sous une autre, il y avait si peu de lien apparent entre lui et ces chants, que je ne croyais pas voir la cause de ceux-ci dans ce petit corps sautillant, étonné et sans regard.

Cette route était pareille à bien d'autres de ce genre qu'on rencontre en France, montant en pente assez raide, puis redescendant sur une grande longueur. Au moment même, je ne lui trouvais pas un grand charme, j'étais seulement content de rentrer. Mais elle devint pour moi dans la suite une cause de joies en restant dans ma mémoire comme une amorce où toutes les routes semblables sur lesquelles je passerais plus tard au cours d'une promenade ou d'un voyage s'embrancheraient aussitôt sans solution de continuité et pourraient, grâce à elle, communiquer immédiatement avec mon cœur. Car dès que la voiture ou l'automobile s'engagerait dans une de ces routes qui auraient l'air d'être la continuation de celle que j'avais parcourue avec Mme de Villeparisis, ce à quoi ma conscience actuelle se trouverait immédiatement appuyée comme à mon passé le plus récent, ce serait (toutes les années intermédiaires se trouvant abolies) les impressions que j'avais eues par ces fins d'après-midi-là, en promenade près de Balbec, quand les feuilles sentaient bon, que la brume s'élevait et qu'au delà du prochain village, on apercevait entre les arbres le coucher du soleil comme s'il avait été quelque localité suivante[2], forestière, distante et qu'on n'atteindra pas le soir même. Raccordées à celles que j'éprouvais maintenant dans un autre pays, sur une route semblable, s'entourant de toutes les sensations accessoires de libre respiration, de curiosité, d'indolence, d'appétit, de gaieté qui leur étaient communes, excluant toutes les autres, ces impressions se renforceraient, prendraient la consistance d'un type particulier de plaisir, et presque d'un cadre d'existence que j'avais d'ailleurs rarement l'occasion de retrouver, mais dans lequel le réveil des souvenirs mettait au milieu de la réalité matériellement perçue une part assez grande de réalité évoquée, songée, insaisissable, pour me donner, au milieu de ces régions où je passais, plus qu'un sentiment esthétique, un désir fugitif mais exalté, d'y vivre désormais pour toujours. Que de fois, pour avoir simplement senti une odeur de feuillée, être assis sur un strapontin en face de Mme de Villeparisis, croiser la princesse de Luxembourg qui lui envoyait des bonjours de sa voiture, rentrer dîner au Grand-Hôtel, ne m'est-il pas apparu comme un de ces bonheurs ineffables que ni le présent ni l'avenir ne peuvent nous rendre et qu'on ne goûte qu'une fois dans la vie!

Souvent le jour était tombé avant que nous fussions de retour. Timidement je citais à Mme de Villeparisis, en lui montrant la lune dans le ciel, quelque belle expression de Chateaubriand ou de Vigny ou de Victor Hugo : « Elle répandait ce vieux[1] secret de mélancolie » ou « pleurant comme Diane au bord de ses fontaines » ou « L'ombre était nuptiale, auguste et solennelle. »

— Et vous trouvez cela beau? me demandait-elle, « génial », comme vous dites? Je vous dirai que je suis toujours étonnée de voir qu'on prend maintenant très au sérieux des choses que les amis de ces messieurs, tout en rendant pleine justice à leurs qualités, étaient les premiers à plaisanter. On ne prodiguait pas le nom de génie comme aujourd'hui, où si vous dites à un écrivain qu'il n'a que du talent il prend cela pour une injure. Vous me citez une grande phrase de M. de Chateaubriand sur le clair de lune. Vous allez voir que j'ai mes raisons pour y être réfractaire. M. de Chateaubriand venait bien souvent chez mon père. Il était du reste agréable quand on était seul, parce qu'alors il était simple et amusant, mais, dès qu'il y avait du monde, il se mettait à poser et devenait ridicule; devant mon père, il prétendait avoir jeté sa démission à la face du roi et dirigé le conclave, oubliant que mon père avait été chargé par lui de supplier le roi de le reprendre, et l'avait entendu faire sur l'élection du pape les pronostics les plus insensés. Il fallait entendre sur ce fameux conclave M. de Blacas, qui était un autre homme que M. de Chateaubriand. Quant aux phrases de celui-ci sur le clair de lune, elles étaient tout simplement devenues une charge à la maison. Chaque fois qu'il faisait clair de lune autour du château, s'il y avait quelque invité nouveau, on lui conseillait d'emmener M. de Chateaubriand prendre l'air après le dîner. Quand ils revenaient, mon père ne manquait pas de prendre à part l'invité : « M. de Chateaubriand a été bien éloquent? — Oh! oui. — Il vous a parlé du clair de lune. — Oui, comment savez-vous? — Attendez, ne vous a-t-il pas dit, et il lui citait la phrase. — Oui, mais par quel mystère? — Et il vous a parlé même du clair de lune dans la campagne romaine. — Mais vous êtes sorcier. » Mon père n'était pas sorcier, mais M. de Chateaubriand se contentait de servir toujours un même morceau tout préparé.

Au nom de Vigny elle se mit à rire.

— Celui qui disait : « Je suis le comte Alfred de Vigny. » On est comte ou on n'est pas comte, ça n'a aucune espèce d'importance.

Et peut-être trouvait-elle que cela en avait tout de même un peu, car elle ajoutait :

— D'abord je ne suis pas sûre qu'il le fût, et il était en tous cas de très petite souche, ce monsieur qui a parlé dans ses vers de son « cimier de gentilhomme ». Comme c'est de bon goût et comme c'est intéressant pour le lecteur! C'est comme Musset, simple bourgeois de Paris, qui disait emphatiquement : « L'épervier d'or dont mon casque est armé. » Jamais un vrai grand seigneur ne dit de ces choses-là. Au moins Musset avait du talent comme poète. Mais à part *Cinq-Mars,* je n'ai jamais rien pu lire de M. de Vigny, l'ennui me fait tomber le livre des mains. M. Molé, qui avait autant d'esprit et de tact que M. de Vigny en avait peu, l'a arrangé de belle façon en le recevant à l'Académie. Comment, vous ne connaissez pas son discours? C'est un chef-d'œuvre de malice et d'impertinence.

Elle reprochait à Balzac, qu'elle s'étonnait de voir admiré par ses neveux, d'avoir prétendu peindre une société « où il n'était pas reçu », et dont il a raconté mille invraisemblances. Quant à Victor Hugo, elle nous disait que M. de Bouillon, son père, qui avait des camarades dans la jeunesse romantique, était entré grâce à eux à la première d'*Hernani,* mais qu'il n'avait pu rester jusqu'au bout, tant il avait trouvé ridicules les vers de cet écrivain doué mais exagéré, et qui n'a reçu le titre de grand poète qu'en vertu d'un marché fait, et comme récompense de l'indulgence intéressée qu'il a professée pour les dangereuses divagations des socialistes.

Nous apercevions déjà l'hôtel, ses lumières si hostiles le premier soir, à l'arrivée, maintenant protectrices et douces, annonciatrices du foyer. Et quand la voiture arrivait près de la porte, le concierge, les grooms, le lift, empressés, naïfs, vaguement inquiets de notre retard, massés sur les degrés à nous attendre, étaient, devenus familiers, de ces êtres qui changent tant de fois au cours de notre vie, comme nous changeons nous-mêmes, mais dans lesquels, au moment où ils sont pour un temps le miroir de nos habitudes, nous trouvons de la douceur à nous sentir fidèlement et amicalement reflétés. Nous les préférons à des amis que nous n'avons pas vus depuis longtemps, car ils contiennent davantage de ce que nous sommes actuellement. Seul « le chasseur », exposé au soleil dans la journée, avait été rentré, pour ne pas supporter la rigueur du soir, et emmailloté de lainages, lesquels, joints à l'éplorement orangé de sa chevelure et à la fleur curieusement rose de ses joues, faisaient, au milieu du hall vitré, penser à une plante de serre qu'on protège contre le froid. Nous descendions de voiture, aidés par beaucoup plus de serviteurs qu'il n'était nécessaire, mais ils sentaient l'importance de la scène et se croyaient obligés d'y jouer un rôle. J'étais affamé. Aussi, souvent, pour ne pas retarder le moment de dîner, je ne remontais pas dans la chambre qui avait fini par devenir si réellement mienne que revoir les grands rideaux violets et les bibliothèques basses, c'était me retrouver seul avec ce moi-même dont les choses, comme les gens, m'offraient l'image, et nous attendions tous ensemble dans le hall que le maître d'hôtel vînt nous dire que nous étions servis. C'était encore l'occasion pour nous d'écouter Mme de Villeparisis.

— Nous abusons de vous, disait ma grand'mère.

— Mais comment, je suis ravie, cela m'enchante, répondait son amie avec un sourire câlin, en filant les sons, sur un ton mélodieux qui contrastait avec sa simplicité coutumière.

C'est qu'en effet dans ces moments-là elle n'était pas naturelle, elle se souvenait de son éducation, des façons aristocratiques avec lesquelles une grande dame doit montrer à des bourgeois qu'elle est heureuse de[1] se trouver avec eux, qu'elle est sans morgue. Et le seul manque de véritable politesse qu'il y eût en elle était dans l'excès de ses politesses; car on y reconnaissait ce pli professionnel d'une dame du faubourg Saint-Germain, laquelle, voyant toujours dans certains bourgeois les mécontents qu'elle est destinée à faire certains jours, profite avidement de toutes les occasions où il lui est possible, dans le livre de comptes de son amabilité avec eux, de prendre l'avance d'un solde créditeur, qui lui permettra prochainement d'inscrire à son débit le dîner ou le raout où elle ne les invitera pas. Ainsi, ayant agi jadis sur elle une fois pour toutes, et ignorant que maintenant les circonstances étaient autres, les personnes différentes, et qu'à Paris elle souhaiterait de nous voir[2] chez elle souvent, le génie de sa caste poussait avec une ardeur fiévreuse Mme de Villeparisis, et comme si le temps qui lui était concédé pour être aimable était court, à multiplier avec nous, pendant que nous étions à Balbec, les envois de roses et de melons, les prêts de livres, les promenades en voiture et les effusions verbales. Et par là — tout autant que la splendeur aveuglante de la plage, que le flamboiement multicolore et les lueurs sous-océaniques des chambres, tout autant même que les leçons d'équitation par lesquelles des fils de commerçants étaient déifiés comme Alexandre de Macédoine — les amabilités quotidiennes de Mme de Villeparisis, et aussi la facilité momentanée, estivale, avec laquelle ma grand'-mère les acceptait, sont restées dans mon souvenir comme caractéristiques de la vie de bains de mer.

— Donnez donc vos manteaux pour qu'on les remonte.

Ma grand'mère les passait au directeur, et à cause de ses gentillesses pour moi, j'étais désolé de ce manque d'égards dont il paraissait souffrir.

— Je crois que ce monsieur est froissé, disait la marquise. Il se croit probablement trop grand seigneur pour prendre vos châles. Je me rappelle le duc de Nemours, quand j'étais encore bien petite, entrant chez mon père qui habitait le dernier étage de l'hôtel Bouillon, avec un gros paquet sous le bras, des lettres et des journaux. Je crois voir le prince dans son habit bleu sous l'encadrement de notre porte qui avait de jolies boiseries, je crois que c'est Bagard qui faisait cela, vous savez ces fines baguettes si souples que l'ébéniste parfois leur faisait former des petites coques, et des fleurs, comme des rubans qui nouent un bouquet. « Tenez, Cyrus, dit-il à mon père, voilà ce que votre concierge m'a donné pour vous. Il m'a dit : « Puisque vous allez chez M. le comte, ce n'est » pas la peine que je monte les étages, mais prenez garde » de ne pas gâter la ficelle. » Maintenant que vous avez donné vos affaires, asseyez-vous, tenez, mettez-vous là, disait-elle à ma grand'mère en lui prenant la main.

— Oh! si cela vous est égal, pas dans ce fauteuil! Il est trop petit pour deux, mais trop grand pour moi seule, j'y serais mal.

— Vous me faites penser, car c'était tout à fait le même, à un fauteuil que j'ai eu longtemps, mais que j'ai fini par ne pas pouvoir garder, parce qu'il avait été donné à ma mère par la malheureuse duchesse de Praslin. Ma mère, qui était pourtant la personne la plus simple du monde, mais qui avait encore des idées qui viennent d'un autre temps et que déjà je ne comprenais pas très bien, n'avait pas d'abord voulu[1] se laisser présenter à Mme de Praslin qui n'était que Mlle Sebastiani, tandis que celle-ci, parce qu'elle était duchesse, trouvait que ce n'était pas à elle à se faire présenter. Et par le fait, ajoutait Mme de Villeparisis oubliant qu'elle ne comprenait pas ce genre de nuances, n'eût-elle été que Mme de Choiseul que sa prétention aurait pu se soutenir. Les Choiseul sont tout ce qu'il y a de plus grand, ils sortent d'une sœur du roi Louis le Gros, ils étaient de vrais souverains en Bassigny. J'admets que nous l'emportons par les alliances et l'illustration, mais l'ancienneté est presque la même. Il était résulté de cette question de préséance des incidents comiques, comme un déjeuner qui fut servi en retard de plus d'une grande heure que mit l'une de ces dames à accepter de se laisser présenter. Elles étaient malgré cela devenues de grandes amies et elle avait donné à ma mère un fauteuil du genre de celui-ci et où, comme vous venez de faire, chacun refusait de s'asseoir. Un jour ma mère entend une voiture dans la cour de son hôtel. Elle demande à un petit domestique qui c'est. « C'est madame la duchesse de La Rochefoucauld, madame la comtesse. — Ah! bien, je la recevrai. » Au bout d'un quart d'heure, personne : « Hé bien, madame la duchesse de La Rochefoucauld? où est-elle donc? — Elle est dans l'escalier, a souffle[1], Madame la comtesse », répond le petit domestique qui arrivait depuis peu de la campagne où ma mère avait la bonne habitude de les prendre. Elle les avait souvent vus naître. C'est comme cela qu'on a chez soi de braves gens. Et c'est le premier des luxes. En effet, la duchesse de La Rochefoucauld montait difficilement, étant énorme, si énorme que quand elle entra, ma mère eut un instant d'inquiétude en se demandant où elle pourrait la placer. À ce moment le meuble donné par Mme de Praslin frappa ses yeux : « Prenez donc la peine de vous asseoir », dit ma mère en le lui avançant. Et la duchesse le remplit jusqu'aux bords. Elle était, malgré cette... importance[2], restée assez agréable. « Elle fait encore un certain effet quand elle entre », disait un de nos amis. « Elle en fait surtout quand elle sort », répondit ma mère qui avait le mot plus leste qu'il ne serait de mise aujourd'hui. Chez Mme de La Rochefoucauld même, on ne se gênait pas pour plaisanter devant elle, qui en riait la première, ses amples proportions. « Mais est-ce que vous êtes seul? » demanda un jour à M. de La Rochefoucauld ma mère qui venait faire visite à la duchesse et qui, reçue à l'entrée par le mari, n'avait pas aperçu sa femme qui était dans une baie du fond. « Est-ce que madame de La Rochefoucauld n'est pas là? je ne la vois pas. — Comme vous êtes aimable! » répondit le duc qui avait un des jugements les plus faux que j'aie jamais connus, mais ne manquait pas d'un certain esprit.

Après le dîner, quand j'étais remonté avec ma grand'mère, je lui disais que les qualités qui nous charmaient chez Mme de Villeparisis, le tact, la finesse, la discrétion, l'effacement de soi-même n'étaient peut-être pas bien précieuses[3], puisque ceux qui les possédèrent au plus haut degré ne furent que des Molé et des Loménie et que, si leur absence peut rendre les relations quotidiennes désagréables, elle n'a pas empêché de devenir Chateaubriand, Vigny, Hugo, Balzac, des vaniteux qui n'avaient pas de jugement, qu'il était facile de railler, comme Bloch... Mais au nom de Bloch ma grand'mère se récriait. Et elle me vantait Mme de Villeparisis. Comme on dit que c'est l'intérêt de l'espèce qui guide en amour les préférences de chacun et, pour que l'enfant soit constitué de la façon la plus normale, fait rechercher les femmes maigres aux hommes gras et les grasses aux maigres, de même c'était obscurément les exigences de mon bonheur menacé par le nervosisme, par mon penchant maladif à la tristesse, à l'isolement, qui lui faisaient donner le premier rang aux qualités de pondération et de jugement, particulières non seulement à Mme de Villeparisis, mais à une société où je pourrais trouver une distraction, un apaisement, — une société pareille à celle où l'on vit fleurir l'esprit d'un Doudan, d'un M. de Rémusat, pour ne pas dire d'une Beausergent, d'un Joubert, d'une Sévigné, esprit qui met plus de bonheur, plus de dignité dans la vie que les raffinements opposés, lesquels ont conduit un Baudelaire, un Poe, un Verlaine, un Rimbaud, à des souffrances, à une déconsidération dont ma grand'-mère ne voulait pas pour son petit-fils. Je l'interrompais pour l'embrasser et lui demandais si elle avait remarqué telle phrase que Mme de Villeparisis avait dite et dans laquelle se marquait la femme qui tenait plus à sa naissance qu'elle ne l'avouait. Ainsi soumettais-je à ma grand'mère mes impressions, car je ne savais jamais le degré d'estime dû à quelqu'un que quand elle me l'avait indiqué. Chaque soir je venais lui apporter les croquis que j'avais pris dans la journée d'après tous ces êtres inexistants qui n'étaient pas elle.

Une fois je lui dis : « Sans toi je ne pourrai pas vivre. — Mais il ne faut pas, me répondit-elle d'une voix troublée. Il faut nous faire un cœur plus dur que ça. Sans cela, que deviendrais-tu si je partais en voyage? J'espère, au contraire, que tu serais très raisonnable et très heureux. — Je saurais être raisonnable si tu partais pour quelques jours, mais je compterais les heures. — Mais si je partais pour des mois... (à cette seule idée mon cœur se serrait), pour des années... pour...

Nous nous taisions tous les deux. Nous n'osions pas nous regarder. Pourtant je souffrais plus de son angoisse que de la mienne. Aussi je m'approchai de la fenêtre et distinctement je lui dis en détournant les yeux :

— Tu sais comme je suis un être d'habitudes. Les premiers jours où je viens d'être séparé des gens que j'aime le plus, je suis malheureux. Mais tout en les aimant toujours autant, je m'accoutume, ma vie devient calme, douce; je supporterais d'être séparé d'eux, des mois, des années...

Je dus me taire et regarder tout à fait par la fenêtre. Ma grand'mère sortit un instant de la chambre. Mais le lendemain je me mis à parler de philosophie, sur le ton le plus indifférent, en m'arrangeant cependant pour que ma grand'mère fît attention à mes paroles, je dis que c'était curieux, qu'après les dernières découvertes de la science le matérialisme semblait ruiné, et que le plus probable était encore l'éternité des âmes et leur future réunion.

Mme de Villeparisis nous prévint que bientôt elle ne pourrait nous voir aussi souvent. Un jeune neveu qui préparait Saumur, actuellement en garnison dans le voisinage, à Doncières, devait venir passer auprès d'elle un congé de quelques semaines et elle lui donnerait beaucoup de son temps. Au cours de nos promenades, elle nous avait vanté sa grande intelligence, surtout son bon cœur; déjà je me figurais qu'il allait se prendre de sympathie pour moi, que je serais son ami préféré, et quand, avant son arrivée, sa tante laissa entendre à ma grand'mère qu'il était malheureusement tombé dans les griffes d'une mauvaise femme dont il était fou et qui ne le lâcherait pas, comme j'étais persuadé que ce genre d'amour finissait fatalement par l'aliénation mentale, le crime et le suicide, pensant au temps si court qui était réservé à notre amitié, déjà si grande dans mon cœur sans que je l'eusse encore vu, je pleurai sur elle et sur les malheurs qui l'attendaient comme sur un être cher dont on vient de nous apprendre qu'il est gravement atteint et que ses jours sont comptés.

Une après-midi de grande chaleur, j'étais dans la salle à manger de l'hôtel qu'on avait laissée à demi dans l'obscurité pour la protéger du soleil en tirant des rideaux qu'il jaunissait et qui par leurs interstices laissaient clignoter le bleu de la mer, quand, dans la travée centrale qui allait de la plage à la route, je vis, grand, mince, le cou dégagé, la tête haute et fièrement portée, passer un jeune homme aux yeux pénétrants et dont la peau était aussi blonde et les cheveux aussi dorés que s'ils avaient absorbé tous les rayons du soleil. Vêtu d'une étoffe souple et blanchâtre comme je n'aurais jamais cru qu'un homme eût osé en porter, et dont la minceur n'évoquait pas moins que le frais de la salle à manger, la chaleur et le beau temps du dehors, il marchait vite. Ses yeux, de l'un desquels tombait à tout moment un monocle, étaient de la couleur de la mer. Chacun le regarda curieusement passer, on savait que ce jeune marquis de Saint-Loup-en-Bray était célèbre pour son élégance. Tous les journaux avaient décrit le costume dans lequel il avait récemment servi de témoin au jeune duc d'Uzès, dans un duel. Il semblait que la qualité si particulière de ses cheveux, de ses yeux, de sa peau, de sa tournure, qui l'eussent distingué au milieu d'une foule comme un filon précieux d'opale azurée et lumineuse, engainé dans une matière grossière, devait correspondre à une vie différente de celle des autres hommes. Et en conséquence, quand, avant la liaison dont Mme de Villeparisis se plaignait, les plus jolies femmes du grand monde se l'étaient disputé, sa présence, dans une plage par exemple, à côté de la beauté en renom à laquelle il faisait la cour, ne la mettait pas[1] seulement tout à fait en vedette, mais attirait les regards autant sur lui que sur elle. À cause de son « chic », de son impertinence de jeune « lion », à cause de son extraordinaire beauté surtout, certains lui trouvaient même un air efféminé, mais sans le lui reprocher, car on savait combien il était viril et qu'il aimait passionnément les femmes. C'était ce neveu de Mme de Villeparisis duquel elle nous avait parlé. Je fus ravi de penser que j'allais le connaître pendant quelques semaines et sûr qu'il me donnerait toute son affection. Il traversa rapidement l'hôtel dans toute sa largeur, semblant poursuivre son monocle qui voltigeait devant lui comme un papillon. Il venait de la plage, et la mer qui remplissait jusqu'à mi-hauteur le vitrage du hall lui faisait un fond sur lequel il se détachait en pied, comme dans certains portraits où des peintres prétendent, sans tricher en rien sur l'observation la plus exacte de la vie actuelle, mais en choisissant pour leur modèle un cadre approprié, pelouse de polo, de golf, champ de courses, pont de yacht, donner un équivalent moderne de ces toiles où les primitifs faisaient apparaître la figure humaine au premier plan d'un paysage. Une voiture à deux chevaux l'attendait devant la porte; et tandis que son monocle reprenait ses ébats sur la route ensoleillée, avec l'élégance et la maîtrise qu'un grand pianiste trouve le moyen de montrer dans le trait le plus simple où il ne semblait pas possible qu'il sût se montrer supérieur à un exécutant de deuxième ordre, le neveu de Mme de Villeparisis, prenant les guides que lui passa le cocher, s'assit à côté de lui et tout en décachetant une lettre que le directeur de l'hôtel lui remit, fit partir les bêtes.

Quelle déception j'éprouvai, les jours suivants, quand, chaque fois que je le rencontrai dehors ou dans l'hôtel — le col haut, équilibrant perpétuellement les mouvements de ses membres autour de son monocle fugitif et dansant qui semblait leur centre de gravité — je pus me rendre compte qu'il ne cherchait pas à se rapprocher de nous et vis qu'il ne nous saluait pas, quoiqu'il ne pût ignorer que nous étions les amis de sa tante! Et me rappelant l'amabilité que m'avaient témoignée Mme de Villeparisis et, avant elle, M. de Norpois, je pensais que peut-être ils n'étaient que des nobles pour rire et qu'un article secret des lois qui gouvernent l'aristocratie doit y permettre peut-être aux femmes et à certains diplomates de manquer, dans leurs rapports avec les roturiers, et pour une raison qui m'échappait, à la morgue que devait au contraire pratiquer impitoyablement un jeune marquis. Mon intelligence aurait pu me dire le contraire. Mais la caractéristique de l'âge ridicule que je traversais — âge nullement ingrat, très fécond — est qu'on n'y consulte pas l'intelligence et que les moindres attributs des êtres semblent faire partie indivisible de leur personnalité. Tout entouré de monstres et de dieux, on ne connaît guère le calme. Il n'y a presque pas un des gestes qu'on a faits alors, qu'on ne voudrait plus tard pouvoir abolir. Mais ce qu'on devrait regretter au contraire, c'est de ne plus posséder la spontanéité qui nous les faisait accomplir. Plus tard on voit les choses d'une façon plus pratique, en pleine conformité avec le reste de la société, mais l'adolescence est le seul temps où l'on ait appris quelque chose.

Cette insolence que je devinais chez M. de Saint-Loup, et tout ce qu'elle impliquait de dureté naturelle, se trouva vérifiée par son attitude chaque fois qu'il passait à côté de nous, le corps aussi inflexiblement élancé, la tête toujours aussi haute, le regard impassible, ce n'est pas assez dire, aussi implacable, dépouillé de ce vague respect qu'on a pour les droits d'autres créatures, même si elles ne connaissent pas votre tante, et qui faisait que je n'étais pas tout à fait le même devant une vieille dame que devant un bec de gaz. Ces manières glacées étaient aussi loin des lettres charmantes que je l'imaginais encore, il y a quelques jours, m'écrivant pour me dire sa sympathie, qu'est loin de l'enthousiasme de la Chambre et du peuple qu'il s'est représenté en train de soulever par un discours inoubliable, la situation médiocre, obscure, de l'imaginatif qui, après avoir ainsi rêvassé tout seul, pour son compte, à haute voix, se retrouve, les acclamations imaginaires une fois apaisées, Gros-Jean comme devant. Quand Mme de Villeparisis, sans doute pour tâcher d'effacer la mauvaise impression que nous avaient causée ces dehors révélateurs d'une nature orgueilleuse et méchante, nous reparla de l'inépuisable bonté de son petit-neveu (il était le fils d'une de ses nièces et était un peu plus âgé que moi) j'admirai comme dans le monde, au mépris de toute vérité, on prête des qualités de cœur à ceux qui l'ont si sec, fussent-ils d'ailleurs aimables avec des gens brillants qui font partie de leur milieu. Mme de Villeparisis ajouta elle-même, quoique indirectement, une confirmation aux traits essentiels, déjà certains pour moi, de la nature de son neveu, un jour où je les rencontrai tous deux dans un chemin si étroit qu'elle ne put faire autrement que de me présenter à lui. Il sembla ne pas entendre qu'on lui nommait quelqu'un, aucun muscle de son visage ne bougea; ses yeux, où ne brilla pas la plus faible lueur de sympathie humaine, montrèrent seulement dans l'insensibilité, dans l'inanité du regard, une exagération à défaut de laquelle rien ne les eût différenciés de miroirs sans vie. Puis, fixant sur moi ces yeux durs comme s'il eût voulu se renseigner sur moi, avant de me rendre mon salut, par un brusque déclenchement qui sembla plutôt dû à un réflexe musculaire qu'à un acte de volonté, mettant entre lui et moi le plus grand intervalle possible, allongea le bras dans toute sa longueur, et me tendit la main, à distance. Je crus qu'il s'agissait au moins d'un duel, quand le lendemain il me fit passer sa carte. Mais il ne me parla que de littérature, déclara après une longue causerie qu'il avait une envie extrême de me voir plusieurs heures chaque jour. Il n'avait pas, durant cette visite, fait preuve seulement d'un goût très ardent pour les choses de l'esprit, il m'avait témoigné une sympathie qui allait fort peu avec le salut de la veille. Quand je le lui eus vu refaire chaque fois qu'on lui présentait quelqu'un, je compris que c'était une simple habitude mondaine particulière à une certaine partie de sa famille et à laquelle sa mère, qui tenait à ce qu'il fût admirablement bien élevé, avait plié son corps; il faisait ces saluts-là sans y penser plus qu'à ses beaux vêtements, à ses beaux cheveux; c'était une chose dénuée de la signification morale que je lui avais donnée d'abord, une chose purement apprise, comme cette autre habitude qu'il avait aussi de se faire présenter immédiatement aux parents de quelqu'un qu'il connaissait, et qui était devenue chez lui si instinctive que, me voyant le lendemain de notre rencontre, il fonça sur moi et, sans me dire bonjour, me demanda de le nommer à ma grand'mère qui était auprès de moi, avec la même rapidité fébrile que si cette requête eût été due à quelque instinct défensif, comme le geste de parer un coup ou de fermer les yeux devant un jet d'eau bouillante, sans le préservatif duquel[1] il y eût eu péril à demeurer une seconde de plus.

Les premiers rites d'exorcisme une fois accomplis, comme une fée hargneuse dépouille sa première apparence et se pare de grâces enchanteresses, je vis cet être dédaigneux devenir le plus aimable, le plus prévenant jeune homme que j'eusse jamais rencontré. « Bon, me dis-je, je me suis déjà trompé sur lui, j'avais été victime d'un mirage, mais je n'ai triomphé du premier que pour tomber dans un second, car c'est un grand seigneur féru de noblesse et cherchant à le dissimuler. » Or, toute la charmante éducation, toute l'amabilité de Saint-Loup devait, en effet, au bout de peu de temps, me laisser voir un autre être, mais bien différent de celui que je soupçonnais.

Ce jeune homme qui avait l'air d'un aristocrate et d'un sportsman dédaigneux n'avait d'estime et de curiosité que pour les choses de l'esprit, surtout pour ces manifestations modernistes de la littérature et de l'art qui semblaient si ridicules à sa tante; il était imbu, d'autre part, de ce qu'elle appelait les déclamations socialistes, rempli du plus profond mépris pour sa caste, et passait des heures à étudier Nietzsche et Proudhon. C'était un de ces « intellectuels » prompts à l'admiration, qui s'enferment dans un livre, soucieux seulement de haute pensée. Même, chez Saint-Loup, l'expression de cette tendance très abstraite et qui l'éloignait tant de mes préoccupations habituelles, tout en me paraissant touchante m'ennuyait un peu. Je peux dire que, quand je sus bien qui avait été son père, les jours où je venais de lire des Mémoires tout nourris d'anecdotes sur ce fameux comte de Marsantes en qui se résume l'élégance si spéciale d'une époque déjà lointaine, l'esprit empli de rêveries, désireux d'avoir des précisions sur la vie qu'avait menée M. de Marsantes, j'enrageais que Robert de Saint-Loup au lieu de se contenter d'être le fils de son père, au lieu d'être capable de me guider dans le roman démodé qu'avait été l'existence de celui-ci, se fût élevé jusqu'à l'amour de Nietzsche et de Proudhon[1]. Son père n'eût pas partagé mes regrets. Il était lui-même un homme intelligent, excédant les bornes de sa vie d'homme du monde. Il n'avait guère eu le temps de connaître son fils, mais avait souhaité qu'il valût mieux que lui. Et je crois bien que, contrairement au reste de la famille, il l'eût admiré, se fût réjoui qu'il délaissât ce qui avait fait ses minces divertissements pour d'austères méditations, et, sans en rien dire, dans sa modestie de grand seigneur spirituel, eût lu en cachette les auteurs favoris de son fils pour apprécier de combien Robert lui était supérieur.

Il y avait, du reste, cette chose assez triste, c'est que si M. de Marsantes, à l'esprit fort ouvert, eût apprécié un fils si différent de lui, Robert de Saint-Loup, parce qu'il était de ceux qui croient que le mérite est attaché à certaines formes d'art et de vie, avait un souvenir affectueux mais un peu méprisant d'un père qui s'était occupé toute sa vie de chasse et de course, avait bâillé à Wagner et raffolé d'Offenbach. Saint-Loup n'était pas assez intelligent pour comprendre que la valeur intellectuelle n'a rien à voir avec l'adhésion à une certaine formule esthétique, et il avait pour l'« intellectualité » de M. de Marsantes un peu le même genre de dédain qu'auraient pu avoir pour Boieldieu ou pour Labiche un fils Boieldieu ou un fils Labiche qui eussent été des adeptes de la littérature la plus symboliste et de la musique la plus compliquée. « J'ai très peu connu mon père, disait Robert. Il paraît que c'était un homme exquis. Son désastre a été la déplorable époque où il a vécu. Être né dans le faubourg

Saint-Germain et avoir vécu à l'époque de la *Belle Hélène*, cela fait cataclysme dans une existence. Peut-être, petit bourgeois fanatique du « Ring », eût-il donné tout autre chose. On me dit même qu'il aimait la littérature. Mais on ne peut pas savoir, puisque ce qu'il entendait par littérature ne se compose que d'œuvres périmées[1]. » Et pour ce qui était de moi, si je trouvais Saint-Loup un peu sérieux, lui ne comprenait pas que je ne le fusse pas davantage. Ne jugeant chaque chose qu'au poids d'intelligence[2] qu'elle contient, ne percevant pas les enchantements d'imagination que me donnaient certaines qu'il jugeait frivoles, il s'étonnait que moi — moi à qui il s'imaginait être tellement inférieur — je pusse m'y intéresser.

Dès les premiers jours, Saint-Loup fit la conquête de ma grand'mère, non seulement par la bonté incessante qu'il s'ingéniait à nous témoigner à tous deux, mais par le naturel qu'il y mettait comme en toutes choses. Or, le naturel — sans doute parce que, sous l'art de l'homme, il laisse sentir la nature — était la qualité que ma grand'-mère préférait à toutes, tant dans les jardins où elle n'aimait pas qu'il y eût, comme dans celui de Combray, de plates-bandes trop régulières, qu'en cuisine où elle détestait ces « pièces montées » dans lesquelles on reconnaît à peine les aliments qui ont servi à les faire, ou dans l'interprétation pianistique qu'elle ne voulait pas trop fignolée, trop léchée, ayant même eu pour les notes accrochées, pour les fausses notes, de Rubinstein, une complaisance particulière. Ce naturel, elle le goûtait jusque dans les vêtements de Saint-Loup, d'une élégance souple sans rien de « gommeux » ni de « compassé », sans raideur et sans empois. Elle prisait davantage encore ce jeune homme riche dans la façon négligente et libre qu'il avait de vivre dans le luxe sans « sentir l'argent », sans airs importants; elle retrouvait même le charme de ce naturel dans l'incapacité que Saint-Loup avait gardée — et qui généralement disparaît avec l'enfance, en même temps que certaines particularités physiologiques de cet âge — d'empêcher son visage de refléter une émotion. Quelque chose qu'il désirait par exemple et sur quoi il n'avait pas compté, ne fût-ce qu'un compliment, faisait se dégager en lui un plaisir si brusque, si brûlant, si volatil, si expansif, qu'il lui était impossible de le contenir et de le cacher; une grimace de plaisir s'emparait irrésistiblement de son visage; la peau trop fine de ses joues laissait transparaître une vive rougeur, ses yeux reflétaient la confusion et la joie; et ma grand'mère était infiniment sensible à cette gracieuse apparence de franchise et d'innocence, laquelle d'ailleurs chez Saint-Loup, au moins à l'époque où je me liai avec lui, ne trompait pas. Mais j'ai connu un autre être, et il y en a beaucoup, chez lequel la sincérité physiologique de cet incarnat passager n'excluait nullement la duplicité morale; bien souvent il prouve seulement la vivacité avec laquelle ressentent le plaisir, jusqu'à être désarmées devant lui et à être forcées de le confesser aux autres, des natures capables des plus viles fourberies. Mais où ma grand'mère adorait surtout le naturel de Saint-Loup, c'était dans sa façon d'avouer sans aucun détour la sympathie qu'il avait pour moi, et pour l'expression de laquelle il avait de ces mots comme elle n'eût pas pu en trouver elle-même, disait-elle, de plus justes, et vraiment aimants, des mots qu'eussent contresignés « Sévigné et Beausergent »; il ne se gênait pas pour plaisanter mes défauts — qu'il avait démêlés avec une finesse dont elle était amusée — mais comme elle-même aurait fait, avec tendresse, exaltant au contraire mes qualités avec une chaleur, un abandon qui ne connaissait pas les réserves et la froideur grâce auxquelles les jeunes gens de son âge croient généralement se donner de l'importance. Et il montrait à prévenir mes moindres malaises, à remettre des couvertures sur mes jambes si le temps fraîchissait sans que je m'en fusse aperçu, à s'arranger sans le dire à rester le soir avec moi plus tard, s'il me sentait triste ou mal disposé, une vigilance que, du point de vue de ma santé, pour laquelle plus d'endurcissement eût peut-être été préférable, ma grand'mère trouvait presque excessive, mais qui, comme preuve d'affection pour moi, la touchait profondément.

Il fut bien vite convenu entre lui et moi que nous étions devenus de grands amis pour toujours, et il disait « notre amitié » comme s'il eût parlé de quelque chose d'important et de délicieux qui eût existé en dehors de nous-mêmes et qu'il appela bientôt — en mettant à part son amour pour sa maîtresse — la meilleure joie de sa vie. Ces paroles me causaient une sorte de tristesse, et j'étais embarrassé pour y répondre, car je n'éprouvais à me trouver, à causer avec lui — et sans doute c'eût été de même avec tout autre — rien de ce bonheur qu'il m'était au contraire possible de ressentir quand j'étais sans compagnon. Seul, quelquefois, je sentais affluer du fond de moi quelqu'une de ces impressions qui me donnaient un bien-être délicieux. Mais dès que j'étais avec quelqu'un, dès que je parlais à un ami, mon esprit faisait volte-face, c'était vers cet interlocuteur et non vers moi-même qu'il dirigeait ses pensées, et quand elles suivaient ce sens inverse, elles ne me procuraient aucun plaisir. Une fois que j'avais quitté Saint-Loup, je mettais, à l'aide de mots, une sorte d'ordre dans les minutes confuses que j'avais passées avec lui; je me disais que j'avais un bon ami, qu'un bon ami est une chose rare, et je goûtais, à me sentir entouré de biens difficiles à acquérir, ce qui était justement l'opposé du plaisir qui m'était naturel, l'opposé du plaisir d'avoir extrait de moi-même et amené à la lumière quelque chose qui y était caché dans la pénombre. Si j'avais passé deux ou trois heures à causer avec Robert de Saint-Loup et qu'il eût admiré ce que je lui avais dit, j'éprouvais une sorte de remords, de regret, de fatigue de ne pas être resté seul et prêt enfin à travailler. Mais je me disais qu'on n'est pas intelligent que pour soi-même, que les plus grands ont désiré d'être appréciés, que je ne pouvais pas considérer comme perdues des heures où j'avais bâti une haute idée de moi dans l'esprit de mon ami, je me persuadais facilement que je devais en être heureux et je souhaitais d'autant plus vivement que ce bonheur ne me fût jamais enlevé, que je ne l'avais pas ressenti. On craint plus que de tous les autres la disparition des biens restés en dehors de nous, parce que notre cœur ne s'en est pas emparé. Je me sentais capable d'exercer les vertus de l'amitié mieux que beaucoup (parce que je ferais toujours passer le bien de mes amis avant ces intérêts personnels auxquels d'autres sont attachés et qui ne comptaient pas pour moi), mais non pas de connaître la joie par un sentiment qui, au lieu d'accroître les différences qu'il y avait entre mon âme et celles des autres — comme il y en a entre les âmes de chacun de nous —, les effacerait. En revanche par moments ma pensée démêlait en Saint-Loup un être plus général que lui-même, le « noble », et qui comme un esprit intérieur mouvait ses membres, ordonnait ses gestes et ses actions; alors, à ces moments-là, quoique près de lui, j'étais seul, comme je l'eusse été devant un paysage dont j'aurais compris l'harmonie. Il n'était plus qu'un objet que ma rêverie cherchait à approfondir. À retrouver toujours en lui cet être antérieur, séculaire, cet aristocrate que Robert aspirait justement à ne pas être, j'éprouvais une vive joie, mais d'intelligence, non d'amitié. Dans l'agilité morale et physique qui donnait tant de grâce à son amabilité, dans l'aisance avec laquelle il offrait sa voiture à ma grand'mère et l'y faisait monter, dans son adresse à sauter du siège quand il avait peur que j'eusse froid, pour jeter son propre manteau sur mes épaules, je ne sentais pas seulement la souplesse héréditaire des grands chasseurs qu'avaient été depuis des générations les ancêtres de ce jeune homme qui ne prétendait qu'à l'intellectualité, leur dédain de la richesse qui, subsistant chez lui à côté du goût qu'il avait d'elle rien que pour pouvoir mieux fêter ses amis, lui faisait mettre si négligemment son luxe à leurs pieds; j'y sentais surtout la certitude ou l'illusion qu'avaient eues ces grands seigneurs d'être « plus que les autres », grâce à quoi ils n'avaient pu léguer à Saint-Loup ce désir de montrer qu'on est « autant que les autres », cette peur de paraître trop empressé qui lui était en effet vraiment inconnue et qui enlaidit de tant de raideur et de gaucherie la plus sincère amabilité plébéienne. Quelquefois je me reprochais de prendre ainsi plaisir à considérer mon ami comme une œuvre d'art, c'est-à-dire à regarder le jeu de toutes les parties de son être comme harmonieusement réglé par une idée générale à laquelle elles étaient suspendues mais qu'il ne connaissait pas et qui par conséquent n'ajoutait rien à ses qualités propres, à cette valeur personnelle d'intelligence et de moralité à quoi il attachait tant de prix.

Et pourtant elle était, dans une certaine mesure, leur condition. C'est parce qu'il était un gentilhomme que cette activité mentale, ces aspirations socialistes, qui lui faisaient rechercher de jeunes étudiants prétentieux et mal mis, avaient chez lui quelque chose de vraiment pur et désintéressé qu'elles n'avaient pas chez eux. Se croyant l'héritier d'une caste ignorante et égoïste, il cherchait sincèrement à ce qu'ils lui pardonnassent ces origines aristocratiques qui exerçaient sur eux, au contraire, une séduction et à cause desquelles ils le recherchaient, tout en simulant à son égard la froideur et même l'insolence. Il était ainsi amené à faire des avances à des gens dont mes parents, fidèles à la sociologie de Combray, eussent été stupéfaits qu'il ne se détournât pas. Un jour que nous étions assis sur le sable, Saint-Loup et moi, nous entendîmes d'une tente de toile contre laquelle nous étions, sortir des imprécations contre le fourmillement d'Israélites qui infestait Balbec. « On ne peut faire deux pas sans en rencontrer, disait la voix. Je ne suis pas par principe irréductiblement hostile à la nationalité juive, mais ici il y a pléthore. On n'entend que : « Dis donc, Apraham, « chai fu Chakop. » On se croirait rue d'Aboukir. » L'homme qui tonnait ainsi contre Israël sortit enfin de la tente, nous levâmes les yeux sur cet antisémite. C'était mon camarade Bloch. Saint-Loup me demanda immédiatement de rappeler à celui-ci qu'ils s'étaient rencontrés au Concours général où Bloch avait eu le prix d'honneur, puis dans une Université populaire.

Tout au plus souriais-je parfois de retrouver chez Robert les leçons des jésuites dans la gêne que la peur de froisser faisait naître en lui, chaque fois que quelqu'un de ses amis intellectuels commettait une erreur mondaine, faisait une chose ridicule, à laquelle lui, Saint-Loup, n'attachait aucune importance, mais dont il sentait que l'autre aurait rougi si l'on s'en était aperçu. Et c'était Robert qui rougissait comme si ç'avait été lui le coupable, par exemple le jour où Bloch lui promettant d'aller le voir à l'hôtel, ajouta :

— Comme je ne peux pas supporter d'attendre parmi le faux chic de ces grands caravansérails, et que les tziganes me feraient trouver mal, dites au « laïft » de les faire taire et de vous prévenir de suite.

Personnellement, je ne tenais pas beaucoup à ce que Bloch vînt à l'hôtel. Il était à Balbec, non pas seul, malheureusement, mais avec ses sœurs qui y avaient elles-mêmes beaucoup de parents et d'amis. Or, cette colonie juive était plus pittoresque qu'agréable. Il en était de Balbec comme de certains pays, la Russie ou la Roumanie, où les cours de géographie nous enseignent que la population israélite n'y jouit point de la même faveur et n'y est pas parvenue au même degré d'assimilation qu'à Paris par exemple. Toujours ensemble, sans mélange d'aucun autre élément, quand les cousines et les oncles de Bloch, ou leurs coreligionnaires mâles ou femelles se rendaient au Casino, les unes pour le « bal », les autres bifurquant vers le baccara, ils formaient un cortège homogène en soi et entièrement dissemblable des gens qui les regardaient passer et les retrouvaient là tous les ans sans jamais échanger un salut avec eux, que ce fût la société des Cambremer, le clan du premier président, ou des grands et petits bourgeois, ou même certains[1] simples grainetiers de Paris, dont les filles, belles, fières, moqueuses et françaises comme les statues de Reims, n'auraient pas voulu se mêler à cette horde de fillasses mal élevées, poussant le souci des modes de « bains de mer » jusqu'à toujours avoir l'air de revenir de pêcher la crevette ou d'être en train de danser le tango. Quant aux hommes, malgré l'éclat des smokings et des souliers vernis, l'exagération de leur type faisait penser à ces recherches dites « intelligentes » des peintres qui, ayant à illustrer les Évangiles ou les Mille et une Nuits, pensent au pays où la scène se passe et donnent à saint Pierre ou à Ali-Baba précisément la figure qu'avait le plus gros « ponte » de Balbec. Bloch me présenta ses sœurs, auxquelles il fermait le bec avec la dernière brusquerie et qui riaient aux éclats des moindres boutades de leur frère, leur admiration et leur idole. De sorte qu'il est probable que ce milieu devait renfermer comme tout autre, peut-être plus que tout autre, beaucoup d'agréments, de qualités et de vertus. Mais pour les éprouver, il eût fallu y pénétrer. Or, il ne plaisait pas, le sentait, voyait là la preuve d'un antisémitisme contre lequel il faisait front en une phalange compacte et close où personne d'ailleurs ne songeait à se frayer un chemin.

Pour ce qui est de « laïft », cela avait d'autant moins lieu de me surprendre que, quelques jours auparavant, Bloch m'ayant demandé pourquoi j'étais venu à Balbec (il lui semblait, au contraire, tout naturel que lui-même y fût) et si c'était « dans l'espoir de faire de belles connaissances », comme je lui avais dit que ce voyage répondait à un de mes plus anciens désirs, moins profond pourtant que celui d'aller à Venise, il avait répondu : « Oui, naturellement, pour boire des sorbets avec les belles madames, tout en faisant semblant de lire les *Stones of Venaïce* de Lord John Ruskin, sombre raseur et l'un des plus barbifiants bonshommes qui soient. » Bloch croyait donc évidemment qu'en Angleterre non seulement tous les individus du sexe mâle sont lords, mais encore que la lettre *i* s'y prononce toujours *aï*. Quant à Saint-Loup, il trouvait cette faute de prononciation d'autant moins grave qu'il y voyait surtout un manque de ces notions presque mondaines que mon nouvel ami méprisait autant qu'il les possédait. Mais la peur que Bloch, apprenant un jour qu'on dit Venice et que Ruskin n'était pas lord, crût rétrospectivement que Robert l'avait trouvé ridicule, fit que ce dernier se sentit coupable comme s'il avait manqué de l'indulgence dont il débordait et que, la rougeur qui colorerait sans doute un jour le visage de Bloch à la découverte de son erreur, il la sentit, par anticipation et réversibilité, monter au sien. Car il pensait bien que Bloch attachait plus d'importance que lui à cette faute. Ce que Bloch prouva quelque temps après, un jour qu'il m'entendit prononcer « lift », en interrompant : « Ah! on dit lift. » Et, d'un ton sec et hautain : « Cela n'a d'ailleurs aucune espèce d'importance. » Phrase analogue à un réflexe, la même chez tous les hommes qui ont de l'amour-propre, dans les plus graves circonstances aussi bien que dans les plus infimes; dénonçant alors, aussi bien que dans celle-ci, combien importante paraît la chose en question à celui qui la déclare sans importance; phrase tragique parfois, qui, la première de toutes, s'échappe, si navrante alors, des lèvres de tout homme un peu fier à qui on vient d'enlever la dernière espérance à laquelle il se raccrochait, en lui refusant un service : « Ah! bien, cela n'a aucune espèce d'importance, je m'arrangerai autrement », l'autre arrangement vers lequel il est sans aucune espèce d'importance d'être rejeté étant quelquefois le suicide.

Puis Bloch me dit des choses fort gentilles. Il avait certainement envie d'être très aimable avec moi. Pourtant, il me demanda : « Est-ce par goût de t'élever vers la noblesse — une noblesse très à-côté du reste, mais tu es demeuré naïf — que tu fréquentes de Saint-Loup-en-Bray? Tu dois être en train de traverser une jolie crise de snobisme. Dis-moi, es-tu snob? Oui, n'est-ce pas? » Ce n'est pas que son désir d'amabilité eût brusquement changé. Mais ce qu'on appelle en un français assez incorrect « la mauvaise éducation » était son défaut, par conséquent le défaut dont il ne s'apercevait pas, à plus forte raison dont il ne crût pas que les autres pussent être choqués.

Dans l'humanité, la fréquence des vertus identiques pour tous n'est pas plus merveilleuse que la multiplicité des défauts particuliers à chacun. Sans doute, ce n'est pas le bon sens qui est « la chose du monde la plus répandue », c'est la bonté. Dans les coins les plus lointains, les plus perdus, on s'émerveille de la voir fleurir d'elle-même, comme dans un vallon écarté un coquelicot pareil à ceux du reste du monde, lui qui ne les a jamais vus, et n'a jamais connu que le vent qui fait frissonner parfois son rouge chaperon solitaire. Même si cette bonté, paralysée par l'intérêt, ne s'exerce pas, elle existe pourtant et, chaque fois qu'aucun mobile égoïste ne l'empêche de le faire, par exemple pendant la lecture d'un roman ou d'un journal, elle s'épanouit, se tourne, même dans le cœur de celui qui, assassin dans la vie, reste tendre comme amateur de feuilletons, vers le faible, vers le juste et le persécuté. Mais la variété des défauts n'est pas moins admirable que la similitude des vertus[1]. La personne la plus parfaite a un certain défaut qui choque ou qui met en rage. L'une est d'une belle intelligence, voit tout d'un point de vue élevé, ne dit jamais de mal de personne, mais oublie dans sa poche les lettres les plus importantes qu'elle vous a demandé elle-même de lui confier, et vous fait manquer ensuite un rendez-vous capital, sans vous faire d'excuses, avec un sourire, parce qu'elle met sa fierté à ne jamais savoir l'heure. Un autre a tant de finesse, de douceur, de procédés délicats, qu'il ne vous dit jamais de vous-même que les choses qui peuvent vous rendre heureux, mais vous sentez qu'il en tait, qu'il en ensevelit dans son cœur, où elles aigrissent, de toutes différentes, et le plaisir qu'il a à vous voir lui est si cher qu'il vous ferait crever de fatigue plutôt que de vous quitter. Un troisième a plus de sincérité, mais la pousse jusqu'à tenir à ce que vous sachiez, quand vous vous êtes excusé sur votre état de santé de ne pas être allé le voir, que vous avez été vu vous rendant au théâtre et qu'on vous a trouvé bonne mine, ou qu'il n'a pu profiter entièrement de la démarche que vous avez faite pour lui, que d'ailleurs déjà trois autres lui ont proposé de faire et dont il ne vous est ainsi que légèrement obligé. Dans les deux circonstances, l'ami précédent aurait fait semblant d'ignorer que vous étiez allé au théâtre et que d'autres personnes eussent pu lui rendre le même service. Quant à ce dernier ami, il éprouve le besoin de répéter ou de révéler à quelqu'un ce qui peut le plus vous contrarier, est ravi de sa franchise et vous dit avec force : « Je suis comme cela. » Tandis que d'autres vous agacent par leur curiosité exagérée, ou leur incuriosité si absolue que vous pouvez leur parler des événements les plus sensationnels sans qu'ils sachent de quoi il s'agit; que d'autres encore restent des mois à vous répondre si votre lettre a trait à un fait qui concerne vous et non eux, ou bien, s'ils vous disent qu'ils vont venir vous demander quelque chose et que vous n'osiez pas sortir de peur de les manquer, ne viennent pas et vous laissent attendre des semaines, parce que, n'ayant pas reçu de vous la réponse que leur lettre ne demandait nullement, ils avaient cru vous avoir fâché. Et certains, consultant leur désir et non le vôtre, vous parlent sans vous laisser placer un mot s'ils sont gais et ont envie de vous voir, quelque travail urgent que vous ayez à faire; mais, s'ils se sentent fatigués par le temps, ou de mauvaise humeur, vous ne pouvez pas tirer d'eux une parole, ils opposent à vos efforts une inerte langueur et ne prennent pas plus la peine de répondre, même par monosyllabes, à ce que vous dites que s'ils ne vous avaient pas entendus. Chacun de nos amis a tellement ses défauts que, pour continuer à l'aimer, nous sommes obligés d'essayer de nous consoler d'eux — en pensant à son talent, à sa bonté, à sa tendresse, — ou plutôt de ne pas en tenir compte en déployant pour cela toute notre bonne volonté. Malheureusement notre complaisante obstination à ne pas voir le défaut de notre ami est surpassé par celle qu'il met à s'y adonner à cause de son aveuglement ou de celui qu'il prête aux autres. Car il ne le voit pas ou croit qu'on ne le voit pas. Comme le risque de déplaire vient surtout de la difficulté d'apprécier ce qui passe ou non inaperçu, on devrait au moins, par prudence, ne jamais parler de soi, parce que c'est un sujet où on peut être sûr que la vue des autres et la nôtre propre ne concordent jamais. Si on a autant de surprises qu'à visiter une maison d'apparence quelconque dont l'intérieur est rempli de trésors, de pinces-monseigneur ou[1] de cadavres quand on découvre la vraie vie des autres, l'univers réel sous l'univers apparent, on n'en éprouve pas moins si, au lieu de l'image qu'on s'était faite de soi-même grâce à ce que chacun nous en disait, on apprend, par le langage qu'ils tiennent à notre égard en notre absence, quelle image entièrement différente ils portaient en eux de nous et de notre vie. De sorte que chaque fois que nous avons parlé de nous[1], nous pouvons être sûrs que nos inoffensives et prudentes paroles, écoutées avec une politesse apparente et une hypocrite approbation, ont donné lieu aux commentaires les plus exaspérés ou les plus joyeux, en tous cas les moins favorables. Le moins que nous risquions est d'agacer par la disproportion qu'il y a entre[2] notre idée de nous-mêmes et nos paroles, disproportion qui rend généralement les propos des gens sur eux aussi risibles que ces chantonnements des faux amateurs de musique qui éprouvent le besoin de fredonner un air qu'ils aiment en compensant l'insuffisance de leur murmure inarticulé par une mimique énergique et un air d'admiration que ce qu'ils nous font entendre ne justifie pas. Et à la mauvaise habitude de parler de soi et de ses défauts il faut ajouter, comme faisant bloc avec elle, cette autre de dénoncer chez les autres des défauts précisément analogues à ceux qu'on a. Or, c'est toujours de ces défauts-là qu'on parle, comme si c'était une manière de parler de soi, détournée, et qui joint au plaisir de s'absoudre celui d'avouer. D'ailleurs il semble que notre attention, toujours attirée sur ce qui nous caractérise, le remarque plus que toute autre chose chez les autres. Un myope dit d'un autre : « Mais il peut à peine ouvrir les yeux »; un poitrinaire a des doutes sur l'intégrité pulmonaire du plus solide; un malpropre ne parle que des bains que les autres ne prennent pas; un malodorant prétend qu'on sent mauvais; un mari trompé voit partout des maris trompés; une femme légère, des femmes légères; le snob, des snobs. Et puis chaque vice, comme chaque profession, exige et développe un savoir spécial qu'on n'est pas fâché d'étaler. L'inverti dépiste les invertis, le couturier invité dans le monde n'a pas encore causé avec vous qu'il a déjà apprécié l'étoffe de votre vêtement et que ses doigts brûlent d'en palper les qualités, et si après quelques instants de conversation vous demandiez sa vraie opinion sur vous à un odontalgiste, il vous dirait le nombre de vos mauvaises dents. Rien ne lui paraît plus important, et à vous qui avez remarqué les siennes, plus ridicule. Et ce n'est pas seulement quand nous parlons de nous que nous croyons les autres aveugles; nous agissons comme s'ils l'étaient. Pour chacun de nous, un dieu spécial est là qui lui cache ou lui promet l'invisibilité de son défaut, de même qu'il ferme les yeux et les narines aux gens qui ne se lavent pas, sur la raie de crasse qu'ils portent aux oreilles et l'odeur de transpiration qu'ils gardent au creux des bras, et les persuade qu'ils peuvent impunément promener l'une et l'autre dans le monde qui ne s'apercevra de rien. Et ceux qui portent ou donnent en présent de fausses perles s'imaginent qu'on les prendra pour des vraies.

Bloch était mal élevé, névropathe, snob et, appartenant à une famille peu estimée, supportait comme au fond des mers les incalculables pressions que faisaient peser sur lui non seulement les chrétiens de la surface, mais les couches superposées des castes juives supérieures à la sienne, chacune accablant de son mépris celle qui lui était immédiatement inférieure. Percer jusqu'à l'air libre en s'élevant de famille juive en famille juive eût demandé à Bloch plusieurs milliers d'années. Il valait mieux chercher à se frayer une issue d'un autre côté.

Quand Bloch me parla de la crise de snobisme que je devais traverser et me demanda de lui avouer que j'étais snob, j'aurais pu lui répondre : « Si je l'étais, je ne te fréquenterais pas. » Je lui dis seulement qu'il était peu aimable. Alors il voulut s'excuser, mais selon le mode qui est justement celui de l'homme mal élevé, lequel est trop heureux, en revenant sur ses paroles, de trouver une occasion de les aggraver. « Pardonne-moi, me disait-il maintenant chaque fois qu'il me rencontrait, je t'ai chagriné, torturé, j'ai été méchant à plaisir. Et pourtant — l'homme en général et ton ami en particulier est un si singulier animal — tu ne peux imaginer, moi qui te taquine si cruellement, la tendresse que j'ai pour toi. Elle va souvent, quand je pense à toi, jusqu'aux larmes. » Et il fit entendre un sanglot.

Ce qui m'étonnait plus chez Bloch que ses mauvaises manières, c'était combien la qualité de sa conversation était inégale. Ce garçon si difficile, qui des écrivains les plus en vogue disait : « C'est un sombre idiot, c'est tout à fait un imbécile », par moments racontait avec une grande gaieté des anecdotes qui n'avaient rien de drôle et citait comme « quelqu'un de vraiment curieux » tel homme entièrement médiocre. Cette double balance pour juger de l'esprit, de la valeur, de l'intérêt des êtres, ne laissa pas de m'étonner jusqu'au jour où je connus M. Bloch père.

Je n'avais pas cru que nous serions jamais admis à le connaître, car Bloch fils avait mal parlé de moi à Saint-Loup et de Saint-Loup à moi. Il avait notamment dit à Robert que j'étais (toujours) affreusement snob. « Si, si, il est enchanté de connaître M. LLLLegrandin », dit-il. Cette manière de détacher un mot était chez Bloch le signe à la fois de l'ironie et de la littérature. Saint-Loup, qui n'avait jamais entendu le nom de Legrandin, s'étonna : « Mais qui est-ce ? — Oh ! c'est quelqu'un de *très bien* », répondit Bloch en riant et en mettant frileusement ses mains dans les poches de son veston, persuadé qu'il était en ce moment en train de contempler le pittoresque aspect d'un extraordinaire gentilhomme provincial auprès de quoi ceux de Barbey d'Aurevilly n'étaient rien. Il se consolait de ne pas savoir peindre M. Legrandin, en lui donnant plusieurs L et en savourant ce nom comme un vin de derrière les fagots. Mais ces jouissances subjectives restaient inconnues aux autres. S'il dit à Saint-Loup du mal de moi, d'autre part il ne m'en dit pas moins de Saint-Loup. Nous avions connu le détail de ces médisances chacun dès le lendemain, non que nous nous les fussions répétées l'un à l'autre, ce qui nous eût semblé très coupable, mais paraissait si naturel et presque si inévitable à Bloch que, dans son inquiétude et tenant pour certain qu'il ne ferait qu'apprendre à l'un ou à l'autre ce qu'ils allaient savoir, il préféra prendre les devants et, emmenant Saint-Loup à part, lui avoua qu'il avait dit du mal de lui, exprès, pour que cela lui fût redit, lui jura « par le Kroniôn Zeus, gardien des serments », qu'il l'aimait, qu'il donnerait sa vie pour lui et essuya une larme. Le même jour, il s'arrangea pour me voir seul, me fit sa confession, déclara qu'il avait agi dans mon intérêt parce qu'il croyait qu'un certain genre de relations mondaines m'était néfaste et que je « valais mieux que cela ». Puis, me prenant la main avec un attendrissement d'ivrogne, bien que son ivresse fût purement nerveuse : « Crois-moi, dit-il, et que la noire Kèr me saisisse à l'instant et me fasse franchir les portes d'Hadès, odieux aux hommes, si hier en pensant à toi, à Combray, à ma tendresse infinie pour toi, à telles après-midi en classe que tu ne te rappelles même pas, je n'ai pas sangloté toute la nuit. Oui, toute la nuit, je te le jure, et hélas, je le sais, car je connais les âmes, tu ne me croiras pas. » Je ne le croyais pas, en effet, et à ces paroles que je sentais inventées à l'instant même et au fur et à mesure qu'il parlait, son serment « par la Kèr » n'ajoutait pas un grand poids, le culte hellénique étant chez Bloch purement littéraire. D'ailleurs, dès qu'il commençait à s'attendrir et désirait qu'on s'attendrît sur un fait faux, il disait : « Je te le jure », plus encore pour la volupté hystérique de mentir que dans l'intérêt de faire croire qu'il disait la vérité. Je ne croyais pas ce qu'il me disait, mais je ne lui en voulais pas, car je tenais de ma mère et de ma grand'mère d'être incapable de rancune, même contre de bien plus grands coupables, et de ne jamais condamner personne.

Ce n'était du reste pas absolument un mauvais garçon que Bloch, il pouvait avoir de grandes gentillesses. Et depuis que la race de Combray, la race d'où sortaient des êtres absolument intacts comme ma grand'mère et ma mère, semble presque éteinte, comme je n'ai plus guère le choix qu'entre d'honnêtes brutes, insensibles et loyales et chez qui le simple son de la voix montre bien vite qu'ils ne se soucient en rien de votre vie — et une autre espèce d'hommes qui, tant qu'ils sont auprès de vous, vous comprennent, vous chérissent, s'attendrissent jusqu'à pleurer, prennent leur revanche quelques heures plus tard en faisant une cruelle plaisanterie sur vous, mais vous reviennent, toujours aussi compréhensifs, aussi charmants, aussi momentanément assimilés à vous-même, je crois que c'est cette dernière sorte d'hommes dont je préfère, sinon la valeur morale, du moins la société.

« Tu ne peux t'imaginer ma douleur quand je pense à toi, reprit Bloch. Au fond, c'est un côté assez juif chez moi », ajouta-t-il ironiquement en[1] rétrécissant sa prunelle comme s'il s'agissait de doser au microscope une quantité infinitésimale de « sang juif » et comme aurait pu le dire (mais ne l'eût pas dit) un grand seigneur français qui parmi ses ancêtres tous chrétiens eût pourtant compté Samuel Bernard ou plus anciennement encore la Sainte Vierge de qui prétendent descendre, dit-on, les Lévy,

« qui reparaît. J'aime assez, ajouta-t-il, faire ainsi dans mes sentiments la part, assez mince d'ailleurs, qui peut tenir à mes origines juives. » Il prononça cette phrase parce que cela lui paraissait à la fois spirituel et brave de dire la vérité sur sa race, vérité que par la même occasion il s'arrangeait à atténuer singulièrement, comme les avares qui se décident à acquitter leurs dettes, mais n'ont le courage d'en payer que la moitié. Le[1] genre de fraude qui consiste à avoir l'audace de proclamer la vérité, mais en y mêlant pour une bonne part des mensonges qui la falsifient[2], est plus répandu qu'on ne pense, et même chez ceux qui ne le pratiquent pas habituellement, certaines crises dans la vie, notamment celles où une liaison amoureuse est en jeu, leur donnent l'occasion de s'y livrer.

Toutes ces diatribes confidentielles de Bloch à Saint-Loup contre moi, à moi contre Saint-Loup finirent par une invitation à dîner. Je ne suis pas bien sûr qu'il ne fît pas d'abord une tentative pour avoir Saint-Loup seul. La vraisemblance rend cette tentative probable, le succès ne la couronna pas, car ce fut à moi et à Saint-Loup que Bloch dit un jour : « Cher maître, et vous, cavalier aimé d'Arès, de Saint-Loup-en-Bray, dompteur de chevaux, puisque je vous ai rencontrés[3] sur le rivage d'Amphitrite, résonnant d'écume, près des tentes des Menier[4] aux nefs rapides, voulez-vous tous deux venir dîner, un jour de la semaine, chez mon illustre père au cœur irréprochable ? » Il nous adressait cette invitation parce qu'il avait le désir de se lier plus étroitement avec Saint-Loup, qui le ferait, espérait-il, pénétrer dans des milieux aristocratiques. Formé par moi, pour moi, ce souhait eût paru à Bloch la marque du plus hideux snobisme, bien conforme à l'opinion qu'il avait de tout un côté de ma nature qu'il ne jugeait pas, jusqu'ici du moins, le principal; mais le même souhait, de sa part, lui semblait la preuve d'une belle curiosité de son intelligence désireuse de certains dépaysements sociaux où il pouvait peut-être trouver quelque utilité littéraire. M. Bloch père, quand son fils lui avait dit qu'il amènerait dîner un de ses amis, dont il avait décliné sur un ton de satisfaction sarcastique le titre et le nom : « Le marquis de Saint-Loup-en-Bray », avait éprouvé une commotion violente. « Le marquis de Saint-Loup-en-Bray ! Ah ! bougre ! » s'était-il écrié, usant du juron qui était chez lui la marque la plus forte de la déférence sociale. Et il avait jeté sur son fils, capable de s'être fait de telles relations, un regard admiratif qui signifiait : « Il est vraiment étonnant. Ce prodige est-il mon enfant ? » et causa[1] autant de plaisir à mon camarade que si cinquante francs avaient été ajoutés à sa pension mensuelle. Car Bloch était mal à l'aise chez lui et sentait que son père le traitait de dévoyé parce qu'il vivait dans l'admiration de Leconte de Lisle, Heredia et autres « bohèmes ». Mais des relations avec Saint-Loup-en-Bray dont le père avait été président du Canal de Suez ! (ah ! bougre !), c'était un résultat « indiscutable ». On regretta d'autant plus d'avoir laissé à Paris, par crainte de l'abîmer, le stéréoscope. Seul, M. Bloch, le père, avait l'art ou du moins le droit de s'en servir. Il ne le faisait du reste que rarement, à bon escient, les jours où il y avait gala et domestiques mâles en extra. De sorte que de ces séances de stéréoscope émanaient, pour ceux qui y assistaient, comme une distinction, une faveur de privilégiés et, pour le maître de maison qui les donnait, un prestige analogue à celui que le talent confère et qui n'aurait pas pu être plus grand si les vues avaient été prises par M. Bloch lui-même et l'appareil, de son invention. « Vous n'étiez pas invité hier chez Salomon ? disait-on dans la famille. — Non, je n'étais pas des élus ! Qu'est-ce qu'il y avait ? — Un grand tralala, le stéréoscope, toute la boutique. — Ah ! s'il y avait le stéréoscope, je regrette, car il paraît que Salomon est extraordinaire quand il le montre. »

— Que veux-tu, dit M. Bloch à son fils, il ne faut pas lui donner tout à la fois, comme cela il lui restera quelque chose à désirer.

Il avait bien pensé dans sa tendresse paternelle et pour émouvoir son fils, à faire venir l'instrument. Mais le « temps matériel » manquait, ou plutôt on avait cru qu'il manquerait; mais nous dûmes faire remettre le dîner parce que Saint-Loup ne put se déplacer, attendant un oncle qui allait venir passer quarante-huit heures auprès de Mme de Villeparisis. Comme, très adonné aux exercices physiques, surtout aux longues marches, c'était en grande partie à pied, en couchant la nuit dans les fermes, que cet oncle devait faire la route depuis le château où il était en villégiature, le moment où il arriverait à Balbec était assez incertain. Et Saint-Loup, n'osant bouger, me chargea même d'aller porter à Incarville, où était le bureau télégraphique, la dépêche que mon ami envoyait quotidiennement à sa maîtresse. L'oncle qu'on attendait s'appelait Palamède, d'un prénom qu'il avait hérité des princes de Sicile, ses ancêtres. Et plus tard quand je retrouvai dans mes lectures historiques, appartenant à tel podestat ou tel prince de l'Église, ce prénom même, belle médaille de la Renaissance — d'aucuns disaient un véritable antique — toujours restée dans la famille, ayant glissé de descendant en descendant depuis le cabinet du Vatican jusqu'à l'oncle de mon ami, j'éprouvai[1] le plaisir réservé à ceux qui, ne pouvant faute d'argent constituer un médaillier, une pinacothèque, recherchent les vieux noms (noms de localités, documentaires et pittoresques comme une carte ancienne, une vue cavalière, une enseigne ou un coutumier, noms de baptême où résonne et s'entend, dans les belles finales françaises, le défaut de langue, l'intonation d'une vulgarité ethnique, la prononciation vicieuse selon lesquels nos ancêtres faisaient subir aux mots latins et saxons des mutilations durables, devenues plus tard les augustes législatrices des grammaires) et, en somme, grâce à ces collections de sonorités anciennes, se donnent à eux-mêmes des concerts, à la façon de ceux qui acquièrent des violes de gambe et des violes d'amour pour jouer de la musique d'autrefois sur des instruments anciens. Saint-Loup me dit que, même dans la société aristocratique la plus fermée, son oncle Palamède se distinguait encore comme particulièrement difficile d'accès, dédaigneux, entiché de sa noblesse, formant, avec la femme de son frère et quelques autres personnes choisies, ce qu'on appelait le cercle des Phénix. Là même il était si redouté pour ses insolences qu'autrefois il était arrivé que des gens du monde qui désiraient le connaître et s'étaient adressés à son propre frère, avaient essuyé un refus. « Non, ne me demandez pas de vous présenter à mon frère Palamède. Ma femme, nous tous, nous nous y attellerions que nous ne pourrions pas. Ou bien vous risqueriez qu'il ne soit pas aimable et je ne le voudrais pas. » Au Jockey, il avait avec quelques amis désigné deux cents membres qu'ils ne se laisseraient jamais présenter. Et chez le comte de Paris il était connu sous le sobriquet du « Prince » à cause de son élégance et de sa fierté.

Saint-Loup me parla de la jeunesse, depuis longtemps passée, de son oncle. Il amenait tous les jours des femmes dans une garçonnière qu'il avait en commun avec deux de ses amis, beaux comme lui, ce qui faisait qu'on les appelait « les trois Grâces ».

— Un jour, un des hommes qui est aujourd'hui des plus en vue dans le faubourg Saint-Germain, comme eût dit Balzac, mais qui dans une première période assez fâcheuse montrait des goûts bizarres, avait demandé à mon oncle de venir dans cette garçonnière. Mais, à peine arrivé, ce ne fut pas aux femmes, mais à mon oncle Palamède, qu'il se mit à faire une déclaration. Mon oncle fit semblant de ne pas comprendre, emmena sous un prétexte ses deux amis, ils revinrent, prirent le coupable, le déshabillèrent, le frappèrent jusqu'au sang et, par un froid de dix degrés au-dessous de zéro, le jetèrent à coups de pieds dehors où il fut trouvé à demi mort, si bien que la justice fit une enquête à laquelle le malheureux eut toute la peine du monde à la faire renoncer. Mon oncle ne se livrerait plus aujourd'hui à une exécution aussi cruelle et tu n'imagines pas le nombre d'hommes du peuple, lui si hautain avec les gens du monde, qu'il prend en affection, qu'il protège, quitte à être payé d'ingratitude. Ce sera un domestique qui l'aura servi dans un hôtel et qu'il placera à Paris, ou un paysan à qui il fera apprendre un métier. C'est même le côté assez gentil qu'il y a chez lui, par contraste avec le côté mondain. » Saint-Loup appartenait, en effet, à ce genre de jeunes gens du monde situés à une altitude où on a[1] pu faire pousser ces expressions : « Ce qu'il y[2] a même d'assez gentil chez lui, son côté assez gentil », semences assez précieuses, produisant très vite une manière de concevoir les choses dans[3] laquelle on se compte pour rien, et le « peuple » pour tout; en somme tout le contraire de l'orgueil plébéien. « Il paraît qu'on ne peut se figurer comme il donnait le ton, comme il faisait la loi à toute la société dans sa jeunesse. Pour lui, en toute circonstance il faisait ce qui lui paraissait le plus agréable, le plus commode, mais aussitôt c'était imité par les snobs. S'il avait eu soif au théâtre et s'était fait apporter à boire dans le fond de sa loge, les petits salons qu'il y avait derrière chacune se remplissaient la semaine suivante, de rafraîchissements. Un été très pluvieux où il avait un peu de rhumatisme, il s'était commandé un pardessus d'une vigogne souple mais chaude qui ne sert guère que pour faire des couvertures de voyage et dont il avait respecté les raies bleues et orange. Les grands tailleurs se virent commander aussitôt par leurs clients des pardessus bleus et frangés, à longs poils. Si pour une raison quelconque il désirait ôter tout caractère de solennité à un dîner dans un château où il passait une journée, et pour marquer cette nuance n'avait pas apporté d'habit et s'était mis à table avec le veston de l'après-midi, la mode devenait de dîner à la campagne en veston. Que pour manger un gâteau il se servît, au lieu de sa cuiller, d'une fourchette ou d'un couvert de son invention commandé par lui à un orfèvre, ou de ses doigts, il n'était plus permis de faire autrement. Il avait eu envie de réentendre certains quatuors de Beethoven (car avec toutes ses idées saugrenues il est loin d'être bête et est fort doué) et avait fait venir des artistes pour les jouer chaque semaine, pour lui et quelques amis. La grande élégance fut cette année-là de donner des réunions peu nombreuses où on entendait de la musique de chambre. Je crois d'ailleurs qu'il ne s'est pas ennuyé dans la vie. Beau comme il a été, il a dû en avoir, des femmes! Je ne pourrais pas vous dire d'ailleurs exactement lesquelles, parce qu'il est très discret. Mais je sais qu'il a bien trompé ma pauvre tante. Ce qui n'empêche pas qu'il était délicieux avec elle, qu'elle l'adorait, et qu'il l'a pleurée pendant des années. Quand il est à Paris, il va encore au cimetière presque chaque jour. »

Le lendemain matin[1] du jour où Robert m'avait ainsi parlé de son oncle tout en l'attendant, vainement du reste, comme je passais seul devant le casino en rentrant à l'hôtel, j'eus la sensation d'être regardé par quelqu'un qui n'était pas loin de moi. Je tournai la tête et j'aperçus un homme d'une quarantaine d'années, très grand et assez gros, avec des moustaches très noires, et qui, tout en frappant nerveusement son pantalon avec une badine, fixait sur moi des yeux dilatés par l'attention. Par moments, ils étaient percés en tous sens par des regards d'une extrême activité comme en ont seuls devant une personne qu'ils ne connaissent pas des hommes à qui, pour un motif quelconque, elle inspire des pensées qui ne viendraient pas à tout autre — par exemple des fous ou des espions. Il lança sur moi une suprême œillade à la fois hardie, prudente, rapide et profonde, comme un dernier coup que l'on tire au moment de prendre la fuite, et après avoir regardé tout autour de lui, prenant soudain un air distrait et hautain, par un brusque revirement de toute sa personne il se tourna vers une affiche dans la lecture de laquelle il s'absorba, en fredonnant un air et en arrangeant la rose mousseuse qui pendait à sa boutonnière. Il sortit de sa poche un calepin sur lequel il eut l'air de prendre en note le titre du spectacle annoncé, tira deux ou trois fois sa montre, abaissa sur ses yeux un canotier de paille noire dont il prolongea le rebord avec sa main mise en visière comme pour voir si quelqu'un n'arrivait pas, fit le geste de mécontentement par lequel on croit faire voir qu'on a assez d'attendre, mais qu'on ne fait jamais quand on attend réellement, puis rejetant en arrière son chapeau et laissant voir une brosse coupée ras qui admettait cependant de chaque côté d'assez longues ailes de pigeon ondulées, il exhala le souffle bruyant des personnes qui ont non pas trop chaud, mais le désir de montrer qu'elles ont trop chaud. J'eus l'idée d'un escroc d'hôtel qui, nous ayant peut-être déjà remarqués les jours précédents, ma grand'mère et moi, et préparant quelque mauvais coup, venait de s'apercevoir que je l'avais surpris pendant qu'il m'épiait; pour me donner le change, peut-être cherchait-il seulement, par sa nouvelle attitude, à exprimer la distraction et le détachement, mais c'était avec une exagération si agressive que son but semblait, au moins autant que de dissiper les soupçons que j'avais dû avoir, de venger une humiliation qu'à mon insu je lui eusse infligée, de me donner l'idée non pas tant qu'il ne m'avait pas vu, que celle que j'étais un objet de trop petite importance pour attirer son[1] attention. Il cambrait sa taille d'un air de bravade, pinçait les lèvres, relevait ses moustaches et dans son regard ajustait quelque chose d'indifférent, de dur, de presque insultant. Si bien que la singularité de son expression me le faisait prendre tantôt pour un voleur et tantôt pour un aliéné. Pourtant sa mise extrêmement soignée était beaucoup plus grave et beaucoup plus simple que celles de tous les baigneurs que je voyais à Balbec, et rassurante pour mon veston si souvent humilié par la blancheur éclatante et banale de leurs costumes de plage. Mais ma grand'mère venait à ma rencontre, nous fîmes un tour ensemble, et je l'attendais, une heure après, devant l'hôtel où elle était rentrée un instant, quand je vis sortir Mme de Villeparisis avec Robert de Saint-Loup et l'inconnu qui m'avait regardé si fixement devant le casino. Avec la rapidité d'un éclair son regard me traversa ainsi qu'au moment où je l'avais aperçu, et revint, comme s'il ne m'avait pas vu, se ranger, un peu bas, devant ses yeux, émoussé, comme le regard neutre qui feint de ne rien voir au dehors et n'est capable de rien lire au dedans, le regard qui exprime seulement la satisfaction de sentir autour de soi les cils qu'il écarte de sa rondeur béate, le regard dévot et confit qu'ont certains hypocrites, le regard fat qu'ont certains sots. Je vis qu'il avait changé de costume. Celui qu'il portait était encore plus sombre; et sans doute c'est que la véritable élégance est moins loin de la simplicité que la fausse; mais il y avait autre chose : d'un peu près on sentait que si la couleur était presque entièrement absente de ces vêtements, ce n'était pas parce que celui qui l'en avait bannie y était indifférent, mais plutôt parce que, pour une raison quelconque, il se l'interdisait. Et la sobriété qu'ils laissaient paraître semblait de celles qui viennent de l'obéissance à un régime, plutôt que du manque de gourmandise. Un filet de vert sombre s'harmonisait, dans le tissu du pantalon, à la rayure des chaussettes avec un raffinement qui décelait la vivacité d'un goût maté partout ailleurs et à qui cette seule concession avait été faite par tolérance, tandis qu'une tache rouge sur la cravate était imperceptible comme une liberté qu'on n'ose prendre.

— Comment allez-vous? Je vous présente mon neveu, le baron de Guermantes, me dit Mme de Villeparisis, pendant que l'inconnu, sans me regarder, grommelant un vague : « Charmé » qu'il fit suivre de : « heue, heue, heue » pour donner à son amabilité quelque chose de forcé, et repliant le petit doigt, l'index et le pouce, me tendait le troisième doigt et l'annulaire, dépourvus de toute bague, que je serrai sous son gant de Suède; puis sans avoir levé les yeux sur moi il se détourna vers Mme de Villeparisis.

— Mon Dieu, est-ce que je perds la tête? dit celle-ci en riant[1], voilà que je t'appelle le baron de Guermantes. Je vous présente le baron de Charlus. Après tout, l'erreur n'est pas si grande, ajouta-t-elle, tu es bien un Guermantes tout de même.

Cependant ma grand'mère sortait, nous fîmes route ensemble. L'oncle de Saint-Loup ne m'honora non seulement pas d'une parole, mais même d'un regard. S'il dévisageait les inconnus (et pendant cette courte promenade il lança deux ou trois fois son terrible et profond regard en coup de sonde sur des gens insignifiants et de la plus modeste extraction qui passaient), en revanche, il ne regardait à aucun moment, si j'en jugeais par moi, les personnes qu'il connaissait, — comme un policier en mission secrète mais qui tient ses amis en dehors de sa surveillance professionnelle. Les laissant causer ensemble, ma grand'mère, Mme de Villeparisis et lui, je retins Saint-Loup en arrière :

— Dites-moi, ai-je bien entendu? Madame de Villeparisis a dit à votre oncle qu'il était un Guermantes.

— Mais oui, naturellement, c'est Palamède de Guermantes.

— Mais des mêmes Guermantes qui ont un château près de Combray et qui prétendent descendre de Geneviève de Brabant?

— Mais absolument : mon oncle, qui est on ne peut plus héraldique, vous répondrait que notre *cri,* notre cri de guerre, qui devint ensuite Passavant, était d'abord Combraysis, dit-il en riant pour ne pas avoir l'air de tirer vanité de cette prérogative du cri qu'avaient seules les maisons quasi souveraines, les grands chefs des bandes. Il est le frère du possesseur actuel du château.

Ainsi[1] s'apparentait, et de tout près, aux Guermantes, cette Mme de Villeparisis, restée si longtemps pour moi la dame qui m'avait donné une boîte de chocolat tenue par un canard, quand j'étais petit, plus éloignée alors du côté de Guermantes que si elle avait été enfermée dans le côté de Méséglise, moins brillante, moins haut située par moi que l'opticien de Combray, et qui maintenant subissait brusquement une de ces hausses fantastiques, parallèles aux dépréciations non moins imprévues d'autres objets que nous possédons, lesquelles — les unes comme les autres — introduisent dans notre adolescence et dans les parties de notre vie où persiste un peu de notre adolescence, des changements aussi nombreux que les métamorphoses d'Ovide.

— Est-ce qu'il n'y a pas dans ce château tous les bustes des anciens seigneurs de Guermantes ?

— Oui, c'est un beau spectacle, dit ironiquement Saint-Loup. Entre nous, je trouve toutes ces choses-là un peu falotes. Mais il y a à Guermantes, ce qui est un peu plus intéressant ! un portrait bien touchant de ma tante par Carrière. C'est beau comme du Whistler ou du Vélasquez, ajouta Saint-Loup qui dans son zèle de néophyte ne gardait pas toujours exactement l'échelle des grandeurs. Il y a aussi d'émouvantes peintures de Gustave Moreau. Ma tante est la nièce de votre amie madame de Villeparisis, elle a été élevée par elle, et a épousé son cousin qui était neveu aussi de ma tante Villeparisis, le duc de Guermantes actuel.

— Et alors qu'est votre oncle ?

— Il porte le titre de baron de Charlus. Régulièrement, quand mon grand-oncle est mort, mon oncle Palamède aurait dû prendre le titre de prince des Laumes, qui était celui de son frère avant qu'il devînt duc de Guermantes, car dans cette famille-là ils changent de nom comme de chemise. Mais mon oncle a sur tout cela des idées particulières. Et comme il trouve qu'on abuse un peu des duchés italiens, grandesses espagnoles, etc., et bien qu'il eût le choix entre quatre ou cinq titres de prince, il a gardé celui de baron de Charlus, par protestation et avec une apparente simplicité où il y a beaucoup d'orgueil. « Aujourd'hui, dit-il, tout le monde est prince, il faut pourtant bien avoir quelque chose qui vous distingue ; je prendrai un titre de prince quand je voudrai voyager incognito. » Il n'y a pas selon lui de titre plus ancien que celui de baron de Charlus ; pour vous prouver qu'il est antérieur à celui des Montmorency, qui se disaient faussement les premiers barons de France, alors qu'ils l'étaient seulement de l'Ile-de-France où était leur fief, mon oncle vous donnera des explications pendant des heures, et avec plaisir parce que, quoiqu'il soit très fin, très doué, il trouve cela un sujet de conversation tout à fait vivant, dit Saint-Loup avec un sourire. Mais comme je ne suis pas comme lui, vous n'allez pas me faire parler généalogie, je ne sais rien de plus assommant, de plus périmé, vraiment l'existence est trop courte.

Je reconnaissais maintenant dans le regard dur qui m'avait fait retourner tout à l'heure près du casino celui que j'avais vu fixé sur moi à Tansonville au moment où Mme Swann avait appelé Gilberte.

— Mais parmi les nombreuses maîtresses que vous me disiez qu'avait eues votre oncle, M. de Charlus, est-ce qu'il n'y avait pas madame Swann?

— Oh! pas du tout! C'est-à-dire qu'il est un grand ami de Swann et l'a toujours beaucoup soutenu. Mais on n'a jamais dit qu'il fût l'amant de sa femme. Vous causeriez beaucoup d'étonnement dans le monde, si vous aviez l'air de croire cela.

Je n'osai lui répondre qu'on en aurait éprouvé bien plus à Combray, si j'avais eu l'air de ne pas le croire.

Ma grand'mère fut enchantée de M. de Charlus. Sans doute, il attachait une extrême importance à toutes les questions de naissance et de situation mondaine, et ma grand'mère l'avait remarqué, mais sans rien de cette sévérité où entrent d'habitude une secrète envie et l'irritation de voir un autre se réjouir d'avantages qu'on voudrait et qu'on ne peut posséder. Comme au contraire ma grand'mère, contente de son sort et ne regrettant nullement de ne pas vivre dans une société plus brillante, ne se servait que de son intelligence pour observer les travers de M. de Charlus, elle parlait de l'oncle de Saint-Loup avec cette bienveillance détachée, souriante, presque sympathique, par laquelle nous récompensons l'objet de notre observation désintéressée du plaisir qu'elle nous procure, et d'autant plus que cette fois l'objet était un personnage dont elle trouvait que les prétentions, sinon légitimes, du moins pittoresques, le faisaient assez vivement trancher sur les personnes qu'elle avait généralement l'occasion de voir. Mais c'était surtout en faveur de l'intelligence et de la sensibilité, qu'on devinait extrêmement vives chez M. de Charlus, au contraire de tant de gens du monde dont se moquait Saint-Loup, que ma grand'mère lui avait si aisément pardonné son préjugé aristocratique. Celui-ci n'avait pourtant pas été sacrifié par l'oncle, comme par le neveu, à des qualités supérieures. M. de Charlus l'avait plutôt concilié avec elles. Possédant, comme descendant des ducs de Nemours et des princes de Lamballe, des archives, des meubles, des tapisseries, des portraits faits pour ses aïeux par Raphaël, par Vélasquez, par Boucher, pouvant dire justement qu'il « visitait » un musée et une incomparable bibliothèque rien qu'en parcourant ses souvenirs de famille, il plaçait au contraire au rang d'où son neveu l'avait fait déchoir tout l'héritage de l'aristocratie. Peut-être aussi, moins idéologue que Saint-Loup, se payant moins de mots, plus réaliste observateur des hommes, ne voulait-il pas négliger un élément essentiel de prestige à leurs yeux et qui, s'il donnait à son imagination des jouissances désintéressées, pouvait être souvent pour son activité utilitaire un adjuvant puissamment efficace. Le débat reste ouvert entre les hommes de cette sorte et ceux qui obéissent à l'idéal intérieur qui les pousse à se défaire de ces avantages pour chercher uniquement à le réaliser, semblables en cela aux peintres, aux écrivains qui renoncent leur virtuosité, aux peuples artistes qui se modernisent, aux peuples guerriers prenant l'initiative du désarmement universel, aux gouvernements absolus qui se font démocratiques et abrogent de dures lois, bien souvent sans que la réalité récompense leur noble effort; car les uns perdent leur talent, les autres leur prédominance séculaire; le pacifisme multiplie quelquefois les guerres et l'indulgence, la criminalité. Si les efforts de sincérité et d'émancipation de Saint-Loup ne pouvaient être trouvés que très nobles, à juger par le résultat extérieur, il était permis de se féliciter qu'ils eussent fait défaut chez M. de Charlus, lequel avait fait transporter chez lui une grande partie des admirables boiseries de l'hôtel Guermantes au lieu de les échanger, comme son neveu, contre un mobilier modern style, des Lebourg et des Guillaumin. Il n'en était pas moins vrai que l'idéal de M. de Charlus était fort factice, et, si cette épithète peut être rapprochée du mot idéal, tout autant mondain qu'artistique. À quelques femmes de grande beauté et de rare culture dont les aïeules avaient été deux siècles plus tôt mêlées à toute la gloire et à toute l'élégance de l'ancien régime, il trouvait une distinction qui le faisait pouvoir se plaire seulement avec elles, et sans doute l'admiration qu'il leur avait vouée était sincère, mais de nombreuses réminiscences d'histoire et d'art évoquées par leurs noms y entraient pour une grande part, comme des souvenirs de l'antiquité sont une des raisons du plaisir qu'un lettré trouve à lire une ode d'Horace peut-être inférieure à des poèmes de nos jours qui laisseraient ce même lettré indifférent. Chacune de ces femmes à côté d'une jolie bourgeoise était pour lui ce que sont[1] à une toile contemporaine représentant une route ou une noce, ces tableaux anciens dont on sait l'histoire, depuis le Pape ou le Roi qui les commandèrent, en passant par tels personnages auprès de qui leur présence, par don, achat, prise ou héritage, nous rappelle quelque événement ou tout au moins quelque alliance d'un intérêt historique, par conséquent des connaissances que nous avons acquises, leur donne une nouvelle utilité, augmente le sentiment de la richesse des possessions de notre mémoire ou de notre érudition. M. de Charlus se félicitait qu'un préjugé analogue au sien, en empêchant ces quelques grandes dames de frayer avec des femmes d'un sang moins pur, les offrît à son culte intactes dans leur noblesse inaltérée, comme telle façade du XVIIIe siècle soutenue par ses colonnes plates de marbre rose et à laquelle les temps nouveaux n'ont rien changé.

M. de Charlus célébrait la véritable *noblesse* d'esprit et de cœur de ces femmes, jouant ainsi sur le mot par une équivoque qui le trompait lui-même et où résidait le mensonge de cette conception bâtarde, de cet ambigu d'aristocratie, de générosité et d'art, mais aussi sa séduction, dangereuse pour des êtres comme ma grand'mère à qui le préjugé plus grossier mais plus innocent d'un noble qui ne regarde qu'aux quartiers et ne se soucie pas du reste, eût semblé trop ridicule, mais qui était sans défense dès que quelque chose se présentait sous les dehors d'une supériorité spirituelle, au point qu'elle trouvait les princes enviables par-dessus tous les hommes parce qu'ils purent avoir un La Bruyère, un Fénelon comme précepteurs.

Devant le Grand-Hôtel, les trois Guermantes nous quittèrent; ils allaient déjeuner chez la princesse de Luxembourg. Au moment où ma grand'mère disait au revoir à Mme de Villeparisis et Saint-Loup à ma grand'mère, M. de Charlus, qui jusque-là ne m'avait pas adressé la parole, fit quelques pas en arrière et arrivé à côté de moi : « Je prendrai le thé ce soir après dîner dans l'appartement de ma tante Villeparisis, me dit-il. J'espère que vous me ferez le plaisir de venir avec Madame votre grand'mère. » Et il rejoignit la marquise.

Quoique ce fût dimanche, il n'y avait pas plus de fiacres devant l'hôtel qu'au commencement de la saison.

La femme du notaire, en particulier, trouvait que c'était faire bien des frais que de louer chaque fois une voiture pour ne pas aller chez les Cambremer, et elle se contentait de rester dans sa chambre.

— Est-ce que madame Blandais est souffrante? demandait-on au notaire, on ne l'a pas vue aujourd'hui.

— Elle a un peu mal à la tête, la chaleur, cet orage. Il lui suffit d'un rien; mais je crois que vous la verrez ce soir. Je lui ai conseillé de descendre. Cela ne peut lui faire que du bien.

J'avais pensé qu'en nous invitant ainsi chez sa tante, que je ne doutais pas qu'il eût prévenue, M. de Charlus eût voulu réparer l'impolitesse qu'il m'avait témoignée pendant la promenade du matin. Mais quand, arrivé dans le salon de Mme de Villeparisis, je voulus saluer le neveu de celle-ci, j'eus beau tourner autour de lui qui, d'une voix aiguë, racontait une histoire assez malveillante pour un de ses parents, je ne pus pas attraper son regard; je me décidai à lui dire bonjour, et assez fort, pour l'avertir de ma présence, mais je compris qu'il l'avait remarquée, car avant même qu'aucun mot ne fût sorti de mes lèvres, au moment où je m'inclinais, je vis ses deux doigts tendus pour que je les serrasse, sans qu'il eût tourné les yeux ou interrompu la conversation. Il m'avait évidemment vu, sans le laisser paraître, et je m'aperçus alors que ses yeux, qui n'étaient jamais fixés sur l'interlocuteur, se promenaient perpétuellement dans toutes les directions, comme ceux de certains animaux effrayés, ou ceux de ces marchands en plein air qui, tandis qu'ils débitent leur boniment et exhibent leur marchandise illicite, scrutent, sans pourtant tourner la tête, les différents points de l'horizon par où pourrait venir la police. Cependant j'étais un peu étonné de voir que Mme de Villeparisis, heureuse de nous voir venir, ne semblait pas s'y être attendue, je le fus plus encore d'entendre M. de Charlus dire à ma grand'mère : « Ah! c'est une très bonne idée que vous avez eue de venir, c'est charmant, n'est-ce pas, ma tante? » Sans doute avait-il remarqué la surprise de celle-ci à notre entrée et pensait-il, en homme habitué à donner le ton, le « la », qu'il lui suffirait pour changer cette surprise en joie d'indiquer qu'il en éprouvait lui-même, que c'était bien le sentiment que notre venue devait exciter. En quoi il calculait bien, car Mme de Villeparisis qui comptait fort son neveu et savait combien il était difficile de lui plaire, parut soudain avoir trouvé à ma grand'mère de nouvelles qualités et ne cessa de lui faire fête. Mais je ne pouvais comprendre que M. de Charlus eût oublié en quelques heures l'invitation si brève, mais en apparence si intentionnelle, si préméditée qu'il m'avait adressée le matin même, et qu'il appelât « bonne idée » de ma grand'mère, une idée qui était toute de lui. Avec un scrupule de précision que je gardai jusqu'à l'âge où je compris que ce n'est pas en la lui demandant qu'on apprend la vérité sur l'intention qu'un homme a eue et que le risque d'un malentendu qui passera probablement inaperçu est moindre que celui d'une naïve insistance : « Mais, Monsieur, lui dis-je, vous vous rappelez bien, n'est-ce pas, que c'est vous qui m'avez demandé que nous vinssions ce soir ? » Aucun mouvement, aucun son ne trahit que M. de Charlus eût entendu ma question. Ce que voyant, je la répétai comme les diplomates ou ces jeunes gens brouillés qui mettent une bonne volonté inlassable et vaine à obtenir des éclaircissements que l'adversaire est décidé à ne pas donner. M. de Charlus ne me répondit pas davantage. Il me sembla voir flotter sur ses lèvres le sourire de ceux qui de très haut jugent les caractères et les éducations.

Puisqu'il refusait toute explication, j'essayai de m'en donner une, et je n'arrivai qu'à hésiter entre plusieurs dont aucune pouvait n'être[1] la bonne. Peut-être ne se rappelait-il pas, ou peut-être c'était moi qui avais mal compris ce qu'il m'avait dit[2] le matin... Plus probablement par orgueil, ne voulait-il pas paraître avoir cherché à attirer des gens qu'il dédaignait, et préférait-il rejeter sur eux l'initiative de leur venue. Mais alors, s'il nous dédaignait, pourquoi avait-il tenu à ce que nous vinssions, ou plutôt à ce que ma grand'mère vînt, car de nous deux ce fut à elle seule qu'il adressa la parole pendant cette soirée, et pas une seule fois à moi. Causant avec la plus grande animation avec elle ainsi qu'avec Mme de Villeparisis, caché en quelque sorte derrière elles, comme il eût été au fond d'une loge, il se contentait seulement, détournant par moments le regard investigateur de ses yeux pénétrants, de l'attacher sur ma figure, avec le même sérieux, le même air de préoccupation, que si elle eût été un manuscrit difficile à déchiffrer.

Sans doute, s'il n'y avait[1] pas eu ces yeux, le visage de M. de Charlus était semblable à celui de beaucoup de beaux hommes[2]. Et quand Saint-Loup, en me parlant d'autres Guermantes, me dit plus tard : « Dame, ils n'ont pas cet air de race, de grand seigneur jusqu'au bout des ongles, qu'a mon oncle Palamède », en confirmant que l'air de race et la distinction aristocratiques n'étaient rien de mystérieux et de nouveau, mais consistaient en des éléments que j'avais reconnus sans difficulté et sans éprouver d'impression particulière, je devais sentir se dissiper une de mes illusions. Mais ce visage, auquel une légère couche de poudre donnait un peu l'aspect d'un visage de théâtre, M. de Charlus avait beau en fermer hermétiquement l'expression, les yeux étaient comme une lézarde, comme une meurtrière que seule il n'avait pu boucher et par laquelle, selon le point où on était placé par rapport à lui, on se sentait brusquement croisé du reflet de quelque engin intérieur qui semblait n'avoir rien de rassurant, même pour celui qui, sans en être absolument maître, le portait[3] en soi, à l'état d'équilibre instable et toujours sur le point d'éclater; et l'expression circonspecte et incessamment inquiète de ces yeux, avec toute la fatigue qui, autour d'eux, jusqu'à un cerne descendu très bas, en résultait pour le visage, si bien composé et arrangé qu'il fût, faisait penser à quelque incognito, à quelque déguisement d'un homme puissant en danger, ou seulement d'un individu dangereux, mais tragique. J'aurais voulu deviner quel était ce secret que ne portaient pas en eux les autres hommes et qui m'avait déjà rendu si énigmatique le regard de M. de Charlus quand je l'avais vu le matin près du casino. Mais avec ce que je savais maintenant de sa parenté, je ne pouvais plus croire ni que ce fût celui d'un voleur, ni, d'après ce que j'entendais de sa conversation, que ce fût celui d'un fou. S'il était si froid avec moi, alors qu'il était tellement aimable avec ma grand'mère, cela ne tenait peut-être pas à une antipathie personnelle, car d'une manière générale, autant il était bienveillant pour les femmes, des défauts de qui il parlait sans se départir, habituellement, d'une grande indulgence, autant il avait à l'égard des hommes, et particulièrement des jeunes gens, une haine d'une violence qui rappelait celle de certains misogynes pour les femmes. De deux ou trois « gigolos » qui étaient de la famille ou de l'intimité de Saint-Loup et dont celui-ci cita par hasard le nom, M. de Charlus dit avec une expression presque féroce qui tranchait sur sa froideur habituelle : « Ce sont de petites canailles. » Je compris que ce qu'il reprochait surtout aux jeunes gens d'aujourd'hui, c'était d'être trop efféminés. « Ce sont de vraies femmes », disait-il avec mépris. Mais quelle vie n'eût[1] semblé efféminée auprès de celle qu'il voulait que menât un homme, et qu'il ne trouvait jamais assez énergique et virile ? (Lui-même dans ses voyages à pied, après des heures de course, se jetait[2] brûlant dans des rivières glacées.) Il n'admettait même pas qu'un homme portât une seule bague.

Mais ce parti pris[3] de virilité ne l'empêchait pas d'avoir des qualités de sensibilité des plus fines. À Mme de Villeparisis qui le priait de décrire pour ma grand'mère un château où avait séjourné Mme de Sévigné, ajoutant qu'elle voyait un peu de littérature dans ce désespoir d'être séparée de cette ennuyeuse Mme de Grignan :

— Rien au contraire, répondit-il, ne me semble plus vrai. C'était du reste une époque où ces sentiments-là étaient bien compris. L'habitant du Monomotapa de La Fontaine, courant chez son ami qui lui est apparu un peu triste pendant son sommeil, le pigeon trouvant que le plus grand des maux est l'absence de l'autre pigeon, vous semblent peut-être, ma tante, aussi exagérés que Mme de Sévigné ne pouvant pas attendre le moment où elle sera seule avec sa fille. C'est si beau ce qu'elle dit quand elle la quitte : « Cette séparation me fait une douleur à l'âme, que je sens comme un mal du corps. Dans l'absence on est libéral des heures. On avance dans un temps auquel on aspire. »

Ma grand'mère était ravie d'entendre parler de ces Lettres exactement de la façon qu'elle eût fait. Elle s'étonnait qu'un homme pût les comprendre si bien. Elle trouvait à M. de Charlus des délicatesses, une sensibilité féminines. Nous nous dîmes plus tard, quand nous fûmes seuls et parlâmes tous les deux de lui, qu'il avait dû subir l'influence profonde d'une femme, sa mère, ou plus tard sa fille s'il avait des enfants. Moi je pensai : « Une maîtresse », en me reportant à l'influence que celle de Saint-Loup me semblait avoir eue sur lui et qui me permettait de me rendre compte à quel point les femmes avec lesquelles ils vivent affinent les hommes.

— Une fois près de sa fille, elle n'avait probablement rien à lui dire, répondit Mme de Villeparisis.

— Certainement si; fût-ce de ce qu'elle appelait « choses si légères qu'il n'y a que vous et moi qui les remarquions ». Et en tous cas, elle était près d'elle. Et La Bruyère nous dit que c'est tout : « Être près des gens qu'on aime, leur parler, ne leur parler point, tout est égal. » Il a raison; c'est le seul bonheur, ajouta M. de Charlus d'une voix mélancolique; et ce bonheur-là, hélas, la vie est si mal arrangée qu'on le goûte bien rarement; Mme de Sévigné a été en somme moins à plaindre que d'autres. Elle a passé une grande partie de sa vie auprès de ce qu'elle aimait.

— Tu oublies que ce n'était pas de l'amour, c'était de sa fille qu'il s'agissait.

— Mais l'important dans la vie n'est pas ce qu'on aime, reprit-il d'un ton compétent, péremptoire et presque tranchant, c'est d'aimer. Ce que ressentait Mme de Sévigné pour sa fille peut prétendre beaucoup plus justement ressembler à la passion que Racine a dépeinte dans *Andromaque* ou dans *Phèdre,* que les banales relations que le jeune Sévigné avait avec ses maîtresses. De même, l'amour de tel mystique pour son Dieu. Les démarcations trop étroites que nous traçons autour de l'amour viennent seulement de notre grande ignorance de la vie.

— Tu aimes beaucoup *Andromaque* et *Phèdre ?* demanda Saint-Loup à son oncle, sur un ton légèrement dédaigneux.

— Il y a plus de vérité dans une tragédie de Racine que dans tous les drames de monsieur Victor Hugo, répondit M. de Charlus.

— C'est tout de même effrayant, le monde, me dit Saint-Loup à l'oreille. Préférer Racine à Victor, c'est quand même quelque chose d'énorme! Il était sincèrement attristé des paroles de son oncle, mais le plaisir de dire « quand même » et surtout « énorme » le consolait.

Dans ces réflexions sur la tristesse qu'il y a à vivre loin de ce qu'on aime (qui devaient amener ma grand' mère à me dire que le neveu de Mme de Villeparisis comprenait autrement bien certaines œuvres que sa tante, et surtout avait quelque chose qui le mettait bien au-dessus de la plupart des gens de club), M. de Charlus ne laissait pas seulement paraître une finesse de sentiment que montrent en effet rarement les hommes; sa voix elle-même, pareille à certaines voix de contralto en qui on n'a pas assez cultivé le médium et dont le chant semble le duo alterné d'un jeune homme et d'une femme, se posait, au moment où il exprimait ces pensées si délicates, sur des notes hautes, prenait une douceur imprévue et semblait contenir des chœurs de fiancées, de sœurs, qui répandaient leur tendresse. Mais la nichée de jeunes filles que M. de Charlus, avec son horreur de tout efféminement, aurait été si navré d'avoir l'air d'abriter ainsi dans sa voix, ne s'y bornait pas à l'interprétation, à la modulation des morceaux de sentiment. Souvent, tandis que causait M. de Charlus, on entendait leur rire aigu et frais de pensionnaires ou de coquettes ajuster leur prochain avec des malices de bonnes langues et de fines mouches.

Il raconta qu'une demeure qui avait appartenu à sa famille, où Marie-Antoinette avait couché, dont le parc était de Lenôtre, appartenait maintenant aux riches financiers Israël, qui l'avaient achetée. « Israël, du moins c'est le nom que portent ces gens, qui me semble un terme générique, ethnique, plutôt qu'un nom propre. On ne sait pas, peut-être que ce genre de personnes ne portent pas de noms et sont seulement désignées par la collectivité à laquelle elles[1] appartiennent. Cela ne fait rien! Avoir été la demeure des Guermantes et appartenir aux Israël!!! s'écria-t-il. Cela fait penser à cette chambre du château de Blois où le gardien qui le faisait visiter me dit : « C'est ici que Marie Stuart faisait sa prière; et c'est là maintenant où ce que je mets mes balais. » Naturellement je ne veux rien savoir de cette demeure qui s'est déshonorée, pas plus que de ma cousine Clara de Chimay qui a quitté son mari. Mais je conserve la photographie de la première encore intacte, comme celle de la princesse quand ses grands yeux n'avaient[2] de regards que pour mon cousin. La photographie acquiert un peu de la dignité qui lui manque, quand elle cesse d'être une reproduction du réel et nous montre des choses qui n'existent plus. Je pourrai vous en donner une, puisque ce genre d'architecture vous intéresse », dit-il à ma grand'mère. À ce moment, apercevant que le mouchoir brodé qu'il avait dans sa poche laissait dépasser des lisérés de couleur, il le rentra vivement avec la mine effarouchée d'une femme pudibonde mais point innocente dissimulant des appas[1] que, par un excès de scrupule, elle juge indécents.

— Imaginez-vous, reprit-il, que ces gens ont commencé par détruire le parc de Lenôtre, ce qui est aussi coupable que de lacérer un tableau de Poussin. Pour cela, ces Israël devraient être en prison. Il est vrai, ajouta-t-il en souriant après un moment de silence, qu'il y a sans doute tant d'autres choses pour lesquelles ils devraient y être ! En tous cas, vous vous imaginez l'effet que produit devant ces architectures un jardin anglais.

— Mais la maison est du même style que le Petit Trianon, dit Mme de Villeparisis, et Marie-Antoinette y a bien fait faire un jardin anglais.

— Qui dépare tout de même la façade de Gabriel, répondit M. de Charlus. Évidemment ce serait maintenant une sauvagerie que de détruire le Hameau. Mais quel que soit l'esprit du jour, je doute tout de même qu'à cet égard une fantaisie de Mme Israël ait le même prestige que le souvenir de la Reine.

Cependant ma grand'mère m'avait fait signe de monter me coucher, malgré l'insistance de Saint-Loup qui, à ma grande honte, avait fait allusion devant M. de Charlus à la tristesse que j'éprouvais souvent le soir avant de m'endormir et que son oncle devait trouver quelque chose de bien peu viril. Je tardai encore quelques instants, puis m'en allai, et fus bien étonné quand un peu après, ayant entendu frapper à la porte de ma chambre, et ayant demandé qui était là, j'entendis la voix de M. de Charlus qui disait d'un ton sec :

— C'est Charlus. Puis-je entrer, Monsieur ? Monsieur, reprit-il du même ton une fois qu'il eut refermé la porte, mon neveu racontait tout à l'heure que vous étiez un peu ennuyé avant de vous endormir, et d'autre part que vous admiriez les livres de Bergotte. Comme j'en ai dans ma malle un que vous ne connaissez probablement pas, je vous l'apporte pour vous aider à passer ces moments où vous ne vous sentez pas heureux.

Je remerciai M. de Charlus avec émotion et lui dis que j'avais au contraire eu peur que ce que Saint-Loup lui avait dit de mon malaise à l'approche de la nuit, m'eût fait paraître à ses yeux plus stupide encore que je n'étais.

— Mais non, répondit-il avec un accent plus doux.

Vous n'avez peut-être pas de mérite personnel, je n'en sais rien[1], si peu d'êtres en ont! Mais, pour un temps du moins, vous avez la jeunesse, et c'est toujours une séduction. D'ailleurs, Monsieur, la plus grande des sottises, c'est de trouver ridicules ou blâmables les sentiments qu'on n'éprouve pas. J'aime la nuit et vous me dites que vous la redoutez; j'aime sentir les roses et j'ai un ami à qui leur odeur donne la fièvre. Croyez-vous que je pense pour cela qu'il vaut moins que moi? Je m'efforce de tout comprendre et je me garde de rien condamner. En somme, ne vous plaignez pas trop, je ne dirai pas que ces tristesses ne sont pas pénibles, je sais ce qu'on peut souffrir pour des choses que les autres ne comprendraient pas. Mais du moins vous avez bien placé votre affection dans votre grand'mère. Vous la voyez beaucoup. Et puis c'est une tendresse permise, je veux dire une tendresse payée de retour. Il y en a tant dont on ne peut pas dire cela!

Il marchait de long en large dans la chambre, regardant un objet, en soulevant un autre. J'avais l'impression qu'il avait quelque chose à m'annoncer et ne trouvait pas en quels termes le faire.

— J'ai un autre volume de Bergotte ici, je vais vous le chercher, ajouta-t-il, et il sonna. Un groom vint au bout d'un moment. « Allez me chercher votre maître d'hôtel. Il n'y a que lui ici qui soit capable de faire une commission intelligemment, dit M. de Charlus avec hauteur. — Monsieur Aimé, Monsieur? demanda le groom. — Je ne sais pas son nom, mais si, je me rappelle que je l'ai entendu appeler Aimé. Allez vite, je suis pressé. — Il va être tout de suite ici, Monsieur, je l'ai justement vu en bas », répondit le groom qui voulait avoir l'air au courant. Un certain temps se passa. Le groom revint. « Monsieur, monsieur Aimé est couché. Mais je peux faire la commission. — Non, vous n'avez qu'à le faire lever. — Monsieur, je ne peux pas, il ne couche pas là. — Alors, laissez-nous tranquilles. — Mais, Monsieur, dis-je, le groom parti, vous êtes trop bon, un seul volume de Bergotte me suffira. — C'est ce qui me semble, après tout. » M. de Charlus marchait. Quelques minutes se passèrent ainsi, puis, après quelques instants d'hésitation et se reprenant à plusieurs fois, il pivota sur lui-même et de sa voix redevenue cinglante, il me jeta : « Bonsoir, Monsieur » et partit.

Après tous les sentiments élevés que je lui avais entendu exprimer ce soir-là, le lendemain qui était le jour de son départ, sur la plage, dans la matinée, au moment où j'allais prendre mon bain, comme M. de Charlus s'était approché de moi pour m'avertir que ma grand'mère m'attendait aussitôt que je serais sorti de l'eau, je fus bien étonné de l'entendre me dire, en me pinçant le cou, avec une familiarité et un rire vulgaires :

— Mais on s'en fiche bien de sa vieille grand'mère, hein? petite fripouille!

— Comment, Monsieur, je l'adore!...

— Monsieur, me dit-il en s'éloignant d'un pas, et avec un air glacial, vous êtes encore jeune, vous devriez en profiter pour apprendre deux choses : la première, c'est de vous abstenir d'exprimer des sentiments trop naturels pour n'être pas sous-entendus; la seconde, c'est de ne pas partir en guerre pour répondre aux choses qu'on vous dit avant d'avoir pénétré leur signification. Si vous aviez pris cette précaution, il y a un instant, vous vous seriez évité d'avoir l'air de parler à tort et à travers comme un sourd et d'ajouter par là un second ridicule à celui d'avoir des ancres brodées sur votre costume de bain. Je vous ai prêté un livre de Bergotte dont j'ai besoin. Faites-le moi rapporter dans une heure par ce maître d'hôtel au prénom risible et mal porté, qui, je suppose, n'est pas couché à cette heure-ci. Vous me faites apercevoir que je vous ai parlé trop tôt hier soir des séductions de la jeunesse, je vous aurais rendu meilleur service en vous signalant son étourderie, ses inconséquences et son incompréhension. J'espère, Monsieur, que cette petite douche ne vous sera pas moins salutaire que votre bain. Mais ne restez pas ainsi immobile, car vous pourriez prendre froid. Bonsoir, Monsieur.

Sans doute eut-il regret de ces paroles, car quelque temps après je reçus — dans une reliure de maroquin sur le plat de laquelle avait été encastrée une plaque de cuir incisé qui représentait en demi-relief une branche de myosotis — le livre qu'il m'avait prêté et que je lui avais fait remettre, non par Aimé qui se trouvait « de sortie », mais par le liftier.

Une fois M. de Charlus parti, nous pûmes enfin, Robert et moi, aller dîner chez Bloch. Or je compris pendant cette petite fête que les histoires trop facilement trouvées drôles par notre camarade étaient des histoires de M. Bloch père et que l'homme « tout à fait curieux » était toujours un de ses amis qu'il jugeait de cette façon. Il y a un certain nombre de gens qu'on admire dans son enfance, un père plus spirituel que le reste de la famille, un professeur qui bénéficie à nos yeux de la métaphysique qu'il nous révèle, un camarade plus avancé que nous (ce que Bloch avait été pour moi) qui méprise le Musset de *l'Espoir en Dieu* quand nous l'aimons encore, et, quand nous en serons venus au père Leconte ou à Claudel, ne s'extasiera plus que sur

À Saint-Blaise, à la Zuecca,
Vous étiez, vous étiez bien aise...

en y ajoutant :

Padoue est un fort bel endroit
Où de très grands docteurs en droit...
Mais j'aime mieux la polenta...
...Passe dans son domino noir
La Toppatelle.

et de toutes les « Nuits » ne retient que :

Au Havre, devant l'Atlantique,
À Venise, à l'affreux Lido,
Où vient sur l'herbe d'un tombeau
Mourir la pâle Adriatique.

Or, de quelqu'un qu'on admire de confiance, on recueille, on cite avec admiration, des choses très inférieures à celles que, livré à son propre génie, on refuserait avec sévérité, de même qu'un écrivain utilise dans un roman, sous prétexte qu'ils sont vrais, des « mots », des personnages qui, dans l'ensemble vivant, font au contraire poids mort, partie médiocre. Les portraits de Saint-Simon, écrits par lui sans qu'il s'admire sans doute, sont admirables, les traits qu'il cite comme charmants, de gens d'esprit qu'il a connus, sont restés médiocres ou devenus incompréhensibles. Il eût dédaigné d'inventer ce qu'il rapporte comme si fin ou si coloré de Mme Cornuel ou de Louis XIV, fait qui du reste est à noter chez bien d'autres et comporte diverses interprétations dont il suffit en ce moment de retenir celle-ci : c'est que dans l'état d'esprit où l'on « observe », on est très au-dessous du niveau où l'on se trouve quand on crée.

Il y avait donc, enclavé en mon camarade Bloch, un père Bloch qui retardait de quarante ans sur son fils, débitait des anecdotes saugrenues et en riait autant, au fond de mon ami, que faisait[1] le père Bloch extérieur et véritable, puisque au rire que ce dernier lâchait non sans répéter deux ou trois fois le dernier mot pour que son public goûtât bien l'histoire, s'ajoutait le rire bruyant par lequel le fils ne manquait pas à table de saluer les histoires de son père. C'est ainsi qu'après avoir dit les choses les plus intelligentes, Bloch jeune, manifestant l'apport qu'il avait reçu de sa famille, nous racontait pour la trentième fois quelques-uns des mots que le père Bloch sortait seulement (en même temps que sa redingote) les jours solennels où Bloch jeune amenait quelqu'un qu'il valait la peine d'éblouir : un de ses professeurs, un « copain » qui avait tous les prix, ou, ce soir-là, Saint-Loup et moi. Par exemple : « Un critique militaire très fort, qui avait savamment déduit avec preuves à l'appui pour quelles raisons infaillibles, dans la guerre russo-japonaise, les Japonais seraient battus et les Russes vainqueurs », ou bien : « C'est un homme éminent qui passe pour un grand financier dans les milieux politiques et pour un grand politique dans les milieux financiers. » Ces histoires étaient interchangeables avec une du baron de Rothschild et une de sir Rufus Israël, personnages mis en scène d'une manière équivoque qui pouvait donner à entendre que M. Bloch les avait personnellement connus.

J'y fus moi-même pris et, à la manière dont M. Bloch père parla de Bergotte, je crus aussi que c'était un de ses vieux amis. Or, tous les gens célèbres, M. Bloch ne les connaissait que « sans les connaître », pour les avoir vus de loin au théâtre, sur les boulevards. Il s'imaginait du reste que sa propre figure, son nom, sa personnalité ne leur étaient pas inconnus et qu'en l'apercevant, ils étaient souvent obligés de retenir une furtive envie de le saluer. Les gens du monde, parce qu'ils connaissent les gens de talent, d'original, qu'ils les reçoivent à dîner, ne les comprennent pas mieux pour cela. Mais quand on a un peu vécu dans le monde, la sottise de ses habitants vous fait trop souhaiter de vivre, trop supposer d'intelligence, dans les milieux obscurs où l'on ne connaît que « sans connaître ». J'allais m'en rendre compte en parlant de Bergotte.

M. Bloch n'était pas le seul qui eût des succès chez lui. Mon camarade en avait davantage encore auprès de ses sœurs qu'il ne cessait d'interpeller sur un ton bougon, en enfonçant sa tête dans son assiette; il les faisait ainsi rire aux larmes. Elles avaient d'ailleurs adopté la langue de leur frère qu'elles parlaient couramment, comme si elle eût été obligatoire et la seule dont pussent user des personnes intelligentes. Quand nous arrivâmes, l'aînée dit à une de ses cadettes : « Va prévenir notre père prudent et notre mère vénérable. — Chiennes, leur dit Bloch, je vous présente le cavalier Saint-Loup, aux javelots rapides, qui est venu pour quelques jours de Doncières aux demeures de pierre polie, féconde en chevaux. » Comme il était aussi vulgaire que lettré, le discours se terminait d'habitude par quelque plaisanterie moins homérique : « Voyons, fermez un peu plus vos peplos aux belles agrafes, qu'est-ce que c'est que ce chichi-là ? Après tout, c'est pas mon père ! » Et les demoiselles Bloch s'écroulaient dans une tempête de rires. Je dis à leur frère combien de joies il m'avait données en me recommandant la lecture de Bergotte dont j'avais adoré les livres.

M. Bloch père qui ne connaissait Bergotte que de loin, et la vie de Bergotte que par les racontars du parterre, avait une manière tout aussi indirecte de prendre connaissance de ses œuvres, à l'aide de jugements d'apparence littéraire. Il vivait dans le monde des à peu près, où l'on salue dans le vide, où l'on juge dans le faux. L'inexactitude, l'incompétence, n'y diminuent pas l'assurance, au contraire. C'est le miracle bienfaisant de l'amour-propre que, peu de gens pouvant avoir les relations brillantes et les connaissances profondes, ceux auxquels elles font défaut se croient encore les mieux partagés parce que l'optique des gradins sociaux fait que tout rang semble le meilleur à celui qui l'occupe et qui voit moins favorisés que lui, mal lotis, à plaindre, les plus grands qu'il nomme et calomnie sans les connaître, juge et dédaigne sans les comprendre. Même dans les cas où la multiplication des faibles avantages personnels par l'amour-propre ne suffirait pas à assurer à chacun la dose de bonheur, supérieure à celle accordée aux autres, qui lui est nécessaire, l'envie est là pour combler la différence. Il est vrai que si l'envie s'exprime en phrases dédaigneuses, il faut traduire : « Je ne veux pas le connaître » par « je ne peux pas le connaître ». C'est le sens intellectuel. Mais le sens passionné est bien : « Je ne veux pas le connaître. » On sait que cela n'est pas vrai, mais on ne le dit pas cependant par simple artifice, on le dit parce qu'on éprouve ainsi, et cela suffit pour supprimer la distance, c'est-à-dire pour le bonheur.

L'égocentrisme permettant de la sorte à chaque humain de voir l'univers étagé au-dessous de lui qui est roi, M. Bloch se donnait le luxe d'en être un impitoyable quand le matin en prenant son chocolat, voyant la signature de Bergotte au bas d'un article dans le journal à peine entr'ouvert, il lui accordait dédaigneusement une audience écourtée, prononçait sa sentence, et s'octroyait le confortable plaisir de répéter entre chaque gorgée du breuvage bouillant : « Ce Bergotte est devenu illisible. Ce que cet animal-là peut être embêtant. C'est à se désabonner. Comme c'est emberlificoté ! quelle tartine ! » Et il reprenait une beurrée.

Cette importance illusoire de M. Bloch père était d'ailleurs étendue un peu au delà du cercle de sa propre perception. D'abord ses enfants le considéraient comme un homme supérieur. Les enfants ont toujours une tendance soit à déprécier, soit à exalter leurs parents, et pour un bon fils, son père est toujours le meilleur des pères, en dehors même de toutes raisons objectives de l'admirer. Or celles-ci ne manquaient pas absolument pour M. Bloch, lequel était instruit, fin, affectueux pour les siens. Dans la famille la plus proche, on se plaisait d'autant plus avec lui que si, dans la « société », on juge les gens, d'après un étalon d'ailleurs absurde et selon des règles fausses mais fixes, par comparaison avec la totalité des autres gens élégants, en revanche dans le morcellement de la vie bourgeoise, les dîners, les soirées de famille tournent autour de personnes qu'on déclare agréables, amusantes, et qui dans le monde ne tiendraient pas l'affiche deux soirs. Enfin, dans ce milieu où les grandeurs factices de l'aristocratie n'existent pas, on les remplace par des distinctions plus folles encore. C'est ainsi que pour sa famille et jusqu'à un degré de parenté fort éloigné, une prétendue ressemblance dans la façon de porter la moustache et dans le haut du nez faisait qu'on appelait M. Bloch un « faux duc d'Aumale ». (Dans le monde des « chasseurs » de cercle, l'un qui porte sa casquette de travers et sa vareuse très serrée de manière à se donner l'air, croit-il, d'un officier étranger, n'est-il pas une manière de personnage pour ses camarades ?)

La ressemblance était des plus vagues, mais on eût dit que ce fût un titre. On répétait : « Bloch ? lequel ? le duc d'Aumale ? » Comme on dit : « La princesse Murat ? laquelle ? la Reine (de Naples) ? » Un certain nombre d'autres infimes indices achevaient de lui donner aux yeux du cousinage une prétendue distinction. N'allant pas jusqu'à avoir une voiture, M. Bloch louait à certains jours une victoria découverte à deux chevaux de la Compagnie et traversait le Bois de Boulogne, mollement étendu de travers, deux doigts sur la tempe, deux autres sous le menton, et si les gens qui ne le connaissaient pas le trouvaient à cause de cela « faiseur d'embarras », on était persuadé dans la famille que pour le chic, l'oncle Salomon aurait pu en remontrer à Gramont-Caderousse. Il était de ces personnes qui, quand elles meurent et à cause d'une table commune avec le rédacteur en chef de cette feuille dans un restaurant des boulevards, sont qualifiés de « physionomie bien connue des Parisiens », par la Chronique mondaine du *Radical*. M. Bloch nous dit, à Saint-Loup et à moi, que Bergotte savait si bien pourquoi lui, M. Bloch, ne le saluait pas, que dès qu'il l'apercevait au théâtre ou au cercle, il fuyait son regard. Saint-Loup rougit, car il réfléchit que ce cercle ne pouvait pas être le Jockey dont son père avait été président. D'autre part ce devait être un cercle relativement fermé, car M. Bloch avait dit que Bergotte n'y serait plus reçu aujourd'hui. Aussi est-ce en tremblant de « sous-estimer l'adversaire » que Saint-Loup demanda si ce cercle était le cercle de la rue Royale, lequel était jugé « déclassant » par la famille de Saint-Loup et où il savait qu'étaient reçus certains Israélites. « Non, répondit M. Bloch d'un air négligent, fier et honteux, c'est un petit cercle, mais beaucoup plus agréable, le Cercle des Ganaches. On y juge sévèrement la galerie. — Est-ce que sir Rufus Israël n'en est pas président ? » demanda Bloch fils à son père, pour lui fournir l'occasion d'un mensonge honorable et sans se douter que ce financier n'avait pas le même prestige aux yeux de Saint-Loup qu'aux siens. En réalité, il y avait au Cercle des Ganaches non point sir Rufus Israël, mais un de ses employés. Mais comme il était fort bien avec son patron, il avait à sa disposition des cartes du grand financier, et en donnait une à M. Bloch, quand celui-ci partait en voyage sur une ligne dont sir Rufus était administrateur, ce qui faisait dire au père Bloch : « Je vais passer au cercle demander une recommandation de sir Rufus. » Et la carte lui permettait d'éblouir les chefs de train. Les demoiselles Bloch furent plus intéressées par Bergotte et revenant à lui au lieu de poursuivre sur les « Ganaches », la cadette demanda à son frère du ton le plus sérieux du monde, car elle croyait qu'il n'existait pas au monde pour désigner les gens de talent d'autres expressions que celles qu'il employait : « Est-ce un coco vraiment étonnant, ce Bergotte ? Est-il de la catégorie des grands bonshommes, des cocos comme Villiers ou Catulle ? — Je l'ai rencontré à plusieurs générales, dit M. Nissim Bernard. Il est gauche, c'est une espèce de Schlemihl. » Cette allusion au conte de Chamisso n'avait rien de bien grave, mais l'épithète de Schlemihl faisait partie de ce dialecte mi-allemand, mi-juif dont l'emploi ravissait M. Bloch dans l'intimité, mais qu'il trouvait vulgaire et déplacé devant des étrangers. Aussi jeta-t-il un regard sévère sur son oncle. « Il a du talent, dit Bloch. — Ah ! fit gravement sa sœur comme pour dire que dans ces conditions j'étais excusable. — Tous les écrivains ont du talent, dit avec mépris M. Bloch père. — Il paraît même, dit son fils en levant sa fourchette et en plissant ses yeux d'un air diaboliquement ironique, qu'il va se présenter à l'Académie. — Allons donc ! il n'a pas un bagage suffisant, répondit M. Bloch le père qui ne semblait pas avoir pour l'Académie le mépris de son fils et de ses filles. Il n'a pas le calibre nécessaire. — D'ailleurs l'Académie est un salon et Bergotte ne jouit d'aucune surface », déclara l'oncle à héritage de Mme Bloch, personnage inoffensif et doux dont le nom de Bernard eût peut-être à lui seul éveillé les dons de diagnostic de mon grand-père, mais eût paru insuffisamment en harmonie avec un visage qui semblait rapporté du palais de Darius et reconstitué par Mme Dieulafoy, si, choisi par quelque amateur désireux de donner un couronnement oriental à cette figure de Suse, le[1] prénom de Nissim n'avait fait planer au-dessus d'elle les ailes de quelque taureau androcéphale de Khorsabad. Mais M. Bloch ne cessait d'insulter son oncle, soit qu'il fût excité par la bonhomie sans défense de son souffre-douleur, soit que, la villa étant payée par M. Nissim Bernard, le bénéficiaire voulût montrer qu'il gardait son indépendance et surtout qu'il ne cherchait pas par des cajoleries à s'assurer l'héritage à venir du richard* :

« Naturellement, quand il y a quelque bêtise prudhommesque à dire, on peut être sûr que vous ne la ratez pas. Vous seriez le premier à lui lécher les pieds s'il était là », cria M. Bloch, tandis que M. Nissim Bernard attristé inclinait vers son assiette la barbe annelée du roi Sargon. Mon camarade, depuis qu'il portait la sienne qu'il avait aussi crépue et bleutée, ressemblait beaucoup à son grand-oncle.

— Comment, vous êtes le fils du marquis de Marsantes? mais je l'ai très bien connu, dit à Saint-Loup M. Nissim Bernard. Je crus qu'il voulait dire « connu » au sens où le père de Bloch disait qu'il connaissait Ber-

---

* Celui-ci[2] était surtout froissé qu'on le traitât si grossièrement devant le maître d'hôtel. Il murmura une phrase inintelligible où on distinguait seulement : « Quand les Meschorès sont là. » Meschorès désigne dans la Bible le serviteur de Dieu. Entre eux les Bloch s'en servaient pour désigner les domestiques et en étaient toujours égayés, parce que leur certitude de n'être compris ni des chrétiens ni des domestiques eux-mêmes exaltait chez M. Nissim Bernard et M. Bloch leur double particularisme de « maîtres » et de « juifs ». Mais cette dernière cause de satisfaction en devenait une de mécontentement quand il y avait du monde. Alors M. Bloch entendant son oncle dire « Meschorès » trouvait qu'il laissait trop paraître son côté oriental, de même qu'une cocotte qui invite de ses amies avec des gens comme il faut, est irritée si elles font allusion à leur métier de cocotte ou emploient des mots malsonnants. Aussi, bien loin que la prière de son oncle produisît quelque effet sur M. Bloch, celui-ci, hors de lui, ne put plus se contenir. Il ne perdit plus une occasion d'invectiver le malheureux oncle.

gotte, c'est-à-dire de vue. Mais il ajouta : « Votre père était un de mes bons amis. » Cependant Bloch était devenu excessivement rouge, son père avait l'air profondément contrarié, les demoiselles Bloch riaient en s'étouffant. C'est que chez M. Nissim Bernard le goût de l'ostentation, contenu chez M. Bloch le père et chez ses enfants, avait engendré l'habitude du mensonge perpétuel. Par exemple, en voyage, à l'hôtel, M. Nissim Bernard, comme aurait pu faire M. Bloch le père, se faisait apporter tous ses journaux par son valet de chambre dans la salle à manger, au milieu du déjeuner, quand tout le monde était réuni, pour qu'on vît bien qu'il voyageait avec un valet de chambre. Mais aux gens avec qui il se liait dans l'hôtel, l'oncle disait, ce que le neveu n'eût jamais fait, qu'il était sénateur. Il avait beau être certain qu'on apprendrait un jour que le titre était usurpé, il ne pouvait au moment même résister au besoin de se le donner. M. Bloch souffrait beaucoup des mensonges de son oncle et de tous les ennuis qu'ils lui causaient. « Ne faites pas attention, il est extrêmement blagueur, dit-il à mi-voix à Saint-Loup qui n'en fut que plus intéressé, étant très curieux de la psychologie des menteurs. — Plus menteur encore que l'Ithakèsien Odysseus qu'Athénè[1] appelait pourtant le plus menteur des hommes, compléta notre camarade Bloch. — Ah ! par exemple ! s'écria M. Nissim Bernard, si je m'attendais à dîner avec le fils de mon ami ! Mais j'ai à Paris chez moi, une photographie de votre père et combien de lettres de lui. Il m'appelait toujours « mon oncle », on n'a jamais su pourquoi. C'était un homme charmant, étincelant. Je me rappelle un dîner chez moi, à Nice, où il y avait Sardou, Labiche, Augier... — Molière, Racine, Corneille, continua ironiquement M. Bloch le père, dont le fils acheva l'énumération en ajoutant : Plaute, Ménandre, Kalidasa. » M. Nissim Bernard, blessé, arrêta brusquement son récit et, se privant ascétiquement d'un grand plaisir, resta muet jusqu'à la fin du dîner.

— Saint-Loup au casque d'airain, dit Bloch, reprenez un peu de ce canard aux cuisses lourdes de graisse sur lesquelles l'illustre sacrificateur des volailles a répandu de nombreuses libations de vin rouge.

D'habitude, après avoir sorti de derrière les fagots

pour un camarade de marque les histoires sur sir Rufus Israël et autres, M. Bloch sentant qu'il avait touché son fils jusqu'à l'attendrissement, se retirait pour ne pas se « galvauder » aux yeux du « potache ». Cependant, s'il y avait une raison tout à fait capitale, comme quand son fils par exemple fut reçu à l'agrégation, M. Bloch ajoutait[1] à la série habituelle des anecdotes cette réflexion ironique qu'il réservait plutôt pour ses amis personnels et que Bloch jeune fut extrêmement fier de voir débiter pour ses amis à lui : « Le gouvernement a été impardonnable. Il n'a pas consulté M. Coquelin! M. Coquelin a fait savoir qu'il était mécontent. » (M. Bloch se piquait d'être réactionnaire et méprisant pour les gens de théâtre.)

Mais les demoiselles Bloch et leur frère rougirent jusqu'aux oreilles tant ils furent impressionnés quand Bloch père, pour se montrer royal jusqu'au bout envers les deux « labadens » de son fils, donna l'ordre d'apporter du champagne et annonça négligemment que pour nous « régaler », il avait fait prendre trois fauteuils pour la représentation qu'une troupe d'opéra-comique donnait le soir même au Casino. Il regrettait de n'avoir pu avoir de loge. Elles étaient toutes prises. D'ailleurs il les avait souvent expérimentées, on était mieux à l'orchestre. Seulement, si le défaut de son fils, c'est-à-dire ce que son fils croyait invisible aux autres, était la grossièreté, celui du père était l'avarice. Aussi, c'est dans une carafe qu'il fit servir sous le nom de champagne un petit vin mousseux et sous celui de fauteuils d'orchestre il avait fait prendre des parterres qui coûtaient moitié moins, miraculeusement persuadé par l'intervention divine de son défaut que ni à table, ni au théâtre (où toutes les loges étaient vides) on ne s'apercevrait de la différence. Quand M. Bloch nous eut laissé tremper nos lèvres dans des coupes plates que son fils décorait du nom de « cratères aux flancs profondément creusés », il nous fit admirer un tableau qu'il aimait tant qu'il l'apportait avec lui à Balbec. Il nous dit que c'était un Rubens. Saint-Loup lui demanda naïvement s'il était signé. M. Bloch répondit en rougissant qu'il avait fait couper la signature à cause du cadre, ce qui n'avait pas d'importance, puisqu'il ne voulait pas le vendre. Puis il nous congédia rapidement pour se plonger dans le *Journal Officiel* dont les numéros encombraient la maison et dont la lecture lui était rendue nécessaire, nous dit-il, « par sa situation parlementaire », sur la nature exacte de laquelle il ne nous fournit pas de lumières. « Je prends un foulard, nous dit Bloch, car Zéphyros et Boréas se disputent à qui mieux mieux la mer poissonneuse, et pour peu que nous nous attardions après le spectacle, nous ne rentrerons qu'aux premières lueurs d'Eôs aux doigts de pourpre[1]. À propos, demanda-t-il à Saint-Loup, quand nous fûmes dehors (et je tremblai car je compris bien vite que c'était de M. de Charlus que Bloch parlait sur ce ton ironique), quel était cet excellent fantoche en costume sombre que je vous ai vu promener avant-hier matin sur la plage ? — C'est mon oncle », répondit Saint-Loup piqué. Malheureusement, une « gaffe » était bien loin de paraître à Bloch chose à éviter. Il se tordit de rire : « Tous mes compliments, j'aurais dû le deviner, il a un excellent chic, et une impayable bobine de gaga de la plus haute lignée. — Vous vous trompez du tout au tout, il est très intelligent, riposta Saint-Loup furieux. — Je le regrette, car alors il est moins complet. J'aimerais du reste beaucoup le connaître car je suis sûr que j'écrirais des machines adéquates sur des bonshommes comme ça. Celui-là, à voir passer, est crevant. Mais je négligerais le côté caricatural, au fond assez méprisable pour un artiste épris de la beauté plastique des phrases, de la binette qui, excusez-moi, m'a fait gondoler un bon moment, et je mettrais en relief le côté aristocratique de votre oncle qui en somme fait un effet bœuf et, la première rigolade passée, frappe par un très grand style. Mais, dit-il, en s'adressant cette fois à moi, il y a une chose, dans un tout autre ordre d'idées, sur laquelle je veux t'interroger et, chaque fois que nous sommes ensemble, quelque dieu, bienheureux habitant de l'Olympe, me fait oublier totalement de te demander ce renseignement qui eût pu m'être déjà et me sera sûrement fort utile. Quelle est donc cette belle personne avec laquelle je t'ai rencontré au Jardin d'Acclimatation et qui était accompagnée d'un monsieur que je crois connaître de vue et d'une jeune fille à la longue chevelure ? » J'avais bien vu que Mme Swann ne se rappelait pas le nom de Bloch, puisqu'elle m'en avait dit un autre et avait qualifié mon camarade d'attaché à un ministère où je n'avais jamais pensé depuis à m'informer s'il était entré. Mais comment Bloch qui, à ce qu'elle m'avait dit alors, s'était fait présenter à elle pouvait-il ignorer son nom? J'étais si étonné que je restai un moment sans répondre. « En tous cas, tous mes compliments, me dit-il, tu n'as pas dû t'embêter avec elle. Je l'avais rencontrée quelques jours auparavant dans le train de Ceinture. Elle voulut bien dénouer la sienne en faveur de ton serviteur, je n'ai jamais passé de si bons moments et nous allions prendre toutes dispositions pour nous revoir quand une personne qu'elle connaissait eut le mauvais goût de monter à l'avant-dernière station. » Le silence que je gardai ne parut pas plaire à Bloch. « J'espérais, me dit-il, connaître grâce à toi son adresse et aller goûter chez elle, plusieurs fois par semaine, les plaisir d'Éros, chers[1] aux dieux, mais je n'insiste pas puisque tu poses pour la discrétion à l'égard d'une professionnelle qui s'est donnée à moi trois fois de suite et de la manière la plus raffinée, entre Paris et le Point-du-Jour. Je la retrouverai bien, un soir ou l'autre. »

J'allai voir Bloch à la suite de ce dîner, il me rendit ma visite, mais j'étais sorti et il fut aperçu, me demandant, par Françoise, laquelle par hasard, bien qu'il fût venu à Combray, ne l'avait jamais vu jusque-là. De sorte qu'elle savait seulement qu'un « des Monsieur » que je connaissais était passé pour me voir, elle ignorait « à quel effet », vêtu d'une manière quelconque et qui ne lui avait pas fait grande impression. Or, j'avais beau savoir que certaines idées sociales de Françoise me resteraient toujours impénétrables, qui reposaient peut-être en partie sur des confusions entre des mots, des noms qu'elle avait pris une fois, et à jamais, les uns pour les autres, je ne pus m'empêcher, moi qui avais depuis longtemps renoncé à me poser des questions dans ces cas-là, de chercher, vainement d'ailleurs, ce que le nom de Bloch pouvait représenter d'immense pour Françoise. Car à peine lui eus-je dit que ce jeune homme qu'elle avait aperçu était M. Bloch, elle recula de quelques pas, tant furent grandes sa stupeur et sa déception. « Comment, c'est cela, M. Bloch! » s'écria-t-elle d'un air atterré, comme si un personnage aussi prestigieux eût dû posséder une apparence qui « fît connaître » immédiatement qu'on se trouvait en présence d'un grand de la terre, et, à la façon de quelqu'un qui trouve qu'un personnage historique n'est pas à la hauteur de sa réputation, elle répétait, d'un ton impressionné et où on sentait pour l'avenir les germes d'un scepticisme universel : « Comment, c'est ça M. Bloch ! Ah ! vraiment on ne dirait pas à le voir. » Elle avait l'air de m'en garder rancune, comme si je lui eusse jamais « surfait » Bloch. Et pourtant elle eut la bonté d'ajouter : « Hé bien, tout M. Bloch qu'il est, Monsieur peut dire qu'il est aussi bien que lui. »

Elle eut bientôt, à l'égard de Saint-Loup qu'elle adorait, une désillusion d'un autre genre, et d'une moindre durée : elle apprit qu'il était républicain. Or, bien qu'en parlant par exemple de la reine de Portugal, elle dît avec cet irrespect qui dans le peuple est le respect suprême « Amélie, la sœur à Philippe », Françoise était royaliste. Mais surtout, un marquis, un marquis qui l'avait éblouie, et qui était pour la République, ne lui paraissait plus vrai. Elle en marquait la même mauvaise humeur que si je lui eusse donné une boîte qu'elle eût crue d'or, de laquelle elle m'eût remercié avec effusion, et qu'ensuite un bijoutier lui eût révélé être en plaqué. Elle retira aussitôt son estime à Saint-Loup, mais bientôt après la lui rendit, ayant réfléchi qu'il ne pouvait pas, étant le marquis de Saint-Loup, être républicain, qu'il faisait seulement semblant, par intérêt, car avec le gouvernement qu'on avait, cela pouvait lui rapporter gros. De ce jour, sa froideur envers lui, son dépit contre moi cessèrent. Et quand elle parlait de Saint-Loup, elle disait : « C'est un hypocrite », avec un large et bon sourire qui faisait bien comprendre qu'elle le « considérait » de nouveau autant qu'au premier jour et qu'elle lui avait pardonné.

Or, la sincérité et le désintéressement de Saint-Loup étaient au contraire absolus et c'était cette grande pureté morale qui, ne pouvant se satisfaire entièrement dans un sentiment égoïste comme l'amour, ne rencontrant pas d'autre part en lui l'impossibilité qui existait par exemple en moi de trouver sa nourriture spirituelle autre part qu'en soi-même, le rendait vraiment capable, autant que moi incapable, d'amitié.

Françoise ne se trompait pas moins sur Saint-Loup

quand elle disait qu'il avait l'air comme ça de ne pas dédaigner le peuple, mais que ce n'était[1] pas vrai, et qu'il n'y avait qu'à le voir quand il était en colère après son cocher. Il était arrivé, en effet, quelquefois à Robert de le gronder avec une certaine rudesse, qui prouvait chez lui moins le sentiment de la différence que de l'égalité entre les classes. « Mais, me dit-il en réponse aux reproches que je lui faisais d'avoir traité un peu durement ce cocher, pourquoi affecterais-je de lui parler poliment? N'est-il pas mon égal? N'est-il pas aussi près de moi que mes oncles ou mes cousins? Vous avez l'air de trouver que je devrais le traiter avec égards, comme un inférieur! Vous parlez comme un aristocrate », ajouta-t-il avec dédain.

En effet, s'il y avait une classe contre laquelle il eût de la prévention et de la partialité, c'était l'aristocratie, et jusqu'à croire aussi difficilement à la supériorité d'un homme du monde, qu'il croyait facilement à celle d'un homme du peuple. Comme je lui parlais de la princesse de Luxembourg que j'avais rencontrée avec sa tante :

— Une carpe, me dit-il, comme toutes ses pareilles. C'est d'ailleurs un peu ma cousine.

Ayant un préjugé contre les gens qui le fréquentaient, il allait rarement dans le monde, et l'attitude méprisante ou hostile qu'il y prenait augmentait encore chez tous ses proches parents le chagrin de sa liaison avec une femme « de théâtre », liaison qu'ils accusaient de lui être fatale et notamment d'avoir développé chez lui cet esprit de dénigrement, ce mauvais esprit, de l'avoir « dévoyé », en attendant qu'il se « déclassât » complètement. Aussi, bien des hommes légers du faubourg Saint-Germain étaient-ils sans pitié quand ils parlaient de la maîtresse de Robert. « Les grues font leur métier, disait-on, elles valent autant que d'autres; mais celle-là, non! Nous ne lui pardonnerons pas! Elle a fait trop de mal à quelqu'un que nous aimons. » Certes, il n'était pas le premier qui eût un fil à la patte. Mais les autres s'amusaient en hommes du monde, continuaient à penser en hommes du monde sur la politique, sur tout. Lui, sa famille le trouvait « aigri ». Elle ne se rendait pas compte que pour bien des jeunes gens du monde, lesquels sans cela resteraient incultes d'esprit, rudes dans leurs amitiés, sans douceur et sans goût, c'est bien souvent leur maîtresse qui est leur vrai maître, et les liaisons de ce genre, la seule école de morale où ils soient initiés à une culture supérieure, où ils apprennent le prix des connaissances désintéressées. Même dans le bas peuple (qui au point de vue de la grossièreté ressemble si souvent au grand monde), la femme, plus sensible, plus fine, plus oisive, a la curiosité de certaines délicatesses, respecte certaines beautés de sentiment et d'art que, ne les comprît-elle pas, elle place pourtant au-dessus de ce qui semblait le plus désirable à l'homme, l'argent, la situation. Or, qu'il s'agisse de la maîtresse d'un jeune clubman comme Saint-Loup ou d'un jeune ouvrier (les électriciens, par exemple, comptent aujourd'hui dans les rangs de la Chevalerie véritable), son amant a pour elle trop d'admiration et de respect pour ne pas les étendre à ce qu'elle-même respecte et admire; et pour lui, l'échelle des valeurs s'en trouve renversée. À cause de son sexe même, elle est faible, elle a des troubles nerveux, inexplicables, qui chez un homme, et même chez une autre femme, chez une femme dont il est neveu ou cousin, auraient fait sourire ce jeune homme robuste. Mais il ne peut voir souffrir celle qu'il aime. Le jeune noble qui, comme Saint-Loup, a une maîtresse, prend l'habitude, quand il va dîner avec elle au cabaret, d'avoir dans sa poche le valérianate dont elle peut avoir besoin, d'enjoindre au garçon, avec force et sans ironie, de faire attention à fermer les portes sans bruit, à ne pas mettre de mousse humide sur la table, afin d'éviter à son amie ces malaises que pour sa part il n'a jamais ressentis, qui composent pour lui un monde occulte à la réalité duquel elle lui a appris à croire, malaises qu'il plaint maintenant sans avoir besoin pour cela de les connaître, qu'il plaindra même quand ce sera d'autres qu'elle qui les ressentiront. La maîtresse de Saint-Loup — comme les premiers moines du moyen âge, à la chrétienté — lui avait enseigné la pitié envers les animaux, car elle en avait la passion, ne se déplaçant jamais sans son chien, ses serins, ses perroquets; Saint-Loup veillait sur eux avec des soins maternels et traitait de brutes les gens qui ne sont pas bons avec les bêtes. D'autre part, une actrice, ou soi-disant telle, comme celle qui vivait avec lui — qu'elle fût intelligente ou non, ce que j'ignorais — en lui faisant trouver ennuyeuse la société des femmes du monde et considérer comme une corvée l'obligation d'aller dans une soirée, l'avait préservé du snobisme et guéri de la frivolité. Si grâce à elle les relations mondaines tenaient moins de place dans la vie de son jeune amant, en revanche, tandis que, s'il avait été un simple homme de salon, la vanité ou l'intérêt auraient dirigé ses amitiés comme la rudesse les aurait empreintes, sa maîtresse lui avait appris à y mettre de la noblesse et du raffinement. Avec son instinct de femme et appréciant plus chez les hommes certaines qualités de sensibilité que son amant eût peut-être sans elle méconnues ou plaisantées, elle avait toujours vite fait de distinguer entre les autres celui des amis de Saint-Loup qui avait pour lui une affection vraie, et de le préférer. Elle savait le forcer à éprouver pour celui-là de la reconnaissance, à la lui témoigner, à remarquer les choses qui lui faisaient plaisir, celles qui lui faisaient de la peine. Et bientôt Saint-Loup, sans plus avoir besoin qu'elle l'avertît, commença à se soucier de tout cela, et, à Balbec où elle n'était pas, pour moi qu'elle n'avait jamais vu et dont il ne lui avait même peut-être pas encore parlé dans ses lettres, de lui-même il fermait la fenêtre d'une voiture où j'étais, emportait les fleurs qui me faisaient mal et, quand il eut à dire au revoir à la fois à plusieurs personnes, à son départ, s'arrangea à les quitter un peu plus tôt afin de rester seul et en dernier avec moi, de mettre cette différence entre elles et moi, de me traiter autrement que les autres. Sa maîtresse avait ouvert son esprit à l'invisible, elle avait mis du sérieux dans sa vie, des délicatesses dans son cœur, mais tout cela échappait à la famille en larmes qui répétait : « Cette gueuse le tuera, et en attendant elle le déshonore. » Il est vrai qu'il avait fini de tirer d'elle tout le bien qu'elle pouvait lui faire; et maintenant elle était cause seulement qu'il souffrait sans cesse, car elle l'avait pris en horreur et le torturait. Elle avait commencé, un beau jour, à le trouver bête et ridicule, parce que les amis qu'elle avait parmi de jeunes auteurs et acteurs lui avaient assuré qu'il l'était, et elle répétait à son tour ce qu'ils avaient dit, avec cette passion, cette absence de réserves qu'on montre chaque fois qu'on reçoit du dehors et qu'on adopte des opinions ou des usages qu'on ignorait entièrement. Elle professait volontiers, comme ces comédiens, qu'entre elle et Saint-Loup le fossé était infranchissable, parce qu'ils étaient d'une autre race, qu'elle était une intellectuelle et que lui, quoi qu'il prétendît, était, de naissance, un ennemi de l'intelligence. Cette vue lui semblait profonde et elle en cherchait la vérification dans les paroles les plus insignifiantes, les moindres gestes de son amant. Mais quand les mêmes amis l'eurent, en outre, convaincue qu'elle détruisait dans une compagnie aussi peu faite pour elle les grandes espérances qu'elle avait, disaient-ils, données, que son amant finirait par déteindre sur elle, qu'à vivre avec lui elle gâchait son avenir d'artiste, à son mépris pour Saint-Loup s'ajouta la même haine que s'il s'était obstiné à vouloir lui inoculer une maladie mortelle. Elle le voyait le moins possible tout en reculant encore le moment d'une rupture définitive, laquelle me paraissait à moi bien peu vraisemblable. Saint-Loup faisait pour elle de tels sacrifices que, à moins qu'elle fût ravissante (mais il n'avait jamais voulu me montrer sa photographie, me disant : « D'abord ce n'est pas une beauté, et puis elle vient mal en photographie, ce sont des instantanés que j'ai faits moi-même avec mon Kodak et ils vous donneraient une fausse idée d'elle »), il semblait difficile qu'elle trouvât un second homme qui en consentît de semblables. Je ne songeais pas qu'une certaine toquade de se faire un nom, même quand on n'a pas de talent, que l'estime, rien que l'estime privée, de personnes qui vous imposent, peuvent (ce n'était peut-être du reste pas le cas pour la maîtresse de Saint-Loup) être, même pour une petite cocotte, des motifs plus déterminants que le plaisir de gagner de l'argent. Saint-Loup qui, sans bien comprendre ce qui se passait dans la pensée de sa maîtresse, ne la croyait pas complètement sincère, ni dans les reproches injustes ni dans les promesses d'amour éternel, avait pourtant à certains moments le sentiment qu'elle romprait quand elle le pourrait, et à cause de cela, mû sans doute par l'instinct de conservation de son amour plus clairvoyant peut-être que Saint-Loup n'était lui-même, usant d'ailleurs d'une habileté pratique qui se conciliait chez lui avec les plus grands et les plus aveugles élans du cœur, il s'était refusé à lui constituer un capital, avait emprunté un argent énorme pour qu'elle ne manquât de rien, mais ne le lui remettait qu'au jour le jour. Et sans doute, au cas où elle eût vraiment songé à le quitter, attendait-elle froidement d'avoir « fait sa pelote », ce qui avec les sommes données par Saint-Loup demanderait sans doute un temps fort court, mais tout de même concédé en supplément pour prolonger le bonheur de mon nouvel ami — ou son malheur.

Cette période dramatique de leur liaison — et qui était arrivée maintenant à son point le plus aigu, le plus cruel pour Saint-Loup, car elle lui avait défendu de rester à Paris où sa présence l'exaspérait et l'avait forcé de prendre son congé à Balbec, à côté de sa garnison — avait commencé un soir chez une tante de Saint-Loup, lequel avait obtenu d'elle que son amie viendrait pour de nombreux invités dire des fragments d'une pièce symboliste qu'elle avait jouée une fois sur une scène d'avant-garde et pour laquelle elle lui avait fait partager l'admiration qu'elle éprouvait elle-même.

Mais quand elle était apparue, un grand lys à la main, dans un costume copié de l'« Ancilla Domini » et qu'elle avait persuadé à Robert être une véritable « vision d'art », son entrée avait été accueillie dans cette assemblée d'hommes de cercle et de duchesses par des sourires que le ton monotone de la psalmodie, la bizarrerie de certains mots, leur fréquente répétition avaient changés en fous rires, d'abord étouffés, puis si irrésistibles que la pauvre récitante n'avait pu continuer. Le lendemain, la tante de Saint-Loup avait été unanimement blâmée d'avoir laissé paraître chez elle une artiste aussi grotesque. Un duc bien connu ne lui cacha pas qu'elle n'avait à s'en prendre qu'à elle-même si elle se faisait critiquer :

— Que diable aussi, on ne nous sort pas des numéros de cette force-là ! Si encore cette femme avait du talent, mais elle n'en a et n'en aura jamais aucun. Sapristi ! Paris n'est pas si bête qu'on veut bien le dire. La société n'est pas composée que d'imbéciles. Cette petite demoiselle a évidemment cru étonner Paris. Mais Paris est plus difficile à étonner que cela, et il y a tout de même des affaires qu'on ne nous fera pas avaler.

Quant à l'artiste, elle sortit en disant à Saint-Loup :

— Chez quelles dindes, chez quelles garces sans éducation, chez quels goujats m'as-tu fourvoyée ? J'aime mieux te le dire, il n'y en avait pas un, des hommes présents, qui ne m'eût fait de l'œil, du pied, et c'est parce que j'ai repoussé leurs avances qu'ils ont cherché à se venger.

Paroles qui avaient changé l'antipathie de Robert pour les gens du monde en une horreur autrement profonde et douloureuse et que lui inspiraient particulièrement ceux qui la méritaient le moins, des parents dévoués qui, délégués par la famille, avaient cherché à persuader à l'amie de Saint-Loup de rompre avec lui, démarche qu'elle lui présentait comme inspirée par leur amour pour elle. Robert, quoiqu'il eût aussitôt cessé de les fréquenter, pensait, quand il était loin de son amie comme maintenant, qu'eux ou d'autres en profitaient pour revenir à la charge et avaient peut-être reçu ses faveurs. Et quand il parlait des viveurs qui trompent leurs amis, cherchent à corrompre les femmes, tâchent de les faire venir dans des maisons de passe, son visage respirait la souffrance et la haine.

— Je les tuerais avec moins de remords qu'un chien qui est du moins une bête gentille, loyale et fidèle. En voilà qui méritent la guillotine, plus que des malheureux qui ont été conduits au crime par la misère et par la cruauté des riches.

Il passait la plus grande partie de son temps à envoyer à sa maîtresse des lettres et des dépêches. Chaque fois que, tout en l'empêchant de venir à Paris, elle trouvait, à distance, le moyen d'avoir une brouille avec lui, je l'apprenais de sa figure décomposée. Comme sa maîtresse ne lui disait jamais ce qu'elle avait à lui reprocher, soupçonnant que, peut-être, si elle ne le[1] lui disait pas, c'est qu'elle ne le savait pas et qu'elle avait simplement assez de lui, il aurait pourtant voulu avoir des explications, il lui écrivait : « Dis-moi ce que j'ai fait de mal. Je suis prêt à reconnaître mes torts », le chagrin qu'il éprouvait ayant pour effet de le persuader qu'il avait mal agi.

Mais elle lui faisait attendre indéfiniment des réponses d'ailleurs dénuées de sens. Aussi c'est presque toujours le front soucieux et bien souvent les mains vides que je voyais Saint-Loup revenir de la poste où, seul de tout l'hôtel avec Françoise, il allait chercher ou porter lui-même ses lettres, lui par impatience d'amant, elle par méfiance de domestique. (Les dépêches le forçaient à faire beaucoup plus de chemin.)

Quand, quelques jours après le dîner chez les Bloch, ma grand'mère me dit d'un air joyeux que Saint-Loup venait de lui demander si avant qu'il quittât Balbec elle ne voulait pas qu'il la photographiât, et quand je vis qu'elle avait mis pour cela sa plus belle toilette et hésitait entre diverses coiffures, je me sentis un peu irrité de cet enfantillage qui m'étonnait tellement de sa part. J'en arrivais même à me demander si je ne m'étais pas trompé sur ma grand'mère, si je ne la plaçais pas trop haut, si elle était aussi détachée que j'avais toujours cru de ce qui concernait sa personne, si elle n'avait pas ce que je croyais lui être le plus étranger, de la coquetterie.

Malheureusement, ce mécontentement que me causaient le projet de séance photographique et surtout la satisfaction que ma grand'mère paraissait en ressentir, je le laissai suffisamment apercevoir pour que Françoise le remarquât et s'empressât involontairement de l'accroître en me tenant un discours sentimental et attendri auquel je ne voulus pas avoir l'air d'adhérer.

— Oh! Monsieur, cette pauvre Madame qui sera si heureuse qu'on tire son portrait, et qu'elle va même mettre le chapeau que sa vieille Françoise, elle lui a arrangé, il faut la laisser faire, Monsieur.

Je me convainquis que je n'étais pas cruel de me moquer de la sensibilité de Françoise, en me rappelant que ma mère et ma grand'mère, mes modèles en tout, le faisaient souvent aussi. Mais ma grand'mère, s'apercevant que j'avais l'air ennuyé, me dit que si cette séance de pose pouvait me contrarier elle y renoncerait. Je ne le voulus pas, je l'assurai que je n'y voyais aucun inconvénient et la laissai se faire belle, mais crus faire preuve de pénétration et de force en lui disant quelques paroles ironiques et blessantes destinées à neutraliser le plaisir qu'elle semblait trouver à être photographiée, de sorte que, si je fus contraint de voir le magnifique chapeau de ma grand'mère, je réussis du moins à faire disparaître de son visage cette expression joyeuse qui aurait dû me rendre heureux et qui, comme il arrive trop souvent tant que sont encore en vie les êtres que nous aimons le mieux, nous apparaît comme la manifestation exaspérante d'un travers mesquin plutôt que comme la forme précieuse du bonheur que nous voudrions tant leur procurer. Ma mauvaise humeur venait surtout de ce que, cette semaine-là, ma grand'mère avait paru me fuir et que je n'avais pu l'avoir un instant à moi, pas plus le jour que le soir. Quand je rentrais dans l'après-midi pour être un peu seul avec elle, on me disait qu'elle n'était pas là; ou bien elle s'enfermait avec Françoise pour de longs conciliabules qu'il ne m'était pas permis de troubler. Et quand, ayant passé la soirée dehors avec Saint-Loup, je songeais pendant le trajet du retour au moment où j'allais pouvoir retrouver et embrasser ma grand'mère, j'avais beau attendre qu'elle frappât contre la cloison ces petits coups qui me diraient d'entrer lui dire bonsoir, je n'entendais rien; je finissais par me coucher, lui en voulant un peu de ce qu'elle me privât, avec une indifférence si nouvelle de sa part, d'une joie sur laquelle j'avais tant compté, je restais encore, le cœur palpitant comme dans mon enfance, à écouter le mur qui restait muet, et je m'endormais dans les larmes.

Ce jour-là, comme les précédents, Saint-Loup avait été obligé d'aller à Doncières où, en attendant qu'il y rentrât d'une manière définitive, on aurait toujours besoin de lui maintenant jusqu'à la fin de l'après-midi. Je regrettais qu'il ne fût pas à Balbec. J'avais vu descendre de voiture et entrer, les unes dans la salle de danse du Casino, les autres chez le glacier, des jeunes femmes qui, de loin, m'avaient paru ravissantes. J'étais dans une de ces périodes de la jeunesse, dépourvues d'un amour particulier, vacantes, où partout — comme un amoureux, la femme dont il est épris — on désire, on cherche, on voit la Beauté. Qu'un seul trait réel — le peu qu'on distingue d'une femme vue de loin, ou de dos — nous permette de projeter la Beauté devant nous, nous nous figurons l'avoir reconnue, notre cœur bat, nous pressons le pas, et nous resterons toujours à demi persuadés que c'était elle, pourvu que la femme ait disparu : ce n'est que si nous pouvons la rattraper que nous comprenons notre erreur.

D'ailleurs, de plus en plus souffrant, j'étais tenté de surfaire les plaisirs les plus simples à cause des difficultés mêmes qu'il y avait pour moi à les atteindre.

Des femmes élégantes, je croyais en apercevoir partout, parce que j'étais trop fatigué, si c'était sur la plage, trop timide, si c'était au Casino ou dans une pâtisserie, pour les approcher nulle part. Pourtant, si je devais bientôt mourir, j'aurais aimé savoir comment étaient faites de près, en réalité, les plus jolies jeunes filles que la vie pût offrir, quand même c'eût été un autre que moi, ou même personne, qui dût profiter de cette offre (je ne me rendais pas compte, en effet, qu'il y avait un désir de possession à l'origine de ma curiosité). J'aurais osé entrer dans la salle de bal, si Saint-Loup avait été avec moi. Seul, je restai simplement devant le Grand-Hôtel à attendre le moment d'aller retrouver ma grand'mère, quand, presque encore à l'extrémité de la digue où elles faisaient mouvoir une tache singulière, je vis s'avancer cinq ou six fillettes, aussi différentes, par l'aspect et par les façons, de toutes les personnes auxquelles on était accoutumé à Balbec, qu'aurait pu l'être, débarquée on ne sait d'où, une bande de mouettes qui exécute à pas comptés sur la plage — les retardataires rattrapant les autres en voletant — une promenade dont le but semble aussi obscur aux baigneurs qu'elles ne paraissent pas voir, que clairement déterminé pour leur esprit d'oiseaux.

Une de ces inconnues poussait devant elle, de la main, sa bicyclette; deux autres tenaient des « clubs » de golf; et leur accoutrement tranchait sur celui des autres jeunes filles de Balbec, parmi lesquelles quelques-unes, il est vrai, se livraient aux sports, mais sans adopter pour cela une tenue spéciale.

C'était l'heure où dames et messieurs venaient tous les jours faire leur tour de digue, exposés aux feux impitoyables du face-à-main que fixait sur eux, comme s'ils eussent été porteurs de quelque tare qu'elle tenait à inspecter dans ses moindres détails, la femme du premier président, fièrement assise devant le kiosque de musique, au milieu de cette rangée de chaises redoutée où eux-mêmes tout à l'heure, d'acteurs devenus critiques, viendraient s'installer pour juger à leur tour ceux qui défileraient devant eux. Tous ces gens qui longeaient la digue en tanguant aussi fort que si elle avait été le pont d'un bateau (car ils ne savaient pas lever une jambe sans du même coup remuer le bras, tourner les yeux, remettre d'aplomb leurs épaules, compenser par un mouvement balancé du côté opposé le mouvement qu'ils venaient de faire de l'autre côté, et congestionner leur face) faisant[1] semblant de ne pas voir, pour faire croire qu'ils ne se souciaient pas d'elles, mais regardant à la dérobée, pour ne pas risquer de les heurter, les personnes qui marchaient à leurs côtés ou venaient en sens inverse, butaient au contraire contre elles, s'accrochaient à elles, parce qu'ils avaient été réciproquement de leur part l'objet de la même attention secrète, cachée sous le même dédain apparent; l'amour — par conséquent la crainte — de la foule étant un des plus puissants mobiles chez tous les hommes, soit qu'ils cherchent à plaire aux autres ou à les étonner, soit à leur montrer qu'ils les méprisent : chez le solitaire la claustration même absolue et durant jusqu'à la fin de la vie a souvent pour principe un amour déréglé de la foule qui l'emporte tellement sur tout autre sentiment que, ne pouvant obtenir, quand il sort, l'admiration de la concierge, des passants, du cocher arrêté, il préfère[2] n'être jamais vu d'eux, et pour cela renoncer à toute activité qui rendrait nécessaire de sortir.

Au milieu de tous ces gens dont quelques-uns poursuivaient une pensée, mais en trahissaient alors la mobilité par une saccade de gestes, une divagation de regards, aussi peu harmonieuses que la circonspecte titubation de leurs voisins, les fillettes que j'avais aperçues, avec la maîtrise de gestes que donne un parfait assouplissement de son propre corps et un mépris sincère du reste de l'humanité, venaient droit devant elles, sans hésitation ni raideur, exécutant exactement les mouvements qu'elles voulaient, dans une pleine indépendance de chacun de leurs membres par rapport aux autres, la plus grande partie de leur corps gardant cette immobilité si remarquable chez les bonnes valseuses. Elles n'étaient plus loin de moi. Quoique chacune fût d'un type absolument différent des autres, elles avaient toutes de la beauté; mais, à vrai dire, je les voyais depuis si peu d'instants et sans oser les regarder fixement que je n'avais encore individualisé aucune d'elles. Sauf une, que son nez droit, sa peau brune mettaient en contraste au milieu des autres comme, dans quelque tableau de la Renaissance, un roi Mage de type arabe, elles ne m'étaient connues, l'une, que par une paire d'yeux durs, butés et rieurs; une autre que par des joues où le rose avait cette teinte cuivrée qui évoque l'idée de géranium[1]; et même ces traits, je n'avais encore indissolublement attaché aucun d'entre eux à l'une des jeunes filles plutôt qu'à l'autre; et quand (selon l'ordre dans lequel se déroulait cet ensemble, merveilleux parce qu'y voisinaient les aspects les plus différents, que toutes les gammes de couleurs y étaient rapprochées, mais qui était confus comme une musique où je n'aurais pas su isoler et reconnaître au moment de leur passage les phrases, distinguées mais oubliées aussitôt après) je voyais émerger un ovale blanc, des yeux noirs, des yeux verts, je ne savais pas si c'était les mêmes qui m'avaient déjà apporté du charme tout à l'heure, je ne pouvais pas les rapporter à telle jeune fille que j'eusse séparée des autres et reconnue. Et cette absence, dans ma vision, des démarcations que j'établirais bientôt entre elles, propageait à travers leur groupe un flottement harmonieux, la translation continue d'une beauté fluide, collective et mobile.

Ce n'était peut-être pas, dans la vie, le hasard seul qui, pour réunir ces amies, les avait toutes choisies si belles; peut-être ces filles (dont l'attitude suffisait à révéler la nature hardie, frivole et dure), extrêmement sensibles à tout ridicule et à toute laideur, incapables de subir un attrait d'ordre intellectuel ou moral, s'étaient-elles naturellement trouvées, parmi les camarades de leur âge, éprouver de la répulsion pour toutes celles chez qui des dispositions pensives ou sensibles se trahissaient par de la timidité, de la gêne, de la gaucherie, par ce qu'elles devaient appeler « un genre antipathique », et les avaient-elles tenues à l'écart; tandis qu'elles s'étaient liées au contraire avec d'autres vers qui les attirait un certain mélange de grâce, de souplesse et d'élégance physique, seule forme sous laquelle elles pussent se représenter la franchise d'un caractère séduisant et la promesse de bonnes heures à passer ensemble. Peut-être aussi la classe à laquelle elles appartenaient et que je n'aurais pu préciser, était-elle à ce point de son évolution où, soit grâce à l'enrichissement et au loisir, soit grâce aux habitudes nouvelles de sport, répandues même dans certains milieux populaires, et d'une culture physique à laquelle ne s'est pas encore ajoutée celle de l'intelligence, un milieu social pareil aux écoles de sculpture harmonieuses et fécondes qui ne recherchent pas encore l'expression tourmentée, produit naturellement, et en abondance, de beaux corps aux belles jambes, aux belles hanches, aux visages sains et reposés, avec un air d'agilité et de ruse. Et n'était-ce pas de nobles et calmes modèles de beauté humaine que je voyais là, devant la mer, comme des statues exposées au soleil sur un rivage de la Grèce ?

Telles que si, du sein de leur bande qui progressait le long de la digue comme une lumineuse comète, elles eussent jugé que la foule environnante était composée d'êtres[1] d'une autre race et dont la souffrance même n'eût pu éveiller en elles un sentiment de solidarité, elles ne paraissaient pas la voir, forçaient les personnes arrêtées à s'écarter ainsi que sur le passage d'une machine qui eût été lâchée et dont il ne fallait pas attendre qu'elle évitât les piétons, et se contentaient tout au plus, si quelque vieux monsieur dont elles n'admettaient pas l'existence et dont elles repoussaient le contact s'était enfui avec des mouvements craintifs ou furieux, mais précipités et[2] risibles, de se regarder entre elles en riant. Elles n'avaient à l'égard de ce qui n'était pas de leur groupe aucune affectation de mépris, leur mépris sincère suffisait. Mais elles ne pouvaient voir un obstacle sans s'amuser à le franchir en prenant leur élan ou à pieds joints, parce qu'elles étaient toutes remplies, exubérantes de cette jeunesse qu'on a si grand besoin de dépenser que, même quand on est triste ou souffrant, obéissant plus aux nécessités de l'âge qu'à l'humeur de la journée, on ne laisse jamais passer une occasion de saut ou de glissade sans s'y livrer consciencieusement, interrompant, semant sa marche lente — comme Chopin la phrase la plus mélancolique — de gracieux détours où le caprice se mêle à la virtuosité. La femme d'un vieux banquier, après avoir hésité pour son mari entre diverses expositions, l'avait assis, sur un pliant, face à la digue, abrité du vent et du soleil par le kiosque des musiciens. Le voyant bien installé, elle venait de le quitter pour aller lui acheter un journal qu'elle lui lirait et qui le distrairait, petites absences pendant lesquelles elle le laissait seul et qu'elle ne prolongeait jamais au delà de cinq minutes, ce qui lui semblait déjà bien long, mais qu'elle renouvelait assez fréquemment pour que le vieil époux à qui elle prodiguait à la fois et dissimulait ses soins, eût l'impression qu'il était encore en état de vivre comme tout le monde et n'avait nul besoin de protection. La tribune des musiciens formait au-dessus de lui un tremplin naturel et tentant sur lequel sans une hésitation l'aînée de la petite bande se mit à courir; et elle sauta par-dessus le vieillard épouvanté, dont la casquette marine fut effleurée par les pieds agiles, au grand amusement des autres jeunes filles, surtout de deux yeux verts dans une figure poupine qui exprimèrent pour cet acte une admiration et une gaieté où je crus discerner un peu de timidité, d'une timidité honteuse et fanfaronne, qui n'existait[1] pas chez les autres. « C'pauvre vieux, i m'fait d'la peine, il a l'air à moitié crevé », dit l'une de ces filles d'une voix rogommeuse et avec un accent à demi ironique. Elles firent quelques pas encore, puis s'arrêtèrent un moment au milieu du chemin sans s'occuper d'arrêter la circulation des passants, en un agrégat de forme irrégulière, compact, insolite et piaillant, comme un conciliabule d'oiseaux[2] qui s'assemblent au moment de s'envoler; puis elles reprirent leur lente promenade le long de la digue, au-dessus de la mer.

Maintenant, leurs traits charmants n'étaient plus indistincts et mêlés. Je les avais répartis et agglomérés (à défaut du nom de chacune, que j'ignorais) autour de la grande qui avait sauté par-dessus le vieux banquier; de la petite qui détachait sur l'horizon de la mer ses joues bouffies et roses, ses yeux verts; de celle au teint bruni, au nez droit, qui tranchait au milieu des autres; d'une autre, au visage blanc comme un œuf dans lequel un petit nez faisait un arc de cercle comme un bec de poussin, visage comme en ont certains très jeunes gens; d'une autre encore, grande, couverte d'une pèlerine (qui lui donnait un aspect si pauvre et démentait tellement sa tournure élégante que l'explication qui se présentait à l'esprit était que cette jeune fille devait avoir des parents assez brillants et plaçant leur amour-propre assez au-dessus des baigneurs de Balbec et de l'élégance vestimentaire de leurs propres enfants pour qu'il leur fût absolument égal de la laisser se promener sur la digue dans une tenue que de petites gens eussent jugée trop modeste); d'une fille aux yeux brillants, rieurs, aux grosses joues mates, sous un « polo » noir, enfoncé sur sa tête, qui poussait une bicyclette avec un dandinement de hanches si dégingandé[1], en employant des termes d'argot si voyous et criés si fort, quand je passai auprès d'elle (parmi lesquels je distinguai cependant la phrase fâcheuse de « vivre sa vie ») qu'abandonnant l'hypothèse que la pèlerine de sa camarade m'avait fait échafauder, je conclus plutôt que toutes ces filles appartenaient à la population qui fréquente les vélodromes, et devaient être les très jeunes maîtresses de coureurs cyclistes. En tous cas, dans aucune de mes suppositions, ne figurait celle qu'elles eussent pu être vertueuses. À première vue — dans la manière dont elles se regardaient en riant, dans le regard insistant de celle aux joues mates — j'avais compris qu'elles ne l'étaient pas. D'ailleurs, ma grand'mère avait toujours veillé sur moi avec une délicatesse trop timorée pour que je ne crusse pas que l'ensemble des choses qu'on ne doit pas faire est indivisible et que[2] des jeunes filles qui manquent de respect à la vieillesse fussent tout d'un coup arrêtées par des scrupules quand il s'agit de plaisirs plus tentateurs que de sauter par-dessus un octogénaire.

Individualisées maintenant, pourtant la réplique que se donnaient les uns aux autres leurs regards animés de suffisance et d'esprit de camaraderie et dans lesquels se rallumaient d'instant en instant tantôt l'intérêt, tantôt l'insolente indifférence dont brillait[3] chacune, selon qu'il s'agissait de ses amies ou des passants, cette conscience aussi de se connaître entre elles assez intimement pour se promener toujours ensemble, en faisant « bande à part », mettaient entre leurs corps indépendants et séparés, tandis qu'ils s'avançaient lentement, une liaison invisible, mais harmonieuse comme une même ombre chaude, une même atmosphère, faisant d'eux un tout aussi homogène en ses parties qu'il était différent de la foule au milieu de laquelle se déroulait lentement leur cortège.

Un instant, tandis que je passais à côté de la brune aux grosses joues qui poussait une bicyclette, je croisai ses regards obliques et rieurs, dirigés du fond de ce monde inhumain qui enfermait la vie de cette petite tribu, inaccessible inconnu où l'idée de ce que j'étais ne pouvait certainement ni parvenir ni trouver place. Tout occupée à ce que disaient ses camarades, cette jeune fille coiffée d'un polo qui descendait très bas sur son front, m'avait-elle vu au moment où le rayon noir émané de ses yeux m'avait rencontré? Si elle m'avait vu, qu'avais-je pu lui représenter? Du sein de quel univers me distinguait-elle? Il m'eût été aussi difficile de le dire que, lorsque certaines particularités nous apparaissent grâce au télescope, dans un astre voisin, il est malaisé de conclure d'elles que des humains y habitent, qu'ils nous voient, et quelles idées cette vue a pu éveiller en eux.

Si nous pensions que les yeux d'une telle fille ne sont qu'une brillante rondelle de mica, nous ne serions pas avides de connaître et d'unir à nous sa vie. Mais nous sentons que ce qui luit dans ce disque réfléchissant n'est pas dû uniquement à sa composition matérielle; que ce sont, inconnues de nous, les noires ombres des idées que cet être se fait, relativement aux gens et aux lieux qu'il connaît — pelouses des hippodromes, sable des chemins où, pédalant à travers champs et bois, m'eût entraîné cette petite péri, plus séduisante pour moi que celle du paradis persan —, les ombres aussi de la maison où elle va rentrer, des projets qu'elle forme ou qu'on a formés pour elle; et surtout que c'est elle, avec ses désirs, ses sympathies, ses répulsions, son obscure et incessante volonté. Je savais que je ne posséderais pas cette jeune cycliste, si je ne possédais aussi ce qu'il y avait dans ses yeux. Et c'était par conséquent toute sa vie qui m'inspirait du désir; désir douloureux, parce que je le sentais irréalisable, mais enivrant, parce que ce qui avait été jusque-là ma vie ayant brusquement cessé d'être ma vie totale, n'étant plus qu'une petite partie de l'espace étendu devant moi que je brûlais de couvrir, et qui était fait de la vie de ces jeunes filles, m'offrait ce prolongement, cette multiplication possible de soi-même, qui est le bonheur. Et, sans doute, qu'il n'y eût entre nous aucune habitude — comme aucune idée — communes, devait me rendre plus difficile de me lier avec elles et de leur plaire. Mais peut-être aussi c'était grâce à ces différences, à la conscience qu'il n'entrait pas, dans la composition de la nature et des actions de ces filles, un seul élément que je connusse ou possédasse, que venait en moi de succéder à la satiété, la soif — pareille à celle dont brûle une terre altérée — d'une vie que mon âme, parce qu'elle n'en avait jamais reçu jusqu'ici une seule goutte, absorberait d'autant plus avidement, à longs traits, dans une plus parfaite imbibition.

J'avais tant regardé cette cycliste aux yeux brillants qu'elle parut s'en apercevoir et dit à la plus grande un mot que je n'entendis pas, mais qui fit rire celle-ci. À vrai dire, cette brune n'était pas celle qui me plaisait le plus, justement parce qu'elle était brune et que, depuis le jour où dans le petit raidillon de Tansonville, j'avais vu Gilberte, une jeune fille rousse à la peau dorée était restée pour moi l'idéal inaccessible. Mais Gilberte elle-même, ne l'avais-je pas aimée surtout parce qu'elle m'était apparue nimbée par cette auréole d'être l'amie de Bergotte, d'aller visiter avec lui les cathédrales ? Et de la même façon ne pouvais-je me réjouir d'avoir vu cette brune me regarder (ce qui me faisait espérer qu'il me serait plus facile d'entrer en relations avec elle d'abord), car elle me présenterait[1] à l'impitoyable qui avait sauté par-dessus le vieillard, à la cruelle qui avait dit : « Il me fait de la peine, ce pauvre vieux », à toutes successivement, desquelles elle avait d'ailleurs le prestige d'être l'inséparable compagne. Et cependant, la supposition que je pourrais un jour être l'ami de telle ou telle de ces jeunes filles, que ces yeux, dont les regards inconnus me frappaient parfois en jouant sur moi sans le savoir comme un effet de soleil sur un mur, pourraient jamais par une alchimie miraculeuse laisser transpénétrer entre leurs parcelles ineffables l'idée de mon existence, quelque amitié pour ma personne, que[2] moi-même je pourrais un jour prendre place entre elles, dans la théorie qu'elles déroulaient le long de la mer, — cette supposition me paraissait enfermer en elle une contradiction aussi insoluble que si, devant quelque frise attique[3] ou quelque fresque figurant un cortège, j'avais cru possible, moi spectateur, de prendre place, aimé d'elles, entre les divines processionnaires.

Le bonheur de connaître ces jeunes filles était-il donc irréalisable ? Certes, ce n'eût pas été le premier de ce genre auquel j'eusse[1] renoncé. Je n'avais qu'à me rappeler tant d'inconnues que, même à Balbec, la voiture s'éloignant à toute vitesse m'avait fait à jamais abandonner. Et même le plaisir que me donnait la petite bande, noble comme si elle était composée de vierges helléniques, venait de ce qu'elle avait quelque chose de la fuite des passantes sur la route. Cette fugacité des êtres qui ne sont pas connus de nous, qui nous forcent à démarrer de la vie habituelle où les femmes que nous fréquentons finissent par dévoiler leurs tares, nous met dans cet état de poursuite où rien n'arrête plus l'imagination. Or dépouiller d'elle nos plaisirs, c'est les réduire à eux-mêmes, à rien. Offertes chez une de ces entremetteuses que, par ailleurs, on a vu que je ne méprisais pas, retirées de l'élément qui leur donnait tant de nuances et de vague, ces jeunes filles m'eussent moins enchanté. Il faut que l'imagination, éveillée par l'incertitude de pouvoir atteindre son objet, crée[2] un but qui nous cache l'autre et, en substituant au plaisir sensuel l'idée de pénétrer dans une vie, nous empêche de reconnaître ce plaisir, d'éprouver son goût véritable, de le restreindre à sa portée. Il faut qu'entre nous et le poisson qui, si nous le voyions pour la première fois servi sur une table, ne paraîtrait pas valoir les mille ruses et détours nécessaires pour nous emparer de lui, s'interpose, pendant les après-midi de pêche, le remous à la surface duquel viennent affleurer, sans que nous sachions bien ce[3] que nous voulons en faire, le poli d'une chair, l'indécision d'une forme, dans la fluidité d'un transparent et mobile azur.

Ces jeunes filles bénéficiaient aussi de ce changement des proportions sociales, caractéristique de la vie de bains de mer. Tous les avantages qui dans notre milieu habituel nous prolongent, nous agrandissent, se trouvent là devenus invisibles, en fait supprimés; en revanche, les êtres à qui on suppose indûment de tels avantages, ne s'avancent qu'amplifiés d'une étendue postiche. Elle rendait plus aisé que des inconnues, et ce jour-là ces jeunes filles, prissent à mes yeux une importance énorme, et impossible de leur faire connaître celle que je pouvais avoir.

Mais si la promenade de la petite bande avait pour elle de n'être qu'un[4] extrait de la fuite innombrable de passantes, laquelle m'avait toujours troublé, cette fuite était ici ramenée à un mouvement tellement lent qu'il se rapprochait de l'immobilité. Or, précisément, que dans une phase aussi peu rapide, les visages, non plus emportés dans un tourbillon, mais calmes et distincts, me parussent encore beaux, cela m'empêchait de croire, comme je l'avais fait si souvent quand m'emportait la voiture de Mme de Villeparisis, que, de plus près, si je me fusse arrêté un instant, tels détails, une peau grêlée, un défaut dans les ailes du nez, un regard banal[1], la grimace du sourire, une vilaine taille, eussent remplacé dans le visage et dans le corps de la femme ceux que j'avais sans doute imaginés; car il avait suffi d'une jolie ligne de corps, d'un teint frais entrevu, pour que de très bonne foi j'y eusse ajouté quelque ravissante épaule, quelque regard délicieux dont je portais toujours en moi le souvenir ou l'idée préconçue, ces déchiffrages rapides d'un être qu'on voit à la volée nous exposant ainsi aux mêmes erreurs que ces lectures trop rapides où, sur une seule syllabe et sans prendre le temps d'identifier les autres, on met à la place du mot qui est écrit, un tout différent que nous fournit notre mémoire. Il ne pouvait en être ainsi maintenant. J'avais bien regardé leurs visages; chacun d'eux, je l'avais vu, non pas dans tous ses profils, et rarement de face, mais tout de même selon deux ou trois aspects assez différents pour que je pusse faire soit la rectification, soit la vérification et la « preuve » des différentes suppositions de lignes et de couleurs que hasarde la première vue, et pour voir subsister en eux, à travers les expressions successives, quelque chose d'inaltérablement matériel. Aussi, je pouvais me dire avec certitude que, ni à Paris, ni à Balbec, dans les hypothèses les plus favorables de ce qu'auraient pu être, même si j'avais pu rester à causer avec elles, les passantes qui avaient arrêté mes yeux, il n'y en avait jamais eu dont l'apparition, puis la disparition sans que je les eusse connues, m'eussent laissé plus de regrets que ne feraient celles-ci, m'eussent donné l'idée que leur amitié pût être une telle ivresse. Ni parmi les actrices, ou les paysannes, ou les demoiselles de[2] pensionnat religieux, je n'avais rien vu d'aussi beau, imprégné d'autant d'inconnu, aussi inestimablement précieux, aussi vraisemblablement inaccessible. Elles étaient, du bonheur inconnu et possible de la vie, un exemplaire si délicieux et en si parfait état, que c'était presque pour des raisons intellectuelles que j'étais désespéré de ne pas pouvoir[1] faire dans des conditions uniques, ne laissant aucune place à l'erreur possible, l'expérience de ce que nous offre de plus mystérieux la beauté qu'on désire, et qu'on se console de ne posséder jamais en demandant du plaisir — comme Swann avait toujours refusé de faire, avant Odette — à des femmes qu'on n'a pas désirées, si bien qu'on meurt sans avoir jamais su ce qu'était cet autre plaisir. Sans doute, il se pouvait qu'il ne fût pas en réalité un plaisir inconnu, que de près son mystère se dissipât, qu'il ne fût qu'une projection, qu'un mirage du désir. Mais, dans ce cas, je ne pourrais m'en prendre qu'à la nécessité d'une loi de la nature — qui, si elle s'appliquait à ces jeunes filles-ci, s'appliquerait à toutes —, et non à la défectuosité de l'objet. Car il était celui que j'eusse choisi entre tous, me rendant bien compte, avec une satisfaction de botaniste, qu'il n'était pas possible de trouver réunies des espèces plus rares que celles de ces jeunes fleurs qui interrompaient en ce moment devant moi la ligne du flot de leur haie légère, pareille à un bosquet de roses de Pennsylvanie, ornement d'un jardin sur la falaise, entre lesquelles tient tout le trajet de l'océan parcouru par quelque steamer, si lent à glisser sur le trait horizontal et bleu qui va d'une tige à l'autre, qu'un papillon paresseux, attardé au fond de la corolle que la coque du navire a depuis longtemps dépassée, peut pour s'envoler en étant sûr d'arriver avant le vaisseau, attendre que rien qu'une seule parcelle azurée sépare encore la proue de celui-ci du premier pétale[2] de la fleur vers laquelle il navigue.

Je rentrai parce que je devais aller dîner à Rivebelle avec Robert et que ma grand'mère exigeait qu'avant de partir je m'étendisse ces soirs-là pendant une heure sur mon lit, sieste que le médecin de Balbec m'ordonna bientôt d'étendre à tous les autres soirs.

D'ailleurs, il n'y avait même pas besoin pour rentrer de quitter la digue et de pénétrer dans l'hôtel par le hall, c'est-à-dire par derrière. En vertu d'une avance comparable à celle du samedi où à Combray on déjeunait une heure plus tôt, maintenant avec le plein de l'été les jours étaient devenus si longs que le soleil était encore haut dans le ciel, comme à une heure de goûter, quand on mettait le couvert pour le dîner au Grand-Hôtel de Balbec. Aussi les grandes fenêtres vitrées et à coulisses restaient-elles ouvertes de plain-pied avec la digue. Je n'avais qu'à enjamber un mince cadre de bois pour me trouver dans la salle à manger que je quittais aussitôt pour prendre l'ascenseur.

En passant devant le bureau j'adressai un sourire au directeur, et sans l'ombre de dégoût, en recueillis un dans sa figure que, depuis que j'étais à Balbec, mon attention compréhensive injectait et transformait peu à peu comme une préparation d'histoire naturelle. Ses traits m'étaient devenus courants, chargés d'un sens médiocre, mais intelligible comme une écriture qu'on lit et ne ressemblaient plus en rien à ces caractères bizarres, intolérables que son visage m'avait présentés ce premier jour où j'avais vu devant moi un personnage maintenant oublié ou, si je parvenais à l'évoquer, méconnaissable, difficile à identifier avec la personnalité insignifiante et polie dont il n'était que la caricature, hideuse et sommaire. Sans la timidité ni la tristesse du soir de mon arrivée, je sonnai le lift qui ne restait plus silencieux pendant que je m'élevais à côté de lui dans l'ascenseur, comme dans une cage thoracique mobile qui se fût déplacée le long de la colonne montante, mais me répétait : « Il y a plus autant de monde comme il y a un mois. On va commencer à s'en aller, les jours baissent. » Il disait cela, non que ce fût vrai, mais parce qu'ayant un engagement pour une partie plus chaude de la côte, il aurait voulu que nous partissions[1] tous le plus tôt possible afin que l'hôtel fermât et qu'il eût quelques jours à lui, avant de « rentrer » dans sa nouvelle place. « Rentrer » et « nouvelle » n'étaient du reste pas des expressions contradictoires, car pour le lift « rentrer » était la forme usuelle du verbe « entrer ». La seule chose qui m'étonnât était qu'il condescendît à dire « place », car il appartenait à ce prolétariat moderne qui désire effacer dans le langage la trace du régime de la domesticité. Du reste, au bout d'un instant, il m'apprit que dans la « situation » où il allait « rentrer », il aurait une plus jolie « tunique » et un meilleur « traitement »; les mots « livrée » et « gages » lui paraissaient désuets et inconvenants. Et comme, par une contradiction absurde, le vocabulaire a, malgré tout, chez les « patrons », survécu à la conception de l'inégalité, je comprenais toujours mal ce que me disait le lift. Ainsi la seule chose qui m'intéressât était de savoir si ma grand'mère était à l'hôtel. Or, prévenant mes questions, le lift me disait : « Cette dame vient de sortir de chez vous. » J'y étais toujours pris, je croyais que c'était ma grand'mère. « Non, cette dame qui est je crois employée chez vous. » Comme, dans l'ancien langage bourgeois qui devrait bien être aboli, une cuisinière ne s'appelle pas une employée, je pensais un instant : « Mais il se trompe, nous ne possédons ni usine, ni employés. » Tout d'un coup, je me rappelais que le nom d'employé est, comme le port de la moustache pour les garçons de café, une satisfaction d'amour-propre donnée aux domestiques et que cette dame qui venait de sortir était Françoise (probablement en visite à la cafeterie ou en train de regarder coudre la femme de chambre de la dame belge), satisfaction qui ne suffisait pas encore au lift, car il disait volontiers en s'apitoyant sur sa propre classe « chez l'ouvrier » ou « chez le petit », se servant du même singulier que Racine quand il dit : « le pauvre... ». Mais d'habitude, car mon zèle et ma timidité du premier jour étaient loin, je ne parlais plus au lift. C'était lui maintenant qui restait sans recevoir de réponses dans la courte traversée dont il filait les nœuds à travers l'hôtel, évidé comme un jouet et qui déployait autour de nous, étage par étage, ses ramifications de couloirs dans les profondeurs desquels la lumière se veloutait, se dégradait, amincissait les portes de communication ou les degrés des escaliers intérieurs qu'elle convertissait en cette ambre dorée, inconsistante et mystérieuse comme un crépuscule, où Rembrandt découpe tantôt l'appui d'une fenêtre ou la manivelle d'un puits. Et à chaque étage une lueur d'or reflétée sur le tapis annonçait le coucher du soleil et la fenêtre des cabinets.

Je me demandais si les jeunes filles que je venais de voir habitaient Balbec et qui elles pouvaient être. Quand le désir est ainsi orienté vers une petite tribu humaine qu'il sélectionne, tout ce qui peut se rattacher à elle devient motif d'émotion, puis de rêverie. J'avais entendu une dame dire sur la digue : « C'est une amie de la petite Simonet» avec l'air de précision avantageuse de quelqu'un qui explique : « C'est le camarade inséparable du petit La Rochefoucauld. » Et aussitôt on avait senti sur la figure de la personne à qui on apprenait cela une curiosité de mieux regarder la personne favorisée qui était « amie de la petite Simonet ». Un privilège assurément qui ne paraissait pas donné à tout le monde. Car l'aristocratie est une chose relative. Et il y a des petits trous pas chers où le fils d'un marchand de meubles est prince des élégances et règne sur une cour comme un jeune prince de Galles. J'ai souvent cherché depuis à me rappeler comment avait résonné pour moi sur la plage ce nom de Simonet, encore incertain alors dans sa forme que j'avais mal distinguée, et aussi quant à sa signification, à la désignation par lui de telle personne ou peut-être de telle autre; en somme, empreint de ce vague et de cette nouveauté si émouvants pour nous dans la suite, quand ce nom, dont les lettres sont à chaque seconde plus profondément gravées en nous par notre attention incessante, est devenu (ce qui ne devait arriver pour moi, à l'égard de la petite Simonet, que quelques années plus tard) le premier vocable que nous retrouvions (soit au moment du réveil, soit après un évanouissement), même avant la notion de l'heure qu'il est, du lieu où nous sommes, presque avant le mot « je », comme si l'être qu'il nomme était plus nous que nous-même, et si, après quelques moments d'inconscience, la trêve qui expire avant toute autre était[1] celle pendant laquelle on ne pensait pas à lui. Je ne sais pourquoi je me dis dès le premier jour que le nom de Simonet devait être celui d'une des jeunes filles; je ne cessai plus de me demander comment je pourrais connaître la famille Simonet; et cela par des gens qu'elle jugeât supérieurs à elle-même, ce qui ne devait pas être difficile si ce n'étaient que de petites grues du peuple, pour qu'elle ne pût avoir une idée dédaigneuse de moi. Car on ne peut avoir de connaissance parfaite, on ne peut pratiquer l'absorption complète de qui vous dédaigne, tant qu'on n'a pas vaincu ce dédain. Or, chaque fois que l'image de femmes si différentes pénètre en nous, à moins que l'oubli ou la concurrence d'autres images ne l'élimine, nous n'avons de repos que nous n'ayons converti ces étrangères en quelque chose qui soit pareil à nous, notre âme étant à cet égard douée du même genre de réaction et d'activité que notre organisme physique, lequel ne peut tolérer l'immixtion dans son sein d'un corps étranger sans qu'il s'exerce aussitôt à digérer et assimiler l'intrus. La petite Simonet devait être la plus jolie de toutes — celle, d'ailleurs, qui, me semblait-il, aurait pu devenir ma maîtresse, car elle était la seule qui à deux ou trois reprises, détournant à demi la tête, avait paru prendre conscience de mon fixe regard. Je demandai au lift s'il ne connaissait pas à Balbec des Simonet. N'aimant pas à dire qu'il ignorait quelque chose il répondit qu'il lui semblait avoir entendu causer de ce nom-là. Arrivé au dernier étage, je le priai de me faire apporter les dernières listes d'étrangers.

Je sortis de l'ascenseur, mais au lieu d'aller vers ma chambre je m'engageai plus avant dans le couloir, car à cette heure-là le valet de chambre de l'étage, quoiqu'il craignît les courants d'air, avait ouvert la fenêtre du bout, laquelle regardait, au lieu de la mer, le côté de la colline et de la vallée, mais ne les laissait jamais voir, car ses vitres, d'un verre opaque, étaient le plus souvent fermées. Je m'arrêtai devant elle en une courte station et le temps de faire mes dévotions à la « vue » que pour une fois elle découvrait au delà de la colline à laquelle était adossé l'hôtel et qui ne contenait qu'une maison posée à quelque distance, mais à laquelle la perspective et la lumière du soir en lui conservant son volume donnaient une ciselure précieuse et un écrin de velours, comme à une de ces architectures en miniature, petit temple ou petite chapelle d'orfèvrerie et d'émaux qui servent de reliquaires et qu'on n'expose qu'à de rares jours à la vénération des fidèles. Mais cet instant d'adoration avait déjà trop duré, car le valet de chambre qui tenait d'une main un trousseau de clefs et de l'autre me saluait en touchant sa calotte de sacristain, mais sans la soulever à cause de l'air pur et frais du soir, venait refermer comme ceux d'une châsse les deux battants de la croisée et dérobait à mon adoration le monument réduit et la relique d'or.

J'entrai dans ma chambre. Au fur et à mesure que la saison s'avança, changea le tableau que j'y trouvais dans la fenêtre. D'abord il faisait grand jour, et sombre seulement s'il faisait mauvais temps; alors, dans le verre glauque et qu'elle boursouflait de ses vagues rondes, la mer, sertie entre les montants de fer de ma croisée comme dans les plombs d'un vitrail, effilochait sur toute la profonde bordure rocheuse de la baie des triangles empennés d'une immobile écume linéamentée avec la délicatesse d'une plume ou d'un duvet dessinés par Pisanello, et fixés par cet émail blanc, inaltérable et crémeux qui figure une couche de neige dans les verreries de Gallé.

Bientôt les jours diminuèrent et au moment où j'entrais dans la chambre, le ciel violet, semblant[1] stigmatisé par la figure raide, géométrique, passagère et fulgurante du soleil (pareille à la représentation de quelque signe miraculeux, de quelque apparition mystique), s'inclinait vers la mer sur la charnière de l'horizon comme un tableau religieux au-dessus du maître-autel, tandis que les parties différentes du couchant, exposées dans les glaces des bibliothèques basses en acajou qui couraient le long des murs et que je rapportais par la pensée à la merveilleuse peinture dont elles étaient détachées, semblaient comme ces scènes différentes que quelque maître ancien exécuta jadis pour une confrérie sur une châsse et dont on exhibe à côté les uns des autres dans une salle de musée les volets séparés que l'imagination seule du visiteur remet à leur place sur les prédelles du retable.

Quelques semaines plus tard, quand je remontais, le soleil était déjà couché. Pareille à celle que je voyais à Combray au-dessus du Calvaire quand je rentrais[2] de promenade et m'apprêtais à descendre avant le dîner à la cuisine, une bande de ciel rouge au-dessus de la mer, compacte et coupante comme de la gelée de viande, puis bientôt, sur la mer déjà froide et bleue comme le poisson appelé mulet, le ciel du même rose qu'un de ces saumons que nous nous ferions servir tout à l'heure à Rivebelle, ravivaient le plaisir que j'allais avoir à me mettre en habit pour partir dîner. Sur la mer, tout près du rivage, essayaient de s'élever, les unes par-dessus les autres, à étages de plus en plus larges, des vapeurs d'un noir de suie mais aussi d'un poli, d'une consistance d'agate, d'une pesanteur visible, si bien que les plus élevées penchant au-dessus de la tige déformée et jusqu'en dehors du centre de gravité de celles qui les avaient soutenues jusqu'ici, semblaient sur le point d'entraîner cet échafaudage déjà à demi-hauteur du ciel et de le précipiter dans la mer. La vue d'un vaisseau qui s'éloignait comme un voyageur de nuit me donnait cette même impression que j'avais eue en wagon, d'être affranchi des nécessités du sommeil et de la claustration dans une chambre. D'ailleurs je ne me sentais pas emprisonné dans celle où j'étais, puisque dans une heure j'allais la quitter pour monter en voiture. Je me jetais sur mon lit; et, comme si j'avais été sur la couchette d'un des bateaux que je voyais assez près de moi et que la nuit on s'étonnerait de voir se déplacer lentement dans l'obscurité, comme des cygnes assombris et silencieux mais qui ne dorment pas, j'étais de tous côtés entouré des images de la mer.

Mais bien souvent ce n'était, en effet, que des images; j'oubliais que sous leur couleur se creusait le triste vide de la plage, parcouru par le vent inquiet du soir que j'avais si anxieusement ressenti à mon arrivée à Balbec; d'ailleurs, même dans ma chambre, tout occupé des jeunes filles que j'avais vues passer, je n'étais plus dans des dispositions assez calmes ni assez désintéressées pour que pussent se produire en moi[1] des impressions vraiment profondes de beauté. L'attente du dîner à Rivebelle rendait mon humeur plus frivole encore et ma pensée, habitant à ces moments-là la surface de mon corps que j'allais habiller pour tâcher de paraître le plus plaisant possible aux regards féminins qui me dévisageraient dans le restaurant illuminé, était incapable de mettre de la profondeur derrière la couleur des choses. Et si, sous ma fenêtre, le vol inlassable et doux des martinets et des hirondelles n'avait pas monté comme un jet d'eau, comme un feu d'artifice de vie, unissant l'intervalle de ses hautes fusées par la filée immobile et blanche de longs sillages horizontaux, sans le miracle charmant de ce phénomène naturel et local qui rattachait à la réalité les paysages que j'avais devant les yeux, j'aurais pu croire qu'ils n'étaient qu'un choix, chaque jour renouvelé, de peintures qu'on montrait arbitrairement dans l'endroit où je me trouvais et sans qu'elles eussent de rapport nécessaire avec lui. Une fois c'était une exposition d'estampes japonaises : à côté de la mince découpure du soleil rouge et rond comme la lune, un nuage jaune paraissait un lac contre lequel des glaives noirs se profilaient ainsi que les arbres de sa rive, une barre d'un rose tendre que je n'avais jamais revu depuis ma première boîte de couleurs s'enflait comme un fleuve sur les deux rives duquel des bateaux semblaient attendre à sec qu'on vînt les tirer pour les mettre à flot. Et avec le regard dédaigneux, ennuyé et frivole d'un amateur ou d'une femme parcourant, entre deux visites mondaines, une galerie, je me disais : « C'est curieux, ce coucher de soleil, c'est différent, mais enfin j'en ai déjà vu d'aussi délicats, d'aussi étonnants que celui-ci. » J'avais plus de plaisir les soirs où un navire absorbé et fluidifié par l'horizon apparaissait[1] tellement de la même couleur que lui, ainsi que dans une toile impressionniste, qu'il semblait aussi de la même matière, comme si on n'eût fait que découper sa coque[2] et les cordages en lesquels elle s'était amincie et filigranée, dans le bleu vaporeux du ciel. Parfois l'océan emplissait presque toute ma fenêtre, surélevée qu'elle était par une bande de ciel bordée en haut seulement d'une ligne qui était du même bleu que celui de la mer, mais qu'à cause de cela je croyais être la mer[3] encore et ne devant sa couleur différente qu'à un effet d'éclairage. Un autre jour, la mer n'était peinte que dans la partie basse de la fenêtre dont tout le reste était rempli de tant de nuages poussés les uns contre les autres par bandes horizontales, que les carreaux avaient l'air, par une préméditation ou une spécialité de l'artiste, de présenter une « étude de nuages », cependant que les différentes vitrines de la bibliothèque montrant des nuages semblables mais dans une autre partie de l'horizon et diversement colorés par la lumière, paraissaient offrir comme la répétition, chère à certains maîtres contemporains, d'un seul et même effet, pris toujours à des heures différentes, mais qui maintenant avec l'immobilité de l'art pouvaient être tous vus ensemble dans une même pièce, exécutés au pastel et mis sous verre. Et parfois, sur le ciel et la mer uniformément gris, un peu de rose s'ajoutait avec un raffinement exquis, cependant qu'un petit papillon qui s'était endormi au bas de la fenêtre semblait apposer avec ses ailes, au bas de cette « harmonie gris et rose » dans le goût de celles de Whistler, la signature favorite du maître de Chelsea. Le rose même disparaissait, il n'y avait plus rien à regarder. Je me mettais debout un instant et, avant de m'étendre de nouveau, je fermais les grands rideaux. Au-dessus d'eux, je voyais de mon lit la raie de clarté qui y restait encore, s'assombrissant, s'amincissant progressivement, mais c'est sans m'attrister et sans lui donner de regret que je laissais ainsi mourir au haut des rideaux l'heure où d'habitude j'étais à table, car je savais que ce jour-ci était d'une autre sorte que les autres, plus long comme ceux du pôle que la nuit interrompt seulement quelques minutes; je savais que de la chrysalide de ce crépuscule se préparait à sortir, par une radieuse métamorphose, la lumière éclatante du restaurant de Rivebelle. Je me disais : « Il est temps »; je m'étirais sur le lit, je me levais, j'achevais ma toilette; et je trouvais du charme à ces instants inutiles, allégés de tout fardeau matériel où, tandis qu'en bas les autres dînaient, je n'employais les forces accumulées pendant l'inactivité de cette fin de journée qu'à sécher mon corps, à passer un smoking, à attacher ma cravate, à faire tous ces gestes que guidait déjà le plaisir attendu de revoir telle femme que j'avais remarquée la dernière fois à Rivebelle, qui avait paru me regarder, n'était peut-être sortie un instant de table que dans l'espoir que je la suivrais; c'est avec joie que j'ajoutais à moi tous ces appâts pour me donner entier et dispos à une vie nouvelle, libre, sans souci, où j'appuierais mes hésitations au calme de Saint-Loup et choisirais, entre les espèces de l'histoire naturelle et les provenances de tous les pays, celles qui, composant les plats inusités aussitôt commandés par mon ami, auraient tenté ma gourmandise ou mon imagination.

Et tout à la fin, les jours vinrent où je ne pouvais plus rentrer de la digue par la salle à manger : ses vitres n'étaient plus ouvertes, car il faisait nuit dehors, et l'essaim des pauvres et des curieux attirés par le flamboiement qu'ils ne pouvaient atteindre pendait, en noires grappes morfondues par la bise, aux parois lumineuses et glissantes de la ruche de verre.

On frappa; c'était Aimé qui avait tenu à m'apporter lui-même les dernières listes d'étrangers.

Aimé, avant de se retirer, tint à me dire que Dreyfus était mille fois coupable. « On saura tout, me dit-il, pas cette année, mais l'année prochaine : c'est un monsieur très lié dans l'état-major[1] qui me l'a dit. » Je lui demandais si on ne se déciderait pas à tout découvrir tout de suite avant la fin de l'année. « Il a posé sa cigarette », continua Aimé en mimant la scène et en secouant la tête et l'index comme avait fait son client, voulant dire : il ne faut pas être trop exigeant. « Pas cette année, Aimé, qu'il m'a dit en me touchant l'épaule, ce n'est pas possible. Mais à Pâques, oui ! » Et Aimé me frappa légèrement sur l'épaule en me disant : « Vous voyez, je vous montre exactement comme il a fait », soit qu'il fût flatté de cette familiarité d'un grand personnage, soit pour que je pusse mieux apprécier en pleine connaissance de cause la valeur de l'argument et nos raisons d'espérer.

Ce ne fut pas sans un léger choc au cœur qu'à la première page de la liste des étrangers, j'aperçus les mots : « Simonet et famille ». J'avais en moi de vieilles rêveries qui dataient de mon enfance et où toute la tendresse qui était dans mon cœur mais qui, éprouvée par lui, ne s'en distinguait pas, m'était apportée par un être aussi différent que possible de moi. Cet être, une fois de plus je le fabriquais, en utilisant pour cela le nom de Simonet et le souvenir de l'harmonie qui régnait entre les jeunes corps que j'avais vus se déployer sur la plage en une procession sportive digne de l'antique et de Giotto. Je ne savais pas laquelle de ces jeunes filles était Mlle Simonet, si aucune d'elles s'appelait ainsi, mais je savais que j'étais aimé de Mlle Simonet et que j'allais grâce à Saint-Loup essayer de la connaître. Malheureusement n'ayant obtenu qu'à cette condition une prolongation de congé, il était obligé de retourner tous les jours à Doncières ; mais, pour le faire manquer à ses obligations militaires, j'avais cru pouvoir compter, plus encore que sur son amitié pour moi, sur cette même curiosité de naturaliste humain que si souvent — même sans avoir vu la personne dont on parlait et rien qu'à entendre dire qu'il y avait une jolie caissière chez un fruitier — j'avais eue de faire connaissance avec une nouvelle variété de la beauté féminine. Or, cette curiosité, c'est à tort que j'avais espéré l'exciter chez Saint-Loup en lui parlant de mes jeunes filles. Car elle était pour longtemps paralysée en lui par l'amour qu'il avait pour cette actrice dont il était l'amant. Et même l'eût-il légèrement ressentie qu'il l'eût réprimée, à cause d'une sorte de croyance superstitieuse que de sa propre fidélité pouvait dépendre celle de sa maîtresse. Aussi fut-ce sans qu'il m'eût promis de s'occuper activement de mes jeunes filles que nous partîmes dîner à Rivebelle.

Les premiers temps, quand nous y arrivions, le soleil venait de se coucher, mais il faisait encore clair; dans le jardin du restaurant dont les lumières n'étaient pas encore allumées, la chaleur du jour tombait, se déposait, comme au fond d'un vase le long des parois duquel la gelée transparente et sombre de l'air semblait si consistante qu'un grand rosier, appliqué au mur obscurci qu'il veinait de rose, avait l'air de l'arborisation qu'on voit au fond d'une pierre d'onyx. Bientôt, ce ne fut qu'à la nuit que nous descendions de voiture, souvent même que nous partions de Balbec si le temps était mauvais et que nous eussions retardé le moment de faire atteler, dans l'espoir d'une accalmie. Mais ces jours-là, c'est sans tristesse que j'entendais le vent souffler, je savais qu'il ne signifiait pas l'abandon de mes projets, la réclusion dans une chambre, je savais que, dans la grande salle à manger du restaurant où nous entrerions au son de la musique des tziganes, les innombrables lampes triompheraient aisément de l'obscurité et du froid en leur appliquant leurs larges cautères d'or, et je montais gaiement à côté de Saint-Loup dans le coupé qui nous attendait sous l'averse.

Depuis quelque temps, les paroles de Bergotte se disant convaincu que, malgré ce que je prétendais, j'étais fait pour goûter surtout les plaisirs de l'intelligence, m'avaient rendu, au sujet de ce que je pourrais faire plus tard, une espérance que décevait chaque jour l'ennui que j'éprouvais à me mettre devant une table à commencer une étude critique ou un roman. « Après tout, me disais-je, peut-être le plaisir qu'on a eu à l'écrire n'est-il pas le critérium infaillible de la valeur d'une belle page; peut-être n'est-il qu'un état accessoire qui s'y surajoute souvent, mais dont le défaut ne peut préjuger contre elle. Peut-être certains chefs-d'œuvre ont-ils été composés en bâillant. » Ma grand'mère apaisait mes doutes en me disant que je travaillerais bien et avec joie si je me portais bien. Et, notre médecin ayant trouvé plus prudent de m'avertir des graves risques auxquels pouvait m'exposer mon état de santé, et m'ayant tracé toutes les précautions d'hygiène à suivre pour éviter un accident, je subordonnais tous les plaisirs au but, que je jugeais infiniment plus important qu'eux, de devenir assez fort pour pouvoir réaliser l'œuvre que je portais peut-être en moi, j'exerçais sur moi-même, depuis que j'étais à Balbec, un contrôle minutieux et constant. On n'aurait pu me faire toucher à la tasse de café qui m'eût privé du sommeil de la nuit, nécessaire pour ne pas être fatigué le lendemain. Mais quand nous arrivions à Rivebelle, aussitôt, — à cause de l'excitation d'un plaisir nouveau, et me trouvant dans cette zone différente où l'exceptionnel nous fait entrer après avoir coupé le fil, patiemment tissé depuis tant de jours, qui nous conduisait vers la sagesse — comme s'il ne devait plus jamais y avoir de lendemain, ni de fins élevées à réaliser, disparaissait ce mécanisme précis de prudente hygiène qui fonctionnait pour les sauvegarder. Tandis qu'un valet de pied me demandait mon paletot, Saint-Loup me disait :

— Vous n'aurez pas froid? Vous feriez peut-être mieux de le garder, il ne fait pas très chaud.

Je répondais : « Non, non », et peut-être je ne sentais pas le froid, mais en tous cas je ne savais plus la peur de tomber malade, la nécessité de ne pas mourir, l'importance de travailler. Je donnais mon paletot; nous entrions dans la salle du restaurant aux sons de quelque marche guerrière jouée par les tziganes, nous nous avancions entre les rangées des tables servies comme dans un facile chemin de gloire, et, sentant l'ardeur joyeuse imprimée à notre corps par les rythmes de l'orchestre qui nous décernait ses honneurs militaires et ce triomphe immérité, nous la dissimulions sous une mine grave et glacée, sous une démarche pleine de lassitude, pour ne pas imiter ces gommeuses de café-concert qui, venant chanter[1] sur un air belliqueux un couplet grivois, entrent en courant sur la scène avec la contenance martiale d'un général vainqueur.

À partir de ce moment-là, j'étais un homme nouveau, qui n'était plus le petit-fils de ma grand'mère et ne se souviendrait d'elle qu'en sortant, mais le frère momentané des garçons qui allaient nous servir.

La dose de bière, à plus forte raison de champagne, qu'à Balbec je n'aurais pas voulu atteindre en une semaine, alors pourtant qu'à ma conscience calme et lucide la saveur de ces breuvages représentait[1] un plaisir clairement appréciable mais aisément sacrifié, je l'absorbais en une heure en y ajoutant quelques gouttes de porto, trop distrait pour pouvoir le goûter, et je donnais au violoniste qui venait de jouer, les deux « louis » que j'avais économisés depuis un mois en vue d'un achat que je ne me rappelais pas. Quelques-uns des garçons qui servaient, lâchés entre les tables, fuyaient à toute vitesse, ayant sur leur paume tendue[2] un plat que cela semblait être le but de ce genre de courses de ne pas laisser choir. Et de fait, les soufflés au chocolat arrivaient à destination sans avoir été renversés, les pommes à l'anglaise, malgré le galop qui avait dû les secouer, rangées comme au départ autour de l'agneau de Pauillac. Je remarquai un de ces servants, très grand, emplumé de superbes cheveux noirs, la figure fardée d'un teint qui rappelait davantage certaines espèces d'oiseaux rares que l'espèce humaine et qui, courant sans trêve et, eût-on dit, sans but, d'un bout à l'autre de la salle, faisait penser à quelqu'un de ces « aras » qui remplissent les grandes volières des jardins zoologiques de leur ardent coloris et de leur incompréhensible agitation. Bientôt le spectacle s'ordonna, à mes yeux du moins, d'une façon plus noble et plus calme. Toute cette activité vertigineuse se fixait en une calme harmonie. Je regardais les tables rondes dont l'assemblée innombrable emplissait le restaurant, comme autant de planètes, telles que celles-ci sont figurées dans les tableaux allégoriques d'autrefois. D'ailleurs, une force d'attraction irrésistible s'exerçait entre ces astres divers et à chaque table les dîneurs n'avaient d'yeux que pour les tables où ils n'étaient pas, exception faite pour quelque riche amphitryon, lequel, ayant réussi à amener un écrivain célèbre, s'évertuait à tirer de lui, grâce aux vertus de la table tournante, des propos insignifiants dont les dames s'émerveillaient. L'harmonie de ces tables astrales n'empêchait pas l'incessante révolution des servants innombrables, lesquels, parce qu'au lieu d'être assis, comme les dîneurs, ils[3] étaient debout, évoluaient dans une zone supérieure. Sans doute l'un courait porter des hors-d'œuvre, changer le vin, ajouter des verres. Mais malgré ces raisons particulières, leur course perpétuelle entre les tables rondes finissait par dégager la loi de sa circulation vertigineuse et réglée. Assises derrière un massif de fleurs, deux horribles caissières, occupées à des calculs sans fin, semblaient deux magiciennes occupées à prévoir par des calculs astrologiques les bouleversements qui pouvaient parfois se produire dans cette voûte céleste conçue selon la science du moyen âge.

Et je plaignais un peu tous les dîneurs, parce que je sentais que pour eux les tables rondes n'étaient pas des planètes et qu'ils n'avaient pas pratiqué dans les choses un sectionnement qui nous débarrasse de leur apparence coutumière et nous permet d'apercevoir des analogies. Ils pensaient qu'ils dînaient avec telle ou telle personne, que le repas coûterait à peu près tant, et qu'ils recommenceraient le lendemain. Et ils paraissaient absolument insensibles au déroulement d'un cortège de jeunes commis qui, probablement n'ayant pas à ce moment de besogne urgente, portaient processionnellement des pains dans des paniers. Quelques-uns, trop jeunes, abrutis par les taloches que leur donnaient en passant les maîtres d'hôtel, fixaient mélancoliquement leurs yeux sur un rêve lointain et n'étaient consolés que si quelque client de l'hôtel de Balbec où ils avaient jadis été employés, les reconnaissant, leur adressait la parole et leur disait personnellement d'emporter le champagne qui n'était pas buvable, ce qui les remplissait d'orgueil.

J'entendais le grondement de mes nerfs dans lesquels il y avait du bien-être, indépendant des objets extérieurs qui peuvent en donner et que le moindre déplacement que j'occasionnais à mon corps, à mon attention, suffisait à me faire éprouver, comme à un œil fermé une légère compression donne la sensation de la couleur. J'avais déjà bu beaucoup de porto, et si je demandais à en prendre encore, c'était moins en vue du bien-être que les verres nouveaux m'apporteraient que par l'effet du bien-être produit par les verres précédents. Je laissais la musique conduire elle-même mon plaisir sur chaque note où, docilement, il venait alors se poser. Si, pareil à ces industries chimiques grâce auxquelles sont débités en grandes quantités des corps qui ne se rencontrent dans la nature que d'une façon accidentelle et fort rarement, ce restaurant de Rivebelle réunissait en un même moment plus de femmes au fond desquelles me sollicitaient des perspectives de bonheur que le hasard des promenades ou des voyages ne m'en eût fait rencontrer en une année, d'autre part, cette musique que nous entendions — arrangements de valses, d'opérettes allemandes, de chansons de cafés-concerts, toutes nouvelles pour moi — était elle-même comme un lieu de plaisir aérien superposé à l'autre et plus grisant que lui. Car chaque motif, particulier comme une femme, ne réservait pas, comme elle eût fait, pour quelque privilégié le secret de volupté qu'il recélait : il me le proposait, me reluquait, venait à moi d'une allure capricieuse ou canaille, m'accostait, me caressait, comme si j'étais devenu tout d'un coup plus séduisant, plus puissant ou plus riche; je leur trouvais bien, à ces airs, quelque chose de cruel; c'est que tout sentiment désintéressé de la beauté, tout reflet de l'intelligence leur était inconnu; pour eux le plaisir physique existe seul. Et ils sont l'enfer le plus impitoyable, le plus dépourvu d'issues pour le malheureux jaloux à qui ils présentent ce plaisir — ce plaisir que la femme aimée goûte avec un autre — comme la seule chose qui existe au monde pour celle qui le remplit tout entier. Mais tandis que je répétais à mi-voix les notes de cet air et lui rendais son baiser, la volupté à lui spéciale qu'il me faisait éprouver me devenait[1] si chère que j'aurais quitté mes parents pour suivre le motif dans le monde singulier qu'il construisait dans l'invisible, en lignes tour à tour pleines de langueur et de vivacité. Quoiqu'un tel plaisir ne soit pas d'une sorte qui donne plus de valeur à l'être auquel il s'ajoute, car il n'est perçu que de lui seul, et quoique, chaque fois que dans notre vie nous avons déplu à une femme qui nous a aperçu, elle ignorât si à ce moment-là nous possédions ou non cette félicité intérieure et subjective qui, par conséquent, n'eût rien changé au jugement qu'elle porta sur nous, je me sentais plus puissant, presque irrésistible. Il me semblait que mon amour n'était plus quelque chose de déplaisant et dont on pouvait sourire, mais avait précisément la beauté touchante, la séduction de cette musique, semblable elle-même à un milieu sympathique où celle que j'aimais et moi nous nous serions rencontrés, soudain devenus intimes.

Le restaurant n'était pas fréquenté seulement par

des demi-mondaines, mais aussi par des gens du monde le plus élégant, qui y venaient goûter vers cinq heures ou y donnaient de grands dîners. Les goûters avaient lieu dans une longue galerie vitrée, étroite, en forme de couloir qui, allant du vestibule à la salle à manger, longeait sur un côté le jardin, duquel elle n'était séparée (en exceptant[1] quelques colonnes de pierre) que par le vitrage qu'on ouvrait ici ou là. Il en résultait, outre de nombreux courants d'air, des coups de soleil brusques, intermittents, un éclairage éblouissant et instable[2], empêchant presque de distinguer les goûteuses, ce qui faisait que, quand elles étaient là, empilées deux tables par deux tables dans toute la longueur de l'étroit goulot, comme elles chatoyaient à tous les mouvements qu'elles faisaient pour boire leur thé ou se saluer entre elles, on aurait dit un réservoir, une nasse où le pêcheur a entassé les éclatants poissons qu'il a pris, lesquels, à moitié hors de l'eau et baignés de rayons, miroitent aux regards en leur éclat changeant.

Quelques heures plus tard, pendant le dîner qui, lui, était naturellement servi dans la salle à manger, on allumait les lumières, bien qu'il fît encore clair dehors, de sorte qu'on voyait devant soi, dans le jardin, à côté de pavillons éclairés par le crépuscule et qui semblaient les pâles spectres du soir, des charmilles dont la glauque verdure était traversée par les derniers rayons et qui, de la pièce éclairée par les lampes où on dînait, apparaissaient[3] au delà du vitrage — non plus, comme on aurait dit des dames qui goûtaient à la fin de l'après-midi le long du couloir bleuâtre et or, dans un filet étincelant et humide — mais comme les végétations d'un pâle et vert aquarium géant à la lumière surnaturelle. On se levait de table; et, si les convives, pendant le repas, tout en passant leur temps à regarder, à reconnaître, à se faire nommer les convives du dîner voisin, avaient été retenus dans une cohésion parfaite autour de leur propre table, la force attractive qui les faisait graviter autour de leur amphitryon d'un soir perdait de sa puissance, au moment où pour prendre le café ils se rendaient dans ce même couloir qui avait servi aux goûters; il arrivait souvent qu'au moment du passage, tel dîner en marche abandonnât[4] l'un ou plusieurs de ses corpuscules qui, ayant subi trop fortement l'attraction du dîner rival, se détachaient un instant du leur, où ils étaient remplacés par des messieurs ou des dames qui étaient venus saluer des amis, avant de rejoindre, en disant : « Il faut que je me sauve retrouver M. X... dont je suis ce soir l'invité. » Et pendant un instant, on aurait dit de deux bouquets séparés qui auraient interchangé quelques-unes de leurs fleurs. Puis le couloir lui-même se vidait. Souvent, comme il faisait, même après dîner, encore un peu jour, on n'allumait pas ce long corridor et, côtoyé par les arbres qui se penchaient au dehors de l'autre côté du vitrage, il avait l'air d'une allée dans un jardin boisé et ténébreux. Parfois dans l'ombre une dîneuse s'y attardait. En le traversant pour sortir, j'y distinguai un soir, assise au milieu d'un groupe inconnu, la belle princesse de Luxembourg. Je me découvris sans m'arrêter. Elle me reconnut, inclina la tête en souriant; très au-dessus de ce salut, émanant de ce mouvement même, s'élevèrent mélodieusement quelques paroles à mon adresse, qui devaient être un bonsoir un peu long, non pour que je m'arrêtasse, mais seulement pour compléter le salut, pour en faire un salut parlé. Mais les paroles restèrent si indistinctes et le son que seul je perçus se prolongea si doucement et me sembla si musical, que ce fut comme si, dans la ramure assombrie des arbres, un rossignol se fût mis à chanter.

Si par hasard, pour finir la soirée avec telle bande d'amis à lui que nous avions rencontrée, Saint-Loup décidait de se[1] rendre au Casino d'une plage voisine et, partant avec eux, s'il me mettait seul dans une voiture, je recommandais au cocher d'aller à toute vitesse, afin que fussent moins longs les instants que je passerais sans avoir l'aide de personne pour me dispenser de fournir moi-même à ma sensibilité — en faisant machine en arrière et en sortant de la passivité où j'étais pris comme dans un engrenage — ces modifications que depuis mon arrivée à Rivebelle je recevais des autres. Le choc possible avec une voiture venant en sens inverse dans ces sentiers où il n'y avait de place que pour une seule et où il faisait nuit noire, l'instabilité du sol souvent éboulé de la falaise, la proximité de son versant à pic sur la mer, rien de tout cela ne trouvait en moi le petit effort qui eût été nécessaire pour amener la représentation et la crainte du danger jusqu'à ma raison. C'est que, pas plus que ce n'est le désir de devenir célèbre, mais l'habitude d'être laborieux, qui nous permet de produire une œuvre, ce n'est l'allégresse du moment présent, mais les sages réflexions du passé, qui nous aident à préserver le futur. Or, si déjà, en arrivant à Rivebelle, j'avais jeté loin de moi ces béquilles du raisonnement, du contrôle de soi-même qui aident notre infirmité à suivre le droit chemin, et me trouvais en proie à une sorte d'ataxie morale, l'alcool, en tendant exceptionnellement mes nerfs, avait donné aux minutes actuelles une qualité, un charme qui n'avaient pas eu pour effet de me rendre plus apte ni même plus résolu à les défendre; car en me les faisant préférer mille fois au reste de ma vie, mon exaltation les en isolait; j'étais enfermé dans le présent, comme les héros, comme les ivrognes; momentanément éclipsé, mon passé ne projetait plus devant moi cette ombre de lui-même que nous appelons notre avenir; plaçant le but de ma vie, non plus dans la réalisation des rêves de ce passé, mais dans la félicité de la minute présente, je ne voyais pas plus loin qu'elle. De sorte que, par une contradiction qui n'était qu'apparente, c'est au moment où j'éprouvais un plaisir exceptionnel, où je sentais que ma vie pouvait être heureuse, où elle aurait dû avoir à mes yeux plus de prix, c'est à ce moment que, délivré des soucis qu'elle avait pu m'inspirer jusque-là, je[1] la livrais sans hésitation au hasard d'un accident. Je ne faisais, du reste, en somme, que concentrer dans une soirée l'incurie qui pour les autres hommes est diluée dans leur existence entière où journellement ils affrontent sans nécessité le risque d'un voyage en mer, d'une promenade en aéroplane ou en automobile, quand les attend à la maison l'être que leur mort briserait ou quand est encore lié à la fragilité de leur cerveau le livre dont la prochaine mise au jour est la seule raison de leur vie. Et de même, dans le restaurant de Rivebelle, les soirs où nous y restions, si quelqu'un était venu dans l'intention de me tuer, comme je ne voyais plus que dans un lointain sans réalité ma grand'mère, ma vie à venir, mes livres à composer, comme j'adhérais tout entier à l'odeur de la femme qui était à la table voisine, à la politesse des maîtres d'hôtel, au contour de la valse qu'on jouait, que j'étais collé à la sensation présente, n'ayant pas plus d'extension qu'elle ni d'autre but que de ne pas en être séparé, je serais mort contre elle, je me serais laissé massacrer sans offrir de défense, sans bouger, abeille engourdie par la fumée du tabac, qui n'a plus le souci de préserver la provision de ses efforts accumulés et l'espoir de sa ruche.

Je dois du reste dire que cette insignifiance où tombaient les choses les plus graves par contraste avec la violence de mon exaltation, finissait par comprendre même Mlle Simonet et ses amies. L'entreprise de les connaître me semblait maintenant facile mais indifférente, car ma sensation présente seule, grâce à son extraordinaire puissance, à la joie que provoquaient ses moindres modifications et même sa simple continuité, avait de l'importance pour moi; tout le reste, parents, travail, plaisirs, jeunes filles de Balbec, ne pesait pas plus qu'un flocon d'écume dans un grand vent qui ne le[1] laisse pas se poser, n'existait plus que relativement à cette puissance intérieure : l'ivresse réalise pour quelques heures l'idéalisme subjectif, le phénoménisme pur; tout n'est plus qu'apparences et n'existe plus qu'en fonction de notre sublime nous-même. Ce n'est pas, du reste, qu'un amour véritable, si nous en avons un, ne puisse subsister dans un semblable état. Mais nous sentons si bien, comme dans un milieu nouveau, que des pressions inconnues ont changé les dimensions de ce sentiment que nous ne pouvons pas le considérer pareillement. Ce même amour, nous le retrouvons bien, mais déplacé, ne pesant plus sur nous, satisfait de la sensation que lui accorde le présent et qui nous suffit, car de ce qui n'est pas actuel nous ne nous soucions pas. Malheureusement le cœfficient qui change ainsi les valeurs ne les change que dans cette heure d'ivresse. Les personnes qui n'avaient plus d'importance et sur lesquelles nous soufflions comme sur des bulles de savon reprendront le lendemain leur densité; il faudra essayer de nouveau de se remettre aux travaux qui ne signifiaient plus rien. Chose plus grave encore, cette mathématique du lendemain, la même que celle d'hier, et avec les problèmes de laquelle nous nous retrouverons inexorablement aux prises, c'est celle qui nous régit même pendant ces heures-là, sauf pour nous-même. S'il se trouve près de nous une femme vertueuse ou hostile, cette chose si difficile la veille — à savoir que nous arrivions à lui plaire — nous semble maintenant un million de fois plus aisée, sans l'être devenue en rien, car ce n'est qu'à nos propres yeux, à nos propres yeux intérieurs, que nous avons changé. Et elle est aussi mécontente, à l'instant même, que nous nous soyons permis une familiarité que nous le serons, le lendemain, d'avoir donné cent francs au chasseur, et pour la même raison, qui pour nous a été seulement retardée : l'absence d'ivresse.

Je ne connaissais aucune des femmes qui étaient à Rivebelle et qui, parce qu'elles faisaient partie de mon ivresse comme les reflets font partie du miroir, me paraissaient mille fois plus désirables que la de moins en moins existante Mlle Simonet. Une jeune blonde, seule, à l'air triste, sous son chapeau de paille piqué de fleurs des champs, me regarda un instant d'un air rêveur et me parut agréable. Puis ce fut le tour d'une autre, puis d'une troisième; enfin d'une brune au teint éclatant. Presque toutes étaient connues, à défaut de moi, par Saint-Loup.

Avant qu'il eût fait la connaissance de sa maîtresse actuelle, il avait en effet tellement vécu dans le monde restreint de la noce que, de toutes les femmes qui dînaient ces soirs-là à Rivebelle et dont beaucoup s'y trouvaient par hasard, étant venues au bord de la mer, certaines pour retrouver leur amant, d'autres pour tâcher d'en trouver un, il n'y en avait guère qu'il ne connût pour avoir passé — lui-même ou tel de ses amis — au moins une nuit avec elles. Il ne les saluait pas si elles étaient avec un homme, et elles, tout en le regardant plus qu'un autre parce que l'indifférence qu'on lui savait pour toute femme qui n'était pas son actrice lui donnait aux yeux de celles-ci un prestige singulier, elles avaient l'air de ne pas le connaître. Et l'une chuchotait : « C'est le petit Saint-Loup. Il paraît qu'il aime toujours sa grue. C'est la grande amour. Quel joli garçon! Moi je le trouve épatant! Et quel chic! Il y a tout de même des femmes qui ont une sacrée veine. Et un chic type en tout. Je l'ai bien connu quand j'étais avec d'Orléans. C'était les deux inséparables. Il en faisait une noce à ce moment-là! Mais ce n'est plus ça; il ne lui fait pas de queues. Ah! elle peut dire qu'elle en a une chance. Et je me demande qu'est-ce qu'il peut lui trouver. Il faut qu'il soit tout de même une fameuse truffe. Elle a des pieds comme des bateaux, des moustaches à l'américaine et des dessous sales! Je crois qu'une petite ouvrière ne voudrait pas de ses pantalons. Regardez-moi un peu quels yeux il a, on se jetterait au feu pour un homme comme ça. Tiens, tais-toi, il m'a reconnue, il rit, oh! il me connaissait[1] bien. On n'a qu'à lui parler de moi. » Entre elles et lui je surprenais un regard d'intelligence. J'aurais voulu qu'il me présentât à ces femmes, pouvoir leur demander un rendez-vous et qu'elles me l'accordassent, même si je n'avais pas pu l'accepter. Car sans cela leur visage resterait éternellement dépourvu, dans ma mémoire, de cette partie de lui-même — et comme si elle était cachée par un voile — qui varie avec toutes les femmes, que nous ne pouvons imaginer chez l'une quand nous ne l'y avons pas vue, et qui apparaît seulement dans le regard qui s'adresse à nous et qui acquiesce à notre désir et nous promet qu'il sera satisfait. Et pourtant, même aussi réduit[2], leur visage était pour moi bien plus que celui des femmes que j'aurais su vertueuses et ne me semblait pas comme le leur, plat, sans dessous, composé d'une pièce unique et sans épaisseur. Sans doute, il n'était pas pour moi ce qu'il devait être pour Saint-Loup qui par la mémoire, sous l'indifférence, pour lui transparente, des traits immobiles qui affectaient de ne pas le connaître ou sous la banalité du même salut que l'on eût adressé aussi bien à tout autre, se rappelait, voyait, entre des cheveux défaits, une bouche pâmée et des yeux mi-clos, tout un tableau silencieux comme ceux que les peintres, pour tromper le gros des visiteurs, revêtent d'une toile décente. Certes, pour moi au contraire, qui sentais que rien de mon être n'avait pénétré en telle ou telle de ces femmes et n'y serait emporté dans les routes inconnues qu'elle suivrait pendant sa vie, ces visages restaient fermés. Mais c'était déjà assez de savoir qu'ils s'ouvraient, pour qu'ils me semblassent d'un prix que je ne leur aurais pas trouvé s'ils n'avaient été que de belles médailles, au lieu de médaillons sous lesquels se cachaient des souvenirs d'amour. Quant à Robert, tenant à peine en place quand il était assis, dissimulant sous un sourire d'homme de cour l'avidité d'agir en homme de guerre, à le bien regarder, je me rendais compte combien l'ossature énergique de son visage triangulaire devait être la même que celle de ses ancêtres, plus faite pour un ardent archer que pour un lettré délicat. Sous la peau fine, la construction hardie, l'architecture féodale apparaissaient. Sa tête faisait penser à ces tours d'antique donjon dont les créneaux inutilisés restent visibles, mais qu'on a aménagées intérieurement en bibliothèque.

En rentrant à Balbec, de telle[1] de ces inconnues à qui il m'avait présenté je me redisais sans m'arrêter une seconde et pourtant sans presque m'en apercevoir : « Quelle femme délicieuse ! » comme on chante un refrain. Certes, ces paroles étaient plutôt dictées par des dispositions nerveuses que par un jugement durable. Il n'en est pas moins vrai que si j'eusse eu mille francs sur moi et qu'il y eût encore des bijoutiers d'ouverts à cette heure-là, j'eusse acheté une bague à l'inconnue. Quand les heures de notre vie se déroulent ainsi que sur[2] des plans trop différents, on se trouve donner trop de soi pour des personnes diverses qui le lendemain vous semblent sans intérêt. Mais on se sent responsable de ce qu'on leur a dit la veille et on veut y faire honneur.

Comme, ces soirs-là, je rentrais tard, je retrouvais avec plaisir dans ma chambre qui n'était plus hostile le lit où, le jour de mon arrivée, j'avais cru qu'il me serait toujours impossible de me reposer et où maintenant mes membres si las cherchaient un soutien; de sorte que successivement mes cuisses, mes hanches, mes épaules tâchaient d'adhérer en tous leurs points aux draps qui enveloppaient le matelas, comme si ma fatigue, pareille à un sculpteur, avait voulu prendre un moulage total d'un corps humain. Mais je ne pouvais m'endormir, je sentais approcher le matin; le calme, la bonne santé n'étaient plus en moi. Dans ma détresse, il me semblait que jamais je ne les retrouverais plus. Il m'eût fallu dormir longtemps pour les rejoindre. Or, me fussé-je assoupi, que de toutes façons je serais réveillé deux heures après par le concert symphonique. Tout à coup je m'endormais, je tombais dans ce sommeil lourd où se dévoilent pour nous le retour à la jeunesse, la reprise des années passées, des sentiments perdus, la désincarnation, la transmigration des âmes, l'évocation des morts, les illusions de la folie, la régression vers les règnes les plus élémentaires de la nature (car on dit que nous voyons souvent des animaux en rêve, mais on oublie que presque toujours nous y sommes nous-même un animal, privé de cette raison[1] qui projette sur les choses une clarté de certitude; nous n'y offrons au contraire au spectacle de la vie qu'une vision douteuse et à chaque minute anéantie par[2] l'oubli, la réalité précédente s'évanouissant devant celle qui lui succède, comme une projection de lanterne magique devant la suivante quand on a changé le verre), tous ces mystères que nous croyons ne pas connaître et auxquels nous sommes en réalité initiés presque toutes les nuits, ainsi qu'à l'autre grand mystère de l'anéantissement et de la résurrection. Rendue plus vagabonde par la digestion difficile du dîner de Rivebelle, l'illumination successive et errante de zones assombries de mon passé faisait de moi un être dont le suprême bonheur eût été de rencontrer Legrandin avec lequel je venais de causer en rêve.

Puis, même ma propre vie m'était entièrement cachée par un décor nouveau, comme celui planté tout au bord du plateau et devant lequel, pendant que, derrière, on procède aux changements de tableaux, des acteurs donnent un divertissement. Celui où je tenais alors mon rôle était dans le goût des contes orientaux, je n'y savais rien de mon passé ni de moi-même, à cause de cet extrême rapprochement d'un décor interposé; je n'étais qu'un personnage qui recevais la bastonnade et subissais des châtiments variés pour une faute que je n'apercevais pas, mais qui était d'avoir bu trop de porto. Tout à coup je m'éveillais, je m'apercevais qu'à la faveur d'un long sommeil, je n'avais pas entendu le concert symphonique. C'était déjà l'après-midi; je m'en assurais à ma montre, après quelques efforts pour me redresser, efforts infructueux d'abord et interrompus par des chutes sur l'oreiller, mais de ces chutes courtes qui suivent le sommeil comme les autres ivresses, que ce soit le vin qui[3] les procure ou une convalescence; du reste, avant même d'avoir regardé l'heure, j'étais certain que midi était passé. Hier soir, je n'étais plus qu'un être vidé, sans poids, et (comme il faut avoir été couché pour être capable de s'asseoir et avoir dormi pour l'être de se taire) je ne pouvais cesser de remuer ni de parler, je n'avais plus de consistance, de centre de gravité, j'étais lancé, il me semblait que j'aurais pu continuer ma morne course jusque dans la lune. Or, si en dormant mes yeux n'avaient pas vu l'heure, mon corps avait su la calculer, il avait mesuré le temps non pas sur un cadran superficiellement figuré, mais par la pesée progressive de toutes mes forces refaites que, comme une puissante horloge, il avait cran par cran laissé descendre de mon cerveau dans le reste de mon corps où elles entassaient maintenant jusqu'au-dessus de mes genoux l'abondance intacte de leurs provisions. S'il est vrai que la mer ait été autrefois notre milieu vital où il faille replonger notre sang pour retrouver nos forces, il en est de même de l'oubli, du néant mental; on semble alors absent du temps pendant quelques heures; mais les forces qui se sont rangées pendant ce temps-là sans être dépensées, le mesurent par leur quantité aussi exactement que les poids de l'horloge ou les croulants monticules du sablier. On ne sort pas, d'ailleurs, plus aisément d'un tel sommeil que de la veille prolongée, tant toutes choses tendent à durer et, s'il est vrai que certains narcotiques font dormir, dormir longtemps est un narcotique plus puissant encore, après lequel on a bien de la peine à se réveiller. Pareil à un matelot qui voit bien le quai où amarrer sa barque, secouée cependant encore par les flots, j'avais bien l'idée de regarder l'heure et de me lever, mais mon corps était à tout instant rejeté dans le sommeil; l'atterrissage était difficile, et avant de me mettre debout pour atteindre ma montre et confronter son heure avec celle qu'indiquait la richesse de matériaux dont disposaient mes jambes rompues, je retombais encore deux ou trois fois sur mon oreiller.

Enfin je voyais clairement : « Deux heures de l'après-midi ! », je sonnais, mais aussitôt je rentrais dans un sommeil qui cette fois devait être infiniment plus long si j'en jugeais par le repos et la vision d'une immense nuit dépassée, que je trouvais au réveil. Pourtant, comme celui-ci était causé par l'entrée de Françoise, entrée qu'avait elle-même motivée mon coup de sonnette, ce nouveau sommeil, qui me paraissait avoir dû être plus long que l'autre et avait amené en moi tant de bien-être et d'oubli, n'avait duré qu'une demi-minute.

Ma grand'mère ouvrait la porte de ma chambre, je lui posais mille[1] questions sur la famille Legrandin.

Ce n'est pas assez de[2] dire que j'avais rejoint le calme et la santé, car c'était plus qu'une simple distance qui les avait la veille séparés de moi, j'avais eu toute la nuit à lutter contre un flot contraire, et puis je ne me retrouvais pas seulement auprès d'eux, ils étaient rentrés en moi. À des points précis et encore un peu douloureux de ma tête vide et qui serait un jour brisée, laissant mes idées s'échapper à jamais, celles-ci avaient une fois encore repris leur place, et retrouvé cette existence dont hélas! jusqu'ici elles n'avaient pas su profiter.

Une fois de plus j'avais échappé à l'impossibilité de dormir, au déluge, au naufrage des crises nerveuses. Je ne craignais plus tout[3] ce qui me menaçait la veille au soir quand j'étais démuni de repos. Une nouvelle vie s'ouvrait devant moi; sans faire un seul mouvement, car j'étais encore brisé quoique déjà dispos, je goûtais ma fatigue avec allégresse; elle avait isolé et rompu les os de mes jambes, de mes bras, que je sentais assemblés devant moi, prêts à se rejoindre, et que j'allais relever rien qu'en chantant comme l'architecte de la fable.

Tout à coup, je me rappelai la jeune blonde à l'air triste que j'avais vue à Rivebelle et qui m'avait regardé un instant. Pendant toute la soirée, bien d'autres m'avaient semblé agréables, maintenant elle venait seule de s'élever du fond de mon souvenir. Il me semblait qu'elle m'avait remarqué, je m'attendais à ce qu'un des garçons de Rivebelle vînt me dire un mot de sa part. Saint-Loup ne la connaissait pas et croyait qu'elle était comme il faut. Il serait bien difficile de la voir, de la voir sans cesse. Mais j'étais prêt à tout pour cela, je ne pensais plus qu'à elle. La philosophie parle souvent d'actes libres et d'actes nécessaires. Peut-être n'en est-il pas de plus complètement subi par nous que celui qui, en vertu d'une force ascensionnelle comprimée pendant l'action, fait[4], une fois notre pensée au repos, remonter ainsi un souvenir jusque-là nivelé avec les autres par la force oppressive de la distraction, et le fait s'élancer parce qu'à notre insu il contenait plus que les autres un charme dont nous ne nous apercevons que vingt-quatre heures après. Et peut-être n'y a-t-il pas non plus d'acte aussi libre, car il est encore dépourvu de l'habitude, de cette sorte de manie mentale qui, dans l'amour, favorise la renaissance exclusive de l'image d'une certaine personne.

Ce jour-là était justement le lendemain de celui où j'avais vu défiler devant la mer le beau cortège de jeunes filles. J'interrogeai à leur sujet plusieurs clients de l'hôtel qui venaient presque tous les ans à Balbec. Ils ne purent me renseigner. Plus tard une photographie m'expliqua pourquoi. Qui eût pu reconnaître maintenant en elles, à peine mais déjà sorties d'un âge où on change si complètement, telle masse amorphe et délicieuse, encore tout enfantine, de petites filles que, quelques années seulement auparavant, on pouvait voir assises en cercle sur le sable, autour d'une tente : sorte de blanche et vague constellation où l'on n'eût distingué deux yeux plus brillants que les autres, un malicieux visage, des cheveux blonds, que pour les reperdre et les confondre bien vite au sein de la nébuleuse indistincte et lactée ?

Sans doute, en ces années-là encore si peu éloignées, ce n'était pas, comme la veille dans leur première apparition devant moi, la vision du groupe, mais le groupe lui-même qui manquait de netteté. Alors, ces enfants trop jeunes étaient encore à ce degré élémentaire de formation où la personnalité n'a pas mis son sceau sur chaque visage. Comme ces organismes primitifs où l'individu n'existe guère par lui-même, est plutôt constitué par le polypier que par chacun des polypes qui le composent, elles restaient pressées les unes contre les autres. Parfois l'une faisait tomber sa voisine, et alors un fou rire, qui semblait la seule manifestation de leur vie personnelle, les agitait toutes à la fois, effaçant, confondant ces visages indécis et grimaçants dans la gelée d'une seule grappe scintillatrice et tremblante. Dans une photographie ancienne qu'elles devaient me donner un jour et que j'ai gardée, leur troupe enfantine offre déjà le même nombre de figurantes que, plus tard, leur cortège féminin; on y sent qu'elles devaient déjà faire sur la plage une tache singulière qui forçait à les regarder, mais on ne peut les y reconnaître individuellement que par le raisonnement, en laissant le champ libre à toutes les transformations possibles pendant la jeunesse jusqu'à la limite où ces formes reconstituées empiéteraient sur une autre individualité qu'il faut identifier aussi et dont le beau visage, à cause de la concomitance d'une grande taille et de cheveux frisés, a chance d'avoir été jadis ce ratatinement de grimace rabougrie présenté par la carte-album; et la distance parcourue en peu de temps par les caractères physiques de chacune de ces jeunes filles faisant d'eux un critérium fort vague, et d'autre part ce qu'elles avaient de commun et comme de collectif étant dès lors fort marqué, il arrivait parfois à leurs meilleures amies de les prendre l'une pour l'autre sur cette photographie, si bien que le doute ne pouvait finalement être tranché que par tel accessoire de toilette que l'une était certaine d'avoir porté, à l'exclusion des autres. Depuis ces jours si différents de celui où je venais de les voir sur la digue, si différents et pourtant si proches, elles se laissaient encore aller au rire comme je m'en étais rendu compte la veille, mais à un rire qui n'était plus celui, intermittent et presque automatique, de l'enfance, détente spasmodique qui autrefois faisait à tous moments faire un plongeon à ces têtes, comme les blocs de vairons dans la Vivonne se dispersaient et disparaissaient pour se reformer un instant après; leurs physionomies maintenant étaient devenues maîtresses d'elles-mêmes, leurs yeux étaient fixés sur le but qu'ils poursuivaient; et il avait fallu hier l'indécision et le tremblé de ma perception première pour confondre indistinctement, comme l'avaient fait l'hilarité ancienne et la vieille photographie, les sporades aujourd'hui individualisées et désunies du pâle madrépore.

Sans doute, bien des fois, au passage de jolies jeunes filles, je m'étais fait la promesse de les revoir. D'habitude, elles ne reparaissent pas; d'ailleurs la mémoire, qui oublie vite leur existence, retrouverait difficilement leurs traits; nos yeux ne les reconnaîtraient peut-être pas, et déjà nous avons vu passer de nouvelles jeunes filles, que nous ne reverrons pas non plus. Mais d'autres fois, et c'est ainsi que cela devait arriver pour la petite bande insolente, le hasard les ramène avec insistance devant nous. Il nous paraît alors beau, car nous discernons en lui comme un commencement d'organisation, d'effort, pour composer notre vie; et il nous rend facile, inévitable, et quelquefois — après des interruptions qui ont pu faire espérer de cesser de nous souvenir — cruelle, la fidélité à des images à la possession desquelles nous nous croirons plus tard avoir été prédestinés, et que sans lui nous aurions pu, tout au début, oublier, comme tant d'autres, si aisément.

Bientôt le séjour de Saint-Loup toucha à sa fin. Je n'avais pas revu ces jeunes filles sur la plage. Il restait trop peu l'après-midi à Balbec pour pouvoir s'occuper d'elles et tâcher de faire, à mon intention, leur connaissance. Le soir, il était plus libre et continuait à m'emmener souvent à Rivebelle. Il y a dans ces restaurants, comme dans les jardins publics et les trains, des gens enfermés dans une apparence ordinaire et dont le nom nous étonne si, l'ayant par hasard demandé, nous découvrons qu'ils sont non l'inoffensif premier venu que nous supposions, mais rien de moins que le ministre ou le duc dont nous avons si souvent entendu parler. Déjà, deux ou trois fois, dans le restaurant de Rivebelle, nous avions, Saint-Loup et moi, vu venir s'asseoir à une table, quand tout le monde commençait à partir, un homme de grande taille, très musclé, aux traits réguliers, à la barbe grisonnante, mais de qui le regard songeur restait fixé avec application dans le vide. Un soir que nous demandions au patron qui était ce dîneur obscur, isolé et retardataire : « Comment, vous ne connaissiez pas le célèbre peintre Elstir ? » nous dit-il. Swann avait une fois prononcé son nom devant moi, j'avais entièrement oublié à quel propos ; mais l'omission d'un souvenir, comme celle[1] d'un membre de phrase dans une lecture, favorise parfois non l'incertitude, mais l'éclosion d'une certitude prématurée. « C'est un ami de Swann, et un artiste très connu, de grande valeur », dis-je à Saint-Loup. Aussitôt passa sur lui et sur moi, comme un frisson, la pensée qu'Elstir était un grand artiste, un homme célèbre, puis, que nous confondant avec les autres dîneurs, il ne se doutait pas de l'exaltation où nous jetait l'idée de son talent. Sans doute, qu'il ignorât notre admiration et que nous connaissions Swann, ne nous eût pas été pénible si nous n'avions pas été aux bains de mer. Mais, attardés à un âge[2] où l'enthousiasme ne peut rester silencieux et transportés dans une vie où l'incognito semble étouffant, nous écrivîmes une lettre signée de nos noms, où nous dévoilions à Elstir dans les deux dîneurs assis à quelques pas de lui deux amateurs passionnés de son talent, deux amis de son grand ami Swann, et où nous demandions à lui présenter nos hommages. Un garçon se chargea de porter cette missive à l'homme célèbre.

Célèbre, Elstir ne l'était peut-être pas encore à cette époque tout à fait autant que le prétendait le patron de l'établissement, et qu'il le fut d'ailleurs bien peu d'années plus tard. Mais il avait été un des premiers à habiter ce restaurant alors que ce n'était encore qu'une sorte de ferme et à y amener une colonie d'artistes (qui avaient du reste tous émigré ailleurs dès que la ferme où l'on mangeait en plein air sous un simple auvent, était devenue un centre élégant; Elstir lui-même ne revenait en ce moment à Rivebelle qu'à cause d'une absence de sa femme, avec laquelle il habitait non loin de là). Mais un grand talent, même quand il n'est pas encore reconnu, provoque nécessairement quelques phénomènes d'admiration, tels que le patron de la ferme avait été à même d'en distinguer dans les questions de plus d'une Anglaise de passage, avide de renseignements sur la vie que menait Elstir, ou dans le nombre de lettres que celui-ci recevait de l'étranger. Alors le patron avait remarqué davantage qu'Elstir n'aimait pas être dérangé pendant qu'il travaillait, qu'il se relevait la nuit pour emmener un petit modèle poser nu au bord de la mer quand il y avait clair de lune, et il s'était dit que tant de fatigues n'étaient pas perdues, ni l'admiration des touristes, injustifiée, quand il avait dans un tableau d'Elstir reconnu une croix de bois qui était plantée à l'entrée de Rivebelle. « C'est bien elle, répétait-il avec stupéfaction. Il y a les quatre morceaux! Ah! aussi, il s'en donne une peine! »

Et il ne savait pas si un petit « lever de soleil sur la mer » qu'Elstir lui avait donné, ne valait pas une fortune.

Nous le vîmes lire notre lettre, la remettre dans sa poche, continuer à dîner, commencer à demander ses affaires, se lever pour partir, et nous étions tellement sûrs de l'avoir choqué par notre démarche que nous eussions souhaité maintenant (tout autant que nous l'avions redouté) de partir sans avoir été remarqués par lui. Nous ne pensions pas un seul instant à une chose qui aurait dû pourtant nous sembler la plus importante, c'est que notre enthousiasme pour Elstir, de la sincérité duquel nous n'aurions pas permis qu'on doutât et dont nous aurions pu, en effet, donner comme témoignage notre respiration entrecoupée par l'attente, notre désir de faire n'importe quoi de difficile ou d'héroïque pour le grand homme, n'était pas, comme nous nous le figurions, de l'admiration, puisque nous n'avions[1] jamais rien vu d'Elstir; notre sentiment pouvait avoir pour objet l'idée creuse de « un grand artiste », non pas une œuvre qui nous était inconnue. C'était tout au plus de l'admiration à vide, le cadre nerveux, l'armature sentimentale d'une admiration sans contenu, c'est-à-dire quelque chose d'aussi indissolublement attaché à l'enfance que certains organes qui n'existent plus chez l'homme adulte; nous étions encore des enfants. Elstir cependant allait arriver à la porte, quand tout à coup il fit un crochet et vint à nous. J'étais transporté d'une délicieuse épouvante comme je n'aurais pu en éprouver quelques années plus tard, parce que, en même temps que l'âge diminue la capacité, l'habitude du monde ôte toute idée de provoquer d'aussi étranges occasions, de ressentir ce genre d'émotions.

Dans les quelques mots qu'Elstir vint nous dire en s'asseyant à notre table, il ne me répondit jamais, les diverses fois où je lui parlai de Swann. Je commençai à croire qu'il ne le connaissait pas. Il ne m'en demanda pas moins d'aller le voir à son atelier de Balbec, invitation qu'il n'adressa pas à Saint-Loup, et que me valurent, ce que n'aurait peut-être pas fait la recommandation de Swann si Elstir eût été lié avec lui (car la part des sentiments désintéressés est plus grande qu'on ne croit dans la vie des hommes), quelques paroles qui lui firent penser que j'aimais les arts. Il prodigua pour moi une amabilité qui était aussi supérieure à celle de Saint-Loup que celle-ci à l'affabilité d'un petit bourgeois. À côté de celle d'un grand artiste, l'amabilité d'un grand seigneur, si charmante soit-elle, a l'air d'un jeu d'acteur, d'une simulation. Saint-Loup cherchait à plaire, Elstir aimait à donner, à se donner. Tout ce qu'il possédait, idées, œuvres, et le reste qu'il comptait pour bien moins, il l'eût donné avec joie à quelqu'un qui l'eût compris. Mais faute d'une société supportable, il vivait dans un isolement, avec une sauvagerie, que les gens du monde appelaient de la pose et de la mauvaise éducation, les pouvoirs publics, un mauvais esprit, ses voisins, de la folie, sa famille, de l'égoïsme et de l'orgueil.

Et sans doute, les premiers temps, avait-il pensé, dans la solitude même, avec plaisir que, par le moyen de ses œuvres, il s'adressait à distance, il donnait une plus haute idée de lui, à ceux qui l'avaient méconnu ou froissé. Peut-être alors vécut-il seul, non par indifférence, mais par amour des autres, et, comme j'avais renoncé à Gilberte pour lui réapparaître un jour sous des couleurs plus aimables, destinait-il son œuvre à certains, comme un retour vers eux où, sans le revoir lui-même, on l'aimerait, on l'admirerait, on s'entretiendrait de lui; un renoncement n'est pas toujours total dès le début, quand nous le décidons avec notre âme ancienne et avant que par réaction il n'ait agi sur nous, qu'il s'agisse du renoncement d'un malade, d'un moine, d'un artiste, d'un héros. Mais s'il avait voulu produire en vue de quelques personnes, en produisant il avait vécu pour lui-même, loin de la société à laquelle il était devenu indifférent; la pratique de la solitude lui en avait donné l'amour, comme il arrive pour toute grande chose que nous avons crainte d'abord, parce que nous la savions incompatible avec de plus petites auxquelles nous tenions et dont elle nous prive moins qu'elle ne nous détache. Avant de la connaître, toute notre préoccupation est de savoir dans quelle mesure nous pourrons la concilier avec certains plaisirs qui cessent d'en être dès que nous l'avons connue.

Elstir ne resta pas longtemps à causer avec nous. Je me promettais d'aller à son atelier dans les deux ou trois jours suivants, mais le lendemain de cette soirée, comme j'avais accompagné ma grand'mère tout au bout de la digue vers les falaises de Canapville, en revenant, au coin d'une des petites rues qui débouchent, perpendiculairement, sur la plage, nous croisâmes une jeune fille qui, tête basse comme un animal qu'on fait rentrer malgré lui dans l'étable, et tenant des clubs de golf, marchait devant une personne autoritaire, vraisemblablement son « anglaise », ou celle d'une de ses amies, laquelle ressemblait au portrait de *Jeffries* par Hogarth, le teint rouge comme si sa boisson favorite avait été plutôt le gin que le thé, et prolongeant par le croc noir d'un reste de chique une moustache grise, mais bien fournie. La fillette qui la précédait ressemblait à celle de la petite bande qui, sous un polo noir, avait dans un visage immobile et joufflu des yeux rieurs. Or, celle qui rentrait en ce moment avait aussi un polo noir, mais elle me semblait encore plus jolie que l'autre, la ligne de son nez était plus droite, à la base l'aile en était plus large et plus charnue. Puis l'autre m'était apparue comme une fière jeune fille pâle, celle-ci comme une enfant domptée et de teint rose. Pourtant, comme elle poussait une bicyclette pareille et comme elle portait les mêmes gants de renne, je conclus que les différences tenaient peut-être à la façon dont j'étais placé et aux circonstances, car il était peu probable qu'il y eût à Balbec une seconde jeune fille de visage malgré tout si semblable et qui dans son accoutrement réunît les mêmes particularités. Elle jeta dans ma direction un regard rapide; les jours suivants, quand je revis la petite bande sur la plage, et même plus tard quand je connus toutes les jeunes filles qui la composaient, je n'eus jamais la certitude absolue qu'aucune d'elles — même celle qui de toutes lui ressemblait le plus, la jeune fille à la bicyclette — fût bien celle que j'avais vue ce soir-là au bout de la plage, au coin de la rue, jeune fille qui n'était guère, mais était tout de même un peu différente de celle que j'avais remarquée dans le cortège.

À partir de cet après-midi-là, moi qui, les jours précédents, avais surtout pensé à la grande, ce fut celle aux clubs de golf, présumée être Mlle Simonet, qui recommença à me préoccuper. Au milieu des autres, elle s'arrêtait souvent, forçant ses amies qui semblaient la respecter beaucoup, à interrompre aussi leur marche. C'est ainsi, faisant halte, les yeux brillants sous son « polo », que je la revois encore maintenant, silhouettée sur l'écran que lui fait, au fond, la mer, et séparée de moi par un espace transparent et azuré, le temps écoulé depuis lors, première image, toute mince dans mon souvenir, désirée, poursuivie, puis oubliée, puis retrouvée, d'un visage que j'ai souvent depuis projeté dans le passé pour pouvoir me dire d'une jeune fille qui était dans ma chambre : « C'est elle ! »

Mais c'est peut-être encore celle au teint de géranium, aux yeux verts, que j'aurais le plus désiré connaître. Quelle que fût, d'ailleurs, tel jour donné, celle que je préférais apercevoir, les autres, sans celle-là, suffisaient à m'émouvoir; mon désir, même se portant une fois plutôt sur l'une, une fois plutôt sur l'autre, continuait — comme, le premier jour, ma confuse vision — à les réunir, à faire d'elles le petit monde à part animé d'une vie commune qu'elles avaient, sans doute, d'ailleurs, la prétention de constituer; en devenant l'ami de l'une d'elles j'eusse pénétré[1] — comme un païen raffiné ou un chrétien scrupuleux chez les barbares — dans une société rajeunissante où régnaient la santé, l'inconscience, la volupté, la cruauté, l'inintellectualité et la joie.

Ma grand'mère, à qui j'avais raconté mon entrevue avec Elstir et qui se réjouissait de tout le profit intellectuel que je pouvais tirer de son amitié, trouvait absurde et peu gentil que je ne fusse pas encore allé lui faire une visite. Mais je ne pensais qu'à la petite bande et, incertain de l'heure où ces jeunes filles passeraient sur la digue, je n'osais pas m'éloigner. Ma grand'mère s'étonnait aussi de mon élégance, car je m'étais soudain souvenu de costumes que j'avais jusqu'ici laissés au fond de ma[2] malle. J'en mettais chaque jour un différent, et j'avais même écrit à Paris pour me faire envoyer de nouveaux chapeaux et de nouvelles cravates.

C'est un grand charme ajouté à la vie dans une station balnéaire comme était Balbec, si le visage d'une jolie fille, une marchande de coquillages, de gâteaux ou de fleurs, peint en vives couleurs dans notre pensée, est quotidiennement pour nous dès le matin le but de chacune de ces journées oisives et lumineuses qu'on passe sur la plage. Elles sont alors, et par là, bien que désœuvrées, alertes comme des journées de travail, aiguillées, aimantées, soulevées légèrement vers un instant prochain, celui où tout en achetant des sablés, des roses, des ammonites, on se délectera à voir, sur un visage féminin, les couleurs étalées aussi purement que sur une fleur. Mais au moins, ces petites marchandes, d'abord on peut leur parler, ce qui évite d'avoir à construire avec l'imagination les autres côtés que ceux que nous fournit la simple perception visuelle, et à recréer leur vie, à s'exagérer son charme, comme devant un portrait; surtout, justement parce qu'on leur parle, on peut apprendre où, à quelles heures on peut les retrouver. Or, il n'en était nullement ainsi pour moi en ce qui concernait les jeunes filles de la petite bande. Leurs habitudes m'étant inconnues, quand certains jours je ne les apercevais pas, ignorant la cause de leur absence, je cherchais si celle-ci était quelque chose de fixe, si on ne les voyait que tous les deux jours, ou quand il faisait tel temps, ou s'il y avait des jours où on ne les voyait jamais. Je me figurais d'avance ami avec elles et leur disant : « Mais vous n'étiez pas là tel jour? — Ah! oui, c'est parce que c'était un samedi, le samedi nous ne venons jamais parce que... » Encore si c'était aussi simple que de savoir que, le triste samedi, il est inutile de s'acharner, qu'on pourrait parcourir la plage en tous sens, s'asseoir à la devanture du pâtissier, faire semblant de manger un éclair, entrer chez le marchand de curiosités, attendre l'heure du bain, le concert, l'arrivée de la marée, le coucher du soleil, la nuit, sans voir la petite bande désirée. Mais le jour fatal ne revenait peut-être pas une fois par semaine. Il ne tombait peut-être pas forcément un samedi. Peut-être certaines conditions atmosphériques influaient-elles sur lui ou lui étaient-elles entièrement étrangères. Combien d'observations patientes, mais non point sereines, il faut recueillir sur les mouvements en apparence irréguliers de ces mondes inconnus avant de pouvoir être sûr qu'on ne s'est pas laissé abuser par des coïncidences, que nos prévisions ne seront pas trompées, avant de dégager les lois certaines, acquises au prix d'expériences cruelles, de cette astronomie passionnée! Me rappelant que je ne les avais pas vues le même jour qu'aujourd'hui, je me disais qu'elles ne viendraient pas, qu'il était inutile de rester sur la plage. Et justement je les apercevais. En revanche, un jour où, autant que j'avais pu supposer que des lois réglaient le retour de ces constellations, j'avais calculé devoir être un jour faste, elles ne venaient pas. Mais à cette première incertitude si je les verrais ou non le jour même, venait s'en ajouter une plus grave, si je les reverrais jamais, car j'ignorais en somme si elles ne devaient pas partir pour l'Amérique, ou rentrer[1] à Paris. Cela suffisait pour me faire commencer à les aimer. On peut avoir du goût pour une personne. Mais pour déchaîner cette tristesse, ce sentiment de l'irréparable, ces angoisses qui préparent l'amour, il faut — et il est peut-être ainsi[2], plutôt que ne l'est une personne, l'objet même que cherche anxieusement à étreindre la passion — le risque d'une impossibilité. Ainsi agissaient déjà ces influences qui se répètent au cours d'amours successives (pouvant du reste se produire, mais alors plutôt dans l'existence des grandes villes, au sujet d'ouvrières dont on ne sait pas les jours de congé et qu'on s'effraye de ne pas avoir vues à la sortie de l'atelier), ou du moins qui se renouvelèrent au cours des miennes. Peut-être sont-elles inséparables de l'amour; peut-être tout ce qui fut une particularité du premier vient-il s'ajouter aux suivants par souvenir, suggestion, habitude, et, à travers les périodes successives de notre vie, donner[3] à ses aspects différents un caractère général.

Je prenais tous les prétextes pour aller sur la plage aux heures où j'espérais pouvoir les rencontrer. Les ayant aperçues une fois pendant notre déjeuner, je n'y arrivais plus qu'en retard, attendant indéfiniment sur la digue qu'elles y passassent; restant le peu de temps que j'étais assis dans la salle à manger à interroger des yeux l'azur du vitrage; me levant bien avant le dessert pour ne pas les manquer dans le cas où elles se fussent promenées à une autre heure, et m'irritant contre ma grand'mère, inconsciemment méchante, quand elle me faisait rester avec elle au delà de l'heure qui me semblait propice. Je tâchais de prolonger l'horizon en mettant ma chaise de travers; si par hasard j'apercevais n'importe laquelle des jeunes filles, puisqu'elles[4] participaient toutes à la même essence spéciale, c'était comme si j'avais vu projeté[5] en face de moi dans une hallucination mobile et diabolique un peu du rêve ennemi et pourtant passionnément convoité qui, l'instant d'avant encore, n'existait, y stagnant d'ailleurs d'une façon permanente, que dans mon cerveau.

Je n'en aimais aucune, les aimant toutes, et pourtant leur rencontre possible était pour mes journées le seul élément délicieux, faisait seule naître en moi de ces espoirs où on briserait tous les obstacles, espoirs souvent suivis de rage, si je ne les avais pas vues. En ce moment, ces jeunes filles éclipsaient pour moi ma grand'mère; un voyage m'eût tout de suite souri si ç'avait été pour aller dans un lieu où elles dussent se trouver. C'était à elles que ma pensée s'était agréablement suspendue quand je croyais penser à autre chose, ou à rien. Mais quand, même ne le sachant pas, je pensais à elles, plus inconsciemment encore, elles, c'était pour moi les ondulations montueuses et bleues de la mer, le profil d'un défilé devant la mer. C'était la mer que j'espérais retrouver, si j'allais dans quelque ville[1] où elles seraient. L'amour le plus exclusif pour une personne est toujours l'amour d'autre chose.

Ma grand'mère[2] me témoignait, parce que maintenant je m'intéressais extrêmement au golf et au tennis et laissais échapper l'occasion de regarder travailler et entendre discourir un artiste qu'elle savait des plus grands, un mépris qui me semblait procéder de vues un peu étroites. J'avais autrefois entrevu aux Champs-Élysées et je m'étais mieux rendu compte depuis, qu'en étant amoureux d'une femme nous projetons simplement en elle un état de notre âme; que par conséquent l'important n'est pas la valeur de la femme, mais la profondeur de l'état; et que les émotions qu'une jeune fille médiocre nous donne peuvent nous permettre de faire monter à notre conscience des parties plus intimes de nous-même, plus personnelles, plus lointaines, plus essentielles, que ne ferait le plaisir que nous donne la conversation d'un homme supérieur ou même la contemplation admirative de ses œuvres.

Je dus finir par obéir à ma grand'mère avec d'autant plus d'ennui qu'Elstir habitait assez loin de la digue, dans une des avenues les plus nouvelles de Balbec. La chaleur du jour m'obligea à prendre le tramway qui passait par la rue de la Plage, et je m'efforçais, pour penser que j'étais dans l'antique royaume des Cimmériens, dans la patrie peut-être du roi Mark ou sur l'emplacement de la forêt de Brocéliande, de ne pas regarder le luxe de pacotille des constructions qui se développaient devant moi et entre lesquelles la villa d'Elstir était peut-être la plus somptueusement laide, louée malgré cela par lui, parce que de toutes celles qui existaient à Balbec, c'était la seule qui pouvait lui offrir un vaste atelier.

C'est aussi en détournant les yeux que je traversai le jardin qui avait une pelouse — en plus petit comme chez n'importe quel bourgeois dans la banlieue de Paris —, une petite statuette de galant jardinier, des boules de verre où l'on se regardait, des bordures de bégonias et une petite tonnelle sous laquelle des rocking-chairs étaient allongés devant une table de fer. Mais après tous ces abords empreints de laideur citadine, je ne fis plus attention aux moulures chocolat des plinthes quand je fus dans l'atelier; je me sentis parfaitement heureux, car par toutes les études qui étaient autour de moi, je sentais la possibilité de m'élever à une connaissance poétique, féconde en joies, de maintes formes que je n'avais pas isolées jusque-là du spectacle total de la réalité. Et l'atelier d'Elstir m'apparut comme le laboratoire d'une sorte de nouvelle création du monde, où, du chaos que sont toutes choses que nous voyons, il avait tiré, en les peignant sur divers rectangles de toile qui étaient posés dans tous les sens, ici une vague de la mer écrasant avec colère sur le sable son écume lilas, là un jeune homme en coutil blanc accoudé sur le pont d'un bateau. Le veston du jeune homme et la vague éclaboussante avaient pris une dignité nouvelle du fait qu'ils continuaient à être, encore que dépourvus de ce en quoi ils passaient pour consister, la vague ne pouvant plus mouiller, ni le veston habiller personne.

Au moment où j'entrai, le créateur était en train d'achever, avec le pinceau qu'il tenait dans sa main, la forme du soleil à son coucher.

Les stores étaient clos de presque tous les côtés, l'atelier était assez frais et, sauf à un endroit où le grand jour apposait au mur sa décoration éclatante et passagère, obscur; seule était ouverte une petite fenêtre rectangulaire encadrée de chèvrefeuilles, qui après une bande de jardin, donnait sur une avenue; de sorte que l'atmosphère de la plus grande partie de l'atelier était sombre, transparente et compacte dans sa masse, mais humide et brillante aux cassures où la sertissait la lumière, comme un bloc de cristal de roche dont une face déjà taillée et polie, çà et là, luit comme un miroir et s'irise. Tandis qu'Elstir, sur ma prière, continuait à peindre, je circulais dans ce clair-obscur, m'arrêtant devant un tableau, puis devant un autre.

Le plus grand nombre de ceux qui m'entouraient n'étaient pas ce que j'aurais le plus aimé voir de lui, les peintures appartenant à ses première et deuxième manières, comme disait une revue d'Art anglaise qui traînait sur la table du salon du Grand-Hôtel, la manière mythologique et celle où il avait subi l'influence du Japon, toutes deux admirablement représentées, disait-on, dans la collection de Mme de Guermantes. Naturellement, ce qu'il avait dans son atelier, ce n'était guère que des marines prises ici, à Balbec. Mais j'y pouvais discerner que le charme de chacune consistait en une sorte de métamorphose des choses représentées, analogue à celle qu'en poésie on nomme métaphore, et que, si Dieu le Père avait créé les choses en les nommant, c'est en leur ôtant leur nom, ou en leur en donnant un autre, qu'Elstir les recréait. Les noms qui désignent les choses répondent toujours à une notion de l'intelligence, étrangère à nos impressions véritables, et qui nous force à éliminer d'elles tout ce qui ne se rapporte pas à cette notion.

Parfois à ma fenêtre, dans l'hôtel de Balbec, le matin quand Françoise défaisait les couvertures[1] qui cachaient la lumière, le soir quand j'attendais le moment de partir avec Saint-Loup, il m'était arrivé, grâce à un effet de soleil, de prendre une partie plus sombre de la mer pour une côte éloignée, ou de regarder avec joie une zone bleue et fluide sans savoir si elle appartenait à la mer ou au ciel. Bien vite mon intelligence rétablissait entre les éléments la séparation que mon impression avait abolie. C'est ainsi qu'il m'arrivait à Paris, dans ma chambre, d'entendre une dispute, presque une émeute, jusqu'à ce que j'eusse rapporté à sa cause, par exemple une voiture dont le roulement approchait, ce bruit dont j'éliminais alors ces vociférations aiguës et discordantes que mon oreille avait réellement entendues, mais que mon intelligence savait que des roues ne produisaient pas. Mais les rares moments où l'on voit la nature telle qu'elle est, poétiquement, c'était de ceux-là qu'était faite l'œuvre d'Elstir. Une de ses métaphores les plus fréquentes dans les marines qu'il avait près de lui en ce moment était justement celle qui, comparant la terre à la mer, supprimait entre elles toute démarcation. C'était cette comparaison, tacitement et inlassablement répétée dans une même toile, qui y introduisait cette multiforme et puissante unité, cause, parfois non clairement aperçue par eux, de l'enthousiasme qu'excitait chez certains amateurs la peinture d'Elstir.

C'est par exemple à une métaphore de ce genre — dans un tableau représentant le port de Carquethuit, tableau qu'il avait terminé depuis peu de jours et que je regardai longuement — qu'Elstir avait préparé l'esprit du spectateur en n'employant pour la petite ville que des termes marins, et que des termes urbains pour la mer. Soit que les maisons cachassent une partie du port, un bassin de calfatage ou peut-être la mer même s'enfonçant en golfe dans les terres, ainsi que cela arrivait constamment dans ce pays de Balbec, de l'autre côté de la pointe avancée où était construite la ville, les toits étaient dépassés (comme ils l'eussent été par des cheminées ou par des clochers) par des mâts, lesquels avaient l'air de faire des vaisseaux auxquels ils appartenaient, quelque chose de citadin, de construit sur terre, impression qu'augmentaient d'autres bateaux, demeurés le long de la jetée, mais en rangs si pressés que les hommes y causaient d'un bâtiment à l'autre sans qu'on pût distinguer leur séparation et l'interstice de l'eau, et ainsi cette flottille de pêche avait moins l'air d'appartenir à la mer que, par exemple, les églises de Criquebec qui, au loin, entourées d'eau de tous côtés parce qu'on les voyait sans la ville, dans un poudroiement de soleil et de vagues, semblaient sortir des eaux, soufflées en albâtre ou en écume et, enfermées dans la ceinture d'un arc-en-ciel versicolore, former un tableau irréel et mystique. Dans le premier plan de la plage, le peintre avait su habituer les yeux à ne pas reconnaître de frontière fixe, de démarcation absolue, entre la terre et l'océan. Des hommes qui poussaient des bateaux à la mer couraient aussi bien dans les flots que sur le sable, lequel, mouillé, réfléchissait déjà les coques comme s'il avait été de l'eau. La mer elle-même ne montait pas régulièrement, mais suivait les accidents de la grève, que la perspective déchiquetait encore davantage, si bien qu'un navire en pleine mer, à demi caché par les ouvrages avancés de l'arsenal, semblait voguer au milieu de la ville; des femmes qui ramassaient des crevettes dans les rochers, avaient l'air, parce qu'elles étaient entourées d'eau et à cause de la dépression qui, après la barrière circulaire des roches, abaissait la plage (des deux côtés les plus rapprochés des terres) au niveau de la mer, d'être dans une grotte marine surplombée de barques et de vagues, ouverte et protégée au milieu des flots écartés miraculeusement. Si tout le tableau donnait cette impression des ports où la mer entre dans la terre, où la terre est déjà marine et la population, amphibie, la force de l'élément marin éclatait partout; et, près des rochers, à l'entrée de la jetée, où la mer était agitée, on sentait, aux efforts des matelots et à l'obliquité des barques couchées à angle aigu devant la[1] calme verticalité de l'entrepôt, de l'église, des maisons de la ville, où les uns rentaient, d'où les autres partaient pour la pêche, qu'ils trottaient rudement sur l'eau comme sur un animal fougueux et rapide dont les soubresauts, sans leur adresse, les eussent[2] jetés à terre. Une bande de promeneurs sortait gaîment en une barque secouée comme une carriole; un matelot joyeux, mais attentif aussi, la gouvernait comme avec des guides, menait la voile fougueuse, chacun se tenait bien à sa place pour ne pas faire trop de poids d'un côté et ne pas verser, et on courait ainsi par les champs ensoleillés, dans les sites ombreux, dégringolant les pentes. C'était une belle matinée malgré l'orage qu'il avait fait. Et même on sentait encore les puissantes actions qu'avait à neutraliser le bel équilibre des barques immobiles, jouissant du soleil et de la fraîcheur, dans les parties où la mer était si calme que les reflets avaient presque plus de solidité et de réalité que les coques vaporisées par un effet de soleil et que la perspective faisait s'enjamber les unes les autres. Ou plutôt on n'aurait pas dit d'autres parties de la mer. Car entre ces parties, il y avait autant de différence qu'entre l'une d'elles et l'église sortant des eaux, et les bateaux derrière la ville. L'intelligence faisait ensuite un même élément de ce qui était, ici noir dans un effet d'orage, plus loin tout d'une couleur avec le ciel et aussi verni que lui, et là si blanc de soleil, de brume et d'écume, si compact, si terrien, si circonvenu de maisons, qu'on pensait à quelque chaussée de pierres ou à un champ de neige, sur lequel on était effrayé de voir un navire s'élever en pente raide et à sec comme une voiture qui s'ébroue en sortant d'un gué, mais qu'au bout d'un moment, en y voyant sur l'étendue haute et inégale du plateau solide des bateaux titubants, on comprenait, identique en tous ces aspects divers, être encore la mer.

Bien qu'on dise avec raison qu'il n'y a pas de progrès, pas de découvertes en art, mais seulement dans les sciences, et que chaque artiste recommençant pour son compte un effort individuel ne peut y être aidé ni entravé par les efforts de tout autre, il faut pourtant reconnaître que, dans la mesure où l'art met en lumière certaines lois, une fois qu'une industrie les a vulgarisées, l'art antérieur perd rétrospectivement un peu de son originalité. Depuis les débuts d'Elstir, nous avons connu ce qu'on appelle « d'admirables » photographies de paysages et de villes. Si on cherche à préciser ce que les amateurs désignent dans ce cas par cette épithète, on verra qu'elle s'applique d'ordinaire à quelque image singulière d'une chose connue, image différente de celles que nous avons l'habitude de voir, singulière et pourtant vraie, et qui à cause de cela est pour nous doublement saisissante parce qu'elle nous étonne, nous fait sortir de nos habitudes, et tout à la fois nous fait rentrer en nous-même en nous rappelant une impression. Par exemple, telle[1] de ces photographies « magnifiques » illustrera une loi de la perspective, nous montrera telle cathédrale que nous avons l'habitude de voir au milieu de la ville, prise au contraire d'un point choisi d'où elle aura l'air trente fois plus haute que les maisons et faisant éperon au bord du fleuve d'où elle est en réalité distante. Or, l'effort d'Elstir de ne pas exposer les choses telles qu'il savait qu'elles étaient, mais selon ces illusions optiques dont notre vision première est faite, l'avait précisément amené à mettre en lumière certaines de ces lois de perspective, plus frappantes alors, car l'art était le premier à les dévoiler. Un fleuve, à cause du tournant de son cours, un golfe, à cause du rapprochement apparent des falaises, avaient l'air de creuser au milieu de la plaine ou des montagnes un lac absolument fermé de toutes parts. Dans un tableau pris de Balbec par une torride journée d'été, un rentrant de la mer semblait, enfermé dans des murailles de granit rose, n'être pas la mer, laquelle commençait plus loin. La continuité de l'océan n'était suggérée que par des mouettes qui, tournoyant sur ce qui semblait au spectateur de la pierre, humaient au contraire l'humidité du flot. D'autres lois se dégageaient de cette même toile comme, au pied des immenses falaises, la grâce lilliputienne des voiles blanches sur le miroir bleu où elles semblaient des papillons endormis, et certains contrastes entre la profondeur des ombres et la pâleur de la lumière. Ces jeux des ombres, que la photographie a banalisés aussi, avaient intéressé Elstir au point qu'il s'était complu autrefois à peindre[1] de véritables mirages, où un château coiffé d'une tour apparaissait comme un château complètement circulaire prolongé d'une tour à son faîte, et en bas d'une tour inverse, soit que la pureté extraordinaire d'un beau temps donnât à l'ombre qui se reflétait dans l'eau la dureté et l'éclat de la pierre, soit que les brumes du matin rendissent la pierre aussi vaporeuse que l'ombre. De même, au delà de la mer, derrière une rangée de bois, une autre mer commençait, rosée par le coucher du soleil, et qui était le ciel. La lumière, inventant comme de nouveaux solides, poussait la coque du bateau qu'elle frappait, en retrait de celle qui était dans l'ombre, et disposait comme les degrés d'un escalier de cristal sur la surface matériellement plane, mais brisée par l'éclairage, de la mer au matin. Un fleuve qui passe sous les ponts d'une ville était pris d'un point de vue tel qu'il apparaissait entièrement disloqué, étalé ici en lac, aminci là en filet, rompu ailleurs par l'interposition d'une colline couronnée de bois où le citadin va le soir respirer la fraîcheur du soir; et le rythme même de cette ville bouleversée n'était assuré que par la verticale inflexible des clochers qui ne montaient pas, mais plutôt, selon le fil à plomb de la pesanteur marquant la cadence comme dans une marche triomphale, semblaient tenir en suspens au-dessous d'eux toute la masse plus confuse des maisons étagées dans la brume, le long du fleuve écrasé et décousu. Et (comme les premières œuvres d'Elstir dataient de l'époque où on agrémentait les paysages par la présence d'un personnage) sur la falaise ou dans la montagne, le chemin, cette partie à demi humaine de la nature, subissait, comme le fleuve ou l'océan, les éclipses de la perspective. Et soit qu'une arête montagneuse, ou la brume d'une cascade, ou la mer empêchât de suivre la continuité de la route, visible pour le promeneur mais non pour nous, le petit personnage humain en habits démodés perdu dans ces solitudes semblait souvent arrêté devant un abîme, le sentier qu'il suivait finissant là, tandis que, trois cents mètres plus haut dans ces bois de sapins, c'est d'un œil attendri et d'un cœur rassuré que nous voyions reparaître la mince blancheur de son sable hospitalier au pas du voyageur, mais dont le versant de la montagne nous avait dérobé, contournant la cascade ou le golfe, les lacets intermédiaires.

L'effort qu'Elstir faisait pour se dépouiller en présence de la réalité de toutes les notions de son intelligence était d'autant plus admirable que cet homme qui avant de peindre se faisait ignorant, oubliait tout par probité (car ce qu'on sait n'est pas à soi), avait justement une intelligence exceptionnellement cultivée. Comme je lui avouais la déception que j'avais eue devant l'église de Balbec :

— Comment, me dit-il, vous avez été déçu par ce porche, mais c'est la plus belle Bible historiée que le peuple ait jamais pu lire. Cette Vierge et tous les bas-reliefs qui racontent sa vie, c'est l'expression la plus tendre, la plus inspirée, de ce long poème d'adoration et de louanges que le moyen âge déroulera à la gloire de la Madone. Si vous saviez, à côté de l'exactitude la plus minutieuse à traduire le texte saint, quelles trouvailles de délicatesse a eues le vieux sculpteur, que de profondes pensées, quelle délicieuse poésie! L'idée de ce grand voile dans lequel les Anges portent le corps de la Vierge, trop sacré pour qu'ils osent le toucher directement (je lui dis que le même sujet était traité à Saint-André-des-Champs; il avait vu des photographies du porche de cette dernière église, mais me fit remarquer que l'empressement de ces petits paysans qui courent tous à la fois autour de la Vierge était autre chose que la gravité des deux grands anges presque italiens, si élancés, si doux); l'ange qui emporte l'âme de la Vierge pour la réunir à son corps; dans la rencontre de la Vierge et d'Élisabeth, le geste de cette dernière qui touche le sein de Marie et s'émerveille de le sentir gonflé; et le bras bandé de la sage-femme qui n'avait pas voulu croire, sans toucher, à l'Immaculée Conception; et la ceinture jetée par la Vierge à saint Thomas pour lui donner la preuve de sa résurrection; ce voile, aussi, que la Vierge arrache de son sein pour en voiler la nudité de son fils d'un côté de qui l'Église recueille le sang, la liqueur de l'Eucharistie, tandis que, de l'autre, la Synagogue, dont le règne est fini, a les yeux bandés, tient un sceptre à demi brisé et laisse échapper, avec sa couronne qui lui tombe de la tête, les tables de l'ancienne Loi; et l'époux qui aidant, à l'heure du Jugement dernier, sa jeune femme à sortir du tombeau lui appuie la main contre son propre cœur pour la rassurer et lui prouver qu'il bat vraiment, est-ce aussi assez chouette comme idée, assez trouvé? Et l'ange qui emporte le soleil et la lune devenus inutiles puisqu'il est dit que la Lumière de la Croix sera sept fois plus puissante que celle des astres; et celui qui trempe sa main dans l'eau du bain de Jésus pour voir si elle est assez chaude; et celui qui sort des nuées pour poser sa couronne sur le front de la Vierge; et tous ceux qui, penchés du haut du ciel entre les balustres de la Jérusalem céleste, lèvent les bras d'épouvante ou de joie à la vue des supplices des méchants et du bonheur des élus! Car c'est tous les cercles du ciel, tout un gigantesque poème théologique et symbolique que vous avez là. C'est fou, c'est divin, c'est mille fois supérieur à tout ce que vous verrez en Italie, où d'ailleurs ce tympan a été littéralement copié par des sculpteurs de bien moins de génie. Parce que, vous comprenez, tout ça c'est une question de génie. Il n'y a pas eu d'époque où tout le monde a du génie, tout ça c'est des blagues, ça serait plus fort que l'âge d'or. Le type qui a sculpté cette façade-là, croyez bien qu'il était aussi fort, qu'il avait des idées aussi profondes que les gens de maintenant que vous admirez le plus. Je vous montrerais cela, si nous y allions ensemble. Il y a certaines paroles de l'office de l'Assomption qui ont été traduites avec une subtilité qu'un Redon n'a pas égalée.

Cette vaste vision céleste dont il me parlait, ce gigantesque poème théologique que je comprenais avoir été écrit là, pourtant quand mes yeux pleins de désirs s'étaient ouverts devant la façade, ce n'est pas eux que j'avais vus. Je lui parlai de ces grandes statues de saints qui montées sur ces échasses forment une sorte d'avenue.

— Elle part des fonds des âges pour aboutir à Jésus-Christ, me dit-il. Ce sont d'un côté ses ancêtres selon l'esprit, de l'autre, les Rois de Juda, ses ancêtres selon la chair. Tous les siècles sont là. Et si vous aviez mieux regardé ce qui vous a paru des échasses, vous auriez pu nommer ceux qui étaient perchés. Car sous les pieds de Moïse, vous auriez reconnu le veau d'or, sous les pieds d'Abraham, le bélier, sous ceux de Joseph, le démon conseillant la femme de Putiphar.

Je lui dis aussi que je m'étais attendu à trouver un monument presque persan et que ç'avait sans doute été là une des causes de mon mécompte. « Mais non, me répondit-il, il y a beaucoup de vrai. Certaines parties sont tout orientales; un chapiteau reproduit si exactement un sujet persan que la persistance des traditions orientales ne suffit pas à l'expliquer. Le sculpteur a dû copier quelque coffret apporté par des navigateurs. » Et en effet, il devait me montrer plus tard la photographie d'un chapiteau où je vis des dragons quasi chinois qui se dévoraient, mais à Balbec ce petit morceau de sculpture avait passé pour moi inaperçu dans l'ensemble du monument qui ne ressemblait pas à ce que m'avaient montré ces mots : « église presque persane ».

Les joies intellectuelles que je goûtais dans cet atelier ne m'empêchaient nullement de sentir, quoiqu'ils nous entourassent comme malgré nous, les tièdes glacis, la pénombre étincelante de la pièce et, au bout de la petite fenêtre encadrée de chèvrefeuilles, dans l'avenue toute rustique, la résistante sécheresse de la terre brûlée de soleil que voilait seulement la transparence de l'éloignement et de l'ombre des arbres. Peut-être l'inconscient bien-être que me causait ce jour d'été venait-il agrandir, comme un affluent, la joie que me causait la vue du « Port de Carquethuit ».

J'avais cru Elstir modeste, mais je compris que je m'étais trompé, en voyant son visage se nuancer de tristesse quand dans une phrase de remerciement je prononçai le mot de gloire. Ceux qui croient leurs œuvres durables — et c'était le cas pour Elstir — prennent l'habitude de les situer dans une époque où eux-mêmes ne seront plus que poussière. Et ainsi, en les forçant à réfléchir au néant, l'idée de la gloire les attriste parce qu'elle est inséparable de l'idée de la mort. Je changeai de conversation pour dissiper ce nuage d'orgueilleuse mélancolie dont j'avais sans le vouloir chargé le front d'Elstir. « On m'avait conseillé, lui dis-je en pensant à la conversation que nous avions eue avec Legrandin à Combray et sur laquelle j'étais content d'avoir son avis, de ne pas aller en Bretagne, parce que c'était malsain pour un esprit déjà porté au rêve. — Mais non, me répondit-il, quand un esprit est porté au rêve, il ne faut pas l'en tenir écarté, le lui rationner. Tant que vous détournerez votre esprit de ses rêves, il ne les connaîtra pas; vous serez le jouet de mille apparences parce que vous n'en aurez pas compris la nature. Si un peu de rêve est dangereux, ce qui en guérit, ce n'est pas moins de rêve, mais plus de rêve, mais tout le rêve. Il importe qu'on connaisse entièrement ses rêves pour n'en plus souffrir; il y a une certaine séparation du rêve et de la vie qu'il est si souvent utile de faire que je me demande si on ne devrait pas à tout hasard la pratiquer préventivement comme certains chirurgiens prétendent qu'il faudrait, pour éviter la possibilité d'une appendicite future, enlever l'appendice chez tous les enfants. »

Elstir et moi nous étions allés jusqu'au fond de l'atelier, devant la fenêtre qui donnait derrière le jardin sur une étroite avenue de traverse, presque un petit chemin rustique. Nous étions venus là pour respirer l'air rafraîchi de l'après-midi plus avancé. Je me croyais bien loin des jeunes filles de la petite bande, et c'est en sacrifiant pour une fois l'espérance de les voir que j'avais fini par obéir à la prière de ma grand'mère et aller voir Elstir. Car où se trouve ce qu'on cherche, on ne le sait pas et on fuit souvent pendant bien longtemps le lieu où, pour d'autres raisons, chacun nous invite; mais nous ne soupçonnons pas que nous y verrions justement l'être auquel nous pensons. Je regardais vaguement ce[1] chemin campagnard qui, extérieur à l'atelier, passait tout près de lui mais n'appartenait pas à Elstir. Tout à coup y apparut, le suivant à pas rapides, la jeune cycliste de la petite bande avec, sur ses cheveux noirs, son polo abaissé vers ses grosses joues, ses yeux gais et un peu insistants; et dans ce sentier fortuné miraculeusement rempli de douces promesses, je la vis sous les arbres adresser à Elstir un salut souriant d'amie, arc-en-ciel qui unit pour moi notre monde terraqué à des régions que j'avais jugées jusque-là inaccessibles. Elle s'approcha même pour tendre la main au peintre, sans s'arrêter, et je vis qu'elle avait un petit grain de beauté au menton. « Vous connaissez cette jeune fille, Monsieur? » dis-je à Elstir, comprenant qu'il pourrait me présenter à elle, l'inviter chez lui. Et cet atelier paisible avec son horizon rural s'était rempli d'un surcroît délicieux, comme il arrive d'une maison où un enfant se plaisait déjà et où il apprend que, en plus, de par la générosité qu'ont les belles choses et les nobles gens à accroître indéfiniment leurs dons, se prépare pour lui un magnifique goûter. Elstir me dit qu'elle s'appelait Albertine Simonet et me nomma aussi ses autres amies que je lui décrivis avec assez d'exactitude pour qu'il n'eût guère d'hésitation. J'avais commis à l'égard de leur situation sociale une erreur, mais pas dans le même sens que d'habitude à Balbec. J'y prenais facilement pour des princes des fils de boutiquiers montant à cheval. Cette fois, j'avais situé dans un milieu interlope des filles d'une petite bourgeoise fort riche, du monde de l'industrie et des affaires. C'était celui qui, de prime abord, m'intéressait le moins, n'ayant pour moi le mystère ni du peuple, ni d'une société comme celle des Guermantes. Et sans doute, si un prestigie préalable, qu'elles ne perdraient plus, ne leur avait été conféré, devant mes yeux éblouis, par la vacuité éclatante de la vie de plage, je ne serais peut-être pas arrivé à lutter victorieusement contre l'idée qu'elles étaient les filles de gros négociants. Je ne pus qu'admirer combien la bourgeoisie française était un atelier merveilleux de la sculpture[1] la plus variée. Que de types imprévus, quelle invention dans le caractère des visages, quelle décision, quelle fraîcheur, quelle naïveté dans les traits! Les vieux bourgeois avares d'où étaient issues ces Dianes et ces nymphes me semblaient les plus grands des statuaires. Avant que j'eusse eu le temps de m'apercevoir de la métamorphose sociale de ces jeunes filles, et tant ces découvertes d'une erreur, ces modifications de la notion qu'on a d'une personne ont l'instantanéité d'une réaction chimique, s'était déjà installée derrière le visage d'un genre si voyou de ces jeunes filles que j'avais prises pour des maîtresses de coureurs cyclistes, de champions de boxe, l'idée qu'elles pouvaient très bien être liées avec la famille de tel notaire que nous connaissions. Je ne savais guère ce qu'était Albertine Simonet. Elle ignorait certes ce qu'elle devait être un jour pour moi. Même ce nom de Simonet que j'avais déjà entendu sur la plage, si on m'avait demandé de l'écrire je l'aurais orthographié avec deux *n,* ne me doutant pas de l'importance que cette famille attachait à n'en posséder qu'un seul. Au fur et à mesure que l'on descend dans i'échelle sociale, le snobisme s'accroche à des riens qui ne sont peut-être pas plus nuls que les distinctions de l'aristocratie, mais qui, plus obscurs, plus particuliers à chacun, surprennent davantage. Peut-être y avait-il eu des Simonnet[1] qui avaient fait de mauvaises affaires, ou pis encore. Toujours est-il que les Simonet s'étaient, paraît-il, toujours irrités comme d'une calomnie quand on doublait leur *n*. Ils avaient, d'être les seuls Simonet avec un *n* au lieu de deux, autant de fierté peut-être que les Montmorency d'être les premiers barons de France. Je demandai à Elstir si ces jeunes filles habitaient Balbec, il me répondit oui pour certaines d'entre elles. La villa de l'une était précisément située tout au bout de la plage, là où commencent les falaises de[2] Canapville. Comme cette jeune fille était une grande amie d'Albertine Simonet, ce me fut une raison de plus de croire que c'était bien cette dernière que j'avais rencontrée, quand j'étais avec ma grand'mère. Certes il y avait tant de ces petites rues perpendiculaires à la plage où elles faisaient un angle pareil, que je n'aurais pu spécifier exactement laquelle[3] c'était. On voudrait avoir un souvenir exact, mais au moment même la vision a été trouble. Pourtant qu'Albertine et cette jeune fille entrant chez son amie fussent une seule et même personne, c'était pratiquement une certitude. Malgré cela, tandis que les innombrables images que m'a présentées dans la suite la brune joueuse de golf, si différentes qu'elles soient les unes des autres, se superposent (parce que je sais qu'elles lui appartiennent toutes) et que, si je remonte le fil de mes souvenirs, je peux, sous le couvert de cette identité et comme dans un chemin de communication intérieure, repasser par toutes ces images sans sortir d'une même personne, en revanche, si je veux remonter jusqu'à la jeune fille que je croisai le jour où j'étais avec ma grand'mère, il me faut ressortir à l'air libre. Je suis persuadé que c'est Albertine que je retrouve, la même que celle qui s'arrêtait souvent, au milieu de ses amies, dans sa promenade, dépassant l'horizon de la mer; mais toutes ces images restent séparées de cette autre parce que je ne peux pas lui conférer rétrospectivement une identité qu'elle n'avait pas pour moi au moment où elle a frappé mes yeux; quoi que puisse m'assurer le calcul des probabilités, cette jeune fille aux grosses joues qui me regarda si hardiment au coin de la petite rue et de la plage et par qui je crois que j'aurais pu être aimé, au sens strict du mot revoir, je ne l'ai jamais revue.

Mon hésitation entre les diverses jeunes filles de la petite bande, lesquelles gardaient toutes un peu du charme collectif qui m'avait d'abord troublé, s'ajouta-t-elle[1] aussi à ces causes pour me laisser plus tard, même au temps de mon plus grand — de mon second — amour pour Albertine, une sorte de liberté intermittente, et bien brève, de ne l'aimer pas? Pour avoir erré entre toutes ses amies avant de se porter définitivement sur elle, mon amour garda parfois entre lui et l'image d'Albertine un certain « jeu » qui lui permettait, comme un éclairage mal adapté, de se poser sur d'autres avant de revenir s'appliquer à elle[2]; le rapport entre le mal que je ressentais au cœur et le souvenir d'Albertine ne me semblait pas nécessaire, j'aurais peut-être pu le coordonner avec l'image d'une autre personne. Ce qui me permettait, l'éclair d'un instant, de faire évanouir la réalité, non pas seulement la réalité extérieure comme dans mon amour pour Gilberte (que j'avais reconnu pour un état intérieur où je tirais de moi seul la qualité particulière, le caractère spécial de l'être que j'aimais, tout ce qui le rendait indispensable à mon bonheur), mais même la réalité intérieure et purement subjective.

« Il n'y a pas de jour qu'une ou l'autre d'entre elles

ne passe devant l'atelier et n'entre me faire un bout de visite », me dit Elstir, me désespérant ainsi[1] par la pensée que si j'avais été le voir aussitôt que ma grand'mère m'avait demandé de le faire, j'eusse probablement depuis longtemps déjà fait la connaissance d'Albertine.

Elle s'était éloignée; de l'atelier on ne la voyait plus. Je pensai qu'elle était allée rejoindre ses amies sur la digue. Si j'avais pu m'y trouver avec Elstir, j'eusse fait leur connaissance. J'inventai mille prétextes pour qu'il consentît à venir faire un tour de plage avec moi. Je n'avais plus le même calme qu'avant l'apparition de la jeune fille dans le cadre de la petite fenêtre si charmante jusque-là sous ses chèvrefeuilles et maintenant bien vide. Elstir me causa une joie mêlée de torture en me disant qu'il ferait quelques pas avec moi, mais qu'il était obligé de terminer d'abord le morceau qu'il était en train de peindre. C'était des fleurs, mais pas de celles dont j'eusse mieux aimer lui commander le portrait que celui d'une personne, afin d'apprendre par la révélation de son génie ce que j'avais si souvent cherché en vain devant elles — aubépines, épines roses, bluets, fleurs de pommiers. Elstir tout en peignant me parlait de botanique, mais je ne l'écoutais guère; il ne se suffisait plus à lui-même, il n'était plus que l'intermédiaire nécessaire entre ces jeunes filles et moi; le prestige que, quelques instants encore auparavant, lui donnait pour moi son talent, ne valait plus qu'en tant qu'il m'en conférait un peu à moi-même aux yeux de la petite bande à qui je serais présenté par lui.

J'allais et venais, impatient qu'il eût fini de travailler; je saisissais pour les regarder des études dont beaucoup, tournées contre le mur, étaient empilées les unes sur les autres. Je me trouvai ainsi mettre au jour une aquarelle qui devait être d'un temps bien plus ancien de la vie d'Elstir et me causa cette sorte particulière d'enchantement que dispensent des œuvres, non seulement d'une exécution délicieuse, mais aussi d'un sujet si singulier et si séduisant que c'est à lui que nous attribuons une partie de leur charme, comme si, ce charme, le peintre n'avait eu qu'à le découvrir, qu'à l'observer, matériellement réalisé déjà dans la nature et à le reproduire. Que de tels objets puissent exister, beaux en dehors même de l'interprétation du peintre, cela contente en nous un matérialisme inné, combattu par la raison, et sert de contrepoids aux abstractions de l'esthétique. C'était — cette aquarelle — le portrait d'une jeune femme pas jolie, mais d'un type curieux, que coiffait un serre-tête assez semblable à un chapeau melon bordé d'un ruban de soie cerise; une de ses mains gantées de mitaines tenait une cigarette allumée, tandis que l'autre élevait à la hauteur du genou une sorte de grand chapeau de jardin, simple écran de paille contre le soleil. À côté d'elle, un porte-bouquet plein de roses[1] sur une table. Souvent, et c'était le cas ici, la singularité de ces œuvres tient surtout à ce qu'elles ont été exécutées dans des conditions particulières dont nous ne nous rendons pas clairement compte d'abord, par exemple si la toilette étrange d'un modèle féminin est un déguisement de bal costumé, ou si au contraire le manteau rouge d'un vieillard qui a l'air de l'avoir revêtu pour se prêter à une fantaisie du peintre, est sa robe de professeur ou de conseiller, ou son camail de cardinal. Le caractère ambigu de l'être dont j'avais le portrait sous les yeux tenait, sans que je le comprisse, à ce que c'était une jeune actrice d'autrefois en demi-travesti. Mais son melon, sous lequel ses cheveux étaient bouffants, mais courts, son veston de velours sans revers ouvrant sur un plastron blanc me firent hésiter sur la date de la mode et le sexe du modèle, de façon que je ne savais pas exactement ce que j'avais sous les yeux, sinon le plus clair des morceaux de peinture. Et le plaisir qu'il me donnait était troublé seulement par la peur qu'Elstir, en s'attardant encore, me fît manquer les jeunes filles, car le soleil était déjà oblique[2] et bas dans la petite fenêtre. Aucune chose dans cette aquarelle n'était simplement constatée en fait et peinte à cause de son utilité dans la scène, le costume parce qu'il fallait que la femme fût habillée, le porte-bouquet pour les fleurs. Le verre du porte-bouquet, aimé pour lui-même, avait l'air d'enfermer l'eau où trempaient les tiges des œillets, dans quelque chose d'aussi limpide, presque d'aussi liquide qu'elle; l'habillement de la femme l'entourait d'une matière qui avait un charme indépendant, fraternel et, si les œuvres de l'industrie pouvaient rivaliser de charme avec les merveilles de la nature, aussi délicate[3], aussi savoureuse au toucher du regard, aussi fraîchement peinte que la fourrure d'une chatte, les pétales d'un œillet, les plumes d'une colombe. La blancheur du plastron, d'une finesse de grésil et dont le frivole plissage avait des clochettes comme celles du muguet, s'étoilait des clairs reflets de la chambre, aigus eux-mêmes et finement nuancés comme des bouquets de fleurs qui auraient broché le linge. Et le velours du veston, brillant et nacré, avait çà et là quelque chose de hérissé, de déchiqueté et de velu qui faisait penser à l'ébouriffage des œillets dans le vase. Mais surtout on sentait qu'Elstir, insoucieux de ce que pouvait présenter d'immoral ce travesti d'une jeune actrice, pour qui le talent avec lequel elle jouerait son rôle avait sans doute moins d'importance que l'attrait irritant qu'elle allait offrir aux sens blasés ou dépravés de certains spectateurs, s'était au contraire attaché à ces traits d'ambiguïté comme à un élément esthétique qui valait d'être mis en relief et qu'il avait tout fait pour souligner. Le long des lignes du visage, le sexe avait l'air d'être sur le point d'avouer qu'il était celui d'une fille un peu garçonnière, s'évanouissait, et plus loin se retrouvait, suggérant plutôt l'idée d'un jeune efféminé vicieux et songeur, puis fuyait encore, restait insaisissable. Le caractère de tristesse rêveuse du regard, par son contraste même avec les accessoires appartenant au monde de la noce et du théâtre, n'était pas ce qui était le moins troublant. On pensait du reste qu'il devait être factice et que le jeune être qui semblait s'offrir aux caresses dans ce provocant costume avait probablement trouvé piquant d'y ajouter l'expression romanesque d'un sentiment secret, d'un chagrin inavoué. Au bas du portrait était écrit : *Miss Sacripant,* octobre 1872. Je ne pus contenir mon admiration. « Oh ! ce n'est rien, c'est une pochade de jeunesse, c'était un costume pour une Revue des Variétés. Tout cela est bien loin. — Et qu'est devenu le modèle ? » Un étonnement provoqué par mes paroles précéda sur la figure d'Elstir l'air indifférent et distrait qu'au bout d'une seconde il y étendit. « Tenez, passez-moi vite cette toile, me dit-il, j'entends madame Elstir qui arrive et bien que la jeune personne en melon n'ait joué, je vous assure, aucun rôle dans ma vie, il est inutile que ma femme ait cette aquarelle sous les yeux. Je n'ai gardé cela que comme un document amusant sur le théâtre de cette époque. » Et avant de cacher l'aquarelle derrière lui, Elstir qui peut-être ne l'avait pas vue depuis longtemps y attacha un regard attentif. « Il faudra que je ne garde que la tête, murmura-t-il, le bas est vraiment trop mal peint, les mains sont d'un commençant. » J'étais désolé de l'arrivée de Mme Elstir qui allait encore nous retarder. Le rebord de la fenêtre fut bientôt rose. Notre sortie serait en pure perte. Il n'y avait plus aucune chance de voir les jeunes filles, par conséquent plus aucune importance à ce que Mme Elstir nous quittât plus ou moins vite. Elle ne resta, d'ailleurs, pas très longtemps. Je la trouvai très ennuyeuse; elle aurait pu être belle, si elle avait eu vingt ans, conduisant un bœuf dans la campagne romaine; mais ses cheveux noirs blanchissaient; et elle était commune sans être simple, parce qu'elle croyait que la solennité des manières et la majesté de l'attitude étaient requises par sa beauté sculpturale à laquelle, d'ailleurs, l'âge avait enlevé toutes ses séductions. Elle était mise avec la plus grande simplicité. Et on était touché mais surpris d'entendre Elstir dire à tout propos et avec une douceur respectueuse, comme si rien que prononcer ces mots lui causait de l'attendrissement et de la vénération : « Ma belle Gabrielle! » Plus tard, quand je connus la peinture mythologique d'Elstir, Mme Elstir prit pour moi aussi de la beauté. Je compris qu'à un[1] certain type idéal résumé en certaines lignes, en certaines arabesques qui se retrouvaient sans cesse dans son œuvre, à un certain canon, il avait attribué en fait un caractère presque divin, puisque tout son temps, tout l'effort de pensée dont il était capable, en un mot toute sa vie, il l'avait consacrée à la tâche de distinguer mieux ces lignes, de les reproduire plus fidèlement. Ce qu'un tel idéal inspirait à Elstir, c'était vraiment un culte si grave, si exigeant, qu'il ne lui permettait jamais d'être content; cet idéal[2], c'était la partie la plus intime de lui-même : aussi n'avait-il pu le considérer avec détachement, en tirer des émotions, jusqu'au jour où il le rencontra, réalisé au dehors, dans le corps d'une femme, le corps de celle qui était par la suite devenue madame Elstir et chez qui il avait pu — comme cela ne nous est possible que pour ce qui n'est pas nous-mêmes — le trouver méritoire, attendrissant, divin. Quel repos, d'ailleurs, de poser ses lèvres sur ce Beau que[1] jusqu'ici il fallait avec tant de peine extraire de soi, et qui maintenant, mystérieusement incarné, s'offrait à lui pour une suite de communions efficaces! Elstir à cette époque n'était plus dans la première jeunesse où l'on n'attend que de la puissance de la pensée la réalisation de son idéal. Il approchait de l'âge où l'on compte sur les satisfactions du corps pour stimuler la force de l'esprit, où la fatigue de celui-ci en nous inclinant au matérialisme, et la diminution de l'activité, à la possibilité d'influences passivement reçues, commencent à nous faire admettre qu'il y a peut-être bien certains corps, certains métiers, certains rythmes privilégiés, réalisant si naturellement notre idéal que, même sans génie, rien qu'en copiant le mouvement d'une épaule, la tension d'un cou, nous ferions un chef-d'œuvre; c'est l'âge où nous aimons à caresser la Beauté du regard, hors de nous, près de nous, dans une tapisserie, dans une belle esquisse de Titien découverte chez un brocanteur, dans une maîtresse aussi belle que l'esquisse de Titien. Quand j'eus compris cela, je ne pus plus voir sans plaisir Mme Elstir, et son corps perdit de sa lourdeur, car je le remplis d'une idée, l'idée qu'elle était une créature immatérielle, un portrait d'Elstir. Elle en était un pour moi et pour lui aussi sans doute. Les données de la vie ne comptent pas pour l'artiste, elles ne sont pour lui qu'une occasion de mettre à nu son génie. On sent bien, à voir les uns à côté des autres dix portraits de personnes différentes peintes par Elstir, que ce sont avant tout des Elstir. Seulement, après cette marée montante du génie qui recouvre la vie, quand le cerveau se fatigue, peu à peu l'équilibre se rompt, et comme un fleuve qui reprend son cours après le contre-flux d'une grande marée, c'est la vie qui reprend le dessus. Or, pendant que durait la première période, l'artiste a peu à peu dégagé la loi, la formule de son don inconscient. Il sait quelles situations, s'il est romancier, quels paysages, s'il est peintre, lui fournissent la matière, indifférente en soi, mais nécessaire à ses recherches, comme serait un laboratoire ou un atelier. Il sait qu'il a fait ses chefs-d'œuvre avec des effets de lumière atténuée, avec des remords modifiant l'idée d'une faute, avec des femmes posées sous les arbres ou à demi plongées dans l'eau comme des statues. Un jour viendra où, par l'usure de son cerveau, il n'aura plus, devant ces matériaux dont se servait son génie, la force de faire l'effort intellectuel qui seul peut produire son[1] œuvre, et continuera pourtant à les rechercher, heureux de se trouver près d'eux à cause du plaisir spirituel, amorce du travail, qu'ils éveillent en lui; et, les entourant d'ailleurs d'une sorte de superstition comme s'ils étaient supérieurs à autre chose, si en eux résidait déjà une bonne part de l'œuvre d'art qu'ils porteraient en quelque sorte toute faite, il n'ira pas plus loin que la fréquentation, l'adoration des modèles. Il causera indéfiniment avec des criminels repentis, dont les remords, la régénération ont[2] fait jadis l'objet de ses romans; il achètera une maison de campagne dans un pays où la brume atténue la lumière; il passera de longues heures à regarder des femmes se baigner; il collectionnera les belles étoffes. Et ainsi la beauté de la vie, mot en quelque sorte dépourvu de signification, stade situé en deçà de l'art et auquel j'avais vu s'arrêter Swann, était celui où, par ralentissement du génie créateur, idolâtrie des formes qui l'avaient favorisé, désir du moindre effort, devait un jour rétrograder peu à peu un Elstir.

Il venait enfin de donner un dernier coup de pinceau à ses fleurs; je perdis un instant à les regarder; je n'avais pas de mérite à le faire, puisque je savais que les jeunes filles ne se trouveraient plus sur la plage; mais j'aurais cru qu'elles y étaient encore et que ces minutes perdues me les faisaient manquer, que j'aurais regardé tout de même, car je me serais dit qu'Elstir s'intéressait plus à ses fleurs qu'à ma rencontre avec les jeunes filles. La nature de ma grand'mère, nature qui était juste l'opposé de mon total égoïsme, se reflétait pourtant dans la mienne. Dans une circonstance où quelqu'un qui m'était indifférent, pour qui j'avais toujours feint de l'affection ou du respect, ne risquait qu'un désagrément tandis que je courais un danger, je n'aurais pas pu faire autrement que de le plaindre de son ennui comme d'une chose considérable et de traiter mon danger comme un rien, parce qu'il me semblait que c'était avec ces proportions que les choses devaient lui apparaître. Pour dire les choses telles qu'elles sont, c'est même un peu plus que cela, et pas seulement ne pas déplorer le danger que je courais moi-même, mais aller au-devant de ce danger-là et, pour celui qui concernait les autres, tâcher au contraire, dussé-je avoir plus de chances d'être atteint moi-même, de le leur éviter. Cela tient à plusieurs raisons qui ne sont point à mon honneur. L'une est que si, tant que je ne faisais que raisonner, je croyais surtout tenir à la vie, chaque fois qu'au cours de mon existence je me suis trouvé obsédé par des soucis moraux ou seulement par des inquiétudes nerveuses, quelquefois si puériles que je n'oserais pas les rapporter, si une circonstance imprévue survenait alors, amenant pour moi le risque d'être tué, cette nouvelle préoccupation était si légère, relativement aux autres, que je l'accueillais avec un sentiment de détente qui allait jusqu'à l'allégresse. Je me trouve ainsi avoir connu, quoique étant l'homme le moins brave du monde, cette chose qui me semblait, quand je raisonnais, si étrangère à ma nature, si inconcevable, l'ivresse du danger. Mais même fussé-je, quand il y en a un, et mortel, qui se présente, dans une période entièrement calme et heureuse, je ne pourrais pas, si je suis avec une autre personne, ne pas la mettre à l'abri et choisir pour moi la place dangereuse. Quand un assez grand nombre d'expériences m'eurent appris que j'agissais toujours ainsi, et avec plaisir, je découvris et à ma grande honte, que c'est que, contrairement à ce que j'avais toujours cru et affirmé, j'étais très sensible à l'opinion des autres. Cette sorte d'amour-propre inavoué n'a pourtant aucun rapport avec la vanité ni avec l'orgueil. Car ce qui peut contenter l'une ou l'autre ne me causerait aucun plaisir, et je m'en suis toujours abstenu. Mais les gens devant qui j'ai réussi à cacher le plus complètement les petits avantages qui auraient pu leur donner une moins piètre idée de moi, je n'ai jamais pu me refuser le plaisir de leur montrer que je mets plus de soin à écarter la mort de leur route que de la mienne. Comme mon mobile est alors l'amour-propre et non la vertu, je trouve bien naturel qu'en toute circonstance ils agissent autrement. Je suis bien loin de les en blâmer, ce que je ferais peut-être si j'avais été mû par l'idée d'un[1] devoir qui me semblerait dans ce cas être obligatoire pour eux aussi bien que pour moi. Au contraire, je les trouve fort sages de préserver leur vie, tout en ne pouvant m'empêcher de faire passer au second plan la mienne, ce qui est particulièrement absurde et coupable, depuis que j'ai cru reconnaître que celle de beaucoup de gens devant qui je me place quand éclate une bombe, est plus dénuée de prix. D'ailleurs, le jour de cette visite à Elstir, les temps étaient encore loin où je devais prendre conscience de cette différence de valeur, et il ne s'agissait d'aucun danger, mais simplement, signe avant-coureur du pernicieux amour-propre, de ne pas avoir l'air d'attacher au plaisir que je désirais si ardemment plus d'importance qu'à la besogne d'aquarelliste qu'il n'avait pas achevée. Elle le fut enfin. Et, une fois dehors, je m'aperçus que — tant les jours étaient longs dans cette saison-là — il était moins tard que je ne croyais; nous allâmes sur la digue. Que de ruses j'employai pour faire demeurer Elstir à l'endroit où je croyais que ces jeunes filles pouvaient encore passer! Lui montrant les falaises qui s'élevaient à côté de nous, je ne cessais de lui demander de me parler d'elles, afin de lui faire oublier l'heure et de le faire rester. Il me semblait que nous avions plus de chance de cerner la petite bande en allant vers l'extrémité de la plage. « J'aurais voulu voir d'un tout petit peu près avec vous ces falaises », dis-je à Elstir, ayant remarqué qu'une de ces jeunes filles s'en allait souvent de ce côté. « Et pendant ce temps-là, parlez-moi de Carquethuit. Ah! que j'aimerais aller à Carquethuit! » ajoutai-je sans penser que le caractère si nouveau qui se manifestait avec tant de puissance dans le « Port de Carquethuit » d'Elstir tenait peut-être plus à la vision du peintre qu'à un mérite spécial de cette plage. « Depuis que j'ai vu ce tableau, c'est peut-être ce que je désire le plus connaître avec la Pointe du Raz, qui serait, d'ailleurs, d'ici, tout un voyage. — Et puis, même si ce n'était pas plus près, je vous conseillerais peut-être tout de même davantage Carquethuit, me répondit Elstir. La Pointe du Raz est admirable, mais enfin c'est toujours la grande falaise normande ou bretonne que vous connaissez. Carquethuit, c'est tout autre chose avec ses roches sur une plage basse. Je ne connais rien en France d'analogue, cela me rappelle plutôt certains aspects de la Floride. C'est très curieux, et du reste extrêmement sauvage aussi. C'est entre Clitourps et Nehomme, et vous savez combien ces parages sont désolés; la ligne des plages est ravissante.

Ici, la ligne de la plage est quelconque; mais là-bas, je ne peux vous dire quelle grâce elle a, quelle douceur. »

Le soir tombait; il fallut revenir; je ramenais Elstir vers sa villa, quand tout d'un coup, tel Méphistophélès surgissant devant Faust, apparurent au bout de l'avenue — comme une simple objectivation irréelle et diabolique du tempérament opposé au mien, de la vitalité quasi barbare et cruelle dont était si dépourvue ma faiblesse, mon excès de sensibilité douloureuse et d'intellectualité — quelques taches de l'essence impossible à confondre avec rien d'autre, quelques sporades de la bande zoophytique des jeunes filles, lesquelles avaient l'air de ne pas me voir, mais sans aucun doute n'en étaient pas moins en train de porter sur moi un jugement ironique. Sentant qu'il était inévitable que la rencontre entre elles et nous se produisît, et qu'Elstir allait m'appeler, je tournai le dos comme un baigneur qui va recevoir la lame; je m'arrêtai net et, laissant mon illustre compagnon poursuivre son chemin, je restai en arrière, penché, comme si j'étais subitement intéressé par elle, vers la vitrine du marchand d'antiquités devant lequel nous passions en ce moment; je n'étais pas fâché d'avoir l'air de pouvoir penser à autre chose qu'à ces jeunes filles, et je savais déjà obscurément que, quand Elstir m'appellerait pour me présenter, j'aurais la sorte de regard interrogateur qui décèle non la surprise, mais le désir d'avoir l'air surpris — tant chacun est un mauvais acteur, ou le prochain, un bon physiognomoniste —, que j'irais même jusqu'à indiquer ma poitrine avec mon doigt pour demander : « C'est bien moi que vous appelez ? » et accourir vite, la tête courbée par l'obéissance et la docilité, le visage dissimulant froidement l'ennui d'être arraché à la contemplation de vieilles faïences pour être présenté à des personnes que je ne souhaitais pas de connaître. Cependant je considérais la devanture en attendant le moment[1] où mon nom crié par Elstir viendrait me frapper comme une balle attendue et inoffensive. La certitude de la présentation à ces jeunes filles avait eu pour résultat, non seulement de me faire à leur égard jouer, mais éprouver, l'indifférence. Désormais inévitable, le plaisir de les connaître fut comprimé, réduit, me parut plus petit que celui de causer avec Saint-Loup, de dîner avec ma grand'mère, de faire dans les environs des excursions que je regretterais d'être probablement, par le fait de relations avec des personnes qui devaient peu s'intéresser aux monuments historiques, contraint de négliger. D'ailleurs, ce qui diminuait le plaisir que j'allais avoir, ce n'était pas seulement l'imminence, mais l'incohérence de sa réalisation. Des lois aussi précises que celles de l'hydrostatique maintiennent la superposition des images que nous formons dans un ordre fixe que la proximité de l'événement bouleverse. Elstir allait m'appeler. Ce n'était pas du tout de cette façon que je m'étais souvent, sur la plage, dans ma chambre, figuré que je connaîtrais ces jeunes filles. Ce qui allait avoir lieu, c'était un autre événement auquel je n'étais pas préparé. Je n'y[1] reconnaissais ni mon désir, ni son objet; je regrettais presque d'être sorti avec Elstir. Mais, surtout, la contraction du plaisir que j'avais auparavant cru avoir était due à la certitude que rien ne pouvait plus me l'enlever. Et il reprit, comme en vertu d'une force élastique, toute sa hauteur, quand il cessa de subir l'étreinte de cette certitude, au moment où, m'étant décidé à tourner la tête, je vis Elstir, arrêté quelques pas plus loin avec les jeunes filles, leur dire au revoir. La figure de celle qui était le plus près de lui, grosse et éclairée par ses regards, avait l'air d'un gâteau où on eût réservé de la place pour un peu de ciel. Ses yeux, même fixes, donnaient l'impression de la mobilité, comme il arrive par ces jours de grand vent où l'air, quoique invisible, laisse percevoir la vitesse avec laquelle il passe sur le fond de l'azur. Un instant ses regards croisèrent les miens, comme ces ciels voyageurs des jours d'orage qui approchent d'une nuée moins rapide, la côtoient, la touchent, la dépassent. Mais ils ne se connaissent pas et s'en vont loin l'un de l'autre. Tels, nos regards furent un instant face à face, ignorant chacun ce que le continent céleste qui était devant lui contenait de promesses et de menaces pour l'avenir. Au moment seulement où son regard passa exactement sous le mien, sans ralentir sa marche, il se voila légèrement. Ainsi, par une nuit claire, la lune emportée par le vent passe sous un nuage et voile un instant son éclat, puis reparaît bien vite. Mais déjà Elstir avait quitté les jeunes filles sans m'avoir appelé. Elles prirent une rue de traverse, il vint vers moi. Tout était manqué.

J'ai dit qu'Albertine ne m'était pas apparue, ce jour-là, la même que les précédents, et que, chaque fois, elle devait me sembler différente. Mais je sentis à ce moment que certaines modifications dans l'aspect, l'importance, la grandeur d'un être peuvent tenir aussi à la variabilité de certains états interposés entre cet être et nous. L'un de ceux qui jouent à cet égard le rôle le plus considérable est la croyance (ce soir-là, la croyance, puis l'évanouissement de la croyance, que j'allais connaître Albertine, l'avait, à quelques secondes d'intervalle, rendue presque insignifiante, puis infiniment précieuse, à mes yeux; quelques années plus tard, la croyance, puis la disparition de la croyance, qu'Albertine m'était fidèle, amena des changements analogues).

Certes, à Combray déjà j'avais vu diminuer ou grandir selon les heures, selon que j'entrais dans l'un ou l'autre des deux grands modes qui se partageaient ma sensibilité, le chagrin de n'être pas près de ma mère, aussi imperceptible, tout l'après-midi, que la lumière de la lune tant que brille le soleil et, la nuit venue, régnant seul dans mon âme anxieuse à la place de souvenirs effacés et récents. Mais, ce jour-là, en voyant qu'Elstir quittait les jeunes filles sans m'avoir appelé, j'appris que les variations de l'importance[1] qu'ont à nos yeux un plaisir ou un chagrin peuvent ne pas tenir seulement à cette alternance de deux états, mais au déplacement de croyances invisibles, lesquelles par exemple nous font paraître indifférente la mort parce qu'elles répandent sur celle-ci une lumière d'irréalité, et nous permettent ainsi d'attacher de l'importance à nous rendre à une soirée musicale qui perdrait de son charme si, à l'annonce que nous allons être guillotinés, la croyance qui baigne cette soirée se dissipait tout à coup; ce rôle des croyances, il est vrai que quelque chose en moi le savait, c'était la volonté, mais elle le sait en vain si l'intelligence, la sensibilité continuent à l'ignorer; celles-ci sont de bonne foi quand elles croient que nous avons envie de quitter une maîtresse à laquelle seule notre volonté sait que nous tenons. C'est qu'elles sont obscurcies par la croyance que nous la retrouverons dans un instant. Mais que cette croyance se dissipe, qu'elles apprennent tout d'un coup que cette maîtresse est partie pour toujours, alors l'intelligence et la sensibilité, ayant perdu leur mise au point, sont comme folles, le plaisir infime s'agrandit à l'infini.

Variation d'une croyance, néant de l'amour aussi, lequel, préexistant et mobile, s'arrête à l'image d'une femme simplement parce que cette femme sera presque impossible à atteindre. Dès lors on pense moins à la femme, qu'on se représente difficilement, qu'aux moyens de la connaître. Tout un processus d'angoisses se développe et suffit pour fixer notre amour sur elle, qui en est l'objet à peine connu de nous. L'amour devient immense, nous ne songeons pas combien la femme réelle y tient peu de place. Et si tout d'un coup, comme au moment où j'avais vu Elstir s'arrêter avec les jeunes filles, nous cessons d'être inquiets, d'avoir de l'angoisse, comme c'est elle qui est tout notre amour, il semble brusquement qu'il se soit évanoui au moment où nous tenons enfin la proie à la valeur de laquelle nous n'avons pas assez pensé. Que connaissais-je d'Albertine ? Un ou deux profils sur la mer, moins beaux assurément que ceux des femmes de Véronèse que j'aurais dû, si j'avais obéi à des raisons purement esthétiques, lui préférer. Or, est-ce à d'autres raisons que je pouvais obéir[1], puisque, l'anxiété tombée, je ne pouvais retrouver que ces profils muets, je ne possédais rien d'autre ? Depuis que j'avais vu Albertine, j'avais fait chaque jour à son sujet des milliers de réflexions, j'avais poursuivi, avec ce que j'appelais elle, tout un entretien intérieur où je la faisais questionner, répondre, penser, agir, et dans la série indéfinie d'Albertines imaginées qui se succédaient en moi heure par heure, l'Albertine réelle, aperçue sur la plage, ne figurait qu'en tête, comme la « créatrice » d'un rôle, l'étoile, ne paraît, dans une longue série de représentations, que dans les toutes premières. Cette Albertine-là n'était guère qu'une silhouette, tout ce qui s'y était superposé était de mon cru, tant dans l'amour les apports qui viennent de nous l'emportent — à ne se placer même qu'au point de vue de la[2] quantité — sur ceux qui nous viennent de l'être aimé. Et cela est vrai des amours les plus effectifs. Il en est qui peuvent non seulement se former mais subsister autour de bien peu de chose — et même parmi ceux qui ont reçu leur exaucement charnel. Un ancien professeur de dessin de ma grand'mère avait eu d'une maîtresse obscure une fille. La mère mourut peu de temps après la naissance de l'enfant et le professeur de dessin en eut un chagrin tel qu'il ne survécut pas longtemps. Dans les derniers mois de sa vie, ma grand'mère et quelques dames de Combray, qui n'avaient jamais voulu faire même allusion devant leur professeur à cette femme, avec lequelle d'ailleurs il n'avait pas officiellement vécu et n'avait eu que peu de relations, songèrent à assurer le sort de la petite fille en se cotisant pour lui faire une rente viagère. Ce fut ma grand'mère qui le proposa, certaines amies se firent tirer l'oreille : cette petite fille était-elle vraiment si intéressante, était-elle seulement la fille de celui qui s'en croyait le père? avec des femmes comme était la mère, on n'est jamais sûr. Enfin on se décida. La petite fille vint remercier. Elle était laide et d'une ressemblance avec le vieux maître de dessin qui ôta tous les doutes; comme ses cheveux étaient tout ce qu'elle avait de bien, une dame dit au père qui l'avait conduite : « Comme elle a de beaux cheveux! » Et pensant que maintenant, la femme coupable étant morte et le professeur à demi mort, une allusion à ce passé qu'on avait toujours feint d'ignorer n'avait plus de conséquence, ma grand'mère ajouta : « Ça doit être de famille. Est-ce que sa mère avait ces beaux cheveux-là? — Je ne sais pas, répondit naïvement le père. Je ne l'ai jamais vue qu'en chapeau. »

Il fallait rejoindre Elstir. Je m'aperçus dans une glace. En plus du désastre de ne pas avoir été présenté, je remarquai que ma cravate était tout de travers, mon chapeau laissait voir mes cheveux longs, ce qui m'allait mal; mais c'était une chance tout de même qu'elles m'eussent, même ainsi, rencontré avec Elstir et ne pussent pas m'oublier; c'en était une autre que j'eusse ce jour-là, sur le conseil de ma grand'mère, mis mon joli gilet qu'il s'en était fallu de si peu que j'eusse remplacé par un affreux, et pris ma plus belle canne; car un événement que nous désirons ne se produisant jamais comme nous avons pensé, à défaut des avantages sur lesquels nous croyions pouvoir compter, d'autres, que nous n'espérions pas, se sont présentés, le tout se compense; et nous redoutions tellement le pire que nous sommes finalement enclins à trouver que dans l'ensemble pris en bloc, le hasard nous a, somme toute, plutôt favorisés.

« J'aurais été si content de les connaître », dis-je à Elstir en arrivant près de lui. — Aussi pourquoi restez-vous à des lieues ? » Ce furent les paroles qu'il prononça, non qu'elles exprimassent sa pensée, puisque si son désir avait été d'exaucer le mien, m'appeler lui eût été bien facile, mais peut-être parce qu'il avait entendu des phrases de ce genre, familier[1] aux gens vulgaires pris en faute, et parce que même les grands hommes sont, en certaines choses, pareils aux gens vulgaires, prennent les excuses journalières dans le même répertoire qu'eux, comme le pain quotidien chez le même boulanger ; soit que de telles paroles, qui doivent en quelque sorte être lues à l'envers puisque leur lettre signifie le contraire de la vérité, soient l'effet nécessaire, le graphique négatif d'un réflexe. « Elles étaient pressées. » Je pensai que surtout elles l'avaient empêché d'appeler quelqu'un qui leur était peu sympathique ; sans cela il n'y eût pas manqué, après toutes les questions que je lui avais posées sur elles, et l'intérêt qu'il avait bien vu que je leur portais.

— Je vous parlais de Carquethuit, me dit-il, avant que je l'eusse quitté à sa porte. J'ai fait une petite esquisse où on voit bien mieux la cernure de la plage. Le tableau n'est pas trop mal, mais c'est autre chose. Si vous le permettez, en souvenir de notre amitié, je vous donnerai mon esquisse, ajouta-t-il, car les gens qui vous refusent les choses qu'on désire vous en donnent d'autres.

— J'aurais beaucoup aimé, si vous en possédiez, avoir une photographie du petit portrait de Miss Sacripant. Mais qu'est-ce que c'est que ce nom ? — C'est celui d'un personnage que tint le modèle dans une stupide petite opérette. — Mais vous savez que je ne la connais nullement, Monsieur, vous avez l'air de croire le contraire. » Elstir se tut. « Ce n'est pourtant pas Mme Swann avant son mariage », dis-je par une de ces brusques rencontres fortuites de la vérité, qui sont somme toute assez rares, mais qui suffisent après coup à donner un certain fondement à la théorie des pressentiments si on prend soin d'oublier toutes les erreurs qui l'infirmeraient. Elstir ne me répondit pas. C'était bien un portrait d'Odette de Crécy. Elle n'avait pas voulu le garder pour beaucoup de raisons, dont quelques-unes sont trop évidentes. Il y en avait d'autres. Le portrait était antérieur au moment où Odette, disciplinant ses traits, avait fait de son visage et de sa taille cette création dont, à travers les années, ses coiffeurs, ses couturiers, elle-même — dans sa façon de se tenir, de parler, de sourire, de poser ses mains, ses regards, de penser — devaient respecter les grandes lignes. Il fallait la dépravation d'un amant rassasié pour que Swann préférât aux nombreuses photographies de l'Odette *ne varietur* qu'était sa ravissante femme, la petite photographie qu'il avait dans sa chambre et où, sous un chapeau de paille orné de pensées, on voyait une maigre jeune femme assez laide, aux cheveux bouffants, aux traits tirés.

Mais d'ailleurs le portrait eût-il été, non pas antérieur, comme la photographie préférée de Swann, à la systématisation des traits d'Odette en un type nouveau, majestueux et charmant, mais postérieur, qu'il eût suffi de la vision d'Elstir pour désorganiser ce type. Le génie artistique agit à la façon de ces températures extrêmement élevées qui ont le pouvoir de dissocier les combinaisons d'atomes et de grouper ceux-ci suivant un ordre absolument contraire, répondant à un autre type. Toute cette harmonie factice que la femme a imposée à ses traits et dont chaque jour avant de sortir elle surveille la persistance dans sa glace, chargeant[1] l'inclinaison du chapeau, le lissage des cheveux, l'enjouement du regard, d'en assurer la continuité, cette harmonie, le coup d'œil du grand peintre la détruit en une seconde, et à sa place il fait un regroupement des traits de la femme, de manière à donner satisfaction à un certain idéal féminin et pictural qu'il porte en lui. De même, il arrive souvent qu'à partir d'un certain âge, l'œil d'un grand chercheur trouve partout les éléments nécessaires à établir les rapports qui seuls l'intéressent. Comme ces ouvriers et ces joueurs qui ne font pas d'embarras et se contentent de ce qui leur tombe sous la main, ils pourraient dire de n'importe quoi : cela fera l'affaire. Ainsi une cousine de la princesse de Luxembourg, beauté des plus altières, s'étant éprise autrefois d'un art qui était nouveau à cette époque, avait demandé au plus grand des peintres naturalistes de faire son portrait. Aussitôt l'œil de l'artiste avait trouvé ce qu'il cherchait partout. Et sur la toile il y avait, à la place de la grande dame, un trottin, et derrière lui un vaste décor incliné et violet qui faisait penser à la place Pigalle. Mais même sans aller jusque-là, non seulement le portrait d'une femme par un grand artiste ne cherchera aucunement à donner satisfaction à quelques-unes des exigences de la femme — comme celles qui, par exemple, quand elle commence à vieillir, la font se faire photographier dans des tenues presque de fillette qui font valoir sa taille restée jeune et la font paraître comme la sœur ou même la fille de sa fille, celle-ci au besoin « fagotée » pour la circonstance, à côté d'elle —; il[1] mettra au contraire en relief les désavantages qu'elle cherche à cacher et qui, comme un teint fiévreux, voire verdâtre, le tentent d'autant plus parce qu'ils ont du « caractère »; mais ils suffisent à désenchanter le spectateur vulgaire et réduisent pour lui en miettes l'idéal dont la femme soutenait si fièrement l'armature et qui la plaçait, dans sa forme unique, irréductible, si en dehors, si au-dessus du reste de l'humanité. Maintenant déchue, située hors de son propre type où elle trônait invulnérable, elle n'est plus qu'une femme quelconque, en la supériorité de qui nous avons perdu toute foi. Ce type, nous faisions tellement consister en lui, non seulement la beauté d'une Odette, mais sa personnalité, son identité, que devant le portrait qui l'a dépouillée de lui, nous sommes tentés de nous écrier non pas seulement : « Comme c'est enlaidi! », mais : « Comme c'est peu ressemblant! » Nous avons peine à croire que ce soit elle. Nous ne la reconnaissons pas. Et pourtant il y a là un être que nous sentons bien que nous avons déjà vu. Mais cet être-là, ce n'est pas Odette; le visage de cet être, son corps, son aspect, nous sont bien connus. Ils nous rappellent, non pas la femme, qui ne se tenait jamais ainsi, dont la pose habituelle ne dessine nullement une telle étrange et provocante arabesque, mais d'autres femmes, toutes celles qu'a peintes Elstir et que toujours, si différentes qu'elles puissent être, il a aimé à camper ainsi de face, le pied cambré dépassant de la jupe, le large chapeau rond tenu à la main, répondant symétriquement, à la hauteur du genou qu'il couvre, à cet autre disque vu de face, le visage. Et enfin non seulement un portrait génial disloque le type d'une femme tel que l'ont défini sa coquetterie et sa conception égoïste de la beauté, mais, s'il est ancien, il ne se contente pas de vieillir l'original de la même manière que la photographie, en le montrant dans des atours démodés. Dans le portrait, ce n'est pas seulement la manière que la femme avait de s'habiller qui date, c'est aussi la manière que l'artiste avait de peindre. Cette manière, la première manière d'Elstir, était l'extrait de naissance le plus accablant pour Odette, parce qu'il faisait d'elle non pas seulement, comme ses photographies d'alors, une cadette de cocottes connues, mais parce qu'il faisait de son portrait le contemporain d'un des nombreux portraits que Manet ou Whistler ont peints d'après tant de modèles disparus qui appartiennent déjà à l'oubli ou à l'histoire.

C'est dans ces pensées silencieusement ruminées à côté d'Elstir, tandis que je le conduisais chez lui, que m'entraînait la découverte que je venais de faire relativement à l'identité de son modèle, quand cette première découverte m'en fit faire une seconde, plus troublante encore pour moi, concernant l'identité de l'artiste. Il avait fait le portrait d'Odette de Crécy. Serait-il possible que cet homme de génie, ce sage, ce solitaire, ce philosophe à la conversation magnifique et qui dominait toutes choses, fût le peintre ridicule et pervers adopté jadis par les Verdurin ? Je lui demandai s'il les avait connus, si par hasard ils ne le surnommaient pas alors M. Biche. Il me répondit que si, sans embarras, comme s'il s'agissait d'une partie déjà un peu ancienne de son existence et s'il ne se doutait pas de la déception extraordinaire qu'il éveillait en moi, mais, levant les yeux, il la lut sur mon visage. Le sien eut une expression de mécontentement. Et comme nous étions déjà presque arrivés chez lui, un homme moins éminent par l'intelligence et par le cœur m'eût peut-être simplement dit au revoir un peu sèchement et après cela eût évité de me revoir. Mais ce ne fut pas ainsi qu'Elstir agit avec moi; en vrai maître — et c'était peut-être au point de vue de la création pure son seul défaut d'en être un, dans ce sens du mot maître, car un artiste pour être tout à fait dans la vérité de la vie spirituelle doit être seul, et ne pas prodiguer de son moi, même à des disciples —, de toute circonstance, qu'elle fût relative à lui ou à d'autres, il cherchait à extraire, pour le meilleur enseignement des jeunes gens, la part de vérité qu'elle contenait. Il préféra donc aux paroles qui auraient pu venger son amour-propre, celles qui pouvaient m'instruire. « Il n'y a pas d'homme si sage qu'il soit, me dit-il, qui n'ait à telle époque de sa jeunesse prononcé des paroles, ou même mené une vie, dont le souvenir lui soit[1] désagréable et qu'il souhaiterait être aboli. Mais il ne doit pas absolument le regretter, parce qu'il ne peut être assuré d'être devenu un sage, dans la mesure où cela est possible, que s'il a passé par toutes les incarnations ridicules ou odieuses qui doivent précéder cette dernière incarnation-là. Je sais qu'il y a des jeunes gens, fils et petits-fils d'hommes distingués, à qui leurs précepteurs ont enseigné la noblesse de l'esprit et l'élégance morale dès le collège. Ils n'ont peut-être rien à retrancher de leur vie, ils pourraient publier et signer tout ce qu'ils ont dit, mais ce sont de pauvres esprits, descendants sans force de doctrinaires, et de qui la sagesse est négative et stérile. On ne reçoit pas la sagesse, il faut la découvrir soi-même après un trajet que personne ne peut faire pour nous, ne peut nous épargner, car elle est un point de vue sur les choses. Les vies que vous admirez, les attitudes que vous trouvez nobles n'ont pas été disposées par le père de famille ou par le précepteur, elles ont été précédées de débuts bien différents, ayant été influencées par ce qui régnait autour d'elles de mal ou de banalité. Elles représentent un combat et une victoire. Je comprends que l'image de ce que nous avons été dans une période première ne soit plus reconnaissable et soit en tous cas déplaisante. Elle ne doit pas être reniée pourtant, car elle est un témoignage que nous avons vraiment vécu, que c'est selon les lois de la vie et de l'esprit que nous avons, des éléments communs de la vie, de la vie des ateliers, des coteries artistiques s'il s'agit d'un peintre, extrait quelque chose qui les dépasse. » Nous étions arrivés devant sa porte. J'étais déçu de ne pas avoir connu ces jeunes filles. Mais enfin maintenant il y aurait une possibilité de les retrouver dans la vie; elles avaient cessé de ne faire que passer à un horizon où j'avais pu croire que je ne les verrais plus jamais apparaître. Autour d'elles ne flottait plus comme ce grand remous qui nous séparait et qui n'était que la traduction du désir en perpétuelle activité, mobile, urgent, alimenté d'inquiétudes, qu'éveillaient en moi leur inaccessibilité, leur fuite peut-être pour toujours. Mon désir d'elles, je pouvais maintenant le mettre au repos, le garder en réserve, à côté de tant d'autres dont, une fois que je la savais possible, j'ajournais la réalisation. Je quittai Elstir, je me retrouvai seul. Alors tout d'un coup, malgré ma déception, je vis dans mon esprit tous ces hasards que[1] je n'eusse pas soupçonné pouvoir se produire, qu'Elstir fût justement lié avec ces jeunes filles, que celles qui le matin encore étaient pour moi des figures dans un tableau ayant pour fond la mer, m'eussent vu, m'eussent vu lié avec un grand peintre, lequel savait maintenant mon désir de les connaître et le seconderait sans doute. Tout cela avait causé pour moi du plaisir, mais ce plaisir m'était resté caché; il était de ces visiteurs qui attendent, pour nous faire savoir qu'ils sont là, que les autres nous aient quittés[2], que nous soyons seuls. Alors nous les apercevons, nous pouvons leur dire : je suis tout à vous, et les écouter. Quelquefois entre le moment où ces plaisirs sont entrés en nous et le moment où nous pouvons y rentrer nous-mêmes, il s'est écoulé tant d'heures, nous avons vu tant de gens dans l'intervalle que nous craignons qu'ils ne nous aient pas attendus. Mais ils sont patients, ils ne se lassent pas, et dès que tout le monde est parti, nous les trouvons en face de nous. Quelquefois c'est nous alors qui sommes si fatigués qu'il nous semble que nous n'aurons plus dans notre pensée défaillante assez de force pour retenir ces souvenirs, ces impressions pour qui notre moi fragile est le seul lieu habitable, l'unique mode de réalisation. Et nous le regretterions, car l'existence n'a guère d'intérêt que dans les journées où la poussière des réalités est mêlée de sable magique, où quelque vulgaire incident devient un ressort romanesque. Tout un promontoire du monde inaccessible surgit alors de l'éclairage du songe, et entre dans notre vie, dans notre vie où comme le dormeur éveillé nous voyons les personnes dont nous avions si ardemment rêvé que nous avions cru que nous ne les verrions jamais qu'en rêve.

L'apaisement apporté par la probabilité de connaître maintenant ces jeunes filles quand je le voudrais me fut d'autant plus précieux que je n'aurais pu continuer à les guetter les jours suivants, lesquels furent pris par les préparatifs du départ de Saint-Loup. Ma grand'mère était désireuse de témoigner à mon ami sa reconnaissance de tant de gentillesses qu'il avait eues pour elle et pour moi. Je lui dis qu'il était grand admirateur de Proudhon et je lui donnai l'idée de faire venir de nombreuses lettres autographes de ce philosophe qu'elle avait achetées; Saint-Loup vint les voir à l'hôtel, le jour où elles arrivèrent qui était la veille de son départ. Il les lut avidement, maniant chaque feuille avec respect, tâchant de retenir les phrases, puis s'étant levé, s'excusait déjà auprès de ma grand'mère d'être resté aussi longtemps, quand il l'entendit lui répondre :

— Mais non, emportez-les, c'est à vous, c'est pour vous les donner que je les ai fait venir.

Il fut pris d'une joie dont il ne fut pas[1] plus le maître que d'un état physique qui se produit sans intervention de la volonté, il devint écarlate comme un enfant qu'on vient de punir, et ma grand'mère fut beaucoup plus touchée de voir tous les efforts qu'il avait faits (sans y réussir) pour contenir la joie qui le secouait, que par tous les remerciements qu'il aurait pu proférer. Mais lui, craignant d'avoir mal témoigné sa reconnaissance, me priait encore de l'en excuser, le lendemain, penché à la fenêtre du petit chemin de fer d'intérêt local qu'il prit pour rejoindre sa garnison. Celle-ci était, en effet, très peu éloignée. Il avait pensé s'y rendre, comme il faisait souvent quand il devait revenir le soir et qu'il ne s'agissait pas d'un départ définitif, en voiture. Mais il eût fallu cette fois-ci qu'il mît ses nombreux bagages dans le train. Et il trouva plus simple d'y monter aussi lui-même, suivant en cela l'avis du directeur qui, consulté, répondit que, voiture ou petit chemin de fer, « ce serait à peu près équivoque ». Il entendait signifier par là que ce serait équivalent (en somme, à peu près ce que Françoise eût exprimé en disant que « cela reviendrait du pareil au même »). « Soit, avait conclu Saint-Loup, je prendrai le petit « tortillard ». Je l'aurais pris aussi si je n'avais été fatigué et aurais accompagné mon ami jusqu'à Doncières; je lui promis du moins, tout le temps que nous restâmes à la gare de Balbec — c'est-à-dire que le chauffeur du petit train passa à attendre des amis retardataires, sans lesquels il ne voulait pas s'en aller, et aussi à prendre quelques rafraîchissements —, d'aller le voir plusieurs fois par semaine. Comme Bloch était venu aussi à la gare — au grand ennui de Saint-Loup —, ce dernier voyant que notre camarade l'entendait me prier de venir déjeuner, dîner, habiter à Doncières, finit par lui dire d'un ton extrêmement froid, lequel était chargé de corriger l'amabilité forcée de l'invitation et d'empêcher Bloch de la prendre au sérieux : « Si jamais vous passez par Doncières une après-midi où je sois libre, vous pourrez me demander au quartier, mais libre, je ne le suis à peu près jamais. » Peut-être aussi Robert craignait-il que, seul, je ne vinsse pas et, pensant que j'étais plus lié avec Bloch que je ne le disais, me mettait-il ainsi en mesure d'avoir un compagnon de route, un entraîneur.

J'avais peur que ce ton, cette manière d'inviter quelqu'un en lui conseillant de ne pas venir, n'eût froissé Bloch, et je trouvais que Saint-Loup eût mieux fait de ne rien dire. Mais je m'étais trompé, car après le départ du train, tant que nous fîmes route ensemble jusqu'au croisement des deux avenues où il fallait nous séparer, l'une allant à l'hôtel, l'autre à la villa de Bloch, celui-ci ne cessa de me demander quel jour nous irions à Doncières, car après « toutes les amabilités que Saint-Loup lui avait faites », il eût été « trop grossier de sa part » de ne pas se rendre à son invitation. J'étais content qu'il n'eût pas remarqué, ou fût assez peu mécontent pour désirer feindre de ne pas avoir remarqué, sur quel ton moins que pressant, à peine poli, l'invitation avait été faite. J'aurais pourtant voulu pour Bloch qu'il s'évitât le ridicule d'aller tout de suite à Doncières. Mais je n'osais pas lui donner un conseil qui n'eût pu que lui déplaire en lui montrant que Saint-Loup avait été moins pressant que lui n'était empressé. Il l'était beaucoup trop, et bien que tous les défauts qu'il avait dans ce genre fussent compensés chez lui par de remarquables qualités que d'autres, plus réservés, n'auraient pas eues, il poussait l'indiscrétion à un point dont on était agacé. La semaine ne pouvait, à l'entendre, se passer sans que nous allions à Doncières (il disait « nous », car je crois qu'il comptait un peu sur ma présence pour excuser la sienne). Tout le long de la route, devant le gymnase perdu dans ses arbres, devant le terrain de tennis, devant la mairie, devant le marchand de coquillages, il m'arrêta, me suppliant de fixer un jour et, comme je ne le fis pas, me quitta fâché en me disant : « À ton aise, Messire. Moi en tous cas, je suis obligé d'y aller, puisqu'il m'a invité. »

Saint-Loup avait si peur d'avoir mal remercié ma grand'mère qu'il me chargeait encore de lui dire sa gratitude le surlendemain, dans une lettre que je reçus de lui de la ville où il était en garnison et qui semblait sur l'enveloppe où la poste en avait timbré le nom, accourir vite vers moi, me dire qu'entre ses murs, dans le quartier de cavalerie Louis XVI, il pensait à moi. Le papier était aux armes de Marsantes, dans lesquelles je distinguai[1] un lion que surmontait une couronne fermée[2] par un bonnet de pair de France.

« Après un trajet qui, me disait-il, s'est bien effectué, en lisant un livre acheté à la gare, qui est par Arvède Barine (c'est un auteur russe, je pense, cela m'a paru remarquablement écrit pour un étranger, mais donnez-moi votre appréciation, car vous devez connaître cela, vous, puits de science qui avez tout lu), me voici revenu au milieu de cette vie grossière, où hélas, je me sens bien exilé, n'y ayant pas ce que j'ai laissé à Balbec; cette vie où je ne retrouve aucun souvenir d'affection, aucun charme d'intellectualité; vie dont vous mépriseriez sans doute l'ambiance et qui n'est pourtant pas sans charme. Tout m'y semble avoir changé depuis que j'en étais parti, car dans l'intervalle, une des ères les plus importantes de ma vie, celle d'où notre amitié date, a commencé. J'espère qu'elle ne finira jamais. Je n'ai parlé d'elle, de vous, qu'à une seule personne, qu'à mon amie qui m'a fait la surprise de venir passer une heure auprès de moi. Elle aimerait beaucoup vous connaître et je crois que vous vous accorderiez, car elle est aussi extrêmement littéraire. En revanche, pour repenser à nos causeries, pour revivre ces heures que je n'oublierai jamais, je me suis isolé de mes camarades, excellents garçons, mais qui eussent été bien incapables de comprendre cela. Ce souvenir des instants passés avec vous, j'aurais presque mieux aimé, pour le premier jour, l'évoquer pour moi seul et sans vous écrire. Mais j'ai craint que vous, esprit subtil et cœur ultra-sensitif, ne vous mettiez martel en tête en ne recevant pas de lettre, si toutefois vous avez daigné abaisser votre pensée sur le rude cavalier que vous aurez fort à faire pour dégrossir et rendre un peu plus subtil et plus digne de vous. »

Au fond cette lettre ressemblait beaucoup par sa tendresse à celles que, quand je ne connaissais pas encore Saint-Loup, je m'étais imaginé qu'il m'écrirait, dans ces songeries d'où la froideur de son premier accueil m'avait tiré en me mettant en présence d'une réalité glaciale qui ne devait pas[1] être définitive. Une fois que je l'eus reçue, chaque fois qu'à l'heure du déjeuner on apportait le courrier, je reconnaissais tout de suite quand c'était de lui que venait une lettre, car elle avait toujours ce second visage qu'un être montre quand il est absent et dans les traits duquel (les caractères de l'écriture) il n'y a aucune raison pour que nous ne croyions pas saisir une âme individuelle aussi bien que dans la ligne du nez ou les inflexions de la voix.

Je restais maintenant volontiers à table pendant qu'on desservait et, si ce n'était pas un moment où les jeunes filles de la petite bande pouvaient passer, ce n'était plus uniquement du côté de la mer que je regardais. Depuis que j'en avais vu dans des aquarelles d'Elstir, je cherchais à retrouver dans la réalité, j'aimais comme quelque chose de poétique, le geste interrompu des couteaux encore de travers, la rondeur bombée d'une serviette défaite où le soleil intercale un morceau de velours jaune, le verre à demi vidé qui montre mieux ainsi le noble évasement de ses formes et, au fond de son vitrage translucide et pareil à une condensation du jour, un reste de vin sombre mais scintillant de lumières, le déplacement des volumes, la transmutation des liquides par l'éclairage, l'altération des prunes qui passent du vert au bleu et du bleu à l'or dans le compotier déjà à demi dépouillé, la promenade des chaises vieillottes qui deux fois par jour viennent s'installer autour de la nappe, dressée sur la table ainsi que sur un autel où sont célébrées les fêtes de la gourmandise, et sur laquelle au fond des huîtres quelques gouttes d'eau lustrale restent comme dans de petits bénitiers de pierre; j'essayais de trouver la beauté là où je ne m'étais jamais figuré qu'elle fût, pans les choses les plus usuelles, dans la vie profonde des « natures mortes ».

Quand, quelques jours après le départ de Saint-Loup, j'eus réussi à ce qu'Elstir donnât une petite matinée où je rencontrerais Albertine, le charme et l'élégance, tout momentanés, qu'on me trouva au moment où je sortais du Grand-Hôtel (et qui étaient dus à un repos prolongé, à des frais de toilette spéciaux), je regrettai de ne pas pouvoir les réserver (et aussi le crédit d'Elstir) pour la conquête de quelque autre personne plus intéressante, je regrettai de consommer tout cela pour le simple plaisir de faire la connaissance d'Albertine. Mon intelligence jugeait ce plaisir fort peu précieux, depuis qu'il était assuré. Mais en moi, la volonté ne partagea pas un instant cette illusion, la volonté qui est le serviteur persévérant et immuable de nos personnalités successives; cachée dans l'ombre, dédaignée, inlassablement fidèle, travaillant sans cesse, et sans se soucier des variations de notre moi, à ce qu'il ne manque jamais du nécessaire. Pendant qu'au moment où va se réaliser un voyage désiré, l'intelligence et la sensibilité commencent à se demander s'il vaut vraiment la peine d'être entrepris, la volonté qui sait que ces maîtres oisifs recommenceraient immédiatement à trouver merveilleux ce voyage si celui-ci ne pouvait avoir lieu, la volonté les laisse disserter devant la gare, multiplier les hésitations; mais elle s'occupe de prendre les billets et de nous mettre en wagon pour l'heure du départ. Elle est aussi invariable que l'intelligence et la sensibilité sont changeantes, mais, comme elle est silencieuse, ne donne pas ses raisons, elle semble presque inexistante; c'est sa ferme détermination que suivent les autres parties de notre moi, mais sans l'apercevoir, tandis qu'elles distinguent nettement leurs propres incertitudes. Ma sensibilité et mon intelligence instituèrent donc une discussion sur la valeur du plaisir qu'il y aurait à connaître Albertine, tandis que je regardais dans la glace de vains et fragiles agréments qu'elles eussent voulu garder intacts pour une autre occasion. Mais ma volonté ne laissa pas passer l'heure où il fallait partir, et ce fut l'adresse d'Elstir qu'elle donna au cocher. Mon intelligence et ma sensibilité eurent le loisir, puisque le sort en était jeté, de trouver que c'était dommage. Si ma volonté avait donné une autre adresse, elles eussent été bien attrapées.

Quand j'arrivai chez Elstir, un peu plus tard, je crus

d'abord que Mlle Simonet n'était pas dans l'atelier. Il y avait bien une jeune fille assise, en robe de soie, nu-tête, mais de laquelle je ne connaissais pas la magnifique chevelure, ni le nez, ni ce teint, et où je ne retrouvais pas l'entité que j'avais extraite d'une jeune cycliste se promenant, coiffée d'un polo, le long de la mer. C'était pourtant Albertine. Mais même quand je le sus, je ne m'occupai pas d'elle. En entrant dans toute réunion mondaine, quand on est jeune, on meurt à soi-même, on devient un homme différent, tout salon étant un nouvel univers où, subissant la loi d'une autre perspective morale, on darde son attention, comme si elles devaient nous importer à jamais, sur des personnes, des danses, des parties de cartes, que l'on aura oubliées le lendemain. Obligé de suivre, pour me diriger vers une causerie avec Albertine, un chemin nullement tracé par moi et qui s'arrêtait d'abord devant Elstir, passait par d'autres groupes d'invités à qui on me nommait, puis le long du buffet, où m'étaient offertes, et où je mangeais, des tartes aux fraises, cependant que j'écoutais, immobile, une musique qu'on commençait d'exécuter, je me trouvais donner à ces divers épisodes la même importance qu'à ma présentation à Mlle Simonet, présentation qui n'était plus que l'un d'entre eux et que j'avais entièrement oubliée avoir été, quelques minutes auparavant, le but unique de ma venue. D'ailleurs n'en est-il pas ainsi, dans la vie active, de nos vrais bonheurs, de nos grands malheurs ? Au milieu d'autres personnes, nous recevons de celle que nous aimons la réponse favorable ou mortelle que nous attendions depuis une année. Mais il faut continuer à causer, les idées s'ajoutent les unes aux autres, développant une surface sous laquelle c'est à peine si, de temps à autre, vient sourdement affleurer le souvenir, autrement profond mais fort étroit, que le malheur est venu pour nous. Si, au lieu du malheur, c'est le bonheur, il peut arriver que ce ne soit que plusieurs années après que nous nous rappelons que le plus grand événement de notre vie sentimentale s'est produit, sans que nous eussions le temps de lui accorder une longue attention, presque d'en prendre conscience, dans une réunion mondaine par exemple, et où nous ne nous étions rendus que dans l'attente de cet événement.

Au moment où Elstir me demanda de venir pour

qu'il me présentât à Albertine, assise un peu plus loin, je finis d'abord de manger un éclair au café et demandai avec intérêt à un vieux monsieur dont je venais de faire la connaissance et auquel je crus pouvoir offrir la rose qu'il admirait à ma boutonnière, de me donner des détails sur certaines foires normandes. Ce n'est pas à dire que la présentation qui suivit ne me causa aucun plaisir et n'offrit pas à mes yeux une certaine gravité. Pour le plaisir, je ne le connus naturellement qu'un peu plus tard, quand, rentré à l'hôtel, resté seul, je fus redevenu moi-même. Il en est des plaisirs comme des photographies. Ce qu'on prend en présence de l'être aimé n'est qu'un cliché négatif, on le développe plus tard, une fois chez soi, quand on a retrouvé à sa disposition cette chambre noire intérieure dont l'entrée est « condamnée » tant qu'on voit du monde.

Si la connaissance du plaisir fut ainsi retardée pour moi de quelques heures, en revanche la gravité de cette présentation, je la ressentis tout de suite. Au moment de la présentation, nous avons beau nous sentir tout à coup gratifiés et porteurs d'un « bon », valable pour des plaisirs futurs, après lequel nous courions depuis des semaines, nous comprenons bien que son obtention met fin pour nous, non pas seulement à de pénibles recherches — ce qui ne pourrait que nous remplir de joie —, mais aussi à l'existence d'un certain être, celui que notre imagination avait dénaturé, que notre crainte anxieuse de ne jamais pouvoir être connus de lui avait grandi. Au moment où notre nom résonne dans la bouche du présentateur, surtout si celui-ci l'entoure comme fit Elstir de commentaires élogieux — ce moment sacramentel, analogue à celui où, dans une féerie, le génie ordonne à une personne d'en être soudain une autre —, celle que nous avons désiré d'approcher s'évanouit : d'abord, comment resterait-elle pareille à elle-même, puisque — de par l'attention que l'inconnue est obligée de prêter à notre nom et de marquer à notre personne — dans les yeux hier situés à l'infini (et que nous croyions que les nôtres, errants, mal réglés, désespérés, divergents, ne parviendraient jamais à rencontrer) le regard conscient, la pensée inconnaissable que nous cherchions, viennent[1] d'être miraculeusement et tout simplement remplacés par notre propre image peinte comme au fond d'un miroir qui sourirait ? Si l'incarnation de nous-même en ce qui nous en semblait le plus différent, est ce qui modifie le plus la personne à qui on vient de nous présenter, la forme de cette personne reste encore assez vague; et nous pouvons nous demander si elle sera dieu, table ou cuvette. Mais, aussi agiles que ces ciroplastes qui font un buste devant nous en cinq minutes, les quelques mots que l'inconnue va nous dire préciseront cette forme et lui donneront quelque chose de définitif qui exclura toutes les hypothèses auxquelles se livraient la veille notre désir et notre imagination. Sans doute, même avant de venir à cette matinée, Albertine n'était plus tout à fait pour moi ce seul fantôme digne de hanter notre vie que reste une passante dont nous ne savons rien, que nous avons à peine discernée. Sa parenté avec Mme Bontemps avait déjà restreint ces hypothèses merveilleuses, en aveuglant une des voies par lesquelles elles pouvaient se répandre. Au fur et à mesure que je me rapprochais de la jeune fille et la connaissais davantage, cette connaissance se faisait par soustraction, chaque partie d'imagination et de désir étant remplacée par une notion qui valait infiniment moins, notion à laquelle il est vrai que venait s'ajouter une sorte d'équivalent, dans le domaine de la vie, de ce que les Sociétés financières donnent après le remboursement de l'action primitive, et qu'elles appellent action de jouissance. Son nom, ses parentés avaient été une première limite apportée à mes suppositions. Son amabilité, tandis que tout près d'elle je retrouvais son petit grain de beauté sur la joue au-dessous de l'œil, fut une autre borne; enfin, je fus étonné de l'entendre se servir de l'adverbe « parfaitement » au lieu de « tout à fait », en parlant de deux personnes, disant de l'une « elle est parfaitement folle, mais très gentille tout de même » et de l'autre « c'est un monsieur parfaitement commun et parfaitement ennuyeux ». Si peu plaisant que soit cet emploi de « parfaitement », il indique un degré de civilisation et de culture auquel je n'aurais pu imaginer qu'atteignait la bacchante à bicyclette, la muse orgiaque du golf. Il n'empêche d'ailleurs qu'après cette première métamorphose, Albertine devait changer encore bien des fois pour moi. Les qualités et les défauts qu'un être présente disposés au premier plan de son visage se rangent selon une formation tout autre si nous l'abordons par un côté différent, comme dans une ville les monuments répandus en ordre dispersé sur une seule ligne, d'un autre point de vue s'échelonnent en profondeur[1] et échangent leurs grandeurs relatives. Pour commencer je trouvai Albertine l'air assez intimidée à la place d'implacable; elle me sembla plus comme il faut que mal élevée, à en juger par les épithètes de « elle a un mauvais genre, elle a un drôle de genre » qu'elle appliqua à toutes les jeunes filles dont je lui parlai; elle avait enfin comme point de mire du visage une tempe assez enflammée et peu agréable à voir, et non plus le regard singulier auquel j'avais toujours repensé jusque-là. Mais ce n'était qu'une seconde vue et il y en avait d'autres sans doute par lesquelles je devrais successivement passer. Ainsi ce n'est qu'après voir reconnu, non sans tâtonnements, les erreurs d'optique du début qu'on pourrait arriver à la connaissance exacte d'un être si cette connaissance était possible. Mais elle ne l'est pas; car tandis que se rectifie la vision que nous avons de lui, lui-même, qui n'est pas un objectif inerte, change pour son compte, nous pensons le rattraper, il se déplace, et, croyant le voir enfin plus clairement, ce n'est que les images anciennes que nous en avions prises que nous avons réussi à éclaircir, mais qui ne le représentent plus.

Pourtant, quelques déceptions inévitables qu'elle doive apporter, cette démarche vers ce qu'on n'a qu'entrevu, ce qu'on a eu le loisir d'imaginer[2], cette démarche est la seule qui soit saine pour les sens, qui y entretienne l'appétit[3]. De quel morne ennui est empreinte la vie des gens qui, par paresse ou timidité, se rendent directement en voiture chez des amis qu'ils ont connus sans avoir d'abord rêvé d'eux[4], sans jamais oser sur le parcours s'arrêter auprès de ce qu'ils désirent!

Je rentrai en pensant à cette matinée, en revoyant l'éclair au café que j'avais fini de manger avant de me laisser conduire par Elstir auprès d'Albertine, la rose que j'avais donnée au vieux monsieur, tous ces détails choisis à notre insu par les circonstances et qui composent pour nous, en un arrangement spécial et fortuit, le tableau d'une première rencontre. Mais ce tableau, j'eus l'impression de le voir d'un autre point de vue, de très loin de moi-même, comprenant qu'il n'avait pas existé que pour moi, quand quelques mois plus tard, à mon grand étonnement, comme je parlais à Albertine du premier jour où je l'avais connue, elle me rappela l'éclair, la fleur que j'avais donnée, tout ce que je croyais, je ne peux pas dire n'être important que pour moi, mais n'avoir été aperçu que de moi et que je retrouvais ainsi, transcrit[1] en une version dont je ne soupçonnais pas[2] l'existence, dans la pensée d'Albertine. Dès ce premier jour, quand en rentrant je pus voir le souvenir que je rapportais, je compris quel tour de muscade avait été parfaitement exécuté et comment j'avais causé un moment avec une personne qui, grâce à l'habileté du prestidigitateur, sans avoir rien de celle que j'avais suivie si longtemps au bord de la mer, lui[3] avait été substituée. J'aurais du reste pu le deviner d'avance, puisque la jeune fille de la plage avait été fabriquée par moi. Malgré cela, comme je l'avais, dans mes conversations avec Elstir, identifiée à Albertine, je me sentais envers celle-ci l'obligation morale de tenir les promesses d'amour faites à l'Albertine imaginaire. On se fiance par procuration, et on se croit obligé d'épouser ensuite la personne interposée. D'ailleurs, si avait disparu, provisoirement du moins, de ma vie une angoisse qu'avait[4] suffi à apaiser le souvenir des manières comme il faut, de cette expression « parfaitement commun[5] » et de la tempe enflammée, ce souvenir éveillait en moi un autre genre de désir qui, bien que doux et nullement douloureux, semblable à un sentiment fraternel, pouvait à la longue devenir aussi dangereux en me faisant ressentir à tout moment le besoin d'embrasser cette personne nouvelle dont les bonnes façons et la timidité, la disponibilité inattendue, arrêtaient la course inutile de mon imagination, mais donnaient naissance à une gratitude attendrie. Et puis comme la mémoire commence tout de suite à prendre des clichés indépendants les uns des autres, supprime tout lien, tout progrès, entre les scènes qui y sont figurées, dans la collection de ceux qu'elle expose, le dernier ne détruit pas forcément les précédents. En face de la médiocre et touchante Albertine à qui j'avais parlé, je voyais la mystérieuse Albertine en face de la mer. C'était maintenant des souvenirs, c'est-à-dire des tableaux dont l'un ne me semblait pas plus vrai que l'autre. Pour en finir avec ce premier soir de présentation, en cherchant à revoir ce petit grain de beauté sur la joue au-dessous de l'œil, je me rappelai que de chez Elstir, quand Albertine était partie, j'avais vu ce grain de beauté sur le menton. En somme, quand je la voyais, je remarquais qu'elle avait un grain de beauté, mais ma mémoire errante le promenait ensuite sur la figure d'Albertine et le plaçait tantôt ici tantôt là.

J'avais beau être assez désappointé d'avoir trouvé en Mlle Simonet une jeune fille trop peu différente de tout ce que je connaissais, de même que ma déception devant l'église de Balbec ne m'empêchait pas de désirer aller à Quimperlé, à Pont-Aven et à Venise, je me disais que, par Albertine du moins, si elle-même n'était pas ce que j'avais espéré, je pourrais connaître ses amies de la petite bande.

Je crus d'abord que j'y échouerais. Comme elle devait rester fort longtemps encore à Balbec et moi aussi, j'avais trouvé que le mieux était de ne pas trop chercher à la voir et d'attendre une occasion qui me fît la rencontrer. Mais cela arrivât-il tous les jours, il était fort à craindre qu'elle se contentât de répondre de loin à mon salut, lequel dans ce cas, répété quotidiennement pendant toute la saison, ne m'avancerait à rien.

Peu de temps après, un matin où il avait plu et où il faisait presque froid, je fus abordé sur la digue par une jeune fille portant un toquet et un manchon, si différente de celle que j'avais vue à la réunion d'Elstir que reconnaître en elle la même personne semblait pour l'esprit une opération impossible; le mien y réussit cependant, mais après une seconde de surprise qui, je crois, n'échappa pas à Albertine. D'autre part, me souvenant à ce moment-là des « bonnes façons » qui m'avaient frappé, elle me fit éprouver l'étonnement inverse par son ton rude et ses manières « petite bande ». Au reste la tempe avait cessé d'être le centre optique et rassurant du visage, soit que je fusse placé de l'autre côté, soit que le toquet la recouvrît, soit que son inflammation ne fût pas constante. « Quel temps! me dit-elle, au fond l'été sans fin de Balbec est une vaste blague. Vous ne faites rien ici? On ne vous voit jamais au golf, aux bals du Casino; vous ne montez pas à cheval non plus. Comme vous devez vous raser! Vous ne trouvez pas qu'on se bêtifie à rester tout le temps sur la plage? Ah! vous aimez à faire le lézard? Vous avez du temps de reste. Je vois que vous n'êtes pas comme moi, j'adore tous les sports! Vous n'étiez pas aux courses de la Sogne? Nous y sommes allés par le tram, et je comprends que ça ne vous amuse pas de prendre un tacot pareil! nous avons mis deux heures! J'aurais fait trois fois l'aller et retour avec ma bécane.» Moi qui avais admiré Saint-Loup quand il avait appelé tout naturellement le petit chemin de fer d'intérêt local le « tortillard » à cause des innombrables détours qu'il faisait, j'étais intimidé par la facilité avec laquelle Albertine disait le « tram », le « tacot ». Je sentais sa maîtrise dans un mode de désignations où j'avais peur qu'elle ne constatât et ne méprisât mon infériorité. Encore la richesse de synonymes que possédait la petite bande pour désigner ce chemin de fer ne m'était-elle pas encore révélée. En parlant, Albertine gardait la tête immobile, les narines serrées, ne faisait remuer que le bout des lèvres. Il en résultait ainsi un son traînard et nasal dans la composition duquel entraient peut-être des hérédités provinciales, une affectation juvénile de flegme britannique, les leçons d'une institutrice étrangère et une hypertrophie congestive de la muqueuse du nez. Cette émission, qui cédait bien vite du reste quand elle connaissait plus les gens et redevenait naturellement enfantine, aurait pu passer pour désagréable. Mais elle était particulière et m'enchantait. Chaque fois que j'étais quelques jours sans la rencontrer, je m'exaltais en me répétant : « On ne vous voit jamais au golf », avec le ton nasal sur lequel elle l'avait dit, toute droite, sans bouger la tête. Et je pensais alors qu'il n'existait pas de personne plus désirable.

Nous formions, ce matin-là, un de ces couples qui piquent çà et là la digue de leur conjonction, de leur arrêt, juste le temps d'échanger quelques paroles avant de se désunir pour reprendre séparément chacun sa promenade divergente. Je profitai de cette immobilité pour regarder et savoir définitivement où était situé le grain de beauté. Or, comme une phrase de Vinteuil qui m'avait enchanté dans la Sonate et que ma mémoire faisait errer de l'andante au finale jusqu'au jour où, ayant la partition en main, je pus la trouver et l'immobiliser dans mon souvenir à sa place, dans le scherzo, de même le grain de beauté que je m'étais rappelé tantôt sur la joue, tantôt sur le menton, s'arrêta à jamais sur la lèvre supérieure au-dessous du nez. C'est ainsi encore que nous rencontrons avec étonnement des vers que nous savons par cœur, dans une pièce où nous ne soupçonnions pas qu'ils se trouvassent.

À ce moment, comme pour que devant la mer se multipliât en liberté, dans la variété de ses formes, tout le riche ensemble décoratif qu'était le beau déroulement des vierges, à la fois dorées et roses, cuites par le soleil et par le vent, les amies d'Albertine, aux belles jambes, à la taille souple, mais si différentes les unes des autres, montrèrent leur groupe qui se développa, s'avançant dans notre direction, plus près de la mer, sur une ligne parallèle. Je demandai à Albertine la permission de l'accompagner pendant quelques instants. Malheureusement elle se contenta de leur faire bonjour de la main. « Mais vos amies vont se plaindre si vous les laissez », lui dis-je, espérant que nous nous promènerions ensemble.

Un jeune homme aux traits réguliers, qui tenait à la main des raquettes, s'approcha de nous. C'était le joueur de baccara dont les folies indignaient tant la femme du premier président. D'un air froid, impassible, en lequel il se figurait évidemment que consistait la distinction suprême, il dit bonjour à Albertine. « Vous venez du golf, Octave ? lui demanda-t-elle. Ça a-t-il bien marché ? étiez-vous en forme ? — Oh ! ça me dégoûte, je suis dans les choux, répondit-il. — Est-ce qu'Andrée y était ? — Oui, elle a fait soixante-dix-sept. — Oh ! mais c'est un record. — J'avais fait quatre-vingt-deux hier. » Il était le fils d'un très riche industriel qui devait jouer un rôle assez important dans l'organisation de la prochaine Exposition Universelle. Je fus frappé à quel point, chez ce jeune homme et les autres très rares amis masculins de ces jeunes filles, la connaissance de tout ce qui était vêtements, manière de les porter, cigares, boissons anglaises, chevaux, — et qu'il possédait jusque dans ses moindres détails avec une infaillibilité orgueilleuse qui atteignait à la silencieuse modestie du savant

— s'était développée isolément sans être accompagnée de la moindre culture intellectuelle. Il n'avait aucune hésitation sur l'opportunité du smoking ou du pyjama, mais ne se doutait pas du cas où on peut ou non employer tel mot, même des règles les plus simples du français. Cette disparité entre les deux cultures devait être la même chez son père, président du Syndicat des propriétaires de Balbec, car dans une lettre ouverte aux électeurs, qu'il venait de faire afficher sur tous les murs, il disait : « J'ai voulu voir le maire pour lui en causer, il n'a pas voulu écouter mes justes griefs. » Octave obtenait, au Casino, des prix dans tous les concours de boston, de tango, etc., ce qui lui ferait faire s'il le voulait un joli mariage dans ce milieu des « bains de mer » où ce n'est pas au figuré mais au propre que les jeunes filles épousent leur « danseur ». Il alluma un cigare en disant à Albertine : « Vous permettez », comme on demande l'autorisation de terminer tout en causant un travail pressé. Car il ne pouvait jamais « rester sans rien faire », quoiqu'il ne fît d'ailleurs jamais rien. Et comme l'inactivité complète finit par avoir les mêmes effets que le travail exagéré, aussi bien dans le domaine moral que dans la vie du corps et des muscles, la constante nullité intellectuelle qui habitait sous le front songeur d'Octave avait fini par lui donner, malgré son air calme, d'inefficaces démangeaisons de penser qui la nuit l'empêchaient de dormir, comme il aurait pu arriver à un métaphysicien surmené.

Pensant que si je connaissais leurs amis j'aurais plus d'occasions de voir ces jeunes filles, j'avais été sur le point de demander à lui[1] être présenté. Je le dis à Albertine, dès qu'il fut parti en répétant : « Je suis dans les choux. » Je pensais lui inculquer ainsi l'idée de le faire la prochaine fois. « Mais voyons, s'écria-t-elle, je ne peux pas vous présenter à un gigolo! Ici ça pullule de gigolos. Mais ils ne pourraient pas causer avec vous. Celui-ci joue très bien au golf, un point c'est tout. Je m'y connais, il ne serait pas du tout votre genre. — Vos amies vont se plaindre si vous les laissez ainsi, lui dis-je, espérant qu'elle allait me proposer d'aller avec elle les rejoindre. — Mais non, elles n'ont aucun besoin de moi. » Nous croisâmes Bloch qui m'adressa un sourire fin et insinuant, et, embarrassé au sujet d'Albertine qu'il ne connaissait pas ou du moins connaissait « sans la connaître », abaissa sa tête vers son col d'un mouvement raide et rébarbatif. « Comment s'appelle-t-il, cet ostrogoth-là ? me demanda Albertine. Je ne sais pas pourquoi il me salue puisqu'il ne me connaît pas. Aussi je ne lui ai pas rendu son salut. » Je n'eus pas le temps de répondre à Albertine, car marchant droit sur nous : « Excuse-moi, dit-il, de t'interrompre, mais je voulais t'avertir que je vais demain à Doncières. Je ne peux plus attendre sans impolitesse, et je me demande ce que de Saint-Loup-en-Bray doit penser de moi. Je te préviens que je prends le train de deux heures. A la disposition. » Mais je ne pensais plus qu'à revoir Albertine et à tâcher de connaître ses amies, et Doncières, comme elles n'y allaient pas et me ferait rentrer[1] après l'heure où elles allaient sur la plage, me paraissait au bout du monde. Je dis à Bloch que cela m'était impossible. « Hé bien, j'irai seul. Selon les deux ridicules alexandrins du sieur Arouet[2], je dirai à Saint-Loup, pour charmer son cléricalisme :

> Apprends que mon devoir ne dépend pas du sien;
> Qu'il y manque, s'il veut; je dois faire le mien.

— Je reconnais qu'il est assez joli garçon, me dit Albertine, mais ce qu'il me dégoûte! »

Je n'avais jamais songé que Bloch pût être joli garçon; il l'était, en effet. Avec une tête un peu proéminente, un nez très busqué, un air d'extrême finesse et d'être persuadé de sa finesse, il avait un agréable visage. Mais il ne pouvait pas plaire à Albertine. C'était peut-être du reste à cause des mauvais côtés de celle-ci, de la dureté, de l'insensibilité de la petite bande, de sa grossièreté avec tout ce qui n'était pas elle. D'ailleurs plus tard, quand je les présentai, l'antipathie d'Albertine ne diminua pas. Bloch appartenait à un milieu où, entre la blague exercée contre le monde et pourtant le respect suffisant des bonnes manières que doit avoir un homme qui a « les mains propres », on a fait une sorte de compromis spécial qui diffère des manières du monde et est malgré tout une sorte, particulièrement odieuse, de mondanité. Quand on le présentait, il s'inclinait à la fois avec un sourire de scepticisme et un respect exagéré, et si c'était à un homme, disait : « Enchanté, Monsieur », d'une voix qui se moquait des mots qu'elle prononçait, mais avait conscience d'appartenir à quelqu'un qui n'était pas un mufle. Cette première seconde donnée à une coutume qu'il suivait et raillait à la fois (comme il disait le premier janvier : « Je vous la souhaite bonne et heureuse »), il prenait un air fin et rusé et « proférait des choses subtiles » qui étaient souvent pleines de vérité, mais « tapaient sur les nerfs » d'Albertine. Quand je lui dis, ce premier jour, qu'il s'appelait Bloch, elle s'écria : « Je l'aurais parié que c'était un youpin. C'est bien leur genre de faire les punaises. » Du reste, Bloch devait dans la suite irriter Albertine d'autre façon. Comme beaucoup d'intellectuels, il ne pouvait pas dire simplement les choses simples. Il trouvait pour chacune d'elles un qualificatif précieux, puis généralisait. Cela ennuyait Albertine, laquelle n'aimait pas beaucoup qu'on s'occupât de ce qu'elle faisait, que, quand elle s'était foulé le pied et restait tranquille, Bloch dît : « Elle est sur sa chaise longue, mais par ubiquité ne cesse pas de fréquenter simultanément de vagues golfs et de quelconques tennis. » Ce n'était que de la « littérature », mais qui, à cause des difficultés qu'Albertine sentait que cela pouvait lui créer avec des gens chez qui elle avait refusé une invitation en disant qu'elle ne pouvait pas remuer, eût suffi pour lui faire prendre en grippe la figure, le son de voix, du garçon qui disait ces choses.

Nous nous quittâmes, Albertine et moi, en nous promettant de sortir une fois ensemble. J'avais causé avec elle sans plus savoir où tombaient mes paroles, ce qu'elles devenaient, que si j'eusse jeté des cailloux dans un abîme sans fond. Qu'elles soient remplies en général par la personne à qui nous les adressons d'un sens qu'elle tire de sa propre substance et qui est très différent de celui que nous avions mis dans ces mêmes paroles, c'est un fait que la vie courante nous révèle perpétuellement. Mais si, de plus, nous nous trouvons auprès d'une personne dont l'éducation (comme pour moi celle d'Albertine) nous est inconcevable, inconnus les penchants, les lectures, les principes, nous ne savons pas si nos paroles éveillent en elle quelque chose qui y ressemble plus que chez un animal à qui pourtant on aurait à faire comprendre certaines choses. De sorte qu'essayer de me lier avec Albertine m'apparaissait comme une mise en contact avec l'inconnu sinon avec l'impossible, comme un exercice aussi malaisé que dresser un cheval, aussi passionnant qu'élever des abeilles ou que cultiver des rosiers[1].

J'avais cru, il y avait quelques heures, qu'Albertine ne répondrait à mon salut que de loin. Nous venions de nous quitter en faisant le projet d'une excursion ensemble. Je me promis, quand[2] je rencontrerais Albertine, d'être plus hardi avec elle, et je m'étais tracé d'avance le plan de tout ce que je lui dirais et même (maintenant que j'avais tout à fait l'impression qu'elle devait être légère) de tous les plaisirs que je lui demanderais. Mais l'esprit est influençable comme la plante, comme la cellule, comme les éléments chimiques, et le milieu qui le modifie si on l'y plonge, ce sont des circonstances, un cadre nouveau. Devenu différent par le fait de sa présence même, quand je me trouvai de nouveau avec Albertine, je lui dis tout autre chose que ce que j'avais projeté. Puis, me souvenant de la tempe enflammée, je me demandais si Albertine n'apprécierait[3] pas davantage une gentillesse qu'elle saurait être désintéressée. Enfin j'étais embarrassé devant certains de ses regards, de ses sourires. Ils pouvaient signifier mœurs faciles, mais aussi gaîté un peu bête d'une jeune fille sémillante mais ayant un fond d'honnêteté. Une même expression, de figure comme de langage, pouvant[4] comporter diverses acceptions, j'étais hésitant comme un élève devant les difficultés d'une version grecque.

Cette fois-là nous rencontrâmes presque tout de suite la grande, Andrée, celle qui avait sauté par-dessus le premier président; Albertine dut me présenter. Son amie avait des yeux extraordinairement clairs, comme est dans un appartement à l'ombre l'entrée, par la porte ouverte, d'une chambre où donnent le soleil et le reflet verdâtre de la mer illuminée.

Cinq messieurs passèrent que je connaissais très bien de vue depuis que j'étais à Balbec. Je m'étais souvent demandé qui ils étaient. « Ce ne sont pas des gens très chics, me dit Albertine en ricanant d'un air de mépris. Le petit vieux, teint, qui a des gants jaunes, il en a une touche, hein, il dégotte bien, c'est le dentiste de Balbec, c'est un brave type; le gros, c'est le maire, pas le tout petit gros, celui-là vous devez l'avoir vu, c'est le professeur de danse, il est assez moche aussi, il ne peut pas nous souffrir parce que nous faisons trop de bruit au Casino, que nous démolissons ses chaises, que nous voulons danser sans tapis, aussi il ne nous a jamais donné le prix, quoiqu'il n'y a que nous qui sachions danser. Le dentiste est un brave homme, je lui aurais fait bonjour pour faire rager le maître de danse, mais je ne pouvais pas parce qu'il y a avec eux M. de Sainte-Croix, le conseiller général, un homme d'une très bonne famille qui s'est mis du côté des républicains, pour de l'argent; aucune personne propre ne le salue plus. Il connaît mon oncle, à cause du gouvernement, mais le reste de ma famille lui a tourné le dos. Le maigre avec un imperméable, c'est le chef d'orchestre. Comment, vous ne le connaissez pas! Il joue divinement. Vous n'avez pas été entendre *Cavalleria Rusticana ?* Ah! je trouve ça idéal! Il donne un concert ce soir, mais nous ne pouvons pas y aller parce que ça a lieu dans la salle de la Mairie. Au Casino, ça ne fait rien, mais dans la salle de la Mairie d'où on a enlevé le Christ, la mère d'Andrée tomberait en apoplexie si nous y allions. Vous me direz que le mari de ma tante est dans le gouvernement. Mais qu'est-ce que vous voulez? Ma tante est ma tante. Ce n'est pas pour cela que je l'aime[1]! Elle n'a jamais eu qu'un désir, se débarrasser de moi. La personne qui m'a vraiment servi de mère, et qui a eu double mérite puisqu'elle ne m'est rien, c'est une amie que j'aime du reste comme une mère. Je vous montrerai sa photo. » Nous fûmes abordés un instant par le champion de golf et joueur de baccara, Octave. Je pensai avoir découvert un lien entre nous, car j'appris dans la conversation qu'il était un peu parent, et de plus assez aimé, des Verdurin. Mais il parla avec dédain des fameux mercredis, et ajouta que M. Verdurin ignorait l'usage du smoking, ce qui rendait assez gênant de le rencontrer dans certains « music-halls » où on aurait autant aimé ne pas s'entendre crier : « Bonjour, galopin » par un monsieur en veston et en cravate noire de notaire de village. Puis Octave nous quitta, et bientôt après ce fut le tour d'Andrée, arrivée devant son chalet où elle entra sans que de toute la promenade elle m'eût dit un seul mot. Je regrettai d'autant plus son départ que, tandis que je faisais remarquer à Albertine combien son amie avait été froide avec moi, et rapprochais en soi-même cette difficulté qu'Albertine semblait avoir à me lier avec ses amies, de l'hostilité contre laquelle, pour exaucer mon souhait, paraissait s'être le premier jour heurté Elstir, passèrent des jeunes filles que je saluai, les demoiselles d'Ambresac, auxquelles Albertine dit aussi bonjour.

Je pensai[1] que ma situation vis-à-vis d'Albertine allait en être améliorée. Elles étaient les filles d'une parente de Mme de Villeparisis et qui connaissait aussi Mme de Luxembourg. M. et Mme d'Ambresac qui avaient une petite villa à Balbec, et, excessivement riches, menaient une vie des plus simples, étaient toujours habillés, le mari du même veston, la femme d'une robe sombre. Tous deux faisaient à ma grand'-mère d'immenses saluts qui ne menaient à rien. Les filles, très jolies, s'habillaient avec plus d'élégance, mais une élégance de ville et non de plage. Dans leurs robes longues, sous leurs grands chapeaux, elles avaient l'air d'appartenir à une autre humanité qu'Albertine. Celle-ci savait très bien qui elles étaient. « Ah! vous connaissez les petites d'Ambresac? Hé bien, vous connaissez des gens très chics. Du reste, ils sont très simples, ajouta-t-elle comme si c'était contradictoire. Elles sont très gentilles, mais tellement bien élevées qu'on ne les laisse pas aller au Casino, surtout à cause de nous, parce que nous avons trop mauvais genre. Elles vous plaisent? Dame, ça dépend. C'est tout à fait les petites oies blanches. Ça a peut-être son charme. Si vous aimez les petites oies blanches, vous êtes servi à souhait. Il paraît qu'elles peuvent plaire, puisqu'il y en a déjà une de fiancée au marquis de Saint-Loup. Et cela fait beaucoup de peine à la cadette qui était amoureuse de ce jeune homme. Moi, rien que leur manière de parler du bout des lèvres m'énerve. Et puis elles s'habillent d'une manière ridicule. Elles vont jouer au golf en robes de soie. À leur âge elles sont mises plus prétentieusement que des femmes âgées qui savent s'habiller. Tenez, madame Elstir, voilà une femme élégante. » Je répondis qu'elle m'avait semblé vêtue avec beaucoup de simplicité. Albertine se mit à rire. « Elle est mise très simplement, en effet, mais elle s'habille à ravir et pour arriver à ce que vous trouvez de la simplicité, elle dépense un argent fou. » Les robes de Mme Elstir passaient inaperçues aux yeux de quelqu'un qui n'avait pas le goût sûr et sobre des choses de la toilette. Il me faisait défaut. Elstir le possédait au suprême degré, à ce que me dit Albertine. Je ne m'en étais pas douté, ni que les choses élégantes mais simples qui emplissaient son atelier étaient des merveilles longtemps désirées par lui, qu'il avait suivies de vente en vente, connaissant toute leur histoire, jusqu'au jour où il avait gagné assez d'argent pour pouvoir les posséder. Mais là-dessus, Albertine, aussi ignorante que moi, ne pouvait rien m'apprendre. Tandis que pour les toilettes, avertie par un instinct de coquette et peut-être par un regret de jeune fille pauvre qui goûte avec plus de désintéressement, de délicatesse, chez les riches, ce dont elle ne pourra se parer elle-même, elle sut me parler très bien des raffinements d'Elstir, si difficile qu'il trouvait toute femme mal habillée et que, mettant tout un monde dans une proportion, dans une nuance, il faisait faire pour sa femme à des prix fous des ombrelles, des chapeaux, des manteaux qu'il avait appris à Albertine à trouver charmants et qu'une personne sans goût n'eût[1] pas plus remarqués que je n'avais fait. Du reste, Albertine qui avait fait un peu de peinture sans avoir d'ailleurs, elle l'avouait, aucune « disposition », éprouvait une grande admiration pour Elstir et, grâce à ce qu'il lui avait dit et montré, s'y connaissait en tableaux d'une façon qui contrastait fort avec son enthousiasme pour *Cavalleria Rusticana*. C'est qu'en réalité, bien que cela ne se vît guère encore, elle était très intelligente et dans les choses qu'elle disait, la bêtise n'était pas sienne, mais celle de son milieu et de son âge. Elstir avait eu sur elle une influence heureuse, mais partielle. Toutes les formes de l'intelligence n'étaient pas arrivées chez Albertine au même degré de développement. Le goût de la peinture avait presque rattrapé celui de la toilette et de toutes les formes de l'élégance, mais n'avait pas été suivi par le goût de la musique qui restait fort en arrière.

Albertine avait beau savoir qui étaient les Ambresac, comme qui peut le plus ne peut pas forcément le moins, je ne la trouvai pas, après que j'eusse salué ces jeunes filles, plus disposée à me faire connaître ses amies. « Vous êtes bien bon de leur donner[1] de l'importance. Ne faites pas attention à elles, ce n'est rien du tout. Qu'est-ce que ces petites gosses peuvent compter pour un homme de votre valeur ? Andrée au moins est remarquablement intelligente. C'est une bonne petite fille, quoique parfaitement fantasque, mais les autres sont vraiment très stupides. » Après avoir quitté Albertine, je ressentis tout à coup beaucoup de chagrin que Saint-Loup m'eût caché ses fiançailles, et fît quelque chose d'aussi mal que se marier sans avoir rompu avec sa maîtresse. Peu de jours après pourtant, je fus présenté à Andrée et, comme elle parla assez longtemps, j'en profitai pour lui dire que je voudrais bien la voir le lendemain, mais elle me répondit que c'était impossible, parce qu'elle avait trouvé sa mère assez mal et ne voulait pas la laisser seule. Deux jours après, étant allé voir Elstir, il me dit la sympathie très grande qu'Andrée avait pour moi; comme je lui répondais : « Mais c'est moi qui ai eu beaucoup de sympathie pour elle dès le premier jour, je lui avais demandé à la revoir le lendemain, mais elle ne pouvait pas. — Oui, je sais, elle me l'a raconté, me dit Elstir, elle l'a assez regretté, mais elle avait accepté un pique-nique à dix lieues d'ici où elle devait aller en break et elle ne pouvait plus se décommander. » Bien que ce mensonge fût, Andrée me connaissant si peu, fort insignifiant, je n'aurais pas dû continuer à fréquenter une personne qui en était capable. Car[2] ce que les gens ont fait, ils le recommencent indéfiniment. Et qu'on aille voir chaque année un ami qui les premières fois n'a pu venir à votre rendez-vous, ou s'est enrhumé, on le retrouvera avec un autre rhume qu'il aura pris, on le manquera à un autre rendez-vous où il ne sera pas venu, pour une même raison permanente à la place de laquelle il croit voir des raisons variées, tirées des circonstances.

Un des matins qui suivirent celui où Andrée m'avait dit qu'elle était obligée de rester auprès de sa mère, je faisais quelques pas avec Albertine que j'avais aperçue, élevant au bout d'un cordonnet un attribut bizarre qui la faisait ressembler à l'« Idolâtrie » de Giotto; il s'appelle d'ailleurs un « diabolo » et est tellement tombé en désuétude que devant le portrait d'une jeune fille en tenant un, les commentateurs de l'avenir pourront disserter comme devant telle figure allégorique de l'Arena, sur ce qu'elle a dans la main. Au bout d'un moment, leur amie à l'air pauvre et dur, qui avait ricané le premier jour d'un air si méchant : « Il me fait de la peine, ce pauvre vieux » en parlant du vieux monsieur effleuré par les pieds légers d'Andrée, vint[1] dire à Albertine : « Bonjour, je vous dérange ? » Elle avait ôté son chapeau qui la gênait, et ses cheveux comme une variété végétale ravissante et inconnue reposaient sur son front dans la minutieuse délicatesse de leur foliation. Albertine, peut-être irritée de la voir tête nue, ne répondit rien, garda un silence glacial malgré lequel l'autre resta, tenue à distance de moi par Albertine qui s'arrangeait à certains instants pour être seule avec elle, à d'autres pour marcher avec moi, en la laissant derrière. Je fus obligé pour qu'elle me présentât de le lui demander devant l'autre. Alors au moment où Albertine me nomma, sur la figure et dans les yeux bleus de cette jeune fille à qui j'avais trouvé un air si cruel quand elle avait dit : « Ce pauvre vieux, y m'fait d'la peine », je vis passer et briller un sourire cordial, aimant, et elle me tendit la main. Ses cheveux étaient dorés, et ne l'étaient pas seuls ; car si ses joues étaient roses et ses yeux bleus, c'était comme le ciel encore empourpré du matin où partout pointe et brille l'or.

Prenant feu aussitôt, je me dis que c'était une enfant timide quand elle aimait et que c'était pour moi, par amour pour moi, qu'elle était restée avec nous malgré les rebuffades d'Albertine, et qu'elle avait dû être heureuse de pouvoir m'avouer enfin par ce regard souriant et bon qu'elle serait aussi douce avec moi que terrible aux autres. Sans doute m'avait-elle remarqué sur la plage même quand je ne la connaissais pas encore et pensa-t-elle à moi depuis ; peut-être était-ce pour se faire admirer de moi qu'elle s'était moquée du vieux monsieur et parce qu'elle ne parvenait pas à me connaître qu'elle avait eu les jours suivants l'air morose. De l'hôtel, je l'avais souvent aperçue le soir se promenant sur la plage. C'était probablement avec l'espoir de me rencontrer. Et maintenant, gênée par la présence d'Albertine seule[2] autant qu'elle l'eût été par celle de toute la petite bande, elle ne s'attachait évidemment à nos pas, malgré l'attitude de plus en plus froide de son amie, que dans l'espoir de rester la dernière, de prendre rendez-vous avec moi pour un moment où elle trouverait moyen de s'échapper sans que sa famille et ses amies le sussent et me donner rendez-vous dans un lieu sûr avant la messe ou après le golf. Il était d'autant plus difficile de la voir qu'Andrée était mal avec elle et la détestait. « J'ai supporté longtemps sa terrible fausseté, me dit-elle, sa bassesse, les innombrables crasses qu'elle m'a faites. J'ai tout supporté à cause des autres. Mais le dernier trait a tout fait déborder. » Et elle me raconta un potin qu'avait fait cette jeune fille et qui, en effet, pouvait nuire à Andrée.

Mais les paroles à moi promises par le regard de Gisèle pour le moment où Albertine nous aurait laissés ensemble ne purent m'être dites, parce qu'Albertine, obstinément placée entre nous deux, ayant continué à répondre de plus en plus brièvement, puis ayant cessé de répondre du tout aux propos de son amie, celle-ci finit par abandonner la place. Je reprochai à Albertine d'avoir été si désagréable. « Cela lui apprendra à être plus discrète. Ce n'est pas une mauvaise fille, mais elle est barbante. Elle n'a pas besoin de venir fourrer son nez partout. Pourquoi se colle-t-elle à nous sans qu'on lui demande ? Il était moins cinq que je l'envoie paître. D'ailleurs, je déteste qu'elle ait ses cheveux comme ça, ça donne mauvais genre. » Je regardais les joues d'Albertine pendant qu'elle me parlait et je me demandais quel parfum, quel goût elles pouvaient avoir : ce jour-là elle était non pas fraîche, mais lisse, d'un rose uni, violacé, crémeux, comme certaines roses qui ont un vernis de cire. J'étais passionné pour elles comme on l'est parfois pour une espèce de fleurs. « Je ne l'avais pas remarqué[1], lui répondis-je. — Vous l'avez pourtant assez regardée, on aurait dit que vous vouliez faire son portrait, me dit-elle sans être radoucie par le fait qu'en ce moment ce fût elle-même que je regardais tant. Je ne crois pourtant pas qu'elle vous plairait. Elle n'est pas flirt du tout. Vous devez aimer les jeunes filles flirt, vous. En tous cas, elle n'aura plus l'occasion d'être collante et de se faire semer, parce qu'elle repart tantôt pour Paris. — Vos autres amies s'en vont avec elle ? — Non, elle seulement, elle et Miss, parce qu'elle a à repasser ses examens, elle va potasser, la pauvre gosse. Ce n'est pas gai, je vous assure. Il peut arriver qu'on tombe sur un bon sujet. Le hasard est si grand. Ainsi une de nos amies a eu : « Racontez un accident auquel vous avez assisté. » Ça, c'est une veine. Mais je connais une jeune fille qui a eu à traiter (et à l'écrit encore) : « D'Alceste ou de Philinte, qui préféreriez-vous avoir comme ami ? » Ce que j'aurais séché là-dessus ! D'abord, en dehors de tout, ce n'est pas une question à poser à des jeunes filles. Les jeunes filles sont liées avec d'autres jeunes filles et ne sont pas censées avoir pour amis des messieurs. (Cette phrase, en me montrant que j'avais peu de chance d'être admis dans la petite bande, me fit trembler.) Mais en tous cas, même si la question était posée à des jeunes gens, qu'est-ce que vous voulez qu'on puisse trouver à dire là-dessus ? Plusieurs familles ont écrit au *Gaulois* pour se plaindre de la difficulté de questions pareilles. Le plus fort est que dans un recueil des meilleurs devoirs d'élèves couronnées, le sujet a été traité deux fois d'une façon absolument opposée. Tout dépend de l'examinateur. L'un voulait qu'on dise que Philinte était un homme du monde[1] flatteur et fourbe, l'autre qu'on ne pouvait pas refuser son admiration à Alceste, mais qu'il était par trop acariâtre et que, comme ami, il fallait lui préférer Philinte. Comment voulez-vous que les malheureuses élèves s'y reconnaissent, quand les professeurs ne sont pas d'accord entre eux ? Et encore ce n'est rien, chaque année ça devient plus difficile. Gisèle ne pourrait s'en tirer qu'avec un bon coup de piston. »

Je rentrai à l'hôtel, ma grand'mère n'y était pas, je l'attendis longtemps ; enfin, quand elle rentra, je la suppliai de me laisser aller faire dans des conditions inespérées une excursion qui durerait peut-être quarante-huit heures, je déjeunai avec elle, commandai une voiture et me fis conduire à la gare. Gisèle ne serait pas étonnée de m'y voir ; une fois que nous aurions changé à Doncières, dans le train de Paris, il y avait un wagon-couloir où, tandis que Miss sommeillerait, je pourrais emmener Gisèle dans des coins obscurs, prendre rendez-vous avec elle pour ma rentrée à Paris que je tâcherais de rapprocher le plus possible. Selon la volonté qu'elle m'exprimerait, je l'accompagnerais jusqu'à Caen ou jusqu'à Évreux, et reprendrais le train suivant. Tout de même, qu'eût-elle pensé si elle avait su que j'avais hésité longtemps entre elle et ses amies, que tout autant que d'elle j'avais voulu être amoureux d'Albertine, de la jeune fille aux yeux clairs, et de Rosemonde! J'en[1] éprouvais des remords, maintenant qu'un amour réciproque allait m'unir à Gisèle. J'aurais pu du reste lui assurer très véridiquement qu'Albertine ne me plaisait plus. Je l'avais vue ce matin s'éloigner en me tournant presque le dos, pour parler à Gisèle. Sur sa tête inclinée d'un air boudeur, ses cheveux qu'elle avait derrière différents et plus noirs encore, luisaient comme si elle venait de sortir de l'eau. J'avais pensé à une poule mouillée, et ces cheveux m'avaient fait incarner en Albertine une autre âme que jusque-là, la figure violette et le regard mystérieux. Ces cheveux luisants derrière sa[2] tête, c'est tout ce que j'avais pu apercevoir d'elle pendant un moment, et c'est cela seulement que je continuais à voir. Notre mémoire ressemble à ces magasins qui, à leur devanture[3], exposent d'une certaine personne, une fois une photographie, une fois une autre. Et d'habitude la plus récente reste quelque temps seule en vue. Tandis que le cocher pressait son cheval, j'écoutais les paroles de reconnaissance et de tendresse que Gisèle me disait, toutes nées de son bon sourire, et de sa main tendue : c'est que dans les périodes de ma vie où je n'étais pas amoureux et où je désirais de l'être, je ne portais pas seulement en moi un idéal physique de beauté qu'on a vu que je reconnaissais de loin dans chaque passante assez éloignée pour que ses traits confus ne s'opposassent pas à cette identification, mais encore le fantôme moral — toujours prêt à être incarné — de la femme qui allait être éprise de moi, me donner la réplique dans la comédie amoureuse que j'avais tout écrite dans ma tête depuis mon enfance et que toute jeune fille aimable me semblait avoir la même envie de jouer, pourvu qu'elle eût aussi un peu le physique de l'emploi. De cette pièce, quelle que fût la nouvelle « étoile » que j'appelais à créer ou à reprendre le rôle, le scénario, les péripéties, le texte même gardaient une forme *ne varietur*.

Quelques jours plus tard, malgré le peu d'empressement qu'Albertine avait mis à nous présenter, je connaissais toute la petite bande du premier jour, restée au complet à Balbec (sauf Gisèle, qu'à cause d'un arrêt prolongé devant la barrière de la gare, et un changement dans l'horaire, je n'avais pu rejoindre au train, parti cinq minutes avant mon arrivée, et à laquelle d'ailleurs je ne pensais plus) et en plus deux ou trois de leurs amies qu'à ma demande[1] elles me firent connaître. Et ainsi l'espoir du plaisir que je trouverais avec une jeune fille nouvelle venant d'une autre jeune fille par qui je l'avais connue, la plus récente était alors comme une de ces variétés de roses qu'on obtient grâce à une rose d'une autre espèce. Et remontant de corolle en corolle dans cette chaîne de fleurs, le plaisir d'en connaître une différente me faisait retourner vers celle à qui je la devais, avec une reconnaissance mêlée d'autant de désir que mon espoir nouveau. Bientôt je passai toutes mes journées avec ces jeunes filles.

Hélas! dans la fleur la plus fraîche on peut distinguer les points imperceptibles qui pour l'esprit averti dessinent déjà ce qui sera, par la dessiccation ou la fructification des chairs aujourd'hui en fleur, la forme immuable et déjà prédestinée de la graine. On suit avec délices un nez pareil à une vaguelette qui enfle délicieusement une eau matinale et qui semble immobile, dessinable, parce que la mer est tellement calme qu'on ne perçoit pas la marée. Les visages humains ne semblent pas changer au moment qu'on les regarde, parce que la révolution qu'ils accomplissent est trop lente pour que nous la percevions. Mais il suffisait de voir à côté de ces jeunes filles leur mère ou leur tante, pour mesurer les distances que, sous l'attraction interne d'un type généralement affreux, ces traits auraient traversées dans moins de trente ans, jusqu'à l'heure du déclin des regards, jusqu'à celle où le visage, passé tout entier au-dessous de l'horizon, ne reçoit plus de lumière. Je savais que, aussi profond, aussi inéluctable que le patriotisme juif ou l'atavisme chrétien chez ceux qui se croient le plus libérés de leur race, habitait sous la rose inflorescence d'Albertine, de Rosemonde, d'Andrée, inconnu[2] à elles-mêmes, tenu en réserve pour les circonstances, un gros nez, une bouche proéminente, un embonpoint qui étonnerait mais était en réalité dans la coulisse, prêt à entrer en scène, imprévu, fatal, tout comme tel dreyfusisme, tel cléricalisme, tel héroïsme national et féodal, soudainement issus, à l'appel des circonstances, d'une nature antérieure à l'individu lui-même, par laquelle il pense, vit, évolue, se fortifie ou meurt, sans qu'il puisse la distinguer des mobiles particuliers qu'il prend pour elle. Même mentalement, nous dépendons des lois naturelles beaucoup plus que nous ne croyons, et notre esprit possède d'avance comme certain cryptogame, comme telle graminée, les particularités que nous croyons choisir. Mais nous ne saisissons que les idées secondes sans percevoir la cause première (race juive, famille française, etc.) qui les produisait nécessairement et que nous manifestons au moment voulu. Et peut-être, alors que les unes nous paraissent le résultat d'une délibération, les autres d'une imprudence dans notre hygiène, tenons-nous de notre famille, comme les papillonacées la forme de leur graine, aussi bien les idées dont nous vivons que la maladie dont nous mourrons.

Comme sur un plant où les fleurs mûrissent à des époques différentes, je les avais vues, en de vieilles dames, sur cette plage de Balbec, ces dures graines, ces mous tubercules, que mes amies seraient un jour. Mais qu'importait? en ce moment, c'était la saison des fleurs. Aussi quand Mme de Villeparisis m'invitait à une promenade, je cherchais une excuse pour n'être pas libre. Je ne fis de visites[1] à Elstir que celles où mes nouvelles amies m'accompagnèrent. Je ne pus même pas trouver un après-midi pour aller à Doncières voir Saint-Loup, comme je le lui avais promis. Les réunions mondaines, les conversations sérieuses, voire une amicale causerie, si elles avaient pris la place de mes sorties avec ces jeunes filles, m'eussent fait le même effet que si à l'heure du déjeuner on nous emmenait non pas manger, mais regarder un album. Les hommes, les jeunes gens, les femmes vieilles ou mûres avec qui nous croyons nous plaire, ne sont portés pour nous que sur une plane et inconsistante superficie, parce que nous ne prenons conscience d'eux que par la perception visuelle réduite à elle-même; mais c'est comme déléguée des autres sens qu'elle se dirige vers les jeunes filles; ils vont chercher l'une derrière l'autre les diverses qualités odorantes, tactiles, savoureuses, qu'ils goûtent ainsi même sans le secours des mains et des lèvres; et, capables, grâce aux arts de transposition, au génie de synthèse où excelle le désir, de restituer sous la couleur des joues ou de la poitrine, l'attouchement, la dégustation, les contacts interdits, ils donnent à ces filles la même consistance mielleuse qu'ils font quand ils butinent dans une roseraie, ou dans une vigne dont ils mangent des yeux les grappes.

S'il pleuvait, bien que le mauvais temps n'effrayât pas Albertine qu'on voyait parfois, dans son caoutchouc, filer en bicyclette sous les averses, nous passions la journée dans le Casino où il m'eût paru ces jours-là impossible de ne pas aller. J'avais le plus grand mépris pour les demoiselles d'Ambresac qui n'y étaient jamais entrées. Et j'aidais volontiers mes amies à jouer de mauvais tours au professeur de danse. Nous subissions généralement quelques admonestations du tenancier ou des employés usurpant un pouvoir directorial, parce que mes amies, même Andrée qu'à cause de cela j'avais crue le premier jour une créature si dionysiaque et qui était au contraire frêle, intellectuelle et, cette année-là, fort souffrante, mais qui obéissait malgré cela moins à l'état de sa santé qu'au génie de cet âge qui emporte tout et confond dans la gaîté les malades et les vigoureux, ne pouvaient pas aller du vestibule à la salle des fêtes, sans prendre leur élan, sauter par-dessus toutes les chaises, revenir sur une glissade en gardant leur équilibre par un gracieux mouvement de bras, en chantant, mêlant tous les arts, dans cette première jeunesse, à la façon de ces poètes des anciens âges pour qui les genres ne sont pas encore séparés et qui mêlent dans un poème épique les préceptes agricoles aux enseignements théologiques.

Cette Andrée, qui m'avait paru la plus froide le premier jour, était infiniment plus délicate, plus affectueuse, plus fine qu'Albertine à qui elle montrait une tendresse caressante et douce de grande sœur. Elle venait au Casino s'asseoir à côté de moi et savait — au contraire d'Albertine — refuser un tour de valse ou même, si j'étais fatigué, renoncer à aller au Casino pour venir à l'hôtel. Elle exprimait son amitié pour moi, pour Albertine, avec des nuances qui prouvaient la plus délicieuse intelligence des choses du cœur, laquelle était peut-être due en partie à son état maladif. Elle avait toujours un sourire gai pour excuser l'enfantillage d'Albertine qui exprimait avec une violence naïve la tentation irrésistible qu'offraient pour elle des parties de plaisir auxquelles elle ne savait pas, comme Andrée, préférer résolument de causer avec moi...

Quand l'heure d'aller à un goûter donné au golf approchait, si nous étions tous ensemble à ce moment-là, elle se préparait, puis venant à Andrée : « Hé bien, Andrée, qu'est-ce que tu attends pour venir? tu sais que nous allons goûter au golf. — Non, je reste à causer avec lui, répondait Andrée en me désignant. — Mais tu sais que madame Durieux t'a invitée, s'écriait Albertine, comme si l'intention d'Andrée de rester avec moi ne pouvait s'expliquer que par l'ignorance où elle devait être qu'elle avait été invitée. — Voyons, ma petite, ne sois pas tellement idiote », répondait Andrée. Albertine n'insistait pas, de peur qu'on lui proposât de rester aussi. Elle secouait la tête : « Fais à ton idée, répondait-elle, comme on dit à un malade qui par plaisir se tue[1] à petit feu, moi je me trotte, car je crois que ta montre retarde », et elle prenait ses jambes à son cou. « Elle est charmante, mais inouïe », disait Andrée[2] en enveloppant son amie d'un sourire qui la caressait et la jugeait à la fois. Si, en ce goût du divertissement, Albertine avait quelque chose de la Gilberte des premiers temps, c'est qu'une certaine ressemblance existe, tout en évoluant, entre les femmes que nous aimons successivement, ressemblance qui tient à la fixité de notre tempérament parce que c'est lui qui les choisit, éliminant toutes celles qui ne nous seraient pas à la fois opposées et complémentaires, c'est-à-dire propres à satisfaire nos sens et à faire souffrir notre cœur. Elles sont, ces femmes, un produit de notre tempérament, une image, une projection renversées, un « négatif » de notre sensibilité. De sorte qu'un romancier pourrait, au cours de la vie de son héros, peindre presque exactement semblables ses successives amours et donner par là l'impression non de s'imiter lui-même mais de créer, puisqu'il y a moins de force[3] dans une innovation artificielle que dans une répétition destinée à suggérer une vérité neuve. Encore devrait-il noter, dans le caractère de l'amoureux, un indice de variation qui s'accuse au fur et à mesure qu'on arrive dans de nouvelles régions, sous d'autres latitudes de la vie. Et peut-être exprimerait-il encore une vérité de plus si, peignant pour ses autres personnages des caractères, il s'abstenait d'en donner aucun à la femme aimée. Nous connaissons le caractère des indifférents, comment pourrions-nous saisir celui d'un être qui se confond avec notre vie, que bientôt nous ne séparons plus de nous-même, sur les mobiles duquel nous ne cessons de faire d'anxieuses hypothèses, perpétuellement remaniées ? S'élançant d'au delà de l'intelligence, notre curiosité de la femme que nous aimons dépasse dans sa course le caractère de cette femme. Nous pourrions nous y arrêter que sans doute nous ne le voudrions pas. L'objet de notre inquiète investigation est plus essentiel que ces particularités de caractère, pareilles à ces petits losanges d'épiderme dont les combinaisons variées font l'originalité fleurie de la chair. Notre radiation intuitive les traverse et les images qu'elle nous rapporte ne sont point celles d'un visage particulier, mais représentent la morne et douloureuse universalité d'un squelette.

Comme Andrée était extrêmement riche, Albertine, pauvre et orpheline, Andrée avec une grande générosité la faisait profiter de son luxe. Quant à ses sentiments pour Gisèle, ils n'étaient pas tout à fait ceux que j'avais crus. On eut en effet bientôt des nouvelles de l'étudiante et, quand Albertine montra la lettre qu'elle en avait reçue, lettre destinée par Gisèle à donner des nouvelles de son voyage et de son arrivée à la petite bande, en s'excusant sur sa paresse de ne pas écrire encore aux autres, je fus surpris d'entendre Andrée, que je croyais brouillée à mort avec elle, dire : « Je lui écrirai demain, parce que si j'attends sa lettre d'abord, je peux attendre lontemps, elle est si négligente. » Et se tournant vers moi elle ajouta : « Vous ne la trouveriez pas très remarquable évidemment, mais c'est une si brave fille, et puis j'ai vraiment une grande affection pour elle. » Je conclus que les brouilles d'Andrée ne duraient pas longtemps.

Sauf ces jours de pluie, comme nous devions aller en bicyclette sur la falaise ou dans la campagne, une heure d'avance je cherchais à me faire beau et gémissais si Françoise n'avait pas bien préparé mes affaires.

Or, meme à Paris, elle redressait fièrement et rageusement sa taille que l'âge commençait à courber, pour peu qu'on la trouvât en faute, elle humble, modeste[1] et charmante quand son amour-propre était flatté. Comme il était le grand ressort de sa vie, la satisfaction et la bonne humeur de Françoise étaient en proportion directe de la difficulté des choses qu'on lui demandait. Celles qu'elle avait à faire à Balbec étaient si aisées qu'elle montrait presque toujours un mécontentement qui était soudain centuplé et auquel s'alliait une ironique expression d'orgueil quand je me plaignais, au moment d'aller retrouver mes amies, que mon chapeau ne fût pas brossé, ou mes cravates en ordre. Elle qui pouvait se donner tant de peine sans trouver pour cela qu'elle eût rien fait, à la simple observation qu'un veston n'était pas à sa place, non seulement elle vantait avec quel soin elle l'avait « renfermé plutôt que non pas le laisser à la poussière », mais, prononçant un éloge en règle de ses travaux, déplorait que ce ne fussent guère des vacances qu'elle prenait à Balbec, qu'on ne trouverait pas une seconde personne comme elle pour mener une telle vie. « Je ne comprends pas comment qu'on peut laisser ses affaires comme ça et allez-y voir si une autre saurait se retrouver dans ce pêle et mêle. Le diable lui-même y perdrait son latin. » Ou bien elle se contentait de prendre un visage de reine, me lançant des regards enflammés, et gardait un silence rompu aussitôt qu'elle avait fermé la porte et s'était engagée dans le couloir; il retentissait alors de propos que je devinais injurieux, mais qui restaient aussi indistincts que ceux des personnages qui débitent leurs premières paroles derrière le portant avant d'être entrés en scène. D'ailleurs, quand je me préparais ainsi à partir avec mes amies, même si rien ne manquait et si Françoise était de bonne humeur, elle se montrait tout de même insupportable. Car, se servant de plaisanteries que dans mon besoin de parler de ces jeunes filles je lui avais faites sur elles, elle prenait un air de me révéler ce que j'aurais mieux su qu'elle si cela avait été exact, mais ce qui ne l'était pas, car Françoise avait mal compris. Elle avait comme tout le monde son caractère propre, qui[2] chez une personne ne ressemble jamais à une voie droite, mais nous étonne de ses détours singuliers et inévitables dont les autres ne s'aperçoivent pas et par où il nous est pénible d'avoir à passer. Chaque fois que j'arrivais au point : « Chapeau pas en place », « nom d'Andrée ou d'Albertine », j'étais obligé par Françoise de m'engager[1] dans des chemins détournés et absurdes qui me retardaient beaucoup. Il en était de même quand je faisais préparer des sandwiches au chester et à la salade et acheter des tartes que je mangerais à l'heure du goûter, sur la falaise, avec ces jeunes filles, et qu'elles auraient bien pu payer à tour de rôle si elles n'avaient été aussi intéressées, déclarait Françoise, au secours de qui venait alors tout un atavisme de rapacité et de vulgarité provinciales, et pour laquelle on eût dit que l'âme divisée de la défunte Eulalie s'était incarnée, plus gracieusement qu'en saint Éloi, dans les corps charmants de mes amies de la petite bande. J'entendais ces accusations avec la rage de me sentir buter à un des endroits à partir desquels le chemin rustique et familier qu'était le caractère de Françoise devenait impraticable, pas pour longtemps heureusement. Puis, le veston retrouvé et les sandwiches prêts, j'allais chercher Albertine, Andrée, Rosemonde, d'autres parfois, et, à pied ou en bicyclette, nous partions.

Autrefois j'eusse préféré que cette promenade eût lieu par le mauvais temps. Alors je cherchais à retrouver dans Balbec « le pays des Cimmériens », et de belles journées étaient une chose qui n'aurait pas dû exister là, une intrusion du vulgaire été des baigneurs dans cette antique région voilée par les brumes. Mais maintenant, tout ce que j'avais dédaigné, écarté de ma vue, non seulement les effets de soleil, mais même les régates, les courses de chevaux, je l'eusse recherché avec passion pour la même raison qu'autrefois je n'aurais voulu que des mers tempétueuses, et qui était qu'elles se rattachaient, les unes comme autrefois les autres, à une idée esthétique. C'est qu'avec mes amies nous étions quelquefois allés voir Elstir, et les jours où les jeunes filles étaient là, ce qu'il avait montré de préférence, c'était quelques croquis d'après de jolies yachtswomen ou bien une esquisse prise sur un hippodrome voisin de Balbec. J'avais d'abord timidement avoué à Elstir que je n'avais pas voulu aller aux réunions qui y avaient été données. « Vous avez eu tort, me dit-il, c'est si joli et si curieux aussi. D'abord cet être particulier, le jockey, sur lequel tant de regards sont fixés, et qui devant le paddock est là morne, grisâtre dans sa casaque éclatante, ne faisant qu'un avec le cheval caracolant qu'il ressaisit, comme ce serait intéressant de dégager ses mouvements professionnels, de montrer la tache brillante qu'il fait et que fait aussi la robe des chevaux, sur le champ de courses! Quelle transformation de toutes choses dans cette immensité lumineuse d'un champ de courses où on est surpris par tant d'ombres, de reflets, qu'on ne voit que là! Ce que les femmes peuvent y être jolies! La première réunion surtout était ravissante, et il y avait des femmes d'une extrême élégance, dans une lumière humide, hollandaise, où l'on sentait monter dans le soleil même le froid pénétrant de l'eau. Jamais je n'ai vu les femmes arrivant en voiture, ou leurs jumelles aux yeux, dans une pareille lumière qui tient sans doute à l'humidité marine. Ah! que j'aurais aimé la rendre; je suis revenu de ces courses, fou, avec un tel désir de travailler! » Puis il s'extasia plus encore sur les réunions de yachting que sur les courses de chevaux, et je compris que des régates, que des meetings sportifs où des femmes bien habillées baignent dans la glauque lumière d'un hippodrome marin, pouvaient être, pour un artiste moderne, un[1] motif aussi intéressant que les fêtes qu'ils aimaient tant à décrire, pour un Véronèse ou un Carpaccio. « Votre comparaison est d'autant plus exacte, me dit Elstir, qu'à cause de la ville où ils peignaient, ces fêtes étaient pour une part nautiques. Seulement, la beauté des embarcations de ce temps-là résidait le plus souvent dans leur lourdeur, dans leur complication. Il y avait des joutes sur l'eau, comme ici, données généralement en l'honneur de quelque ambassade pareille à celle que Carpaccio a représentée dans la Légende de sainte Ursule. Les navires étaient massifs, construits comme des architectures, et semblaient presque amphibies comme de moindres Venises au milieu de l'autre, quand, amarrés à l'aide de ponts volants, recouverts de satin cramoisi et de tapis persans, ils portaient des femmes en brocart cerise ou en damas vert, tout près des balcons incrustés de marbres multicolores où d'autres femmes se penchaient pour regarder, dans leurs robes aux manches noires à crevés blancs serrés de perles ou ornés de guipures. On ne savait plus où finissait la terre, où commençait l'eau, qu'eﬆ-ce qui était encore le palais ou déjà le navire, la caravelle, la galéasse, le Bucentaure. » Albertine écoutait avec une attention passionnée ces détails de toilette, ces images de luxe que nous décrivait Elﬆir. « Oh ! je voudrais bien voir les guipures dont vous me parlez, c'eﬆ si joli le point de Venise, s'écriait-elle ; d'ailleurs j'aimerais tant aller à Venise ! — Vous pourrez peut-être bientôt, lui dit Elﬆir, contempler les étoffes merveilleuses qu'on portait là-bas. On ne les voyait plus que dans les tableaux des peintres vénitiens, ou alors très rarement dans les trésors des églises, parfois même il y en avait une qui passait dans une vente. Mais on dit qu'un artiﬆe de Venise, Fortuny, a retrouvé le secret de leur fabrication et qu'avant quelques années les femmes pourront se promener, et surtout reﬆer chez elles, dans des brocarts aussi magnifiques que ceux que Venise ornait, pour ses patriciennes, avec des dessins d'Orient. Mais je ne sais pas si j'aimerais beaucoup cela, si ce ne sera pas un peu trop coﬆume anachronique pour des femmes d'aujourd'hui, même paradant aux régates, car pour en revenir à nos modernes bateaux de plaisance, c'eﬆ tout le contraire que du temps de Venise, « Reine de l'Adriatique ». Le plus grand charme d'un yacht, de l'ameublement d'un yacht, des toilettes de yachting, eﬆ leur simplicité de choses de la mer, et j'aime tant la mer ! Je vous avoue que je préfère les modes d'aujourd'hui aux modes du temps de Véronèse et même de Carpaccio. Ce qu'il y a de joli dans nos yachts — et dans les yachts moyens surtout, je n'aime pas les énormes, trop navires, c'eﬆ comme pour les chapeaux, il y a une mesure à garder —, c'eﬆ la chose unie, simple, claire, grise, qui par les temps voilés, bleuâtres, prend un flou crémeux. Il faut que la pièce où l'on se tient ait l'air d'un petit café. Les toilettes des femmes sur un yacht, c'eﬆ la même chose ; ce qui eﬆ gracieux, ce sont ces toilettes légères, blanches et unies, en toile, en linon, en pékin, en coutil, qui au soleil et sur le bleu de la mer font un blanc aussi éclatant qu'une voile blanche. Il y a très peu de femmes du reﬆe qui s'habillent bien, quelques-unes pourtant sont merveilleuses. Aux courses, Mlle Léa avait un petit chapeau blanc et une petite ombrelle blanche, c'était ravissant. Je ne sais pas ce que je donnerais pour avoir cette petite ombrelle. » J'aurais tant voulu savoir en quoi cette petite ombrelle différait des autres, et pour d'autres raisons, de coquetterie féminine, Albertine l'aurait voulu plus encore. Mais, comme Françoise qui disait pour les soufflés : « C'est un tour de main », la différence était dans la coupe. « C'était, disait Elstir, tout petit, tout rond, comme un parasol chinois. » Je citai les ombrelles de certaines femmes, mais ce n'était pas cela du tout. Elstir trouvait toutes ces ombrelles affreuses. Homme d'un goût difficile et exquis, il faisait consister dans un rien qui était tout, la différence entre ce que portaient les trois quarts des femmes et qui lui faisait horreur et une jolie chose qui le ravissait et, au contraire de ce qui m'arrivait à moi pour qui tout luxe était stérilisant, exaltait son désir de peindre « pour tâcher de faire des choses aussi jolies ».

— Tenez, voilà une petite qui a déjà compris comment étaient le chapeau et l'ombrelle, me dit Elstir en me montrant Albertine, dont les yeux brillaient de convoitise. — Comme j'aimerais être riche pour avoir un yacht! dit-elle au peintre. Je vous demanderais des conseils pour l'aménager. Quels beaux voyages je ferais! Et comme ce serait joli d'aller aux régates de Cowes! Et une automobile! Est-ce que vous trouvez que c'est joli, les modes des femmes pour les automobiles? — Non, répondait Elstir, mais cela le sera. D'ailleurs, il y a peu de couturiers, un[1] ou deux, Callot, quoique donnant un peu trop dans la dentelle, Doucet, Cheruit, quelquefois Paquin. Le reste sont des horreurs. — Mais alors, il y a une différence immense entre une toilette de Callot et celle d'un couturier quelconque? demandai-je à Albertine. — Mais énorme, mon petit bonhomme, me répondit-elle. Oh! pardon. Seulement, hélas! ce qui coûte trois cents francs ailleurs coûte deux mille francs chez eux. Mais cela ne se ressemble pas, cela a l'air pareil pour les gens qui n'y connaissent rien. — Parfaitement, répondit Elstir, sans aller pourtant jusqu'à dire que la différence soit aussi profonde qu'entre une statue de la cathédrale de Reims et de l'église Saint-Augustin. Tenez, à propos de cathédrales, dit-il en s'adressant spécialement à moi, parce que cela se référait à une causerie à laquelle ces jeunes filles n'avaient pas pris part et qui d'ailleurs ne les eût nullement intéressées, je vous parlais l'autre jour de l'église de Balbec comme d'une grande falaise, une grande levée des pierres du pays, mais inversement, me dit-il en me montrant une aquarelle, regardez ces falaises (c'est une esquisse prise tout près d'ici, aux Creuniers), regardez comme ces rochers puissamment et délicatement découpés font penser à une cathédrale. » En effet, on eût dit d'immenses arceaux roses. Mais, peints par un jour torride, ils semblaient réduits en poussière, volatilisés par la chaleur, laquelle avait à demi bu la mer, presque passée, dans toute l'étendue de la toile, à l'état gazeux. Dans ce jour où la lumière avait comme détruit la réalité, celle-ci était concentrée dans des créatures sombres et transparentes qui par contraste donnaient une impression de vie plus saisissante, plus proche : les ombres. Altérées de fraîcheur, la plupart, désertant le large enflammé, s'étaient réfugiées au pied des rochers, à l'abri du soleil; d'autres nageant lentement sur les eaux comme des dauphins s'attachaient aux flancs de barques en promenade dont elles élargissaient la coque, sur l'eau pâle, de leur corps verni et bleu. C'était peut-être la soif de fraîcheur communiquée par elles qui donnait le plus la sensation de la chaleur de ce jour et qui me fit m'écrier combien je regrettais de ne pas connaître les Creuniers. Albertine et Andrée assurèrent que j'avais dû y aller cent fois. En ce cas, c'était sans le savoir, ni me douter qu'un jour leur vue pourrait m'inspirer une telle soif de beauté, non pas précisément naturelle comme celle que j'avais cherchée jusqu'ici dans les falaises de Balbec, mais plutôt architecturale. Surtout moi qui, parti pour voir le royaume des tempêtes, ne trouvais jamais dans mes promenades avec Mme de Villeparisis où souvent nous ne l'apercevions que de loin, peint[1] dans l'écartement des arbres, l'océan assez réel, assez liquide, assez vivant, donnant assez l'impression de lancer ses masses d'eau, et qui n'aurais aimé le voir immobile que sous un linceul hivernal de brume, je n'eusse guère pu croire que je rêverais maintenant d'une mer qui n'était plus qu'une vapeur blanchâtre ayant perdu la consistance et la couleur. Mais cette mer, Elstir, comme ceux qui rêvaient dans ces barques engourdies par la chaleur, en avait jusqu'à une telle profondeur goûté l'enchantement qu'il avait su rapporter, fixer sur sa toile, l'imperceptible reflux de l'eau, la pulsation d'une minute heureuse; et[1] en voyant ce portrait magique, on ne pensait plus qu'à courir le monde pour retrouver la journée enfuie, dans sa grâce instantanée et dormante.

De sorte que si, avant ces visites chez Elstir, avant d'avoir vu une marine de lui où une jeune femme, en robe de barège ou de linon, dans un yacht arborant le drapeau américain, mit le « double » spirituel d'une robe de linon blanc et d'un drapeau dans mon imagination qui aussitôt couva un désir insatiable de voir sur-le-champ des robes de linon blanc et des drapeaux près de la mer, comme si cela ne m'était jamais arrivé jusque-là, je m'étais toujours efforcé, devant la mer, d'expulser du champ de ma vision, aussi bien que les baigneurs du premier plan, les yachts aux voiles trop blanches comme un costume de plage, tout ce qui m'empêchait de me persuader que je contemplais le flot immémorial qui déroulait déjà sa même vie mystérieuse avant l'apparition de l'espèce humaine, et jusqu'aux jours radieux qui me semblaient revêtir de l'aspect banal de l'universel été cette côte de brumes et de tempêtes, y marquer un simple temps d'arrêt, l'équivalent de ce qu'on appelle en musique une mesure pour rien[2], — maintenant c'était le mauvais temps qui me paraissait devenir quelque accident funeste, ne pouvant plus trouver de place dans le monde de la beauté : je désirais vivement aller retrouver dans la réalité ce qui m'exaltait si fort et j'espérais que le temps serait assez favorable pour voir du haut de la falaise les mêmes ombres bleues que dans le tableau d'Elstir.

Le long de la route, je ne me faisais plus d'ailleurs un écran de mes mains comme dans ces jours où, concevant la nature comme animée d'une vie antérieure à l'apparition de l'homme et en opposition avec tous ces fastidieux perfectionnements de l'industrie qui m'avaient fait jusqu'ici bâiller d'ennui dans les expositions universelles ou chez les modistes, j'essayais de ne voir de la mer que la section où il n'y avait pas de bateau à vapeur, de façon à me la représenter comme immémoriale, encore contemporaine des âges où elle avait été séparée de la terre, à tout le moins contemporaine des premiers siècles de la Grèce, ce qui me permettait de me redire en toute vérité les vers du « père Leconte » chers à Bloch :

> Ils sont partis, les rois des nefs éperonnées,
> Emmenant sur la mer tempétueuse, hélas !
> Les hommes chevelus de l'héroïque Hellas.

Je ne pouvais plus mépriser les modistes, puisque Elstir m'avait dit que le geste délicat par lequel elles donnent un dernier chiffonnement, une suprême caresse aux nœuds ou aux plumes d'un chapeau terminé, l'intéresserait autant à rendre que celui des jockeys (ce qui avait ravi Albertine). Mais il fallait attendre mon retour, pour les modistes, à Paris, pour les courses et les régates, à Balbec où on n'en donnerait plus avant l'année prochaine. Même un yacht emmenant des femmes en linon blanc était introuvable.

Souvent nous rencontrions les sœurs de Bloch que j'étais obligé de saluer depuis que j'avais dîné chez leur père. Mes amies ne les connaissaient pas. « On ne me permet pas de jouer avec des israélites », disait Albertine. La façon dont elle prononçait « issraélite » au lieu d' « izraélite » aurait suffi à indiquer, même si on n'avait pas entendu le commencement de la phrase, que ce n'était pas de sentiments de sympathie envers le peuple élu qu'étaient animées ces jeunes bourgeoises, de familles dévotes, et qui devaient croire aisément que les juifs égorgeaient les enfants chrétiens. « Du reste, elles ont un sale genre, vos amies », me disait Andrée avec un sourire qui signifiait qu'elle savait bien que ce n'était pas mes amies. « Comme tout ce qui touche à la tribu », répondait Albertine sur le ton sentencieux d'une personne d'expérience. À vrai dire, les sœurs de Bloch, à la fois trop habillées et à demi nues, l'air languissant, hardi, fastueux et souillon, ne produisaient pas une impression excellente. Et une de leur cousines qui n'avait que quinze ans scandalisait le Casino par l'admiration qu'elle affichait pour Mlle Léa, dont M. Bloch père prisait très fort le talent d'actrice, mais que son goût ne passait pas pour porter surtout du côté des messieurs.

Il y avait des jours où nous goûtions dans l'une des fermes-restaurants du voisinage. Ce sont les fermes dites des Écorres, Marie-Thérèse, de la Croix d'Herland, de

Bagatelle, de Californie, de Marie-Antoinette. C'est cette dernière qu'avait adoptée la petite bande.

Mais quelquefois au lieu d'aller dans une ferme, nous montions jusqu'au haut de la falaise, et une fois arrivés et assis sur l'herbe, nous défaisions notre paquet de sandwiches et de gâteaux. Mes amies préféraient les sandwiches et s'étonnaient de me voir manger seulement un gâteau au chocolat gothiquement historié de sucre ou une tarte à l'abricot. C'est qu'avec les sandwiches au chester et à la salade, nourriture ignorante et nouvelle, je n'avais rien à dire. Mais les gâteaux étaient instruits, les tartes étaient bavardes. Il y avait dans les premiers des fadeurs de crème et dans les secondes des fraîcheurs de fruits qui en savaient long sur Combray, sur Gilberte, non seulement la Gilberte de Combray, mais celle de Paris aux goûters de qui je les avais retrouvés. Ils me rappelaient ces assiettes à petits fours, des Mille et une Nuits, qui distrayaient tant de leurs « sujets » ma tante Léonie quand Françoise lui apportait, un jour, *Aladin ou la Lampe Merveilleuse,* un autre, *Ali-Baba, le Dormeur éveillé* ou *Simbad le Marin embarquant à Bassora avec toutes ses richesses.* J'aurais bien voulu les revoir, mais ma grand'mère ne savait pas ce qu'elles étaient devenues et croyait d'ailleurs que c'était de vulgaires assiettes achetées dans le pays. N'importe, dans le gris et champenois Combray, leurs[1] vignettes s'encastraient multicolores, comme dans la noire Église les vitraux aux mouvantes pierreries, comme dans le crépuscule de ma chambre les projections de la lanterne magique, comme devant la vue de la gare et du chemin de fer départemental les boutons d'or des Indes et les lilas de Perse, comme la collection de vieux Chine de ma grand'-tante dans sa sombre demeure de vieille dame de province.

Étendu sur la falaise, je ne voyais devant moi que des prés, et, au-dessus d'eux, non pas les sept ciels de la physique chrétienne, mais la superposition de deux seulement, un plus foncé — la mer — et en haut un plus pâle. Nous goûtions, et si j'avais emporté aussi quelque petit souvenir qui pût plaire à l'une ou à l'autre de mes amies, la joie remplissait avec une violence si soudaine leur visage translucide en un instant devenu rouge que leur bouche n'avait pas la force de la retenir et, pour la laisser passer, éclatait de rire. Elles étaient assemblées autour de moi; et entre les visages peu éloignés les uns des autres, l'air qui les séparait traçait des sentiers d'azur comme frayés par un jardinier qui a voulu mettre un peu de jour pour pouvoir circuler lui-même au milieu d'un bosquet de roses.

Nos provisions épuisées, nous jouions à des jeux qui jusque-là m'eussent paru ennuyeux, quelquefois aussi enfantins que « La Tour Prends Garde » ou « À qui rira le premier », mais auxquels je n'aurais plus renoncé pour un empire; l'aurore de jeunesse dont s'empourprait encore le visage de ces jeunes filles et hors de laquelle je me trouvais déjà, à mon âge, illuminait tout devant elles et, comme la fluide peinture de certains primitifs, faisait se détacher les détails les plus insignifiants de leur vie sur un fond d'or. Pour la plupart, les visages mêmes de ces jeunes filles étaient confondus dans cette rougeur confuse de l'aurore d'où les véritables traits n'avaient pas encore jailli. On ne voyait qu'une couleur charmante sous laquelle ce que devait être dans quelques années le profil n'était pas discernable. Celui d'aujourd'hui n'avait rien de définitif et pouvait n'être qu'une ressemblance momentanée avec quelque membre défunt de la famille auquel la nature avait fait cette politesse commémorative. Il vient si vite, le moment où l'on n'a plus rien à attendre, où le corps est figé dans une immobilité qui ne promet plus de surprises, où l'on perd toute espérance en voyant, comme aux arbres en plein été des feuilles déjà mortes, autour de visages encore jeunes des cheveux qui tombent ou blanchissent, il est si court, ce matin radieux, qu'on en vient à n'aimer que les très jeunes filles, celles chez qui la chair comme une pâte précieuse travaille encore. Elles ne sont qu'un flot de matière ductile pétrie à tout moment par l'impression passagère qui les domine. On dirait que chacune est tour à tour une petite statuette de la gaîté, du sérieux juvénile, de la câlinerie, de l'étonnement, modelée par une expression franche, complète, mais fugitive. Cette plasticité donne beaucoup de variété et de charme aux gentils égards que nous montre une jeune fille. Certes, ils sont indispensables aussi chez la femme, et celle à qui nous ne plaisons pas ou qui ne nous laisse pas voir que nous lui plaisons, prend à nos yeux quelque chose d'ennuyeusement uniforme. Mais ces gentillesses elles-mêmes, à partir d'un certain âge, n'amènent plus de molles fluctuations sur un visage que les luttes de l'existence ont durci, rendu à jamais militant ou extatique. L'un — par la force continue de l'obéissance qui soumet l'épouse à son époux — semble, plutôt que d'une femme, le visage d'un soldat; l'autre, sculpté par les sacrifices qu'a consentis chaque jour la mère pour ses enfants, est d'un apôtre. Un autre encore est, après des années de traverses et d'orages, le visage d'un vieux loup de mer, chez une femme dont les vêtements seuls révèlent le sexe. Et certes, les attentions qu'une femme a pour nous peuvent encore, quand nous l'aimons, semer de charmes nouveaux les heures que nous passons auprès d'elle. Mais elle n'est pas successivement pour nous une femme différente. Sa gaîté reste extérieure à une figure inchangée. Mais l'adolescence est antérieure à la solidification complète et de là vient qu'on éprouve auprès des jeunes filles ce rafraîchissement que donne le spectacle des formes sans cesse en train de changer, de[1] jouer en une instable opposition qui fait penser à cette perpétuelle recréation des éléments primordiaux de la nature qu'on contemple devant la mer.

Ce n'était pas seulement une matinée mondaine, une promenade avec Mme de Villeparisis que j'eusse sacrifiées au « furet » ou aux « devinettes » de mes amies. À plusieurs reprises Robert de Saint-Loup me fit dire que puisque je n'allais pas le voir à Doncières, il avait demandé une permission de vingt-quatre heures et la passerait à Balbec. Chaque fois je lui écrivis de n'en rien faire, en invoquant l'excuse d'être obligé de m'absenter justement ce jour-là pour aller remplir dans le voisinage un devoir de famille avec ma grand'mère. Sans doute me jugea-t-il mal en apprenant par sa tante en quoi consistait le devoir de famille et quelles personnes tenaient en l'espèce le rôle de grand'mère. Et pourtant je n'avais peut-être pas tort de sacrifier les plaisirs non seulement de la mondanité, mais de l'amitié, à celui de passer tout le jour dans ce jardin[2]. Les êtres qui en ont la possibilité — il est vrai que ce sont les artistes et j'étais convaincu depuis longtemps que je ne le serais jamais — ont aussi le devoir de vivre pour eux-mêmes; or l'amitié leur est une dispense de ce devoir, une abdication de soi. La conversation même qui eﬅ le mode d'expression de l'amitié eﬅ une divagation superficielle, qui ne nous donne rien à acquérir. Nous pouvons causer pendant toute une vie sans rien dire que répéter indéfiniment le vide d'une minute, tandis que la marche de la pensée dans le travail solitaire de la création artistique se fait dans le sens de la profondeur, la seule direction qui ne nous soit pas fermée, où nous puissions progresser[1], avec plus de peine il eﬅ vrai, pour un résultat de vérité. Et l'amitié n'eﬅ pas seulement dénuée de vertu comme la conversation, elle eﬅ de plus funeﬅe. Car l'impression d'ennui que ne peuvent pas ne pas éprouver auprès de leur ami, c'eﬅ-à-dire à reﬅer à la surface de soi-même, au lieu de poursuivre leur voyage de découvertes dans les profondeurs, ceux d'entre nous dont la loi de développement eﬅ purement interne, cette impression d'ennui, l'amitié nous persuade de la rectifier quand nous nous retrouvons seuls, de nous rappeler avec émotion les paroles que notre ami nous a dites, de les considérer comme un précieux apport, alors que nous ne sommes pas comme des bâtiments à qui on peut ajouter des pierres du dehors, mais comme des arbres qui tirent de leur propre sève le nœud suivant de leur tige, l'étage supérieur de leur frondaison. Je me mentais à moi-même, j'interrompais la croissance dans le sens selon lequel je pouvais en effet véritablement grandir et être heureux, quand je me félicitais d'être aimé, admiré, par un être aussi bon, aussi intelligent, aussi recherché que Saint-Loup, quand j'adaptais mon intelligence, non à mes propres obscures impressions que c'eût été mon devoir de démêler, mais aux paroles de mon ami à qui en me les redisant — en me les faisant redire par cet autre que soi-même qui vit en nous et sur qui on eﬅ toujours si content de se décharger du fardeau de penser — je m'efforçais de trouver une beauté, bien différente de celle que je poursuivais silencieusement quand j'étais vraiment seul, mais qui donnerait plus de mérite à Robert, à moi-même, à ma vie. Dans celle qu'un tel ami me faisait, je m'apparaissais comme douillettement préservé de la solitude, noblement désireux de me sacrifier moi-même pour lui, en somme incapable de me réaliser. Près de ces jeunes filles, au contraire, si le plaisir que je goûtais était égoïﬅe, du moins n'était il pas basé sur le mensonge qui cherche à nous faire croire que nous ne sommes pas irrémédiablement seuls et[1] nous empêche de nous avouer que, quand nous causons, ce n'est plus nous qui parlons, que nous nous modelons alors à la ressemblance des autres et non d'un moi qui diffère d'eux. Les paroles qui s'échangeaient entre les jeunes filles de la petite bande et moi étaient peu intéressantes, rares d'ailleurs, coupées de ma part de longs silences. Cela ne m'empêchait pas de prendre à les écouter quand elles me parlaient autant de plaisir qu'à les regarder, à découvrir dans la voix de chacune d'elles un tableau vivement coloré. C'est avec délices que j'écoutais leur pépiement. Aimer aide à discerner, à différencier. Dans un bois l'amateur d'oiseaux distingue aussitôt ces gazouillis particuliers à chaque oiseau, que le vulgaire confond. L'amateur de jeunes filles sait que les voix humaines sont encore bien plus variées. Chacune possède plus de notes que le plus riche instrument. Et les combinaisons selon lesquelles elle les groupe sont aussi inépuisables que l'infinie variété des personnalités. Quand je causais avec une de mes amies, je m'apercevais que le tableau original, unique de son individualité, m'était ingénieusement dessiné, tyranniquement imposé, aussi bien par les inflexions de sa voix que par celles de son visage et que c'était deux spectacles qui traduisaient, chacun dans son plan, la même réalité singulière. Sans doute les lignes de la voix, comme celles du visage, n'étaient pas encore définitivement fixées; la première muerait encore, comme le second changerait. Comme les enfants possèdent une glande dont la liqueur les aide à digérer le lait et qui n'existe plus chez les grandes personnes, il y avait dans le gazouillis de ces jeunes filles des notes que les femmes n'ont plus. Et de cet instrument plus varié, elles jouaient avec leurs lèvres, avec cette application, cette ardeur des petits anges musiciens de Bellini, lesquelles sont aussi un apanage exclusif de la jeunesse. Plus tard ces jeunes filles perdraient cet accent de conviction enthousiaste qui donnait du charme aux choses les plus simples, soit qu'Albertine sur un ton d'autorité débitât des calembours que les plus jeunes écoutaient avec admiration jusqu'à ce que le fou rire se saisît d'elles avec la violence irrésistible d'un éternuement, soit qu'Andrée mît à parler de leurs travaux scolaires, plus enfantins encore que leurs jeux, une gravité essentiellement puérile; et leurs paroles détonnaient, pareilles à ces strophes des temps antiques où la poésie encore peu différenciée de la musique se déclamait sur des notes différentes. Malgré tout, la voix de ces jeunes filles accusait déjà nettement le parti pris que chacune de ces petites personnes avait sur la vie, parti pris si individuel que c'est user d'un mot bien trop général que de dire pour l'une : « elle prend tout en plaisantant »; pour l'autre : « elle va d'affirmation en affirmation »; pour la troisième : « elle s'arrête à une hésitation expectante ». Les traits de notre visage ne sont guère que des gestes devenus, par l'habitude, définitifs. La nature, comme la catastrophe de Pompéi, comme une métamorphose de nymphe, nous a immobilisés dans le mouvement accoutumé. De même, nos intonations contiennent notre philosophie de la vie, ce que la personne se dit à tout moment sur les choses. Sans doute ces traits n'étaient pas qu'à ces jeunes filles. Ils étaient à leurs parents. L'individu baigne dans quelque chose de plus général que lui. À ce compte, les parents ne fournissent pas que ce geste habituel que sont les traits du visage et de la voix, mais aussi certaines manières de parler, certaines phrases consacrées, qui presque aussi inconscientes qu'une intonation, presque aussi profondes, indiquent, comme elle, un point de vue sur la vie. Il est vrai que pour les jeunes filles, il y a certaines de ces expressions que leurs parents ne leur donnent pas avant un certain âge, généralement pas avant qu'elles soient des femmes. On les garde en réserve. Ainsi, par exemple, si on parlait des tableaux d'un ami d'Elstir, Andrée, qui avait encore les cheveux dans le dos, ne pouvait encore faire personnellement usage de l'expression dont usaient sa mère et sa sœur mariée : « Il paraît que *l'homme* est charmant. » Mais cela viendrait avec la permission d'aller au Palais-Royal. Et déjà depuis sa première communion, Albertine disait comme une amie de sa tante : « Je trouverais cela assez terrible. » On lui avait aussi donné en présent l'habitude de faire répéter ce qu'on lui disait pour avoir l'air de s'intéresser et de chercher à se former une opinion personnelle. Si on disait que la peinture d'un peintre était bien, ou sa maison jolie : « Ah! c'est bien, sa peinture? Ah! c'est joli, sa maison? » Enfin, plus générale encore que n'est le legs familial était la savoureuse matière imposée par la province originelle d'où elles tiraient leur voix et à même laquelle mordaient leurs intonations. Quand Andrée pinçait sèchement une note grave, elle ne pouvait faire que la corde périgourdine de son instrument vocal ne rendît un son chantant, fort en harmonie d'ailleurs avec la pureté méridionale de ses traits; et aux perpétuelles gamineries de Rosemonde, la matière de son visage et de sa voix du Nord répondaient, quoi qu'elle en eût, avec l'accent de sa province. Entre cette province et le tempérament de la jeune fille qui dictait les inflexions, je percevais un beau dialogue. Dialogue, non pas discorde. Aucune ne saurait diviser la jeune fille et son pays natal. Elle, c'est lui encore. Du reste cette réaction des matériaux locaux sur le génie qui les utilise et à qui elle donne plus de verdeur ne rend pas l'œuvre moins individuelle, et que ce soit celle d'un architecte, d'un ébéniste, ou d'un musicien, elle ne reflète pas moins minutieusement les traits les plus subtils de la personnalité de l'artiste, parce qu'il a[1] été forcé de travailler dans la pierre meulière de Senlis ou le grès rouge de Strasbourg, qu'il a respecté les nœuds particuliers au frêne, qu'il a tenu compte dans son écriture des ressources et des limites de la sonorité, des possibilités de la flûte ou de l'alto.

Je m'en rendais compte et pourtant nous causions si peu! Tandis qu'avec Mme de Villeparisis ou Saint-Loup, j'eusse démontré par mes paroles beaucoup plus de plaisir que je n'en eusse ressenti, car je les quittais avec fatigue, au contraire couché entre ces jeunes filles, la plénitude de ce que j'éprouvais l'emportait infiniment sur la pauvreté, la rareté de nos propos, et débordait de mon immobilité et de mon silence, en flots de bonheur dont le clapotis venait mourir au pied de ces jeunes roses.

Pour un convalescent qui se repose tout le jour dans un jardin fleuriste ou dans un verger, une odeur de fleurs et de fruits n'imprègne pas plus profondément les mille riens dont se compose son farniente que pour moi cette couleur, cet arôme que mes regards allaient chercher sur ces jeunes filles et dont la douceur finissait par s'incorporer à[1] moi. Ainsi les raisins se sucrent-ils au soleil. Et par leur lente continuité, ces jeux si simples avaient aussi amené en moi, comme chez ceux qui ne font autre chose que rester étendus au bord de la mer à respirer le sel, à se hâler, une détente, un sourire béat, un éblouissement vague qui avait gagné jusqu'à mes yeux.

Parfois une gentille attention de telle ou telle éveillait en moi d'amples vibrations qui éloignaient pour un temps le désir des autres. Ainsi un jour Albertine avait dit : « Qu'est-ce qui a un crayon ? » Andrée l'avait fourni, Rosemonde le papier, Albertine leur avait dit : « Mes petites bonnes femmes, je vous défends de regarder ce que j'écris. » Après s'être appliquée à bien tracer chaque lettre, le papier appuyé à ses genoux, elle me l'avait passé en me disant : « Faites attention qu'on ne voie pas. » Alors je l'avais déplié et j'avais lu ces mots qu'elle m'avait écrits : « Je vous aime bien. »

« Mais au lieu d'écrire des bêtises, cria-t-elle en se tournant d'un air impétueux[2] et grave vers Andrée et Rosemonde, il faut que je vous montre la lettre que Gisèle m'a écrite ce matin. Je suis folle, je l'ai dans ma poche, et dire que cela peut nous être si utile ! » Gisèle avait cru devoir adresser à son amie, afin qu'elle la communiquât aux autres, la composition qu'elle avait faite pour son certificat d'études. Les craintes d'Albertine sur la difficulté des sujets proposés avaient encore été dépassées par les deux entre lesquels Gisèle avait eu à opter. L'un était : « Sophocle écrit des Enfers à Racine pour le consoler de l'insuccès d'*Athalie* » ; l'autre : « Vous supposerez qu'après la première représentation d'*Esther,* Mme de Sévigné écrit à Mme de La Fayette pour lui dire combien elle a regretté son absence. » Or Gisèle, par un excès de zèle qui avait dû toucher les examinateurs, avait choisi le premier, le plus difficile, de ces deux sujets, et l'avait traité si remarquablement qu'elle avait eu quatorze et avait été félicitée par le jury. Elle aurait obtenu la mention « très bien » si elle n'avait « séché » dans son examen d'espagnol. La composition dont Gisèle avait envoyé la copie à Albertine nous fut immédiatement lue par celle-ci, car, devant elle-même passer le même examen, elle désirait beaucoup avoir l'avis d'Andrée, beaucoup plus forte qu'elles toutes et qui pouvait lui donner de bons tuyaux. « Elle en a eu une veine, dit Albertine. C'est justement un sujet que lui avait fait piocher ici sa maîtresse de français. » La lettre de Sophocle à Racine, rédigée par Gisèle, commençait ainsi : « Mon cher ami, excusez-moi de » vous écrire sans avoir l'honneur d'être personnelle- » ment connu de vous, mais votre nouvelle tragédie » d'*Athalie* ne montre-t-elle pas que vous avez par- » faitement étudié mes modestes ouvrages ? Vous n'avez » pas mis de vers que dans la bouche des protagonistes, » ou personnages principaux du drame, mais vous en » avez écrit, et de charmants, permettez-moi de vous le » dire sans cajolerie, pour les chœurs qui ne faisaient » pas trop mal, à ce qu'on dit, dans la tragédie grecque, » mais qui sont en France une véritable nouveauté. De » plus, votre talent, si délié, si fignolé, si charmeur, si » fin, si délicat, a atteint à une énergie dont je vous » félicite. Athalie, Joad, voilà des personnages que votre » rival, Corneille, n'eût pas su mieux charpenter. Les » caractères sont virils, l'intrigue est simple et forte. » Voilà une tragédie dont l'amour n'est pas le ressort et je » vous en fais mes compliments les plus sincères. Les » préceptes les plus fameux ne sont pas toujours les plus » vrais. Je vous citerai comme exemple :

> De cette passion la sensible peinture
> Est pour aller au cœur la route la plus sûre.

» Vous avez montré que le sentiment religieux dont » débordent vos chœurs n'est pas moins capable d'at- » tendrir. Le grand public a pu être dérouté, mais les » vrais connaisseurs vous rendent justice. J'ai tenu à » vous envoyer toutes mes congratulations auxquelles » je joins, mon cher confrère, l'expression de mes » sentiments les plus distingués. »

Les yeux d'Albertine n'avaient cessé d'étinceler pendant qu'elle faisait cette lecture : « C'est à croire qu'elle a copié cela, s'écria-t-elle quand elle eut fini. Jamais je n'aurais cru Gisèle capable de pondre un devoir pareil. Et ces vers qu'elle cite ! Où a-t-elle pu aller chiper ça ? » L'admiration d'Albertine, changeant il est vrai d'objet, mais encore accrue, ne cessa pas, ainsi que l'application la plus soutenue, de lui faire « sortir les yeux de la tête » tout le temps qu'Andrée, consultée comme plus grande et comme plus calée, d'abord parla du devoir de Gisèle avec une certaine ironie, puis, avec un air de légèreté qui dissimulait mal un sérieux véritable, refit à sa façon la même lettre. « Ce n'est pas mal, dit-elle à Albertine, mais si j'étais toi et qu'on me donne le même sujet, ce qui peut arriver, car on le donne très souvent, je ne ferais pas comme cela. Voilà comment je m'y prendrais. D'abord, si j'avais été Gisèle, je ne me serais par laissée emballer et j'aurais commencé par écrire sur une feuille à part mon plan. En première ligne, la position de la question et l'exposition du sujet; puis les idées générales à faire entrer dans le développement; enfin, l'appréciation, le style, la conclusion. Comme cela, en s'inspirant d'un sommaire, on sait où on va. Dès l'exposition du sujet ou si tu aimes mieux, Titine, puisque c'est une lettre, dès l'entrée en matière, Gisèle a gaffé. Écrivant à un homme du XVIIe siècle, Sophocle ne devait pas écrire : mon cher ami. — Elle aurait dû, en effet, lui faire dire : mon cher Racine, s'écria fougueusement Albertine. Ç'aurait été bien mieux. — Non, répondit Andrée sur un ton un peu persifleur, elle aurait dû mettre : « Monsieur ». De même, pour finir elle aurait dû trouver quelque chose comme : « Souffrez, Monsieur (tout au plus, cher Monsieur), que je vous dise ici les sentiments d'estime avec lesquels j'ai l'honneur d'être votre serviteur. » D'autre part, Gisèle dit que les chœurs sont dans *Athalie* une nouveauté. Elle oublie *Esther,* et deux tragédies peu connues, mais qui ont été précisément analysées cette année par le Professeur, de sorte que, rien qu'en les citant, comme c'est son dada, on est sûre d'être reçue. Ce sont *les Juives* de Robert Garnier et l'*Aman,* de Montchrestien. » Andrée cita ces deux titres sans parvenir à cacher un sentiment de bienveillante supériorité qui s'exprima dans un sourire, assez gracieux d'ailleurs. Albertine n'y tint plus : « Andrée, tu es renversante, s'écria-t-elle. Tu vas m'écrire ces deux titres-là. Crois-tu? quelle chance si je passais là-dessus, même à l'oral, je les citerais aussitôt et je ferais un effet bœuf. » Mais dans la suite, chaque fois qu'Albertine demanda à Andrée de lui redire les noms des deux pièces pour qu'elle les inscrivît, l'amie si savante prétendit les avoir oubliés et ne les lui rappela jamais. « Ensuite, reprit Andrée sur un ton d'imperceptible dédain à l'égard de camarades plus puériles, mais heureuse pourtant de se faire admirer et attachant à la manière dont elle aurait fait sa composition plus d'importance qu'elle ne voulait le laisser voir, Sophocle aux Enfers doit être bien informé. Il doit donc savoir que ce n'est pas devant le grand public, mais devant le Roi-Soleil et quelques courtisans privilégiés que fut représentée *Athalie*. Ce que Gisèle dit à ce propos de l'estime des connaisseurs n'est pas mal du tout, mais pourrait être complété. Sophocle, devenu immortel, peut très bien avoir le don de la prophétie et annoncer que selon Voltaire *Athalie* ne sera pas seulement « le chef-d'œuvre de Racine, mais celui de l'esprit humain ». Albertine buvait toutes ces paroles. Ses prunelles étaient en feu. Et c'est avec l'indignation la plus profonde qu'elle repoussa la proposition de Rosemonde de se mettre à jouer. « Enfin, dit Andrée du même ton détaché, désinvolte, un peu railleur et assez ardemment convaincu, si Gisèle avait posément noté d'abord les idées générales qu'elle avait à développer, elle aurait peut-être pensé à ce que j'aurais fait, moi, montrer la différence qu'il y a dans l'inspiration religieuse des chœurs de Sophocle et de ceux de Racine. J'aurais fait faire par Sophocle la remarque que si les chœurs de Racine sont empreints de sentiments religieux comme ceux de la tragédie grecque, pourtant il ne s'agit pas des mêmes dieux. Celui de Joad n'a rien à voir avec celui de Sophocle. Et cela amène tout naturellement, après la fin du développement, la conclusion : « Qu'importe que les croyances soient différentes ? » Sophocle se ferait un scrupule d'insister là-dessus. Il craindrait de blesser les convictions de Racine et, glissant à ce propos quelques mots sur ses maîtres de Port-Royal, il préfère féliciter son émule de l'élévation de son génie poétique. »

L'admiration et l'attention avaient donné si chaud à Albertine qu'elle suait à grosses gouttes. Andrée gardait le flegme souriant d'un dandy femelle. « Il ne serait pas mauvais non plus de citer quelques jugements de[1] critiques célèbres », dit-elle avant qu'on se remît à jouer. « Oui, répondit Albertine, on m'a dit cela. Les plus recommandables en général, n'est-ce pas, sont les jugements de Sainte-Beuve et de Merlet ? — Tu ne te trompes pas absolument, répliqua Andrée qui se refusa d'ailleurs à lui écrire les deux autres noms malgré les supplications d'Albertine, Merlet et Sainte-Beuve ne font pas mal. Mais il faut surtout citer Deltour et Gascq-Desfossés. »

Pendant ce temps, je songeais à la petite feuille de bloc-notes que m'avait passée Albertine : « Je vous aime bien », et une heure plus tard, tout en descendant les chemins qui ramenaient, un peu trop à pic à mon gré, vers Balbec, je me disais que c'était avec elle que j'aurais mon roman.

L'état caractérisé par l'ensemble de signes auxquels nous reconnaissons d'habitude que nous sommes amoureux, tels les ordres que je donnais à l'hôtel de ne m'éveiller pour aucune visite, sauf si c'était celle de l'une[1] ou l'autre de ces jeunes filles, ces battements de cœur en les attendant (quelle que fût celle qui dût venir) et, ces jours-là, ma rage si je n'avais pu trouver un coiffeur pour me raser et devais paraître enlaidi devant Albertine, Rosemonde ou Andrée, sans doute cet état, renaissant alternativement pour l'une ou l'autre, était aussi différent de ce que nous appelons amour que diffère de la vie humaine celle des zoophytes où l'existence, l'individualité, si l'on peut dire, est répartie entre différents organismes. Mais l'histoire naturelle nous apprend qu'une telle organisation animale est observable, et notre propre vie, pour peu qu'elle soit déjà un peu avancée, n'est pas moins affirmative sur la réalité d'états insoupçonnés de nous autrefois et par lesquels nous devons passer, quitte à les abandonner ensuite : tel pour moi cet état amoureux divisé simultanément entre plusieurs jeunes filles. Divisé ou plutôt indivis, car le plus souvent ce qui m'était délicieux, différent du reste du monde, ce qui commençait à me devenir cher au point que l'espoir de le retrouver le lendemain était la meilleure joie de ma vie, c'était plutôt tout le groupe de ces jeunes filles, pris dans l'ensemble de ces après-midi sur la falaise, pendant ces heures éventées, sur cette bande d'herbe où étaient posées ces figures, si excitantes pour mon imagination, d'Albertine, de Rosemonde, d'Andrée; et cela, sans que j'eusse pu dire laquelle me rendait ces lieux si précieux, laquelle j'avais le plus envie d'aimer. Au commencement d'un amour comme à sa fin, nous ne sommes pas exclusivement attachés à l'objet de cet amour, mais plutôt le désir d'aimer dont il va procéder (et plus tard le souvenir qu'il laisse) erre voluptueusement dans une zone de charmes interchangeables — charmes parfois simplement de nature, de gourmandise, d'habitation — assez harmoniques entre eux pour qu'il ne se sente, auprès d'aucun, dépaysé. D'ailleurs comme, devant elles, je n'étais pas encore blasé par l'habitude, j'avais la faculté de les voir, autant dire d'éprouver un étonnement profond chaque fois que je me retrouvais en leur présence.

Sans doute pour une part cet étonnement tient à ce que l'être nous présente alors une nouvelle face de lui-même; mais, tant est grande la multiplicité de chacun, la richesse[1] des lignes de son visage et de son corps, lignes desquelles si peu se retrouvent, aussitôt que nous ne sommes plus auprès de la personne, dans la simplicité arbitraire de notre souvenir, comme la mémoire a choisi telle particularité qui nous a frappé, l'a isolée, l'a exagérée, faisant d'une femme qui nous a paru grande une étude où la longueur de sa taille est démesurée, ou d'une femme qui nous a semblé rose et blonde une pure « Harmonie en rose et or », au moment où de nouveau cette femme est près de nous, toutes les autres qualités oubliées qui font équilibre à celle-là nous assaillent, dans leur complexité confuse, diminuant la hauteur, noyant le rose, et substituant à ce que nous sommes venus exclusivement chercher d'autres particularités que nous nous rappelons avoir remarquées la première fois et dont nous ne comprenons pas que nous ayons pu si peu nous attendre à les revoir. Nous nous souvenions, nous allions[2] au-devant, d'un paon et nous trouvons une pivoine. Et cet étonnement inévitable n'est pas le seul; car à côté de celui-là il y en a un autre, né de la différence, non plus entre les stylisations du souvenir et la réalité, mais entre l'être que nous avons vu la dernière fois et celui qui nous apparaît aujourd'hui sous un autre angle, nous montrant un nouvel aspect. Le visage humain est vraiment comme celui du Dieu d'une théogonie orientale, toute une grappe de visages juxtaposés dans des plans différents et qu'on ne voit pas à la fois.

Mais pour une grande part, notre étonnement vient surtout de ce que l'être nous présente aussi une même face. Il nous faudrait un si grand effort pour recréer tout ce qui nous a été fourni par ce qui n'est pas nous — fût-ce le goût d'un fruit — qu'à peine l'impression reçue, nous descendons insensiblement la pente du souvenir, et, sans nous en rendre compte, en très peu de temps, nous sommes très loin de ce que nous avons senti. De sorte que chaque nouvelle entrevue est une espèce de redressement qui nous ramène à ce que nous avions bien vu. Nous ne nous en souvenions déjà plus, tant ce qu'on appelle se rappeler un être, c'est en réalité l'oublier. Mais aussi longtemps que nous savons encore voir[1], au moment où le trait oublié nous apparaît, nous le reconnaissons, nous sommes obligés de rectifier la ligne déviée, et ainsi la perpétuelle et féconde surprise qui rendait si salutaires et assouplissants pour moi ces rendez-vous quotidiens avec les belles jeunes filles du bord de la mer, était faite, tout autant que de découvertes, de réminiscence. En ajoutant à cela l'agitation éveillée par ce qu'elles étaient pour moi, qui n'était jamais tout à fait ce que j'avais cru et qui faisait que l'espérance de la prochaine réunion n'était plus semblable à la précédente espérance, mais au souvenir encore vibrant du dernier entretien, on comprendra que chaque promenade donnait un violent coup de barre à mes pensées, et non pas du tout dans le sens que, dans la solitude de ma chambre, j'avais pu tracer à tête reposée. Cette direction-là était oubliée, abolie, quand je rentrais vibrant comme une ruche des propos qui m'avaient troublé et qui retentissaient longtemps en moi. Chaque être est détruit quand nous cessons de le voir; puis son apparition suivante est une création nouvelle, différente de celle qui l'a immédiatement précédée, sinon de toutes. Car le minimum de variété qui puisse régner dans ces créations est de deux. Nous souvenant d'un coup d'œil énergique, d'un air hardi, c'est inévitablement la fois suivante par un profil quasi languide, par une sorte de douceur rêveuse, choses négligées par nous dans le précédent souvenir, que nous serons, à la prochaine rencontre, étonnés, c'est-à-dire presque uniquement frappés. Dans la confrontation de notre souvenir à la réalité nouvelle, c'est cela qui marquera notre déception ou notre surprise, nous apparaîtra comme la retouche de la réalité en nous avertissant que nous nous étions mal rappelé. À son tour l'aspect la dernière fois négligé du visage, et, à cause de cela même, le plus saisissant cette fois-ci, le plus réel, le plus rectificatif, deviendra matière à rêverie, à souvenirs. C'est un profil langoureux et rond, une expression douce, rêveuse que nous désirerons revoir. Et alors, de nouveau, la fois suivante, ce qu'il y a de volontaire dans les yeux perçants, dans le nez pointu, dans les lèvres serrées, viendra corriger l'écart entre notre désir et l'objet auquel il a cru correspondre. Bien entendu, cette fidélité aux impressions premières, et purement physiques, retrouvées à chaque fois auprès de mes amies, ne concernait pas que les traits de leur visage, puisqu'on a vu que j'étais aussi sensible à leur voix, plus troublante peut-être (car elle n'offre pas seulement les mêmes surfaces singulières et sensuelles que lui, elle fait partie de l'abîme inaccessible qui donne le vertige des baisers sans espoir), leur voix pareille au son unique d'un petit instrument où chacune se mettait tout entière et qui n'était qu'à elle. Tracée par une inflexion, telle ligne profonde d'une de ces voix m'étonnait quand je la reconnaissais après l'avoir oubliée. Si bien que les rectifications qu'à chaque rencontre nouvelle j'étais obligé de faire, pour le retour à la parfaite justesse, étaient aussi bien d'un accordeur ou d'un maître de chant que d'un dessinateur.

Quant à l'harmonieuse cohésion où se neutralisaient depuis quelque temps, par la résistance que chacune apportait à l'expansion des autres, les diverses ondes sentimentales propagées en moi par ces jeunes filles, elle fut rompue en faveur d'Albertine, une après-midi que nous jouions au furet. C'était dans un petit bois sur la falaise. Placé entre deux jeunes filles étrangères à la petite bande et que celle-ci avait emmenées parce que nous devions être ce jour-là fort nombreux, je regardais avec envie le voisin d'Albertine, un jeune homme, en me disant que si j'avais eu sa place, j'aurais pu toucher les mains de mon amie pendant ces minutes inespérées qui ne reviendraient peut-être pas et eussent pu me conduire très loin. Déjà à lui seul et même sans les conséquences qu'il eût entraînées sans doute, le contact des mains d'Albertine m'eût été délicieux. Non que je n'eusse jamais vu de plus belles mains que les siennes. Même dans le groupe de ses amies, celles d'Andrée, maigres et bien plus fines, avaient comme une vie particulière, docile au commandement de la jeune fille, mais indépendante, et elles s'allongeaient souvent devant elle comme de nobles lévriers, avec des paresses, de longs rêves, de brusques étirements d'une phalange, à cause desquels Elstir avait fait plusieurs études de ces mains. Et dans l'une où on voyait Andrée les chauffer devant le feu, elles avaient sous l'éclairage la diaphanéité dorée de deux feuilles d'automne. Mais, plus grasses, les mains d'Albertine cédaient un instant, puis résistaient à la pression de la main qui les serrait, donnant une sensation toute particulière. La pression de la main d'Albertine avait une douceur sensuelle qui était comme en harmonie avec la coloration rose, légèrement mauve, de sa peau. Cette pression semblait vous faire pénétrer dans la jeune fille, dans la profondeur de ses sens, comme la sonorité de son rire, indécent à la façon d'un roucoulement ou de certains cris. Elle était de ces femmes à qui c'est un si grand plaisir de serrer la main qu'on est reconnaissant à la civilisation d'avoir fait du shake-hand un acte permis entre jeunes gens et jeunes filles qui s'abordent. Si les habitudes arbitraires de la politesse avaient remplacé la poignée de mains par un autre geste, j'eusse tous les jours regardé les mains intangibles d'Albertine avec une curiosité de connaître leur contact aussi ardente qu'était celle de savoir la saveur de ses joues. Mais dans le plaisir de tenir longtemps ses mains entre les miennes, si j'avais été son voisin au furet, je n'envisageais pas que ce plaisir même : que d'aveux, de déclarations tus jusqu'ici par timidité j'aurais pu confier à certaines pressions de mains; de son côté, comme il lui eût été facile, en répondant par d'autres pressions, de me montrer qu'elle acceptait; quelle complicité, quel commencement de volupté! Mon amour pouvait faire plus de progrès en quelques minutes passées ainsi à côté d'elle qu'il n'avait fait depuis que je la connaissais. Sentant qu'elles dureraient peu, étaient bientôt à leur fin, car on ne continuerait sans doute pas longtemps ce petit jeu, et qu'une fois qu'il serait fini, ce serait trop tard, je ne tenais pas en place. Je me laissai exprès prendre la bague et une fois au milieu, quand elle passa je fis semblant de ne pas m'en apercevoir et la suivis[1] des yeux attendant le moment où elle arriverait dans les mains du voisin d'Albertine, laquelle riant de toutes ses forces, et dans l'animation et la joie du jeu, était toute rose. « Nous sommes justement dans le bois joli », me dit Andrée en me désignant les arbres qui nous entouraient, avec un sourire du regard qui n'était que pour moi et semblait passer par-dessus les joueurs, comme si nous deux étions seuls assez intelligents pour nous dédoubler et faire à propos du jeu une remarque d'un caractère poétique. Elle poussa même la délicatesse d'esprit jusqu'à chanter sans en avoir envie : « Il a passé par ici, le furet du Bois, Mesdames, il a passé par ici le furet du Bois joli », comme les personnes qui ne peuvent aller à Trianon sans y donner une fête Louis XVI ou qui trouvent piquant de faire chanter un air dans le cadre pour lequel il fut écrit. J'eusse sans doute été au contraire attristé de ne pas trouver du charme à cette réalisation, si j'avais eu le loisir d'y penser. Mais mon esprit était bien ailleurs. Joueurs et joueuses commençaient à s'étonner de ma stupidité et que je ne prisse pas la bague. Je regardais Albertine si belle, si indifférente, si gaie, qui, sans le prévoir, allait devenir ma voisine quand enfin j'arrêterais la bague dans les mains qu'il faudrait, grâce à un manège qu'elle ne soupçonnait pas et dont sans cela elle se fût irritée. Dans la fièvre du jeu, les longs cheveux d'Albertine s'étaient à demi défaits et, en mèches bouclées, tombaient sur ses joues dont ils faisaient encore mieux ressortir, par leur brune sécheresse, la rose carnation. « Vous avez les tresses de Laura Dianti, d'Éléonore de Guyenne, et de sa descendante si aimée de Chateaubriand. Vous devriez porter toujours les cheveux un peu tombants », lui dis-je à l'oreille pour me rapprocher d'elle. Tout d'un coup la bague passa au voisin d'Albertine. Aussitôt je m'élançai, lui ouvris brutalement les mains, saisis la bague ; il fut obligé d'aller à ma place au milieu du cercle, et je pris la sienne à côté d'Albertine. Peu de minutes auparavant, j'enviais ce jeune homme quand je voyais ses mains, en glissant sur la ficelle, rencontrer[2] à tout moment celles d'Albertine. Maintenant que mon tour était venu, trop timide pour rechercher, trop ému pour goûter ce contact, je ne sentais plus rien que le battement rapide et douloureux de mon cœur. À un moment, Albertine pencha vers moi d'un air d'intelligence sa figure pleine et rose, faisant ainsi semblant d'avoir la bague, afin de tromper le furet et de l'empêcher de regarder du côté où celle-ci était en train de passer. Je compris tout de suite que c'était à cette ruse que s'appliquaient les sous-entendus du regard d'Albertine, mais je fus troublé en voyant ainsi passer dans ses yeux l'image, purement simulée pour les besoins du jeu, d'un secret, d'une entente qui n'existaient[1] pas entre elle et moi, mais qui dès lors me semblèrent possibles et m'eussent été divinement doux. Comme cette pensée m'exaltait, je sentis une légère pression de la main d'Albertine contre la mienne, et son doigt caressant qui se glissait sous mon doigt, et je vis qu'elle m'adressait en même temps un clin d'œil qu'elle cherchait à rendre imperceptible. D'un seul coup, une foule d'espoirs jusque-là invisibles à moi-même cristallisèrent : « Elle profite du jeu pour me faire sentir qu'elle m'aime bien », pensai-je au comble d'une joie d'où je retombai aussitôt quand j'entendis Albertine me dire avec rage : « Mais prenez-la donc, voilà une heure que je vous la passe. » Étourdi de chagrin, je lâchai la ficelle, le furet aperçut la bague, se jeta sur elle, je dus me remettre au milieu, désespéré, regardant la ronde effrénée qui continuait autour de moi, interpellé par les moqueries de toutes les joueuses, obligé, pour y répondre, de rire quand j'en avais si peu envie, tandis qu'Albertine ne cessait de dire : « On ne joue pas quand on ne veut pas faire attention et pour faire perdre les autres. On ne l'invitera plus les jours où on jouera, Andrée, ou bien moi je ne viendrai pas. » Andrée, supérieure au jeu et qui chantait son « Bois joli », que par esprit d'imitation reprenait sans conviction Rosemonde, voulut faire diversion aux reproches d'Albertine en me disant : « Nous sommes à deux pas de ces Creuniers que vous vouliez tant voir. Tenez, je vais vous mener jusque-là par un joli petit chemin pendant que ces folles font les enfants de huit ans. » Comme Andrée était extrêmement gentille avec moi, en route je lui dis d'Albertine tout ce qui me semblait propre à me faire aimer de celle-ci. Elle me répondit qu'elle aussi l'aimait beaucoup, la trouvait charmante; pourtant mes compliments à l'adresse de son amie n'avaient pas l'air de lui faire plaisir. Tout d'un coup, dans le petit chemin creux, je m'arrêtai touché au cœur par un doux souvenir d'enfance : je venais de reconnaître, aux feuilles découpées et brillantes qui s'avançaient sur le seuil, un buisson d'aubépines défleuries, hélas, depuis la fin du printemps. Autour de moi flottait une atmosphère d'anciens mois de Marie, d'après-midi du dimanche, de croyances, d'erreurs oubliées. J'aurais voulu la saisir. Je m'arrêtai une seconde et Andrée, avec une divination charmante, me laissa causer un instant avec les feuilles de l'arbuste. Je leur demandai des nouvelles des fleurs, ces fleurs de l'aubépine pareilles à de gaies jeunes filles étourdies, coquettes et pieuses. « Ces demoiselles sont parties depuis déjà longtemps », me disaient les feuilles. Et peut-être pensaient-elles que pour le grand ami d'elles que je prétendais être, je ne semblais guère renseigné sur leurs habitudes. Un grand ami, mais qui ne les avais[1] pas revues depuis tant d'années, malgré ses promesses. Et pourtant, comme Gilberte avait été mon premier amour pour une jeune fille, elles avaient été mon premier amour pour une fleur. « Oui, je sais, elles s'en vont vers la mi-juin, répondis-je, mais cela me fait plaisir de voir l'endroit qu'elles habitaient ici. Elles sont venues me voir à Combray dans ma chambre, amenées par ma mère quand j'étais malade. Et nous nous retrouvions le samedi soir au mois de Marie. Elles peuvent y aller ici ? — Oh ! naturellement ! Du reste on tient beaucoup à avoir ces demoiselles à l'église de Saint-Denis-du-Désert, qui est la paroisse la plus voisine. — Alors, maintenant, pour les voir ? — Oh ! pas avant le mois de mai de l'année prochaine. — Mais je peux être sûr qu'elles seront là ? — Régulièrement tous les ans. — Seulement je ne sais pas si je retrouverai bien la place. — Que si ! ces demoiselles sont si gaies, elles ne s'interrompent de rire que pour chanter des cantiques, de sorte qu'il n'y a pas d'erreur possible et que du bout du sentier vous reconnaîtrez leur parfum. »

Je rejoignis Andrée et je[2] recommençai à lui faire des éloges d'Albertine. Il me semblait impossible qu'elle ne les lui répétât pas, étant donnée l'insistance que j'y mis. Et pourtant je n'ai jamais appris qu'Albertine les eût sus. Andrée avait pourtant bien plus qu'elle l'intelligence des choses du cœur, le raffinement dans la gentillesse; trouver le regard, le mot, l'action qui pouvaient le plus ingénieusement faire plaisir, taire une réflexion qui risquait de peiner, faire le sacrifice (et en ayant l'air que ce ne fût pas un sacrifice) d'une heure de jeu, voire d'une matinée, d'une garden-party, pour rester auprès d'un ami ou d'une amie triste et lui montrer ainsi qu'elle préférait sa simple société à ces[1] plaisirs frivoles, telles étaient ses délicatesses coutumières. Mais quand on la connaissait un peu plus, on aurait dit qu'il en était d'elle comme de ces héroïques poltrons qui ne veulent pas avoir peur, et de qui la bravoure est particulièrement méritoire; on aurait dit qu'au fond de sa nature, il n'y avait rien de cette bonté qu'elle manifestait à tout moment par distinction morale, par sensibilité, par noble volonté de se montrer bonne amie. À écouter les charmantes choses qu'elle me disait d'une affection possible entre Albertine et moi, il semblait qu'elle eût dû travailler de toutes ses forces à la réaliser. Or, par hasard peut-être, du moindre des riens dont elle avait la disposition et qui eussent pu m'unir à Albertine, elle ne fit jamais usage, et je ne jurerais pas que mon effort pour être aimé d'Albertine n'ait, sinon provoqué de la part de son amie des manèges secrets destinés à le contrarier, mais éveillé en elle une colère, bien cachée d'ailleurs, et contre laquelle par délicatesse elle luttait peut-être elle-même. De mille raffinements de bonté qu'avait Andrée, Albertine eût été incapable, et cependant je n'étais pas certain de la bonté profonde de la première comme je le fus plus tard de celle de la seconde. Se montrant toujours tendrement indulgente à l'exubérante frivolité d'Albertine, Andrée avait avec elle des paroles, des sourires qui étaient d'une amie, bien plus elle agissait en amie. Je l'ai vue, jour par jour, pour faire profiter de son luxe, pour rendre heureuse cette amie pauvre, prendre, sans y avoir aucun intérêt, plus de peine qu'un courtisan qui veut capter la faveur du souverain[2]. Elle était charmante de douceur, de mots tristes et délicieux, quand on plaignait devant elle la pauvreté d'Albertine, et se donnait mille fois plus de peine pour elle qu'elle n'eût fait[3] pour une amie riche. Mais si quelqu'un avançait qu'Albertine n'était peut-être pas aussi pauvre qu'on disait, un nuage à peine discernable voilait le front et les yeux d'Andrée; elle semblait de mauvaise humeur. Et si on allait jusqu'à dire qu'après tout elle serait[1] peut-être moins difficile à marier qu'on ne pensait, elle vous contredisait avec force et répétait presque rageusement : « Hélas si, elle sera immariable! Je le sais bien, cela me fait assez de peine! » Même, en ce qui me concernait, elle était la seule de ces jeunes filles qui jamais ne m'eût répété quelque chose de peu agréable qu'on avait pu dire de moi; bien plus, si c'était moi-même qui le racontais, elle faisait semblant de ne pas le croire ou en donnait une explication qui rendît le propos inoffensif; c'est l'ensemble de ces qualités qui s'appelle le tact. Il est l'apanage des gens qui, si nous allons sur le terrain, nous félicitent et ajoutent qu'il n'y avait pas lieu de le faire, pour augmenter encore à nos yeux le courage dont nous avons fait preuve, sans y avoir été contraint. Ils sont l'opposé des gens qui dans la même circonstance disent : « Cela a dû bien vous ennuyer de vous battre, mais d'un autre côté vous ne pouviez pas avaler un tel affront, vous ne pouviez faire autrement. » Mais comme en tout il y a du pour et du contre, si le plaisir ou du moins l'indifférence de nos amis à nous répéter quelque chose d'offensant qu'on a dit sur nous prouve qu'ils ne se mettent guère dans notre peau au moment où ils nous parlent, et y enfoncent l'épingle et le couteau comme dans de la baudruche, l'art de nous cacher toujours ce qui peut nous être désagréable dans ce qu'ils ont entendu dire de nos actions ou de l'opinion qu'elles leur ont à eux-mêmes inspirée, peut prouver chez l'autre catégorie d'amis, chez les amis pleins de tact, une forte dose de dissimulation. Elle est sans inconvénient si, en effet, ils ne peuvent penser du mal et si celui qu'on dit les fait seulement souffrir comme il nous ferait souffrir nous-même. Je pensais que tel était le cas pour Andrée, sans en être cependant absolument sûr.

Nous étions sortis du petit bois et avions suivi un lacis de chemins assez peu fréquentés où Andrée se retrouvait fort bien. « Tenez, me dit-elle tout à coup, voici vos fameux Creuniers, et encore vous avez de la chance, juste par le temps, dans la lumière, où Elstir les a peints. » Mais j'étais encore trop triste d'être tombé pendant le jeu du furet d'un tel faîte d'espérances. Aussi ne fut-ce pas avec le plaisir que j'aurais sans doute éprouvé sans cela[1] que je pus distinguer tout d'un coup à mes pieds, tapies entre les roches où elles se protégeaient contre la chaleur, les Déesses marines qu'Elstir avait guettées et surprises, sous un sombre glacis aussi beau qu'eût été celui d'un Léonard, les merveilleuses Ombres abritées et furtives, agiles et silencieuses, prêtes, au premier remous de lumière, à se glisser sous la pierre, à se cacher dans un trou et promptes, la menace du rayon passée[2], à revenir auprès de la roche ou de l'algue dont[3], sous le soleil émietteur des falaises et de l'Océan décoloré, elles semblent veiller l'assoupissement, gardiennes immobiles et légères, laissant paraître à fleur d'eau leur corps gluant et le regard attentif de leurs yeux foncés.

Nous allâmes retrouver les autres jeunes filles pour rentrer. Je savais maintenant que j'aimais Albertine; mais hélas! je ne me souciais pas de le lui apprendre. C'est que, depuis le temps des jeux aux Champs-Élysées, ma conception de l'amour était devenue différente, si les êtres auxquels s'attachait successivement mon amour demeuraient presque identiques. D'une part, l'aveu, la déclaration de ma tendresse à celle que j'aimais ne me semblait plus une des scènes capitales et nécessaires de l'amour; ni celui-ci, une réalité extérieure mais seulement un plaisir subjectif. Et ce plaisir, je sentais qu'Albertine ferait d'autant plus volontiers[4] ce qu'il fallait pour l'entretenir qu'elle ignorerait que je l'éprouvais.

Pendant tout ce retour, l'image d'Albertine noyée dans la lumière qui émanait des autres jeunes filles ne fut pas seule à exister pour moi. Mais comme la lune, qui n'est qu'un petit nuage blanc d'une forme plus caractérisée et plus fixe pendant le jour, prend toute sa puissance dès que celui-ci s'est éteint, ainsi, quand je fus rentré à l'hôtel, ce fut la seule image d'Albertine qui s'éleva de mon cœur et se mit à briller. Ma chambre me semblait tout d'un coup nouvelle. Certes, il y avait bien longtemps qu'elle n'était plus la chambre ennemie du premier soir. Nous modifions inlassablement notre demeure autour de nous; et, au fur et à mesure que l'habitude nous dispense de sentir, nous supprimons les éléments nocifs de couleur, de dimension et d'odeur qui objectivaient notre malaise. Ce n'était plus davantage la chambre, assez puissante encore sur ma sensibilité, non certes pour me faire souffrir, mais pour me donner de la joie, la cuve des beaux jours, semblable à une piscine à mi-hauteur de laquelle ils faisaient miroiter un azur mouillé de lumière, que recouvrait un moment, impalpable et blanche comme une émanation de la chaleur, une voile reflétée et fuyante; ni la chambre purement esthétique des soirs picturaux; c'était la chambre où j'étais depuis tant de jours que je ne la voyais plus. Or voici que je venais de recommencer à ouvrir les yeux sur elle, mais, cette fois-ci, de ce point de vue égoïste qui est celui de l'amour. Je songeais que la belle glace oblique, les élégantes bibliothèques vitrées donneraient à Albertine si elle venait me voir une bonne idée de moi. À la place d'un lieu de transition où je passais un instant avant de m'évader vers la plage ou vers Rivebelle, ma chambre me redevenait réelle et chère, se renouvelait, car j'en regardais et en appréciais chaque meuble avec les yeux d'Albertine.

Quelques jours après la partie de furet, comme, nous étant laissés entraîner trop loin dans une promenade, nous avions été fort heureux de trouver à Maineville deux petits « tonneaux » à deux places qui nous permettraient de revenir pour l'heure du[1] dîner, la vivacité déjà grande de mon amour pour Albertine eut pour effet que ce fut successivement à Rosemonde et à Andrée que je proposai de monter avec moi, et pas une fois à Albertine; ensuite que, tout en[2] invitant de préférence Andrée ou Rosemonde, j'amenai tout le monde, par des considérations secondaires d'heure, de chemin et de manteaux, à décider, comme contre mon gré, que le plus pratique était que je prisse avec moi Albertine, à la compagnie de laquelle je feignis de me résigner tant bien que mal. Malheureusement l'amour tendant à l'assimilation complète d'un être, comme aucun n'est comestible par la seule conversation, Albertine eut beau être aussi gentille que possible pendant ce retour, quand je l'eus déposée chez elle, elle me laissa heureux, mais plus affamé d'elle encore que je n'étais au départ, et ne comptant les moments que nous venions de passer ensemble que comme un prélude, sans grande importance par lui-même, à ceux qui suivraient. Il avait pourtant ce premier charme qu'on ne retrouve pas. Je n'avais encore rien demandé à Albertine. Elle pouvait imaginer ce que je désirais, mais, n'en étant pas sûre, supposer que je ne tendais qu'à des relations sans but précis auxquelles mon amie devait trouver ce vague délicieux, riche de surprises attendues, qui est le romanesque.

Dans la semaine qui suivit je ne cherchai guère à voir Albertine. Je faisais semblant de préférer Andrée. L'amour commence, on voudrait rester pour celle qu'on aime l'inconnu qu'elle peut aimer, mais on a besoin d'elle, on a besoin de toucher moins son corps que son attention, son cœur. On glisse dans une lettre une méchanceté qui forcera l'indifférente à vous demander une gentillesse, et l'amour, suivant une technique infaillible, resserre pour nous d'un mouvement alterné l'engrenage dans lequel on ne peut plus ni ne pas aimer, ni être aimé. Je donnais à Andrée les heures où les autres allaient à quelque matinée que je savais qu'Andrée me sacrifierait par plaisir, et qu'elle m'eût sacrifiées même avec ennui, par élégance morale, pour ne pas donner aux autres ni à elle-même l'idée qu'elle attachait du prix à un plaisir relativement mondain. Je m'arrangeais ainsi à l'avoir chaque soir toute à moi, pensant non pas rendre Albertine jalouse, mais accroître à ses yeux mon prestige, ou du moins ne pas le perdre en apprenant à Albertine que c'était elle et non Andrée que j'aimais. Je ne le disais pas non plus à Andrée de peur qu'elle le lui répétât. Quand je parlais d'Albertine avec Andrée, j'affectais une froideur dont Andrée fut peut-être moins dupe que moi, de sa crédulité apparente. Elle faisait semblant de croire à mon indifférence pour Albertine, de désirer l'union la plus complète possible entre Albertine et moi. Il est probable qu'au contraire elle ne croyait pas à la première ni ne souhaitait la seconde. Pendant que je lui disais me soucier assez peu de son amie, je ne pensais qu'à une chose, tâcher d'entrer en relations avec Mme Bontemps, qui était pour quelques jours près de Balbec et chez qui Albertine devait bientôt aller passer trois jours. Naturellement, je ne laissais pas voir ce désir à Andrée et, quand je lui parlais de la famille d'Albertine, c'était de l'air le plus inattentif. Les réponses explicites d'Andrée ne paraissaient pas mettre en doute ma sincérité. Pourquoi donc lui échappa-t-il un de ces jours-là de me dire : « J'ai *justement* vu la tante à Albertine » ? Certes elle ne m'avait pas dit : « J'ai bien démêlé sous vos paroles, jetées comme par hasard, que vous ne pensiez qu'à vous lier avec la tante d'Albertine. » Mais c'est bien à la présence, dans l'esprit d'Andrée, d'une telle idée qu'elle trouvait plus poli de me cacher, que semblait se rattacher le mot « justement ». Il était de la famille de certains regards, de certains gestes, qui, bien que n'ayant pas une forme logique, rationnelle, directement élaborée pour l'intelligence de celui qui écoute, lui parviennent cependant avec leur signification véritable, de même que la parole humaine, changée en électricité dans le téléphone, se refait parole pour être entendue. Afin d'effacer de l'esprit d'Andrée l'idée que je m'intéressais à Mme Bontemps, je ne parlai plus d'elle avec distraction seulement, mais avec malveillance; je dis avoir rencontré autrefois cette espèce de folle et que j'espérais bien que cela ne m'arriverait plus. Or je cherchais au contraire de toute façon à la rencontrer.

Je tâchai d'obtenir d'Elstir, mais sans dire à personne que je l'en avais sollicité, qu'il lui parlât de moi et me réunît avec elle. Il me promit de me la faire connaître, s'étonnant toutefois que je le souhaitasse, car il la jugeait une femme méprisable, intrigante et aussi inintéressante qu'intéressée. Pensant que, si je voyais Mme Bontemps, Andrée le saurait tôt ou tard, je crus qu'il valait mieux l'avertir. « Les choses qu'on cherche le plus à fuir sont celles qu'on arrive à ne pouvoir éviter, lui dis-je. Rien au monde ne peut m'ennuyer autant que de retrouver Mme Bontemps, et pourtant je n'y échapperai pas, Elstir doit m'inviter avec elle. — Je n'en ai jamais douté un seul instant », s'écria Andrée d'un ton amer, pendant que son regard grandi et altéré par le mécontentement se rattachait à je ne sais quoi d'invisible. Ces paroles d'Andrée ne constituaient pas l'exposé le plus ordonné d'une pensée qui peut se[1] résumer ainsi : « Je sais bien que vous aimez Albertine et que vous faites des pieds et des mains pour vous rapprocher de sa famille. » Mais elles étaient les débris informes et reconstituables de cette pensée que j'avais fait exploser, en la heurtant, malgré Andrée. De même que le « justement », ces paroles n'avaient de signification qu'au second degré. C'est dire[1] qu'elles étaient de celles qui (et non pas les affirmations directes) nous inspirent de l'estime ou de la méfiance à l'égard de quelqu'un, nous brouillent avec lui.

Puisque Andrée ne m'avait pas cru quand je lui disais que la famille d'Albertine m'était indifférente, c'est qu'elle pensait que j'aimais Albertine. Et probablement n'en était-elle pas heureuse.

Elle était généralement en tiers dans mes rendez-vous avec son amie. Cependant il y avait des jours où je devais voir Albertine seule, jours que j'attendais dans la fièvre, qui passaient sans rien m'apporter de décisif, sans avoir été ce jour capital dont je confiais immédiatement le rôle au jour suivant, qui ne le tiendrait pas davantage; ainsi s'écroulaient l'un après l'autre, comme des vagues, ces sommets aussitôt remplacés par d'autres.

Environ un mois après le jour où nous avions joué au furet, on me dit qu'Albertine devait partir le lendemain matin pour aller passer quarante-huit heures chez Mme Bontemps et, obligée de prendre le train de bonne heure, viendrait coucher la veille au Grand-Hôtel, d'où avec l'omnibus elle pourrait, sans déranger les amies chez qui elle habitait, prendre le premier train. J'en parlai à Andrée. « Je ne le crois pas du tout, me répondit Andrée d'un air mécontent. D'ailleurs cela ne vous avancerait à rien, car je suis bien certaine qu'Albertine ne voudra pas vous voir, si elle vient seule à l'hôtel. Ce ne serait pas protocolaire, ajouta-t-elle en usant d'un adjectif qu'elle aimait beaucoup, depuis peu, dans le sens de « ce qui se fait ». Je vous dis cela parce que je connais les idées d'Albertine. Moi, qu'est-ce que vous voulez que cela me fasse, que vous la voyiez ou non? Cela m'est bien égal. »

Nous fûmes rejoints par Octave qui ne fit pas de difficulté pour dire à Andrée le nombre de points qu'il avait faits la veille au golf, puis par Albertine qui se promenait en manœuvrant son diabolo comme une religieuse son chapelet. Grâce à ce jeu elle pouvait rester des heures seule sans s'ennuyer. Aussitôt qu'elle nous eut rejoints, m'apparut la pointe mutine de son nez, que j'avais omise en pensant à elle ces derniers jours; sous ses cheveux noirs, la verticalité de son front s'opposa, et ce n'était pas la première fois, à l'image indécise que j'en avais gardée, tandis que par sa blancheur il mordait fortement dans mes regards; sortant de la poussière du souvenir, Albertine se reconstruisait devant moi.

Le golf donne l'habitude des plaisirs solitaires. Celui que procure le diabolo l'est assurément. Pourtant après nous avoir rejoints, Albertine continua à y jouer, tout en causant avec nous, comme une dame à qui des amies sont venues faire une visite ne s'arrête pas pour cela de travailler à son crochet.

— Il paraît que Mme de Villeparisis, dit-elle à Octave, a fait une réclamation auprès de votre père (et j'entendis derrière ce mot « il paraît[1] » une de ces notes qui étaient propres à Albertine; chaque fois que je constatais que je les avais oubliées, je me rappelais en même temps avoir entr'aperçu déjà derrière elles la mine décidée et française d'Albertine. J'aurais pu être aveugle et connaître aussi bien certaines de ses qualités alertes et un peu provinciales dans ces notes-là que dans la pointe de son nez. Les unes et l'autre se valaient et auraient pu se suppléer, et sa voix était comme celle que réalisera, dit-on, le photo-téléphone de l'avenir : dans le son se découpait nettement l'image visuelle). Elle n'a du reste pas écrit seulement à votre père, mais en même temps au maire de Balbec pour qu'on ne joue plus au diabolo sur la digue, on lui a envoyé une balle dans la figure.

— Oui, j'ai entendu parler de cette réclamation. C'est ridicule. Il n'y a déjà pas tant de distractions ici.

Andrée ne se mêla pas à la conversation, elle ne connaissait pas, non plus d'ailleurs qu'Albertine ni Octave, Mme de Villeparisis. « Je ne sais pas pourquoi cette dame a fait toute une histoire, dit pourtant Andrée, la vieille Mme de Cambremer a reçu une balle aussi et elle ne s'est pas plainte. — Je vais vous expliquer la différence, répondit gravement Octave en frottant une allumette, c'est qu'à mon avis, Mme de Cambremer est une femme du monde et Mme de Villeparisis est une arriviste. Est-ce que vous irez au golf cet après-midi ? » et il nous quitta, ainsi qu'Andrée. Je restai seul avec Albertine. « Voyez-vous, me dit-elle, j'arrange maintenant mes cheveux comme vous les aimez, regardez ma mèche. Tout le monde se moque de cela et personne ne sait pour qui je le fais. Ma tante va se moquer de moi aussi. Je ne lui dirai pas non plus la raison. » Je voyais de côté les joues d'Albertine qui souvent paraissaient pâles, mais, ainsi, étaient arrosées d'un sang clair qui les illuminait, leur donnait ce brillant qu'ont certaines matinées d'hiver où les pierres partiellement ensoleillées semblent être du granit rose et dégagent de la joie. Celle que me donnait en ce moment la vue des joues d'Albertine était aussi vive, mais conduisait à un autre désir qui n'était pas celui de la promenade, mais du baiser. Je lui demandai si les projets qu'on lui prêtait étaient vrais : « Oui, me dit-elle, je passe cette nuit-là à votre hôtel, et même, comme je suis un peu enrhumée, je me coucherai avant le dîner. Vous pourrez venir assister à mon dîner à côté de mon lit et après nous jouerons à ce que vous voudrez. J'aurais été contente que vous veniez à la gare demain matin, mais j'ai peur que cela ne paraisse drôle, je ne dis pas à Andrée qui est intelligente, mais aux autres qui y seront; ça ferait des histoires, si on le répétait à ma tante; mais nous pourrions passer cette soirée ensemble. Cela, ma tante n'en saura rien. Je vais dire au revoir à Andrée. Alors, à tout à l'heure. Venez tôt, pour que nous ayons de bonnes heures à nous », ajouta-t-elle en souriant. À ces mots, je remontai plus loin qu'aux temps où j'aimais Gilberte, à ceux où l'amour me semblait une entité non pas seulement extérieure, mais réalisable. Tandis que la Gilberte que je voyais aux Champs-Élysées était une autre que celle que je retrouvais en moi dès que j'étais seul, tout d'un coup dans l'Albertine réelle, celle que je voyais tous les jours, que je croyais pleine de préjugés bourgeois et si franche avec sa tante, venait de s'incarner l'Albertine imaginaire, celle par qui, quand je ne la connaissais pas encore, je m'étais cru furtivement regardé sur la digue, celle qui avait eu l'air de rentrer à contre-cœur pendant qu'elle me voyait m'éloigner.

J'allai dîner avec ma grand'mère, je sentais en moi un secret qu'elle ne connaissait pas. De même, pour Albertine, demain ses amies seraient avec elle sans savoir ce qu'il y avait de nouveau entre nous, et quand elle embrasserait sa nièce sur le front, Mme Bontemps ignorerait que j'étais entre elles deux, dans cet arrangement de cheveux qui avait pour but, caché à tous, de me plaire, à moi, à moi qui avais jusque-là tant envié Mme Bontemps, parce qu'apparentée aux mêmes personnes que sa nièce, elle avait les mêmes deuils à porter, les mêmes visites de famille à faire; or, je me trouvais être pour Albertine plus que n'était sa tante elle-même. Auprès de sa tante, c'est à moi qu'elle penserait. Qu'allait-il se passer tout à l'heure, je ne le savais pas trop. En tous cas, le Grand-Hôtel, la soirée, ne me semblaient plus vides; ils contenaient mon bonheur. Je sonnai le lift pour monter à la chambre qu'Albertine avait prise, du côté de la vallée. Les moindres mouvements, comme m'asseoir sur la banquette de l'ascenseur, m'étaient doux, parce qu'ils étaient en relation immédiate avec mon cœur; je ne voyais dans les cordes à l'aide desquelles l'appareil s'élevait, dans les quelques marches qui me restaient à monter, que les rouages, que les degrés matérialisés de ma joie. Je n'avais plus que deux ou trois pas à faire dans le couloir avant d'arriver à cette chambre où était renfermée la substance précieuse de ce corps rose — cette chambre qui, même s'il devait s'y dérouler des actes délicieux, garderait cette permanence, cet air d'être, pour un passant non informé, semblable à toutes les autres, qui font des choses les témoins obstinément muets, les scrupuleux confidents, les inviolables dépositaires du plaisir. Ces quelques pas du palier à la chambre d'Albertine, ces quelques pas que personne ne pouvait plus arrêter, je les fis avec délices, avec prudence, comme plongé dans un élément nouveau, comme si en avançant j'avais lentement déplacé du bonheur, et en même temps avec un sentiment inconnu de toute-puissance, et d'entrer enfin dans un héritage qui m'eût de tout temps appartenu. Puis tout à coup, je pensai que j'avais tort d'avoir des doutes, elle m'avait dit de venir quand elle serait couchée. C'était clair, je trépignais de joie, je renversai à demi Françoise qui était sur mon chemin, je courais, les yeux étincelants, vers la chambre de mon amie. Je trouvai Albertine dans son lit. Dégageant son cou, sa chemise blanche changeait les proportions de son visage qui, congestionné par le lit, ou le rhume, ou le dîner, semblait plus rose;

je pensai aux couleurs que j'avais eues[1] quelques heures auparavant à côté de moi, sur la digue, et desquelles j'allais enfin savoir le goût; sa joue était traversée de haut en bas par une de ses longues tresses noires et bouclées que pour me plaire elle avait défaites entièrement. Elle me regardait en souriant. À côté d'elle, dans la fenêtre, la vallée était éclairée par le clair de lune. La vue du cou nu d'Albertine, de ces joues trop roses, m'avait jeté dans une telle ivresse (c'est-à-dire avait tellement[2] mis pour moi la réalité du monde non plus dans la nature, mais dans le torrent des sensations que j'avais peine à contenir) que cette vue avait rompu l'équilibre entre la vie immense, indestructible qui roulait dans mon être, et la vie de l'univers, si chétive en comparaison. La mer, que j'apercevais à côté de la vallée dans la fenêtre, les seins bombés des premières falaises de Maineville, le ciel où la lune n'était pas encore montée au zénith, tout cela semblait plus léger à porter que des plumes pour les globes de mes prunelles qu'entre mes paupières je sentais dilatés, résistants, prêts à soulever bien d'autres fardeaux, toutes les montagnes du monde, sur leur surface délicate. Leur orbe ne se trouvait plus suffisamment rempli par la sphère même de l'horizon. Et tout ce que la nature eût pu m'apporter de vie m'eût semblé bien mince, les souffles de la mer m'eussent paru bien courts pour l'immense aspiration qui soulevait ma poitrine. Je me penchai vers Albertine pour l'embrasser. La mort eût dû me frapper en ce moment que cela m'eût paru indifférent ou plutôt impossible, car la vie n'était pas hors de moi, elle était en moi; j'aurais souri de pitié si un philosophe eût émis l'idée qu'un jour, même éloigné, j'aurais à mourir, que les forces éternelles de la nature me survivraient, les forces de cette nature sous les pieds divins de qui je n'étais qu'un grain de poussière; qu'après moi il y aurait encore ces falaises arrondies et bombées, cette mer, ce clair de lune, ce ciel! Comment cela eût-il été possible, comment le monde eût-il pu durer plus que moi, puisque je n'étais pas perdu en lui, puisque c'était lui qui était enclos en moi, en moi qu'il était bien loin de remplir, en moi où, en sentant la place d'y entasser tant d'autres trésors, je jetais dédaigneusement dans un coin ciel, mer et falaises? « Finissez ou je sonne », s'écria Albertine voyant que je me jetais sur elle pour l'embrasser. Mais je me disais que ce n'était pas pour ne rien faire qu'une jeune fille fait venir un jeune homme en cachette, en s'arrangeant pour que sa tante ne le sache pas, que d'ailleurs l'audace réussit à ceux qui savent profiter des occasions; dans l'état d'exaltation où j'étais, le visage rond d'Albertine, éclairé d'un feu intérieur comme par une veilleuse, prenait pour moi un tel relief qu'imitant la rotation d'une sphère ardente, il me semblait tourner, telles ces figures de Michel-Ange qu'emporte un immobile et vertigineux tourbillon. J'allais savoir l'odeur, le goût, qu'avait ce fruit rose inconnu. J'entendis un son précipité, prolongé et criard. Albertine avait sonné de toutes ses forces.

J'avais cru que l'amour que j'avais pour Albertine n'était pas fondé sur l'espoir de la possession physique. Pourtant quand il m'eut paru résulter de l'expérience de ce soir-là que cette possession était impossible et qu'après n'avoir pas douté, le premier jour, sur la plage, qu'Albertine ne fût dévergondée, puis être passé par des suppositions intermédiaires, il me sembla acquis d'une manière définitive qu'elle était absolument vertueuse; quand, à son retour de chez sa tante, huit jours plus tard, elle me dit avec froideur : « Je vous pardonne, je regrette même de vous avoir fait de la peine, mais ne recommencez jamais », au contraire de ce qui s'était produit quand Bloch m'avait dit qu'on pouvait avoir toutes les femmes, et comme si, au lieu d'une jeune fille réelle, j'avais connu une poupée de cire, il arriva que peu à peu se détacha d'elle mon désir de pénétrer dans sa vie, de la suivre dans les pays où elle avait passé son enfance, d'être initié par elle à une vie de sport; ma curiosité intellectuelle de ce qu'elle pensait sur tel ou tel sujet ne survécut pas à la croyance que je pourrais l'embrasser. Mes rêves l'abandonnèrent dès qu'ils cessèrent d'être alimentés par l'espoir d'une possession dont je les avais crus indépendants. Dès lors, ils se retrouvèrent libres de se reporter — selon le charme que je lui avais trouvé un certain jour, surtout selon la possibilité et les chances que j'entrevoyais d'être aimé par elle — sur telle ou telle des amies d'Albertine, et d'abord sur Andrée. Pourtant, si Albertine n'avait pas existé, peut-être n'aurais-je pas eu le plaisir que je commençai à prendre de plus en plus, les jours qui suivirent, à la gentillesse que me témoignait Andrée. Albertine ne raconta à personne l'échec que j'avais essuyé auprès d'elle. Elle était une de ces jolies filles qui, dès leur extrême jeunesse, pour leur beauté, mais surtout pour un agrément, un charme qui restent assez mystérieux et qui ont leur source peut-être dans des réserves de vitalité où de moins favorisés par la nature viennent se désaltérer, toujours — dans leur famille, au milieu de leurs amies, dans le monde — ont plu davantage que de plus belles, de plus riches; elle était de ces êtres à qui, avant l'âge de l'amour et bien plus encore quand il est venu, on demande plus qu'eux ne demandent et même qu'ils ne peuvent donner. Dès son enfance, Albertine avait toujours eu en admiration devant elle quatre ou cinq petites camarades, parmi lesquelles se trouvait Andrée qui lui était si supérieure et le savait (et peut-être cette attraction qu'Albertine exerçait bien involontairement avait-elle été à l'origine, avait-elle servi à la fondation, de la petite bande). Cette attraction s'exerçait même assez loin, dans des milieux relativement plus brillants où, s'il y avait une pavane à danser, on demandait Albertine plutôt qu'une jeune fille mieux née. La conséquence était que, n'ayant pas un sou de dot, vivant, assez mal d'ailleurs, à la charge de M. Bontemps qu'on disait véreux et qui souhaitait se débarrasser d'elle, elle était pourtant invitée non seulement à dîner, mais à demeure, chez des personnes qui aux yeux de Saint-Loup n'eussent eu aucune élégance, mais qui, pour la mère de Rosemonde ou pour la mère d'Andrée, femmes très riches mais qui ne connaissaient pas ces personnes, représentaient quelque chose d'énorme. Ainsi Albertine passait, tous les ans, quelques semaines dans la famille d'un régent de la Banque de France, président du Conseil d'administration d'une grande Compagnie de chemins de fer. La femme de ce financier recevait des personnages importants et n'avait jamais dit son « jour » à la mère d'Andrée, laquelle trouvait cette dame impolie, mais n'en était pas moins prodigieusement intéressée par tout ce qui se passait chez elle. Aussi exhortait-elle tous les ans Andrée à inviter Albertine dans leur villa, parce que, disait-elle, c'était une bonne œuvre d'offrir un séjour à la mer à une fille qui n'avait pas elle-même les moyens de voyager et dont la tante ne s'occupait guère; la mère d'Andrée n'était probablement pas mue par l'espoir que le régent de la Banque et sa femme, apprenant qu'Albertine était choyée par elle et sa fille, concevraient d'elles deux une bonne opinion; à plus forte raison n'espérait-elle pas qu'Albertine, pourtant si bonne et adroite, saurait la faire inviter, ou tout au moins faire inviter Andrée aux garden-parties du financier. Mais chaque soir à dîner, tout en prenant un air dédaigneux et indifférent, elle était enchantée d'entendre Albertine lui raconter ce qui s'était passé au château pendant qu'elle y était, les gens qui y avaient été reçus et qu'elle connaissait presque tous de vue ou de nom[1]. Même la pensée qu'elle ne les connaissait que de cette façon, c'est-à-dire ne les connaissait pas (elle appelait cela connaître les gens « de tout temps ») donnait à la mère d'Andrée une pointe de mélancolie tandis qu'elle posait à Albertine des questions sur eux d'un air hautain et distrait, du bout des lèvres, et eût pu la laisser incertaine et inquiète sur l'importance de sa propre situation, si elle ne s'était rassurée elle-même et replacée dans la « réalité de la vie » en disant au maître d'hôtel : « Vous direz au chef que ses petits pois ne sont pas assez fondants. » Elle retrouvait alors sa sérénité. Et elle était bien décidée à ce qu'Andrée n'épousât qu'un homme, d'excellente famille naturellement, mais assez riche pour qu'elle pût avoir elle aussi un chef et deux cochers. C'était cela, le positif, la vérité effective d'une situation. Mais qu'Albertine eût dîné au château du régent de la Banque avec telle ou telle dame, que cette dame l'eût même invitée pour l'hiver suivant, cela n'en donnait pas moins à la jeune fille, pour la mère d'Andrée, une sorte de considération particulière qui s'alliait très bien à la pitié et même au mépris excités par son infortune, mépris augmenté par le fait que M. Bontemps eût trahi son drapeau et se fût — même vaguement panamiste, disait-on — rallié au gouvernement. Ce qui n'empêchait pas, d'ailleurs, la mère d'Andrée, par amour de la vérité, de foudroyer de son dédain les gens qui avaient l'air de croire qu'Albertine était d'une basse extraction. « Comment, c'est tout ce qu'il y a de mieux, ce sont des Simonet, avec un seul *n*. » Certes, à cause du milieu où tout cela évoluait, où l'argent joue un tel rôle, et où l'élégance vous fait inviter mais non épouser, aucun mariage « potable » ne semblait pouvoir être pour Albertine la[1] conséquence utile de la considération si distinguée dont elle jouissait et qu'on n'eût pas trouvée compensatrice de sa pauvreté. Mais, même à eux seuls et n'apportant pas l'espoir d'une conséquence matrimoniale, ces « succès » excitaient l'envie de certaines mères méchantes, furieuses de voir Albertine être reçue comme « l'enfant de la maison » par la femme du régent de la Banque, même par la mère d'Andrée, qu'elles connaissaient à peine. Aussi disaient-elles à des amis communs d'elles et de ces deux dames que celles-ci seraient indignées si elles savaient la vérité, c'est-à-dire qu'Albertine racontait chez l'une (et « vice versa ») tout ce que l'intimité où on l'admettait imprudemment lui permettait de découvrir chez l'autre, mille petits secrets qu'il eût été infiniment désagréable à l'intéressée de voir dévoilés. Ces femmes envieuses disaient cela pour que cela fût répété et pour brouiller Albertine avec ses protectrices. Mais ces commissions, comme il arrive souvent, n'avaient aucun succès. On sentait trop la méchanceté qui les dictait et cela ne faisait que faire mépriser un peu plus celles qui en avaient pris l'initiative. La mère d'Andrée était trop fixée sur le compte d'Albertine pour changer d'opinion à son égard. Elle la considérait comme une « malheureuse », mais d'une nature excellente et qui ne savait qu'inventer pour faire plaisir.

Si cette sorte de vogue qu'avait obtenue Albertine ne paraissait devoir comporter aucun résultat pratique, elle avait imprimé à l'amie d'Andrée le caractère distinctif des êtres qui, toujours recherchés, n'ont jamais besoin de s'offrir (caractère qui se retrouve aussi, pour des raisons analogues, à une autre extrémité de la société, chez des femmes d'une grande élégance) et qui est de ne pas faire montre des succès qu'ils ont, de les cacher plutôt. Elle ne disait jamais de[2] quelqu'un : « Il a envie de me voir », parlait de tous avec une grande bienveillance et comme si ce fût elle qui eût couru après, recherché les autres. Si on parlait d'un jeune homme qui, quelques minutes auparavant, venait de lui faire en tête à tête les plus sanglants reproches parce qu'elle lui avait refusé un rendez-vous, bien loin de s'en vanter publiquement ou de lui en vouloir à lui, elle faisait son éloge : « C'est un si gentil garçon! » Elle était même ennuyée de tellement plaire, parce que cela l'obligeait à faire de la peine, tandis que, par nature, elle aimait à faire plaisir. Elle aimait même à faire plaisir au point d'en être arrivée à pratiquer un mensonge spécial à certaines personnes utilitaires, à certains hommes arrivés. Existant d'ailleurs à l'état embryonnaire chez un nombre énorme de personnes, ce genre d'insincérité consiste à ne pas savoir se contenter, pour un seul acte, de faire, grâce à lui, plaisir à une seule personne. Par exemple, si la tante d'Albertine désirait que sa nièce l'accompagnât à une matinée peu amusante, Albertine en s'y rendant aurait pu trouver suffisant d'en tirer le profit moral d'avoir fait plaisir à sa tante. Mais, accueillie gentiment par les maîtres de maison, elle aimait mieux leur dire qu'elle désirait depuis si longtemps les voir qu'elle avait choisi cette occasion et sollicité la permission de sa tante. Cela ne suffisait pas encore : à cette matinée se trouvait une des amies d'Albertine qui avait un gros chagrin. Albertine lui disait : « Je n'ai pas voulu te laisser seule, j'ai pensé que ça te ferait du bien de m'avoir près de toi. Si tu veux que nous laissions la matinée, que nous allions ailleurs, je ferai ce que tu voudras, je désire avant tout te voir moins triste » (ce qui était vrai aussi, du reste). Parfois il arrivait pourtant que le but fictif détruisait le but réel. Ainsi Albertine, ayant un service à demander pour une de ses amies, allait pour cela voir une certaine dame. Mais, arrivée chez cette dame bonne et sympathique, la jeune fille, obéissant à son insu au principe de l'utilisation multiple d'une seule action, trouvait plus affectueux d'avoir l'air d'être venue seulement à cause du plaisir qu'elle avait senti qu'elle éprouverait à revoir cette dame. Celle-ci était infiniment touchée qu'Albertine eût accompli un long trajet par pure amitié. En voyant la dame presque émue, Albertine l'aimait encore davantage. Seulement il arrivait ceci : elle éprouvait si vivement le plaisir d'amitié pour lequel elle avait prétendu mensongèrement être venue, qu'elle craignait de faire douter la dame de sentiments en réalité sincères, si elle lui demandait le service pour l'amie. La dame croirait qu'Albertine était venue pour cela, ce qui était vrai, mais elle conclurait qu'Albertine n'avait pas de plaisir désintéressé à la voir, ce qui était faux. De sorte qu'Albertine repartait sans avoir demandé le service, comme les hommes qui ont été si bons avec une femme, dans l'espoir d'obtenir ses faveurs, qu'ils ne font pas leur déclaration pour garder à cette bonté un caractère de noblesse. Dans d'autres cas, on ne peut pas dire que le véritable but fût sacrifié au but accessoire et imaginé après coup, mais le premier était tellement opposé au second que si la personne qu'Albertine attendrissait en lui déclarant l'un, avait appris l'autre, son plaisir se serait aussitôt changé en la peine la plus profonde. La suite du récit fera, beaucoup plus loin, mieux comprendre ce genre de contradictions[1]. Disons, par un exemple emprunté à un ordre de faits tout différents, qu'elles sont très fréquentes dans les situations les plus diverses que présente la vie. Un mari a installé sa maîtresse dans la ville où il est en garnison. Sa femme restée à Paris, et à demi au courant de la vérité, se désole, écrit à son mari des lettres de jalousie. Or, la maîtresse est obligée de venir passer un jour à Paris. Le mari ne peut résister à ses prières de l'accompagner et obtient une permission de vingt-quatre heures. Mais, comme il est bon et souffre de faire de la peine à sa femme, il arrive chez celle-ci et lui dit, en versant quelques larmes sincères, qu'affolé par ses lettres il a trouvé le moyen de s'échapper pour venir la consoler et l'embrasser. Il a trouvé ainsi le moyen de donner par un seul voyage une preuve d'amour à la fois à sa maîtresse et à sa femme. Mais si cette dernière apprenait pour quelle raison il est venu à Paris, sa joie se changerait sans doute en douleur, à moins que voir l'ingrat ne la rendît malgré tout plus heureuse qu'il ne la fait souffrir[2] par ses mensonges. Parmi les hommes qui m'ont paru pratiquer avec le plus de suite le système des fins multiples, se trouve M. de Norpois. Il acceptait quelquefois de s'entremettre entre deux amis brouillés, et cela faisait qu'on l'appelait le plus obligeant des hommes. Mais il ne lui suffisait pas d'avoir l'air de rendre service à celui qui était venu le solliciter, il présentait à l'autre la démarche qu'il faisait auprès de lui comme entreprise non à la requête du premier, mais dans l'intérêt du second, ce qu'il persuadait facilement à un interlocuteur suggestionné d'avance par l'idée qu'il avait devant lui « le plus serviable des hommes ». De cette façon, jouant sur les deux tableaux, faisant ce qu'on appelle en termes de coulisse de la contre-partie, il ne laissait jamais courir aucun risque à son influence, et les services qu'il rendait ne constituaient pas une aliénation, mais une fructification d'une partie de son crédit. D'autre part, chaque service, semblant doublement rendu, augmentait d'autant plus sa réputation d'ami serviable, et encore d'ami serviable avec efficacité, qui ne donne pas des coups d'épée dans l'eau, dont toutes les démarches portent, ce que démontrait la reconnaissance des deux intéressés. Cette duplicité dans l'obligeance était, et avec des démentis comme en toute créature humaine, une partie importante du caractère de M. de Norpois. Et souvent au ministère, il se servit de mon père, lequel était assez naïf, en lui faisant croire qu'il le servait.

Plaisant plus qu'elle ne voulait et n'ayant pas besoin de claironner ses succès, Albertine garda le silence sur la scène qu'elle avait eue avec moi auprès de son lit, et qu'une laide aurait voulu faire connaître à l'univers. D'ailleurs son attitude dans cette scène, je ne parvenais pas à me l'expliquer. Pour ce qui concerne l'hypothèse d'une vertu absolue (hypothèse à laquelle j'avais d'abord attribué la violence avec laquelle Albertine avait refusé de se laisser embrasser et prendre par moi et qui n'était du reste nullement indispensable à ma conception de la bonté, de l'honnêteté foncière de mon amie), je ne laissai pas de la remanier à plusieurs reprises. Cette hypothèse était tellement le contraire de celle que j'avais bâtie le premier jour où j'avais vu Albertine! Puis, tant d'actes différents, tous de gentillesse pour moi (une gentillesse caressante, parfois inquiète, alarmée, jalouse de ma prédilection pour Andrée) baignaient de tous côtés le geste de rudesse par lequel, pour m'échapper, elle avait tiré sur la sonnette. Pourquoi donc m'avait-elle demandé de venir passer la soirée près de son lit? Pourquoi parlait-elle tout le temps le langage de la tendresse? Sur quoi repose le désir de voir un ami, de craindre qu'il vous préfère votre amie, de chercher à lui faire plaisir, de lui dire romanesquement que les autres ne sauront pas qu'il a passé la soirée auprès de vous, si vous lui refusez un plaisir aussi simple et si ce n'est pas un plaisir pour vous? Je ne pouvais croire tout de même que la vertu d'Albertine allât jusque-là, et j'en arrivais à me demander s'il n'y avait pas eu à sa violence une raison de coquetterie, par exemple une odeur désagréable qu'elle aurait cru avoir sur elle et par laquelle elle eût craint de me déplaire, ou de pusillanimité, si par exemple elle croyait, dans son ignorance des réalités de l'amour, que mon état de faiblesse nerveuse pouvait avoir quelque chose de contagieux par le baiser.

Elle fut certainement désolée de n'avoir pu me faire plaisir et me donna un petit crayon d'or, par cette vertueuse perversité des gens qui, attendris par votre gentillesse et ne souscrivant pas à vous accorder ce qu'elle réclame, veulent cependant faire en votre faveur autre chose : le critique dont l'article flatterait le romancier l'invite, à la place, à dîner, la duchesse n'emmène pas le snob avec elle au théâtre, mais lui envoie sa loge pour un soir où elle ne l'occupera pas. Tant ceux qui font le moins et pourraient ne rien faire sont poussés par le scrupule à faire quelque chose ! Je dis à Albertine qu'en me donnant ce crayon, elle me faisait un grand plaisir, moins grand pourtant que celui que j'aurais eu si, le soir où elle était venue coucher à l'hôtel, elle m'avait permis de l'embrasser. « Cela m'aurait rendu si heureux ! qu'est-ce que cela pouvait vous faire ? je suis étonné que vous me l'ayez refusé. — Ce qui m'étonne, me répondit-elle, c'est que vous trouviez cela étonnant. Je me demande quelles jeunes filles vous avez pu connaître pour que ma conduite vous ait surpris. — Je suis désolé de vous avoir fâchée, mais, même maintenant, je ne peux pas vous dire que je trouve que j'ai eu tort. Mon avis est que ce sont des choses qui n'ont aucune importance, et je ne comprends pas qu'une jeune fille qui peut si facilement faire plaisir, n'y consente pas. Entendons-nous, ajoutai-je pour donner une demi-satisfaction à ses idées morales, en me rappelant comment elle et ses amies avaient flétri l'amie de l'actrice Léa, je ne veux pas dire qu'une jeune fille puisse tout faire et qu'il n'y ait rien d'immoral. Ainsi, tenez, ces relations dont vous parliez l'autre jour à propos d'une petite qui habite Balbec et qui existeraient entre elle et une actrice, je trouve cela ignoble, tellement ignoble que je pense que ce sont des ennemis de la jeune fille qui auront inventé cela et que ce n'est pas vrai. Cela me semble improbable, impossible. Mais se laisser embrasser et même plus, par un ami, puisque vous dites que je suis votre ami... — Vous l'êtes, mais j'en ai eu d'autres avant vous, j'ai connu des jeunes gens qui, je vous assure, avaient pour moi tout autant d'amitié. Hé bien, il n'y en a pas un qui aurait osé une chose pareille. Ils savaient la paire de calottes qu'ils auraient reçue. D'ailleurs, ils n'y songeaient même pas, on se serrait la main bien franchement, bien amicalement, en bons camarades; jamais on n'aurait parlé de s'embrasser et on n'en était pas moins amis pour cela. Allez, si vous tenez à mon amitié, vous pouvez être content, car il faut que je vous aime joliment pour vous pardonner. Mais je suis sûre que vous vous fichez bien de moi. Avouez que c'est Andrée qui vous plaît. Au fond, vous avez raison, elle est beaucoup plus gentille que moi, et elle, elle est ravissante! Ah! les hommes! » Malgré ma déception récente, ces paroles si franches, en me donnant une grande estime pour Albertine, me causaient une impression très douce. Et peut-être cette impression eut-elle plus tard pour moi de grandes et fâcheuses conséquences, car ce fut par elle que commença à se former ce sentiment presque familial, ce noyau moral qui devait toujours subsister au milieu de mon amour pour Albertine. Un tel sentiment peut être la cause des plus grandes peines. Car pour souffrir vraiment par une femme, il faut avoir cru complètement en elle. Pour le moment, cet embryon d'estime morale, d'amitié, restait au milieu de mon âme comme une pierre d'attente. Il n'eût rien pu, à lui seul, contre mon bonheur s'il fût demeuré ainsi sans s'accroître, dans une inertie qu'il devait garder l'année suivante et à plus forte raison pendant ces dernières semaines de mon premier séjour à Balbec. Il était en moi comme un de ces hôtes qu'il serait malgré tout plus prudent qu'on expulsât, mais qu'on laisse à leur place sans les inquiéter, tant les rendent[1] provisoirement inoffensifs leur faiblesse et leur isolement au milieu d'une âme étrangère.

Mes rêves se retrouvaient libres maintenant de se reporter sur telle ou telle des amies d'Albertine et d'abord sur Andrée, dont les gentillesses m'eussent peut-être moins touché si je n'avais été certain qu'elles seraient connues d'Albertine. Certes la préférence que depuis longtemps j'avais feinte pour Andrée m'avait fourni — en habitudes de causeries, de déclarations de tendresses — comme la matière d'un amour tout prêt pour elle, auquel il n'avait jusqu'ici manqué qu'un sentiment sincère qui s'y ajoutât et que maintenant mon cœur redevenu libre aurait pu fournir. Mais pour que j'aimasse vraiment Andrée, elle était trop intellectuelle, trop nerveuse, trop maladive, trop semblable à moi. Si Albertine me semblait maintenant vide[1], Andrée était remplie de quelque chose que je connaissais trop. J'avais cru, le premier jour, voir sur la plage une maîtresse de coureur, enivrée de l'amour des sports, et Andrée me disait que, si elle s'était mise à en faire, c'était sur l'ordre de son médecin pour soigner sa neurasthénie et ses troubles de nutrition, mais que ses meilleures heures étaient celles où elle traduisait un roman de George Eliot. Ma déception, suite d'une erreur initiale sur ce qu'était Andrée, n'eut, en fait, aucune importance pour moi. Mais l'erreur était du genre de celles qui, si elles permettent à l'amour de naître et ne sont reconnues pour des erreurs que lorsqu'il n'est plus modifiable, deviennent une cause de souffrances. Ces erreurs — qui peuvent être différentes de celles que je commis pour Andrée, et même inverses — tiennent souvent, dans le cas d'Andrée en particulier, à ce qu'on prend suffisamment l'aspect, les façons de ce qu'on n'est pas mais qu'on voudrait être, pour faire illusion au premier abord. À l'apparence extérieure, l'affectation, l'imitation, le désir d'être admiré, soit des bons, soit des méchants, ajoutent les faux semblants des paroles, des gestes. Il y a des cynismes, des cruautés qui ne résistent pas plus à l'épreuve que certaines bontés, certaines générosités. De même qu'on découvre souvent un avare vaniteux dans un homme connu pour ses charités, sa forfanterie de vice nous fait supposer une Messaline dans une honnête fille pleine de préjugés. J'avais cru trouver en Andrée une créature saine et primitive, alors qu'elle n'était qu'un être cherchant la santé, comme étaient peut-être beaucoup de ceux en qui elle avait cru la trouver et qui n'en avait pas plus la réalité qu'un gros arthritique à figure rouge et en veste de flanelle blanche n'est forcément un Hercule.

Or, il est telles circonstances où il n'est pas indifférent pour le bonheur que la personne qu'on a aimée pour ce qu'elle paraissait avoir de sain, ne fût en réalité qu'un de ces malades qui ne reçoivent leur santé que d'autres, comme les planètes empruntent leur lumière, comme certains corps ne font que laisser passer l'électricité.

N'importe, Andrée, comme Rosemonde et Gisèle, même plus qu'elles, était tout de même une amie d'Albertine, partageant sa vie, imitant ses façons au point que le premier jour je ne les avais pas distinguées d'abord l'une de l'autre. Entre ces jeunes filles, tiges de roses dont le principal charme était de se détacher sur la mer, régnait la même indivision qu'au temps où je ne les connaissais pas et où l'apparition de n'importe laquelle me causait tant d'émotion en m'annonçant que la petite bande n'était pas loin. Maintenant encore la vue de l'une me donnait un plaisir où entrait, dans une proportion que je n'aurais pas su dire, celui[1] de voir les autres la suivre de près, ou venir la retrouver un peu plus tard, et, même si elles ne venaient pas ce jour-là, de parler d'elles et de savoir qu'il leur serait dit que j'étais allé sur la plage.

Ce n'était plus simplement l'attrait des premiers jours, c'était une véritable velléité d'aimer qui hésitait entre toutes, tant chacune était naturellement le substitut de l'autre. Ma plus grande tristesse n'aurait pas été d'être abandonné par celle de ces jeunes filles que je préférais, mais j'aurais aussitôt préféré, parce que j'aurais fixé sur elle la somme de tristesse et de rêve qui flottait indistinctement entre toutes, celle qui m'eût abandonné. Encore dans ce cas est-ce toutes ses amies, aux yeux desquelles j'eusse bientôt perdu tout prestige, que j'eusse, en celle-là, inconsciemment regrettées, leur ayant voué cette sorte d'amour collectif qu'ont l'homme politique ou l'acteur pour le public dont ils ne se consolent pas d'être délaissés après en avoir eu toutes les faveurs. Même celles que je n'avais pu obtenir d'Albertine, je les espérais tout d'un coup de telle ou telle qui m'avait quitté le soir en me disant un mot, en me jetant un regard ambigus, grâce auxquels c'était vers celle-là que, pour une journée, se tournait mon désir.

Il errait entre elles d'autant plus voluptueusement que sur[2] ces visages mobiles, une fixation relative des traits était suffisamment commencée pour qu'on en pût distinguer, dût-elle changer encore, la malléable et flottante effigie. Aux différences qu'il y avait entre eux, étaient bien loin de correspondre sans doute des différences égales dans la longueur et la largeur des traits, lesquels[1], de l'une à l'autre de ces jeunes filles, et si dissemblables qu'elles parussent, eussent peut-être été presque superposables. Mais notre connaissance des visages n'est pas mathématique. D'abord, elle ne commence pas par mesurer les parties, elle a pour point de départ une expression, un ensemble. Chez Andrée par exemple, la finesse des yeux doux semblait rejoindre le nez étroit, aussi mince qu'une simple courbe qui aurait été tracée pour que pût se poursuivre sur une seule ligne l'intention de délicatesse divisée antérieurement dans le double sourire des regards jumeaux. Une ligne aussi fine était creusée dans ses cheveux, souple et profonde comme celle dont le vent sillonne le sable. Et là elle devait être héréditaire, car[2] les cheveux tout blancs de la mère d'Andrée étaient fouettés de la même manière, formant ici un renflement, là une dépression, comme la neige qui se soulève ou s'abîme selon les inégalités de terrain. Certes, comparé à la fine délinéation de celui d'Andrée, le nez de Rosemonde semblait offrir de larges surfaces comme une haute tour assise sur une base puissante. Que l'expression suffise à faire croire à d'énormes différences entre ce que sépare un infiniment petit, — qu'un infiniment petit puisse à lui seul créer une expression absolument particulière, une individualité, — ce n'était pas que l'infiniment petit de la ligne et l'originalité de l'expression qui faisaient apparaître ces visages comme irréductibles les uns aux autres. Entre ceux de mes amies la coloration mettait une séparation plus profonde encore, non pas tant par la beauté variée des tons qu'elle leur fournissait, si opposés que je prenais devant Rosemonde — inondée d'un rose soufré sur lequel réagissait encore la lumière verdâtre des yeux — et devant Andrée — dont les joues blanches recevaient tant d'austère distinction de ses cheveux noirs — le même genre de plaisir que si j'avais regardé tour à tour un géranium au bord de la mer ensoleillée et un camélia dans la nuit; mais surtout parce que les différences infiniment petites des lignes se trouvaient démesurément grandies, les rapports des surfaces entièrement changés par cet élément nouveau de la couleur, lequel, tout aussi bien que le[1] dispensateur des teintes, est un grand générateur ou tout au moins modificateur des dimensions. De sorte que des visages, peut-être construits de façon peu dissemblable, selon qu'ils étaient éclairés, par les feux d'une rousse chevelure, d'un teint rose, par la lumière blanche, d'une mate pâleur, s'étiraient ou s'élargissaient, devenaient une autre chose, comme ces accessoires des ballets russes, consistant parfois, s'ils sont vus en plein jour, en une simple rondelle de papier, et que le génie d'un Bakst, selon l'éclairage incarnadin ou lunaire où il plonge le décor, fait s'y incruster durement comme une turquoise à la façade d'un palais, ou s'y épanouir avec mollesse, rose de bengale au milieu d'un jardin. Ainsi en prenant connaissance des visages, nous les mesurons bien, mais en peintres, non en arpenteurs.

Il en était d'Albertine comme de ses amies. Certains jours, mince, le teint gris, l'air maussade, une transparence violette descendant obliquement au fond de ses yeux comme il arrive quelquefois pour la mer, elle semblait éprouver une tristesse d'exilée. D'autres jours, sa figure plus lisse engluait les[2] désirs à sa surface vernie et les empêchait d'aller au delà; à moins que je ne la visse tout à coup de côté, car ses joues mates comme une blanche cire à la surface étaient roses par transparence, ce qui donnait tellement envie de les embrasser, d'atteindre ce teint différent qui se dérobait. D'autres fois, le bonheur baignait ces[3] joues d'une clarté si mobile que la peau, devenue fluide et vague, laissait passer comme des regards sous-jacents qui la faisaient paraître d'une autre couleur, mais non d'une autre matière, que les yeux; quelquefois, sans y penser, quand on regardait sa figure ponctuée de petits points bruns et où flottaient seulement deux taches plus bleues, c'était comme on eût fait d'un œuf de chardonneret, souvent comme d'une agate[4] opaline travaillée et polie à deux places seulement où, au milieu de la pierre brune, luisaient, comme les ailes transparentes d'un papillon d'azur, les yeux où la chair devient miroir et nous donne l'illusion de nous laisser, plus qu'en les autres parties du corps, approcher de l'âme. Mais le plus souvent aussi elle était plus colorée, et alors plus animée; quelquefois seul était rose, dans sa figure blanche, le bout de son nez, fin comme celui d'une petite chatte sournoise avec qui l'on aurait eu envie de jouer; quelquefois ses joues étaient si lisses que le regard glissait comme sur celui d'une miniature sur leur émail rose, que faisait encore paraître plus délicat, plus intérieur, le couvercle entr'ouvert et superposé de ses cheveux noirs; il arrivait que le teint de ses joues atteignît le rose violacé du cyclamen, et parfois même, quand elle était congestionnée ou fiévreuse, et donnant alors l'idée d'une complexion maladive qui rabaissait mon désir à quelque chose de plus sensuel et faisait exprimer à son regard quelque chose de plus pervers et de plus malsain, la sombre pourpre de certaines roses d'un rouge presque noir; et chacune de ces Albertine était différente, comme est différente chacune des apparitions de la danseuse dont sont transmutées les couleurs, la forme, le caractère, selon les jeux innombrablement variés d'un projecteur lumineux. C'est peut-être parce qu'étaient si divers les êtres que je contemplais en elle à cette époque que, plus tard, je pris l'habitude de devenir moi-même un personnage autre selon celle des Albertine à laquelle je pensais : un jaloux, un indifférent, un voluptueux, un mélancolique, un furieux, recréés, non seulement au hasard du souvenir qui renaissait, mais selon la force de la croyance interposée, pour un même souvenir, par la façon différente dont je l'appréciais. Car c'est toujours à cela qu'il fallait revenir, à ces croyances qui la plupart du temps remplissent notre âme à notre insu, mais qui ont pourtant plus d'importance pour notre bonheur que tel être que nous voyons, car c'est à travers elles que nous le voyons, ce sont elles qui assignent[1] sa grandeur passagère à l'être regardé. Pour être exact, je devrais donner un nom différent à chacun des moi qui dans la suite pensa à Albertine; je devrais plus encore donner un nom différent à chacune de ces Albertine qui apparaissaient devant moi, jamais la même, comme — appelées simplement par moi, pour plus de commodité, la mer — ces mers qui se succédaient et devant lesquelles, autre nymphe, elle se détachait. Mais surtout — de la même manière, mais bien plus utilement, qu'on dit, dans un récit, le temps qu'il faisait tel jour — je devrais donner toujours son nom à la croyance qui, tel jour où je voyais Albertine, régnait sur mon âme, en faisait l'atmosphère, l'aspect des êtres, comme celui des mers, dépendant de ces nuées à peine visibles qui changent la couleur de chaque chose par leur concentration, leur mobilité, leur dissémination, leur fuite, — comme celle qu'Elstir avait déchirée, un soir, en ne me présentant pas aux jeunes filles avec qui il s'était arrêté, et dont les images m'étaient soudain apparues plus belles quand elles s'éloignaient — nuée qui s'était reformée, quelques jours plus tard, quand je les avais connues, voilant leur éclat, s'interposant souvent entre elles et mes yeux, opaque et douce, pareille à la Leucothea de Virgile.

Sans doute leurs visages à toutes avaient bien changé pour moi de sens, depuis que la façon dont il fallait les lire m'avait été dans une certaine mesure indiquée par leurs propos, propos auxquels je pouvais attribuer une valeur d'autant plus grande que par mes questions je les provoquais à mon gré, les faisais varier comme un expérimentateur qui demande à des contre-épreuves la vérification de ce qu'il a supposé. Et c'est en somme une façon comme une autre de résoudre le problème de l'existence, qu'approcher suffisamment les choses et les personnes qui nous ont paru de loin belles et mystérieuses, pour nous rendre compte qu'elles sont sans mystère et sans beauté; c'est une des hygiènes entre lesquelles on peut opter, une hygiène qui n'est peut-être pas très recommandable, mais elle nous donne un certain calme pour passer la vie, et aussi — comme elle permet de ne rien regretter, en nous persuadant que nous avons atteint le meilleur, et que le meilleur n'était pas grand'chose — pour nous résigner à la mort.

J'avais remplacé au fond du cerveau de ces jeunes filles le mépris de la chasteté, le souvenir de quotidiennes passades, par d'honnêtes principes, capables peut-être de fléchir, mais ayant jusqu'ici préservé de tout écart celles qui les avaient reçus de leur milieu bourgeois. Or, quand on s'est trompé dès le début, même pour les petites choses, quand une erreur de supposition ou de souvenirs vous fait chercher l'auteur d'un potin malveillant ou l'endroit où on a égaré un objet dans une fausse direction, il peut arriver qu'on ne découvre son erreur que pour lui substituer non pas la vérité, mais une autre erreur. Je tirais, en ce qui concernait leur manière de vivre et la conduite à tenir avec elles, toutes les conséquences du mot innocence que j'avais lu, en causant familièrement avec elles, sur leur visage. Mais peut-être l'avais-je lu étourdiment, dans le lapsus d'un déchiffrage trop rapide, et n'y était-il pas plus écrit que le nom de Jules Ferry sur le programme de la matinée où j'avais entendu pour la première fois la Berma, ce qui ne m'avait pas empêché de soutenir à M. de Norpois que Jules Ferry, sans doute possible, écrivait des levers de rideau.

Pour n'importe laquelle de mes amies de la petite bande, comment le dernier visage que je lui avais vu n'eût-il pas été le seul que je me rappelasse, puisque, de nos souvenirs relatifs à une personne, l'intelligence élimine tout ce qui ne concourt pas à l'utilité immédiate de nos relations quotidiennes (même et surtout si ces relations sont imprégnées d'un peu d'amour, lequel, toujours insatisfait, vit dans le moment qui va venir)? Elle laisse filer la chaîne des jours passés, n'en garde fortement que le dernier bout, souvent d'un tout autre métal que les chaînons disparus dans la nuit, et dans le voyage que nous faisons à travers la vie, ne tient pour réel que le pays où nous sommes présentement. Mes toutes premières impressions, déjà si lointaines, ne pouvaient pas trouver contre leur déformation journalière un recours dans ma mémoire; pendant les longues heures que je passais à causer, à goûter, à jouer avec ces jeunes filles, je ne me souvenais même pas qu'elles étaient les mêmes vierges impitoyables et sensuelles que j'avais vues, comme dans une fresque, défiler devant la mer.

Les géographes, les archéologues nous conduisent bien dans l'île de Calypso, exhument bien le palais de Minos. Seulement Calypso n'est plus qu'une femme, Minos, qu'un roi sans rien de divin. Même les qualités et les défauts que l'histoire nous enseigne alors avoir été l'apanage de ces personnes fort réelles, diffèrent souvent beaucoup de ceux que nous avions prêtés aux êtres fabuleux qui portaient le même nom. Ainsi s'était dissipée toute la gracieuse mythologie océanique que j'avais composée les premiers jours. Mais il n'est pas tout à fait indifférent qu'il nous arrive, au moins quelquefois, de passer notre temps dans la familiarité de ce que nous avons cru inaccessible et que nous avons désiré. Dans le commerce des personnes que nous avons d'abord trouvées désagréables, persiste toujours, même au milieu du plaisir factice qu'on peut finir par goûter auprès d'elles, le goût frelaté des défauts qu'elles ont réussi à dissimuler. Mais dans des relations comme celles que j'avais avec Albertine et ses amies, le plaisir vrai qui est à leur origine laisse ce parfum qu'aucun artifice ne parvient[1] à donner aux fruits forcés, aux raisins qui n'ont pas mûri au soleil. Les créatures surnaturelles qu'elles avaient été un instant pour moi, mettaient encore, même à mon insu, quelque merveilleux dans les rapports les plus banals que j'avais avec elles, ou plutôt préservaient ces rapports d'avoir jamais rien de banal. Mon désir avait cherché avec tant d'avidité la signification des yeux qui maintenant me connaissaient et me souriaient, mais qui, le premier jour, avaient croisé mes regards comme des rayons[2] d'un autre univers, il avait distribué si largement et si minutieusement la couleur et le parfum sur les surfaces carnées de ces jeunes filles qui, étendues sur la falaise, me tendaient simplement des sandwiches ou jouaient aux devinettes, que souvent dans l'après-midi pendant que j'étais allongé, — comme ces peintres qui, cherchant[3] la grandeur de l'antique dans la vie moderne, donnent à une femme qui se coupe un ongle de pied la noblesse du « Tireur d'épine » ou qui comme Rubens, font des déesses avec des femmes de leur connaissance pour composer une scène mythologique —, ces beaux corps bruns et blonds, de types si opposés, répandus autour de moi dans l'herbe, je les regardais sans les vider peut-être de tout le médiocre contenu dont l'expérience journalière les avait remplis, et pourtant (sans me rappeler expressément leur céleste origine) comme si, pareil à Hercule ou à Télémaque, j'avais été en train de jouer au milieu des nymphes.

Puis les concerts finirent, le mauvais temps arriva, mes amies quittèrent Balbec, non pas toutes ensemble, comme les hirondelles, mais dans la même semaine. Albertine s'en alla la première, brusquement, sans qu'aucune de ses amies eût pu comprendre, ni alors, ni plus tard, pourquoi elle était rentrée tout à coup à Paris, où ni travaux, ni distractions ne la rappelaient. « Elle n'a dit ni quoi ni qu'est-ce et puis elle est partie », grommelait Françoise, qui aurait d'ailleurs voulu que nous en fissions autant. Elle nous trouvait indiscrets vis-à-vis des employés, pourtant déjà bien réduits en nombre, mais retenus par les rares clients qui restaient, vis-à-vis du directeur qui « mangeait de l'argent ». Il est vrai que depuis longtemps l'hôtel, qui n'allait pas tarder à fermer, avait vu partir presque tout le monde; jamais il n'avait été aussi agréable. Ce n'était pas l'avis du directeur; tout le long des salons où l'on gelait et à la porte desquels ne veillait plus aucun groom, il arpentait les corridors, vêtu d'une redingote neuve, si soigné par le coiffeur que sa figure fade avait l'air de consister en un mélange où pour une partie de chair il y en aurait eu trois de cosmétique, changeant sans cesse de cravates (ces élégances coûtent moins cher que d'assurer le chauffage et de garder le personnel, et tel qui ne peut plus envoyer dix mille francs à une œuvre de bienfaisance fait encore sans peine le généreux en donnant cent sous de pourboire au télégraphiste qui lui apporte une dépêche). Il avait l'air d'inspecter le néant, de vouloir donner, grâce à sa bonne tenue personnelle, un air provisoire à la misère que l'on sentait dans cet hôtel où la saison n'avait pas été bonne, et paraissait comme le fantôme d'un souverain qui revient hanter les ruines de ce qui fut jadis son palais. Il fut surtout mécontent quand le chemin de fer d'intérêt local, qui n'avait plus assez de voyageurs, cessa de fonctionner pour jusqu'au printemps suivant. « Ce qui manque ici, disait le directeur, ce sont les moyens de commotion. » Malgré le déficit qu'il enregistrait, il faisait pour les années suivantes des projets grandioses. Et comme il était tout de même capable de retenir exactement de belles expressions, quand elles s'appliquaient à l'industrie hôtelière et avaient pour effet de la magnifier : « Je n'étais pas suffisamment secondé quoique à la salle à manger j'avais une bonne équipe, disait-il; mais les chasseurs laissaient un peu à désirer; vous verrez l'année prochaine quelle phalange je saurai réunir. » En attendant, l'interruption des services du B.C.B. l'obligeait à envoyer chercher les lettres et quelquefois conduire les voyageurs dans une carriole. Je demandais souvent à monter à côté du cocher et cela me fit faire des promenades par tous les temps, comme dans l'hiver que j'avais passé à Combray.

Parfois pourtant la pluie trop cinglante nous retenait, ma grand'mère et moi, le Casino étant fermé, dans des pièces presque complètement vides, comme à fond de cale d'un bateau quand le vent souffle, et où, chaque jour, comme au cours d'une traversée, une nouvelle personne d'entre celles près de qui nous avions passé trois mois sans les connaître, le premier président de Rennes, le bâtonnier de Caen, une dame américaine et ses filles, venaient à nous, entamaient la conversation, inventaient quelque manière de trouver les heures moins longues, révélaient un talent, nous enseignaient un jeu, nous invitaient à prendre le thé, ou à faire de la musique, à nous réunir à une certaine heure, à combiner ensemble de ces distractions qui possèdent le vrai secret de nous faire donner du plaisir, lequel est de n'y pas prétendre mais seulement de nous aider à passer le temps de notre ennui, enfin nouaient avec nous sur la fin de notre séjour des amitiés que, le lendemain, leurs départs successifs venaient interrompre. Je fis même la connaissance du jeune homme riche, d'un de ses deux amis nobles et de l'actrice qui était revenue pour quelques jours; mais la petite société ne se composait plus que de trois personnes, l'autre ami était rentré à Paris. Ils me demandèrent de venir dîner avec eux dans leur restaurant. Je crois qu'ils furent assez contents que je n'acceptasse pas. Mais ils avaient fait l'invitation le plus aimablement possible, et bien qu'elle vînt en réalité du jeune homme riche, puisque les autres personnes n'étaient que ses hôtes, comme l'ami qui l'accompagnait, le marquis Maurice de Vaudémont, était de très grande maison, instinctivement l'actrice, en me demandant si je ne voudrais pas venir, me dit pour me flatter :

— Cela fera tant de plaisir à Maurice.

Et quand dans le hall je les rencontrai tous trois, ce fut M. de Vaudémont, le jeune homme riche s'effaçant, qui me dit :

— Vous ne nous ferez pas le plaisir de dîner avec nous ?

En somme, j'avais bien peu profité de Balbec, ce qui ne me donnait que davantage le désir d'y revenir. Il me semblait que j'y étais resté trop peu de temps. Ce n'était pas l'avis de mes amis qui m'écrivaient pour me demander si je comptais y vivre définitivement. Et de voir que c'était le nom de Balbec qu'ils étaient obligés de mettre sur l'enveloppe, comme ma fenêtre donnait, au lieu que ce fût sur une campagne ou sur une rue, sur les champs de la mer, que j'entendais pendant la nuit sa rumeur, à laquelle j'avais, avant de m'endormir, confié, comme une barque, mon sommeil, j'avais l'illusion que cette promiscuité avec les flots devait matériellement, à mon insu, faire pénétrer en moi la notion de leur charme, à la façon de ces leçons qu'on apprend en dormant.

Le directeur m'offrait pour l'année prochaine de meilleures chambres, mais j'étais attaché maintenant à la mienne où j'entrais sans plus jamais sentir l'odeur du vétiver, et dont ma pensée, qui s'y élevait jadis si difficilement, avait fini par prendre si exactement les dimensions que je fus obligé de lui faire subir un traitement inverse quand je dus coucher à Paris dans mon ancienne chambre, laquelle était basse de plafond.

Il avait fallu quitter Balbec en effet, le froid et l'humidité étant devenus trop pénétrants pour rester plus longtemps dans cet hôtel dépourvu de cheminées et de calorifère. J'oubliai d'ailleurs presque immédiatement ces dernières semaines. Ce que je revis presque invariablement quand je pensai à Balbec, ce furent les moments où, chaque matin, pendant la belle saison, comme je devais l'après-midi sortir avec Albertine et ses amies, ma grand'mère, sur l'ordre du médecin, me força à rester couché dans l'obscurité. Le directeur donnait des ordres pour qu'on ne fît pas de bruit à mon étage et veillait lui-même à ce qu'ils fussent obéis. À cause de la trop grande lumière, je gardais fermés le plus longtemps possible les grands rideaux violets qui m'avaient témoigné tant d'hostilité le premier soir. Mais comme, malgré les épingles avec lesquelles, pour que le jour ne passât pas, Françoise les attachait chaque soir et qu'elle seule savait défaire, malgré[1] les couvertures, le dessus de table en cretonne rouge, les étoffes prises ici ou là qu'elle y ajustait, elle n'arrivait pas à les faire joindre exactement, l'obscurité n'était pas complète et ils laissaient se répandre sur le tapis comme un écarlate effeuillement d'anémones parmi lesquelles je ne pouvais m'empêcher de venir un instant poser mes pieds nus.

Et sur le mur qui faisait face à la fenêtre, et qui se trouvait partiellement éclairé, un cylindre d'or que rien ne soutenait était verticalement posé et se déplaçait lentement comme la colonne lumineuse qui précédait les Hébreux dans le désert. Je me recouchais; obligé de goûter, sans bouger, par l'imagination seulement, et tous à la fois, les plaisirs des jeux[1], du bain, de la marche, que la matinée conseillait, la joie faisait battre bruyamment mon cœur comme une machine en pleine action, mais immobile, et qui ne peut que décharger sa vitesse sur place en tournant sur elle-même.

Je savais que mes amies étaient sur la digue, mais je ne les voyais pas, tandis qu'elles passaient devant les chaînons inégaux de la mer, tout au fond de laquelle, et perchée au milieu de ses cimes bleuâtres comme une bourgade italienne, se distinguait parfois dans une éclaircie la petite ville de Rivebelle, minutieusement détaillée par le soleil. Je ne voyais pas mes amies, mais (tandis qu'arrivaient jusqu'à mon belvédère l'appel des marchands de journaux, des « journalistes », comme les nommait Françoise, les appels des baigneurs et des enfants qui jouaient, ponctuant à la façon des cris des oiseaux de mer le bruit du flot qui doucement se brisait), je devinais leur présence, j'entendais leur rire enveloppé comme celui des Néréides dans le doux déferlement qui montait jusqu'à mes oreilles. « Nous avons regardé, me disait le soir Albertine, pour voir si vous descendriez. Mais vos volets sont restés fermés, même à l'heure du concert. » À dix heures, en effet, il éclatait sous mes fenêtres. Entre les intervalles des instruments, si la mer était pleine, reprenait, coulé et continu, le glissement de l'eau d'une vague qui semblait envelopper les traits du violon dans ses volutes de cristal et faire jaillir son écume au-dessus des échos intermittents d'une musique sous-marine. Je m'impatientais qu'on ne fût pas encore venu me donner mes affaires pour que je puisse m'habiller. Midi sonnait, enfin arrivait Françoise. Et pendant des mois de suite, dans ce Balbec que j'avais tant désiré parce que je ne l'imaginais que battu par la tempête et perdu dans les brumes, le beau temps avait été si éclatant et si fixe que, quand elle venait ouvrir la fenêtre, j'avais pu toujours, sans être trompé, m'attendre à trouver le même pan de soleil plié à l'angle du mur extérieur, et d'une couleur immuable qui était moins émouvante comme un signe de l'été qu'elle n'était morne comme celle d'un émail inerte et factice. Et tandis que Françoise ôtait les épingles des impostes, détachait les étoffes, tirait les rideaux, le jour d'été qu'elle découvrait semblait aussi mort, aussi immémorial qu'une somptueuse et millénaire momie que notre vieille servante n'eût fait que précautionneusement désemmailloter de tous ses linges, avant de la faire apparaître, embaumée dans sa robe d'or.

NOTES ET VARIANTES

DU CÔTÉ DE CHEZ SWANN

Notre texte de base est celui de 1919 *(Éditions de la Nouvelle Revue française),* le dernier qui ait été publié du vivant de Proust; mais nous avons relevé toutes les variantes de l'originale (Bernard Grasset, 1913). Quand nous nous contentons de citer dans les notes le texte de 1913 ou des épreuves d'imprimerie, c'est que nous n'avons pas modifié celui de 1919. Si, au contraire, la note donne le texte des *Éditions de la Nouvelle Revue française,* c'est que nous sommes revenus à celui de Grasset.

Dans les archives de Mme Mante subsistent des jeux incomplets des 2mes, 3mes, 4mes et 5mes épreuves Grasset (Ch. Colin, imprimeur à Mayenne). Ces épreuves sont datées de 1913 : les 2mes, du 30 mai au 1er septembre; les 3mes (celles que nous avons retrouvées ne vont pas au delà de la p. 432), du 31 juillet au 28 août; les 4mes et les 5mes (à peine quelques feuilles), du 13 au 27 octobre. On y relève de rares corrections autographes.

Quand nous prenons sur nous de corriger le texte, manifestement fautif, des éditions, nous le citons toujours dans les notes en le faisant suivre d'un astérisque.

SIGLES

N.R.F. — *Du côté de chez Swann,* un vol., Paris, *Éditions de la Nouvelle Revue française,* 1919.
G. — *Du côté de chez Swann,* un vol., Paris, Bernard Grasset éd., 1913.
Éd. — Accord des deux éditions précédentes.
Ép. imp. — Texte donné par les épreuves imprimées.
Ép. autog. — Corrections et additions de la main de Proust figurant sur les épreuves que nous avons pu consulter.

P. 8. 1. 2e, 3e, 4e et 5e Ép. imp. : « quadrangulaire »; Éd. : « quadrangulaires »*.
P. 9. 1. G. : *à Doncières* manque.
P. 12. 1. 2e Ép. : « un lilas »; 3e Ép. : « un groseillier sauvage ».
P. 14. 1. G. : « qu'on apporte ».
P. 16. 1. Éd. : « façon »*.
P. 22. 1. Éd. : *pas* manque. 2. G. : « parle ».
P. 23. 1. Éd. : « chambre. Je ne dînais pas à table, je venais après dîner au jardin, et à neuf heures je disais bonsoir et allais

me coucher. Je dînais ... ». La phrase que nous supprimons est évidemment une première version de celle qui la suit dans les Éd.

P. 27. 1. Le vers de Corneille (*Mort de Pompée,* 1072) est exactement : « O ciel, que de vertus vous me faites haïr ! »

P. 29. 1. N.R.F. : « des parents ». Nous maintenons le texte de G., plus conforme au style de Françoise.

P. 37. 1. G. : « croyait ».

P. 39. 1. G. : « risque ».

P. 40. 1. G. : « à acheter quelque chose dont ». 2. G. : « essayait ».

P. 41. 1. G. : « me paraissaient, à moi qui ... de raison d'être qu'en soi, être simplement une émanation... »; N.R.F. : « me paraissaient simples — à moi qui... de raison d'exister qu'en soi, — une émanation... ». Nous avons essayé de retrouver sous ce texte informe la correction voulue par Proust.

P. 42. 1. G. : « trouvaient ». 2. G. : « que je ne devais lui désapprendre ... à tenir ».

P. 43. 1. G. : « continue et sentimentale ». 2. Éd. : « qu'il »*.

P. 44. 1. G. : « été plus de sept ».

P. 49. 1. Éd. : « la »*.

P. 50. 1. G. : « j'entre ».

P. 51. 1. G. : « elle « entrait ».

P. 54. 1. N.R.F. : *lui* manque.

P. 60. 1. Éd. : « sinueux »*.

P. 66. 1. Éd. : « fait »*. 2. Éd. : « dôme Saint-Augustin »*.

P. 72. 1. N.R.F. : « un fond »*. 2. G. : « de laquelle ».

P. 73. 1. G. : « *Giraudeau* ». — Cette comédie de Belot et Villetard a été créée en 1859.

P. 76. 1. N.R.F. : *lui* manque.

P. 79. 1. G. : « parle ».

P. 86. 1. G. : « est ». 2. N.R.F. : *en* manque.

P. 90. 1. G. : *fleurs* manque.

P. 91. 1. Éd. : « rien moins »*.

P. 95. 1. G. : « intérieures ... décelés ». 2. « Notre-Dame de Paris », comme le titre des deux tragédies de Racine, est en romain sur G. et en italique sur N.R.F. Il s'agit presque certainement de la cathédrale, et non du roman de Hugo.

P. 108. 1. Ép. : « rapporterait »; Éd. : « rapporteraient »*. 2. Éd. : « proférant en oracles sibyllins, ou sentences »*.

P. 110. 1. G. : « ait ». 2. N.R.F. : « fermes »*.

P. 115. 1. N.R.F. : *plus* manque.

P. 118. 1. Nous ajoutons *qui,* la phrase n'étant pas correctement construite sur les Ép. et les Éd.

P. 119. 1. G. : « que nous soyions ».

P. 122. 1. Éd. : « le règne »*.

P. 124. 1. G. : « merveilleuses ». 2. G. : « fils ».

P. 125. 1. G. : « l'apporte ».

P. 126. 1. G. : « d'amitié pour nous ».

P. 130. 1. G. : « tant de barques ».

P. 136. 1. G. : « pour Chartres ». En 1913, Combray était Illiers, près de Chartres. Proust le déplaça pour le situer sur la ligne de feu entre Laon et Reims, lorsqu'il eut décidé d'incorporer la guerre à son œuvre. Voir la note 2 de la p. 145.

P. 143. 1. G. : « demandât maintenant à voir ».

P. 145. 1. Ép. et Éd. : « sayons », sans doute pour « sillons »; l'ancienne forme est *seillon,* du bas latin *selio ;* Proust semble avoir voulu rendre par l'orthographe la prononciation paysanne de la région d'Illiers. 2. G. : « où il ne rencontre aucun accident de terrain depuis Chartres. Je savais que Mlle Swann allait souvent y passer... ». Voir la note 1 de la p. 136.

P. 147. 1. G. : « Ainsi ». 2. N.R.F. : « je ne puis pas contrarier ». Altération évidente du texte voulu par Proust et donné par G.

P. 158. 1. G. : « aurai-je ». 2. G. : « m'aurait ».

P. 159. 1. Éd. : « rappelant »*.

P. 160. 1. G. : « table et sur laquelle ».

P. 167. 1. Éd. : « brillants »*.

P. 172. 1. G. : « mon imagination ».

P. 173. 1. G. : « s'arrêtait aussitôt de ». 2. G. : « attendu sans inquiétude ». 3. G. : « confuse ».

P. 174. 1. G. : « sa messe ». 2. G. : « quand de ses membres venaient ». 3. G. : « venait ».

P. 175. 1. N.R.F. : « aussitôt après, que ». 2. G. : *simple* manque.

P. 177. 1. G. : « d'orage, et où Mme de Guermantes ».

P. 180. 1. G. : « en elle ».

P. 181. 1. G. : *rase* manque.

P. 183. 1. G. : « C'est ainsi que le côté de Méséglise et le côté de Guermantes restent liés pour moi à ».

P. 185. 1. Éd. : « qui est peu éloignée » (nous corrigeons d'après p. 182 : « une ferme, assez distante de deux autres »).

P. 186. 1. Éd. : « mais non sans qu'on ne pût distinguer »*.

P. 187. 1. G. : « régnait là où ».

P. 188. 1. Éd. : « pouvaient ... devenir fatal »*.

P. 189. 1. N.R.F. : « faisait s'esclaffer » (il est peu probable que Proust ait lui-même corrigé un tour de la langue classique qui lui est familier).

P. 190. 1. N.R.F. corrige, maladroitement semble-t-il, en : « de le faire lâcher ». 2. G. : *pas* manque.

P. 193. 1. G. : « souverain qui tenait en ce moment dans ses mains tous les fils ». 2. G. : « dépendait ».

P. 197. 1. G. : « ne s'était pas rappelé ».

P. 200. 1. 3e Ép. : « qu'elles n'ont l'habitude *(sic)*, il eût ».

P. 210. 1. G. : « donner ». 2. G. : « donner ».

P. 211. 1. G. : « avaient été causer ».

P. 213. 1. G. : *pas* manque.

P. 215. 1. Ces deux lignes (de « que cela » à « Gambetta ») ont été ajoutées par Proust, de sa main, sur les 3e Ép. ; il avait d'abord écrit « l'enterrement de Victor Hugo ».

P. 216. 1. Cette ligne (de « vous l'aurez » à « *Danicheff* ») a été ajoutée par Proust, de sa main sur les 3e ép.; il avait d'abord écrit « la première de *Chamillac* ».

P. 218. 1. N.R.F. : « Verdurin que pour »*.

P. 221. 1. Éd. : « Notre-Dame du Laghet »* (cf. p. 362).

P. 223. 1. Éd. : « on ne donne »*.

P. 228. 1. G. : « d'esthétiques ».

P. 233. 1. G. : « Et ce fut lui, qui ».

P. 238. 1. Éd. : « bénissant » (phrase non construite).

P. 247. 1. G. : « en cherchant, en supposant qu'il fréquenterait ». Il est évident que *en cherchant* est une survivance d'une première version à laquelle Proust a renoncé pour éviter une répétition (cf. *cherchait,* quatre lignes plus haut). Le texte de N.R.F. : « en cherchant à supposer » est une correction maladroite à laquelle Proust a été certainement étranger.

P. 252. 1. N.R.F. : le troisième *si fait* manque.

P. 253. 1. N.R.F. : « devraient »*.

P. 255. 1. N.R.F. : « En »*. 2. G. : « trouver de l'assurance ». Proust a voulu éviter la répétition de *trouver,* mais sa correction est restée incomplète sur N.R.F. qui donne : « ne pas manquer de l'assurance ».

P. 259. 1. *Mais,* qui semble nécessaire après *sans doute elle n'espérait pas,* manque sur N.R.F. — G. : « Mais que me *(sic)* répondait-il ». 2. N.R.F. : « aurait »; cette correction semble malheureuse, car Forcheville et Mme Verdurin ont bien, l'un répondu et l'autre répliqué de la sorte. 3. G. : « Mais au lieu ». 4. N.R.F. : « en sérieux »*. 5. G. : « Mais dites donc ». 6. G. : « dit ».

P. 263. 1. N.R.F. : « Swann ? dit ».

P. 267. 1. N.R.F. : « état »*.

P. 271. 1. G. : « si flatteur pour lui à voir ».

P. 272. 1. Éd. : « elle l'avait rallumée »*. 2. N.R.F. : « rentrer »*.

P. 274. 1. N.R.F. : *contre* manque.

P. 276. 1. N.R.F. : *de* manque*.

P. 278. 1. N.R.F. : « véritable »*.

P. 284. 1. N.R.F. : *eu* manque*. 2. G. : « n'aille ». 3. N.R.F. : « leurs »*.

P. 286. 1. N.R.F. : « entendit »*.

P. 289. 1. 3e ép. : « C'est bien ce qu'on appelle un gentleman, n'est-ce pas ? il est ami personnel du... ».

P. 291. 1. Éd. : « et dont »*.

P. 294. 1. G. : « changeait ... inspectait ... l'aurait trouvé ».

P. 296. 1. 3e ép. : « Mais leur figure collective et informe ... jalousie. Elle fatiguait sa pensée et se passant la main sur les yeux il s'écriait ». Cette première version prouve que *Il* dans le texte définitif représente *leur visage.*

P. 298. 1. Éd. : « dépouillait »*.

P. 299. 1. G. : « c'est ».
P. 303. 1. Éd. : « si cela »* (cf. p. 409, note 2).
P. 304. 1. Éd. : « antérieure »*.
P. 305. 1. De *en y acquiesçant* à *séparation,* toute une ligne manque sur N.R.F.
P. 308. 1. Cf. p. 197.
P. 311. 1. G. : « était sinon moins cher, du moins moins agréable ». Nous donnons le texte de N.R.F., en ajoutant seulement une virgule après *était.*
P. 312. 1. G. : « de mon oncle à Swann ».
P. 315. 1. G. : « des ».
P. 316. 1. G. : « déclaraient ». 2. Éd. : « le mal avec bien des remèdes, mais du moins »*.
P. 323. 1. N.R.F. : « de »*.
P. 325. 1. 3e Ép. : « d'art, qui en reçoivent leur nom ». En se corrigeant, Proust a introduit dans sa phrase une anacoluthe.
P. 326. 1. Éd. : « coordonnées »*.
P. 328. 1. N.R.F. : « qui étant au contraire très lancée, trouvait »*. 2. N.R.F. : « d'une mélancolie ironique ».
P. 330. 1. G. : *de* manque. (G. donne peut-être le bon texte : cf. p. 332, dernière ligne.)
P. 333. 1. G. : « arrivée près de Mme de Gallardon, avec ».
P. 334. 1. G. : « les ».
P. 338. 1. G. : « connaissiez ».
P. 339. 1. G. : « connaissaient ».
P. 340. 1. Éd. : « s'écrie »*.
P. 343. 1. Éd. : « ajoute-t-elle »*.
P. 344. 1. G. : « présenta à M. de Froberville la jeune ». 2. G. : *le* manque.
P. 346. 1. N.R.F. : « créations »*. 2. G. : *lui* manque.
P. 350. 1. 4mes Ép. imp. : « comme sont les notions de la lumière, du son, du relief, de la volupté physique »; corr. autog. : « comme la notion de la lumière, de son, de relief, de volupté physique »; après avoir fait ces corrections Proust a rayé tout le passage; il reparaît pourtant dans les 5mes Ép., sur G., sur N.R.F., sous cette forme : « comme les notions de la lumière, du son, du relief, de la volupté physique ». Nous apportons au texte des Éd. les corrections des 4mes Ép.
P. 351. 1. G. : « malgré cela pourtant nous ».
P. 352. 1. N.R.F. : *cet être* manque*. 2. G. : « puisse ».
P. 355. 1. G. : « aussi ».
P. 356. 1. G. : « de ces gens ». 2. Éd. : « pas plus de raisons »*. 3. N.R.F. : « relire »*. 4. G. : *ne* manque.
P. 357. 1. G. : « par ».
P. 359. 1. G. : « semblé ».
P. 360. 1. N.R.F. : « d'amour »*.
P. 361. 1. G. : « cadrait au contraire avec ».
P. 362. 1. Éd. : « ajoute-t-elle »*.

P. 364. 1. Éd. : « dite avoir fait »*.

P. 365. 1. G. : « qu'il n'eût »*. 2. Éd. : « n'empêcherait »*. 3. G. : « dans l'île du Bois ».

P. 366. 1. Éd. : « il se taisait; il lui dit ». Ce texte au moins surprenant est aussi celui de toutes les Ép. imp.; il est pourtant difficile de ne pas voir dans « il se taisait » une survivance d'une rédaction antérieure. La correction des éditeurs de *la Gerbe :* « elle se taisait » est arbitraire.

P. 368. 1. Éd. : « ses mots »*. 2. G. : « voulait ».

P. 369. 1. G. : « l'extirpât d'un mot ».

P. 370. 1. G. : « pour n'avoir pas l'air de l'avoir ignoré ».

P. 371. 1. Proust a corrigé de sa main, sur les 4mes ép., *n'aurais* en *n'aurai.* Ép. et Éd. donnent *n'aurais* huit lignes plus haut.

P. 372. 1. Ces parenthèses, que Proust a ajoutées de sa main sur les 4mes Ép., ne sont pas sur les Éd. 2. G. : « sur la voie » (!). 3. G. : « mourraient ». 4. N.R.F. : « tendresse »*.

P. 373. 1. 4mes Ép. imp. : « m'aviez »; corr. aut. : « m'auriez ». 2. G. : « sur ».

P. 374. 1. Éd. : « M. Verdurin » (faute certaine : les 4mes Ép. avaient ici *Mme,* que Proust n'a pas corrigé, et, quatre lignes plus bas, *Mme* aussi, que Proust a corrigé en *Mr*. L'imprimeur a mal interprété la correction et a remplacé par *Mr,* non le second, mais le premier *Mme*). 2. Éd. : « Mme Verdurin » (voir la note précédente). 3. N.R.F. : « il fut obligé » (correction très maladroite inspirée par les erreurs signalées dans les deux notes précédentes et qui révèle une intervention étrangère). 4. N.R.F. : *choisis* manque*.

P. 375. 1. G. : « Hé bien ».

P. 377. 1. G. : « commençait ».

P. 378. 1. Éd. : « recherché »*.

P. 380. 1. G. : « inexplicable ».

P. 383. 1. Éd. : « de »*. 2. N.R.F. : « pleines »*.

P. 385. 1. G. : « avait eu ».

P. 386. 1. Éd. : « substituaient »*.

P. 389. 1. G. : « des lieux ».

P. 392. 1. N.R.F. : « devant »*.

P. 396. 1. A partir d'ici les 2mes Ép. donnent une première version de la fin de *Swann* où l'on trouve déjà plusieurs développements du texte définitif, mais disposés dans un autre ordre. L'ouvrage s'achevait alors sur le paragraphe « Lierre instantané ... » (p. 397) qui se terminait ainsi : « ... au cœur de l'hiver, quand toute autre végétation a disparu, quand le beau cuir vert qui enveloppe le tronc des vieux arbres est caché sous la neige, et que sur celle qui couvrait le balcon, le soleil apparu entrelaçait des fils d'or et brodait des reflets noirs ». La description du Bois par un matin du début de novembre, qui dans l'édition sert de conclusion à *Swann,* ne figure pas dans cette première version.

P. 398. 1. G. : « déchirait ».

P. 399. 1. G. : « vienne ». 2. G. : « un autre camp du drap d'or ».

P. 400. 1. N.R.F. : « puissions »*.

P. 403. 1. N.R.F. : « Et ».

P. 406. 1. G. : « était ».

P. 407. 1. N.R.F. : « lieux »*. 2. G. : *secondaire et transversale* manquent.

P. 408. 1. G. : « n'avaient ». 2. N.R.F. : « après midi »*.

P. 409. 1. G. : « va m'expliquer ». 2. G. : « cela ».

P. 410. 1. G. : « dans nos travaux, collectionnerait ». 2. N.R.F. : « baisai »*.

P. 411. 1. Éd. : « de penser, me dire » (2e Ép. : « j'avais tort de me dire seulement : c'est qu'elle est... ». Dans les Éd., *me dire* semble une survivance de cette première version).

P. 422. 1. G. : « voir ».

P. 424. 1. Éd. : « victoire »*.

P. 425. 1. N.R.F. : « elle »*.

P. 426. 1. N.R.F. : « voudrais »*.

P. 427. 1. N.R.F. : « des »* (cf. p. 418).

A L'OMBRE DES JEUNES FILLES EN FLEURS

Notre texte de base est celui de l'édition originale (*Éditions de la Nouvelle Revue française*, 1918). Malgré ses incorrections, il offre beaucoup plus de garanties que celui de l'édition in-folio (*Éditions de la Nouvelle Revue française*, 1920) où l'on relève des traces évidentes d'interventions étrangères (voir notre article du *Bulletin de la Société des Amis de Marcel Proust*... 1951-1952, nº 2, pp. 33 sq.). Lorsque nous citons en note une seule de ces deux éditions, c'est que nous avons suivi le texte de l'autre.

Le « manuscrit » des *Jeunes Filles* (voir ci-dessus, p. XXIV) a été collé sur des dépliants et partagé entre les cinquante exemplaires de l'édition de 1920. Nous n'avons retrouvé que douze de ces dépliants*. L'un d'eux a été reproduit en *fac-simile* par M. Etiemble (Alexandrie, 1947); un autre contient les deux fragments que M. Saucier a publiés dans une plaquette tirée à cinq exemplaires (« le quintette Lepic » et « l'orgue du casino de Balbec »).

Mme Mante-Proust a déposé à la Bibliothèque Nationale un jeu presque complet d'épreuves couvertes de corrections autographes. Le texte qu'elles donnent est, en général, très différent de ce-

* Nous les décrivons dans l'article cité ci-dessus, p. 36.

lui des éditions. — Les épreuves postérieures n'ont pu être retrouvées.

Les archives de Mme Mante contiennent les épreuves, largement corrigées par Proust et aussi par Jacques Rivière, du fragment des *Jeunes Filles* qui a été publié dans le nº 66 de la *Nouvelle Revue française* en juin 1914. Elles contiennent aussi un exemplaire incomplet de l'édition originale qui porte, avec trois corrections autographes (toutes trois à la p. 137), de nombreuses corrections d'une main étrangère (cf. ci-dessus p. XXIII, note ***).

SIGLES

18. — *A l'ombre des jeunes filles en fleurs,* un vol., Paris, *Éditions de la Nouvelle Revue française,* 1918*.

20. — *A l'ombre des jeunes filles en fleurs,* un vol. in-folio tellière sur papier indian bible, Paris, *Éditions de la Nouvelle Revue française,* 1920.

Éd. — Accord des deux éditions précédentes.

N.R.F. 14. — *La Nouvelle Revue française,* nº 66 (1er juin 1914), pp. 921-969**.

Ép. N.R.F. 14 imp. — Épreuves d'imprimerie du texte précédent.

Ép. N.R.F. 14 autog. — Corrections autographes figurant sur ces épreuves.

Ms. imp. — Texte imprimé des dépliants qui accompagnent les 50 exemplaires de l'édition de 1920 (voir ci-dessus).

Ms. autog. — Texte autographe de ces dépliants.

B.N. imp. — Épreuves déposées par Mme Mante-Proust à la Bibliothèque Nationale.

B.N. autog. — Corrections et additions autographes figurant sur ces épreuves.

Ex. 18. — Exemplaire incomplet de l'édition originale signalé ci-dessus.

P. 431. 1. L'indication *Première partie* et le résumé qui suit sont empruntés à la Table des Matières de 18.

P. 433. 1. B.N. : « de faire observer trois choses : pour Swann ». 2. Éd. : « été invisiblement dissous entièrement dans un liquide »;

* Cette édition a fait l'objet d'un *errata* très incomplet : les corrections qui y sont indiquées sont passées dans le texte de 1920.

** Titre : *A la recherche du temps perdu.* Ce sont des fragments d'un premier état du début du séjour à Balbec; on les retrouve, modifiés, dans le roman (pp. 644-766 de notre édition). Ils sont accompagnés dans la revue d'une note, non signée, qui figure sur les épreuves de la main de Jacques Rivière : « Ces fragments sont extraits du deuxième volume de *A la recherche du temps perdu,* intitulé *Le côté de Guermantes,* qui doit paraître prochainement chez l'éditeur Bernard Grasset. »

B.N. imp. : « été dissous entièrement dans un liquide »; Proust a ajouté de sa main *invisiblement* avant *dissous* et a, sans doute, oublié de biffer *entièrement*. 3. 18 : « l'on a vu »*.

P. 434. 1. Éd. : « n'oubliait »*.

P. 435. 1. Éd. : « et de ne fréquenter »*.

P. 444. 1. Éd. : « dans une des balances du plateau »*. 2. 18 : « que »*.

P. 445. 1. Ms. imp. : « le jarret..., le pied ». Le texte, peu satisfaisant, des Éd. résulte de corrections autog. 2. Il n'y a pas de virgule après « pain » dans les Éd.

P. 447. 1. Éd. : « par »*.

P. 449. 1. Éd. : « baigné »*; Ms. autog. : « baignée ». Cet *e* figure sur B.N. imp., mais renversé et au-dessus de la ligne. Il a disparu des épreuves ultérieures.

P. 450. 1. 18 : « d'elle »*.

P. 452. 1. Éd. : « de la sorte il faisait preuve à la fois, à mon endroit, de... ». Sur B.N. Proust a pourtant indiqué de sa main que *à mon endroit* devait être placé après *de la sorte*.

P. 459. 1. 18 : « prononçant »*.

P. 462. 1. Éd. : « cela avait été »; Ms. autog. : « ç'avait été ».

P. 463. 1. 18 : « resserrer entre les deux pays leurs « affinités ». — Correction maladroite sur 20 : « resserrer les deux pays, leurs « affinités ». — Ms. imp. : « resserrer encore les « affinités » des deux pays ». Sur ce Ms. Proust a biffé *encore les* et *des deux pays* et demandé dans la marge qu'on ajoutât, après *resserrer*, « encore entre les deux pays leurs ». Mais, sur l'autographe, *encore* est peu lisible; l'imprimeur l'a omis sur les épreuves suivantes. Tout cela apparaît clairement sur les deux dépliants publiés en fac-simile par M. Etiemble.

P. 464. 1. Éd. : « attrayant dont »; Ms. aut. : « attrayant et dont ». Ce *et* qui, sur l'autog., semble faire corps avec le mot précédent, a échappé à l'imprimeur et ne figure pas dans la composition du second dépliant reproduit par M. Etiemble.

P. 466. 1. Éd. : « étant »; Ms. autog. : « était ».

P. 471. 1. Éd. : « du »*.

P. 474. 1. Éd. : « bœufs, même dans les livres de Bergotte. Toutes »*.

P. 479. 1. Éd. : « à l'efficacité, d'ailleurs incertaine, de la première. Pour... ». Le Ms. montre que Proust, qui avait d'abord écrit ce texte, l'a corrigé de sa main pour aboutir à celui que nous donnons.

P. 480. 1. Éd. : « et de sa demeure ». Nous donnons le texte imp. du Ms. 2. Ms. imp. : « fabuleux comme à moi ». L'addition autog. « comme il le paraissait » soulève une difficulté : le pronom *il* représente-t-il *une personne* par syllepse, ou est-il neutre ?

P. 481. 1. Éd. : « évoquant »; Ms. imp. : « pensent à »; Proust a corrigé *pensent à* en *évoquent*. Ses *e* et ses *a* sont faciles à confondre, surtout à la fin des mots.

P. 482. 1. Éd. : « deux terribles soupçons »; mais Proust a corrigé ce texte de sa main sur Ms. et lui a substitué celui que nous donnons. 2. 20 : « allait en ».

P. 484. 1. Éd. : « sous »; Ms. autog. : « sur ».

P. 489. 1. Ms. imp. et biffé : « ... sordides. Comme dans les tableaux d'Elstir que j'allais bientôt connaître et où la plus moderne maison de Chartres est consubstantialisée, par la même lumière qui la pénètre, par la même « impression », avec la cathédrale, les palais de Gabriel étaient, ne faisaient qu'un, dans mon regard distrait, méprisant et qui cherchait l'apparition de Gilberte, avec le pâtissier et le fleuriste voisins. Une seule fois... ».

P. 498. 1. Éd. : « mauvaise »* (cf. *dangereux*).

P. 505. 1. Éd. : « m'ôtaient »*.

P. 510. 1. Éd. : « m'étaient inspirés »*. 2. Éd. : « odoriférantes »*.

P. 516. 1. Éd. : « Mme Swann en conviant cette amie bienveillante, réservée et modeste, n'avait pas à craindre d'introduire chez soi, à ses « jours » brillants, un traître... »; Ms. imp. : « Mme Swann n'avait pas à craindre en confia *(sic)* à ses jours brillants d'introduire chez soi un traître »; Proust a biffé *n'avait pas à craindre,* a corrigé *confia* en *conviant* et a fait suivre *jours,* placé entre guillemets, de *cette amie bienveillante, réservée et modeste, n'avait pas à craindre.* Il n'a pas biffé *brillants,* mais voulait sans doute le supprimer, puisque, sur sa correction, *cette amie* fait immédiatement suite aux guillemets fermés de *jours*.

P. 518. 1. Éd. : *la* manque; Ms. imp. : « était la tante de Swann »; Proust a biffé *la* et ajouté, après *tante,* « à la mode de Bretagne ». Nous admettons qu'il a renoncé ultérieurement à cette addition, mais alors l'article doit être rétabli. 2. Éd. : « et pur néant »; Ms. autog. : « nuit, pur néant » (texte plus conforme aux habitudes de Proust, le second mot étant substitué, non joint au premier). 3. Ms. autog. : « ... Bête » et si d'aventure on avait rencontré chez lui Mme de Guermantes on demandait ironiquement : « Y a-t-il seulement un M. de Guermantes ? » 4. Version autog., plus détaillée, de la scène sur Ms. : « Odette comptait bien abréger sa visite, mais ne pouvait fuir encore, il n'y avait pas une minute qu'elle était arrivée. Soit pour esquiver la difficulté, soit pour ménager une insolence à sa nièce, « Je serais très curieuse de visiter votre hôtel », dit Lady Israël à Madame de Marsantes, sachant que celle-ci avait une grande considération pour elle, bien plus besoin d'elle. D'ailleurs Lady Israël, très bienfaisante et droite, avait une grande hauteur. « Je serai ravie de vous le montrer », avait dit Madame de Marsantes, et aussitôt elle était partie avec Lady Jacob *(sic)*, en personne qui n'a pas à se gêner avec Madame Swann trop heureuse d'être chez elle, et avait laissé la malheureuse seule, debout, qui avait fini par s'asseoir et s'était morfondue une demi-heure. Alors Madame de Marsantes était revenue en disant sèchement à Madame Swann : « Vous m'excusez », et Lady Jacob avait levé son face-à-main et regardé Odette comme une personne qu'elle n'eût même pas aperçue tout à l'heure et qui serait arrivée dans l'intervalle, ou comme un dernier accessoire de l'hôtel. Cet accessoire-là ne lui plut pas sans doute, car ce fut le seul sur lequel elle garda le silence et, se détournant vers Madame de Marsantes, elle engagea avec elle une conversation à laquelle Odette ne fut jamais mêlée. « Tu me feras le plaisir de ne pas y retourner », lui avait dit Swann, et cette seule visite n'avait pas encouragé Odette à pousser plus loin son offensive de ce côté. Empressons-nous d'ailleurs d'ajouter que ce n'était pas celui qui préoccupait Madame Swann. Elle n'avait même pas au sujet des choses de la noblesse, des généalogies, des maisons ducales la petite érudition que de paisibles bourgeois de Nantes ou de Tours cultivent nuit et jour, bien qu'ils ne doivent jamais connaître personne de ce monde-là. Quand nous le verrons plus tard affluer chez l'ancienne Odette, il ne vint pas combler un vide qu'avait creusé à force de désirs la lecture des anciens Mémoires, de l'Almanach de Gotha; il fut reçu sans aucune préparation de l'intelligence. Madame de Guermantes ne fut pour Odette qu'une Madame Verdurin supérieure qu'il était « chic » d'avoir chez soi et elle s'inquiéta beaucoup moins de ce qu'était la famille de Guermantes que bien des gens qui ne connaîtront jamais celle-ci... »

P. 519. 1. Éd. : « faisant »*.

P. 520. 1. Éd. : « remplacer ». La correction de *la Gerbe* (« remplir ») peut sembler légitime.

P. 524. 1. 18 : *à* manque. Proust l'avait ajouté de sa main sur B.N.; 20 l'a rétabli.

P. 526. 1. Éd. : « des amies de Swann »*. Nous adoptons la version de B.N. imp., qu'exige le contexte (« celle-ci »).

P. 527. 1. B.N. imp. : « posé comme un joyau derrière un paravent de cristal »; les corrections autog. donnent le texte des Éd.

P. 528. 1. Éd. : « espérés »*.

P. 534. 1. Éd. : « accompagnât »* (mauvaise lecture du Ms. autog.).

P. 535. 1. Éd. : « introduisit ». — Ms. imp. : « mages que les peintres florentins faisaient déjà si anachroniques en y introduisant les Médicis, comme a fait Benozzo Gozzoli »; Proust a substitué de sa main à ce texte celui des Éd., mais, pour *introduisant,* il s'est contenté de remplacer l'*n* par un *i,* ce qui donne *introduisait* qu'exige le sens. 2. Cf. p. 511.

P. 536. 1. Cf. p. 511.

P. 538. 1. Ms. imp. et rayé par Proust : « ... d'amour-propre, car il avait adopté à la longue cette opinion d'Odette qu'être toujours en retard est une habitude particulière aux femmes élégantes ».

P. 542. 1. Éd. : « hérités »*; Ms. : « héritée ». 2. Éd. : « arriva ... salua ». Sur B.N. Proust a corrigé *salua* en salue; il a oublié de corriger *arriva*.

P. 545. 1. Éd. : « et elle ne dit ». Sur B.N. Proust a biffé *elle*.

P. 546. 1. Éd. : « *handsome cab* »*.

P. 550. 1. 18 : « ces »*.

P. 552. 1. Éd. : « avaient été elles aussi autrefois ». Sur B.N. *elles aussi* est une addition autog. placée après *autrefois*.

P. 553. 1. Éd. : « gaieté, murmures ». La correction autog. de B.N. maintient *et* entre ces deux mots.

P. 554. 1. Éd. : « sonorités qui se prolongent » (la phrase n'est pas construite; nous adoptons, faute d'avoir su trouver mieux, la correction de *la Gerbe,* mais elle fausse un peu le sens). 2. Éd. : *pas* manque*.

P. 555. 1. 18 : « qui est »*.

P. 559. 1. Éd. : « qu'il avait »*.

P. 560. 1. Éd. : « eussent »*.

P. 565. 1. Éd. : « chez l'un ». Proust a biffé *l'* sur B.N.

P. 566. 1. Éd. : « donnerait ». B.N. montre que *donnerait* est une survivance d'une rédaction antérieure. 2. Éd. : « nous »* (cf. l. 15 et 29). 3. Éd. : « nous »* (voir la note précédente).

P. 567. 1. 18 : « qui l'avait »*. 2. Éd. : « de trouver quelque chose »*.

P. 568. 1. Éd. : « dû pourtant me dire ». La correction de B.N. a été mal comprise. 2. Éd. : « tout une autre »*.

P. 570. 1. 18 : « vient »*.

P. 572. 1. 18 : « bêtes »; 20 : « têtes ».

P. 576. 1. 18 : « ou contracter »; 20 : « on contracter »; B.N. imp. : « ou en éveiller »; Proust a biffé *en éveiller* et a écrit dans la marge *contracter,* en oubliant de récrire *en*.

P. 583. 1. 18 : *par* manque.

P. 584. 1. 20 : « livide ».

P. 585. 1. Éd. : « de »; Ex. 18 : (corr. autog.) : « des ». 2. 18 : « dégoûterait »; Ex. 18 (corr. autog.) : « fatiguerait »; Errata orig. : « détournerait ».

P. 587. 1. Éd. : « à un rendez-vous, un mouvement ». — B.N. imp. : « où j'aurais pris l'arrivée inexacte de Gilberte à un rendez-vous, un mouvement de mauvaise humeur pour une hostilité ». Il est évident qu'en refaisant sa phrase, Proust a oublié de répéter *dans* devant *un mouvement*. 2. 18 : *de* manque*. 3. Éd. « jusqu'à chez »; B.N. (corr. autog.) : « jusque chez ».

P. 590. 1. Éd. : « Et enfin plus tard quand je pourrais enfin »; B.N. imp. : « Et enfin plus tard quand j'aurais pu avouer ». En se corrigeant, Proust a oublié de biffer le premier *enfin*.

P. 591. 1. Éd. : « les aide à ». Sur B.N. Proust a corrigé *les aide à* en *leur permet de*. Cette correction qui se dissimule au coin de la page est restée inaperçue; elle est pourtant nécessaire (cf. *d'oublier..., de survivre*).

P. 595. 1. Éd. : « où, lui ayant de par mon chagrin, retrouvé toute » (phrase non construite).

P. 597. 1. Éd. : « ce soir, du reste. Gilberte »; B.N. imp. : « ce soir, du reste, Gilberte ». Proust, par mégarde, a remplacé la seconde virgule, au lieu de la première, par un point. 2. 20 : « revoyant ».

P. 600. 1. Éd. : « toujours pas »*.

P. 601. 1. 18 : « une si telle »; 20 : « une si belle ». — B.N. imp. : « une si grande ». Proust a biffé *grande* et écrit *telle* dans la marge en oubliant de biffer *si*.

P. 603. 1. Éd. : *à* manque*.

P. 606. 1. Éd. : « aimait »*.

P. 607. 1. Éd. : « plusieurs »*. 2. Éd. : « pour parler »*. 3. 18 : « mène »; 20 : « mènent ».

P. 608. 1. Éd. : « de Mme Verdurin, laquelle ajoutait la femme du docteur, qui ne l'avait jamais vue faire « autant de frais ». « Il faut avait-elle dit que vous ayiez *(sic)* ensemble... » (phrase non construite).

P. 609. 1. Éd. : « d'un »*.

P. 610. 1. Comme le proposait J. Rivière à Proust (lettre du 20 mai 1919), nous ajoutons « pour cause » au texte des Éd. pour le rendre intelligible. 2. Éd. : « de »*.

P. 611. 1. Éd. : « l'éprouva »*.

P. 617. 1. Éd. : « plus calme, frais, reposé ». Sur Ms. Proust a ajouté de sa main *plus* devant *reposé :* il a oublié, sans doute, de l'ajouter devant *frais*.

P. 621. 1. Éd. : « faisaient »*.

P. 622. 1. Ms. autog. : « ... l'habitude, multiplie les forces, comme l'inertie dans le monde de la matière ». 2. Ms. autog. : « scrupule ».

P. 626. 1. Éd. : « Mais chaque fois »*.

P. 627. 1. Éd. : « que nous formons »*.

P. 640. 1. 18 : « le »; Ex. 18 (corr. qui ne semble pas de la main de Proust) et 20 : « la ». 2. Éd. : « cheval dans une magnifique apothéose, adressait »*.

P. 642. 1. L'indication *Deuxième partie* et le résumé qui la suit sont empruntés à la Table des Matières de 18.

P. 643. 1. Éd. : « avions ». Nous corrigeons d'après le Ms. autog. de *la Fugitive* (voir notre tome III, p. 531, note 1).

P. 644. 1. Éd. : « par lesquelles change la surface de la terre »; Ép. N.R.F. 14 imp. : « par lesquelles change la face de la terre »; Proust a corrigé de sa main *par* en *selon*. 2. Éd. : « dans notre pensée ». Sur Ép. N.R.F. 14, Proust a, de sa main, remplacé ces trois mots par *en nous*. 3. Éd. : « ne font pas partie pour ainsi dire ». Sur Ép. N.R.F. 14, Proust a, de sa main, substitué à ce texte celui que nous donnons.

P. 646. 1. Éd. : *de* manque*.

P. 652. 1. Éd. : « n'eus »*.

P. 658. 1. Ép. N.R.F. 14 imp. : « la ».

P. 659. 1. Ép. N.R.F. 14 imp. : « sa ». 2. Ép. N.R.F. 14 autog. : « j'eus reconnu ». 3. Éd. : « elle-même, ce sont elles; elles, les uniques, c'est bien plus ». Nous adoptons la correction autog. des Ép. N.R.F. 14. 4. Éd. : « courage qu'il possède et dont ». Nous supprimons les mots biffés par Proust sur Ép. N.R.F. 14.

P. 660. 1. Il y a une virgule après *offerte* sur les Ép. N.R.F. 14 imp. Proust a biffé cette virgule sur B.N.; aussi ne figure-t-elle pas dans les Éd. Elle est pourtant nécessaire au sens, puisque *chassant* a pour sujets *un tramway, un café,* etc. 2. Éd. : « poussées..., engouffrées ». Proust accorde ces participes en genre avec le dernier des quatre sujets, « succursale »; mais ces quatre sujets sont repris ensuite par un pronom masculin : « eux ».

P. 661. 1. Éd. : « aurait ». Nous adoptons la correction autog. des Ép. N.R.F. 14.

P. 662. 1. Éd. : « C'était »; N.R.F. 14 : « C'étaient ». — C'est aussi à N.R.F. 14 que nous empruntons l'orthographe *ou* (Éd. : *où*). 2. Éd. : « qui me montraient pour la première fois leurs hôtes habituels, mais me les montraient par leur dehors — des joueurs de tennis ». Les corrections autog. des Ép. N.R.F. 14 donnent : « qui me montraient pour la première fois, mais par leur dehors habituel, des joueurs de tennis ». Texte déjà altéré dans N.R.F. juin 14 (p. 927) : « qui me montraient pour la première fois, habituels, mais par leur dehors, des joueurs de tennis ». Nous avons corrigé le texte inintelligible des Éd., pour l'adapter à la pensée que révèle clairement la version partiellement autog. des Ép. N.R.F. 14. 3. Éd. : « casquettes blanches ». Proust a biffé de sa main les deux *s* sur Ép. N.R.F. 14.

P. 665. 1. Éd. : « qui à ce point le plus haut de l'hôtel où serait ». Nous adoptons les corrections autog. des Ép. N.R.F. 14.

P. 666. 1. Éd. : « ont passées »*.

P. 669. 1. Éd. : « chou ». Nous adoptons la correction autog. des Ép. N.R.F. 14.

P. 671. 1. 20 : « changer de place la glace ». 2. Éd. : « autour de nous, mais notre affection pour eux; elle aurait... ». Nous adoptons les corrections autog. des Ép. N.R.F. 14.

P. 673. 1. Ép. N.R.F. 14 imp. : « ce vent »; aucune correction autog.; pourtant N.R.F. 14 donne *le* qui est passé dans les Éd.

P. 676. 1. Éd. : « peuplé par »; Ép. N.R.F. 14 imp. : « habité par »; Proust a remplacé de sa main *habité* par *peuplé seulement*.

P. 682. 1. 18 : « s'engouffrait », que 20 corrige maladroitement en « s'engouffraient ». Dans l'écriture de Proust les désinences *ant* et *ait* sont difficiles à distinguer. 2. Éd. : « Legrandin, venait »*.

P. 688. 1. B.N. et les Éd. donnent bien « s'imaginent » (syntaxe du langage parlé).

P. 695. 1. Ms. autog. : « avec le sourire orgueilleusement modeste d'une maîtresse de maison qui se retire discrètement pour ne pas gêner par sa présence l'éclosion de conversations, d'intimités particulières dont son salon a pour fonction et pour gloire d'être le berceau. On eût dit... ». Sur B.N. Proust a, de sa main, ajouté *même* devant *sourire* et remplacé *d'une* par *de*.

P. 698. 1. Éd. : « destinées ces prunes..., des raisins..., des poires ». Ms. imp. : « destinés ces fruits, des prunes..., des raisins..., des poires ». Sur B.N. Proust a corrigé *destinés* en *destinées* et a biffé *fruits, des,* sans prendre garde que la fin de la phrase devenait peu cohérente. Nous rétablissons le premier texte.

P. 700. 1. B.N. imp. : « nègre en satin ». Proust a biffé *en* et a ajouté dans la marge *habillé* sans faire suivre ce participe d'aucune préposition. L'imprimeur a maintenu *en ;* Proust songeait peut-être à *de*.

P. 704. 1. Nous supprimons deux virgules des Éd. (après *expositions* et après *plage*) ; Proust les avait lui-même biffées sur Ép. N.R.F. 14. — On remarque dans tout ce paragraphe des traces de remaniement. La phrase : « J'allais et je venais jusqu'à l'heure du déjeuner, de ma chambre à celle de ma grand'mère » s'accorde mal avec l'indication donnée plus bas : « cette chambre, que je traversais un moment avant de m'habiller pour la promenade ». P. 705, la suture est très visible : « Mais avant tout j'avais ouvert mes rideaux ». Tout est clair, au contraire, et cohérent, dans le développement de N.R.F. juin 14 (pp. 942-946), que Proust a cru devoir morceler pour en tirer ce passage ainsi que la conclusion des *J.F.*(953-955). On verra aussi esquissé, dans la N.R.F. (p. 945 sq.) le thème des « métaphores » entre le ciel et la mer, qui sera largement repris dans les *J.F.* (première visite à Elstir : pp. 835-838).

P. 705. 1. Éd. : « Glaukonomèné » ; Ép. N.R.F. 14 imp. : *Alecto ;* correction autog. : *Glaukonomè* (c'est bien le nom exact de la Néréide « qui se plaît au sourire » : cf. Hésiode, *Théogonie* 256) ; B.N. imp. : *Glaukonomène* que Proust a corrigé, cette fois, en *Glaukonomènè ;* c'est un exemple, entre tant d'autres, des erreurs que Proust introduit parfois lui-même dans son texte en revoyant rapidement ses épreuves. 2. Éd. : « apercevions »* ; N.R.F. 14 : « apercevrions ».

P. 706. 1. B.N. autog. : « étaient plantés un arbrisseau d'une espèce rare et un jeune chasseur qui ne frappait pas moins les yeux par l'harmonie régulière de ses cheveux colorés, de son teint de plante ». 2. Éd. : « il savait d'une part qu'une » ; B.N. autog. (les mots en italique sont rayés) : « il savait que d'une part *les gens qui amè* qu'une personne qui amène ». Proust a oublié de rayer le premier *que,* et peut-être aussi *d'une part ;* en tout cas, *d'autre part* manque avant « que les nobles ».

P. 707. 1. Éd. : « à deux de ces catégories »*. B.N. autog. : « à ces deux catégories ».

P. 710. 1. Éd. : « parlant »*.

P. 712. 1. N.R.F. 14 : « mon ». (Sur Ép. N.R.F. 14 *son* a été corrigé en *mon,* mais, semble-t-il, par une main étrangère). Cf. *Bulletin,* art. cité, p. 43.

P. 713. 1. Nous ajoutons une virgule après *descendre* d'après N.R.F. 14 : « descendre, lui parler ». 2. B.N. imp. ne donnait pas *sans doute* qui eﬆ une addition autog. La phrase était donc, dans sa première version, plus nettement matérialiﬆe.

P. 715. 1. Éd. : *nous* manque. Prouﬆ l'a pourtant ajouté de sa main sur Ép. N.R.F. 14.

P. 716. 1. Éd. : « la ». Ce féminin, inintelligible après le masculin *le* de la ligne précédente, vient du texte de N.R.F. 14 qui donnait *en elle,* au lieu de *en cet être.*

P. 717. 1. Nous suivons le texte des Éd. et de N.R.F. 14, mais on lit plutôt *dissipa* sur la correction autog. des Ép. N.R.F. 14. Les deux tours sont également durs. 2. Les Ép. N.R.F. 14 imp. donnent à la scène une suite que Prouﬆ a biffée ligne à ligne et qui, par conséquent, ne figure pas dans la revue. Voici ce texte inédit : « ... physique. Je levai les yeux sur elle et lui donnai la pièce. Alors je vis que ses joues brunes étaient couturées, ses yeux que j'avais cru *(sic)* dédaigneux et doux m'exprimaient un empressement humble et ﬆupide et pour dire à ses compagnes quelque chose que je n'entendis pas mais qui était de veiller à son pot de poisson *(sic)* qu'elle leur montra, elle donna à sa bouche une forme grimaçante et vulgaire. Je songeai qu'il ne fallait pas la laisser aller jusqu'à la voiture où ma grand'mère et Mme de Villeparisis n'eussent pas compris pourquoi je l'avais envoyée.

— Mais ce n'eﬆ pas loin, lui dis-je, le plus simple eﬆ que je vienne avec vous.

Et sitôt en vue du pâtissier :

— Je reconnais la voiture, lui dis-je, c'eﬆ bien cela, et je pris congé d'elle.

Elle reﬆa à l'angle de la place à nous regarder. »

P. 718. 1. Éd. : « chez qui »; mais sur B.N. Prouﬆ a remplacé *chez* par *en.*

P. 719. 1. Éd. : « demandant »*. Nous corrigeons d'après Ms. 2. Éd. : « qui sait ». Ce présent eﬆ une survivance de la rédaction que donne Ms. imp. : « qui avait un certain sentiment de la nature — plus froid que celui de ma grand'mère, mais se retrouvant avec lui pour admirer les mêmes beautés — et qui sur les routes comme sans doute dans les musées montrait ce goût élevé et clairvoyant qui diﬆingue, qui sait reconnaître... ».

P. 720. 1. Ce développement reparaît, avec quelques variantes, dans *S. et G.* II (tome II, p. 994). 2. Les Ép. N.R.F. 14 autog. donnaient un texte meilleur : « le coucher de soleil comme la localité suivante... ». N.R.F. 14 donne le texte des Éd., que nous suivons.

P. 721. 1. *Atala :* « ce grand secret de mélancolie qu'elle aime à raconter aux vieux chênes ». Prouﬆ, comme toujours, cite de mémoire.

P. 724. 1. 18 : *de* manque. 2. Ms. autog. et B.N. imp. : « avoir ». Il se peut que *voir* soit une correction de Prouﬆ.

P. 725. 1. 20 : « voulu d'abord ».

P. 726. 1. Éd. : « à souffle »*; Ms. autog. : « a souffle ». 2. Éd. : les points de suspension manquent; Ms. imp. : « cette, comment dire, cette ... importance ». Prouﬆ a biffé les mots *comment dire,* *cette,* mais non les points de suspension, si expressifs. 3. Éd. : « précieux »; Ms. autog. : « précieuses ».

P. 729. 1. Éd. et B.N. autog. : *pas* manque. B.N. imp. : « sa présence ne suffisait pas seulement à la mettre en vedette ». L'omission de *pas* est très fréquente chez Proust quand il écrit rapidement.

P. 732. 1. Éd. : « bouillante et sans le préservatif de laquelle il y eût un péril »; B.N. imp. : « bouillante et sans le préservatif duquel il y eût un péril »; les corrections autog. donnent le texte inintelligible des Éd. Nous maintenons *duquel* et remplaçons *un* par *eu* devant *péril.*

P. 733. 1. Note un peu différente dans un fragment autographe arbitrairement placé dans le Ms. après *le « noble »* (cf. p. 736) : « et ce plaisir de l'intelligence était plus noble que celui que dans mes heures de rêverie et de souvenirs si exclusifs j'aurais eu à entendre Robert me fournir des précisions sur la frivole et spirituelle existence du comte de Marsantes ».

P. 734. 1. Éd. et B.N. imp. : *ne ... que* manquent. Nous donnons le texte du Ms. autog. 2. 20 : « de l'intelligence ». Cette correction n'améliore guère un texte peu satisfaisant.

P. 739. 1. Éd. : « de ». Proust a corrigé de sa main *de* en *certains* sur B.N.

P. 741. 1. Éd. : « vertus. Chacun a tellement les siens que pour continuer à l'aimer, nous sommes obligés de n'en pas tenir compte et de les négliger en faveur du reste. La personne... ». Nous supprimons ici une phrase qui reparaît, sous une forme à peine différente, à la p. 742, dans un passage que Proust a ajouté après coup, de sa main, au texte imprimé de B.N.

P. 742. 1. Éd. : « et »; Ms. autog. : « ou ».

P. 743. 1. Ms. autog. : « ... de nous, d'autant plus que c'était généralement en omettant ou pour mieux dissimuler un défaut que nous croyions à peu près invisible et duquel du reste le même châtiment qui force le criminel à parler de son crime nous force à parler, nous pouvons... ». 2. Éd. : « entre ce que notre »*. Les mots *ce que* sont une survivance du texte du Ms. : « entre ce que notre pensée voit alors et ce qui sort de nos lèvres ».

P. 746. 1. Éd. : « et »*.

P. 747. 1. Éd. : « Ce »; B.N. correction autog. : « Le ». 2. Éd. : « falsifiant ». Survivance de B.N. autog. : « mais en la falsifiant pour une bonne part de mensonges ». 3. Éd. : « rencontré »*. 4. Éd. : « Ménier » (voir l'Index des personnages).

P. 748. 1. Éd. : « et qui causa ». Proust a rayé *qui* sur B.N.

P. 749. 1. Éd. : « j'éprouvais »*.

P. 750. 1. Éd. : « ai »; Ms. autog. : « a ». 2. Éd. : « qu'il a »*. 3. Éd. : « sans »; Ms. autog. : « les choses et où on se compte ». Il faut donc corriger *sans* en *dans.*

P. 751. 1. 20 : *matin* manque.

P. 752. 1. 20 : « l'attention ».

P. 753. 1. Éd. : *en riant* manque. Proust l'a pourtant ajouté de sa main sur Ép. N.R.F. 14.

P. 754. 1. Ms. donne de ce passage une rédaction autog. plus détaillée : « Ainsi Madame de Villeparisis qui quand j'étais petit et que j'en entendais parler par ma grand'mère me semblait une vieille dame de même sorte que ses autres amies et qui était toujours restée telle pour moi, cette personne qui m'avait donné autrefois une boîte de chocolat tenue par un canard, qui maintenant ne cherchait qu'à nous faire plaisir, était une des puissantes de Guermantes. Ce changement de la valeur de ce que nous possédons, ces vieux ballots qui se trouvent d'inestimables trésors, est une des choses qui mettent le plus de merveilleux, le plus de vie, le plus de variété et, par conséquences *(sic)*, le plus de poésie dans l'adolescence (cette adolescence qui, tout en se rétrécissant, en n'étant plus qu'un mince filet souvent à sec, se prolonge pourtant parfois pendant tout le cours de la vie). Cette hausse ou cette dépréciation de notre richesse, cette estimation fantastiquement imprévue de nos possessions, ces travestissements des gens que nous connaissons et qui font notre jeune âge aussi fabuleux que les métamorphoses d'Ovide ou même les métempsycoses hindoues, provient pour une part de l'ignorance, de l'ignorance étendue aux noms de personnes comme à toute chose. Ma grand'tante avait acheté pour une pièce de Combray de grossières toiles peintes (peut-être même n'était-ce que du papier peint) encadrées de bois café au lait, et qui représentaient des scènes de Téniers. J'avais dit de bonne foi à Bloch que nous avions une pièce décorée de Téniers. Dans le monde vague, où aucune notion [ne] s'introduisait de discrimination, qu'était pour moi la peinture, je ne voyais aucune différence entre une reproduction à cinq francs le mètre et des originaux. De même au régiment on a un capitaine qui s'appelle Lévy, un autre qui s'appelle de Lévy-Mirepoix : ces deux noms paraissent, le second un peu plus ridicule que le premier parce qu'il est plus long, mais sans cela interchangeables. Quand on est enfant, certains mots placés devant un nom semblent drôles, sauf M. l'abbé qui est respectable; mais si Mme Galopin s'appelle Marie-Euphrosine Galopin, ou Mme de Villeparisis la marquise de Villeparisis, cela met quelque chose seulement d'un peu hétéroclite à des personnes d'ailleurs de la même farine. Car on part des impressions qu'on a reçues, et non pas des notions qui font que l'homme instruit sait ce que c'est qu'une peinture, et l'homme du monde, les Villeparisis. Pour peu que la personne se soit présentée à nos yeux sous un jour particulièrement simple — ce qui arrive particulièrement souvent avec les gens élégants —, comme Swann qui tirait le piano et envoyait des fraises pour ma grand'tante ou comme Mme de Villeparisis qui m'avait donné un canard, tout en étant pareilles aux autres modestes figurants des relations familiales, ces personnes nous semblent pourtant d'un rang un peu inférieur. Un beau jour, nous sommes stupéfaits d'entendre quelqu'un que nous plaçons très haut, vers qui nous cherchons à nous élever, parler d'elles comme de personnes très supérieures à lui. Ainsi s'ajoute à l'ignorance, pour nous égarer, l'homogénéité dans le souvenir des impressions d'une même série, et leur hétérogénéité avec des impressions d'une autre série. Cette hétérogénéité, en effet, nous rend bien plus difficile de calculer la valeur. Pour comparer, pour soustraire, il faut d'abord réduire en qualités de même nature. Ceux qui partent de notions le peuvent. L'enfance, enfermée dans ses impressions, ne le peut pas. Mme de Villeparisis, vieille relation familiale, moins intimidante et brillante que l'opticien, était plus éloignée du « côté de Guermantes » que si elle avait été enfermée dans le « côté de Méséglise ». Mais ces différences de nature, si elles rendent l'évaluation des valeurs impossible, sont de grandes sources de poésie (d'autant plus que ces croyances de notre jeunesse, comme les forces qui ont besoin d'espace pour se déployer, jouent sur les belles et vastes surfaces du temps étalé derrière nous). Quand nous apprenons que le capitaine bon garçon qui — non content d'être gentil avec nous tous les jours — avant que nous finissions notre temps, nous a invités à déjeuner, et que nous traitions avec moins d'égards que le capitaine Lévy, était le beau-frère du duc de Fezensac (une fois que nous avons des notions et que nous savons qui est ce dernier), cela prend une sorte de charme poétique, ce vif déplacement — comme d'un rayon bougeant du bout de l'horizon — [de] ce personnage qui glisse rapidement du milieu vulgaire et charmant où nous l'avions toujours situé, dans un monde si différent. Il était devenu presque irréel, comme tout ce que nous avons connu dans un certain pays où nous ne sommes pas retournés, dans une vie spéciale qui s'est enclavée trois ans dans notre vie si différente, comme nos officiers de régiment, comme auparavant les bonnes gens de Combray. Apprendre que ces gens, différents des gens réels comme des compères de féerie, le samedi, leur uniforme ou leur tenue de campagne enlevée, prenaient le train et allaient dîner chez Mme de Pourtalès, comme cela rend soudain amusant pour nous de connaître Mme de Pourtalès, comme nous voudrions la faire parler d'eux! Mais ce qu'elle nous dira ne pourra pas plus nous renseigner que ce que nous demandons à des gens qui ont connu les personnages réels d'après lesquels ont été faits Mme Bovary ou Frédéric Moreau. Comment ces renseignements pourraient-ils élucider un charme intérieur qui tient à un certain écart du souvenir et à certaines transformations de la réalité? Ainsi Saint-Loup aurait-il pu me parler indéfiniment de sa famille sans m'aider à approfondir le plaisir que j'avais que, tout d'un coup, d'une prison familiale et bourgeoise envolée comme dans une féerie, Mme de Villeparisis délivrée passât — ou plutôt (tel l'enchantement avait été rapide) fût venue m'attendre — du côté de Guermantes.

— Mais comment connaissez-vous le château de Guermantes? me dit Saint-Loup. Vous l'avez visité, ou vous connaissiez peut-être les Gilbert de Guermantes, ma tante de Guermantes-La Trémoïlle qui l'habitait avant? me dit-il, soit que, trouvant tout naturel qu'on connût les mêmes gens que lui, il ne se rendît pas compte que j'étais d'un autre milieu, ou, par politesse, fît semblant de ne pas s'en rendre compte.

— Non... mais... j'ai entendu parler de ce château. Il y a là tous les bustes des anciens seigneurs de Guermantes, n'est-ce pas?

— Oui, c'est un beau spectacle... » (p. 755, l. 3).

P. 758. 1. Éd. : « ce qu'est »*.

P. 760. 1. 18 : « dont aucune pouvait n'être la bonne ». Tour hardi équivalant à : « dont il se pouvait qu'aucune ne fût la bonne ». La correction de 20 (« dont aucune ne pouvait être la bonne ») est absurde. 2. 18 : « ce qu'il avait dit ».

P. 761. 1. Éd. : « s'il n'avait »; Ép. N.R.F. 14 autog. et N.R.F. 14 : « s'il n'y avait »; Ms. imp. : « s'il n'avait ». L'omission de l'*y* semble une faute de l'imprimeur. 2. On trouve ici sur Ép. N.R.F. 14 quelques lignes imp. biffées par Proust : ... « beaux hommes et même je m'imaginais un « grand seigneur » comme un être si différent des autres que j'avais été déçu de voir M. de Charlus avoir une taille élancée, un profil régulier et de fines moustaches de la même façon que beaucoup d'autres gens que j'avais vus ou que je connaissais. Je pensais que seul ce grand seigneur faisait exception parmi les autres en revêtant le corps d'un homme quelconque. Et quand... ». 3. Éd. : « porterait »; N.R.F. 14 : « portait »; B.N. imp. : « portrait ». On voit d'où vient la faute des Éd.

P. 762. 1. Éd. : « n'eût pas semblé »; Ép. N.R.F. 14 autog. et N.R.F. 14 : « n'eût semblé ». 2. Ép. N.R.F. 14 autog. et N.R.F. 14 : « disait se jeter ». 3. Éd. : « parti de virilité ». Nous suivons N.R.F. 14.

P. 764. 1. 18 : « ils »; 20 : « elles ». 2. Éd. : « n'avaient encore de regards »; B.N. imp. : « ignoraient encore la trahison »; Proust a effacé de sa main *encore* qui se trouve à la ligne précédente. C'est sans doute par mégarde qu'il l'a repris dans sa nouvelle rédaction.

P. 765. 1. Éd. : « appâts ».

P. 766. 1. Nous rétablissons « je n'en sais rien », ajouté par Proust de sa main sur Ép. N.R.F. 14, et qui manque sur Éd.

P. 769. 1. Éd. : « que ne faisait »*.

P. 774. 1. Éd. : « ce »; Ms. autog. : « le ». 2. Le développement que nous plaçons en bas de page manque sur Ms. Son insertion rompt la suite des idées et on ne comprend plus que *lui* et *il* (cf. ligne 18) désignent Bergotte.

P. 775. 1. Éd. : « Athènes »; Ms. autog. : « Athénè ».

P. 776. 1. Éd. : « ajouta ». Ce passé défini semble une survivance de la version du Ms. : « ... capitale, et quand Bloch eut passé son agrégation, M. Bloch ajouta... ».

P. 777. 1. A cet endroit se trouvent, très arbitrairement, collés sur le dépliant du Ms. les feuillets déjà publiés par M. Saucier en une plaquette tirée à 5 exemplaires. En voici le texte, revu sur l'autographe. Nous en supprimons quelques mots douteux ou peu clairs, et aussi un passage qui semble la première esquisse d'un thème repris quelques lignes plus bas. On sait que Santois était, à l'origine, le nom de Morel. Nous plaçons entre ⟨ ⟩ les passages biffés par Proust, mais non remplacés, et entre [ ] quelques mots que nous avons ajoutés parce que le sens nous a paru les exiger.

« N.B. Ceci qui était d'abord pour la dernière matinée Guermantes est pour la soirée au casino de Balbec, mais sera peut-être changé. Je pourrais couper la poire en deux, laisser le quintette pour la matinée et l'orgue pour Balbec ?

Au fond de la salle des fêtes du casino était une scène de laquelle par des degrés excessivement raides et espacés on montait au grand orgue. Le « célèbre quintette » Lepic, composé de femmes, vint exécuter ⟨un quintette de Franck (mettre un autre nom)⟩. La pianiste, dont ce quintette était pourtant le cheval de bataille, l'exécutait avec [la même] attention fiévreuse portée à la fois sur la partition et sur ses doigts que s'il se fût agi d'un déchiffrage et un tel effort vers la rapidité qu'elle semblait moins jouer cette musique que la rattraper à toute vitesse. Le piano serait peut-être cassé au terme, mais elle arriverait. Comme elle était distinguée et vêtue avec une grande recherche d'élégance, elle donnait à son attention fiévreuse un air fin qui à distance semblait presque malicieux ; et de fait chaque fois qu'elle accrochait des notes, ce qui lui arrivait presque à chaque instant, elle souriait au passage comme si ce fût une farce qu'elle leur eût faite et comme on rit quand on éclabousse une personne pour faire croire que c'est exprès. Toutes les personnes qui étaient là étaient assez élégantes et assez musiciennes pour ne pas s'occuper de tout autre chose que de la musique, comme ce fût arrivé dans une soirée bourgeoise... Mettre ici les réflexions que me fait Mme de Cambremer sur ce quintette, peut-être même mettre ici, pour couper un peu, ce que je dis sur les impressions d'art et d'amour ... et dans ce cas peut-être mettre en scène l'homme qui dit : « C'est bougrement beau », et qui sera un personnage déjà connu dans le livre et qui a blanchi. Avant de dire pendant cet entr'acte les réflexions de Mme de Cambremer, dire : néanmoins chacun avait tout de même l'esprit moins occupé de ce qu'il écoutait que de la façon dont il écoutait et dont cette façon faisait impression autour de lui. On tâchait avec son boa, son éventail, [d'avoir] l'air de connaître ce qu'on jouait, de juger les exécutants et de les « attendre à l'*allegro vivace* » fort difficile, de composer un ensemble satisfaisant. Le menuet fit remuer toutes les têtes avec un fin sourire qui voulait dire à la fois : « C'est charmant » et « Vous pensez si je le connais ! » Cependant mon regard involontairement ironique déconcerta le balancement de tête de quelques intrépides qui remplacèrent le fin sourire par un air furieux et renoncèrent au balancement, mais, pour que cela n'eût pas l'air d'être en cédant à la menace, non pas tout d'un coup, mais comme sous l'action des freins westinghouse qui ralentissent progressivement la marche des trains jusqu'à l'arrêt complet. Un monsieur artiste, voulant montrer qu'il connaissait le quintette, s'écria quand il jugea que c'était fini : « Bravo, bravo » et se mit à applaudir. Malheureusement, ce qu'il avait pris pour la fin du quintette n'était même pas la fin d'une des parties, mais un silence de deux mesures seulement. Il se consola en pensant qu'on pourrait croire qu'il connaissait la pianiste et avait voulu l'encourager. Quand la fin, désirée des plus musiciens, vint, je dis à Mme de Cambremer...

Cependant la partie d'orgue commença. À ce moment un vieillard paralytique qui marchait difficilement mais ne pouvait absolument pas monter, forma le bizarre dessein d'aller s'asseoir à côté de l'orgue sur une chaise tout en haut; trois jeunes gens le poussaient. Enfin il arriva en haut. Mais au bout d'un instant, comme les claviers si secs de l'orgue exécutaient leurs variations pastorales, il se leva suivi des trois jeunes gens qui se précipitèrent. Je crus qu'il avait eu une attaque et j'admirai l'insensibilité de l'organiste qui, ayant cessé de dérouler la volute de ses pipeaux champêtres, couvrait la descente de l'infortuné paralytique d'un bruit de tonnerre. Poussé, emporté par les trois jeunes gens, le vieillard disparut dans la coulisse. Sur la scène, la pianiste, d'exécutante devenue juge, était venue s'asseoir. Malgré la chaleur étouffante, elle avait jeté sur ses épaules un manteau de fourrure blanche dont elle était évidemment très fière. De plus, ses mains, tout à l'heure si actives sur le clavier, disparaissaient dans un immense manchon de fourrure blanche, soit qu'elle voulût montrer seulement combien elle était élégante, ou pour enfermer les reliques si précieuses de son exécution pianistique dans une châsse digne d'elles, soit pour faire succéder au jeu du clavier l'exercice immobile mais savant du manchon qui d'ailleurs la dispensait d'applaudir ses camarades. Personne ne comprit le rôle de ce manchon sur lequel Saint-Loup m'interrogea vainement. Mais ce qui m'étonna davantage, c'est que deux minutes ne s'étaient pas passées depuis la disparition du vieillard paralytique que celui-ci, prenant évidemment goût à l'exercice qui lui était précisément presque impossible, revint, poussé par les trois jeunes gens, reprendre sa place inutile à côté de l'orgue. Il s'y assoupit un instant, se réveilla, redescendit et, comme l'organiste était invisible derrière son buffet, la scène fut en somme occupée par cet exercice périlleux de l'écureuil maladroit et quinquagénaire *(sic)*; quand l'organiste descendit à son tour saluer, ce fut à lui que fut dévolu l'ingrat labeur de descendre l'impotent vieillard dont chaque poussée faisait trébucher le frêle exécutant. Mais par une ruse comme en ont certains moribonds, le vieillard s'accrocha à l'organiste, de telle façon que c'était lui qui avait l'air de soutenir celui qui le portait, de le protéger, de le présenter au public et de recueillir sa part des applaudissements qu'il sembla par pure modestie ne pas vouloir prendre pour lui, en désignant du doigt l'organiste, lequel ployant sous son faix humain et craignant de tomber en descendant les marches abruptes, ne pouvait saluer le public. Cependant je regardais sur le programme le morceau qui suivait, quand le nom de l'exécutant me frappa : Santois. « C'est le même nom que le fils de l'ancien valet de chambre de mon oncle », pensais-je. J'entendais dire : « Tiens, un militaire. » Je levai les yeux, et je reconnus en effet le jeune Santois, soldat maintenant en effet pour un an, ou plutôt en soldat, tant il avait l'air costumé.

Il jouait bien, abaissant sur son instrument le gentil visage français, l'air ouvert et pourtant dévot de quelque contemporain de saint Louis ou de Louis XI, avec la hardiesse du paysan qui trouve que ce ne serait pas la peine qu'il y ait eu la Révolution s'il fallait toujours dire « Monsieur le Comte ». À ces traits agréables vint s'ajouter après les deux premiers morceaux et comme pour compléter la figure classique du jeune violoniste, pendant symétrique de la rougeur du cou à l'endroit où appuie l'instrument, produit de l'*allegro* quoiqu'il fût *ma non troppo,* une mèche incurvée et légère, ronde comme une mèche de médaillon, ... charmante, tardive, peut-être pas tout à fait fortuite, mais déclenchée au moment opportun par le virtuose qui savait quelle part de collaboration étroite elle peut ajouter à un jeu séduisant.

Quand il eut fini de jouer, je lui fis apporter un petit mot lui demandant si je pouvais aller le féliciter. Il me répondit qu'il m'attendait par quelques lignes sur sa carte et en m'assurant de son « sympathique souvenir ». Je pensai à l'indignation qu'aurait eue Françoise, elle qui, depuis qu'elle avait appris, assez récemment il est vrai, l'usage de la troisième personne, l'avait prescrit à toute sa famille, aux degrés les plus lointains d'alliance ou de descendance, et chaque fois qu'une petite cousine à elle venait « présenter ses respects à Monsieur ». Mais si je trouvais cette déférence de toute la famille de Françoise à mon égard, très traditionnellement domestique, il me sembla que, quoique opposé, n'était pas moins français le ton cavalier du jeune Santois, fils d'une race qui a fait la Révolution, où, instruit ou non, un fils de paysan ne se croit inférieur à personne, et quand on lui parle d'un prince tient à montrer dans son air que cela ne lui semble pas plus que son père et que lui-même, toutefois... avec une pointe de hauteur dans la façon de le manifester qui montre qu'est encore assez récente une époque où les princes étaient en effet davantage et qu'il peut craindre qu'on se rappelle encore.

Après le concert, j'allai le féliciter et le reconnus aisément, pareil non pas à la figure que je me rappelais, car il y a toujours une certaine déviation, un certain dérapage dans le souvenir, mais qui se trouva en concordance avec l'impression qu'il m'avait faite à Paris et que j'avais oubliée. Il faisait son service tout près de Balbec et m'avait, lui aussi, tout de suite reconnu. Il y avait de moi à lui et de lui à moi quelques images peu nombreuses, le souvenir des choses que nous nous étions dites pendant la courte visite qu'il m'avait faite, lesquelles étaient sans importance. Mais il faut croire que les figures sont assez individuelles et que d'autre part la mémoire est un organe assez fidèle, puisque nous nous étions souvenus l'un de l'autre et de notre entretien.

Santois fut bientôt rejoint par ses camarades, les autres artistes, pour chacun desquels, et comme l'aéroplane ajoute des ailes aux aviateurs, leur instrument était comme un bec et un gosier d'oiseau émetteur de sons précieux, troupe gazouillante qui s'était rassemblée pour les beaux jours sur cette plage et devait bientôt avec les frimas prendre son vol pour ailleurs. Je laissai Santois avec ses amis, mais quand je fus rentré, je regrettai de ne pas lui avoir demandé quel était le paralytique ascensionniste qui avait tant de fois gravi les cimes de l'orgue, et d'autre part de ne pas lui avoir demandé non plus si Santois son père lui avait dit comment mon oncle avait le portrait de Mme Swann par Elstir. Je me promis, si je le revoyais, de ne pas oublier de lui poser ces deux questions. »

P. 778. 1. Éd. : « cher »*.

P. 780. 1. Éd. : « n'est »*.

P. 785. 1. Éd. : *le* manque.

P. 789. 1. Éd. : « face) et qui, faisant » (phrase non construite). 2. Éd. : *il* manque.

P. 790. 1. B.N. : « géranium; une troisième que par un nez droit dans un visage presque mulâtre ».

P. 791. 1. Éd. : « des êtres »*. 2. Éd. : « ou »*.

P. 792. 1. Éd. : « n'existât »*. 2. Éd. : « en un conciliabule, un agrégat de forme irrégulière, compact, insolite et piaillant, comme des oiseaux ». Les corrections autog. de B.N. n'ont pas été comprises de l'imprimeur; nous rétablissons le texte voulu par Proust.

P. 793. 1. Éd. : « dégingandé, un air et en... ». Les trois mots *un air et* sont évidemment une survivance d'une rédaction antérieure. 2. Construction très dure. Entendez : et pour que je crusse que... 3. Éd. : « brillent »*.

P. 795. 1. Éd. : « présenterait aux autres, à l'impitoyable... ». Proust (B.N.) a biffé *aux autres*. 2. Nous rétablissons d'après B.N. autog. *que,* qui manque sur Éd. 3. Éd. : « antique »; B.N. autog. : « attique ».

P. 796. 1. Éd. : « j'eus »*. 2. Éd. : « créée »*. 3. Éd. : « bien que ce que »*. 4. Éd. : « n'être un extrait »*.

P. 797. 1. Éd. : « bênet » *(sic)* ; B.N. autog. : « banal ». 2. Éd. : « du »; B.N. autog. : « de ».

P. 798. 1. Éd. : « désespéré de peur ne pas pouvoir » *(sic)* ; B.N. imp. : « désespéré de ne pas les connaître, pour ne pas pouvoir ». Proust a biffé *ne pas les connaître ;* il a oublié de biffer *pour,* que l'imprimeur a bravement corrigé en *peur !* 2. Éd. : « de la première pétale »*.

P. 799. 1. Éd. : « que nous partîmes »*.

P. 801. 1. Éd. : « est »*.

P. 803. 1. Éd. : « semblait »* (cf. B.N. imp. : « du ciel violet qui, stigmatisé... »). 2. Éd. : « à mes retours de promenade et m'apprêtais... »; B.N. imp. : « quand je rentrais de promenade et m'apprêtais... »; pour éviter une répétition (cf. l. 27 : « quand je remontais »), Proust a remplacé de sa main *quand je rentrais* par *à mes retours,* sans voir que la phrase devenait incohérente.

P. 804. 1. Après *en moi,* B.N. biffé : « comme au temps où je me préparais à nos premières promenades avec Mme de Villeparisis... ».

P. 805. 1. Éd. : « par l'horizon tellement de la même couleur que lui, ainsi que dans une toile apparaissait impressionniste, qu'il semblait... ». Les corrections de B.N. n'ont pas été comprises (cf. N.R.F. 14, p. 956). 2. Éd. : « son avant ». Proust, sur B.N., a remplacé *sa coque* par *son avant,* sans corriger la suite de la phrase. 3. N.R.F. 14 et B.N. : « être de la mer ».

P. 807. 1. B.N. autog. : « M. le marquis de Cambremer (si je n'ai pas dit qu'Aimé ne le connaissait pas) ».

P. 809. 1. Éd. : « venant de chanter »*.

P. 810. 1. Éd. : « représentassent »*. 2. Éd. : « leurs paumes tendues »; B.N. autog. : « leur paume tendue ». 3. Éd. : *ils* manque.

P. 812. 1. Éd. : « devint »; B.N. autog. : « devenait ».

P. 813. 1. Éd. : « sauf en exceptant ». Correction B.N. mal comprise (*sauf* est une survivance de la rédaction antérieure). 2. Nous rétablissons d'après B.N. autog. : « et instable » qui manque sur Éd. 3. Éd. : « apparaissent »*. 4. Éd. : « abandonnait »; B.N. autog. : « abandonnât ».

P. 814. 1. Éd. : « décidait de nous rendre ». Le contexte et la syntaxe exigent *de se rendre*. Le texte des Éd. est pourtant autog. sur B.N.; il a été substitué à « ... rencontrée, nous allions au Casino d'une autre plage ».

P. 815. 1. Éd. : « que je »*.

P. 816. 1. Éd. : « la »*.

P. 818. 1. Éd. : « reconnaissait »; B.N. (correction autog.) : « connaissait ». 2. B.N. imp. : « aussi réduit que je le voyais ». Proust a biffé les quatre derniers mots, pourtant utiles au sens.

P. 819. 1. Éd. : « telles »; B.N. (correction autog.) : « telle ». 2. Nous ajoutons *sur* que paraît exiger le sens.

P. 820. 1. La version de B.N. est plus explicite : « ... la raison qui éclaire d'un jour de certitude les choses que nous voyons, assistant au contraire au spectacle de la vie avec la vision incertaine et perpétuellement anéantie... ». 2. Éd. : « pour »*. 3. 18 : *qui* manque.

P. 822. 1. Éd. : « quelques »; B.N. autog. : « mille » 2. Éd. : *de* manque. 3. Éd. : « plus du tout »; B.N. : « plus tout ». 4. Éd. : « ... fait jusque-là une fois ... un souvenir nivelé avec ... distraction, et s'élancer ... ». Nous avons essayé de rétablir ce texte évidemment bouleversé.

P. 825. 1. Éd. : « celui »*. 2. Cf. p. 827 : « nous étions encore des enfants ».

P. 827. 1. Éd. : « n'avons »; B.N. autog. : « n'avions ».

P. 830. 1. Éd. : « j'eusse pénétré en devenant l'ami de l'une d'elles ». Nous rétablissons le texte exigé par la correction autog. de B.N. 2. Éd. « de malle »; B.N. : « de la malle ».

P. 832. 1. 18 : « rentrer pas à Paris »; 20 : « rentrer à Paris ». 2. B.N. imp. donne un texte plus clair : « et c'est peut-être cela, plutôt qu'un être, l'objet même... ». 3. Éd. : « donne »* B.N. montre que Proust a modifié le début de la phrase sans en adapter la suite à cette rédaction nouvelle. Nous adoptons la correction de *la Gerbe;* on peut aussi penser à « donne-t-il ». 4. Éd. : « comme elles »; B.N. autog. : « puisqu'elles » (*comme* est à la ligne suivante). 5. Éd. : « projetée »*.

P. 833. 1. Éd. : « quelques villes »*. 2. Éd. : « Elle me témoignait ». Proust a biffé ici sur B.N. un long passage dont voici la fin (dans le texte incertain des épreuves imprimées) : « Ma grand'-mère, à laquelle je préférais les jeunes filles sous les espèces de qui je pensais à la mer, [qui] estimait la conversation d'un homme supérieur aussi puissante pour former et affermir un être que le vent du large, et qui craignait d'autant moins en faveur de la première de me priver du second qu'il était déconseillé comme un peu trop excitant par le médecin, s'étonnait de me voir remettre de jour en jour cette visite à Elstir, errer comme une âme en peine sur la digue. Ayant toujours pensé que la seule fortune enviable des princes était d'avoir pu avoir pour précepteurs des La Bruyère et des Fénelon [cf. p. 758], elle me témoignait... ». En supprimant ce développement, Proust a oublié de remplacer *elle* par *Ma grand'mère.*

P. 835. 1. Cf. p. 953.

P. 837. 1. Éd. : « le »*. 2. Éd. : « eût »*.

P. 838. 1. Éd. : « celle »; B.N. autog. : « telle ».

P. 839. 1. Éd. : « prendre »; B.N. autog. : « peindre ».

P. 843. 1. Éd. : « le »; B.N. autog. : « ce ».

P. 844. 1. Éd. : « un atelier merveilleux de sculpture la plus généreuse et la plus variée »; B.N. imp. : « un merveilleux atelier de la sculpture la plus généreuse et la plus variée »; Proust, de sa main, a remplacé *merveilleux atelier de la* par *atelier merveilleux,* en oubliant sans doute de récrire *de la;* il a biffé, d'autre part, *la plus généreuse et.*

P. 845. 1. Éd. : « Simonet »; B.N. « Simonnet ». 2. Éd. : « du »* (cf. p. 828). 3. Éd. : « lequel »; B.N. autog. : « laquelle ».

P. 846. 1. Éd. : « s'ajouta-t-il »*. 2. Éd. : « elles »*.

P. 847. 1. Éd. : « aussi »; B.N. autog., ici peu lisible, semble donner *ainsi.*

P. 848. 1. Plus bas, et à deux reprises, les fleurs du « porte-bouquet », du « vase », ne sont plus des roses, mais des œillets.

2. 18 : « déjà et oblique »; 20 : « déjà oblique ». 3. Éd. : « délicates ... savoureuses ... peintes »*.

P. 850. 1. Éd. : *un* manque (mais cf. plus bas : « à un certain canon »). 2. Nous rétablissons d'après B.N. imp. : *cet idéal* qui manque sur les Éd., mais semble indispensable au sens.

P. 851. 1. 18 : « qui »; 20 : « que ».

P. 852. 1. B.N. autog. : « l'œuvre ». 2. Éd. : « a »*.

P. 853. 1. Éd. : «d'en »*.

P. 855. 1. B.N. autog. : « je considérerais la devanture jusqu'au moment ».

P. 856. 1. Éd. : « ne »; B.N. autog. : « n'y ».

P. 857. 1. B.N. autog. : « dans l'importance ».

P. 858. 1. 18 : « Or, pouvais-je en d'autres raison *(sic)*, puisque... »; 20 : « Or, pouvais-je en d'autres raisons, puisque... ». A ce texte évidemment altéré nous substituons celui de B.N. autog. 2. Éd. : *de la* manque. Nous rétablissons ces deux mots d'après B.N. autog.

P. 860. 1. B.N. autog. : « entendu ce genre de phrases, familier ».

P. 861. 1. Éd. : « changeant »; B.N. autog. : « chargeant ».

P. 862. 1. Éd. : « d'elle—et mettra »*.

P. 864. 1. Éd. : « ne lui soit »*.

P. 865. 1. 18 : *que* manque*. 2. Éd. : « quitté ». Proust met tantôt au singulier, tantôt au pluriel les participes et adjectifs qui se rapportent à *nous* ou à *vous* pris au sens de « on »; nous mettons ici partout le pluriel.

P. 866. 1. Éd. : *pas* manque.

P. 868. 1. 18 : « distinguait »; 20 : « distinguais »; B.N.; autog. : « distinguai ». 2. Éd. : « formée »; B.N. autog. : « fermée »

P. 869. 1. 18 : « ne devait ne pas »*.

P. 872. 1. Éd. : « vient ... remplacée »*. On voit sur B.N. que le premier sujet *(le regard conscient)* a été ajouté après coup.

P. 874. 1. Rédaction plus explicite sur Ms. autog. : « ... s'échelonnent en profondeur, quand on s'approche. Si ç'avait été toute la bande des jeunes filles que j'avais pu le premier jour comparer à cette musique de Vinteuil où la première fois je ne savais même pas reconnaître si ma phrase — en ce sens une des jeunes filles — était celle que j'avais entendue, par abolition trop rapide de la mémoire, c'était maintenant une jeune fille en particulier qui m'apparaissait comme une œuvre où se démêle à chaque fois quelque chose d'autre. Déjà la Muse orgiaque du golf et de la bicyclette qu'Albertine m'avait apparu d'abord quand je la voyais flotter et claquer brillante et souple devant moi comme un drapeau d'un pays inconnu où il est vraiment trop difficile de donner un équivalent rationnel précis aux quelques couleurs gracieusement juxtaposées qui s'offrent aux yeux, avait fait place à une jeune fille bien élevée, comme il faut et plutôt sévère. Mais ce n'était qu'une seconde vue, et il y en avait sans doute d'autres par lesquelles je devais passer avant d'atteindre l'être lui-même ». 2. Ms. autog. : « le loisir de désirer, d'imaginer, que ce soit au bord de la mer, une église ou une jeune fille, cette démarche... ». 3. Ms. autog. : « l'appétit et le désir. C'était la règle de Swann ». 4. Ms. autog. : « ... rêvé d'eux, tandis que sur le parcours, sans oser faire arrêter la voiture, des jeunes femmes fragmentaires, complétées par leur imagination, leur donnent une furieuse envie de descendre, de les aborder, d'entreprendre une confrontation du rêve à la réalité, qui quelquefois laisse assez du prestige du premier au sein de la seconde pour que celle-ci reste assez dangereuse pour nous, ainsi qu'il advint plus tard pour moi à l'égard d'Albertine. Je rentrai... ».

P. 875. 1. Éd. : « transcrite »*. Cf. Ms. autog. : « ... aperçu que de moi et qui, retrouvé dans la mémoire d'Albertine où je ne croyais guère que cela avait une place, me donna soudain l'impression de la petite importance que nous pouvons tenir dans le passé d'êtres pour qui nous n'avions même pas cru avoir été distinctement remarqués, de l'impossibilité où nous sommes de connaître notre vie autrement que relativement à nous-même, ignorant, pour une autre personne, dans quelle zone de son attention ou de sa distinction, de sa bienveillance ou de son ironie est entré tel petit acte de nous, inaperçu quand nous ne doutions pas de l'effet qu'il avait dû produire, à jamais noté quand nous l'avions jugé imperceptible » (cf. p. 477). 2. Éd. : *pas* manque*. 3. Éd. : « mer, d'elle lui »; B.N. prouve que *d'elle* est une survivance d'une version antérieure. 4. Éd. : « qu'eût »*. 5. Éd. : « commune »; B.N. autog. : « commun ».

P. 879. 1. Éd. : « de lui demander à être présenté »; B.N. autog. : « de demander à être présenté ». Il est probable que Proust a ajouté *lui* à ce dernier texte, mais que sa correction a été mal comprise.

P. 880. 1. Tour hardi, donné par B.N. et les deux Éd. 2. Voir *Voltaire* et *Corneille* à l'Index.

P. 882. 1. Éd. : « aussi malaisé que dresser un cheval, aussi reposant qu'élever des abeilles ou que cultiver des rosiers »; B.N. imp. : « aussi malaisé et aussi passionnant que dresser un cheval, élever des abeilles ou cultiver des rosiers »; B.N. corrections autog. : « aussi malaisé que dresser un cheval, élever des abeilles, aussi reposant que cultiver des rosiers ». Il se peut que sur des épreuves postérieures Proust ait encore modifié son texte pour aboutir à celui des éditions; mais *reposant* n'offre guère de sens et ce mot semble avoir été écrit pour un autre; aussi croyons-nous devoir maintenir *passionnant* de la première version. 2. B.N. autog. : « pour quand ». 3. Éd. : « n'appréciait »; B.N. autog. : « apprécierait ». 4. Éd. : « pouvait »; B.N. autog. : « pouvant ».

P. 883. 1. B.N. imp. : « Ce n'est que pour cela que je l'aime ». Cette première version permet de penser que le texte des Éd. signifie : « Elle a beau être ma tante, ce n'est pas une raison pour que je l'aime. »

P. 884. 1. Éd. : « pensais »; B.N. imp. (première version biffée) : « pensai ». En substituant à cette version son texte nouveau Proust a écrit, sans doute par erreur : « pensais ».

P. 885. 1. Éd. : « n'eussent »*.

P. 886. 1. Éd. : « bon d'attacher, de leur donner de l'importance »; B.N. autog. : « d'attacher de l'importance, de leur donner de l'importance ». Proust a biffé *de l'importance* (avant *de leur donner*), mais non *d'attacher,* évidemment par erreur. 2. Thème plus développé sur B.N. biffé : « C'est que je me suis aperçu que la vie qui nous semble un enchaînement de circonstances, n'est qu'un tableau de caractères. Ce que vous voyez un être faire, à quelque autre moment de sa vie que vous le preniez, sauf des évolutions logiques comme celle par exemple qu'on a déjà commencé à voir chez Swann, il le refera. Il y a des gens que je suis allé voir de cinq en cinq ans; et chaque fois je les trouvais affectés du même inconvénient. Celui qui avait eu un rhume la première fois, je le retrouvais avec un rhume, et celui qui n'avait pas été exact au rendez-vous, rentrait en retard pour une raison qu'il croyait différente. Les personnes qui, le premier jour, vous disent qu'elles doivent rester à soigner leur tante quand elles sont à un pique-nique, ont simplement fait devant vous le mouvement qui caractérise leur espèce, comme un oiseau quand il vole et un poisson quand il nage. Elles l'ont fait, elles le referont. »

P. 887. 1. Éd. : « vient »*. 2. Éd. : *seule* manque; nous rétablissons ce mot d'après B.N. autog.

P. 888. 1. Éd. : « remarquée »*.

P. 889. 1. Éd. : *du monde* manque; nous rétablissons ces deux mots d'après B.N. autog.

P. 890. 1. 18 : « Je n'éprouvais »; 20 : « J'éprouvais »; B.N. autog. : « J'en éprouvais ». 2. Éd. : « la »; B.N. autog. : « sa ». 3. Éd. : « leurs devantures »; B.N. autog. : « leur devanture ».

P. 891. 1. 18 : « demande et elles » (*et* est une survivance de la version B.N. : « demande et très gentiment elles »). 2. Éd. : « inconnus... tenus... scène, tout comme tel dreyfusisme, tel cléricalisme, soudains (20 : *soudain*), imprévu, fatal, tel héroïsme nationaliste et féodal, soudainement issus ... ». Les corrections autog. de B.N. n'ont pas été comprises; nous les rétablissons. B.N. donne *inconnu, tenu ;* si l'on maintenait pour ces deux mots le pluriel des Éd. en raison de la multiplicité des sujets, il faudrait mettre aussi au pluriel tous les adjectifs et les verbes; nous nous en tenons à l'orthographe de B.N.

P. 892. 1. Éd. : « visite »; B.N. autog. : « visites ».

P. 894. 1. Éd. : « qui par plaisir se tue à plaisir à petit feu »*. 2. Éd. : « Albertine »*. 3. 18 : « il y a du moins force »*.

P. 896. 1. Éd. : « elle humble, elle modeste ». Nous supprimons le second *elle* d'après B.N. autog. 2. Éd. : « propre; une personne »; B.N. dactylog. : « propre, qui chez personne ne ressemble à... ». Proust a remplacé de sa main *chez personne* par *une personne* et ajouté *jamais* après *ressemble ;* il a sans doute oublié de récrire *chez*. Pour le sens, cf. p. 897 : « le chemin rustique et familier qu'était le caractère de Françoise ».

P. 897. 1. Éd. : « m'égarer »; B.N. autog. : « m'engager ».

P. 898. 1. Éd. : « moderne motif ». Nous rétablissons *un* d'après B.N. autog.

P. 900. 1. Éd. : « couturières, une »*.

P. 901. 1. Éd. : « peinte »*. Sur B.N. Proust a remplacé *la mer* par *l'océan* et a oublié de faire l'accord.

P. 902. 1. Éd. : « et on était soudain devenu si amoureux, en voyant ce portrait magique, qu'on ... ». Nous supprimons six mots, survivance de la version B.N. dactylog., conservés à tort et maladroitement raccordés au nouveau texte. 2. Éd. : « rien, or maintenant ». Après la longue subordonnée dépendant de *si* (l. 7), nous arrivons ici à la proposition annoncée par *De sorte que*.

P. 904. 1. 18 : « elles leurs vignettes »; 20 : « elles et leurs vignettes » (correction maladroite); *elles* semble une survivance d'une rédaction antérieure.

P. 906. 1. Éd. et B.N. autog. : « à jouer »*. 2. B.N. autog. et biffé : « parmi cette roseraie de jeunes filles ».

P. 907. 1. Éd. : « nous progresser » (survivance de B.N. : « nous étendre »).

P. 908. 1. Éd. : « et qui quand nous causons avec un autre nous empêche de nous avouer que ce n'est plus... à la ressemblance des étrangers ». Nous rétablissons les corrections autog. de B.N. mal comprises.

P. 910. 1. 18 : *a* manque*.

P. 911. 1. Éd. : « en »; B.N. autog. : « à ». 2. Éd. : « air soudainement impétueux »; B.N. dactyl. : « d'un air soudain et grave »; Proust a écrit dans la marge *d'un air impétueux et grave ; soudainement* est une survivance parasite du premier texte.

P. 914. 1. Éd. : « des »; B.N. autog. : « de ».

P. 915. 1. Éd. : « d'une ou l'autre »*.

P. 916. 1. Éd. : « de la richesse »*. Nous supprimons *de* survivance d'une rédaction antérieure (cf. B.N. p. 339). 2. Éd. : « allons »*.

P. 917. 1. B.N. : « voir et avant que l'habitude nous ait rendus aveugles ».

P. 920. 1. Éd. : « suivais »*. 2. 18 : « je voyais ses mains... rencontraient »; 20 : « quand je voyais que ses mains... rencontraient » (correction maladroite). La comparaison de B.N. autog. avec la version antérieure prouve que *rencontraient* est un lapsus de Proust pour *rencontrer*.

P. 921. 1. Éd. : « n'existait »* (cf. *semblèrent*).

P. 922. 1. Éd. et Ms. autog. donnent bien *avais*. 2. Nous rétablissons *et je* (que ne donnent pas les Éd.) d'après Ms. autog.

P. 923. 1. Éd. : « des »; Ms. autog. : « ces ». 2. Ms. autog. : « qu'une courtisane qui veut conquérir un empereur ». 3. Éd. :

« n'eût été »; Ms. autog. : « et en ses actes aussi elle était mille fois plus gentille pour elle qu'elle n'eût été ». Le participe *été* est une survivance de cette version; nous adoptons la correction de *la Gerbe*.

P. 924. 1. 18 : « elle ne serait ... qu'on pensait »; 20 : « elle serait ... qu'on pensait ».

P. 925. 1. Nous rétablissons *sans cela* du Ms. autog. qui manque sur Éd. — B.N. imp. : « éprouvé cela que je pus »; *cela,* devenant inintelligible, a été supprimé. 2. Éd. : « passé »; Ms. autog. : « passée ». 3. Éd. : « l'algue, sous le soleil... décoloré dont elles semblent ». Nous rétablissons la correction autog. de B.N. mal comprise. Cf. Ms. : « auprès de la roche ou de l'algue dont elles semblent, comme des âmes attentives et légères, veiller le sommeil éternel, sous le soleil... ». 4. Nous rétablissons *volontiers* (qui manque sur Éd.) d'après Ms. autog.

P. 926. 1. Éd. : « de »; B.N. autog. : « du ». 2. Éd. : *en* manque*.

P. 928. 1. 18 : *se* manque.

P. 929. 1. Éd. : « degré, c'est-à-dire qu'elles étaient celles ». Nous rétablissons B.N. autog.

P. 930. 1. Nous rétablissons *il paraît* (qui manque sur Éd.) d'après B.N. autog.

P. 933. 1. 18 : « eu »*. Cf. B.N. autog. : « Je pensai au rose hivernal que j'avais eu... ». 2. Nous rétablissons *tellement* (qui manque sur Éd.) d'après B.N. autog.

P. 936. 1. 18 : « de vue de nom »; B.N. autog. : « de nom et de vue ». Nous donnons le texte de 20.

P. 937. 1. Éd. : « Albertine, conséquence utile »*. Cf. B.N. : « Albertine, le résultat pratique ». 2. Éd. : « à »; B.N. autog. (peu lisible) : « de ».

P. 939. 1. Éd. : « contradiction »*. Cf. l. 15 : « elles », qui a pris la place de « ces contradictions », texte donné par B.N. 2. Tour hardi donné par B.N. autog. et les Éd.

P. 942. 1. Éd. : « rend »*.

P. 943. 1. B.N. : « Si Albertine depuis la scène du lit me semblait vide comme une créature sans réalité, Andrée... ».

P. 944. 1. Éd. : « dire, de voir les autres la suivre plus tard ». Nous donnons le texte de B.N. imp. en remplaçant *le plaisir* par *celui* (Proust a pu vouloir éviter une répétition). 2. 18 : « que ces sur ces »*.

P. 945. 1. Éd. et B.N. autog. : « lesquels eussent, de l'une... parussent, eussent peut-être »*. 2. Nous rétablissons *car,* qui manque sur Éd., mais figure, bien qu'un peu effacé par une tache, sur B.N. autog.

P. 946. 1. Nous rétablissons *le,* qui manque sur Éd., d'après B.N. autog. 2. B.N. imp. : « mes ». 3. Éd. : « ses »; B.N. autog. : « ces ». 4. Éd. : « comme une agate »*. — Après *opaline,* B.N. autog. : « encore engainée dans son minerai » (cf. *Prisonnière,*

Tome III, p. 383). — Pour cette longue phrase, la version des Éd., peu satisfaisante, est exactement conforme au texte autog. qu'on lit dans la marge de B.N.; celui de B.N. imp. était d'une syntaxe plus claire : « dans cette figure ambrée, ponctuée de petits points bruns comme un œuf... de chardonneret où flottent deux taches d'azur ou comme une agate opaline ».

P. 947. 1. 18 : « assignant »*.

P. 950. 1. Éd. : « ne parvient pas à »*. 2. B.N. autog. : « mes regards des leurs comme de rayons ». 3. Éd. : « cherchent »*.

P. 953. 1. Éd. : « défaire, comme malgré ». Proust a biffé *comme* sur Ép. N.R.F. 14.

P. 954. 1. Éd. : « du jeu »; Ép. N.R.F. 14 autog. : « des jeux ».

RÉSUMÉ

DU CÔTÉ DE CHEZ SWANN*

PREMIÈRE PARTIE

COMBRAY

I. *Réveils* (3). Chambres d'autrefois, à Combray (6), à Tansonville (6), à Balbec (8; cf. 666 sq.). L'habitude (8).

Le coucher du soir à Combray (cf. 43). La lanterne magique; Geneviève de Brabant (9). Soirées de famille (11). Le petit cabinet sentant l'iris (12; cf. 158). Le baiser du soir (13; cf. 23, 27-43). Visites de Swann (13); son père (14); sa vie mondaine insoupçonnée de mes parents (15). « Notre personnalité sociale est une création de la pensée des autres » (19). — La maison de Mme de Villeparisis à Paris; « le giletier et sa fille » (20). — Périphrases et allusions des tantes Céline et Flora (21; cf. 23, 34 sqq.). Le code de Françoise (28). Swann et moi (30; cf. 295). Mon éducation : « principes » de ma grand'mère (cf. 11, 12) et de ma mère; conduite arbitraire de mon père (36). Les cadeaux de ma grand'mère; ses idées sur les livres (39). Lecture de George Sand (41).

Résurrection de Combray par la mémoire involontaire. La madeleine trempée dans la tasse de thé (43).

II. *Combray.* Les deux chambres de ma tante Léonie (49); son tilleul (51). Françoise (52). L'église (59). M. Legrandin (67). Eulalie (68). Les deux catégories de gens que détestait ma tante Léonie (69). Déjeuners du dimanche (71). Un coin du jardin, l'arrière-cuisine et le cabinet de l'oncle Adolphe (72). — L'amour du théâtre : titres sur des affiches (73). Rencontre à Paris, chez l'oncle Adolphe, de « la dame en rose » (Odette de Crécy, la future Mme Swann) (76). Brouille de l'oncle Adolphe avec ma famille (80). — La fille de cuisine (la Charité de Giotto) (80). Lectures au jardin (84). La fille du jardinier et le passage des cuirassiers (88). — Bloch et Bergotte (90). Bloch et ma famille (91). Lecture de Bergotte (93). Swann, lié avec Bergotte (97). La Berma (97). Façons de parler et tour d'esprit de Swann (98). Prestige de Mlle Swann, amie de Bergotte (99; cf. 410). — Visites du curé à ma tante Léonie (102). Eulalie et Françoise (107). La délivrance de la fille de cuisine (109).

* Pour la commodité du lecteur, nous avons établi un résumé de chaque partie du roman. Dans la mesure du possible, les termes en sont empruntés au texte même de Proust. — Les chiffres entre parenthèses renvoient aux pages de notre édition.

Cauchemar de ma tante Léonie (109). Les déjeuners du samedi (110). Les aubépines sur l'autel de l'église (112). M. Vinteuil (112). Sa fille a « l'air d'un garçon » (113). Promenades autour de Combray au clair de lune (114). Tante Léonie et Louis XIV (118). Attitude étrange de Legrandin (119-133). Projet de vacances à Balbec (129). Le côté de chez Swann (ou de Méséglise) et le côté de Guermantes (134).

Du côté de chez Swann. Vue de plaine (134). Les lilas de Tansonville (135). Chemin d'aubépines (138). Apparition de Gilberte (140). La dame en blanc et le monsieur habillé de coutil (Mme Swann et M. de Charlus) (141). Tante Léonie rêve de revenir à Tansonville (143). Amour naissant pour Gilberte : charme du nom de Swann (144; cf. 413). Adieux aux aubépines (145). — L'amie de Mlle Vinteuil s'installe à Montjouvain (147). Douleur de M. Vinteuil (148). Le Vinteuil de Swann est-il un parent de M. Vinteuil? (149). La pluie (150). Le porche de Saint-André-des-Champs, Françoise et Théodore (150). — Mort de ma tante Léonie; douleur sauvage de Françoise (153). — Exaltation dans la solitude d'automne (154). Désaccord entre nos sentiments et leur expression habituelle (155). « Les mêmes émotions ne se produisent pas simultanément chez tous les hommes » (155). Naissance du désir (156). Le petit cabinet sentant l'iris (158; cf. 12). Scène de sadisme à Montjouvain (159).

Du côté de Guermantes. Paysage de rivière : la Vivonne (165); les nymphéas (169). Les Guermantes; Geneviève de Brabant, « ancêtre de la famille de Guermantes » (171). Rêves et découragement d'un futur écrivain (172). La duchesse de Guermantes dans la chapelle de Gilbert le Mauvais (174). Quels secrets se dérobent derrière les impressions de forme, de parfum, de couleur? (178). Les clochers de Martinville; première joie de la création littéraire (180). Passage de la joie à la tristesse (183). La réalité ne se forme-t-elle que dans la mémoire? (184).

Réveils (186; cf. 3).

DEUXIÈME PARTIE

UN AMOUR DE SWANN

Le « petit noyau » des Verdurin. Les « fidèles » (188). Odette parle de Swann aux Verdurin (190). Swann et les femmes (191). Première rencontre de Swann et d'Odette : elle « n'est pas son genre » (195). Comment il est devenu amoureux d'elle (196). Leurs premiers entretiens : « Je serai toujours libre pour vous » (198). Le docteur Cottard (200). La sonate en fa dièse (206). Le canapé de Beauvais (207). La phrase de la sonate déjà entendue par Swann l'année précédente (208). Le Vinteuil de la sonate et celui de Combray (214).

Swann jugé d'abord charmant par Mme Verdurin (215). Mais ses « amitiés puissantes » produisent sur elle mauvais effet (217). La petite ouvrière; Swann ne consent à retrouver Odette qu'après dîner (218). La petite phrase de Vinteuil, « air national de leur amour » (218). Le thé chez Odette, les chrysanthèmes (219). Visages d'aujourd'hui et portraits d'autrefois : Odette et la Zephora de Botticelli (222); Odette, œuvre florentine (224). Lettre amoureuse d'Odette écrite à la Maison Dorée, le jour de la fête de Paris-Murcie (225). — Un soir, Swann arrive chez les Verdurin après le départ d'Odette (226); recherche angoissée dans la nuit (228); il découvre le besoin qu'il a d'elle (230). Il la retrouve; prétexte qu'elle donne de son absence (231). Les catleyas (232); elle devient sa maîtresse (233). — Soirs de clair de lune où il se rend chez elle, rue Lapérouse (236). — Vulgarité d'Odette (241); son idée du « chic » (243). Swann se plaît à adopter ses goûts (245) et juge les Verdurin des « êtres magnanimes » (248). — Pourquoi, cependant, il n'est pas un vrai « fidèle » (250). Forcheville, le « fidèle » idéal (250). — Un dîner chez les Verdurin : Brichot (251), Cottard (251), le peintre (254). La salade de *Francillon* (256). Saniette (261). La petite phrase (264). Swann ignore encore la disgrâce dont il est menacé (266). — Sa jalousie : un soir, renvoyé par Odette à minuit, il revient chez elle et se trompe de fenêtre (272). — Lâche exécution de Saniette par Forcheville; sourire complice d'Odette (276). — Un après-midi*, Odette étant chez elle, sa porte reste fermée à Swann; elle ment pour s'excuser (277). Trouble qui, chez Odette, accompagne le mensonge (280). Swann déchiffre à travers l'enveloppe une lettre d'elle à Forcheville (282). — Les Verdurin organisent en dehors de Swann une partie à Chatou (284). Son indignation contre eux (286). Swann exclu de leur salon (289).

« *Chercher à la capter* » (292). Swann ira-t-il à Dreux ou à Pierrefonds pour la retrouver? (292). Attente dans la nuit (295). Tranquilles soirées chez Odette avec Forcheville (298). Retour de la douleur (300). Le projet de Bayreuth : la tendresse succède à la jalousie (300). Résolutions éphémères de rester quelque temps sans voir Odette (305). L'amour, comme la mort, nous fait interroger plus avant le mystère de la personnalité (308) : Charles Swann et « le fils Swann » (309). — Swann, Odette, Charlus et l'oncle Adolphe (311). — Désir de la mort (317). — Swann évite de confronter à l'Odette d'aujourd'hui l'Odette amoureuse d'autrefois; cette confrontation se fera en lui, malgré lui, à la soirée de Mme de Saint-Euverte (321).

Une soirée chez la marquise de Saint-Euverte. Détaché, par son amour et sa jalousie, de la vie mondaine, Swann peut l'observer en elle-même, « comme une suite de tableaux » : les valets de pied (323), les monocles (326); la marquise de Cambremer et la vicomtesse de

* Incertitude de l'heure : à 3 heures (p. 279), à 5 (p. 283), à 6 (p. 524).

Franquetot écoutant le *Saint-François* de Liszt (328); Mme de Gallardon, cousine dédaignée des Guermantes (328). Arrivée de la princesse des Laumes (330); sa conversation avec Swann (340). Swann présente la jeune Mme de Cambremer (Mlle Legrandin) au général de Froberville (343). — Brusquement, dans ce milieu si étranger à Odette, la petite phrase de Vinteuil, sans pitié pour la détresse présente de Swann, lui rend tous les souvenirs du temps où Odette l'aimait (345). Mémoire involontaire et mémoire de l'intelligence (345). Le langage de la musique (349). En lui faisant revivre le temps de l'amour d'Odette, la petite phrase apprend à Swann que cet amour ne renaîtra jamais (353).

Tout le passé ébranlé pierre à pierre (cf. 372). Le Mahomet II de Bellini (355). Une lettre anonyme (356). Lecture du journal : *les Filles de marbre* (360), Beuzeville-Bréauté (361). Odette et les femmes (361). La possession, toujours impossible, d'un autre être (364). Dans l'île du Bois, au clair de lune (365). Un nouveau cercle de l'enfer (367). La terrible puissance recréatrice de la mémoire (368). Odette chez des entremetteuses (369). Déjeunait-elle avec Forcheville à la Maison Dorée, le jour de la fête de Paris-Murcie? (370; cf. 225). Elle était avec Forcheville, et non à la Maison Dorée, le soir où Swann l'avait cherchée chez Prévost (370; cf. 231). Ce que nous croyons notre amour, notre jalousie, se compose « d'une infinité d'amours successifs, de jalousies différentes » (372). Élans suspects d'Odette (372). « Belle conversation » dans une maison de passe (373). Odette en croisière avec les « fidèles » (374). Mme Cottard assure à Swann qu'Odette l'adore (376). L'amour de Swann le quitte; il ne souffre plus en apprenant que Forcheville a été l'amant d'Odette (378). Retour de sa jalousie dans un cauchemar (378). Départ pour Combray : il y reverra le jeune visage de Mme de Cambremer qui lui a semblé charmant chez Mme de Saint-Euverte (381). « Les jalons d'un bonheur qui n'existe pas encore, posés à côté de l'aggravation d'un chagrin dont nous souffrons » (381). L'image première d'Odette revue dans son rêve : il a voulu mourir pour une femme « qui n'était pas son genre! » (382).

TROISIÈME PARTIE

NOMS DE PAYS : LE NOM

Rêves sur des noms de pays. Les chambres de Combray (383). La chambre du Grand Hôtel de la Plage à Balbec (383; cf. 8). Le Balbec réel et le Balbec rêvé (383). « Le beau train généreux d'une heure vingt-deux » (385). Rêve de printemps florentin (386; cf. 390). Les mots et les noms (387). Noms de villes normandes (388). Projet manqué de voyage à Florence et à Venise (389). Le médecin m'interdit de voyager et d'aller entendre la Berma (393); il prescrit des sorties aux Champs-Élysées sous la surveillance de Françoise (393).

Aux Champs-Élysées. « Dans ce jardin public rien ne se rattachait à mes rêves » (394). Une fillette aux cheveux roux; le nom de Gilberte (394). Les parties de barres (395). Quel temps fera-t-il? (396). Jours de neige aux Champs-Élysées (397). La lectrice des *Débats* (Mme Blatin) (397; cf. 414). Ces moments auprès de Gilberte, si impatiemment attendus, « n'étaient nullement des moments heureux » (400). Marques d'amitié : la bille d'agate, la brochure de Bergotte sur Racine, « vous pouvez m'appeler Gilberte » (402); pourquoi elles ne m'apportent pas le bonheur espéré (404). Journée de printemps en hiver : allégresse et déception (405). Le Swann de Combray est devenu un personnage nouveau : le père de Gilberte (407). Gilberte m'annonce avec une joie cruelle qu'elle ne reviendra pas avant le 1er janvier aux Champs-Élysées (408). L'amour qui met son espoir dans le lendemain défait chaque soir le mauvais travail de la journée; mais une ouvrière invisible et sans pitié rétablit les faits dans leur ordre véritable (410). « Dans mon amitié avec Gilberte, c'est moi seul qui aimais » (412). Le nom de Swann (413; cf. 144). Swann rencontrant ma mère aux Trois Quartiers lui parle des Champs-Élysées (414). Pèlerinage avec Françoise à la maison des Swann, près du Bois (416).

Le Bois, jardin des Femmes. Mme Swann au Bois (418). Traversée du Bois un matin de fin d'automne en 1913 (421). On ne peut retrouver dans la réalité les tableaux de la mémoire (426).

À L'OMBRE DES JEUNES FILLES EN FLEURS

PREMIÈRE PARTIE

AUTOUR DE Mme SWANN

Un nouveau Swann : le mari d'Odette (431; cf. 511 sqq.). Un nouveau Cottard : le professeur Cottard (433).

Norpois (434); « l'esprit de gouvernement » (435); la conversation d'un ambassadeur (437). « Les *quoique* sont toujours des *parce que* méconnus » (438). Norpois conseille à mon père de me laisser faire de la littérature (440).

J'entends la Berma pour la première fois (440); elle joue en matinée les actes II et IV de *Phèdre* (442). De la Berma, comme de Balbec, de Venise, autres objets de mes rêves, j'attendais la révélation de vérités appartenant à un monde plus réel que celui de ma vie contingente : le monde de mon esprit (442). Cette première matinée fut une grande déception (445). Françoise et Michel-Ange (445). La salle et la scène (446; cf. 73 et 568). Clairvoyance et méprises de la foule (450).

Norpois, le même jour, dîne chez mes parents (451). Les couplets de Norpois : la littérature (452); les placements financiers (454); la Berma (457); la daube de Françoise (458); la visite à Paris du roi Théodose (459); l'église de Balbec (464); Mme Swann (465); Odette et le comte de Paris (472); Bergotte (473); mon poème en prose (473; cf. 455); Gilberte (476). — Ceux de nos gestes que nous croyons inaperçus (477). Pourquoi Norpois ne parlera pas de moi à Mme Swann (478).

Comment j'en vins à dire de la Berma : « Quelle grande artiste! » (481). Effroi de se sentir soumis aux lois du temps (482). Effet produit par Norpois sur mes parents (483), sur Françoise (484); jugements de celle-ci sur les restaurants parisiens (485).

Visites du 1er janvier (486). Je propose à Gilberte de bâtir une amitié neuve (486); mais, le soir même, je comprends que le jour de l'an n'est pas le premier jour d'un monde nouveau (487). La Berma et l'amour (488). Interférence des désirs (489). Les palais de Gabriel et le décor d'*Orphée aux enfers* (489). Je ne peux retrouver le souvenir du visage de Gilberte (490). Retour de Gilberte aux Champs-Élysées (490). « Mes parents ne vous gobent pas! » (490). J'écris à Swann (491). Réveil, dû à la mémoire involontaire, dans le petit pavillon des Champs-Élysées, des impressions éprouvées à Combray dans le petit cabinet de repos de l'oncle Adolphe (492, 494; cf. 72). Lutte amoureuse avec Gilberte (493). Je tombe malade (495). Le coup d'œil de Cottard (497).

Une lettre de Gilberte (499). Miracles heureux et malheureux en amour (506). Comment Bloch et Cottard déterminent, à leur insu, un changement favorable à mon égard dans l'attitude des parents de Gilberte (502). L'appartement des Swann s'ouvre pour moi; le concierge; les fenêtres (503; cf. 417). Le papier à lettres de Gilberte (504). L'escalier Henri II (505). Abolition de la pensée et de la mémoire (506). Le gâteau au chocolat (506). Mme Swann fait l'éloge de Françoise : « votre vieille nurse » (508). Au cœur du Sanctuaire : la bibliothèque de Swann (509), la chambre de sa femme (510). Le « jour » d'Odette (511). La « fameuse Albertine », nièce des Bontemps (512). Évolution de la société (517). Pourquoi Odette n'a pu encore pénétrer dans le faubourg Saint-Germain (518). Expériences de sociologie amusante (521). Ancienne jalousie (523; cf. 282 et 278) et nouvel amour de Swann (524).

Sorties avec les Swann (525). Déjeuner chez eux (526). Odette joue pour moi la sonate de Vinteuil (529). L'œuvre de génie crée elle-même sa postérité (531). Ce que la petite phrase montre maintenant à Swann (533). « Moi négro, mais toi chameau! » (536). Joie imparfaite que donne un désir trop exactement réalisé : la salle à manger de Swann (537; cf. 299). Charme persistant du salon composite de Mme Swann, de sa baie ensoleillée (538). La princesse Mathilde (541). Attitude imprévue de Gilberte (544).

Déjeuner chez les Swann avec Bergotte (546). Le doux Chantre aux cheveux blancs et l'homme au nez en forme de colimaçon et à barbiche noire (547). Les noms, dessinateurs fantaisistes (548). La voix d'un écrivain et son style (549). Bergotte et ses imitateurs (550). Beauté imprévisible des phrases d'un grand écrivain (551). L'accent de l'écrivain, révélateur de sa nature profonde (552). Le génie, pouvoir réfléchissant (555). Vices de l'homme et moralité de l'écrivain (558). Bergotte et la Berma (560). Une idée forte communique un peu de sa force au contradicteur (562). Remarque de Swann, prélude au thème de *la Prisonnière* (563). Les deux natures de ses parents en Gilberte (564). Confiance de Swann en sa fille (567). Le « Tu le savais » de *Phèdre,* IV, VI (567). Mes plaisirs sont-ils des plaisirs de l'intelligence? (569; cf. 492). Pourquoi Swann, selon Bergotte, aurait besoin d'un bon médecin (571). La société de Combray et le monde (571). Revirement de mes parents au sujet de Bergotte et de Gilberte; une difficulté de protocole (574).

Révélations sur l'amour (575; cf. 93); Bloch me conduit chez une médiocre entremetteuse (576). « Rachel quand du Seigneur » (577). Les meubles de ma tante Léonie dans la maison de passe (578). Initiation amoureuse à Combray sur le canapé de ma tante Léonie (578). C'est en vue d'un plaisir éphémère qu'on prend des résolutions définitives (578). Projets de travail sans cesse ajournés (579).

Impossibilité du bonheur dans l'amour (581). Dernière visite à Gilberte (582). Je décide de ne plus la voir (584). Colère injuste contre le maître d'hôtel des Swann (588). Attente d'une lettre (589). Je crois renoncer à Gilberte (589); mais un espoir de réconciliation se superpose à ma volonté de renoncement (591). L'intermittence, loi de l'âme humaine (591).

Le « jardin d'hiver » d'Odette (592) : splendeur des chrysanthèmes et pauvreté de la conversation : Mme Cottard (596); Mme Bontemps (596); effronterie de sa nièce Albertine (598); le prince d'Agrigente (599); Mme Verdurin (600). Je ne pus jamais dans ce salon goûter les plaisirs de novembre dont les chrysanthèmes m'offraient l'image (607; cf. 595 et 426).

Premier janvier particulièrement douloureux (608). « Suicide du moi qui en moi-même aimait Gilberte » (610). Interventions maladroites (613). Lettres à Gilberte : « on ne parle que pour soi-même » (614). Salon d'Odette : recul de l'Extrême-Orient et invasion du XVIIIe siècle (615). Coiffures et silhouettes nouvelles (617; cf. 197).

Une brusque impulsion vient interrompre la cure de détachement (622); la potiche chinoise de ma tante Léonie (623). Deux promeneurs dans l'ombre élyséenne (623). Impossibilité du bonheur (624). Forces opposées du souvenir et de l'imagination (626). À cause de Gilberte je refuse d'aller à un dîner où j'aurais vu Albertine (626). Cruauté du chagrin ranimé par des souvenirs (627). Celui d'un certain rire de Gilberte, évoqué par un rêve, me montre combien le calme où je croyais être arrivé est trompeur et précaire (629; cf. 584 et 493). Ce calme revient pourtant (630). Visites beaucoup plus rares à Mme Swann (632). Échange de lettres tendres et progrès de l'indifférence (633). Approche du printemps : hermine de Mme Swann et « boules de neige » dans son salon; nostalgie de Combray (634). Apparition d'Odette au « Club des Pannés » (635). Une classe sociale intermédiaire (639).

DEUXIÈME PARTIE

NOMS DE PAYS : LE PAYS

(PREMIER SÉJOUR À BALBEC; JEUNES FILLES AU BORD DE LA MER)

Deux ans plus tard, arrivé à une presque complète indifférence à l'égard de Gilberte, je pars pour Balbec avec ma grand'mère et Françoise (642). Subjectivité de l'amour (642). Brèves résurrections du moi ancien, dues au réveil de sensations oubliées (643). Effets contradictoires de l'habitude (644). Les gares, lieux merveilleux et tragiques (645). Goût infaillible et naïf de Françoise (649). Les hommes supérieurs du monde des simples d'esprit (650). Euphorie de l'alcool; inquiétude de ma grand'mère (651). Mme de Sévigné et Elstir (653). Laissant ma grand'mère chez une amie, je reprends le train seul pour aller voir l'église de Balbec (654). Lever de soleil en chemin de fer : une laitière vue dans une gare (655). L'église de Balbec n'est pas au bord de la mer, mais sur une place provinciale (658). La Vierge du porche « soumise à la tyrannie du Particulier » (660). Noms de stations précédant Balbec-Plage et de villages voisins de Combray (661).

Arrivée à Balbec-Plage (662). Le lieu de supplice qu'est une demeure nouvelle (662, 666). Le directeur du Grand Hôtel (662, 666). L'ascenseur (665). Ma chambre au sommet de l'hôtel (666; cf. 8). L'attention et l'habitude (666, 671). Bonté de ma grand'mère (667). Résistance de notre moi à la mort, dût-elle être suivie d'une résurrection en un moi différent (670). La mer au matin (672) : la lumière (673); le vent (673). Touristes de Balbec (675). Balbec et Rivebelle (676). Mme de Villeparisis (677); son isolement volontaire (678). Morgue de M. et de Mlle de Stermaria (679). Une actrice et ses trois amis formant bande à part (680). Pour moi, au contraire, je voudrais plaire à beaucoup des inconnus qui m'entourent (674, 682). La garden-party hebdomadaire des Cambremer (682). Ressemblances (685). Mlle de Stermaria : poésie, enclose en elle, d'un château romanesque, d'une île bretonne (688). Le directeur général des palaces (691). Relations de Françoise au Grand Hôtel (692). Mme de Villeparisis et ma grand'mère finissent par s'aborder (694). Le « moment sordide » qui suit le repas (694; cf. 869). La Princesse de Luxembourg (698). Mme de Villeparisis tenue au courant par les lettres de Norpois du voyage que mon père fait avec lui en Espagne (701). Bourgeoisie et Faubourg Saint-Germain (703).

Promenades en voiture avec Mme de Villeparisis (704). La mer ou plutôt les mers : « je ne vis jamais deux fois la même » (705). L'église de lierre (708). La conversation de Mme de Villeparisis (709, 721). Jeunes filles normandes (713). La belle pêcheuse (716). Les trois arbres d'Hudimesnil (717; cf. 180) : quel souvenir, quel secret se cache en eux? Cette fois, la question reste sans réponse (718). La grosse duchesse de La Rochefoucauld (726). Les qualités mondaines et le génie (726).

Avec ma grand'mère : elle savait, et je ne soupçonnais pas, qu'elle était perdue (727; cf. le deuxième séjour à Balbec dans *Sodome et Gomorrhe II*).

Robert de Saint-Loup, neveu de Mme de Villeparisis (728). Fécondité de l'âge ingrat (730). Amitié de Saint-Loup (735). Mais le seul vrai bonheur, qui est d'extraire de soi-même ce qui y est caché, requiert la solitude (736; cf. 907). Saint-Loup vu du dehors comme une œuvre d'art : le noble (736). — Une colonie juive (738). Variété des défauts et similitude des vertus (741). Mauvaises manières de Bloch (744). Bloch expliqué par son père (745; cf. 769). Le stéréoscope (748). — Mme de Villeparisis est une Guermantes (754).

Étrange manège de Charlus (751). Je reconnais en lui le monsieur du raidillon de Tansonville (755; cf. 141). Nouvelle bizarrerie dans la conduite de Charlus (759). Mme de Sévigné, La Fontaine et Racine (762). Charlus vient dans ma chambre (765). Ses propos surprenants, le lendemain (767).

Dîner chez les Bloch avec Saint-Loup (768). La création, supérieure à l'observation (768). Il y avait un père Bloch enclavé en son fils (769). Connaître « sans connaître » (770). Bloch admiré de ses sœurs (770). Bergotte jugé par le père Bloch (771). Le chic de « l'oncle Salomon » (772). « Une recommandation de sir Rufus » (773). L'oncle Nissim Bernard, souffre-douleur du père Bloch (774); ses mensonges (775). Bloch et Mme Swann dans le train de ceinture (778). Bloch et Saint-Loup jugés par Françoise (778). — Saint-Loup et sa maîtresse; ce qu'il lui doit (780). Pourquoi elle l'a pris en horreur (782). — Conduite inexplicable de ma grand'-mère (786; tout s'éclairera pour moi après sa mort, lors du second séjour à Balbec : cf. *S. et G. II*).

Les jeunes filles en fleurs (788). « C' pauvre vieux, i m' fait d'la peine » (792). Peu à peu leurs traits s'individualisent (792). La cycliste brune aux yeux rieurs, aux grosses joues mates, au polo noir, au langage voyou : Albertine (793). Désir de posséder leur vie inaccessible (794). Le nom de Simonet (801, 807, 845). — Repos avant le dîner du soir : tableaux différents de la mer (802). — Dîners à Rivebelle (808). Oubli de l'œuvre à produire (808). L'harmonie des tables astrales (810). Euphorie due à l'alcool et à la musique (811). — Rencontre d'Elstir (825). Nouvel aspect d'Albertine (828).

L'atelier d'Elstir (834); ses marines (835); les « métaphores » du peintre (835). Elstir me révèle la beauté, que je n'avais pas su voir, de l'église de Balbec (840). Le rêve et la vie (843). Passage d'Albertine (844). Le portrait de *Miss Sacripant* (848). « Ma belle Gabrielle! » (850). L'artiste vieillissant cherche dans la vie la Beauté qu'il n'a plus la force d'extraire de lui-même (850). — Par amour-propre, je m'expose pour les autres (852). — La bande des jeunes filles : espoir déçu de leur être présenté (855). Aspect et valeur des autres, modifiés par la croyance (857). Néant de l'amour (858). — *Miss Sacripant,* c'était Mme Swann (860) et *M. Biche,* Elstir! (863). « On ne reçoit pas la sagesse, il faut la découvrir soi-même » (864). — Ma grand'mère et Saint-Loup (866). Saint-Loup et Bloch (867). — Elstir m'a révélé la beauté des natures mortes (869; cf. 694). — Matinée chez Elstir (870). L'intelligence et la volonté (870). Encore une autre Albertine : la bacchante, la muse orgiaque n'est plus qu'une jeune fille bien élevée (873). Albertine sur la digue : plus de « bonnes façons », mais les manières « petite bande » (876). Octave, le gigolo (878). Antipathie d'Albertine pour Bloch (880). Saint-Loup fiancé à une demoiselle d'Ambresac? (884). Intelligence d'Albertine : son goût en toilette et en peinture (885). Andrée (886). Gisèle (888).

Journées avec les jeunes filles (891). Identité de nos amours successives (894). Mauvaise humeur de Françoise (895). Je ne veux plus voir Balbec dans les brumes dont mes rêves l'enveloppaient, mais dans la lumière d'Elstir, avec des régates, des courses de chevaux (897). — Les étoffes de Fortuny (899). Une esquisse des Creuniers (901). — Rafraîchissement que donne la beauté mobile de la jeunesse (905). L'amitié est une abdication de soi (907; cf. 736). — Pépiement des jeunes filles (908). Lettre de Sophocle à Racine (911). — Amour indivis entre plusieurs figures (915). Confrontation du souvenir à une réalité toujours nouvelle (917). Albertine préférée (918). La partie de furet (918). Les aubépines retrouvées (922). Bonté douteuse d'Andrée (923). Les Creuniers (924). — Albertine passe une nuit au Grand Hôtel (929). Le baiser refusé (934). — Attraction exercée par Albertine (935). — Le système des « fins multiples » (938). — Sentiment d'estime morale qui subsistera au milieu de mon amour pour Albertine (942). Souffrances qu'entraîne une erreur initiale sur la personne aimée (943). — Visages irréductibles les uns aux autres (945). Les différentes Albertines (946). Les créatures surnaturelles sont devenues de simples jeunes filles, mais quelque chose subsiste en elles de leur premier mystère (949).

L'hôtel va fermer (950). — Départ (953). Balbec est devenu, dans l'arrière-saison, humide et froid comme dans mes premiers rêves, mais ma mémoire ne le revoit plus qu'au grand jour de l'été dans sa robe d'or (954).

TABLE DES MATIÈRES

TABLE DES MATIÈRES

DU CÔTÉ DE CHEZ SWANN

À L'OMBRE DES JEUNES FILLES EN FLEURS

Ce volume, portant le numéro cent
de la « Bibliothèque de la Pléiade »
publiée aux Éditions Gallimard,
a été achevé d'imprimer
sur bible des Papeteries Jeand'heurs
le 20 juillet 1982
sur les presses
de l'Imprimerie Mame
à Tours.
La reliure a été exécutée
par Babouot à Lagny.

N° d'édition : 30345. Dépôt légal : septembre 1982.
1er dépôt légal : 1954.
Imprimé en France.